# Werner Bests korrespondance med Auswärtiges Amt og andre tyske akter vedrørende besættelsen af Danmark 1942-1945

# Die Korrespondenz von Werner Best mit dem Auswärtigen Amt und andere Akten zur Besetzung von Dänemark 1942-1945

Danish Humanist Texts and Studies

Volume 43

*Edited by Erland Kolding Nielsen*

DET KGL BIBLIOTEK

The Royal Library · Copenhagen

# Werner Bests korrespondance med Auswärtiges Amt og andre tyske akter vedrørende besættelsen af Danmark 1942-1945

*Udgivet af*
John T. Lauridsen

*Under medvirken af*
Jakob K. Meile

*Med bidrag af*
Henrik Lundtofte & Aage Trommer

BIND 10:

Bilag. Tillæg. Registre

DET KONGELIGE BIBLIOTEK
&
SELSKABET FOR UDGIVELSE AF KILDER TIL DANSK HISTORIE

I kommission hos Museum Tusculanum Press

KØBENHAVN 2012

*Werner Bests korrespondance med Auswärtiges Amt*
*og andre tyske akter vedrørende besættelsen af Danmark 1942-1945*
*Udgivet af John T. Lauridsen under medvirken af Jakob K. Meile*



| | |
|---|---|
| Tilsynsførende: | Knud J.V. Jespersen & Aage Trommer |
| Oversættelse: | Johannes Wendland, LanguageWire A/S |
| Layout & sats: | Forlagsbureauet/Ole Klitgaard (†) |
| Reproduktioner: | Fotografisk Atelier, Det Kongelige Bibliotek |

Bogen er sat med Adobe Garamond Pro
og trykt på 115g Scandia 2000 Smooth Ivory
Dette papir overholder de i ISO 9706:1994
fastsatte krav til langtidsholdbart papir.

Printed in Denmark by Special-Trykkeriet Viborg A/S

| | |
|---|---|
| ISBN (værket) | 978-87-7023-296-8 |
| ISBN (dette bind) | 978-87-7023-306-4 |
| ISSN (DHTS) | 0105 8746 |

*Udgivet med støtte fra*
Carlsbergfondet
Oticon Fonden
Kulturministeriets Forskningspulje
Det Kongelige Bibliotek

*I kommission hos*
Museum Tusculanum Press
University of Copenhagen
Njalsgade 126
DK-2300 Copenhagen S
www.mtp.dk

# Die Korrespondenz von Werner Best mit dem Auswärtigen Amt und andere Akten zur Besetzung von Dänemark 1942-1945

*Herausgegeben von*

John T. Lauridsen

*Unter der Mitarbeit von*

Jakob K. Meile

*Mit Beiträgen von*

Henrik Lundtofte & Aage Trommer

BAND 10:

Beilage. Anhänge. Register

KÖNIGLICHE BIBLIOTHEK
&
GESELLSCHAFT FÜR DIE HERAUSGABE VON QUELLEN ZUR DÄNISCHEN GESCHICHTE

In Kommission bei Museum Tusculanum Press

KOPENHAGEN 2012

*Die Korrespondenz von Werner Best mit dem Auswärtigen Amt und andere Akten zur Besetzung von Dänemark 1942-1945*
*Herausgegeben von Dr. phil. John T. Lauridsen*
*unter der Mitarbeit von M.A. Jakob K. Meile*



| | |
|---|---|
| Herausgeberbeirat: | Prof., Dr. phil. Knud J.V. Jespersen & Rektor i. R., Dr. phil. Aage Trommer |
| Übersetzung: | M.A. Johannes Wendland, LanguageWire A/S |
| Layout & Satz: | Forlagsbureauet/M.A. Ole Klitgaard (†) |
| Repro: | Fotografisk Atelier, Det Kongelige Bibliotek |

Das Werk wurde in der Adobe Garamond Pro gesetzt und auf 115g Scandia 2000 Smooth Ivory gedruckt. Dieses Papier erfüllt die Anforderungen an Nachhaltigkeit nach ISO 9706:1994.

Printed in Denmark by Special-Trykkeriet Viborg A/S

| | |
|---|---|
| ISBN (ges. Werk) | 978-87-7023-296-8 |
| ISBN (dieser Band) | 978-87-7023-306-4 |
| ISSN (DHTS) | 0105 8746 |

*Herausgegeben mit Unterstützung von*
Carlsbergfondet
Oticon Fonden
Forschungspool des Dänischen Kulturministeriums
Königliche Bibliothek

*In Kommission bei*
Museum Tusculanum Press
University of Copenhagen
Njalsgade 126
DK-2300 Copenhagen S
www.mtp.dk

# Indhold

Bilag: Werner Bests presseudtalelser 1943-45 . . . . . . . . . . . . . . . . . . . . . . . . . 11

Tillæg 1: Tysk besættelsespolitik i Danmark.
Kronologi juli 1942-maj 1945 . . . . . . . . . . . . . . . . . . . . . . . . . . . . . . 30

Tillæg 2: Officielt henrettede i Danmark august 1943-april 1945 . . . . . . . . . . . . 60

Tillæg 3: Oversigt over tyske modterroraktioner i Danmark 1943-45
*Af Henrik Lundtofte* . . . . . . . . . . . . . . . . . . . . . . . . . . . . . . . . . . . . 71

Tillæg 4: Die Behörde des Bevollmächtigten des Reiches in Dänemark.
Stand 1.12.1942 . . . . . . . . . . . . . . . . . . . . . . . . . . . . . . . . . . . . . . 150

Tillæg 5: Geschäftsverteilung und Geschäftsordnung der Behörde des
Bevollmächtigten des Reiches in Dänemark 1. Dezember 1942 . . . . . 158

Tillæg 6A: Personalverzeichnis der zum Bevollmächtigten des Reiches in
Dänemark abgeordneten Beamten und Angestellten der
Sicherheits- und Ordnungspolizei (stand vom 1. August 1943). . . . . . 172

Tillæg 6B: Geschäftsverteilungsplan (Stand vom 1.12.1943). Der Höhere
SS- und Polizeiführer (HSSPF) SS-Gruppenführer Pancke . . . . . . . . . 174

Tillæg 6C: Übersicht über die Außenstellen des Reichsbevollmächtigten
in Dänemark, ihre Besetzung, ihre Bereiche und ihre Aufgaben.
24. März 1944 . . . . . . . . . . . . . . . . . . . . . . . . . . . . . . . . . . . . . . 176

Tillæg 7: Dansk arbejdskraft ved tyske anlægsarbejder december 1941-
september 1944 . . . . . . . . . . . . . . . . . . . . . . . . . . . . . . . . . . . . . 178

Tillæg 8: Danske arbejdere i Tyskland juni 1940-april 1945 . . . . . . . . . . . . . . . 179

Tillæg 9: Af Rüstungsstab Dänemark indgåede og afsluttede rustnings-
kontrakter med danske virksomheder 1941-1945 . . . . . . . . . . . . . . . 180

Tillæg 10: Anholdte m.m. af Gestapo 15. september 1943-1. april 1945 . . . . . . . 181

Tillæg 11: Det tyske mindretals krigsindsats juni 1943-december 1944. . . . . . . . 182

Tillæg 12: Danske frivillige i tysk krigstjeneste februar 1942-juni 1944 . . . . . . . . 184

Tillæg 13: Førerordrer vedrørende Danmark august 1942-april 1945 ......... 185

Tillæg 14: Strejker i Danmark 1944-maj 1945 og de tyske modforanstaltninger . 188

Tillæg 15: Massedeportationer fra Danmark til Tyskland oktober 1943-marts 1945 ........................................ 192

Tillæg 16: Werner Bests rejser fra Danmark november 1942-maj 1945 ........ 196

Tillæg 17: Danmark som tysk mønsterprotektorat........................ 204

Tillæg 18: Oversigt over jernbanesabotageaktioner
*Af Aage Trommer*........................................ 207

Oversigt over indholdet af *Politische Informationen* november 1942-april 1945.... 261

Oversigt over Rüstungsstab Dänemarks indberetninger juni 1940-februar 1945... 267

Forkortelsesliste ............................................ 271

Kilder og litteratur ........................................... 279

Emneregister ................................................ 335

Navneregister................................................ 355

# Inhalt


Beilage: Werner Bests Presseerklärungen 1943-45 . . . . . . . . . . 11

Anhang 1: Deutsche Besatzungspolitik in Dänemark. Chronologie Juli 1942 bis Mai 1945 . . . . . . . . . . 30

Anhang 2: Offizielle Hinrichtungen in Dänemark August 1943 bis April 1945 . . . 60

Anhang 3: Übersicht über deutsche Gegenterroraktionen in Dänemark 1943-45 *Von Henrik Lundtofte* . . . . . . . . . . 71

Anhang 4: Die Behörde des Bevollmächtigten des Reiches in Dänemark. Stand 1.12.1942 . . . . . . . . . . 150

Anhang 5: Geschäftsverteilung und Geschäftsordnung der Behörde des Bevollmächtigten des Reiches in Dänemark 1. Dezember 1942 . . . . . 158

Anhang 6A: Personalverzeichnis der zum Bevollmächtigten des Reiches in Dänemark abgeordneten Beamten und Angestellten der Sicherheits- und Ordnungspolizei (Stand vom 1. August 1943) . . . . . 172

Anhang 6B: Geschäftsverteilungsplan (Stand vom 1.12.1943). Der Höhere SS- und Polizeiführer (HSSPF) SS-Gruppenführer Pancke . . . . . . . . . 174

Anhang 6C: Übersicht über die Außenstellen des Reichsbevollmächtigten in Dänemark, ihre Besetzung, ihre Bereiche und ihre Aufgaben. 24. März 1944 . . . . . . . . . . 176

Anhang 7: Dänische Arbeitskräfte bei deutschen Bauarbeiten Dezember 1941 bis September 1944 . . . . . . . . . . 178

Anhang 8: Dänische Arbeiter in Deutschland Juni 1940 bis April 1945 . . . . . . . . 179

Anhang 9: Vom Rüstungsstab Dänemark abgeschlossene Rüstungsverträge mit dänischen Unternehmen 1941-1945 . . . . . . . . . . 180

Anhang 10: Verhaftungen u.a. der Gestapo 15. September 1943 bis 1. April 1945 . . . . . . . . . . 181

Anhang 11: Der Kriegseinsatz der deutschen Minderheit Juni 1943 bis Dezember 1944 . . . . . . . . . . 182

Anhang 12: Dänische Freiwillige im deutschen Kriegsdienst Februar 1942 bis Juni 1944 . . . 184

Anhang 13: Dänemark betreffende Führerbefehle August 1942 bis April 1945 . . . 185

Anhang 14: Streiks in Dänemark 1944 bis Mai 1945 und deutsche Gegenmaßnahmen . . . 188

Anhang 15: Massendeportationen von Dänemark nach Deutschland Oktober 1943 bis März 1945 . . . 192

Anhang 16: Werner Bests Reisen aus Dänemark November 1942 bis Mai 1945 . . . 196

Anhang 17: Dänemark als deutsches Musterprotektorat . . . 204

Anhang 18: Übersicht über Eisenbahnsabotageakte. *Von Aage Trommer* . . . 207

Übersicht über Inhalt der *Politischen Informationen* November 1942 bis April 1945 . . . 261

Übersicht über die Monatsberichte und Quartalsüberblicke des Rüstungsstabs Dänemark Juni 1940 bis Februar 1945 . . . 267

Abkürzungsverzeichnis . . . 271

Quellen und Literatur . . . 279

Sachregister . . . 335

Namensregister . . . 355

# BILAG
## Werner Bests presseudtalelser 1943-45
Taler ved interne tyske begivenheder er ikke medtaget.

### Werner Best udtrykker sin deltagelse i anledning af tabene ved det britiske luftangreb på B&W i København. 28. januar 1943.
Kilde: Alkil, 2, 1945-46, s. 835.
Ikke medtaget.

### Werner Best om tillidskrisen mellem Danmark og Tyskland, der er overstået. 9. februar 1943.
Kilde: *Jyllandsposten* 10. februar 1943. Uddrag hos Alkil, 2, 1945-46, s. 835f.
Ikke medtaget.

### Werner Bests udtalelser over for de københavnske redaktører om pressens tyskfjendtlige holdning. 16. april 1943
Kilde: Alkil, 2, 1945-46, s. 1388. Fra referat i UMs arkiv.

Han havde i den Tid, han har været her, villet undgaa at komme med smaalig Kritik overfor Enkeltheder i Bladene, og han fremhævede, at det ikke paa nogen Maade var hans Ønske at lægge Pres paa Bladene eller fremsætte Trusler. Han kunde imidlertid, naar man nu havde opfordret ham til at tale og sige sin Mening aabent, ikke undlade at sige, at han i høj Grad var skuffet over det samlede Billede, den danske Presse – og hans Interesse samlede sig jo særlig om Hovedstadspressen – til Stadighed viste. Dette Billede kunde kun opfattes som uvenligt overfor Tyskland. Dette beroede paa Udvalget af Stoffet, Overskrifter og Stoffets Placering, idet Bladene havde en udpræget Tilbøjelighed til at fremhæve netop de Ting i det foreliggende Nyhedsstof, som var ubehageligt for Tyskland: Modpartens Synspunkter, Ønsker, Hensigter og Propaganda, medens det tilsvarende tyske Stof blev daarligere behandlet og ringere placeret. Det er ikke hans Ønske, at den danske Presse skulde være eller fremtræde som pro-tysk, afgjort ikke. Derimod var det hans Ønske, at Bladene skulde søge at forstaa ogsaa de tyske Synspunkter og ved deres Behandling af det foreliggende Stof undgaa den Tysk-Fjendtlighed, der nu i saa høj Grad prægede det samlede Billede. Det, han beklagede sig over, gjorde i og for sig ikke noget stærkere Indtryk paa ham personlig, men han maatte fremhæve, at Bladene udadtil opfattedes som Danmarks Ansigt, og f. Eks. i Forhold til Berlin maatte det være klart, at naar den danske Presse til Stadighed viste et tysk-fjendtligt Ansigt, voldte det store Vanskeligheder for ham i Gennemførelsen af den Politik, han ønskede at føre. Han mente at have dokumenteret i Løbet af det halve Aar, hvor han havde været i Danmark, at det var hans Ønske og hans Politik at gennemføre en Linie, der tillod Danmark, saa vidt det overhovedet er gørligt, at komme helt uskadt igennem Krigens Vanskeligheder. Dette var en Politik, som ogsaa den danske Regering, de danske Partier og – som det Valg, der nylig havde fundet Sted, viste – ogsaa det danske Folk ønskede gennemført. Hans Ønske overfor Bladene var, at de støttede dette deres egen Regerings, deres egen Rigsdags og det danske Folks Ønske og bidrog til, at denne Politik ogsaa kunde føres igennem.

### Werner Bests tale til dansk presse 29. august 1943

Kilde: Uddrag hos Alkil, 2, 1945-46, s. 1388f. Originalen er ikke lokaliseret. Hæstrup, 1, 1966-71, s. 535 note 18 kender den tyske tekst, der citeres, men giver ikke en henvisning.

Efter Aftale med den Øverstkommanderende for de tyske Tropper i Danmark skal jeg meddele Dem nogle Retningslinier og Anvisninger for Pressen. Men forinden vil jeg i et kort Tilbageblik skildre den nuværende Situations Baggrund. De fleste af Dem ved, at jeg med den største Hengivenhed i Opgaven og Taalmodighed gennem 9 Maaneder har bestræbt mig for at følge en politisk Kurs, der var saavel i dansk som i tysk Interesse. 9 Maaneder igennem har jeg bestandig ved periodiske Sammenkomster alvorligt formanet, ja bedt Pressen om at tage Hensyn til mine Henstillinger, i Særdeleshed m.H.t. tendentiøse Overskrifter, delvis ogsaa m.H.t. Tekst, der har været af tysk-fjendtlig og ophidsende Karakter. Fra Begyndelsen har jeg frygtet for, at den alvorligste Udvikling vilde indtræde, som det nu er sket. Jeg har bestandig manet og bedt om, at der maatte blive taget Hensyn til mine Henstillinger, men det er desværre ikke sket. I Dag maa jeg fastslaa, at Pressen i et forfærdende Omfang har Skyld i den Udvikling, der er indtraadt. I bærer Skylden for, at en forfalsket Opfattelse af Stillingen har bredt sig i Folket. I dette latterlige lille Land (in diesem lächerlichen Ländchen) har Pressen i Befolkningen indpodet den Opfattelse, at Tyskland skulde være svagt. Man har ment at kunne byde os alt, fra Bomber til Gift. Kvitteringen har De faaet i denne Nat.

Pressen vil nu komme under skarp Censur. Overtrædelser vil fremtidig blive straffet efter Krigens Lov. Anvisningerne vil fremtidig være Befalinger, som ubetinget skal følges. M.H.t. Udenrigstelegramstof vil De kun faa det, som tilgaar Dem gennem Ritzau's Bureau. Enhver Redaktør vil blive gjort personlig ansvarlig for, hvad der staar i hans Blad, ogsaa for Overskrifterne. Hver Redaktør vil med sit Hoved hæfte for, at Folket ikke længere forgiftes. Husk dette, naar De nu forlader dette Rum.

### Anonym: 14 Dages Undtagelsestilstand. 11. september 1943

Kilde: *Politiken* 12. september 1943. Alkil, 2, 1945-46, s. 848-49. Artiklen kan ikke med sikkerhed tillægges Best, men den stammer fra Det Tyske Gesandtskab.

Tysk Kommentar til 14 Dages Undtagelsestilstand.
Fra autoritativ tysk Side skrives:
Der er gaaet 14 Dage, siden den tyske Værnemagt saa sig nødsaget til at erklære Undtagelsestilstand i Danmark. Man maatte derefter gennemføre forskellige Forholdsregler,

som var af dybt indgribende Betydning for den enkelte Danskers personlige Liv, og som maaske bedre end alt andet viser, hvor vidtgaaende en Frihed den danske Befolkning har nydt under Besættelsen fra den 9. April 1940 til 29. August 1943.

I de forløbne 14 Dage har den danske Befolkning maaske bebrejdende spurgt sig selv, om det ikke havde været bedre at følge Kongens, Regeringens og Rigsdagens Advarsler og Opfordringer (om at holde Ro og Orden), fremfor at være saa lydhør over for den engelske Radios Profetier.

Hverken Christmas Møller, de i de Allieredes Hovedstæder levende "frie Danske" eller de svenske Blades Redaktører kommer nu til at bære Følgerne af Undtagelsestilstanden. Det maa derimod den danske Befolkning, som man systematisk søgte at ophidse.

Den besindige Del af den danske Befolkning har anerkendt de tyske Troppers hensynsfulde Optræden (før Undtagelsestilstanden) saavel som de tyske Myndigheders rolige Holdning. Disse Kredse havde allerede tidligere forudset den nu indtraadte Udvikling og advaret mod de skæbnesvangre Konsekvenser, som nødvendigvis vilde blive Følge af Christmas Møllers Sabotage-Parole. Desværre fandtes der i den danske Befolkning saa mange ansvarsløse Elementer, som lod sig paavirke af den engelske Propagandas Profetier, og som mente, at Tidspunktet nu var kommet, hvor det gjaldt om at bringe sit Alibi i Orden overfor den saakaldte "frie Verden" og vise, at man ogsaa kæmpede i Danmark.

Som bekendt voksede Antallet af Sabotagehandlinger, der var rettet direkte eller indirekte mod den tyske Værnemagt, stadigt i den sidste Tid (før Undtagelsestilstanden). Ganske vist rettede disse Terroraktioner sig væsentligst mod dansk Ejendom, og der bestaar en Aftale mellem den tyske og den danske Regering, hvorefter Danmark har forpligtet sig til at erstatte ødelagt tysk Ejendom med danske Materialer, men det er en Selvfølge, at den tyske Værnemagt ikke i det lange Løb kunde finde sig i Agenters og Provokatørers fortsatte Virksomhed uden at gribe ind.

Ethvert fornuftigt Menneske vil kunne indse, at ingen ansvarlig Militærledelse kunde tolerere, at Jernbanelinier, som i øvrigt i første Linie er af livsvigtig Betydning for det danske Folk, stod i Fare for at blive ødelagt, eller at Fabrikker og andre Virksomheder, der endda for største Delens Vedkommende arbejdede paa at forsyne den danske Befolkning, blev sprængt i Luften, fordi nogle af dem leverede en ringe Procentdel af deres Produktion til Tyskland (som Betaling for tyske Raastoffer). Ikke blot Tyskvenlige, men ogsaa Forretningsfolk, som i Henhold til den danske Regerings Anordninger solgte Varer til Tyskerne, blev udsat for Chikane og Spot. Tyske Soldater og Officerer blev haanet.

Disse Kendsgerninger maa enhver nøgtern og lidenskabsløs Iagttager tage i Betragtning ved Bedømmelsen af den øjeblikkelige Situation. Enhver maa indrømme, at førende tyske Kredse med en enestaaende Overbærenhed stadig har forsøgt med god Understøttelse fra den danske Regering at skabe Ro og Orden, saa Befolkningen holdt sig fra uoverlagte Handlinger. Regeringen kom til kort som Følge af den Kortsynethed, som præger de Kredse, der staar under Indflydelse af den engelske Propaganda. Derfor maatte den tyske Ledelse selv gribe Tøjlerne.

Det er allerede flere Gange blevet betonet, at den proklamerede Undtagelsestilstand ikke er rettet mod den danske Befolkning, og at Genindførelsen af normale Forhold i første Linie er afhængig af Befolkningens Holdning.

Bortset fra enkelte Episoder kan man i Dag sige, at den danske Befolkning i det store og hele har forstaaet Situationens Alvor og har fulgt de Anordninger og Retningslinier, som er udstedt fra de tyske Autoriteters Side. Enhver Dansk er blevet klar over, at han personlig er medansvarlig for sit Fædrelands fremtidige Skæbne, og at den nuværende Tilstand kun kan ændres, naar der er fuldstændig Ro i Landet. Overtrædelser eller Opstande, saadan som Englænderne ønsker det, vil have tilsvarende haarde tyske Modforholdsregler til Følge.

Netop i Dag er det værd at se tilbage paa de aarhundredgamle Forbindelser mellem Tyskland og Danmark, Forbindelser, som har været af lige afgørende og frugtbringende Betydning for begge Parter. Det har hele Tiden været Tysklands Ønske at udvikle og pleje denne Kulturudveksling. Det nationalsocialistiske Tyskland har overtaget og fæstnet denne Tradition.

Tysklands Politik overfor Norden er dog ogsaa tit i Danmark blevet misforstaaet. De hadefulde og provokatoriske Angreb, som i Aarene efter 1933 blev rettet mod det nationalsocialistiske Tyskland offentligt og især af Pressen, er endnu i frisk Erindring. En kortsynet Klike af Folk proklamerede, at man skulde vende sig bort fra Tyskland, uden at man vilde indse, at et lille Folk paa 4 Millioner dog altid i mange Henseender vilde være afhængig af den store Nabo mod Syd.

Naar man efter Danmarks Besættelse lod disse Elementer i den danske Befolkning i Fred og endog erklærede, at man var rede til at glemme Fortiden og en Gang for alle slaa en Streg over, hvad der var sket, saa er dette Tegn paa, hvor large Tyskland har været.

Hvor let havde det ikke været fra tysk Side at drage alle de Kredse til Ansvar, som Aar igennem med systematisk Omhyggelighed har forgiftet det tysk-danske Forhold. De, der har forvekslet denne tyske Holdning med Svaghed, er i Dag blevet belært om noget andet.

Paa et afgørende Tidspunkt af Krigen har den tyske Værnemagt ogsaa i Danmark truffet de Forholdsregler, som var nødvendige for at beskytte livsvigtige tyske Interesser. En stærk Vold af Jern, Staal og Beton beskytter Jyllands Vestkyst mod Fjenden. Den tyske Ledelse vil under ingen Omstændigheder taale, at saa meget som en Sten bliver taget ud af Volden langs Atlanterhavet og Vesterhavet. De Sikkerhedsforanstaltninger, som af den Grund er truffet i Danmark, har naturligvis ogsaa gjort et stærkt Indtryk paa den danske Befolkning, især da det ikke som de fleste andre europæiske Folk selv tidligere paa nært Hold har lært Krigens ubønhørlige Love at kende.

Langt de fleste Danske har bevist, at de i afgørende Øjeblikke forstaar at bevare Disciplinen og ikke følger de udenlandske Opfordringer, da de forstaar, at det automatisk vil styrte det gamle Kulturfolk og det smukke danske Land ud i de dybeste Lidelser. Enhver Ven af Danmark beklager, at ansvarsløse Elementer har givet Anledning til Undtagelsestilstanden. Hvor Faldskærmsagenternes og Provokatørernes Bagmænd sidder, ved det danske Folk. Det bekendte Londonblad "Star" har selv løftet Sløret, da det skuffet erklærede, at "mange Kredse i London var af den Opfattelse, at den danske Revolte blev startet for tidligt." (Cit. R.B.).

**Rede von Werner Best vor Vertretern der dänischen Presse am 4. Dezember 1943 über die verschärfte Verfolgung von Widerstandskämpfern.**

Kilde: RA, pk. 204 (på tysk). *Udenrigsministeriets ugentlige Meddelelser til Pressen* Nr. 150, 11. december 1943. *Nationaltidende* 5. december 1943. Uddrag hos Alkil, 2, 1945-46, s. 861f. og Rohde, 2, 1945-46, s. 441.

Trykt under 4. december 1943.

**Paul Baumgarten: Elastisches Besatzungsregime. 26. Februar 1944.**

Kilde: *Deutsche Allgemeine Zeitung* 26. Februar 1944. *Skagerrak* 1943/44 Mitte März, s. 4f.

Beretning fra Danmark hovedsageligt bygget på informationer fra Werner Best (jfr. Hæstrup, 1, 1966-71, s. 434). Citeret hos Frisch, 3, 1948, s. 121.

## Elastisches Besatzungsregime

Verfassung und Leben in Dänemark

Von unserem Berichterstatter
Paul Baumgarten *Kopenhagen, 25.2.*

Die Dänen, die sich und andere gern daran erinnern, daß selbst sehr schwerwiegende Ereignisse die Nation nicht so leicht aus der Ruhe bringen können, haben sich mit dem, was der Krieg ihnen gebracht, einigermaßen abgefunden. Am störendsten empfinden sie in der letzten Zeit das militärische Interesse, das ihnen in wachsendem Umfang gezeigt wird. Gegen eine Invasion, die irgendwie und irgendwo mal stattfinden und zum alten "Gleichgewicht" führen könnte, hätten bestimmte Kreise nichts einzuwenden. Aber die Möglichkeit militärischer Operationen auf dänischem Boden stimmt sie nachdenklich und verdrießlich. Ein sehr offenes Wort des Präsidenten des dänischen Luftschutzvereins hat allgemeines Aufsehen erregt: "Ich bin der Meinung, daß Dänemark direkt Kriegsschauplatz wird, bevor dieser Krieg zu Ende geht. Und das einzige Schutzmittel für die Bevölkerung wird dann sein, sich Erdlöcher zu graben und darin den Verlauf der Kriegshandlungen abzuwarten." Die Ankündigung einer solchen Form von "Befreiung" weckt keinen Beifall, und frühere Traumvorspiegelungen anderer Lösungen finden keinen Glauben mehr, zumal die Ereignisse in Polen und Finnland den Realitätssinn stark ansprechen.

Historische Tatsache ist, daß Dänemark trotz kräftiger äußerer Einflüsse immer den Kern seines Wesens hat erhalten können. Wie reagiert das Land heute auf die unbestreitbar heftigen Erschütterungen, denen es durch den Krieg ausgesetzt ist? Die weit überwiegende Mehrheit der Bevölkerung sieht nur zwei Wege: Einen – emsig von England gepriesenen – der zur sofortigen Katastrophe führen würde, einen anderen, der die Anerkennung der täglichen Notwendigkeiten mit sich führt, ohne unwiderrufliche Tatsachen zu schaffen, den Weg der elastischen Zusammenarbeit unter Vorbehalt. Der Reichbevollmächtigte Dr. Werner Best hat während seiner anderthalbjährigen Arbeit hier im Lande nie einen Zweifel daran aufkommen lassen, daß der Lebenskampf des Reiches auch Dänemark vor Aufgaben stellt, die kompromißlos erfüllt werden müssen. Er hat aber auch stets seine Bereitschaft erkennen lassen, diese Probleme in Formen zu bewältigen, die der Mentalität des Volkes Rechnung tragen. Während bis zum 29.

August 1943, dem Tage an dem für rund fünf Wochen der militärische Ausnahmezustand verhängt wurde, der Reichbevollmächtigte mit der verfassungsmäßigen, vom Reichstag und den Mehrheitsparteien getragenen Regierung des Staatsministers Erik von Scavenius zusammen gearbeitet hatte, trat mit der vorübergehenden Ausübung der vollziehenden Gewalt durch den Befehlshaber der deutschen Truppen in Dänemark die Regierung zunächst außer Funktion: sie wurde auch nach der Aufhebung des militärischen Ausnahmezustands nicht neu gebildet.

Aber sowohl während des Ausnahmezustands wie nach seiner Aufhebung hat die gesamte öffentliche Verwaltung Dänemarks unverändert ihre Tätigkeit fortgesetzt, um Schaden von der Bevölkerung abzuwenden und um Konflikte mit der Besatzungsmacht zu vermeiden. Die Ministerien werden von den dienstältesten Beamten geleitet, und sie lenken selbständig die ihnen unterstellten Verwaltungszweige. Da der Reichstag seit der Verhängung des Ausnahmezustands – vom 29.8. bis zum 5.10.1943 – seine Funktionen nicht mehr ausübt, sind für die Gesetzgebung, die Beamtenernennungen usw. Notlösungen gefunden worden, die für die Praxis ausreichen. Die Ministerien, die zusammengefaßt als Zentralverwaltung bezeichnet werden, erlassen im Verordnungswege die erforderlichen Rechtsvorschriften und "konstituieren" die Beamten, anstatt sie zu ernennen. Soweit Maßnahmen, die im deutschen Interesse erforderlich sind, die Zuständigkeit der dänischen Verwaltung überschreiten würden, trifft der Reichbevollmächtigte selbst die erforderlichen Anordnungen. Sie werden von der dänischen Verwaltung und von der dänischen Bevölkerung ohne weiteres befolgt.

Durch diesen "unpolitischen" Schwebezustand ist der völkerrechtliche und staatsrechtliche Status Dänemarks nicht verändert. Die dänische Verfassung ist voll in Kraft; wie weit die verfassungsmäßigen Faktoren, vor allem König und Reichstag, von ihren Rechten Gebrauch machen wollen, liegt in ihrem eigenen Ermessen. Auch nach außen ist die Stellung Dänemarks unberührt. Dänische Gesandte sind in anderen Ländern tätig wie Gesandte dieser Länder in Kopenhagen. Das Deutsche Reich hat gegenüber Dänemark durchaus die Linie eingehalten, nach der zwar die Kriegsnotwendigkeiten, insbesondere die Sicherheit der deutschen militärischen Position in Dänemark, unbedingt durchgesetzt werden müssen, nach der aber im übrigen die Regelung der innerdänischen Verhältnisse Sache der Dänen ist und bleibt. Die Aufgabe des Reichbevollmächtigten ist es, nach diesen Gesichtspunkten die deutschen Interessen zu wahren. Soweit dies mit Hilfe des politisch neutralen und an die Landesgesetze gebundenen dänischen Verwaltungsapparates möglich ist, findet eine reibungslose sachliche Zusammenarbeit mit diesem statt. Darüber hinaus werden nach Notwendigkeit deutsche Organe eingesetzt und deutsche Maßnahmen getroffen. Insbesondere ist seit dem Herbst 1943 deutsche Polizei in Dänemark eingesetzt, die einen wirksamen Abwehrkampf gegen die Versuche des Feindes führt, durch Fallschirmagenten und ähnliche Elemente mit Sabotage und Terror die deutschen Interessen zu beeinträchtigen und Unruhe in das Land zu tragen. Daß also der Reichbevollmächtigte einerseits mit dem nach seinen eigenen Gesetzen handelnden dänischen Staatsapparat zusammenarbeitet und daß er andererseits – soweit zur Wahrung der deutschen Interessen erforderlich – mit eigenen Organen und Maßnahmen wirksam zupackt, gestattet ein elastisches Besatzungsregime, das alle Forderungen der Gegenwart erfüllt, ohne die Lösungen der Zukunft zu präjudizieren.

**Werner Best: Aabenhjertige Ord om Danmarks Stilling. 9. april 1944.**

Kilde: *Politiken* 9. april 1944. Udklip i KB, Bergstrøms dagbog s. 53.643. Kun delvis gengivet hos Alkil, 2, 1945-46, s. 870f. Anonym tvangsartikel. *Udenrigsministeriets ugentlige Meddelelser til Pressen* Nr. 166, 11. april 1944. Best vedkendte sig siden at være forfatter til artiklen (Hæstrup, 1, 1966-71, s. 435f., Best 1988, s. 86f. (uddrag på tysk) og 1989, s. 150-152).

Fra tysk Side meddeles:
Man kan godt tale ganske aabent om, at det ikke for noget Land er behageligt eller fordelagtigt at blive draget ind i en stor Krigs Begivenheder. Det ved ingen bedre end det tyske Folk, som maa bære langt de sværeste Byrder under den nuværende Verdenskrig, som Tyskland ikke har ønsket. Enhver, der kender Verdenshistorien, ved ogsaa, at med en saadan Krig følger en egen Nødvendighedens Lov, som ingen kan unddrage sig, hverken ved egen Klogskab eller egen Vilje. Kun ud fra dette Synspunkt kan man rigtig forstaa Danmarks Skæbne i den nuværende Krig.

Efter at England havde udlagt Miner i de norske Kystfarvande og dermed krænket Norges Suverænitet for bagefter i Skandinavien at skabe sig en Angrebsbasis mod Tyskland, var der for Danmark kun to Muligheder: enten at blive en Del af den tyske Forsvarsfront eller selv Skueplads for forbitrede Kampe. Det er en Selvfølge, at hvis England først havde skaffet sig Angrebsbaser i Norge – for slet ikke at tale om Danmark – maatte Tyskland opbyde hele sin militære Kraft mod denne farlige Trussel i Nordflanken. Derefter vilde Danmark være bleven Slagmark for nogle af de haardeste Kampe i denne Krig.

Ud fra dette Synspunkt kan man give Svar paa et Spørgsmaal, som saa ofte er stillet: om en veludrustet dansk Hær kunde have hindret Landet i at blive draget ind i Krigsbegivenhederne. Det er en Selvfølge, at den danske Hær ikke paa nogen Maade kunde have afværget en engelsk Besættelse af Norge. Havde England først besat Norge, maatte den danske Hær enten i Fællesskab med den tyske afværge yderligere engelske Angreb paa Nordflanken, eller ogsaa maatte man gaa sammen med England mod Tyskland. I begge Tilfælde vilde Danmark ikke blot blive Krigsomraade, men direkte Slagmark.

Naar Danmark hidtil er blevet skaanet for denne Skæbne, saa skyldes det dels, at Tyskland rettidig kom Englænderne i Forkøbet, dels den daværende danske Regerings Klogskab. Heller ikke i Fremtiden har Tyskland, men kun England Interesse i at gøre Danmark til Slagmark.

Hvis England skulde forsøge et Angreb mod det tyske Riges nordlige Flanke, saa kan man med Sikkerhed vente, at denne Kamp paa Danmarks Jord vil blive udkæmpet med den allerstærkeste Indsats fra tysk Side, for derved at hindre et fjendtligt Stød direkte mod det tyske Riges Hjerte.

Danmark er endnu ikke Slagmark, men kun militært Omraade i dette Ords videre Betydning. Ogsaa denne Situation er haard for Danmark, naar man sammenligner den med Fredens lykkelige Dage. Tænker man derimod paa Ruinerne i mange af Europas Lande og paa Ødelæggelserne af tyske og mange andre Landes Byer og paa de Tusinder af dræbte og saarede Mænd, Kvinder og Børn, kan man i Danmark ikke andet end være glad for, at Landet hidtil er blevet sparet for denne Krigs haarde Skæbne.

Af alle de europæiske Folk, som er draget ind i Krigen, har Danmark stadigvæk den gunstigste Situation, ikke blot i materiel, men ogsaa i politisk Henseende. Det danske Erhvervsliv er stadig intakt og parat til at paabegynde en normal Fredsproduktion, bortset fra de Tilfælde, hvor herostratiske Sabotører har tilføjet Skade paa det danske Produktionsapparat.

Den folkeretslige og statsretslige Status i Danmark er uforandret, saaledes at alle politiske Muligheder staar aabne for Fremtiden. De tyske Indgreb, som var nødvendige til Selvforsvar under Krigens voksende Tryk, er udtrykkeligt blevet betegnet som Forholdsregler, der ikke paa nogen Maade præjudicerer Danmarks politiske og retslige Status.

At en fremmed Magt, som kæmper en Kamp paa Liv og Død, ogsaa i et besat Land med de mest effektive Midler maa værge sig mod Angreb af enhver Art, er en Selvfølge. Saa snart saadanne Angreb indstilles, bliver ogsaa de tilsvarende Forholdsregler overflødige. Een Ting maa stadig understreges: Ingen tysk Forholdsregel har haft til Formaal at skade danske Interesser, at krænke danske Følelser eller forud at fastlægge Danmarks politiske Fremtid.

Krigens Krav – forstærket ved en Overanstrengelse af Nerver og Kræfter – kan desværre nødvendiggøre mange Forholdsregler, som ogsaa kan komme til at gaa ud over Uskyldige. Alligevel maa man stadig sige til sig selv, at Formaalet med de Forholdsregler, der træffes, ikke er at skade saadanne uskyldige Borgere, men at styrke Forsvaret, som bl.a. ogsaa har den Opgave at beskytte Danmark mod at blive Slagmark mellem de Krigsførende.

Man kan roligt tale aabent om, at mere end 4 Aars besættelse medfører mange Vanskeligheder mellem Besættelsesmagten og det besatte Land. Man kunde tale endnu langt mere aabent om disse Forhold, hvis denne Tankeudveksling kun fandt sted mellem begge Parter med det positive Maal at naa til en virkelig Forstaaelse og en fornuftig Regulering af de forskellige Vanskeligheder.

Desværre er Muligheden for en saadan aaben Tankeudveksling begrænset, fordi Fjendens Partisaner i Danmark kun tilstræber det negative Maal gennem Provokationer at opnaa en Skærpelse af Forholdene mellem Danmark og Tyskland. Alligevel kan et Par aabenhjertige Ord, selv om de foreløbig kun kommer fra den ene Side, maaske gøre deres Nytte.

Ud fra dette Synspunkt kan man sammenfatte den tyske Bedømmelse af den øjeblikkelige Situation saaledes: Paa Grund af Danmarks geopolitiske og strategiske Beliggenhed bestaar der – uden dansk eller tysk Skyld – for Landet kun to Muligheder: Enten at blive en Del af den tyske Forsvarsfront eller at blive Slagmark i en frygtelig Kamp. Da hverken Danmark eller Tyskland har Interesse i det sidste, maa begge Parter indse Nødvendigheden af en effektiv Forsvarsfront.

Derfor maa man altid huske paa, at hver Gang danske Interesser bliver traadt for nær, sker dette ikke for at skade Danmark, men fordi det er nødvendigt til Styrkelse af Forsvaret. Og man maa være objektiv nok til at erkende, at Danmarks politiske og statsretslige Fremtid trods alle Vanskeligheder, som dels skyldes den øjeblikkelige Situation og dels de Provokationer, som fremkommer fra Fjendens Side, paa ingen Maade er blevet præjudiceret.

**Werner Best om den danske underverden 25. april 1944.**
Kilde: Bests telegram nr. 524, 25. april 1944 til AA. *Nationaltidende* 25. april 1944. Alkil, 2, 1945-46, s. 872f. og Rohde, 2. 1945-46, s. 442f. Tvangsartikel, hvortil kom krav om, at talen skulle udhæves på dagens spiseseddel, og på spisesedlen skulle endvidere oplyses, at Tage Lerches 7-årige søn var død. Til den meddelelse knyttedes sig en anden tvangsartikel med overskriften "7-aarig Dreng Offer for Gangstere" (*Udenrigsministeriets Pressebureaus ugentlige Meddelelser til Pressen*, Nr. 169, 29. juli 1944).
Trykt under 25. april 1944.

**Sicherheit und Ordnung in Dänemark. Ein Gespräch mit dem Reichsbevollmächtigten. 1. Juni 1944.**
Kilde: *Nordschleswigsche Zeitung* 1. juni 1944. Refereret hos Alkil, 2, 1945-46, s. 883 (på dansk) og Rohde, 2, 1945-46, s. 443 (på dansk).

## Sicherheit und Ordnung in Dänemark
Ein Gespräch mit dem Reichsbevollmächtigten

*St. Kopenhagen, 31. Mai.*

Seit die Volksgruppe in Nordschleswig ihren Selbstschutz geschaffen hat, ist in dänischen Kreisen immer wieder erörtert worden, *gegen* wen diese Einrichtung und ihre Tätigkeit wohl gerichtet sei. Von der Volksgruppe wurde immer wieder betont, daß der Selbstschutz nicht gegen die dänische Bevölkerung gerichtet ist, sondern daß er im Interesse der Deutschen und der Dänen für Ordnung und Sicherheit gegen jeden Terror im Lande eingesetzt werden soll. Eine erfreuliche Klarstellung gegen wen alle für Ordnung und Sicherheit eintretenden Kräfte und damit auch der volksdeutsche Selbstschutz letzten Endes kämpfen, ergibt sich aus einen Gespräch, das der Kopenhagener Mitarbeiter der "Nordschleswigschen Zeitung" mit dem Reichsbevollmächtigten Dr. Best hatte. Aus dem Gespräch geben wir die folgenden Fragen und Antworten wieder:

– Wer steht hinter den Versuchen, durch Terrorakte verschiedener Art die Ordnung und Sicherheit in Dänemark zu stören?

– Der englische Secret Service, dessen unterirdische Kriegsführung in fremden Ländern uns seit langem wohlbekannt ist. Er tritt in den verschiedensten politischen und organisatorischen Formen auf. Wir wissen auch Bescheid über die Laboratorien und Fabrikationsstätten für Sabotagematerial und über die Sabotage- und Mordschulen in England. Die festgenommenen Fallschirmagenten haben hochinteressante Einzelheiten ausgesagt.

– Gehören die Morde auch zu der englischen Methode?

– Ja, das wissen wir aus zahlreichen Unterlagen. Im Reich suchte man sich die Spitzen aus. Am 8. November 1939 wollte man in München den Führer morden. Im Mai 1942 traf man in Prag meinen Kameraden Reinhard Heydrich, der den englischen Geheimdienst zu gut erkannt und zu wirksam bekämpft hatte. In den besetzten Ländern Europas hat der Secret Service den Mord zum gebräuchlichsten Mittel entwickelt, um die Bevölkerung zu terrorisieren und das Verhältnis zwischen der Bevölkerung und den deutschen Behörden zu erschweren. Das habe ich schon in den Jahren 1940-42 in Frankreich festgestellt. Die Mordwerkzeuge sind regelmäßig Menschen des betreffenden Landes, die meist in den Mordschulen in England ausgebildet worden sind. Es gibt sorgfältig ausgearbeitete Dienstanweisungen für die Ausführung der Morde, die an verschiedenen Stellen in unsere Hände gelangt sind.

– Welche Ziele verfolgt der Feind durch die Sabotage in Dänemark?

– Das hat die Feindpropaganda bereits vor einem Jahr offen ausgesprochen. Ich zitiere die folgenden Äußerungen des Londoner Rundfunks:

Im Juni 1943 (Terkel Terkelsen): "Best hat sich zu dem Programm bekannt, das Erik Scavenius' Programm ist, nämlich Dänemark so billig wie möglich durch den Krieg zu führen. Darin liegt die große Gefahr der Best-Scavenius-Koalition."

Im Juli 1943 (Christmas Möller):

"Wir wissen, daß die Verhältnisse in Dänemark in gewissem Sinne besser geworden sind, seit Scavenius und Best sich gefunden haben. Aber bedenkt einmal, daß vielleicht viel Wahrheit darin steckt, daß die mildesten Verhältnisse auf die Dauer vom Übel sind. Die Zeit fordert jetzt Widerstand, Sabotage an allem, was den deutschen Hunnen in ihrem verzweifelten, letzten, aber vielleicht fürchterlichsten und lange dauernden Kampf helfen kann."

Am 30. August 1943:

"Heute liegt der Erfolg der dänische Saboteure vor."

Am 31. 10. 1943 (Christmas Möller):

"Wir haben mehrmals erklärt, wie notwendig der aktive Widerstand und die Sabotage sind, und wir sind uns einig darüber, daß Dänemark am 29. August das Resultat erreicht hat, das wir immer erwarteten."

Aus diesen authentischen Äußerungen Londons geht hervor, daß der englischen Politik die Verhältnisse in Dänemark bis zum Sommer 1943 zu ruhig und friedlich waren und daß mit allen Mitteln einen Verschärfung der Lage erstrebt wurde. Der 29. August 1943 war von der englischen und nicht von der deutschen Seite gewünscht und herbeigeführt.

– Wie sind die Saboteure in Dänemark zu beurteilen?

– Sie sind z. T. gekaufte und bezahlte Elemente, was besonders häufig bei den Fallschirmagenten festgestellt wurde, die von England hierher entsandt wurden, um die Sabotage zu organisieren. Die einheimischen Saboteure aber müssen als Opportunisten bezeichnet werden, die drei Jahre keinen Drang zum Kampf verspürt haben, weil ihnen das Geschäft zu unsicher erschien. Dann erst haben sie auf englischen Befehl, mit englischem Material und englischem Geld ihren herostratischen Unfug begonnen, um sich ein Plätzchen in dem Triumphzug der vermeintlichen Sieger zu sichern. Solche Konjunkturjäger, die ihren "Freiheitskampf" von Erfolgsgarantien und von fremder Hilfe abhängig machen, repräsentieren nicht einen Selbständigkeitswillen ihres Volkes, sondern nur den Willen zu einer einseitigen Vasallität gegenüber England.

– Was geschieht von deutscher Seite zur Abwehr der Sabotage?

– Von deutscher Seite wird gegen die Saboteure das Kriegsrecht angewendet, das bei allen kriegführenden Mächten für Sabotage und Spionage den Tod androht. Die Engländer machen – wie wir wissen, an allen von ihnen beherrschten Gebieten von diesem Kriegsrecht den rücksichtslosesten Gebrauch. Wenn wir das Kriegsrecht anwenden, lügt die Feindpropaganda, daß hier Geiseln erschossen würden. Ich stelle fest, daß in Dänemark Geiseln noch nie genommen oder exekutiert worden sind. 19 ordnungsgemäße Todesurteile sind vollstreckt, 17 zum Tode Verurteilte sind begnadigt worden. Das ist die Wahrheit. Wir Deutschen wollen nicht unbedingt Blut fließen sehen und würden lieber noch öfter Gnade vor Recht ergehen lassen. Wenn diese Gnade uns aber als Schwäche ausgelegt und mit vermehrten Sabotageakten usw. quittiert wird, so müssen wir dem harten Kriegsrecht den vorgeschriebenen Lauf lassen. Heute fallen täglich deutsche Soldaten im offenen Kampf und deutsche Frauen und Kinder unter dem Terror der Feindbomben und Tiefflieger. Wir dürfen deshalb gegenüber den hier festgenommenen Bombenlegern und Heckenschützen keine Schwäche zeigen, solange dies nur als Aufforderung zur Fortsetzung dieses heimtückischen Treibens aufgefaßt wird.

– Welche politischen Folgen sind aus der gegenwärtigen Lage zu ziehen?

– Die dänische Bevölkerung wünscht – wie ich genau weiß – Ruhe und Ordnung im Lande und lehnt, wo sie ohne Terror sprechen kann, jede Form von Sabotage entschieden ab. Deshalb soll auch die Bevölkerung unter den Folgen der Verbrecher der englischen Werkzeuge nicht leiden. Es muß aber darauf hingewiesen werden, daß die Organe des politischen und staatlichen Lebens in Dänemark unter diesen Verhältnissen eine besonders große Verantwortung gegenüber ihrem Lande tragen. Diese Organe haben die moralische und die gesetzliche Pflicht, die Ordnung im Lande aufrechtzuerhalten und jede Art von Terror zu verhindern. Es ist gefährlich, die Erfüllung dieser Pflicht zu versäumen und den Werkzeugen des Auslandes das Feld zu überlassen. Man verliert hierdurch immer mehr den Einfluß auf die Gestaltung der gegenwärtigen und künftigen Verhältnisse und bleibt doch für das Ergebnis dieser Entwicklung verantwortlich. Der Rückzug in die Passivität entlastet nicht von dieser Verantwortung. Andererseits ist es nie zu spät, um sich an seine Pflichten zu erinnern und eine bedenkliche Entwicklung aufzufangen. Solange aber nicht mit dänischen Mitteln die Interessen des Landes an Ruhe und Ordnung gewahrt werden, müssen von deutscher Seite die erforderlichen Maßnahmen getroffen werden, um sowohl die deutschen Interessen wie auch die dänische Bevölkerung gegen die Folgen des Zerstörungswillens der englischen Agenten zu schützen.

## Zwei Jahre Reichsbevollmächtigter. Gespräch mit Dr. Best. Die politische Entwicklung in Dänemark seit 5. November 1942. 5. November 1944.

Kilde: *Nordschleswigsche Zeitung* 5. november 1944. Alkil, 2, 1945-46, s. 908-910 (på dansk) og Rohde, 2, 1945-46, s. 446f. (på dansk). Tvangsartikel, der skulle bringes på dagbladenes forsider (*Udenrigsministeriets Pressebureaus ugentlige Meddelelser til Pressen*, Nr. 196, 11. november 1944).

### Zwei Jahre Reichsbevollmächtigter

Gespräch mit Dr. Best

Die politische Entwicklung in Dänemark seit 5. November 1942

von unserem Kopenhagener Vertreter

*HS. Kopenhagen 4. November.*
Am 5. November 1944 sind zwei Jahre verstrichen, seit der Reichsbevollmächtigte Dr. Best sein Amt in Kopenhagen angetreten hat. Der Vertreter der "Nordschleswigschen Zeitung" in Kopenhagen hatte aus diesem Anlaß mit dem Reichsbevollmächtigten ein Gespräch, dessen wesentliche Fragen und Antworten hier wiedergegeben werden.

– Hat sich in den verstrichenen zwei Jahren Ihrer Amtsführung das Verhältnis zwischen dem Deutschen Reich und dem Lande Dänemark geändert?

– Nein. Von der deutschen Seite ist in diesen zwei Jahren das Land Dänemark außenpolitisch und staatsrechtlich genau ebenso angesehen und behandelt worden, wie in den vorangegangenen zweieinhalb Jahren. Dänemark ist sowohl in Deutschland wie auch in anderen Ländern, wo dies noch praktisch möglich ist, durch Gesandte vertreten. Die dänische Verfassung und Gesetzgebung ist unverändert in Kraft, auch soweit man von ihr keinen Gebrauch macht. Der Warenaustausch zwischen Dänemark und dem Deutschen Reich wird durch fortgesetzte Verhandlungen und Vereinbarungen des dänischen und des deutschen Regierungsausschusses geregelt. Die territoriale Integrität des dänischen Staatsgebiets ist gemäß den deutschen Erklärungen gewahrt worden. Die zur Sicherung der deutschen Kriegführung auf dänischem Gebiet getroffenen Maßnahmen sind taktischer Art und haben den politischen und rechtlichen Status des Landes nicht verändert.

– Wie beurteilen Sie die Veränderungen der Lage in Dänemark seit Ihrem Amtsantritt?

– Als ich mein Amt antrat, herrschte Ruhe in Dänemark und ein so gutes Einvernehmen zwischen der Bevölkerung und der deutschen Besatzung, wie es wohl noch in keinem besetzten Land der Fall war. Meine Zusammenarbeit mit der dänischen Regierung war geeignet, auf der Basis der Vernunft und des guten Willens eine Befriedigung der beiderseitigen Interessen im Rahmen der gegebenen Möglichkeiten sicherzustellen. Dieser Zustand, dessen Vorzüge selbst die Feindpropaganda durch ihr Schlagwort "Musterprotektorat" anerkannte, war der Feindseite unangenehm und sollte unbedingt zum Schlechteren verändert werden. Es begann die bekannte Hetze gegen die Politik der Vernunft, und es begann der Terror unterirdischer Handlanger des Feindes. Die zur Abwehr heimtückischer Angriffe gegen die Besatzung notwendigen Maßnahmen wurden zu verstärkter Hetze ausgeschlachtet. Leider folgten gewisse Kreise der Bevölkerung in ihrer Stellungnahme zu dieser Entwicklung nicht der dem dänischen Wesen entsprechenden Stimme der Vernunft und des Rechts, sondern einem Prinzipienlosen Konjunkturgeist. Weil sie aus den Kriegsereignissen zu schließen glaubten, daß die Alliierten den Krieg gewinnen würden, billigten sie jedes Verbrechen gegen das dänische Recht und gegen das Völkerrecht, wenn es nur die Alliierten günstig stimmen konnte. Andere Dänen, welche der Stimme der Vernunft und des Rechts folgen wollten, wurden durch Androhung furchtbarer Rache "nach dem Siege" terrorisiert. Hierdurch wurde der Vernunftspolitik der dänischen Regierung die Basis entzogen und der 29. August 1943 vorbereitet. Daß diese Entwicklung nicht von der deutschen Seite und auch nicht von der Masse der dänischen Bevölkerung, sondern von London gewollt war, bewies die britische Propaganda selbst. Ich kann nur immer wieder auf die folgenden offenherzigen Äußerungen des Londoner Rundfunks verweisen, durch die die Entwicklung jener Monate gekennzeichnet wurde:

Im Juni 1943 (Terkel Terkelsen): “Best hat sich zu dem Programm bekannt, daß Erik Scavenius’ Programm ist, nämlich Dänemark so billig wie möglich durch den Krieg zu führen. Darin liegt die große Gefahr der Best-Scavenius-Koalition.”

Im Juli 1943 (Christmas Möller): Wir wissen, daß die Verhältnisse in Dänemark in gewissem Sinne besser geworden sind, seit Scavenius und Best sich gefunden haben. Aber bedenkt einmal, daß vielleicht viel Wahrheit darin steckt, daß die mildesten Verhältnisse auf die Dauer vom Übel sind. Die Zeit fordert jetzt Widerstand. Sabotage an allem, was den deutschen Hunnen in ihrem verzweifelten, letzten, aber in ihrem fürchterlichen und langdauernden Kampf helfen kann.

Am 30. August 1943: Heute liegt der Erfolg der dänischen Saboteure vor.

Am 31. Oktober 1943 (Christmas Möller): Wir haben mehrmals erklärt, wie notwendig der aktive Widerstand und die Sabotage sind. Und wir sind uns einig darüber, daß Dänemark am 29. August das Resultat erreicht hat, das wir immer erwarteten.

– Wie beurteilen Sie die in Dänemark tätigen illegalen Kräfte?

– Noch stärker als der Konjunkturgeist gewisser Kreise, die auf die öffentliche Meinung Einfluß nehmen, muß das Handeln der Illegalen Zweifel an dem Charakter dieser Kreise erwecken. Schon daß man sich zweieinhalb Jahre wegen ungünstiger Konjunktur neutral verhielt, um dann wegen anscheinend besserer Konjunktur Partei zu nehmen, ist nicht gerade heldenhaft. Daß man aber dann nicht (wie die dänischen Freiwilligen, die sich zum Kampf gegen den Bolschewismus entschlossen) sich als Soldat einen Platz in einer Front suchte, sondern daß man unter Duldung der hiesigen Polizei mit Bomben und Meuchelmord “in den Krieg” eintrat, halte ich für ausgesprochen charakterlos. Ich habe noch nicht gehört, daß an den feindlichen Fronten ein einziger probritisch oder prorussisch orientierter Däne als Soldat festgestellt worden sei, der offen und mit gleichen Waffen gegen die deutsche Wehrmacht kämpfte. Die unsoldatisch feigen Angriffe der Bombenleger und Meuchelmörder stellen diese Elemente außerhalb jedes Rechts und machen schärfste Abwehr den Angegriffenen zum Recht und zur Pflicht. Der dänische Staat aber ist nicht berechtigt, sich für Menschen einzusetzen, die gegen dänisches Recht und gegen Völkerrecht Verbrechen begehen, für die auch Angehörige einer kriegführenden Macht als Franktireurs, Spione oder Saboteure unschädlich gemacht werden.

– Ist eine Änderung der gegenwärtigen Lage in Dänemark möglich?

– Für den Weg zur Vernunft ist es nie zu spät. Wenn die dänische Bevölkerung erkennt, daß die Erhaltung ihres gegenwärtigen Lebensstandards, der weit über dem der meisten, auch der meisten nicht kriegführenden Völker der Erde liegt, und die Herstellung der Ordnung im Lande in ihrem eigensten Interesse liegt, kann sie viel zu einer Besserung der Lage beitragen. Von deutscher Seite wird nur die Herstellung der Sicherheit und Ordnung gegen Mord und Zerstörung erstrebt, nicht Rache für vergangene Dinge. So ist die Aktion gegen die dänische Polizei, die eine schwere Schuld an der Auflösung der Ordnung in Dänemark trug, mit ihrer Ausschaltung abgeschlossen, und kein Polizeibeamter, der sich nicht selbst illegaler Handlungen schuldig gemacht hat, hat irgendwelche Maßnahme zu befürchten, weil er etwa vorübergehend “unter die Erde” gegangen war. Ich wiederhole, was ich schon öfter gesagt habe: Keine deutsche Maßnahme, die in Dänemark getroffen wird, hat das Ziel, die dänische Bevölkerung zu kränken oder zu schädigen. Andererseits läßt die Härte dieses Krieges nicht zu, daß kriegsnotwenigen Maßnahmen irgendwelche Schwierigkeiten bereitet werden. Der Kriegsnotstand ist Motiv, Rechtsgrundlage und Maßstab des deutschen Handelns.

– Welches Ziel sehen Sie in Ihrer Arbeit vor sich?

Unser aller Ziel muß in der Gestaltung der Zukunft liegen. Das dänische und das deutsche Volk werden in aller Zukunft Nachbarn bleiben und miteinander leben müssen. Wer diese Tatsache nicht sehen und aus ihr nicht die praktischen Folgerungen ziehen will, der betreibt keine Realpolitik. Wenn aber auf dänischer wie auf deutscher Seite diese Erkenntnis und der Wille zu einer vernünftigen Gestaltung des künftigen dänisch-deutschen Verhältnisses das Handeln bestimmen, können auch die schwierigen Aufgaben der Gegenwart ohne unsachliche Ressentiment bewältigt werden.

**Werner Best: Wir und die Welt. Januar 1945.**

Den sidste af Best publicerede artikel i Danmark, hvor han bl.a. gentog og fastholdt sin kategorisering af forskellige herskabsformer, som han tidligere havde formuleret den. Med hensyn til Danmark konstaterede han, at Tyskland ved sin politik siden 1940 var forblevet tro mod sine völkische grundholdninger. Der var kun grebet ind i det danske folks liv for så vidt krigens nødvendighed havde fremtvunget det. Det var alene modstandernes angreb, der havde tvunget Tyskland til at indføre modforholdsregler. De danske sabotører ville gå ind i historien som marionetter, der opførte et lillekrigsteater i hjemlandet for en udenlandsk magt, fordi de manglede modet til at gå til fronten. Tyskland ville kæmpe alle de småkrige, det blev påtvunget, såvel som det store slutopgør.

Kilde: *Skagerrak*, nr. 1, Januarheft 1945, s. 3-6.

**Wir und die Welt**

Vom Reichsbevollmächtigten Dr. Werner Best

Die erste Morgenfeier der Ortsgruppe Kopenhagen der NSDAP im neuen Jahre fand am 7. Januar statt. In dem starken Zustrom zu der Veranstaltung und in der geschlossenen Haltung der Teilnehmer dieser Feierstunde kamen der feste Gemeinschaftswille und die unerschütterliche Überzeugung vom kommenden Sieg der deutschen Waffen klar zum Ausdruck. Der Reichsbevollmächtigte in Dänemark, SS-Obergruppenführer Pg. Dr. Best, sprach über das Thema: "Wir und die Welt." Wir geben seine Ansprache im Auszug wieder.

Wenn wir Deutschen uns heute mit der Welt auseinandersetzen, so liegt es nahe, daß wir zunächst einmal – im gegenständlichen wie auch im übertragenen Sinne – die Waffen sprechen lassen. Nicht nur an den Verteidigungsfronten Mitteleuropas sondern auch im geistigen Räume gilt es vor allem, jeden Angriff des Gegners zu parieren und im Gegenstoß seine Schlagkraft zu schwächen. Dem eigenen kampfgestählten Volk aber wird immer wieder aufgezeigt, daß und wie die Fortsetzung unseres Lebenskampfes in erster Linie eine Frage unseres eigenen Willens ist.

Über den täglichen Abwehrkampf hinaus gibt es aber noch eine Art der Auseinandersetzung mit der Welt, die – richtig geführt – nicht ohne Rückwirkung auf die Partner dieser Auseinandersetzung, nämlich auf uns selbst und auf die Völker um uns, bleiben kann.

Die Briten haben uns auf britische Weise ein Beispiel hierfür gegeben, indem sie der Erörterung bestimmter *Nachkriegsprobleme* einen weiten Raum in ihrer Kriegspropaganda eingeräumt haben. Projekte des Handels, der Währung, des Verkehrs u. dgl. werden theoretisch in großer Breite entwickelt, und zwar konsequent auf der Grundlage der liberalen Geisteshaltung und der liberalen Zustände, für die England zu kämpfen angibt. Der totale Sieg der Alliierten wird einfach vorausgesetzt – und darin liegt das eine suggestiv-propagandistische Moment dieser Nachkriegs-Erörterungen. Das andere propagandistische Moment besteht darin, daß in diese Nachkriegspläne alles hineingebaut wird, was nach britischer Auffassung die Völker der Welt sich wünschen. So kann – das ist das Ziel dieser britischen Propaganda – jedes Volk nur den Sieg der Alliierten herbeiwünschen, damit diese Pläne zum Vorteil eines jeden verwirklicht werden können.

Wir Deutschen haben es nicht nötig, eine Propagandamethode des Feindes – auch wenn wir sie in ihren Absichten und ihrer Wirksamkeit richtig erkannt haben – nachzuahmen. Wir würden auch mit einer solchen Nachahmung wahrscheinlich nicht den erstrebten Erfolg erreichen. Wir brauchen aber andererseits an einem solchen Beispiel nicht achtlos vorüberzugehen, sondern können aus ihm eine Anregung schöpfen, auf unsere Weise dem Gegner auf der gleichen Ebene entgegenzutreten. Denn unsere Zuversicht, daß wir uns in diesem Völkerringen durchsetzen werden, ist nicht geringer als die unserer Feinde. Und unsere Ideen, für deren Verwirklichung wir kämpfen, sind nach unserer Auffassung richtiger – d.h. den Gesetzen des Völkerlebens entsprechender – als die unserer Feinde in West und Ost, so daß wir uns vor einer offenen und gründlichen Darlegung, wie wir uns unser künftiges Verhältnis zur Welt vorstellen, nur günstige Auswirkungen versprechen können.

Auf deutsche Weise – d.h. auf eine unserer völkischen Eigenart und geistigen Entwicklung entsprechende Weise – müssen wir an eine solche Erörterung herantreten, wenn wir mit ihr ein Ergebnis zeitigen und überzeugend wirken wollen. Das bedeutet, daß wir es uns nicht so leicht machen dürfen, wie es z.B. die Briten sich in ihrer liberalen Ideologie leisten können.

Unsere Schau muß immer die Ganzheit des Lebens umfassen und die Grundsätze unseres Handelns müssen stets aus den tiefsten Schichten unseres Wesens herausgeholt werden, wenn wir auf deutsche Weise richtig und vollkommen denken und handeln wollen. Aber in der deutschen Art unserer Konzeption und Grundsätze liegt zugleich die große Schwierigkeit, diese Konzeptionen und Grundsätze anderen Völkern verständlich zu machen.

Ich sagte eingangs, daß wir es schwerer haben, unsere deutschen Ideen über das Zusammenleben der Völker in der Welt verständlich zu machen als die Briten mit ihren liberalen Theorien. Das liegt einerseits daran, daß den meisten Völkern, die sowohl von den Briten wie auch von uns angesprochen werden, die liberalen Theorien des Westens bekannt und zur lieben Gewohnheit geworden sind, während *die völkische Weltschau* zwar keineswegs eine neue Erfindung darstellt aber in der Gegenwart erstmalig in der Geschichte zum tragenden Prinzip der Politik einer Großmacht geworden ist. Das Neue aber erschreckt stets und wird zunächst abgelehnt.

Dazu kommt, daß wir Deutschen unsere völkische Weltschau noch nicht einmal für uns selbst in eine endgültige Fassung gebracht haben und sie deshalb noch schwerer anderen Völkern verständlich und einleuchtend machen können. Unser eigenes Ringen um Klarheit und Prägung dieser Gedanken spielt sich vor der Welt ab und wird von den Kräften der geistigen Gegenfront nach Möglichkeit zu irritierender Propaganda mißbraucht. Ich habe es selbst erlebt, daß theoretische Ausarbeitungen, die ich zur Klärung unserer eigenen deutschen Auffassungen und Maßnahmen geschrieben hatte, im Ausland von der Feindseite zu einer wilden Agitation gegen ein angebliches deutsches Weltherrschaftsstreben mißbraucht werden. Es handelte sich um die bekannte Analyse der Herrschaftsformen in der Welt, die ich in die Kategorien:

"Bündnisverwaltung,"
"Aufsichtsverwaltung,"
"Regierungsverwaltung,"
"Kolonialverwaltung,"

einzuteilen versucht habe. Diese Analyse der uns umgebenden Wirklichkeit wurde umgedeutet in ein politisches Programm, nach dem alle Völker der Erde diesen Formen deutscher Vorherrschaft unterworfen werden sollten. Man unterschlug dabei, daß diese Herrschaftsformen gerade in den angelsächsischen Reichen schon seit langer Zeit voll ausgeprägt sind. Um am britischen Empire zu exemplifizieren: England übt gegenüber seinen Dominien "Bündnisverwaltung," gegenüber Ägypten "Aufsichtsverwaltung., gegenüber Indien "Regierungsverwaltung" und in zahlreichen Kolonien "Kolonialverwaltung" aus. Daß übrigens innerhalb des Empire die Entwicklung durchaus nicht ständig zu freieren Formen drängt, beweist das Beispiel Neufundlands, das von England aus finanzpolitischen Gründen vom Dominienstatus auf den Status einer "Regierungsverwaltung" heruntergedrückt wurde. Auch die in der Entwicklung befindlichen Formen des nordamerikanischen Imperialismus könnten nach den gleichen Kategorien klassifiziert werden, indem z.B. das Verhältnis der USA zu den südamerikanischen Staaten als "Bündnisverwaltung," zu den mittelamerikanischen Staaten als "Aufsichtsverwaltung," zu den Negerstaaten Kuba, Haiti und Liberia als "Regierungsverwaltung" und in mancherlei tropischen Gebieten als "Kolonialverwaltung" bezeichnet werden könnte.

Aber nicht nur die Tatsache dieser Herrschaftsverhältnisse in den Bereichen unserer Feinde sind in der mit meiner Veröffentlichung getriebenen Agitation unterschlagen worden sondern ebenso die Tatsache, daß ich diese theoretische Klassifizierung nur aufgestellt habe, um aus ihr die Folgerung einer völkischen Politik zu ziehen. Und damit komme ich zu dem Kernpunkt unseres künftigen Verhältnisses zu den anderen Völkern und ihres Verständnisses für unsere tragende Idee.

Wir tun nämlich aus unserer völkischen Weltschau heraus den anderen Völkern viel mehr Ehre an als sie sich selbst. Die individualistische Weltschau, die in den demokratischen Ländern herrscht, sieht ja in der Bevölkerung jedes Landes nur einen Haufen zusammengelaufener Individuen, bei denen es völlig gleichgültig ist, welcher Rasse und Art sie sind. Da sie aber zufällig in dem gleichen Territorium sitzen, sind sie genötigt, eine gewisse Ordnung zu schaffen, die das Zusammenleben aller ermöglicht. Das Ganze nennt man dann Staat und Vaterland.

Wir hingegen erkennen in jedem Volk – nicht nur in unserem 80 Millionen Volk sondern auch in Kleinvölkern von 2-4 Millionen Menschen – eine überpersönliche und überzeitliche Gesamtwesenheit einheitlicher Bluts- und Seelenprägung. Wir wissen, daß durch das Zusammenleben gleichrassischer Menschen und durch die Zeugung einer Generation aus der anderen eine Volkspersönlichkeit erwächst, die sich in den aus ihr erzeugten Individuen verwirklicht und repräsentiert. Wir wissen deshalb, daß die einzelnen Menschen ihrem Volke und seiner Art verbunden und verpflichtet sind und – ihr Gehirn mag darüber äußern, was es will – im Grunde genommen nur nach den Gesetzen ihres Volkstums handeln können. Wir respektieren also das völkische Lebensgesetz auch in den Menschen, die gar nicht im Sinne der völkisch-organischen Weltschau Angehörige eines Volkes sein wollen.

Aus dieser Erkenntnis erwächst zugleich unsere Auffassung vom Zweck aller Politik. Die innere Politik jedes Volkes hat nach unserer Auffassung ausschließlich den Zweck, das eigene Volk zu erhalten und zur besten und schönsten Entfaltung zu führen. Dies erkennen wir wiederum nicht nur für unser deutsches Volk sondern auch für jedes andere Volk an. Auch die Außenpolitik eines jeden Volkes hat – dies fordert das Gesetz des Lebens – in erster Linie den Zweck der Selbsterhaltung. Wir muten keinem Volke zu, daß es sich um eines anderen Volkes willen aufgeben soll. Bei dem praktischen Konflikt eines Lebenskampfes zwischen Völkern entscheidet das Leben selbst zu Gunsten des Stärkeren. Soweit aber kein Lebenskampf zwischen Völkern ausgekämpft werden muß, hat nach unserer Auffassung auch die eigene Außenpolitik zu berücksichtigen, daß die anderen Völker Selbstzweck des Lebens sind und nur dann ein lebensgesetzliches und fruchtbares Zusammenleben und Zusammenwirken zwischen den Völkern möglich ist, wenn dies berücksichtigt wird. Insbesondere – das war die tragende These meiner sämtlichen Veröffentlichungen über Großraumordnung und Großraumverwaltung – hat in einem Großraum mit zahlreichen auf Zusammenleben angewiesenen Völkern das stärkste Volk, das "Führungsvolk", diesen völkischen Grundsatz stets im Auge zu behalten, daß auch die kleinen Völker des Großraums Selbstzweck ihres Daseins und damit Selbstzweck der Großraumpolitik sind. Der Erhaltung und der Entfaltung jedes einzelnen Volkes hat die Politik einer solchen Schicksalsgemeinschaft, wie sie ein Großraum darstellt, zu dienen. Die gegenseitige Einflußnahme – insbesondere die Einflußnahme des "Führungsvolkes" auf die kleineren Völker – hat sich nach diesem Gesichtspunkt zu richten. Deshalb habe ich ausdrücklich den Gedanken vertreten, daß versucht werden muß, mit der denkbar geringsten Einflußnahme im Sinne der vorher genannten Kategorien auszukommen. Wo ein Bündnis ausreicht, soll keine Aufsicht ausgeübt werden; wo Aufsicht ausreicht, soll nicht regiert werden; und wo eine Regierung mit eingeborener Selbstverwaltung ausreicht, soll keine Kolonialverwaltung ausgeübt werden.

Die den Völkern eigentümlichen und in ihnen historisch gewachsenen Einrichtungen und Lebensformen werden von unserer völkischen Politik geachtet werden; fremde Zersetzungskräfte, die von außen in die Völker hereingetragen werden – wie etwa der Kommunismus –, werden wir jedoch in unseren Einflußbereichen stets ausrotten, zu unserem und der anderen Völker Wohl.

Die Grundsätze mögen sich beispielsweise mit der britischen Praxis decken, deren Studium mich tatsächlich zu der dargestellten Klassifizierung der Herrschaftsformen angeregt hat. Auch der Brite versucht zweifellos mit dem geringsten Aufwand eigener

Machtentfaltung seinen Einfluß auszuüben. Ihn leiten aber dabei rein rationale Erwägungen verwaltungsmäßiger, finanzieller und wirtschaftlicher Art, während ihm das Lebensschicksal der Völker – wie die Geschichte der britischen Eroberungen oft genug bewiesen hat – gänzlich gleichgültig ist. Wir Deutschen hingegen bauen unsere Außenpolitik der Zukunft auf der Grundlage des völkischen Prinzips auf, das uns zwar in erster Linie die Erhaltung und Entfaltung unseres eigenen Volkes im Verhältnis zu den anderen Völkern aber zugleich die Anerkennung und Berücksichtigung der anderen Volkspersönlichkeiten zur Pflicht macht. Wir reden nicht nebelhaft von "dem Menschen" und "der Menschheit", um unter dieser Tarnung schrankenlos den Vorteil des eigenen Landes und seiner Einwohner zu erstreben. Wir bejahen vielmehr offen den eigenen Selbsterhaltungstrieb jedes Volkes, aber wir fühlen uns zugleich an die Schranken der völkischen Lebensgesetze gebunden. Denn wir wissen, daß jede Zerstörung der lebendigen Volkspersönlichkeiten Zersetzungen zeitigt, die den Wert und die Würde des Menschentums auf das äußerste gefährden. Ein grauenvolles Beispiel hierfür bietet uns die nach jüdischer Theorie durchgeführte Völkerzersetzung und -vermischung im russischen Riesenreich.

Auch in Dänemark ist die deutsche Politik von 1940 bis heute unseren völkischen Grundsätzen treu geblieben. Es war und ist unsere Absicht, in dem durch die Kriegsnotwendigkeit erzwungenen engeren Zusammenleben die Eigenart und das Eigenleben des dänischen Volkes zu achten und zu schonen. Dies wird durch den Krieg natürlich nicht erleichtert, dessen Lasten einem besetzten Lande wie Dänemark nicht erspart werden können. Aber man hat sich von deutscher Seite jederzeit bemüht, nur das im Augenblick wirklich Kriegsnotwendige zu fordern, und stets betont, daß hierdurch die zukünftigen Verhältnisse keineswegs präjudiziert werden sollen. Besonders klar ist dies in der Zeit zum Ausdruck gelangt, in der die Regierung des Staatsministers von Scavenius Dänemark vertrat. Aber eben deshalb wurde gerade in jener Zeit vom Feind und von den zum Feind geflüchteten Emigranten alles daran gesetzt, um die Lage in Dänemark zu verwirren. Für alle Zeiten muß festgehalten werden, daß es der Angriff der Gegner war, der die deutschen Gegenmaßnahmen erzwang, die heute uns von allen Dänen klagend vorgehalten werden. Es muß eindeutig klargestellt werden, daß die für beide Teile vorteilhafte Politik der Regierung Scavenius bis heute und weiterhin hätte fortgesetzt werden können, wenn nicht die Angriffe der illegalen Werkzeuge des Feindes auf deutsche Interessen vom dänischen Volk und vom dänischen Staat geduldet und dadurch die Besatzungsbehörden zu eigenen Abwehrmaßnahmen gezwungen worden wäre. Ich wiederhole immer wieder, daß die entscheidende Schuld an der Entwicklung in Dänemark seit 1943 bei der dänischen Polizei lag, die sämtliche seitdem erfolgten Maßnahmen der Besatzungsmacht hätte ersparen können, wenn sie selbst die Ordnung und Sicherheit im Lande aufrechterhalten hätte. Die Saboteure aber und ihre Hintermänner können wirklich darüber triumphieren, daß sie den heutigen Zustand Dänemarks, den sie ja erstrebten, tatsächlich mit vollem Erfolg herbeigeführt haben.

Wir kennen die psychologischen Hintergründe dieses dänischen Versagens. Es ist die Mentalität des Kleinvolkes, die von einer eigenen Stellungnahme absieht und sich jeweils dem entgegenwirft, dessen Sieg erwartet wird. Daß es zwischen einem rein deutschen und einem rein englischen Kurs noch die Möglichkeit einer würdigen dänischen Neutralität, die ein Höchstmaß relativer – d.h. der Kriegs- und Besetzungslage entsprechender – Selbständigkeit garantierte, gegeben hätte, bewies die Politik des Staatsministers von Scavenius. Aber eben deshalb wurde er und seine Regierung durch die Bomben und Mordwaffen der Saboteure und durch die Feigheit der Bevölkerungsmehrheit beseitigt.

Feigheit werfe ich auch den dänischen Saboteuren selbst vor. Ich bin dazu berechtigt, da ich selbst einmal Saboteur gegen die französische Besatzungsmacht war, die 11 Jahre meine rheinische Heimat besetzt hielt. Wir jungen Deutschen haben damals ohne jede Aufforderung und ohne jede Hilfe den Kampf gegen die Franzosen aufgenommen, als ihr Vorrücken über die Demarkationslinie einen Todesstoß in das Herz des Reiches befürchten liess. Wir haben uns den Sprengstoff und die Munition stehlen müssen und haben mit den primitivsten Hilfsmitteln versucht, dem Feind klarzumachen, daß das deutsche Volk sich nicht ganz wehrlos vernichten lasse.

Was aber geschah hier in Dänemark? 2½ Jahre tanzten die hiesigen Jünglinge Swing, weil sich eine politische oder aktivistische Betätigung nicht lohnte. Als aber die Feindpropaganda der dänischen Bevölkerung klarmachte, daß Deutschland den Krieg bereits verloren habe und als von England Sprengstoff, Waffen und Geld in aufmunternder Menge herübergesandt wurde, da glaubte man, sich nun für die Zukunft einen roten Rock verdienen zu müssen. Ich weiß, daß es auch in den ersten 2 Besatzungsjahren hier und da in Dänemark Heißsporne gab, die mit gestohlenem Sprengstoff kleine demonstrative Sabotageakte ausführten. Diesen Jungens, für die ich aus meiner eigenen Vergangenheit volles Verständnis habe, haben die Organisatoren und Materiallieferanten der jetzigen gewerbsmäßigen Sabotage die Ehre genommen. Denn der dänische Saboteur wird in die Geschichte eingehen als die Marionette einer auswärtigen Macht, die in der Heimat ein Kleinkriegstheater aufführte, weil ihr der Mut fehlte, an eine Front zu gehen. Die dänische Bevölkerung aber wird nach Schluß der Vorstellung einmal berechnen, was sie für dieses Theater hat bezahlen müssen.

Deutschland wird alle Kleinkriege, die ihm aufgezwungen werden, ebenso durchfechten wie den großen Entscheidungskampf. Und es wird geistig und moralisch über all dem Kleinen und Häßlichen stehen, das die Verbissenheit des gegenwärtigen Kampfes mit sich bringt. Wir blicken in die Zukunft und wissen, daß wir in unseren Ideen und Grundsätzen einen Beitrag für das Zusammenleben und Zusammenwirken der Völker mitbringen, der den Lebensgesetzen entspricht und deshalb das Leben fördern wird. Und wir haben so viel Vertrauen zu den organischen Lebenskräften in den anderen Völkern – insbesondere in den Völkern germanischer Rasse –, daß wir sicher sind, von ihnen eines Tages richtig verstanden zu werden. Dann aber ist der Weg frei für eine Gemeinschaft der europäischen Völker, die künftige Bruderkriege zwischen ihnen für alle Zeiten ausschließt.

So gehen wir dem Kampf des neuen Jahres in der inneren Haltung entgegen, die der Führer in seiner Neujahrsansprache in dem folgenden Satz gekennzeichnet hat:

"Die Einsicht in den moralischen Wert dieser unserer Überzeugung und der daraus resultierenden Zielsetzung unseres Lebenskampfes gibt uns und vor allem mir selbst die Kraft, diesen Kampf in den schwersten Stunden mit stärkstem Glauben und einer unerschütterlichen Zuversicht weiterzuführen."

# TILLÆG 1
## Tysk besættelsespolitik i Danmark. Kronologi juli 1942-maj 1945
(Modterroren undtaget, se tillæg 3)

## 1 9 4 2

### JULI 1942

26.7. Sabotage mod to tyske hurtigbåde på Nordbjærg & Wedels skibsværft med omfattende skader til følge.

28.7. meddeler Cecil von Renthe-Fink AA, at Admiral Dänemark havde kontaktet WB Dänemark og krævet indgriben på baggrund af sabotagen 26.7.

### AUGUST 1942

6.8. ankommer to tyske kriminaleksperter til København for at foretage tekniske undersøgelser af de seneste sabotager.

12.8. Martin Bormann udarbejder efter Hitlers ordre en forordning, der giver SS ret til at forhandle direkte med de germansk-völkische grupper i de germanske lande.

20.8. foreligger den tyske kriminalistiske undersøgelses resultater: fund af engelsk sabotagemateriel, men i øvrigt amatøragtigt udført.

24.8. Renthe-Fink presser på over for den danske regering for få skærpede forholdsregler mod sabotagen.

27.8. Paul Kanstein til AA, at de danske politimæssige efterforskninger af sabotagen ikke er tilstrækkelige, men må følges op af energiske forebyggende skridt.

31.8. Hermann von Hanneken udpeges som Erich Lüdkes efterfølger som WB Dänemark.

### SEPTEMBER 1942

2.9. Statsminister Vilh. Buhl holder sin antisabotagetale, som Aksel Larsen svarer på 4.9. og John Christmas-Møller 6.9.

15.9. Renthe-Fink fremkommer med forslag til, hvordan man kan eliminere jøderne fra dansk økonomi.

24.9. Joachim von Ribbentrop meddeler Martin Luther i AA, at der skal rettes henvendelse til bl.a. den danske regering med henblik på at få sat gang i jødernes evakuering.

27.9. Telegramkrisen bryder ud: Renthe-Fink kaldes til Berlin.

### OKTOBER 1942

Kriegsmarine foruroliget over de mulige konsekvenser af forværringen af det tysk-danske forhold mht. minerydning og bevogtningsopgaver.

2.10. von Hanneken ankommer til København og iværksætter en række skærpende foranstaltninger, øget beredskab og udbygning af det tyske invasionsforsvar, forlanger dansk militærs rømning af Jylland.

4.10. og flg. dage er Frikorps Danmark på orlov i Danmark, talrige sammenstød med befolkningen.

4.9. Det Tyske Gesandtskab påbegynder løbende rapportering til AA om sabotagen i Danmark med start fra sabotagen 26.7.

5.10. Berlin: Martin Luther om aktion mod jøder og kommunister i Danmark.

5.10. Berlin: RFSS erklærer sig indforstået med opstilling af et anholdelseskartotek for Danmark rummende kommunister, jøder og tyskfjendtlige elementer.

7.10. Walter Forstmann fremsætter krav om oprettelse af et dansk sabotageværn.

8.10. Berlin: I SS-Hauptamt fremsætter Gottlob Berger sine planer for oprettelse af germanske korps i Europa.

8.10. Berlin: Martin Luther tilslutter sig Renthe-Finks plan for en eliminering af jøderne fra dansk økonomi.

13.10. Afskedsceremoni ved Frikorps Danmarks afrejse. Frits Clausens optræden vækker anstød hos SS.

15.10. F.C. von Schalburg-Skolen indviet på Høveltegård.

16.10. Paul Kanstein anbefaler Werner Best som rigsbefuldmægtiget i Danmark over for Heinrich Himmler og kritiserer Frits Clausen.

18.10. Hitlers ordre om nedskydning af terrorister i de besatte lande, Danmark undtaget.

23.10. WB Dänemark beordrer opstilling af gidsellister.

26.10. Berlin: Best modtoger gennem Ribbentrop meddelelse om sin udnævnelse til rigsbefuldmægtiget i Danmark.

26.10. WB Dänemark beslutter, at forbrydelser begået mod værnemagten skal bringes for tysk krigsret.

27.10. Best og Renthe-Fink hos Hitler i førerhovedkvarteret i Winniza. Best får direktiver for sit virke i Danmark.

## NOVEMBER 1942

WB Dänemark kræver våben og udstyr fra den danske hær.

2.11. Erik Scavenius hos Ribbentrop i Berlin, hvor der bliver stillet krav om en dansk regeringsomdannelse med deltagelse af danske nazister.

2.11. Dansk politi foretager aktion med arrestation af og internering af et stort antal danske kommunister.

3.11. Berlin: Best hos Berger og Franz Riedweg, aftale vedr. Germanische Leitstelle, Best siden hos Eberhard von Löw i RSHA.

4.11. Berlin: Best modtager den formelle udnævnelse til rigsbefuldmægtiget. Drøftelser med Franz Rademacher. Besøg ved Reinhard Heydrichs grav, derefter hos fru Heydrich. Om aftenen drøftelser med Ribbentrop og dr. Gaus.

5.11. Berlin: Best hos Martin Luther u.a. i AA til afsluttende briefing. Han flyver derpå til København. Samme dag er DKP's formand, Aksel Larsen, arresteret af dansk politi.

6.11. Best hos von Hanneken og hos admiral Raul Mewis.
7.11. Best har det første møde med Frits Clausen.
7.11. Dansk politi foretager aktion mod tidligere danske spaniensfrivillige, der interneres.
7.11. WB Dänemark kræver forstærket bevogtning af kystbanen Espergærde-Helsingør efter en sabotage.
9.11. Ny dansk regering dannet med Eriks Scavenius som statsminister, ingen nazistisk regeringsdeltagelse.
10.11. Best hos Frits Clausen og besigtiger DNSAPs stabskontorer.
15.11. Best på besøg på Schalburgskolen på Høveltegård.
17.11. Leder af Germanische Leitstelle i Danmark, Bruno Boysen, meddeler Best, at RFSS ville oprette et Germansk Korps i Danmark.
20.11. Berlin: SS-Hauptamt støtter ikke en DNSAP-regeringsovertagelse.
23.11. WB Dänemark kræver en generel øget bevogtning af alle hovedjernbanestrækninger.
24.11. Først nr. af den rigsbefuldmægtigedes *Politische Informationen* udsendes.

## DECEMBER 1942

Forbud mod at aflytte fjendtlig radio i offentlige lokaler.
AAs jødereferent, Franz Rademacher, en uge i København.
1.12. Ny forretningsorden for Det Tyske Gesandtskab. Den rigsbefuldmægtigede centraliserer kommunikationen omkring embedet som rigsbefuldmægtiget.
3.12. Dansk politi anholder tre SOE-agenter.
4.12. Lov om oprettelse af sabotageværn.
4.12. Best og Bruno Boysen forhandler med Frits Clausen om oprettelsen af et Germansk Korps.
8.12. Aftale om bygning af Hansa-skibe på danske værfter.
11.-13.12. Best og von Hanneken på besøg hos Josef Terboven i Oslo. Best mødes med Vidkun Quisling 12.12.
11.12. Best får afslag på sit ønske om at blive formand for det tysk-danske regeringsudvalg.
11.-14.12. Strejke på B&W: Bevæbnede danske nazistiske vagter som årsag. Best retter kritikken mod Kriegsmarine.
11.-16.12. Germanische Leitstelle afholder international Arbeitstagung på Høveltegård.
15.12. Gesandt Paul Schmidt fra AA i København.
21.12. Best anmoder om mere tysk kriminalpoliti.
22.12. Best har besøg af Terboven.
23.12. Berlin: AA beslutter at afvente udspil fra Best vedr. jødespørgsmålet i Danmark.
29.12. Opførelsen af en ny Sankt Petri Skole stoppes.
30.12. Berlin: Martin Luther klager med forsinkelse til Ribbentrop over SS' selvstændige fremfærd i Danmark.
31.12. Forbud mod at vise amerikanske film i Danmark.

# 1943

## JANUAR 1943

WB Dänemark afviser af politiske og psykologiske grunde Marinebefehlshaber Dänemarks indstilling om anvendelse af russiske krigsfanger i Danmark (KTB).

7.1. Best kaldt til Berlin. Får af AA ordre til at holde sig fra SS. Møde med bl.a. Grundherr, Luther, Rademacher, Otto Ohlendorf, von Löw, Adolf Eichmann og Riedweg.

11.1. Best om udelukkelsen af jødisk ejede danske firmaer.

14.1. Best har igen besøg af Terboven.

15.1. Best sætter grænser for *Fædrelandets* redaktionelle frihed.

21.1. Frits Clausen, Meissner og Lohmann hos Best.

22.1. WB Dänemark udsteder ny Kampanvisning i tilfælde af en invasion af Danmark, herunder om bekæmpelse af faldskærmsjægere og fjendtlige agenter.

26.1. Best giver tilsagn om at ville tillade afholdelse af folketingsvalg.

26.1. Best fraråder AA en jødeaktion.

27.1. RAF-luftangreb på B&W i København.

## FEBRUAR 1943

Schalburgkorpsets oprettelse forberedes.

2.2. Meissner, Hensel og Frits Clausen hos Best.

6.2. WB Dänemark kræver over for Best strenge foranstaltninger i områder, hvor der bliver begået sabotage.

6.2. Best i audiens hos kronprins Frederik.

6.2. Berlin: Hans-Heinrich Lammers udsender cirkulære om udvidede beføjelser til SS i de germanske lande.

10.2. Berlin: Martin Luther styrtes og anbringes i koncentrationslejr.

10.2. Vagt etableret ved de ca. 60 vigtigste virksomheder, yderligere 30-40 virksomheder beskæftiget af værnemagten skal bevogtes.

15.2. Kanstein og Stalmann mødes med Eivind Larsen og fortæller, at WB Dänemark truer med at stille arresterede sabotører for tysk krigsret, hvor de risikerer dødsstraf.

20.2. Der indføres politibevogtning på de vigtigste jernbanestrækninger.

24.2. Ledende repræsentanter for dansk presse bliver i UM manuduceret i, hvordan de burde skrive om sabotagen og foranstaltningerne imod den.

25.2. I Kolding sabotageaktion mod hus beboet af kvindelige medlemmer af værnemagten. Der indføres færdselsforbud under mørklægningen i Kolding.

26.2. Frits Clausen hos Best med bl.a. Riedweg, K.B. Martinsen, Bielstein, Pahl og grev Schimmelmann.

27.2. WB Dänemark truer på en pressekonference med indførelse af tysk krigsret i anledning af Koldingepisoden.

## MARTS 1943

Admiral Mewis fratræder og bliver efter OKWs forespørgsel hos Hitler nægtet at tage officiel afsked hos kronprinsen (KTB).
DNSAPs hvervning til tysk krigstjeneste ophører.
1.3. Best meddeler Erik Scavenius, at AA har givet tilladelse til afholdelse af folketingsvalg.
9.3. Den danske regering meddeler, at der bliver oprettet et kontor under Statsministeriet for det tyske mindretal. Kontoret oprettes efter tysk krav, da mindretallet ikke vil deltage i et folketingsvalg.
10.3. Dansk minestryger "Søridderen" tvunget til Sverige. Der blev straks indledt en krigsretlig undersøgelse mod kaptajnen, da skibet vender tilbage (KTB).
17.3. Best vil have AA til at stoppe WB Dänemarks opstilling af gidsellister, det skal være Bests opgave.
22.3. En sabotage i Århus fører til indførelse af spærretid i byen.
23.3. Der afholdes folketingsvalg i Danmark.
23.3. Best anmoder om at få en politibataljon til Danmark.
25.3. Frits Clausen meddeler Best, at han ønsker at frasige DNSAP den tyske økonomiske støtte.
28.3. Besættelsesmagten indfører udgangsforbud i Århus pga. sabotagen mod Århus Stadion.
30.3. Best modtager admiral Hans-Heinrich Wurmbach.

## APRIL 1943

Best skifter kurs: offentligheden skal fremover orienteres om sabotager og om afsagte domme i sådanne sager.
Best får danske myndigheder til at udsende en advarsel mod at øve sabotage.
Best vil have WB Dänemarks mulighed for direkte at kontakte den danske regering indskrænket til forsvarsministeriet.
Frits Clausen modsætter sig fortsat oprettelsen af et germansk korps og vil ikke lade sine partimedlemmer indgå i det.
Sabotagevagter bevæbnes.
Der bliver fra tysk side givet en advarsel i anledning af den danske hærs tyskfjendtlige holdning.
1.4. Hans-Heinrich Wurmbach ny Admiral Dänemark.
1.4. Gustav Meissner fratræder som presseattache.
1.4. Schalburgkorpset proklameres af K.B. Martinsen som "germansk korps".
2.4. Wurmbach afgiver indstilling til OKM om den danske marine som potentiel trussel.
2.4. Gunner Larsen til middag hos Best, Larsen får forslag om at lede frivillig dansk arbejdstjeneste.
5.4. Tysk afdeling indrettet ved Horsens Tugthus.
10.4. Helsingør værft: strejke.

12.4. Den første dødsdom for sabotage, senere benådning af den dømte.
13.4. Best skal være ansvarlig for opstilling af alle gidsellister.
15.4. Best anbefaler lukning af *Kamptegnet*, AA følger indstillingen.
19.4. Meissner henvender sig skriftligt til Ribbentrop om den tyske politik i Danmark.
24.4. Skydereglement for sabotagevagter.
24.4. Best fraråder atter en jødeaktion over for AA.
30.4. Best orienterer AA om den fortsatte oprulning af DKP og Frit Danmark.

## MAJ 1943

Sabotageaktiviteten tager igen til, efter at der har været "ein merkliches Absinken festzustellen." (KTB).

Best søger den danske regering om ca. 1.000 politimænd til at bevogte truede objekter (KTB).

WB Dänemarks forsøg på at få det danske forsvarsministerium til at kommandere officerer til østfronten mislykkes (KTB).

Der opstilles af værnemagten særkommandoer til at bekæmpe fjendtlige agenter.

Avisen *Fædrelandet* ophører med at være partiorgan for DNSAP.

1.5. Best fremsætter i *Politische Informationen* for første gang den opfattelse for Danmarks vedkommende, at sabotører kun er ude på at skabe så meget uro, at besættelsesmagten griber ind med repressalier.
5.5. Berger presser på over for AA for, at SS kan få tilladelse til at forhandle direkte med de germansk-völkische grupper i Danmark.
5.5. Best afslutter sin første og eneste halvårsberetning om situationen i Danmark.
5.5. Kommunevalg i Danmark.
11.5. Best beder om yderligere 15 erfarne politimænd til sabotagebekæmpelsen, hvilket bliver imødekommet.
11.5. Best i audiens hos Christian 10.
13.5. Politibataljon "Cholm" ankommer til København.
15.5. Christian 10. vender sig i en radiotale mod sabotagen.
19.5. Hitler lader udstede forordning om tildeling af statsborgerskab til tyske mindretal i udlandet.
21.5. Best erklærer sig indforstået med Schalburgkorpsets virksomhed over for AA.
27.5. Best og von Hanneken på inspektion af forsvarsværker i Jylland.

## JUNI 1943

Best får den danske regering til at udstede et forbud mod færdsel på de kystområder, som værnemagten har afspærret (KTB).

På grund af sammenstød mellem danske SS-frivillige og befolkningen, der udstrækker sig til medlemmer af værnemagten, meddeler Best den danske

regering, at hvis disse sammenstød fortsatte, vil værnemagten skride til selvhjælp (KTB).
WB Dänemark godkender, at det danske politi bliver forstærket med 1.000 mand til bevogtning af truede objekter (KTB).
1.6. Best udtrykker sin tilfredshed med foranstaltningerne mod sabotagen.
6.6. Frikorps Danmark nedlægges.
16.6. Best og von Hanneken aftaler, hvorledes den militære og civile befalingsret skal være i tilfælde af et angreb på Danmark.
20.6. UM accepterer under pres etableringen af fabrikken Nordværk på General Motors' anlæg i København.
26.6. WB Dänemark indfører en kort periode højeste alarmberedskab.
30.6. Berlin: Horst Wagner meddeler Kaltenbrunner, at Himmler har udsat forberedelserne af en jødeaktion i Danmark indtil videre.

## JULI 1943

Der udarbejdes planer for afvæbningen af den danske hær.
Kraftig stigning i antallet sabotager.
6.7. og flg. dage Best i Berlin og hos RFSS, flere møder med Himmler og Berger.
6.7. I København de første voldsomme sammenstød mellem SS-frivillige og befolkningen.
7.7. Best orienterer Ribbentrop om sit møde med RFSS.
15.7. RFSS roser Best for situationen i Danmark.
20.7. WB Dänemark udsteder ny Kampanvisning i tilfælde af en invasion af Danmark, herunder foranstaltningerne i forhold til civilbefolkningen.
20.7. AA ønsker, at Danmark bliver slettet i Lammers' cirkulære af 6. februar 1943, da landet ikke er besat.
24.7. Best erklærer, at han ikke har noget mod anvendelse af dødsstraf i Danmark.
26.7. Berger afviser over for AA, at Lammers' cirkulære kan ændres.
28.7. Strejke i Odense med udgangspunkt i sabotagen mod det tyske skib "Linz".
31.7. AA meddeler Best, at RAM er indforstået med Schalburgkorpsets oprettelse og Bests arbejde med Germanische Leitstelle og Schalburgkorpset.

## AUGUST 1943

Talrige strejker i jyske og fynske byer.
4.8. Best kræver på værnemagtens vegne, at alle sabotører, der af tysk krigsret idømmes mere end otte års fængsel overføres til tugthus i Tyskland. Det afviser den danske regering 9.8.
6.8. Der indføres spærretid i Esbjerg pga. sabotage mod fiskepakhuse.
8.8. Forslag om aktivering af planer mod den danske marine.
9.8. Strejke i Esbjerg.
10.8. Der bliver givet ordre til detailplanlægning af indgreb mod den danske marine.

11.8. Generalstrejke i Esbjerg.
11.8. Best mødes med den københavnske presse.
12.8. Best appellerer til fagforeningsfolk.
18.8. Best kontakter RFSS vedr. den ændrede situation i Danmark, ønsker beføjelser som rigskommissær.
21.8. Von Hanneken indfører kortvarigt forhøjet alarmberedskab.
21.8. Regeringen opfordrer til ro og orden.
22.8. Berlin bliver opmærksom på situationen i Danmark.
22.8. Best henvender sig på ny til RFSS for at opnå hans støtte.
23.8. Forstmann advarer Rüstungsamt om den alvorlige situation i Danmark.
23.8. WB Dänemark orienterer på opfordring OKW om situationen.
24.-27.8. Best beordret til førerhovedkvarteret, bliver af Ribbentrop præsenteret for de krav, der skal stilles til den danske regering.
26.8. Hitler giver tilladelse til afvæbning af den danske hær og flåde.
27.8. OKW foreslår beslaglæggelse af radioer.
28.8. Tysk ultimatum til den danske regering med krav bl.a. om mødeforbud, strejkeforbud, pressecensur, militære særdomstole og indførelse af dødsstraf, kravene afvises.
28.8. Den første henrettelse.
29.8. Operation Safari, de danske værn afvæbnes og interneres.
29.8. Ca. 250 danske statsborgere tages som gidsler.
29.8. Paul Kanstein leder af civil administration under WB Dänemark.
29.8. Skærpet tysk censur og kontrol med radio og presse.
30.8. Dansk journalist dræbes af tre danske SS-frivillige, de to, der stilles for SS-ret, slipper påfølgende for straf, selv om de har handlet på trods af den rigsbefuldmægtigede.
31.8. Indbrud hos overretssagfører Arthur Henriques, hvor Mosaisk Trossamfunds protokoller stjæles af personer tilknyttet besættelsesmagten.

## SEPTEMBER 1943

Best fører halvhjertede forhandlinger om dannelse af en ny dansk regering.
Wurmbach arbejder for start af civil dansk minestrygning.
Strid om det danske krigsmateriels status, WB Dänemark anser det for krigsbytte, Wurmbach og Best ikke.
1.9. Best anmoder om at få et øget tysk politi i Danmark underlagt sig.
4.9. Best vil benytte uvisheden om de internerede danske soldaters skæbne som pressionsmiddel over for de danske myndigheder.
4.9. Von Hanneken kræver pr. forordning tvangsmæssigt leverancer til besættelsesmagten.
6.9. Ifølge Walter Forstmann er der enighed om, at der ikke skal ske gidselskydninger i Danmark.
7.9. Rudolf Mildner udnævnes til chef for det tyske sikkerhedspoliti og SD i Danmark.

7.9. Best har besøg af Paul Hennig (formiddag) og Lorenz Christensen (eftermiddag).
8.9. Best foreslår AA en gennemførelse af jødeaktionen.
13.9. Frits Clausen hos Best.
13.9. Best arrangerer, at han kommer til at stå for finansieringen af tysk politi.
14.9. Karl Heinz Hoffmann ankommer til Danmark, udnævnt til chef for Gestapo.
15.9. Det danske Arbejdsfællesskab, Landsarbejdstjenesten og Nationalsocialistisk Ungdom bliver frigjort fra DNSAP og overgår til fuld støtte fra Best og Germanische Leitstelle.
15.9. Et kompagni tysk ordenspoliti ankommer, yderligere et 21.9., to den 23.9., og 27.9. fulgte en politibataljon, herefter var der i alt tre politibataljoner i Danmark.
15.9. Berlin: Det kommer frem i AA, at Best vægrer sig ved at udstede forordninger på det erhvervsmæssige område pga. WB Dänemarks dispositioner.
17.9. Best foreslår AA, at Danmark pålignes et bidrag til den tyske krigsførelse.
17.9. Tysk politi gennemfører razzia mod det Mosaiske Trossamfund og konfiskerer medlemsarkivet.
17.9. Hitler beordrer via Ribbentrop jødeaktionen i Danmark gennemført.
19.9. Rudolf Mildner ankommer til Danmark.
20.9. Niels Bukh hos Best vedr. frivillig dansk arbejdstjeneste.
22.9. Herbert Backe presser på for at få genoptaget de tysk-danske regeringsudvalgsforhandlinger.
22.9. Wurmbach beder Seekriegsleitung intervenere hos OKW, da løsladelsen af de internerede danske marinere af ukendte grunde er udsat.
23.9. OKW befaler, at det danske krigsmateriel ikke er krigsbytte.
23.9. Best får endeligt nej fra de danske politikere til at danne ny regering.
23.9. Ribbentrop fremlægger for Hitler de problemer, der kan være forbundet med gennemførelse af jødeaktionen.
24.9. RFSS har fået Hitlers tilladelse til at hverve indtil 4.000 internerede danske frivillige blandt de internerede soldater. Wurmbach forudser at det vil betyde, at både forsøget på oprettelsen af en civil dansk minerydning og en frivillig arbejdstjeneste vil strande. Best med flere får siden RFSS' initiativ til at lide en stille død.
25.9. Günther Pancke får besked på at sætte sig ind i danske forhold.
26.9. Christian 10.s fødselsdag markeret med en lang række jernbanesabotager.
27.9. Repræsentant for Einsatzstab Reichsleiter Rosenberg hos Best.
28.9. Med Bests vidende advarer G.F. Duckwitz Hans Hedtoft om den forestående aktion mod de danske jøder.
29.5. Erik Heimburg ankommer til København som BdO og mødes straks med Best og efterfølgende med Kanstein og BdS.
29.9. Foruden Polizei-Bataillon "Cholm" (chef: major Kleine) er Polizei-Wach-

bataillon Dänemark (chef: major Zuschneid) og Polizei-Batallion 15 (chef: major Pass) ankommet il København.

30.9. Frits Clausen hos Best.

OKTOBER 1943

Best fortsætter bestræbelserne på oprettelse af en dansk arbejdstjeneste.
Bod og spærretid for drab på værnemagtsmedlemmer.
Kriegsmarine er ikke inddraget i gennemførelsen af jødeaktionen og foretager ikke tiltag til at hindre flugt over Øresund, heller ikke da det er åbenbart at mange søger over sundet.
I månedens anden halvdel fordeles en del af BdOs kompagnier til nye tjenestesteder i provinsen.

1.10. Nils Svenningsen foreslår Best, at de danske jøder interneres i Danmark.
1./2.10. RFSS fortæller Best, at han vil få en sideordnet HSSPF, men Best roses for initiativerne mht. Frits Clausen, Schalburgkorpset og jødeaktionen.
1.10. Aktionen mod de danske jøder iværksættes, døre brydes ikke op, jødiske formuer berøres ikke.
2.10. BdO beroliget over forløbet af jødeaktionen, en voldsom dansk reaktion udeblev.
3.10. Himmler taler i Posen til SS-ledere om jødeudryddelsen, Best inviteret, men forhindret i at deltage.
4.10. Repræsentant for AA vurderer, at jødeaktionen ikke vil få konsekvenser for det fremtidige tysk-danske samarbejde.
5.10. Best melder til AA, at Danmark er renset for jøder.
5.10. Best afgiver til UM løfte om, at halvjøder og heljøder gift med ikke-jøder ikke skal omfattes af jødeaktionen.
6.10. Pancke udnævnt til Højere SS- og Politifører i Danmark og sidestilles Best.
6.10. Den militære undtagelsestilstand ophæves.
6.10. Repræsentant for Einsatzstab Reichsleiter Rosenberg igen hos Best.
8.10. Best sætter sin prestige ind på at undgå en beslaglæggelse af Niels Bukhs gymnastikhøjskole.
20.10. Franz Ebner rapporterer om den hurtigt normaliserede situation i Danmark.
20.-22.10. Franz Six i København.
27.10. Niels Bukh accepterer frivilligt beslaglæggelse af Gymnastikhøjskolen.
29.10. Best betragter ikke længere sit forslag om at pålægge Danmark et krigsbidrag som aktuelt.
29.10. Best til konsultation i AA for bl.a. at forklare sine selvstændige dispositioner i forbindelse med jødeaktionen, som AA ikke var blevet orienteret om.
30.10. Frits Clausen forlader førerposten for DNSAP for at gøre tjeneste på østfronten.
30.10. UM memorandum om den økonomiske og erhvervsmæssige situation.

## NOVEMBER 1943

2.11. Günther Pancke ankommer til København.

2.11. Adolf Eichmann hos Best i København i anledning af jødeaktionen, Best må forklare sine løfter til UM, aftale vedr. de danske jøder i Theresienstadt.

3.11. Führerweisung nr. 51, kystforsvaret, Vestvolden, skal udbygges. Påfølgende stærkt tysk pres for straks at få et større kontingent danske arbejdere under trusler om indførelse af tvangsforanstaltninger.

4.11. Polizei-Bataillon 15 afrejser til Italien.

5.11. WB Dänemark forlægger endeligt sit hovedkvarter til Silkeborg Bad, da Jylland bliver regnet som hovedmålet ved en allieret invasion (KTB). I den forbindelse får både den rigsbefuldmægtigede og UM en permanent kontaktperson ved hovedkvarteret.

7.11. Kanstein skal straks forlade Danmark.

7.11. Et angreb på BdOs hovedkvarter i Odense fører til omfattende arrestationer i byen og påfølgende deportationer 23. november.

11.11. Forhandling mellem Best og von Hanneken om civil arbejdskraft til befæstningsbyggeriet i Jylland. Det bliver aftalt, at den civile arbejdskraft principielt skal fremskaffes gennem danske tjenestesteder og at der skal undgås lokal indgriben fra troppernes side. Skulle der vise sig besvær med at stille arbejdskraften (arbejdsunddragelse), skal det pågældende område pålægges en bøde eller i alvorlige tilfælde kan det stilles i udsigt, at enkeltpersoner bliver sendt til Tyskland (KTB).

14.11. Von Hanneken underlægges direkte OKW.

16.11. "Richtlinien für den Einsatz dänischer Arbeitskräfte" sendt til alle Standortälteste (KTB).

18.11. På baggrund af sabotagen mod Langå kræver von Hanneken af Best, at de af DSB udpegede vigtige jernbaneobjekter alle bliver bevogtet af dansk politi og sognerådsmedlemmer (KTB).

19.11. Som soneforanstaltning for Langåsabotagen bliver der indført udgangsforbud i Århus og Langå. Som soneforanstaltning for angrebet på en marinesoldat i København bliver der øjeblikkeligt indført krigsretlig hastebehandling af sager mod fængslede sabotører. Fuldbyrdelsen af dødsstraf skal ske straks og uden anvendelse af benådningsretten. Meddelelse med begrundelse skal gives i pressen (KTB).

20.11. Der bliver igen forøvet sabotage mod jernbanenettet seks steder i Jylland. Von Hanneken besluttede sig da til lade de 20 vigtigste jernbanebroer bevogte af værnemagten. Banebeskyttelsestjenesten skal begynde fra 22.11. (KTB).

20.11. Best og Pancke gør indsigelse mod anvendelse af modterror for sabotage.

20.11. AA siger principielt ja til OKM til, at der kan foretages skibsbeslaglæggelser i Danmark.

22.11. Det bliver mellem Bests stedfortræder Stalmann og von Hanneken aftalt, at de særligt truede baneobjekter kun skal bevogtes af tysk militær, og det overskydende danske politi kan tage sig af andre bevogtningsopgaver (KTB).

22.11. Brand i AA i Berlin pga. allieret luftangreb, tab af arkiver en følge. I Ålborg tager den lokale værnemagtsafdeling sig af bevogtningen af byens broer (KTB).

23.11. 31 odenseanere og et antal danske jøder deporteres til koncentrationslejre i Tyskland.

27.11. Tysk søpoliti ankommer til København.

28.11. Pancke til møde i Himmlers hovedkvarter, krav om gengæld for sabotager og angreb på værnemagten.

29.11. Von Hanneken opfordrer Best til at udstede en forordning, der giver værnemagten forrang på alle danske banestrækninger (KTB).

## DECEMBER 1943

Best lægger hindringer i vejen for Kriegsmarines beslaglæggelse af danske skibe.

1.12. Höheres Kommando Kopenhagen (HKK) med Ernst Richter som chef oprettes.

1.12. På grund af gentagne jernbanesabotager bliver værnemagtssoldater sat ind i den første razzia mod sabotagegrupper. Det er planlagt, at de med uregelmæssige mellemrum skal gentages (KTB).

2.12. Der bliver gennemført den anden razzia mod sabotagegrupper. Razziaen giver ikke resultat, men der bliver ikke gennemført skinnesprængninger (KTB).

2.12. Sundbevogtning i Danmark organiseret under Wurmbach.

3.12. Rommel ankommer til Danmark med 20 timers togforsinkelse. Inspicerer til 14.12. det tyske kystforsvar i Danmark.

4.12. København idømt bod på 2 millioner kroner for drabet på en tysk officer.

4.12. Tre kommunister "skudt under flugtforsøg", dvs. uofficielt henrettet. Den første modterroraktion.

5.12. Best udsender en pressemeddelelse i anledning af den skærpede situation.

6.12. Niels Bohr Instituttet beslaglægges.

7.12. Første tyske tvangsartikel i dansk presse.

9.12. Erwin Rommel modtages i København officielt af Werner Best (KTB).

12.12. I Rommels særtog føres den afsluttende forhandling om forsvaret af Danmark med værnemagtens stedlige repræsentanter.

12.12. Varde stålværk saboteres af Holger Danske.

13.-19.12. Arthur Seyss-Inquart i København.

13.12. To SOE-agenter anholdes af Gestapo i Århus, hvilket fører til omfattende arrestationer.

13.11. Von Hanneken videregiver Rommels anbefalinger til ændringer i forsvaret af Danmark. Der skal omgrupperes, styrkerne placeres i støttepunkter ved kysten (KTB).

14.12. Schalburgkorpset sprænger vandtårn i Søndermarken i luften for at skabe modvilje mod sabotage.

15.12. Efter en drøftelse med den tyske befuldmægtigede vedr. organiseringen af jernbanebeskyttelsen på de danske jernbaner, bliver der givet ordre om gennemførelsen af den aktive jernbanebeskyttelse. Nyordningen sker i samarbejde med den danske jernbanebeskyttelse, og de udpegede objekter bliver fortsat bevogtet af værnemagten (KTB).

18.12. Til en særaktion udført af Abwehrstelle Dänemark udlåner værnemagten 15 mand i perioden 19.-29.12. (KTB).

19.12. 60 danske statsborgere deporteres til Tyskland for kommunistisk virksomhed.

20.12. Sabotage mod Riffelsyndikatet.

21.12. Sabotage mod B & W's kraftcentral.

21.12. Gennem Bests repræsentant, dr. Casper, bliver det meddelt danskerne, at en delvis evakuering af militære grunde er nødvendig i området ved Lemvig og Varde (KTB).

21.12. Otto Schwerdt ankommer til København, returnerer dagen derpå.

22.12. Forstmann henvender sig til Best og von Hanneken i anledning af sabotagerne mod tysk krigsproduktion i Varde og København.

29.12. På grund af en sabotage i Holsted bliver der indført spærretid i syv dage (KTB).

29.12. Otto Schwerdt med tre ledsagere ankommer til København som Sonderkommando, der skal foretage modterror.

30.12. De første forsøg på clearingdrab: Journalist Christian Damm og de konservative politikere Ole Bjørn Kraft og Aksel Møller søges dræbt.

30.12. Best, Pancke og von Hanneken hos Hitler: Krav om modterror for sabotage og likvideringer.

## 1944

### JANUAR 1944

Peter-gruppen organiseres til terrorhandlinger.

Best vil fortsat ikke stille sig tilfreds med AAs fremgangsmåde i forbindelse med HSSPFs udnævnelse i Danmark.

Wagner orienterer Hewel om sit anspændte forhold til Best.

Uoverensstemmelser om en ny tysk kandidat til det tysk-danske regeringsudvalg.

Tysk politi forbereder overtagelse af flere af Kriegsmarines bevogtningsopgaver.

4.1. Det første tyske clearingdrab foretages.

5.1. Best giver AA en oversigt over attentater på tyskvenlige danskere og over betydende sabotager og over store sabotager, der ikke berørte tyske interesser.

7.1. Otto Bovensiepen tiltræder som chef for Sipo og SD i Danmark.

14.1. Forstmann anmoder forgæves Københavns kommandant om beskyttelse af de mest sabotagetruede virksomheder.

15.1. OKM sender ultimatum til AA og Best angående skibsbeslaglæggelser i Danmark og kræver øjeblikkelig handling.
17.1. AA sætter Georg Martius til at løse konflikten mellem OKM og Best.
18.1. Tysk møde om bevogtningen af tre vigtige industrier ender resultatløs.
18.1. Fælles tysk-dansk politiudrykningsstyrke i København (Gernersgadevagten).
20.1. Hitler tildeler Best forordningsret som lovet 30.12.1943.
20.1. Skibsbeslaglæggelser sker i København efter OKMs ønske.
20.1. WB Dänemark forhandler med det tyske mindretal om dets kampindsats i tilfælde af en invasion.
21.1. 77 danskere deporteres til Sachsenhausen.
24.1. RFM foreslår, at Danmark pålignes et krigsbidrag.
26.1. Den tyske beslaglæggelse af Niels Bohr Instituttet ophæves.
26.1. Best forsøger at hindre beslaglæggelse af oplagte bornholmerbåde.
29.1. Tysk marineofficer skydes og den tyske efterretningstjenestes chef i Danmark, Hermann Seibold, såres alvorligt.

## FEBRUAR 1944

Den tyske modterror tager til.
Tysk politi overtager de fleste spørgsmål i forhold til Statens Civile Luftværn.
Rygter om Frits Clausens angivelige udskejelser som frivillig udbredes.
SOE dekreterer sabotagestop.
Drøftelser af om Danmark skal pålignes et krigsbidrag og om det danske ønske om en omlægning af clearingkontoen.
6.-7.2. På B&W arbejdet nedlagt pga. telefonbombe.
11.-12.2. På B&W arbejdet nedlagt pga. telefonbombe.
17.2. Best meddeler AA oprettelsen af Selbstschutz.
22.2. Best presser AA for at få tillagt benådningsretten ved en kommende tysk SS-ret i Danmark.
23.2. Søpolitiet overtager hele kystbevogtningen ved Øresund (KTB/BdO).
24.2. AA anmoder Best om at holde sig i nær forbindelse med Bovensiepen.
24.2. Polizei-Bataillon "Cholm" forlader Danmark.
26.2. Best meddeler, at Frits Clausen er indlagt til alkoholafvænning.

## MARTS 1944

Tysk politi overtager helt Shellhuset.
Best og andre tyske instanser er optimistiske over den aftagende sabotage.
Best fortsætter konflikten med Kriegsmarine vedr. beslaglæggelse af danske skibe.
1.3. Gottlob Berger om Germanische Leitstelles planer i de germanske lande.
3.-4.3. gennemfører WB Dänemark krigsspil.
7.3. Best meddeler AA, at han indstiller de meningsløse dagsindberetninger, som han var blevet pålagt i slutningen af august 1943.

| | |
|---|---|
| 7.3. | På grund af urologheder indfører den tyske kommandant i Odense spærretid. |
| 8.3. | HSSPF og BdO drøfter indsatsenhedernes bevægelighed i A-fald. |
| 8.3. | Best vil genoptage afslutningen af nybygningen af St. Petri skole. |
| 11.3. | Best udsteder forbud mod fremvisning af film optaget i lande, der er i krig med Tyskland, samt af franske film optaget før 1941. |
| 22.3. | Franz Ebner udarbejder optimistisk situationsberetning vedr. dansk økonomi og erhvervsliv. |
| 22.3. | AA meddeler Best, at han ikke får benådningsretten ved den kommende SS-ret. |
| 23.3. | Tysk overtagelse af søpolitiet i København. |
| 31.3. | BdO gennemfører "Lehrplanspiel" for Storkøbenhavn i A-fald. |

APRIL 1944

| | |
|---|---|
| | Det lovede besøg i Theresienstadt er under fortsat planlægning. |
| 1.4. | I AA havde der 31.3. været drøftelse med Best om hans dagsindberetninger, der sattes krav til, hvad han fremover skulle indberette. |
| 1.4. | Best udarbejder en kort beretning om forholdene i Danmark, den gunstige situation kræver tyske leverancer til Danmark. |
| 1.4. | Københavns kommandant orienterer WB Dänemark om et planspil om København, der havde fundet sted dagen før. |
| 1.4. | Schalburgkorpset deltager i begravelse af et likvideret ægtepar i Slagelse og marcherer med orkester gennem byen. |
| 2.4. | Schalburgkorpset marcherer gennem Korsør. |
| 3.4. | Ved en henvendelse til Backe vil Terboven gøre indhug i dansk sukkerproduktion til fordel for Norge. |
| 3.-4.4. | AA afholder møde i Krummhübel om jødeforanstaltninger med deltagelse af jødereferenterne ved de tyske gesandtskaber. Fra gesandtskabet i København deltager Lorenz Christensen. |
| 4.4. | Møde i København mellem repræsentanter for OKM og Best om konflikten vedr. skibsbeslaglæggelserne: Duckwitz skal fremover optræde på den rigsbefuldmægtigedes vegne. |
| 6.4. | Hitler reagerer på Bests korte beretning 1.4. med en ordre om tysk imødekommenhed. |
| 7.4. | Medlemskartotekerne fra KU og Dansk Ungdomssamvirke stjæles. |
| 9.4. | Anonym artikel af Best i dansk presse "Åbenhjertige ord om Danmarks stilling", hvor han anslår den forsonlige tone. |
| 9.4. | RSHA afviser, at benådningsretten ved en SS-ret i Danmark kan tilfalde Best. |
| 12.4. | Der indføres legitimationskort for at passere Lillebæltsbroen. |
| 18.4. | Strejke i Sønderborg pga. Kriegsmarines drab på en tilfældig mand. |
| 19.4. | Likvidering af Bests chauffør Tage Lerche. |
| 24. og 25.4. | Best orienterer AA om, at efter en rolig tid er sabotager og overfald igen taget til i København, samt hvad han med øjeblikkelig slagkraft gør imod |

det, bl.a. med modterror, henrettelser og en forordning om SS-ret i Danmark.

24.4. De storkøbenhavnske biografer lukkes indtil videre.

24.4. BdO gennemfører storrazzia i København (161 anholdte).

25.4. Der indføres dødsstraf for besiddelse af våben.

25.4. Artikel af Best til den danske offentlighed om de skarpe tyske reaktioner mod sabotagen.

26.4. Konflikt om udnævnelsen af en ny leder af Germanische Leitstelle i Danmark.

28.4. Sagen i gang mod K.B. Martinsen for mord m.m.

29.4. Ribbentrop understreger over for Best hans ansvar for opretholdelsen af en stabil dansk økonomi og en uforstyrret produktion.

## MAJ 1944

Forøget sabotageaktivitet.

Best må forklare AA sin håndtering af problemet Frits Clausen.

Trods mødet med OKM i april er der fortsat problemer vedrørende skibssabotagen.

På tysk foranledning begynder UM at udarbejde et memorandum om Danmarks økonomiske og erhvervsmæssige forhold.

På tysk side er rejst problemerne i forbindelse med det stærkt stigende tyske befæstningsbyggeri.

Fortsatte forhandlinger om et besøg i Theresienstadt.

1.5. Best benytter *Politische Informationen* til forsvar for sin senest førte politik.

4.5. Best forsvarer over for AA sine dispositioner 24.4., han ville undgå WB Dänemarks indgriben.

10.5. Best havde været afvisende mht. at lade det svenske pressebureau TT genoptage nyhedsformidlingen fra Danmark efter 24.4. Ribbentrop kalder ham personligt til orden.

12.5. Best ønsker at en række danske sabotagetruede virksomheder bliver bevogtet af tysk politi.

14.5. WB Dänemark udsender en ny kampanvisning.

15.5. OKM ønsker at tysk politi og Waffen-SS i Danmark skal finansieres via værnemagten og ikke Best.

15.5. Ribbentrop reagerer kraftigt over, at Best har tiltaget sig benådningsret for en SS-domstol.

20.5. Best indleder en procedure, hvor alvorlige sabotager straks bliver besvaret med eksekvering af afsagte dødsdomme, en for en.

21.5. DNSAP tager afstand til Schalburgkorpset.

22.5. Der indføres tysk militær kontrol med færdsel over de store broer.

26.5. Tysk politiaktion mod 26 danskere, deraf 13 politifolk.

26.5. De tyske myndigheder bestemmer, at alle danskere over 15 år skal bære legitimationskort.

| | |
|---|---|
| 27.5. | Kaltenbrunner meddeler AA, at danske fanger i tyske lejre vil blive ført til Frøslevlejren, når den er færdig. |
| 29.5. | De storkøbenhavnske biografer genåbner. |
| 31.5. | Ribbentrop meddeler RFM sin holdning til, om Danmark skulle betale krigsbidrag og vedr. omlægning af clearingkontoen. |

## JUNI 1944

| | |
|---|---|
| | Den allierede invasion i Normandiet giver problemer for dansk fiskeri pga. advarslerne mod at sejle ud. |
| 1.-3.6. | Gottlob Berger i Danmark, indvielse af mindesmærke for de danske frivillige. |
| 2.6. | Best modsætter sig fortsat tyske radioudsendelser rettet til den danske befolkning. |
| 6.6. | Højeste alarmberedskab i Danmark i anledning af invasionen i Normandiet. |
| | Advarsel til fiskere mod at sejle ud. |
| 7.6. | Konference på Dagmarhus om finansielle spørgsmål med deltagelse af den tyske finansminister. |
| 8.6. | Best fremsender til AA den først kendte af tysk sikkerhedspolitis månedsberetninger. |
| 8.6. | Forbud mod taxakørsel i København. Ophæves 16.7. |
| 9.6. | Sabotage mod Globus Cykler, der fører til at fabrikken får flakbevæbning. |
| 10.6. | Skibssabotager mod Kriegsmarine i Svendborg får OKM til at kræve de stærkeste modforholdsregler. |
| 12.6. | To sabotører henrettes som gengæld for sabotagen i Svendborg. |
| 14.6. | Dansk memorandum om landets økonomiske og erhvervsmæssige situation. |
| 15.6. | RFSS-brev til Pancke og Best om at skærpe foranstaltningerne mod sabotage. |
| 15.6. | Tysk politi indleder arrestation af medlemmer af Dansk Samling. |
| 16.6. | Kaltenbrunner udsender rundskrivelse om soneforanstaltninger og gidselhenrettelser. |
| 16.6. | Best afgiver en kort beretning om situationen i Danmark efter den allierede invasion. |
| 22.6. | BOPA sprænger Riffelsyndikatet – besættelsestidens største sabotage. |
| 23.6. | Otte henrettelser som gengæld for sprængningen af Riffelsyndikatet. |
| 23.6. | Dansk besøg i Theresienstadt. |
| 23.6. | Der indføres på HSSPF' krav med øjeblikkelig virkning tysk standret på Sjælland. |
| 24.6. | Best orienterer AA om de foranstaltninger, der er truffet i anledning af de seneste sabotager. |
| 24.6. | Indskrænkning af bilkørsel i København. (16.7. blev lastbilkørsel igen tilladt om natten). |
| 25.6. | Best beslutter at indføre spærretid i København fra den følgende dag. |

26.6. Best meddeler AA, at han indfører civil undtagelsestilstand og spærretid i København.

26.6. Arbejdere på B&W går hjem i protest mod spærretid.

26.6. Efter et møde med Best dagen før indfører Københavns kommandant militær patruljering dag og nat, sabotører skal nedskydes på stedet.

27.6. Best og von Hanneken aftale om forholdsregler ved uro eller folkelig opstand.

27.6. og flg. dage indberetter Barandon telefonisk til AA om situationen i København.

29.6. Officiel meddelelse om at otte modstandsfolk er henrettet.

30.6. Generalstrejke i København.

30.6. WB Dänemark meddeler kl. 14 OKW, at der er udbrudt generalstrejke i København pga. den af den rigsbefuldmægtigede indførte forlængede spærretid og fuldbyrdelsen af otte dødsdomme.

30.6. Gennemførelse af aktion "Monsun" besluttes for København fra 1. juli.

30.6. Københavns kommandant udsteder ordre for, hvordan ro og orden skal opretholdes i København.

## JULI 1944

Der er fortsatte problemer med Kriegsmarines beslaglæggelser af danske skibe.

1.7. Der indføres militær undtagelsestilstand i København fra kl. 12. Der lukkes for vand, gas og el.

1.7. Efter meddelelserne fra København: Hitler forbyder henrettelse af sabotører efter dom overalt i Europa.

1.7. og flg. dage: Strejken spreder sig til Helsingør, Frederikssund, Fredensborg, Holbæk, Hillerød, Lyngby, Roskilde, Køge, Esbjerg, Næstved, Vordingborg, Ribe, Varde, Grindsted.

2.7. Best forklarer Ribbentrop, at han ikke havde ordre fra Hitler om ikke at måtte bruge domstole til bekæmpelse af sabotage.

2.7. Ved aftenstid åbnes der atter for vand, gas og el i København.

3.7. På trods af myndighedernes opfordring til genoptagelse af arbejdet, bliver det kun delvist tilfældet.

3.7. Ribbentrop sender tre på hinanden følgende telegrammer, hvor han stiller Best til regnskab for den førte politik.

4.7. Mange virksomheder i København genoptager arbejdet.

4.7. Eksplosionsulykke i Århus. Barandon og Wurmbach betragter det som en ulykke, mens von Hanneken hælder til sabotage, hvilket det senere blev udlagt som.

4.7. Best til førerhovedkvarteret i Obersalzberg, hvor Hitler fortæller ham, at han ikke skal føre nogen selvstændig politik.

5.7. *Politische Informationen* udsendes med forsinkelse med Bests version af den københavnske folkestrejkes forløb.

5.7. Arbejdet er genoptaget i København i fuldt omfang.

5.7. Der gøres af Rüstungsstab Dänemark status over erfaringerne med aktion "Monsun".
6.7. Best meddeler RAM, at han har sendt Bovensiepen til Kaltenbrunner for at få tredoblet modterrorkommandoen på 10 mand.
9.7. Den militære undtagelsestilstand i København ophæves.
11.7. Schalburgkorpset trækkes væk fra København til Ringsted.
14.7. Berger orienterer RFSS om at den nazistiske bevægelse i Danmark var brudt sammen.
15.7. Ingo von Collani udsender retningslinjer for foranstaltninger ved indre uro (aktion "Monsun").
15.-17.7. Ophidset stemning på B&W, arbejdsydelsen lig nul, forhøjet sabotagefare.
19.7. BdO giver befaling om oprettelse af styrke til beskyttelse af tyskere og tyskvenlige personer.
20.7. Attentatforsøg mod Hitler.
24.7. Der dannes sabotageudrykningskommando for København.
26.-28.7. Best i AA i Berlin, hvor han får indskærpet, at han skal følge RAMs instrukser. Han medbringer en situationsbedømmelse af Danmark og forholdsregler, der skal skærpe modforanstaltningerne, men han ønsker fortsat at betjene sig af SS-retter.
27.7. Jens Møller sender VOMI en erklæring til støtte for Bests politik, videresendt til AA 8.8.
29.7. AA afviser over for RMVP at der er behov for tyskproducerede radioudsendelser på dansk.
30.7. Ribbentrop orienteres om resultatet af Bests besøg i AA.
30.7. Hitler udsteder Terror- und Sabotageerlaß.
31.7. Best orienterer AA om nazismens udvikling i Danmark.

## AUGUST 1944

Tysk politi indleder skærpet kurs.
1.8. *Politische Informationen* beskæftiger sig indgående med generalstrejken i København, også via "Fjendtlige stemmer".
1.8. Rüstungsstab Dänemark deles, Feldwirtschaftsoffizier udskilles og underlægges WB Dänemark.
1.8. Strejke i Frederikshavn pga. ammunitionsskibe.
2.8. Lorge tiltræder som chef for BdO.
2.8. Best videregiver den danske delegations positive indtryk af besøget i Theresienstadt.
4.8. 24-timers strejke i Helsingør pga. clearingmord.
7.8. Tysk politi overtager overfaldskommandoen i København fra WB Dänemark.
9.8. Henrettelse af 11 modstandsfolk i dølgsmål.
11.8. Best til møde med Forstmann og andre, hvor han gør det klart, at det er for sent at gribe ind i Danmarks økonomiske struktur.

11.8. I AA drøftelse af midler til bekæmpelse af terrorister, bl.a. gidselskydninger.

11.8. Svensk radio meddeler, at 11 danske modstandsfolk er henrettet.

12.8. Best dementerer, at 11 modstandsfolk er henrettet.

13.8. Frøslevlejren tages i brug.

14.8. Det beordres at de tyske tjenestesteder i Danmarks fire største byer skal sammenlægges i større enheder.

15.8. Strejker i København, Nakskov og 31 byer i Jylland pga. mord på 11 fanger.

15.8. HSSPF opretter sit eget pressekontor, der meddeler, at 11 voldsforbrydere var skudt under flugtforsøg.

15.8. 24-timers generalstrejke på alle værfter.

15.8. Albert Speer udsender ordre vedrørende tilbagetrækning af industri og lammelse eller ødelæggelse af resten, hvor tyskere må trække sig tilbage.

16.8. Havnestrejke i Ålborg pga. forberedelse af sprængning.

16.8. Der udbryder strejker som protest mod de 11 henrettelser i Århus, Silkeborg og Skive.

16.8. Best meddeler AA, at Pancke foreslår deportation til Tyskland af arbejdere, der strejker.

17.-19.8. I Thisted strejke i protest over de 11 henrettelser.

18.8. Strejke i Odense som protest mod clearingmord dagen før.

21.8. Tysk politi i København overtager foranstaltningerne i tilfælde af indre uro fra værnemagten.

21.8. Best meddeler AA, at Dansk National Samling er dannet.

21.8. Aktion "Monsun" bliver skærpet på to punkter, Technische Nothilfe indføres, Rüstungsstab Dänemark skubbes i baggrunden.

23.8. Generalstrejke i Randers (KTB/BdO).

24.8. Pancke træffer foranstaltninger for 29. august, giver herunder ordre om øjeblikkelig skydning af ballademagere, forstærkninger trækkes til København.

25.8. Der udsendes et tyskproduceret opråb for at provokere til strejke for at markere 29. august.

25.8. Wurmbach stiller spørgsmålstegn ved det fornuftige i at forberede havnesprængninger.

26.8. Best holder foredrag om "Den politiske og erhvervsmæssige udvikling i Danmark 1940-44" for de øverste embedsmænd i AO der NSDAP in Dänemark

26.8. OKM tager afstand fra Panckes forslag om at deportere strejkende danske arbejdere.

27.8. RAM tager afstand fra Panckes forslag om at deportere strejkende danske arbejdere.

28.8. OKW meddeler, at det ikke vil tage stilling til Bests henvendelse gennem AA vedr. deportation af strejkende.

28.8. Führerweisung nr. 62: Hitler befaler bygning af forsvarsstillinger bl.a. tværs over Jylland.

29.8. Årsdagen for 29. august forløber uden uro af nogen art.

29.8. RFSS vil have 5.000 arbejdere fra Danmark til brug for fæstningsbyggeri i Nordtyskland.

31.8. Paul Barandon har været i Berlin og orienteret AA om det dårlige forhold mellem Best og Pancke.

31.8. Forstmann svarer på et angreb som var rettet mod Rüstungsstab Dänemarks embedsførelse.

SEPTEMBER 1944

Store skansearbejder iværksættes tværs over Jylland, det tyske mindretal og rigstyskere i Danmark deltager.

WB Dänemark og Admiral Skagerrak uenige vedrørende forberedelsen af havnesprængninger.

Igennem flere uger forgæves bestræbelser på at skaffe 5.000 arbejdere til Tyskland.

Drøftelser af det tyske mindretals stilling i tilfælde af en invasion.

Kinderlandsverschickung i Danmark ophører.

1.9. WB Dänemark kræver ca. 8.000 arbejdere til skansearbejde og dansk hjælp til hurtig indkvartering, kravene afvises.

4.9. Steengracht meddeler RAM, at Kaltenbrunner har fortalt, at Pancke venteligt vil blive kaldt hjem.

4.9. Alle tyske statsborgere, der ikke har tjenstlige forpligtelser, skal forlade Danmark.

5.9. Ordren fra 14.8. vedrørende samling af de tyske tjenestesteder bliver udstrakt til hele landet.

6.9. Best lader en række dokumenter destruere, bl.a. om oversigtsforvaltning i Danmark.

11.9. Forstærket tysk jernbanebevogtning.

12.9. RFSS giver HSSPF ordren om aktionen mod det danske politi.

14.9. HSSPF retter kritik mod dansk politi for ikke at sætte energisk nok ind mod den forbryderiske underverden.

15.9. Deportation af 197 fanger fra Frøslev til Tyskland, Best ikke forud orienteret.

16.9. 24-timers strejker i en lang række jyske byer som protest mod deportationerne til Tyskland.

16.9. Strejke på Ålborg havn pga. forberedelse af havnesprængning.

17.9. Arbejdet genoptages i de fleste byer.

18.9. Isbryderne “Mjølner” og Holger Danske” flygter til Sverige.

18.9. Proteststrejke i Thisted.

18.9. Aktion “Taifun” udformes.

19.9. Aktion “Möwe” mod det danske politi, Best officielt ikke forud orienteret – Hipo oprettes efterfølgende.

19.8. Der indføres politimæssig undtagelsestilstand, HSSPF overtager kontrol med radio og presse.

19.9. Brud mellem besættelsesmagten og dansk radios ledelse.
20.9. 24-timers proteststrejker over deportationen af dansk politiet.
20.9. Gestapo lader den første bygning sprænge som gengæld for, at der skulle være blevet skudt fra den.
20.9. Seekriegsleitung beder OKW/WFSt om at undlade at forberede Ålborg havn til sprængning.
21.-26.9. Best i Tyskland.
22.9. OKW/WFSt nægter at stoppe forberedelsen til havnesprængning i Ålborg.
23.9. Best ved førerhovedkvarteret hos RAM, får ikke selv foretræde for Hitler, ønske om tilbagetræden afslås.
23.9. HSSPF udsteder forordning om genskabelse af et dansk ordens- og kriminalpoliti.
23.9. Ernst Lohmann midlertidigt afsat som radiocensor af Pancke i Bests fravær.
26.9. Forstmann redegør efter Speers ordre for, hvordan danske virksomheder kan lammes eller ødelægges.
27.9. Den første af fem deportationer af danske "asociale" til Tyskland begynder.
27.9. Best genindsætter Lohmann i sit embede som radiocensor.
27.9. Hjemkommet fra Berlin lader Best vide, at HSSPF er blevet underlagt ham.
27.9. RFSS udsender ordre vedr. bandebekæmpelse.
27.9. HSSPF redegør for sine planer for et dansk politi.
28.9. Emil Wiehl afskediges som leder af AAs handelspolitiske afdeling på baggrund af Hitlers ordre af 19. maj 1943 om at holde mænd med international tilknytning borte fra indflydelsesrige poster i stat, parti og værnemagt. Wiehl var gift med en amerikaner.
29.9. Frihedsrådet advarer om, at tysk politi gennem voldsomme repressalier for modstandsaktivitet vil provokere den almindelige befolkning til uoverlagte handlinger.

## OKTOBER 1944

Nordværk afvikles.
Mere tysk politi til Danmark.
Danmark opdeles i fire SS- und Polizeibereichsstellen (Inf. 3.10.).
AA arbejder på at få HSSPF underlagt den rigsbefuldmægtigede.
WB Dänemark presser på over for Best for at få mere dansk arbejdskraft til befæstningsbyggeriet.
5.10. 141 grænsegendarmer deporteres til Neuengamme.
6.10. OKW-ordre om beslaglæggelse af cykler i bl.a. Danmark.
6.10. Tyske bykommandanter instrueres i aktion "Monsun".
7.10. Fangne modstandsfolk tages med tog som gidsler.
6.10. BdS' "Meldungen aus Dänemark" begynder.

9.10. Alex Walter vurderer de negative konsekvenser af politiaktionen.
9.10. Best afviser igen at indskrænke den civile togdrift på WB Dänemarks anmodning.
9.10. AA får RSHAs tilsagn om, at de deporterede politifolk vil blive behandlet som krigsfanger.
9.10. Barandon orienterer AA om HSSPFs angreb på ham selv og andre af Bests medarbejdere.
11.10. Kommunale vagtværn skal oprettes.
14.10. og de flg. dage pres på Best for at få udvidet tysk radio- og pressepropaganda.
15.10. Den politimæssige undtagelsestilstand ophæves.
16.10. Gestapo afslører den illegale militære efterretningstjenestes hovedcentral, stort arkiv beslaglægges.
16.10. Best fraråder WB Dänemark enhver tvangsudskrivning af dansk arbejdskraft.
17.10. Fire DSB-færger beslaglægges til operation "Nordlicht".
18.10. Møde i København om skibs- og værftssabotagen samt om skibsflugten til Sverige.
18.10. Kraftig indskrænkning af færgetrafikken over Storebælt.
20.10. Seekriegsleitung anmoder RSHA om at gøre noget ved skibssabotagen i Danmark.
25.10. Standarte "Kurt Eggers" begynder sin propaganda i Danmark.
26.10. WB Dänemark har krævet 9.000 arbejdere til befæstningsbyggeri, kravet frafaldes.
26.10. Beslaglæggelsen af nye cykler.
26.10. OT har overtaget næsten alt befæstningsarbejde.
26.10. Indsættelse af russiske krigsfanger i det tyske befæstningsbyggeri.
27.10. Best meddeler AA, at BdS ønsker at overtage en lang række af hans ressortområder.
29.10. HSSPF udsender ordre vedr. bandebekæmpelse.
30.10. Ressortbesprechung i AA med deltagelse af Best og HSSPF. Kaltenbrunner lover at politifolkene gradvis skal komme hjem og behandles som krigsfanger. Ingen ændring i forholdet Best-Pancke.
31.10. Hans Clausen Korff vurderer den erhvervsmæssige og finansielle situation efter politiaktionen negativt.
31.10. Gestapos hovedkvarter i Århus bombes af RAF.

NOVEMBER 1944

Tyske bestræbelser på at få skibs- og værftssabotagen i Danmark stoppet.
2.11. SS-rettens vurdering af K.B. Martinsen-sagen.
3.11. Best bestrider, at dansk politis flertal har været indblandet i illegal virksomhed.
5.11. OKW ønsker mere politi til Danmark.
5.11. Interview med Best i anledning af toåret for hans ankomst til Danmark.

6.11. Færgen "Store Bælt" bortføres til Sverige.
7.11. Sabotage mod to tyske skibe i Svendborg.
9.11. Wurmbach og Best enige om gengæld for "Store Bælts" flugt.
10.11. Best sender AA en vurdering af det tyske forbrug i Danmark.
11.11. Ford Motor Co ønsker at frikøbe sig fra en kontrakt med Rüstungsstab Dänemark.
11.11. RSFF truer Best med, at han vil gå til Hitler, hvis ikke HSSPF og Best gør noget dramatisk ved skibssabotagen.
11.11. Planer om Lebensborn-hjem i Danmark.
12.11. WB Dänemark tager stilling til brugen af russiske krigsfanger.
14.11. Best går ind for, at der kommer mere tysk politi til Danmark.
15.11. Best forhaler gengældelsesaktionen i anledning af "Store Bælts" flugt.
15.11. Best redegør for, hvordan skibssabotagerne skal bekæmpes.
15.11. Best orienterer AA om husspræengninger som repressalie.
15.11. Karl Kaufmann tager initiativ vedr. værftssabotagerne.
15.11. I Esbjerg 24-timers proteststrejke som følge af clearingmord.
16.-18.11. Gestapo lukker for vand, gas og el i Esbjerg som svar på strejken.
16.11. Indledende drøftelse om værftssabotagen.
17.11. Hitler og OKW tager stilling til tyngdepunktet i invasionsforsvaret i Danmark.
18.11. Møde om bekæmpelsen af skibssabotagerne i Danmark: Kaufmann vil skaffe 3.000 politifolk hos RFSS, hvilket ikke blev imødekommet.
19.11. Aftale mellem WB Dänemark og Admiral Skagerrak vedr. forberedelsen af havnesprængninger.
20.11. HSSPF anser det ikke for nødvendigt at øge politistyrken i Danmark væsentligt.
20.11. Best på besøg hos SS-Sturmbannführer Hillgärtner i Frøslevlejren.
22.11. Best orienterer AA om de opgaver, dansk politi havde haft.
24.11. Beslaglæggelse af 5 danske skibe.
25.11. Best vælger både over for AA og den danske centraladministration at undlade at fortælle, at skibsbeslaglæggelserne var gengæld for "Store Bælts" flugt.
25.11. Karl Dönitz foreslår at gøre værftsarbejdere ansvarlige for sabotager på værfterne.
27.11. Paul Barandon fratræder.
28.11. Gottlob Berger lægger skylden for Schalburgkorpsets fiasko på Best og Pancke.

## DECEMBER 1944

Gottlob Berger har fortsat planer for et germansk-SS i Danmark.
1.12. Møde i OKW om finansiering af besættelsesomkostningerne i Danmark.
1.12. Admiral Wurmbachs hovedkvarter flyttes til Århus.
1.12. Den tyske kommandant i København bliver øverstbefalende for hele Sjælland.
1.12. Bovensiepens rapport om sabotage- og militærorganisationen i Danmark.

2.12. Dansk aftale med Bovensiepen om hjemførsel af syge deporterede politifolk.
4.14. RSHA foreslår RMVP at sende en propagandaofficer til Danmark.
5.12. Møde om værftsbevogtningen uden deltagelse af Best.
7.12. Kaltenbrunner tilslutter sig Bests forslag til bekæmpelse af værftssabotagen.
8.12. 211 deporterede politifolk hjemført.
9.12. Ribbentrop kræver, at Best indfører en forordning om repressalier for sabotage.
11.12. Best modsætter sig fortsat indførelse af rigstyske radioprogrammer i Danmark.
12.12. Værftsbevogtning effektueret ved samarbejde mellem HSSPF, WB Dänemark og Admiral Skagerrak plus Luftwaffe.
12.12. Best afgiver indstilling om repressalier mod kaptajner på skibe, der flygter til Sverige.
13.12. Ribbentrop meddeler RFM, at han fortsat ikke vil imødekomme danskernes ønske om omstilling af clearingkontoen og heller ikke vil påligne dem et krigsbidrag.
14.12. 100 fanger føres til Tyskland.
14.12. Møde i AA om oprettelsen af civil tysk domstol i Danmark.
18.12. 42 syge danske politifolk hjemsendt fra Buchenwald.
18.12. I Berlin møde om de tyske videnskabelige institutter i Europa.
18.12. Best besigtiger det ødelagte Gestapo-hovedkvarter i Århus.
20.12. 65 syge danske politifolk hjemsendt fra Buchenwald.
20.12. Karl Dönitz foreslår bl.a. repressalier mod værftsarbejdere, anvendes som KZ-fanger, og ønsker dokker og kraner fra Danmark.
24.12. Førerordre om beslaglæggelse af dokker og kraner i Danmark.
27.12. Rapport om de illegale efterretningstjenester i Danmark.
27.12. AA gentager kravet om, at Best udsender en forordning om soneforanstaltninger for sabotage.
28.-30.12. Best i Berlin og Grabow. Møder i AA.
30.12. Goebbels får af Hitler tilladelse til at lade foretage en rigsinspektion i Danmark.
31.12. Best skriver beretning om udviklingen i Danmark 1944.

## 1945

### JANUAR 1945

I *Politische Informationen* skriver Best imod anvendelse af modterror.
1.1. Best modsætter sig over for AA at udstede en forordning om soneforanstaltninger for sabotage.
4.1. Tysk meddelelse om, at de deporterede gendarmer vil blive hjemsendt.
8.1. Hans Bernard ny stedfortræder for Best i stedet for Paul Barandon.
8.1. OKW tilslutter sig, at Danmark ikke skal betale et krigsbidrag.

10.1. Schulungsburg Skagerrak på Dalum Slot åbnet i overværelse af Gauleiter Bohle, Best, WB Dänemark, HSSPF og Landesgruppeleder Dalldorf. Den første førerskole af sin art uden for Tyskland.
15.1. WB Dänemark ønsker at opgive København i tilfælde af invasion.
18.1. Alex Walter desillusioneret over det tysk-danske regeringsudvalgs magtesløshed, WB Dänemark og HSSPF handler efter forgodtbefindende.
19.1. Russisk brigade opstilles (nr. 599).
20.-21.1. Krigsspil i Silkeborg.
21.12. Ordre om beslaglæggelse af mindst 30.000 tons kul fra Danmark til brug for Norge. Efterfølgende talrige sabotager mod kraner landet over.
21.1. Tysk politis plan om overfald på Statens Civile Luftværn opgives i sidste øjeblik.
24.1. Strejke på B&W i anledning af, at der blev indført tilstedeværelseslister for arbejderne.
27.1. Von Hanneken afskediges.
28.1. Wurmbach vil have visitering af værftsarbejdere.

FEBRUAR 1945

Georg Lindemann ny WB Dänemark.
1.2. Schalburgkorpset opløses.
1.2. København skal ikke opgives, der skulle gøres alt for at forsvare byen. Sommerkorpset opløses.
4.2. Hitlers ordre om evakuering af tyske flygtninge til Danmark. Best skal stå for opgaven støttet af WB Dänemark.
6.2. Dømte sabotører skal køre med tog som gidsler.
6.2. Best imod offentliggørelse af skrappere foranstaltninger mod sabotage.
7.2. Lindemann foreslår sammen med Pancke og Best indførelse af dødsstraf for terror.
8.2. Bernard hos Nils Svenningsen om de kommende tyske flygtninge til Danmark.
8.2. Bovensiepen orienterer RSHA om stemningen i det tysk-danske regeringsudvalg.
9.2. Best redegør for sit syn på de tyske flygtninges anbringelse i Danmark.
12.2. Drøftelse i AA af flygtningespørgsmålet.
13.2. HSSPFs retningslinjer for bekæmpelse af indre uro i København.
15.2. OKH Sonderstab IV's beretning om Danmark.
15.2. HSSPFs retningslinjer for bekæmpelse af indre uro i Danmark.
15.2. Korff om finansieringen af de tyske flygtninge i Danmark.
15.2. Der indføres visitering på værfterne.
17.2. Første bilkonvoj efter deporterede danske betjente.
18.2. Efter sabotager m.m. sættes HSSPFs skærpede foranstaltninger i værk.
19.2. Folke Bernadotte hos RFSS: norske og danske KZ-fanger samles i en lejr.
19.2. Den sidste store deportation af danske fanger til Tyskland finder sted (til koncentrationslejren Dachau).

20.2. Møde i København om de tyske flygtninges indkvartering.

21.2. "Generaldebat" mellem Best og Nils Svenningsen om den tyske politik i Danmark.

22.2. Nyt forsøg på at dæmme op for tjenesterejserne til Danmark.

23.2. Et sammenstød mellem tysk politi, modstandsfolk og en værnemagtspatrulje bliver påskud til at iværksætte kraftige soneforanstaltninger, syv uofficielle henrettelser.

23.2. Nils Svenningsen sender Best et brev med en protest mod den tyske terror.

24.2. WB Dänemarks tog bliver afsporet og som repressalie nedbrændes en nærliggende gård og et ledvogterhus. Den illegale presse udnævner Lindemann til pyromangeneral.

24.2. Best udstikker regler for finansiering af de tyske flygtninge i Danmark.

25.2. Best får (ifølge sin senere forklaring) tilladelse til igen at lade modstandsfolk henrette efter dom.

26.2. 10 sabotører henrettes, retsforfølgelsen af danske modstandsfolk genoptages.

## MARTS 1945

Drøftelser af hvor de tyske flygtninge mest hensigtsmæssigt kan anbringes.

WB Dänemark bærer hovedopgaven med den praktiske anbringelse af de tyske flygtninge og sårede.

Stærkt stigende transportproblemer.

De sidste deportationer fra Danmark.

Troppereduceringer i Danmark.

Kriegsmarine overtager igen værfts- og skibsbevogtningen.

Norske og danske KZ-fanger samles i Neuengamme.

5.3. Best i AA i Berlin ledsaget af Jens Møller. HSSPF ligeledes til stede. Drøftelse af flygtningespørgsmålet.

8.3. RSHA går i lighed med Best ikke ind for en generel regel om repressalier mod familier til besætninger, der er flygtet til Sverige med deres skib.

8.3. Hitler giver tilladelse til udskibning af tyske flygtninge i København.

11.3. HSSPFs pressekontor meddeler henrettelsen 26.2. af de 10 sabotører efter dom.

12.3. Bests forordning om, at alle tyskere i Danmark mellem 16 og 65 år er forpligtet til at bidrage til krigsindsatsen.

12.3. Best beder om hjælp fra Dansk Røde Kors.

13.3. Best holder foredrag for WB Dänemarks stab om flygtningeproblemerne.

19.3. Hitlers ordre om total ødelæggelse både i riget og de besatte lande.

19.-20.3. OT holder Arbeitstagung i Vejle.

20.3. HSSPF udstikker retningslinjerne for lukning af de offentlige værker.

21.3. Shellhuset og Den Franske Skole bombarderet af RAF.

21.3. Bernadotte i København.

21.3. Best anmoder om beslaglæggelse af færgen "Odin".

23.3. Hitler tillader kvinders anvendelse i værnemagten.
23.3. Rudolf Stehr om Lebensborns inddragelse i flygtningearbejdet.
24.3. Seekriegsleitung om værdien af ødelæggelse af havne.
25.3. Beslaglæggelse af 15 handelsskibe.
27.3. BOPA-sabotage mod Langebro, København, hvorved beslaglagte skibe indespærres, ingen tysk gengæld.
28.3. Ordre om at værnemagten skal overlade hoteller, pensioner o. lign. som kvarter for de tyske flygtninge.
30.3. Bernadotte besøger Neuengamme.
30.3. Det tyske forsvar i København samlet i tre kampblokke.
31.3. HSSPF: Om hvordan man skulle forholde sig ved nedkastning af fjendtlige faldskærmsagenter.

## APRIL 1945

I *Politische Informationen* lader Best "Fjendtlige stemmer" præsentere bl.a. nogle af Gestapos ledere i Danmark, men bevarer i øvrigt en overdreven optimisme med hensyn til leverancerne til Tyskland.
Kriemhildstillingen bliver med virkning fra 2.4. vendt med front mod syd!
BdOs stab i Danmark bliver opløst.
2.4. Bernadotte hos RFSS.
4.4. Best afviser alle Nils Svenningsens anmodninger i forbindelse med henrettelserne af dødsdømte modstandsfolk.
8.4. 22 Bugser- og slæbebåde flygter til Sverige.
9.4. De tyske værnsledere i Danmark drøfter den militære situation.
9.4. RFM foreslår skrappere kontrol med den private tyske vareudførsel fra Danmark.
10.4. Gestapos hovedkvarter i Esbjerg sprænges.
10.4. Netop frigivne 15 skibe beslaglægges igen.
10.4. Tyske sanktioner for skibsflugten 8.4., indskrænket sejlads, beslaglæggelser.
15.4. Danske jøder i Theresienstadt føres til Sverige.
15.4. WB Dänemark udsender dagsbefaling om, at han vil forsvare Danmark til sidste patron.
15.4. Best hos Karl Kaufmann i Hamborg, enighed om at undgå slutkamp i Norden.
17.4. Gestapos hovedkvarter nær Odense, Husmandsskolen, bombes af RAF.
19.-21.4. Best i Oslo, hvor Terboven afviser at være med til at afværge slutkamp i Norden.
19.4. RFSS' ordre om, at alle skandinaviske fanger i Neuengamme føres til Sverige, hvilket sker den følgende dag.
19.4. HSSPFs dagsbefaling: al orlov inddraget.
20.4. "Bombenatten" i København.
20.-21.4. To skibe sænket i Københavns havneudløb, Wurmbach kræver repressalier.
21.4. Tysk politis modterror ophører, danske terrorgrupper fortsætter. De officielle henrettelser ophører.

22.4. Zeitfreiwilligenkorps opløses.
24.4. Strejke i Fredericia pga. henrettelser, ingen tysk gengæld.
24.4. Bernadotte i Frøslevlejren.
24.4. Inspektionsskibene "Argus" og "Løvenørn" flygter til Sverige.
30.4. Best fører drøftelser med Walter Schellenberg og greve Folke Bernadotte.
30.4. Hitler begår selvmord, Karl Dönitz bliver efterfølger.
30.4. Dagsbefaling fra WB Dänemark: Enhver opstand vil blive slået brutalt ned.

MAJ 1945

Hipo ophæves, mandskabet indgår i BdS.
1.5. WB Dänemark orienterer Karl Dönitz om situationen i Danmark.
2.5. Sidste møde i det tysk-danske regeringsudvalg.
3.5. Lindemann og Best hos Karl Dönitz i Mürwik. Best taler mod krig på dansk grund.
3.5. WB Dänemark beder Dönitz om, at København bliver åben by.
4.5. Best beder Dönitz om, at København bliver åben by.
4.5. WB Dänemark får besked om, at København må blive erklæret for åben by i tilfælde af et angreb.
5.5. Pancke, Bovensiepen og andre tyske politifolk flygter fra Danmark.
5.5. De tyske tropper i Danmark kapitulerer.
5.5. Problemer med forplejningen af de tyske tropper.
6.5. Best får angiveligt fra AA besked om, at han skulle have været årsag til, at det ikke kom til slutkamp i Danmark.
6.5. Best er fortsat at betragte som tysk gesandt i Danmark.
9.5. Talrige episoder under de tyske troppers udmarch.
10.5. Sovjetiske skibe anløber Bornholm.
11.5. Ordre om at de tyske tropper på Bornholm skal overgive sig.
13.5. Best rapporterer for sidste gang til AA.
21.5. Best arresteres.

## 1946

Best, Mildner, Hoffmann m.fl. afhøres ved Nürnbergprocessen.

## 1948

20.9. Best og Bovensiepen dømt til døden ved Københavns Byret, von Hanneken får 8 års fængsel, mens Pancke får 20 års fængsel.

## 1949

18.8. Best idømt 5 års fængsel, mens Bovensiepen får livsvarigt fængsel ved Østre Landsret.
Von Hanneken frikendes og udvises. Pancke får på ny 20 års fængsel.

## 1950

17.3. Højesteret forhøjer Bests straf til 12 års fængsel. Panckes straf stadfæstes.
Best udarbejder sin beretning om 2 ½ års besættelsespolitik i Danmark.

## 1951

Best udarbejder sin beretning om sin tid i det besatte Frankrig 1940-42.
29.8. Best løslades.

## 1953

12.6. Pancke benådes og udvises.

1.12. Bovensiepen benådes og udvises.

# TILLÆG 2

## Henrettede 1943-45

| *Dato* | *Navn* | *Officiel tysk begrundelse* | |
|---|---|---|---|
| 28.08.1943 | Sørensen, Poul Edvin Kjær | sabotage, bjærgning af sprængstof nedkastet fra flyvemaskine | |
| 20.11.1943 | Jeppesen, Marius | overfald på tysk soldat | |
| 20.11.1943 | Rasmussen, Svend Edvard | fabriks- og jernbanesabotage | |
| 02.12.1943 | Andersen, Anders Wilhelm | industrisabotage, jernbanesabotage | |
| 02.12.1943 | Christiansen, Georg Mørch | industrisabotage, jernbanesabotage | |
| 02.12.1943 | Christiansen, Otto Manly | industrisabotage, jernbanesabotage | |
| 02.12.1943 | Johannesen, Sven Christian | industrisabotage, jernbanesabotage | |
| 02.12.1943 | Kroer, Oluf Axelbo | industrisabotage, jernbanesabotage | |
| 20.12.1943 | Jensen, Alf Tolboe | industri- og jernbanesabotage | |
| 24.04.1944 | Stenderup, Niels | overfald på medlem af værnemagten | |
| 27.04.1944 | Nielsen, Svend Otto | sabotage, mord på tysk politiembedsmand | |
| 29.04.1944 | Svane, Lars Bager | spionage, begunstigelse af fjenden | |
| 02.05.1944 | Abel, Carl Erik | meddelelse uden begrundelse | |
| 05.05.1944 | Schacht, Jørgen Eivind | meddelelse uden begrundelse | |
| 20.05.1944 | Quistgaard, Georg | fremtrædende rolle i sabotageorganisation | |
| 22.05.1944 | Larsen, Carl Jørgen | virksom i sabotage- og spionageorganisation | |
| 24.05.1944 | Hansen, Arne Lützen | fremtrædende i sabotage- og spionageorganisation | |
| 26.05.1944 | Andersen, Orla | deltager i sabotageorganisation | |
| 26.05.1944 | Mikkelsen, Benny | overfald på tysk politimand, attentat mod politifængsel, sabotage | |
| 08.06.1944 | Svarre, Harold | meddelelse uden begrundelse | |

| | *Modstandsarbejde i henhold til* Faldne i Danmarks frihedskamp, *1970* | *Sted* | *Modtagegrp.* | *Sabotage* | *Rutearbejde* | *Overfald* | *Likvideringer* | *Spionage* | *Diverse* |
|---|---|---|---|---|---|---|---|---|---|
| | sabotage, våbenmodtagelse | Ålborg | • | | | | | | |
| | bladuddeling, forsøg på at bemægtige sig tysk soldats våben | Randers | | | | • | | | |
| | BOPA | Kbh. | | • | | | | | |
| | jernbanesabotage | Randers | | • | | | | | |
| | industri- og jernbanesabotage | Århus | | • | | | | | |
| | industri- og jernbanesabotage (Langå) | Randers | | • | | | | | |
| | jernbanesabotage (Langå) | Randers | | • | | | | | |
| | industri- og jernbanesabotage (Langå) | Randers | | • | | | | | |
| | industri- og jernbanesabotage | Århus | | • | | | | | |
| | forsøg på afvæbning af tysk soldat | Kbh. | | | | • | | | |
| | Holger Danske | Kbh. | | | | | • | | |
| | Holger Danske, efterretningstjenesten | Kbh. | | | | | | • | |
| | efterretning, våbenforsyning, ruter | Kbh. | | | | | | • | |
| | BOPA | Kbh. | | • | | | | | |
| | ledende i modtagearbejdet på Sjælland | Kbh. | • | | | | | | |
| | tilknyttet SOE | Århus | • | | | | | | |
| | Holger Danske og modtagearbejde på Sjælland | Kbh. | • | | | | | | |
| | våbenmodtagelse | Hornslet | • | | | | | | |
| | sabotage, likviderings- og befrielsesforsøg | Ålborg | | | | | • | | |
| | våbenmodtagelse | Hornslet | • | | | | | | |

| *Dato* | *Navn* | *Officiel tysk begrundelse* | |
|---|---|---|---|
| 08.06.1944 | Sørensen, Axel | meddelelse uden begrundelse | |
| 09.06.1944 | Rathje, Mogens | SS-frivillig, røverier begået under orlov | |
| 12.06.1944 | Boye, Hermann | deltagelse i sabotage | |
| 12.06.1944 | Wøldike, Helmer | sabotageforbrydelser | |
| 23.06.1944 | Balslev, Emil | deltagelse i sabotageforbrydelser | |
| 23.06.1944 | Gjessing, Poul Ib | deltagelse i sabotageforbrydelser | |
| 23.06.1944 | Hansen, Christian Ulrik | deltagelse i sabotageforbrydelser | |
| 23.06.1944 | Henriksen, Hans Jørgen | deltagelse i sabotageforbrydelser | |
| 23.06.1944 | Jensen, Michael Westergaard | deltagelse i sabotageforbrydelser | |
| 23.06.1944 | Lauritsen, Børge | deltagelse i sabotageforbrydelser | |
| 23.06.1944 | Lind, Jens Peter | deltagelse i sabotageforbrydelser | |
| 23.06.1944 | Rydder, Jørgen | deltagelse i sabotageforbrydelser | |
| 29.06.1944 | Andersen, Henning | deltagelse i sabotageforbrydelser | |
| 29.06.1944 | Fiil, Niels | deltagelse i sabotageforbrydelser | |
| 29.06.1944 | Fiil, Marius | deltagelse i sabotageforbrydelser | |
| 29.06.1944 | Hansen, Johan Kjær | deltagelse i sabotageforbrydelser | |
| 29.06.1944 | Iversen, Albert Carlo | deltagelse i sabotageforbrydelser | |
| 29.06.1944 | Kjær, Niels Nielsen | deltagelse i sabotageforbrydelser | |
| 29.06.1944 | Kristensen, Søren Peter | deltagelse i sabotageforbrydelser | |
| 29.06.1944 | Sørensen, Peder Bergenhammer | deltagelse i sabotageforbrydelser | |
| 21.02.1945 | Andersen, Erik Gerhard | | |
| 27.02.1945 | Brøndsted, Karl Gustav | våbenundervisning og -transport, tyveri af biler og benzin | |
| 27.02.1945 | Christensen, Harald | overfald for at skaffe våben, biler og benzin, mord på to danskere | |
| 27.02.1945 | Christensen, Preben Richard | overfald for at skaffe våben, sabotage mod fabrikker og bilværksteder | |
| 27.02.1945 | Crone, Erik | overfald for at skaffe våben, mord på to danskere | |

| *Modstandsarbejde i henhold til* Faldne i Danmarks frihedskamp, *1970* | *Sted* | *Modtagegrp.* | *Sabotage* | *Rutearbejde* | *Overfald* | *Likvideringer* | *Spionage* | *Diverse* |
|---|---|---|---|---|---|---|---|---|
| våbenmodtagelse | Hornslet | • | | | | | | |
| | | | | | | | | |
| sabotage | Sønderborg | | • | | | | | |
| våbenmodtagelse | Stoholm | • | | | | | | |
| våbenmodtagelse | Års | • | | | | | | |
| våbenmodtagelse, -opbevaring, bombefremstilling | Ålborg | • | | | | | | |
| våbenmodtagelse | Jylland | • | | | | | | |
| våbenopbevaring, bombefremstilling | Ålborg | • | | | | | | |
| våbenmodtagelse | Års | • | | | | | | |
| våbenmodtagelse | Års | • | | | | | | |
| våbenmodtagelse | Års | • | | | | | | |
| våbenmodtagelse | Års | • | | | | | | |
| våbenmodtagelse | Hvidsten | • | | | | | | |
| våbenmodtagelse | Hvidsten | • | | | | | | |
| våbenmodtagelse | Hvidsten | • | | | | | | |
| våbenmodtagelse | Hvidsten | • | | | | | | |
| våbenmodtagelse | Hvidsten | • | | | | | | |
| våbenmodtagelse | Hvidsten | • | | | | | | |
| våbenmodtagelse | Hvidsten | • | | | | | | |
| våbenmodtagelse | Hvidsten | • | | | | | | |
| muldvarp på Dagmarhus | Kbh. | | | | | | • | |
| afsnit 8 V, våbentransport, biltyveri, likvidering | Kbh. | | | | | | | • |
| | Kbh. | | | | | • | | |
| BOPA | Kbh. | | • | | | | | |
| Studenternes Efterretningstjeneste, skudkamp med HIPO | Kbh. | | | | | • | | |

| *Dato* | *Navn* | *Officiel tysk begrundelse* |
|---|---|---|
| 27.02.1945 | Glendau, Svend | overfald, mord på dansker, tyveri af biler, benzin og våben |
| 27.02.1945 | Gylche, Preben | overfald for af skaffe udrustning, våbeninstruktion, våbenrov fra tysker |
| 27.02.1945 | Larsen, Einar Aksel | fabrikssabotage, mord på to danskere |
| 27.02.1945 | Madsen, Poul | overfald for at skaffe militær udrustning, mord på dansker |
| 27.02.1945 | Nielsen, Andreas | overfald for at skaffe våben, biler og benzin, mord på to danskere |
| 27.02.1945 | Sørensen, Carl Borch | overfald for at skaffe våben, sabotage mod fabrikker og bilværksteder |
| 03.03.1945 | Andersen, John Erik | fabrikssabotage, overfald for at skaffe våben |
| 03.03.1945 | Fischer, Ib | begunstigelse af fjenden, fabrikssabotage, overfald for at skaffe våben |
| 03.03.1945 | Jensen, Hagbard Friis | begunstigelse af fjenden, fabrikssabotage, overfald for at skaffe våben |
| 03.03.1945 | Jensen, Helge Ove | overfald for at røve våben, biler og penge |
| 03.03.1945 | Michelsen, Erik Koch | afdelingsleder i en illegal organisation |
| 10.03.1945 | Iversen, Helge Broch | jernbanesabotage |
| 10.03.1945 | Jensen, Jens Thue | spionage, jernbanesabotage |
| 10.03.1945 | Larsen, Poul | fabriks- og jernbanesabotage |
| 10.03.1945 | Nielsen, Hans Silas | jernbanesabotage, våbentransport |
| 10.03.1945 | Pedersen, Erik | fabriks-, jernbane- og skibssabotage |
| 10.03.1945 | Platou, Henrik Wessel | medførte skydevåben for at dræbe et medlem af værnemagten |
| 10.03.1945 | Teilmann, Johan Jørgen | jernbanesabotage |
| 13.03.1945 | Holm, Poul Petersen | skibs- og fabrikssabotage |

| | *Modstandsarbejde i henhold til* Faldne i Danmarks frihedskamp, *1970* | *Sted* | *Modtagegrp.* | *Sabotage* | *Rutearbejde* | *Overfald* | *Likvideringer* | *Spionage* | *Diverse* |
|---|---|---|---|---|---|---|---|---|---|
| | Holger Danske-tilknyttet | Kbh. | | | | | • | | |
| | BOPA | Kbh. | | | | • | | | |
| | sabotage | Slagelse | | | | | • | | |
| | sabotage, L-gruppe, våbentransport | Kbh. | | | | | • | | |
| | afsnit 8, våbeninstr., fremskaffelse af våben og biler, sabotage | Kbh. | | | | | • | | |
| | BOPA | Kbh. | | • | | | | | |
| | BOPA | Kbh. | | • | | | | | |
| | Holger Danske | Kbh. | | • | | | | | |
| | Holger Danske | Kbh. | | • | | | | | |
| | afsnit 5, aktioner for at skaffe våben og biler | Kbh. | | | | | | | • |
| | Holger Danske, leder af marine-gruppe tilknyttet Holger Danske | Kbh. | | | | | | | • |
| | jernbanesabotage | Bramminge | | • | | | | | |
| | jernbanesabotage | Bramminge | | • | | | | | |
| | våbenmodtagelse, planlægning af sabotage | Ålborg | | • | | | | | |
| | jernbanesabotage | Bramminge | | • | | | | | |
| | fabriks-, jernbane- og skibssabotage | Kolding | | • | | | | | |
| | våbeninstruktion og -fordeling, likvidering | Jylland | | | | | • | | |
| | jernbanesabotage, våbenbesiddelse | Vedsted | | • | | | | | |
| | skibs- og fabrikssabotage | Svendborg | | • | | | | | |

| *Dato* | *Navn* | *Officiel tysk begrundelse* | |
|---|---|---|---|
| 13.03.1945 | Jensen, Bent | deltaget som bevæbnet friskaremand i illegal gruppe | |
| 13.03.1945 | Madsen, Preben Lytken | våben- og sprængstofbesiddelse, planlagt sabotage | |
| 13.03.1945 | Nielsen, Poul Mackeprang | transport af våben og sprængstoffer nedkastet fra fjendtlig flyvemaskine | |
| 13.03.1945 | Nielsen, Svend Egon | våben- og sprængstofbesiddelse, planlagt sabotage | |
| 13.03.1945 | Pedersen, Leif Dines | jernbane- og fabrikssabotage, mord på værnemagtslæge | |
| 13.03.1945 | Søndergaard, Aage | jernbane- og fabrikssabotage | |
| 17.03.1945 | Andersen, Jørn | våbentransporter, fabrikssabotage | |
| 17.03.1945 | Christensen, Kaj Leo | våbentransporter, fabrikssabotage | |
| 17.03.1945 | Jensen, Svend Georg | fabrikssabotage | |
| 17.03.1945 | Mosolff, Ejner Ole | våbenrøveri, sprængning af benzintank | |
| 17.03.1945 | Ohlsen, Kaj | våbenrøveri, våbenbesiddelse | |
| 17.03.1945 | Salling, Hans Brahe | våbenrøverier, fabrikssabotage | |
| 17.03.1945 | Stougaard, Georg Wilhelm | sabotage, våbenrøverier, besiddelse af våben og sprængstof | |
| 28.03.1945 | Ahlefeldt-Laurvig-Lehn, Lennart | våbenbesiddelse, bjærgning af nedkastede våben, sabotage | |
| 28.03.1945 | Christensen, Bent | våbenbesiddelse, bjærgning af nedkastede våben, sabotageuddannelse | |
| 28.03.1945 | Stentoft, Bendt | våbenbesiddelse, bjærgning af nedkastede våben, sabotageuddannelse | |
| 29.03.1945 | Andersen, Ole Bay | bjærgning af nedkastede våben | |
| 29.03.1945 | Clausen, Erik Briand | bjærgning af nedkastede våben | |
| 29.03.1945 | Daugaard, Aage Emil | bjærgning af nedkastede våben, tyveri fra værnemagten | |
| 29.03.1945 | Hansen, Henning Børge | våbenbesiddelse, bjærgning af nedkastede våben, sabotageuddannelse | |
| 29.03.1945 | Mørup, Asger Lindberg | at have bragt våben og sprængstof i sikkerhed | |

| *Modstandsarbejde i henhold til* Faldne i Danmarks frihedskamp, *1970* | *Sted* | *Modtagegrp.* | *Sabotage* | *Rutearbejde* | *Overfald* | *Likvideringer* | *Spionage* | *Diverse* |
|---|---|---|---|---|---|---|---|---|
| fabrikssabotage, våbenmodtagelse | Silkeborg | | | | | | | • |
| tilknyttet sabotagegruppe | Århus | | | | | | | • |
| fabrikssabotage, våbenmodtagelse | Silkeborg | • | | | | | | |
| intet konkret nævnt | Århus | | | | | | | • |
| fabrikssabotage, våbenmodtagelse | Silkeborg | | | | • | | | |
| fabrikssabotage, våbenmodtagelse | Silkeborg | | • | | | | | |
| Holger Danske | Kbh. | | • | | | | | |
| Holger Danske | Kbh. | | • | | | | | |
| Holger Danske | Kbh. | | • | | | | | |
| Holger Danske | Kbh. | | • | | | | | |
| Holger Danske | Kbh. | | • | | | | | |
| Holger Danske | Kbh. | | • | | | | | |
| Holger Danske | Kbh. | | • | | | | | |
| våbenmodtagelse, sabotage | Sydfyn | • | | | | | | |
| jernbanesabotage | Nyborg | • | | | | | | |
| sabotage | Nyborg | • | | | | | | |
| våbenmodtagelse | Slagelse | • | | | | | | |
| våbenmodtagelse | Hvalsø | • | | | | | | |
| modtage- og sabotagegruppe | Slagelse | • | | | | | | |
| sabotage | Nyborg | • | | | | | | |
| våbenmodtagelse | Sorø | • | | | | | | |

| *Dato* | *Navn* | *Officiel tysk begrundelse* | |
|---|---|---|---|
| 29.03.1945 | Neergaard, Eigil Bruno de | besiddelse af våben og sprængstof | |
| 06.04.1945 | Fyhn, Peter Wessel | våbenfremskaffelse og -transport | |
| 06.04.1945 | Malthe-Bruun, Kim | sejlet toldbåd til Sverige, våben-fremskaffelse og -transport | |
| 06.04.1945 | Reventlow, Ludvig Alfred | våben- og sprængstoftransport | |
| 06.04.1945 | Winther, Jørgen Frederik | våbentransport | |
| 11.04.1945 | Hansen, Poul Erik Krogshøj | fabrikssabotage, mord på danskere | |
| 11.04.1945 | Larsen, Carl Jørgen Erik Skov | fabrikssabotage, mord på danskere | |
| 11.04.1945 | Petersen, Knud | fabrikssabotage, mord på danskere | |
| 11.04.1945 | Wieland, Henning | fabrikssabotage, mord på danskere | |
| 19.04.1945 | Andersen, Ferdinand Emil Martin | jernbanesabotage i den hensigt at skade værnemagten | |
| 19.04.1945 | Christensen, Ole | jernbanesabotage i den hensigt at skade værnemagten | |
| 19.04.1945 | Eeg, Hans | jernbanesabotage i den hensigt at skade værnemagten | |
| 19.04.1945 | Hermann, Helge | jernbanesabotage i den hensigt at skade værnemagten | |
| 19.04.1945 | Jacobsen, Henry | opbevaring af våbenlager | |
| 19.04.1945 | Kolding, Karl Gustav | jernbanesabotage i den hensigt at skade værnemagten | |
| 19.04.1945 | Lassen, Ivar Peder | jernbanesabotage i den hensigt at skade værnemagten | |
| 19.04.1945 | Månsson, Eluf Preben | jernbanesabotage i den hensigt at skade værnemagten | |
| 19.04.1945 | Petersen, Hans Christian Just | opbevaring af våbenlager | |
| | | | |
| | I alt | | |

| *Modstandsarbejde i henhold til* Faldne i Danmarks frihedskamp, *1970* | *Sted* | *Modtagegrp.* | *Sabotage* | *Rutearbejde* | *Overfald* | *Likvideringer* | *Spionage* | *Diverse* |
|---|---|---|---|---|---|---|---|---|
| byleder, kontakt til Holger Danske | Slagelse | | | | | | | • |
| Dansk-Svensk Flygtningetjeneste, Studenternes Efterretningstjeneste | Kbh. | | | • | | | | |
| Studenternes Efterretningstjeneste | Kbh. | | | • | | | | |
| Studenternes Efterretningstjeneste | Kbh. | | | • | | | | |
| Studenternes Efterretningstjeneste | Kbh. | | | • | | | | |
| BOPA | Kbh. | | | | | • | | |
| BOPA | Kbh. | | | | | • | | |
| BOPA | Kbh. | | | | | • | | |
| BOPA | Kbh. | | | | | • | | |
| jernbanesabotage | Fredericia | | • | | | | | |
| jernbanesabotage | Fredericia | | • | | | | | |
| jernbanesabotage | Fredericia | | • | | | | | |
| jernbanesabotage | Fredericia | | • | | | | | |
| jernbanesabotage | Taulov | | • | | | | | |
| jernbanesabotage | Taulov | | • | | | | | |
| jernbanesabotage | Fredericia | | • | | | | | |
| jernbanesabotage | Taulov | | • | | | | | |
| jernbanesabotage | Fredericia | | • | | | | | |
| | | | | | | | | |
| | | 33 | 38 | 4 | 4 | 13 | 3 | 7 |

Ved disse pæle blev flertallet af de dødsdømte danske modstandsfolk henrettet. Stedet er i dag omdannet til "Mindelunden Ryvangen", og træpælene erstattet af kopier i bronze (Frihedsmuseet).

An diesen Pfosten wurden die meisten der zum Tod verurteilten dänischen Widerstandskämpfer hingerichtet. Der Ort ist heute als "Gedenkhain Ryvangen" umgestaltet und die Holzpfosten sind durch Kopien aus Bronze ersetzt worden (Frihedsmuseet).

# TILLÆG 3
## Oversigt over tyske modterroraktioner 1943-45
af Henrik Lundtofte

*Introduktion*
Denne oversigt rummer omkring 400 terrorhandlinger, som fra efteråret 1943 til befrielsen maj 1945 blev udført af en række terrorgrupper i tysk tjeneste.

*Modterror*
Det sparsomme kildemateriale taler for, at både initiativet og ordren til den tyske terrorpolitik kom fra Hitler og Himmler.[1] Sammen med OKW forlangte de i efteråret 1943, at sabotager og drab på tyskere og danske sympatisører og håndlangere blev gengældt langt strengere, end det hidtil havde været tilfældet. Hitler var dog af den opfattelse, at gidselnedskydninger og henrettelser efter dom blot skabte martyrer og forlangte derfor, at gengældelserne blev anonyme og foregik i det skjulte. Målene for repressalierne skulle være modstandens "åndelige bagmænd." Da Nazistyret udlagde modstandsbevægelsens aktioner som terror, blev repressalierne kaldt *Gegenterror*, modterror. Werner Best og Günther Pancke var i det mindste indledningsvist ikke tilhængere af denne form for repressaliepolitik, men fik sammen med von Hanneken præciseret terrorordren mundtligt af Hitler under et møde i Ulveskansen den 30. december 1943.

Modterroren var selvmodsigende – den skulle være anonym, men samtidig sende et utvetydigt signal til befolkningen og især til modstandskredsene om, at prisen for f.eks. at nedskyde tyskere og danskere i besættelsesmagtens tjeneste var hævnmord og terror.

De godt 100 modterrordrab kaldtes i samtiden *Clearingmord*, der rammende refererer til drabene som gengældelser. Derimod er populærbetegnelsen *Schalburgtage* for repressaliesprængningerne misvisende, når den holder Schalburgkorpset ansvarlig for kontrasabotagen. Schalburgkorpset var, som oversigten viser, indblandet, men var hverken en central aktør eller som organisation koblet på terroren.

Oversigten dementerer ligeledes den udbredte antagelse om, at de tyske gengældelser var "terror mod kultur"[2] – også sæbefabrikken i Varde blev bombet. Det styrende princip for måludvælgelsen blev i første række nemlig geografisk. For at sende et tydeligt gengældelsessignal skulle der være geografisk sammenhæng mellem en sabotage og den efterfølgende schalburgtage. Næste udvælgelseskriterium var, at kontrasabotagen skulle ramme virksomheder, institutioner, bygningsværker osv. uden at tyske interesser led skade. Derfor faldt terrorledelsens øjne ofte på nationale symboler eller institutioner, de mente var antinazistiske eller tyskfjendtlige og ikke virkede til gavn for besættelsesmagten. Disse udvælgelseskriterier forklarer de relativt mange sprængninger af f.eks. bladhuse rundt om i landet.

1 Det følgende om modterroren bygger på: Rosengreen 1982, s. 67-86. Lundtofte 2003, s. 154-175. Lauridsen 2006a, s. 171-202.

2 Se f.eks. Esben Kjeldbæk om modterroren i *Spærretid*, 2005, s. 204-209.

*Terrorgrupperne*

Modterror-ordren bevirkede oprettelsen af en egentlig terrorgruppe, nemlig den såkaldte Petergruppe. Fra årsskiftet 1943-44 og til befrielsen gennemførte Petergruppen mere end 75 % af modterroraktionerne. Gruppen blev først ledet af SS-Hauptsturmführer Otto Schwerdt (Dæknavn Peter Schäfer, deraf *Petergruppen*) og fra oktober-november 1944 af SS-Hauptsturmführer Horst Issel. Derudover bestod Petergruppen af tyske og danske SS-folk – Henning Brøndum, Kaj Bothildsen Nielsen, Ib Nedermark Hansen m.fl. Eftersom en stor gruppe af de menige tyske SS'ere fra Petergruppen aldrig blev stillet for retten i Danmark, er der en del aktioner især i begyndelsen af 1944, der er ringe belyst.[3]

Ved siden af Petergruppen gjorde grupper under ET sig gældende. ET var oprindelig Schalburgkorpsets efterretningstjeneste, men blev fra foråret 1944 direkte tilknyttet tysk politi. Umiddelbart efter aktionen imod det danske politi den 19. september 1944 oprettede HSSPF Pancke Hipo-korpset som en afdeling under ET. Desuden var der civilklædte ET-grupper, i første række Lorentzen-gruppen, Schiølergruppen og Lille-Jørgen-gruppen. Disse ET-grupper udførte i 1945 en række modterroraktioner. Således var Lorentzen-gruppen dybt involveret i den såkaldte "Bombenat" i København den 20.-21. april 1945, der var gengæld for likvideringen af ET-chefen Erik V. Petersen.

*Afgrænsning*

Oversigten forsøger at omfatte samtlige terrordrab og sprængninger, der kan siges at være blevet udført som led i besættelsesmagtens modterror*politik*. Derfor omfatter oversigten udelukkende aktioner, som

- var beordret eller på forhånd sanktioneret af tyske politimyndigheder eller af ledelsen i Schalburgkorpset eller ET/Hipo
- var planlagte gengældelser for specifikke modstandsaktioner (likvideringer eller sabotager) eller repressalier for en kæde af modstandshandlinger.

Oversigten dækker derfor ikke nedskydningen af Carl Henrik Clemmensen den 30. august 1943. Drabet blev udført på tre danske SS'eres eget initiativ og foregik inden modterrorpolitikken blev sat i gang.[4] Den dækker heller ikke de i et vist omfang terroristiske skyderier, tysk politi begik under den københavnske Folkestrejke i 1944.

Derimod omfatter oversigten en række aktioner, der ikke var anonyme. De fandt sted fra midten af 1944 og var led i en udvidelse af modterrorpolitikken eller, om man vil, udtryk for supplerende terrorstrategier. Det gælder for det første Gestapos drab på modstandsfolk, f.eks. nedskydningen af 11 arrestanter i nærheden af Roskilde den 9. august 1944.[5] Drabene var en direkte følge af Hitlers Terror- und Sabotageerlaß fra den 30. juli 1944, der beordrede tysk politi til straks at nedskyde anholdte modstandsfolk (Ordren blev dog aldrig realiseret til fulde i hverken Danmark eller andre vesteuropæiske lande).

For det andet begyndte tysk politi i efteråret 1944 i fuld offentlighed at sprænge villaer og ejendomme, der havde huset sabotører. Om disse sprængninger indsatte tysk po-

3 Herom Høgh-Sørensen 2004.
4 Om den ene af Clemmensens mordere se Helweg-Larsen 2008, s. 15f, 31ff., 170-184, 297.
5 Lauridsen 2006a, s. 188.

liti pressemeddelelser i dagspressen til skræk og advarsel.[6] Sprængningerne er i oversigten kaldet "officielle sprængninger" og blev i øvrigt ofte udført af uniformerede medlemmer af Petergruppen.

Modstandsbevægelsen og især tysk politis danske håndlangergrupper udkæmpede i 1944-45 en eskalerende mini-borgerkrig.[7] En del af Gestapo og ET-/Hipos aktioner foregik inden for modterrorpolitikken – andre af f.eks. Hipos nedskydninger befandt sig i en gråzone, hvor det på grundlag af akterne fra retsopgøret kan være vanskeligt at skelne imellem overlagte drab og nedskydninger under ildkampe med modstandsfolk. Atter andre af f.eks. ET-gruppernes drab var brutale sikkerhedsforanstaltninger eller personlige hævnakter, men næppe led i terrorpolitikken. Endelig er der drab, der tilsyneladende var clearingmord (og derfor inkluderet i oversigten), men hvor koblingen til modterrorpolitikken aldrig blev klarlagt – det gælder f.eks. de to drab, som "Den lille Banan", Edvard A.D. Petersen, begik.

*Kilderne*

De tilgængelige kilder er som allerede antydet ikke uproblematiske. Der er overvejende tale om kilder fra retsopgøret og hér er fortielserne og forvekslingerne talrige. Endvidere vil der helt givet være modterroraktioner, der ikke figurerer i oversigten, enten fordi de ikke blev opfattet som sådanne i efterkrigstiden, fordi de ikke indgik i de retsakter, der er anvendt til denne oversigt, eller fordi det ikke har været muligt at sandsynliggøre, at der var tale om modterror.

Litteraturen er naturligvis præget af disse problemer, især når i øvrigt brugbare bøger hverken graver bredere eller dybere, end hvad der umiddelbart kan læses i enkelte sagskomplekser fra retsopgøret.[8] Desuden må de store værker fra slutfyrrerne som Brøndsted og Geddes *De fem lange Aar* undertiden fungere som primære kilder, fordi de som de eneste giver informationer om visse modterroraktioner.[9]

Oversigten bestræber sig på at være fuldstændig, men kan af de anførte grunde ikke gøre krav på at være det.

*Oversigtens opbygning*

1.) Dato

2.) Terrorhandlingens karakter (drab eller sprængning) og offer/objekt.
Oversigten følger retsopgørets strukturering af attentaterne. Nogle er således anført særskilt, skønt de blev udført på samme sted og tidspunkt som gengæld for samme modstandshandling, hvorimod andre terrorhandlinger (som f.eks. clearingdrabene på brødrene Christensen på Vesterbro den 8. november 1944) er anført som én aktion.

3.) Gerningsmænd eller terrorgruppe.
For det meste ville det være muligt at anføre de danske medlemmer af f.eks. Peter-

6 For de tyske pressemeddelelser se f.eks. Alkil, 2, 1945-46, s. 927 om otte sprængninger i Odense.

7 Se herom Birkelund 2008.

8 Det gælder f.eks. Frank Bøghs ellers anvendelige bøger *Petergruppen*, 2004, og *De dødsdømte*, 2005, der også lider under manglende kildehenvisninger.

9 Brøndsted/Gedde, 2-3, 1946-47.

gruppen, der deltog i en terrorhandling. Derimod er det ofte umuligt at identificere de tyske gerningsmænd. Derfor er der overvejende blot anført Petergruppen osv.

4.) Motivet til en terrorhandling.
Under retsopgøret huskede gerningsmændene kun i nogle tilfælde motivet til en terrorhandling, af og til løj de eller ville ikke ud med sproget – hvis de da under krigen overhovedet var blevet informeret om motivet! Derfor er det til tider vanskeligt at rekonstruere baggrunden for en terroraktion. Undertiden kan supplerende kilder og litteratur dog hjælpe med at sandsynliggøre baggrunden for et attentat. Det er i et vist omfang søgt gennemført i oversigten. Det er værd at bemærke, at motivet til en terrorhandling er noget andet end begrundelsen for udvælgelsen af et bestemt Schalburgtage-mål eller Clearing-offer. I nogle tilfælde viser retsakterne, hvorfor f.eks. Petergruppen udvalgte en bestemt person eller bygning som repressaliemål.[10] I så fald er denne oplysning medtaget. Men det er ikke hensigten i øvrigt at belyse dét aspekt.

5.) Skadesbeløb.
På grundlag af oplysninger i retssagsmaterialet er Schalburgtagernes omkostninger i 1940'er-kroner anført, hvor det har været muligt.

6.) Henvisninger til centralt kildemateriale og sekundærlitteratur, der er angivet med fulde bibliografiske data i kildeudgivelsens samlede litteraturhenvisninger.

## Anvendte kilder til udarbejdelse af terrorliste

*Trykte Kilder*

1.) Sagen mod Werner Best, Günther Pancke, Otto Bovensiepen og Hermann von Hanneken optrykt i *Den parlamentariske Kommissions Betænkning* (PKB) bd. XIII, s. 189-228 (Byretsdommen), s. 238-246 (Østre Landsrets dom), s. 248-249 (Højesterets dom).

2.) Sagen mod Ib Birkedal Hansen m.fl. (i oversigten kld. Birkedal-Hansen-sagen) optrykt i *Højesteretstidende* 94, 1950, s. 592-616.

3.) Sagen mod Petergruppens danske medlemmer (i oversigten kld. Brøndum-sagen) optrykt i *Højesteretstidende* 91, 1947, s. 134-230 (Højesteretssagen mod Henning E. Brøndum, Kai H. Bothildsen Nielsen, Ib Nedermark Hansen, Aage T. Mariegaard, Robert Lund, Helge Erik Lundquist, Svend Thybo Sørensen og Børge Jensen).

4.) Sagen mod Helge V. Ertner optrykt i *Højesteretstidende* 92, 1948, s. 574-581.

5.) Sagen mod Schiølergruppen (i oversigten kld. *Ibsen-sagen*) optrykt i *Højesteretstidende* 93, 1949, s. 634-767 (Højesteretssagen mod Ib Gerner Ibsen, Helmuth V. Mortensen, Harry Egon Ibsen og Poul Reimann Jensen).

6.) Sagen mod Ejgil Gervig Jørgensen og Børge Wiese optrykt i *Højesteretstidende* 94, 1950, s. 194-274.

7.) Sagen mod Lorentzen-gruppen (i oversigten kld. Lorentzen-sagen) optrykt i *Højesteretstidende* 92, 1948, s. 126-279 (Højesteretssagen mod Jørgen B. A. Lorentzen, Erik

10 I nogle tilfælde huskede terroristerne, at en person figurerede i det såkaldte A-Kartei, i andre tilfælde at personen var "tyskfjendtlig" – og i atter andre tilfælde huskede de intet.

K. R. Rasmussen, John E. Hemmingsen, Holger V. Hansen, Knud P. Lomholdt-Pedersen, Rupert G. Nielsen, Palle C.H. Pries Jensen, Holger Buhl Andersen, Kristian Kjersgaard Rasmussen, Enrico H.B. Rand, Tage Petersen, Kurt Johansen, Mathias P. Kristensen og William Pedersen).

8.) Sagen mod Willi Mann, Vilhelm Georg Barnevitz, Benny V. L. Barnevitz og Henry Riksted optrykt i *Højesteretstidende* 93, 1949, s. 514-541.

9.) Sagen mod KB Martinsen og Jacob Erik Holm optrykt i *Højesteretstidende* 93, 1949, s. 122-153.

10.) Sagen mod Aksel G. Nielsen ("Luckau") optrykt i *Højesteretstidende* 91, 1947, s. 543-581.

11.) Sagen mod Georg A. Olsson optrykt i *Højesteretstidende* 92, 1948, s. 506-517.

12.) Sagen mod Arne Ejnar Park optrykt i *Højesteretstidende* 91, 1947, s. 294-303.

13.) Sagen mod Lille-Jørgen-gruppen (i oversigten kld. Lille-Jørgen-sagen) optrykt i *Højesteretstidende* 93, 1949, s. 880-955 (Højesteretssagen mod Jørgen Chr. Sørensen, kld. "Lille-Jørgen", Aage C. A. Jensen og Carl-Viggo Klæbel).

14.) Sagen mod Arvid Waltenstrøm og Jan Sørensen optrykt i *Højesteretstidende* 92, 1948, s. 1066-1085.

*Utrykte kilder*

1.) Best-sagen. Københavns byrets arkiv, 25. Afd., sag nr. 3/1948. Landsarkivet for Sjælland.

- Pk. 2 Anklageskrift m.m.
- Pk. 6, Unummereret, udateret og usigneret, dansk-sproget redegørelse (antagelig) af Bovensiepen "Om Forholdet mellem danske og tyske Aktioner" (I oversigten kld. Bovensiepen-redegørelsen). Redegørelsen henviser til *Besættelsestidens Fakta*, *Daglige Beretninger* og Rapport fra 1. undersøgelseskammer af 24.7.47. Redegørelsen må altså være udarbejdet efter denne dato.
- Pk. 15 Forhold VI "Panckes Terror".

2.) Retsbog fra Brøndumsagen. Landsarkivet for Sjælland, Københavns Byret 25. Afd., sag nr. 211/1946.

3.) Hovedrapport vedr. Bovensiepen. Historisk Samling fra Besættelsestiden, gruppe 40F.

4.) Hovedrapport vedr. Schwerdt. Historisk Samling fra Besættelsestiden, gruppe 40F.

5.) Retsbog fra sagen mod Hoffmann, Schwerdt m.fl. Historisk Samling fra Besættelsestiden, gruppe 40F.

6.) Informationsblätter Befehlshaber der Ordnungspolizei, 6.10.1943-5.4.1945. Rigsarkivet. Centralkartoteket (Rødt nr. 600).

7.) Hovedrapport vedr. Schalburgkorpset. Historisk Samling fra Besættelsestiden, gruppe 24E.

8.) Oversigt over Gerningssteder (Hipo-aktioner) af 20.2.1946. (Hér kld. *Liste over Hipo-aktioner*) Historisk Samling fra Besættelsestiden, gruppe 24G.

9.) Rapport vedr. Efterretningstjenesten og Hipo. Kbh.'s Politi 21.8.1945. Historisk Samling fra Besættelsestiden, gruppe 24G.

10.) Politirapporter vedr. nedskydning af 11 danske fanger 9.8.1944. Historisk Samling fra Besættelsestiden, gruppe 27AB.

11.) Second Supplementary Memorandum of the Danish Government regarding Terrorisme (sic) and "Clearing-Murders" during the German Occupation of Denmark (i oversigten kld. Supplementary Memorandum). Historisk Samling fra Besættelsestiden grp. 27AB.
- Enclosure 16 om Lorentzengruppen
- Enclosure 17 om Schiølergruppen
- Enclosure 20 om Sommerkorpset
- Enclosure 21 om Hipo

12.) Foreløbigt Resumé over SS-Sonderkommando Dänemarks (Petergruppen) Organisation, Medlemmer og Arbejdsmetoder. Kbh.s Opdagelsespoliti 28.12.1945. Historisk Samling fra Besættelsestiden grp. 27AB.

## Oversigt
over tyske modterroraktioner 1943-45

4.12.1943 Drab på Aksel Andersen, Niels Nielsen og Arno Egon Hansen, der alle blev likvideret under en fangetransport i København. Den første modterroraktion.

Gruppe: Medlemmer af Gestapo

Modterror for: "Opsparet" gengældelse, udløst af drabet på en tysk Feldwebel på Jarmers Pl. i Kbh. 4.12.1943

Skadesbeløb:

Henvisning: Rosengreen 1982, s. 77ff. Lundtofte 2003, s. 161.

9.12.1943 Rudeknusninger i Roskilde (Gik ud over Politimester Sørensens bopæl og Roskilde Landbobank)

Gruppe: ET-folk (Nedermark Hansen bl.a.)

Modterror for: Gengæld for forulempelser af nazister i Roskilde

Skadesbeløb:

Henvisning: Sagen mod K.B. Martinsen og Jacob Erik Holm, HT 1949, s. 125.

14.12.1943 Vandtårn i Søndermarken

Gruppe: ET-folk

Modterror for: Ikke oplyst

Skadesbeløb:

Henvisning: Alkil, 2, 1945-46, s. 863. Monrad Pedersen 2000, s. 99, 114.

30.12.1943 Drabsforsøg på journalist Chr. Damm, Kbh.

Gruppe: Petergruppen

Modterror for: Begrundelse ikke oplyst, men formentlig var der tale om opsparet gengæld for modstandsbevægelsens likvideringer og overfald. If. Schwerdt var Damm medlem af Secret Service og engelskvenlig samt tyskerhader og med til at finansiere modstand

Skadesbeløb:

Henvisning: HSB, Hovedrapport Schwerdt s. 11-12.

30.12.1943 Drabsforsøg på folketingsmedlem Aksel Møller, Kbh.

Gruppe: Jan Sørensen og Arvid Waltenstrøm

Modterror for: Se også neden for. De implicerede påstod, at Møller og Ole Bjørn Kraft stod bag trusselsbreve mod bl.a. Waltenstrøm

Skadesbeløb:

Henvisning: Sagen mod Waltenstrøm og Sørensen, HT 1948, s. 1071ff., 1081ff. HSB, Hovedrapport Schwerdt s. 11-12. Monrad Pedersen 2000, s. 114.

30.12.1943 Drabsforsøg på folketingsmedlem Ole Bjørn Kraft, Kbh.

Gruppe: Jan Sørensen og Arvid Waltenstrøm

Modterror for: If. K.B. Martinsen var attentatet "opsparet Gengældelse" for drab på nazister og tyskvenlige personer og iværksat af Best. If. gerningsmændene, Waltenstrøm og Sørensen (der affyrede skuddene) havde Ole Bjørn Kraft medvirket i at udarbejde en liste over nazister, der arbejdede for Gestapo

Skadesbeløb:

Henvisning: Sagen mod Waltenstrøm og Sørensen HT 1948, s. 1068,1072, 1081ff. Sagen mod K.B. Martinsen og Jacob Erik Holm, HT 1949, s. 139ff. Monrad Pedersen 2000, s. 114. Sagen mod K.B. Martinsen og Jacob Erik Holm, HT 1949, s. 126.

Jan. 1944 Rudeknusninger i Helsingør

Gruppe: ET-folk

Modterror for: Ikke oplyst

Skadesbeløb:

Henvisning: Sagen mod K.B. Martinsen og Jacob Erik Holm, HT 1949, s. 132.

4.1.1944 Drab på Kaj Munk, Vedersø

Gruppe: Petergruppen samt SD-manden Söhnlein

Modterror for: "Opsparet" gengældelse og den egentlige begyndelse på clearingdrabene, der if. Hitler skulle ramme modstandens "åndelige bagmænd"

Skadesbeløb:
Henvisning: HSB, Hovedrapport Schwerdt s. 12-13.

6.1.1944 Drab på Læge Villy Vigholt, Slagelse
Gruppe: Jacob Holm og Knud Lossow, Schalburgkorpset
Modterror for: Gengældelse for drabet 5.1.1944 på DNSAP-medlem, fiskehandler Jens Chr. N. Petersen, Slagelse
Skadesbeløb:
Henvisning: HSB, Hovedrapport vedr. Schalburgkorpset s. 35. Sagen mod K.B. Martinsen og Jacob Erik Holm, HT 1949, s. 125, 142ff. Bøgh 2005, s. 240f. Monrad Pedersen 2000, s. 99, 114. *Faldne i Danmarks frihedskamp*, 1970, s. 444.

10.1.1944 Attentat mod Studenterforeningens bygning, Vestre Boulevard 6, Kbh.
Gruppe: Petergruppen
Modterror for: Ikke oplyst
Skadesbeløb: 120.000 kr.
Henvisning: Lauritzen 1947, s. 1387.

10.1.1944 Attentat mod restaurant Parnas, Kbh.
Gruppe: Ukendt
Modterror for: Ukendt
Skadesbeløb: Ukendt
Henvisning: *Daglige Beretninger*, 1946, s. 16.

11.1.1944 Attentat mod garageanlæg, Enghavevej 31, Kbh.
Gruppe: Petergruppen
Modterror for: If. Bovensiepen gengæld for sabotage mod tysk benzinanlæg
Skadesbeløb: 14.025 kr.
Henvisning: Lauritzen 1947, s. 1387. HSB, Hovedrapport Bovensiepen s. 101.

17.1.1944 Attentat mod Hellerup Flødeis
Gruppe: Petergruppen
Modterror for: Ikke oplyst
Skadesbeløb: 13.485 kr.
Henvisning: Lauritzen 1947, s. 1387.

25.1.1944 Attentat mod danske Studenters Roklub, Strandvænget, Kbh.
Gruppe: Petergruppen
Modterror for: Ikke oplyst

Skadesbeløb: 26.105 kr.
Henvisning: Lauritzen 1947, s. 1387.

26.1.1944 Attentat mod Silkeborg Roklubs bådehus
Gruppe: Ukendt
Modterror for: Form. repressalie for en lokal modstandsgruppes sprængning af vandtårnet ved jernbaneterrænet 10.1.1944
Skadesbeløb:
Henvisning: Brøndsted og Gedde, 2, 1946, s. 676. RA, Informationsblatt BdO 28.1.1944. Horskjær 1984, s. 110.

31.1.944 Drabsforsøg på grev Brockenhuus-Schack, Hellerup
Gruppe: Provisorisk gruppe under Pancke: SS-O'Stuf. Falke, Poul Ejnar Berthelsen, Ib Nedermark Hansen samt ukendt.
Modterror for: If. Bovensiepen var repressalierne gengæld for drabet på en tysk marineofficer på Højbro Pl. 29.1.1944. Mordforsøget kunne også hænge sammen med attentatet på den tyske efterretningsofficer Seibold 29.1.1944. If. Nedermark Hansen (se Retsbog fra Brøndum-sagen) var det gengæld for likvideringen af Erik Østergaard Petersen (20.12.1943)
Skadesbeløb:
Henvisning: Brøndum-sagen, HT 1947, s. 137, 183 samt LAK, Bovensiepen i Best-sagens Forhold VI "Panckes Terror." LAK, Retsbog fra Brøndum-sagen s. 38.

31.1.1944 Drab på politibetjent John Falkenaa, Kbh.
Gruppe: Provisorisk gruppe under Pancke: Ib Nedermark Hansen, Knud Erik Østergaard Larsen, Arne Jensen og W. Graurock
Modterror for: If. Bovensiepen var drabet gengæld for drabet på en tysk marineofficer på Højbro Pl. 29.1.1944
Skadesbeløb:
Henvisning: Brøndum-sagen, HT 1947, s. 137, 183 samt LAK, Bovensiepen i Best-sagen Forhold VI "Panckes Terror."

31.1.1944 Attentat mod Hellerup Roklub
Gruppe: Petergruppen
Modterror for: Ikke oplyst
Skadesbeløb: 227.244 kr.
Henvisning: Lauritzen 1947, s. 1387.

3.2.1944 Drab på landsretssagfører Holger Christensen, Århus
Gruppe: Petergruppen

Modterror for: If. Bovensiepen gengæld for tre drab (Heraf to på DNSAP-medlemmer 14.1.1944) i Århus i januar 1944. (Form. likvideringerne af Nordahl Mortensen, Jaeger og Rasmus Holm). If. samme Bovensiepens forklaring i hovedrapporten var Holger Christensen førende modstandsmand

Skadesbeløb:

Henvisning: Lauritzen 1947, s. 1387. LAK, Bovensiepen-redegørelsen i Best-sagen. HSB, Hovedrapport Bovensiepen s. 107. Andrésen 1945, s. 316 ff. Bøgh 2004, s. 11f.

7.2.1944 Attentat mod filmselskabet ASA, Lyngby

Gruppe: Petergruppen

Modterror for: Ikke oplyst

Skadesbeløb: 92.357 kr.

Henvisning: Lauritzen 1947, s. 1387.

7.2.1944 Attentat mod Nordisk Film, Valby

Gruppe: Petergruppen

Modterror for: Ikke oplyst

Skadesbeløb: 193.000 kr.

Henvisning: Lauritzen 1947, s. 1387.

9.2.1944 Attentat mod ejendom, Møllegade 22, Svendborg

Gruppe: Petergruppen

Modterror for: Ikke oplyst

Skadesbeløb: 58.000 kr.

Henvisning: Lauritzen 1947, s. 1387.

9.2.1944 Attentat mod Tinghuset i Svendborg

Gruppe: Petergruppen

Modterror for: Ikke oplyst

Skadesbeløb: 65.000 kr.

Henvisning: Lauritzen 1947, s. 1387.

14.2.1944 Drabsforsøg på professor Erik Warburg, Kbh.

Gruppe: Petergruppen

Modterror for: If. Bovensiepen blev Warburg anset for at være en ivrig modstander af Tyskland

Skadesbeløb:

Henvisning: Lauritzen 1947, s. 1387. HSB, Hovedrapport Bovensiepen s. 102.

28.2.1944 Attentater i Esbjerg mod Paladshotel og Engers Hansens Boghandel

Gruppe: Petergruppen

Modterror for: If. Schwerdt gengæld for adskillige sabotager i Esbjerg, bl.a. sabotage mod Værnemagtskantine (Schwerdt tænkte muligvis på Lido-bar) og 21.2.44 sabotage mod eksportstalde

Skadesbeløb: 366.000 kr. i alt

Henvisning: Henningsen 1955, s. 212-215. HSB, Retsbog fra sagen mod Hoffmann, Schwerdt m.fl., s. 64-66.

3.3.1944 Drabsforsøg på adjunkt Niels Foged, Odense

Gruppe: Petergruppen

Modterror for: If. Bovensiepen gengæld for drab 1.3.1944 på C. Klitgaard, DNSAP, Odense

Skadesbeløb:

Henvisning: Brøndum-sagen, HT 1947, s. 137-138, 183-184. LAK, Bovensiepen-redegørelsen i Best-sagen. Omtale hos Alkil, 2, 1945-46, s. 869. Skov 2005, s. 8.

3.3.1944 Attentat mod politistation på Flakhaven i Odense. En betjent blev dræbt og en anden såret.

Gruppe: Petergruppen

Modterror for: Attentatet skal være iværksat, fordi clearingdrabet på Niels Foged mislykkedes

Skadesbeløb: Ikke oplyst

Henvisning: Skov 2005, s. 8. Hansen 1945b, s. 90ff.

3.3.1944 Drabsforsøg på direktør Poul Schmidt Larsen, Randers

Gruppe: Petergruppen

Modterror for: Kaj Jensen, Petergruppen, forklarede, at man mistænkte fabrikanten for at have smidt en håndgranat ind i en frikorpsmands lejlighed, der dræbte dennes hustru

Skadesbeløb:

Henvisning: LAK, Retsbog fra Brøndum-sagen s. 52.

4.3.1944 Drab på kaptajn Gustav Mackeprang, Charlottenlund

Gruppe: Petergruppen

Modterror for: If. Bovensiepen-redegørelsen gengæld for bl.a. drabsforsøg 13.2.1944 på tysk soldat, Kbh., og drabsforsøg 18.2.1944 på Schalburgmand, Ringsted samt drab 4.3.1944 på Vald. Hansen, sabotagevagt, Kbh. Men Hansen blev skudt senere end Mackeprang. Det virker mere plausibelt, at drabet var gengæld for drabsforsøget på Seibold 29.1.1944, hvilket sammen med drabet på en marinevægter 29.1.1944 førte til en koordinering af to clearingdrabsaktioner mellem Pancke (udmøntet i drabet på Falkenaa) og det tyske sikkerhedspoliti. Mackeprang blev udvalgt, fordi han var terrænsportsleder

Skadesbeløb:
Henvisning: Brøndum-sagen, HT 1947, s. 138, 184-185. LAK, Bovensiepen-redegørelsen, Best-sagen. Alkil, 2, 1945-46, s. 896. *Faldne i Danmarks modstandskamp*, 1970, s. 272.

7.3.1944 Attentat mod boghandler Kielbergs forretning, Svendborg
Gruppe: Petergruppen
Modterror for: If. Retsbogen fra Brøndum-sagen s. 53 var drabet gengæld for sabotage i Svendborg (2.3.44 saboteredes en dieselmotor til den tyske marine på Svendborg Stålskibsværft, Alkil, 2, 1945-46, s. 1229, se også Skov nedenfor) og fordi Kielberg blev anset for at være medlem af modstandsbevægelsen
Skadesbeløb: 57.000 kr.
Henvisning: LAK, Retsbog fra Brøndum-sagen s. 53. Lauritzen 1947, s. 1387. Skov 2005, s. 8.

17.3.1944 Attentat mod *Aalborg Stiftstidendes* bygning
Gruppe: Petergruppen
Modterror for: Form. sabotage mod Aalborg Eternitfabrik
Skadesbeløb:
Henvisning: Brøndsted og Gedde, 2, 1946, s. 717.

20.3.1944 Brandattentat på posthuset i Svendborg
Gruppe: Petergruppen
Modterror for: Ikke oplyst
Skadesbeløb: Ringe skade
Henvisning: Brøndum-sagen, HT 1947, s. 138, 185 og Lauritzen 1947, s. 1387.

21.3.1944 Drabsforsøg på landsretssagfører Poul Hjermind, Kbh.
Gruppe: Petergruppen
Modterror for: If. Bovensiepen blev Hjermind (KU og Dansk Ungdomssamvirke) anset for at være fremtrædende medlem af modstandsbevægelsen
Skadesbeløb:
Henvisning: HSB, Hovedrapport Bovensiepen s. 102. Brøndsted og Gedde, 2, 1946, s. 714. Andersen 1947, s. 544f. *Daglige Beretninger*, 1946, s. 74f.

21.3.1944 Attentat mod Kaffebaren, Kbh.
Gruppe: Ukendt (Nedermark Hansen fra ET/Petergruppen var anklaget for attentatet, men blev frikendt)
Modterror for: Ikke oplyst

Skadesbeløb: 105.000 kr.
Henvisning: Brøndum-sagen, HT 1947, s. 138, 185.

23.03.1944 Drabsforsøg på redaktør Sigurd Thomsen, *Social-Demokraten*. Han døde 25.3.1944
Gruppe: Edvard A. D. Petersen, "den lille Banan"
Modterror for: Ikke oplyst
Skadesbeløb:
Henvisning: *Daglige Beretninger*, 1946, s. 76-77, Alkil, 2, 1945-46, s. 870. Brøndsted og Gedde, 2, 1946, s. 714, 740. Frisch, 3, 1948, s. 103f. Trolle 1945, s. 138-144. Øvig Knudsen 2004, s. 326-328. Bindsløv Frederiksen 1960, s. 426.

30.3.1944 Attentat mod Café Egely, Elmegade, Kbh.
Gruppe: Form. Bothildsen Nielsen m.fl. (som ET-folk)
Modterror for: Ikke oplyst
Skadesbeløb:
Henvisning: HSB, Hovedrapport vedr. Schalburgkorpset s. 10. *Daglige Beretninger*, 1946, s. 82. Monrad Pedersen 2000, s. 99.

31.3.1944 Bombeattentat mod Kinopalæet, Kbh.
Gruppe: Petergruppen
Modterror for: Sabotage mod tyske film generelt
Skadesbeløb: 912.350 kr.
Henvisning: Brøndum-sagen, HT 1947, s. 139, 185.

1.4.1944 Bombeattentat mod Platanbiografen, Kbh.
Gruppe: Ib Nedermark Hansen, Jens Frederik Hansen, en ukendt Schalburgmand og Poul E. Berthelsen
Modterror for: Gengæld for sprængningen af Kinopalæet – Panckes initiativ!
Skadesbeløb: 100.000 kr.
Henvisning: Brøndum-sagen, HT 1947, s. 139, 185.

1.4.1944 Attentat mod Hviids Vinstue, Kbh. En vicevært blev dræbt
Gruppe: Kaj Bothildsen Nielsen og Viktor Regelow Jensen
Modterror for: Ikke oplyst i HT. I retsbogen forklarer Bothildsen Nielsen, at attentatet skulle gengælde sprængningen af café Mocca 27.10.1943
Skadesbeløb: Ukendt
Henvisning: Brøndum-sagen, HT 1947, s. 139, 186. LAK, Retsbog fra Brøndum-sagen s. 57. Monrad Pedersen 2000, s. 99.

| | | |
|---|---|---|
| 5.4.1944 | Attentat mod bådehuset ved lystbådehavnen på Langelinie | |
| | Gruppe: | Petergruppen |
| | Modterror for: | Ikke oplyst |
| | Skadesbeløb: | 141.000 kr. |
| | Henvisning: | Brøndum-sagen, HT 1947, s. 139, 186. |
| 9.4.1944 | Drab på lektor Jens A.S. Ibsen, Slagelse | |
| | Gruppe: | Schalburgfolkene Fejlberg, Fenger samt Poul E. Berthelsen samt muligvis Leo Madsen |
| | Modterror for: | En politiassistent i Slagelse skulle afstraffes pga. drabet på ægteparret Fischer i Forlev 27.3.1944. I stedet for blev Ibsen myrdet |
| | Skadesbeløb: | |
| | Henvisning: | HSB, Hovedrapport vedr. Schalburgkorpset s. 45. Monrad Pedersen 2000, s. 101, 104, 114. Bøgh 2005, s. 240. |
| 19.4.1944 | Attentat mod sporvogn på Vesterbrogade/Pile Allé, Kbh. (30 kvæstede) | |
| | Gruppe: | Petergruppen |
| | Modterror for: | Attentat på bil ført af Werner Bests chauffør, Tage Lerche (og ved et uheld dermed også dennes søn og legekammerat) samme dag samme sted |
| | Skadesbeløb: | |
| | Henvisning: | Foreløbigt Resumé over SS-Sonderkommando Dänemarks (Petergruppen) Organisation, Medlemmer og Arbejdsmetoder, s. 3. Om Lerche se Birkelund 2008, s. 187-191. |
| 23.4.1944 | Attentat mod S.L. Møllers Bogtrykkeri, Kbh. | |
| | Gruppe: | Petergruppen |
| | Modterror for: | If. Brøndum gengæld for røveri af maskiner fra et trykkeri, der arbejdede for Schalburgkorpset |
| | Skadesbeløb: | 650.000 kr. |
| | Henvisning: | Brøndum-sagen, HT 1947, s. 139, 186. |
| 23.4.1944 | Attentat mod Lampe- og Lysekronefabrikken Lyfa, Kbh. | |
| | Gruppe: | Petergruppen |
| | Modterror for: | Ikke oplyst |
| | Skadesbeløb: | 395.000 kr. |
| | Henvisning: | Brøndum-sagen, HT 1947, s. 139, 186. HSB, Hovedrapport Bovensiepen s. 103. |
| 24.04.1944 | Drab på kommunelæge Stefan Jørgensen, Gentofte | |
| | Gruppe: | Petergruppen |

Modterror for: Angivelig repressalie for likvideringsforsøg mod (den i øvrigt i stikkeri uskyldige) Poul Nord 24.3.1944

Skadesbeløb:

Henvisning: Anklageskrift i LAK, Best-sagen. Bøgh 2004, s. 88ff. Se også Foreløbigt Resumé over SS-Sonderkommando Dänemarks (Petergruppen) Organisation, Medlemmer og Arbejdsmetoder. Kbh.s Opdagelsespoliti 28.12.1945, s. 3. Om Nord Birkelund 2008, s. 159f.

25.4.1944 Attentat mod Paramounts ejendom Vestre Boulevard 27, 1 dræbt

Gruppe: Petergruppen

Modterror for: Repressalie for sabotager mod tyske film, især offensiv mod UFA-film 23.4.1944 i Kbh.

Skadesbeløb: 1.383.720 kr.

Henvisning: Brøndsted og Gedde, 3, 1947, s. 731 og Lauritzen 1947, s. 1388.

26.4.1944 Attentat mod Gilleleje Kro

Gruppe: Petergruppen

Modterror for: Ikke oplyst

Skadesbeløb: 65.000 kr.

Henvisning: Lauritzen 1947, s. 1388.

26.4.1944 Attentat mod Oliemøllen, Lyngbyvej, Kbh.

Gruppe: Petergruppen

Modterror for: Ikke oplyst i HT

Skadesbeløb: 1.300.000 kr. Lauritzen 1947, s. 1388 opgiver skadesbeløbet til 1.670.205 kr. og adskiller sig også i opgivelserne af andre skadesbeløb fra Brøndum-sagen

Henvisning: Brøndum-sagen, HT 1947, s. 139, 186.

28.4.1944 Drab på reservebetjent Laurits Caspersen på Højbro Pl., Kbh.

Gruppe: Edvard A.D. Petersen, "den lille Banan"

Modterror for: Ikke oplyst

Skadesbeløb:

Henvisning: Trolle 1945, s. 138-144. Øvig Knudsen 2004, s. 326-328. *Daglige Beretninger*, 1946, s. 111.

28.4.1944 Attentat mod Korsør Glasværk

Gruppe: Petergruppen

Modterror for: Ikke oplyst i HT. If. Brøndum i retsbogen var det gengældelse for sabotage i Korsør, if. Bothildsen Nielsen m.fl. handlede det derimod om at bringe kaos i glasforsyningen og derved forsøge at dæmme op for sabotagerne

| | | |
|---|---|---|
| | Skadesbeløb: | 1.081.854 kr. |
| | Henvisning: | Brøndum-sagen, HT 1947, s. 140, 186. LAK, Retsbog fra Brøndum-sagen s. 60. |
| 29.4.1944 | Drab på ingeniør Viggo Børsholt, Kbh. | |
| | Gruppe: | Petergruppen |
| | Modterror for: | Ikke oplyst i HT. Drabet skal være en fejltagelse, det egentlige mål var landsretssagfører T.H. Carstensen |
| | Skadesbeløb: | |
| | Henvisning: | Brøndum-sagen, HT 1947, s. 140, 186-187. |
| 5.5.1944 | Attentat mod forretningen Kontant-Jørgensen, Esbjerg | |
| | Gruppe: | Petergruppen |
| | Modterror for: | Ikke oplyst |
| | Skadesbeløb: | 100.000 kr. |
| | Henvisning: | Henningsen 1955, s. 220f. |
| 6.5.1944 | Attentat mod restaurant Kilden, Aalborg | |
| | Gruppe: | Petergruppen |
| | Modterror for: | Ikke oplyst |
| | Skadesbeløb: | 260.000 kr. |
| | Henvisning: | Brøndum-sagen, HT 1947, s. 140, 187. |
| 7.5.1944 | Attentat mod Edvard Storrs Glasfabrik, Gladsaxe | |
| | Gruppe: | Petergruppen |
| | Modterror for: | Ikke oplyst |
| | Skadesbeløb: | 267.585 kr. |
| | Henvisning: | Brøndum-sagen, HT 1947, s. 140, 187. |
| 7.5.1944 | Attentat mod Hertz' Bogtrykkeri, Kbh. | |
| | Gruppe: | Petergruppen |
| | Modterror for: | Ikke oplyst |
| | Skadesbeløb: | 180.000 kr. |
| | Henvisning: | Brøndum-sagen, HT 1947, s. 140, 187. |
| 7.5.1944 | Attentat mod Plums Boghandel, Assens | |
| | Gruppe: | Petergruppen |
| | Modterror for: | Ikke oplyst |
| | Skadesbeløb: | 65.000 kr. |
| | Henvisning: | Brøndum-sagen, HT 1947, s. 140-141, 187. |

13.5.1944 Drab på inspektør Henning Krarup Petersen, Restaurant Scandia, Kbh.

Gruppe: Petergruppen

Modterror for: Form. gengæld for likvideringen af medlem af Petergruppen Poul E. Berthelsen 12.5.1944

Skadesbeløb:

Henvisning: Brøndum-sagen, HT 1947, s. 141, 187. LAK, Retsbog fra Brøndum-sagen s. 63. Birkelund 2008, s. 194.

13.5.1944 Attentat på Illum, Kbh.

Gruppe: Petergruppen

Modterror for: Ikke oplyst

Skadesbeløb: 267.000 kr.

Henvisning: Lauritzen 1947, s. 1388.

13.5.1944 Drab på driftsleder Jens Jetsmar, Kbh.

Gruppe: Petergruppen

Modterror for: Form. også gengæld for likvideringen af Berthelsen – Jetsmar var involveret i illegalt rutearbejde

Skadesbeløb:

Henvisning: Lauritzen 1947, s. 1388. *Faldne i Danmarks frihedskamp*, 1970, s. 220f. Birkelund 2008, s. 194. HSB, Supplementary Memorandum s. 5.

14.5.1944 Drab på Ejnar Madsen, Frederiksberg, Kbh.

Gruppe: Petergruppen

Modterror for: Ligeledes gengæld for likvideringen af Berthelsen fra Petergruppen – Madsen blev myrdet samme sted på Frederiksberg, hvor drabet på Berthelsen havde fundet sted

Skadesbeløb:

Henvisning: Brøndum-sagen, HT 1947, s. 141, 188.

14.5.1944 Attentat mod Daells Varehus

Gruppe: Petergruppen

Modterror for: Ikke oplyst i HT. If. Bovensiepen "almindelig Gengældelse." Skulle desuden skabe kaos i glasleverancerne

Skadesbeløb: 56.000 kr.

Henvisning: Brøndum-sagen, HT 1947, s. 141, 187, Lauritzen 1947, s. 1388 angiver attentat mod Illum 13.5.1944 og attentat mod Daell's 14.5.1944. HSB, Hovedrapport Bovensiepen s. 103. HSB, Foreløbigt Resumé over SS-Sonderkommando Dänemarks (Petergruppen) Organisation, Medlemmer og Arbejdsmetoder, s. 4.

| | | |
|---|---|---|
| 14.5.1944 | Attentat mod Magasin du Nord | |
| | Gruppe: | Petergruppen |
| | Modterror for: | Se ovenfor |
| | Skadesbeløb: | 385.000 kr. |
| | Henvisning: | HSB, Supplementary Memorandum s. 5. |
| 14.5.1944 | Attentat mod Stjerneradio, Kbh. | |
| | Gruppe: | Petergruppen |
| | Modterror for: | Se ovenfor (Stjerneradio var tilholdssted for det første Holger Danske) |
| | Skadesbeløb: | 228.000 kr. |
| | Henvisning: | HSB, Supplementary Memorandum s. 5. Birkelund 2008, s. 194. |
| 20.5.1944 | Drab på skomager Sv. Aage Larsen, Amager | |
| | Gruppe: | Petergruppen |
| | Modterror for: | Ikke oplyst |
| | Skadesbeløb: | |
| | Henvisning: | Brøndum-sagen, HT 1947, s. 141, 188. |
| 20.5.1944 | Drab på slagtermester Poul Søndergaard, Gothersgade, Kbh. | |
| | Gruppe: | Petergruppen |
| | Modterror for: | Clearing for drabet på en nazistisk viktualiehandler if. Brøndum. Der blev dog ikke dræbt nogen viktualiehandler på dette tidspunkt. Derimod kunne mordet være gengæld for likvideringen 19.5.1944 af et postbud på Nørrebro, der var medlem af Schalburgkorpset |
| | Skadesbeløb: | |
| | Henvisning: | Brøndum-sagen, HT 1947, s. 141, 188. RA, Informationsblatt BdO 23.5.1944. |
| 21.5.1944 | Attentat mod pelsvareforretning, Sdr. Boulevard, Kbh. | |
| | Gruppe: | Petergruppen |
| | Modterror for: | Af retsbogen fra Brøndum-sagen fremgår, at målet var at "ødelægge Glas." Muligvis kan dette og de følgende to schalburgtager ses som generelle repressalier for modstandsbevægelsens sabotager |
| | Skadesbeløb: | 147.578 kr. |
| | Henvisning: | Lauritzen 1947, s. 1388. LAK, Retsbog fra Brøndum-sagen s. 66. |
| 24.5.1944 | Attentat mod Julius Kopps forretning, Kbh. | |
| | Gruppe: | Petergruppen |

Modterror for: Ikke oplyst i HT
Skadesbeløb: 380.000 kr.
Henvisning: Brøndum-sagen, HT 1947, s. 141-142, 188.

24.5.1944 Attentat mod Aulins Tæppelager, Kbh.
Gruppe: Petergruppen
Modterror for: Ikke oplyst i HT
Skadesbeløb: 140.000 kr.
Henvisning: Brøndum-sagen, HT 1947, s. 142, 188.

26.5.1944 Attentat mod Fyns Stiftstidende i Odense
Gruppe: Petergruppen
Modterror for: Ikke oplyst i HT. If. Skov skyldtes modterroraktionerne i Odense 26.5.1944 modstandsfolks likvidering 23.5.1944 af Harald Emil Sørensen. If. Informationsblatt BdO var han "Hausmeister" i det tyske ordenspoliti i Odense
Skadesbeløb: 1.200.790 kr.
Henvisning: Brøndum-sagen, HT 1947, s. 142, 188. Skov 2005, s. 8ff. RA, Informationsblatt BdO 30.5.1944.

26.5.1944 Attentater mod C.M. Eriksens forretning og Svend Andersens herreekviperingsforretning, begge Odense
Gruppe: Petergruppen
Modterror for: Se ovenfor
Skadesbeløb: 314.000 kr.
Henvisning: Brøndum-sagen, HT 1947, s. 142, 188-189.

26.5.1944 Drabsforsøg på bankdirektør Henning Hoffmann, Odense
Gruppe: Petergruppen
Modterror for: Se ovenfor
Skadesbeløb:
Henvisning: Brøndum-sagen, HT 1947, s. 142, 188. LAK, Retsbog fra Brøndum-sagen s. 70.

26.5.1944 Drab på trælasthandler Niels Hein, Odense
Gruppe: Petergruppen
Modterror for: Se ovenfor
Skadesbeløb:
Henvisning: Lauritzen 1947, s. 1388.

11.6.1944 Attentat mod Langeliniepavillonen, Kbh.
Gruppe: Petergruppen

Modterror for: Aktionen skulle være "et Slag i Ansigtet paa den engelskorienterede Overklasse", hedder det i dombogen i Brøndum-sagen. If. Bovensiepen "almindelig Gengældelse"
Skadesbeløb: 1.208.400 kr.
Henvisning: Brøndum-sagen, HT 1947, s. 142, 189. HSB, Hovedrapport Bovensiepen s. 104.

12.6.1944 Attentat mod Kbh.s Golfklub, Klampenborg
Gruppe: Petergruppen
Modterror for: Samme begrundelse som ovenfor
Skadesbeløb: 115.000 kr.
Henvisning: Brøndum-sagen, HT 1947, s. 143, 189. HSB, Hovedrapport Bovensiepen s. 104.

15.6.1944 Attentat mod Grupes Boghandel, Breinholdt Nørgaards Forretning, Jacobsens Varehus og Hoffmanns Damekonfektion, alle Odense. En dame blev alvorligt forskåret af glassplinter
Gruppe: Petergruppen
Modterror for: If. Brøndum "Gadeterror" fordi der var forekommet flere sabotager i Odense. If. Skov fandt repressalierne sted pga. sabotager mod Esso Service og V. Holm Jensens autoværksted 12.6.1944
Skadesbeløb: 1.390.000 kr.
Henvisning: Brøndum-sagen, HT 1947, s. 143, 189. Skov 2005, s. 9.

18.6.1944 Attentat mod K.B.-Hallen, Kbh.
Gruppe: Petergruppen
Modterror for: Ikke oplyst i HT. I retsbogen tilføjer Brøndum, at det var gengæld for sabotager generelt, da det ikke var muligt at schalburgtere fabrikker, da "de fleste arbejdede for Tyskerne." If. Bovensiepen var der tale om "almindelig Gengældelse"
Skadesbeløb: 1.298.000 kr.
Henvisning: Brøndum-sagen, HT 1947, s. 143, 189. LAK, Retsbog fra Brøndum-sagen s. 71. HSB, Hovedrapport Bovensiepen s. 104.

18.6.1944 Attentat mod Domus Medica, Kbh.
Gruppe: Petergruppen
Modterror for: Gengæld for likvideringen af stud.med. Fritz Købbe i Kbh. 15.6.1944. Købbe arbejdede for tysk politi
Skadesbeløb: 764.500 kr.
Henvisning: Brøndum-sagen, HT 1947, s. 143, 189. *Daglige Beretninger*, 1946, s. 147.

22.6.1944 Attentat mod C.B.-Grundskolen, Kbh.

Gruppe: Petergruppen

Modterror for: Ikke oplyst i HT. If. Bothildsen Nielsen i Retsbogen fra Brøndum-sagen var der tale om gengæld for skud mod vagterne ved Germanische Leitstelle på A.F. Kriegersvej

Skadesbeløb: 130.000 kr.

Henvisning: Brøndum, HT 1947, s. 143, 190. LAK, Retsbog fra Brøndum-sagen s. 72.

24.6.1944 Attentat mod Studentergården, Kbh. Fire personer bliver såret, deraf en alvorligt

Gruppe: Petergruppen

Modterror for: Angivelig en "Huskekage" til modstandsbevægelses studenter

Skadesbeløb: 380.000 kr.

Henvisning: Brøndum-sagen, HT 1947, s. 143, 190.

24.6.1944 Attentat mod Borgernes Hus, Kbh.

Gruppe: Petergruppen

Modterror for: Ikke oplyst i HT. I Retsbogen fra Brøndum-sagen hedder det, at man ville ramme de formodet modstandssympatiske folk, der kom i Borgernes Hus

Skadesbeløb: 378.000 kr.

Henvisning: Brøndum-sagen, HT 1947, s. 143, 190. LAK, Retsbog fra Brøndum-sagen s. 73.

25.6.1944 Attentater mod Tivoli, Kbh.

Gruppe: Petergruppen

Modterror for: I en del af populærlitt. gisnes der om, at sprængningen skyldtes Otto Skorzenys besøg i juni og dennes mishag med swingpjatterne i Tivoli (se f.eks. Bøgh 2004, s. 111). Det er spekulation. Flere af de implicerede danskere mente, at aktionen skulle udløse spændingerne i befolkningen. Thybo Sørensen formoder i retsbogen, at det også var gengæld for sabotagen mod Riffelsyndikatet (22.6.1944). If. Bovensiepen skulle der en svær gengældelse til, fordi Pancke og Best var under pres fra Himmler, bl.a. som følge af værftssabotager i Svendborg (3.6.1944)

Skadesbeløb: 4.617.000 kr.

Henvisning: Brøndum-sagen, HT 1947, s. 144, 190. LAK, Retsbog fra Brøndum-sagen s. 75. HSB, Hovedrapport Bovensiepen s. 104.

26.6.1944 Attentat mod Fajancefabrikken Aluminia, Kbh.

Gruppe: Petergruppen

Modterror for: Ikke oplyst i HT. If. Bovensiepen "almindelig Gengældelse"

Skadesbeløb: 1.540.000 kr.
Henvisning: Brøndum-sagen, HT 1947, s. 144, 190. HSB, Hovedrapport Bovensiepen s. 104.

11.7.1944 Drab på fabrikant Rasmus E. Hansen, Odense
Gruppe: Petergruppen
Modterror for: Ikke oplyst i HT. If. Skov var drabet muligvis gengæld for likvideringen 27.6.1944 af chauffør Gunner Eliasen
Skadesbeløb:
Henvisning: Brøndum-sagen, HT 1947, s. 144, 190-191. Skov 2005, s. 9f.

17.7.1944 Attentat på vognmand Martin Christiansens bil samt trussel med pistol mod vognmanden, Hellerup
Gruppe: Petergruppen
Modterror for: If. Nedermark Hansen gengældelse for modstandsfolks sprængning af dansk nazists vogn på Annasvej
Skadesbeløb: 5.000 kr.
Henvisning: Brøndum-sagen, HT 1947, s. 144, 191.

18.7.1944 Attentat mod O. Møllers Bogtrykkeri, Kbh.
Gruppe: Petergruppen
Modterror for: Trykkeriet skal have figureret på en ET-liste, men grunden er ikke oplyst
Skadesbeløb: 17.000 kr. HSB, Supplementary Memorandum s. 8 angiver skadesbeløbet til kr. 723.393
Henvisning: Brøndum-sagen, HT 1947, s. 144, 191.

18.7.1944 Attentat mod lastbil læsset med eksemplarer af *Kristeligt Dagblad* samt trussel med pistol mod bilens chauffør, Kbh.
Gruppe: Petergruppen
Modterror for: If. bl.a. Nedermark Hansen gengældelse for sprængninger af værnemagtskøretøjer
Skadesbeløb: 1.350 kr.
Henvisning: Brøndum-sagen, HT 1947, s. 144, 191.

21.7.1944 Drab på kordegn Einar R. Asbo, Kbh.
Gruppe: Petergruppen
Modterror for: Ikke oplyst
Skadesbeløb:
Henvisning: Brøndum-sagen, HT 1947, s. 145, 191.

25.7.1944 Drab på købmand Waldemar T.G. Jensen, Hellerup

| | |
|---|---|
| Gruppe: | Petergruppen |
| Modterror for: | Ikke oplyst |
| Skadesbeløb: | |
| Henvisning: | Brøndum-sagen, HT 1947, s. 145, 191. |

26.7.1944 Brandattentat mod læge J. Westhausens bil, Kbh. (Kgs. Nytorv)

| | |
|---|---|
| Gruppe: | Petergruppen |
| Modterror for: | If. Sørensen gengæld for ødelæggelsen af en værnemagtsvogn |
| Skadesbeløb: | 6.500 kr. |
| Henvisning: | Brøndum-sagen, HT 1947, s. 145-146, 192. |

26.7.1944 Attentat mod Kolding-Troldhedebanen

| | |
|---|---|
| Gruppe: | Petergruppen |
| Modterror for: | If. Brøndum og Nedermark Hansen var aktionen en advarsel mod den "begyndende Jernbanesabotage." If. Bovensiepen gengæld for en del jernbanesabotager i juli |
| Skadesbeløb: | 2.251 kr. |
| Henvisning: | Brøndum-sagen, HT 1947, s. 146, 192. LAK, Bovensiepen-redegørelsen i Best-sagen. |

27.7.1944 Attentat mod persontoget på strækningen Lillerød-Hillerød. Tre mennesker blev dræbt og 30 såret heraf 10 alvorligt

| | |
|---|---|
| Gruppe: | Petergruppen |
| Modterror for: | If. Bothildsen Nielsen skulle aktionen "lægge en Bremse paa den tiltagende Jernbanesabotage paa Sjælland." If. Bovensiepen gengæld for jernbanesabotager mod bl.a. Birkerød-Lillerød-linjen |
| Skadesbeløb: | 20.000 kr. |
| Henvisning: | Brøndum-sagen, HT 1947, s. 146, 192. LAK, Bovensiepen-redegørelsen i Best-sagen. HSB, Supplementary Memorandum s. 8. |

28.7.1944 Attentat mod statsbanernes rutebilgarage, Århus

| | |
|---|---|
| Gruppe: | Petergruppen |
| Modterror for: | Ikke oplyst |
| Skadesbeløb: | 86.000 kr. |
| Henvisning: | Brøndum-sagen, HT 1947, s. 146, 192. |

29.7.1944 Attentat mod rutebilstation, Aalborg

| | |
|---|---|
| Gruppe: | Petergruppen |
| Modterror for: | Ikke oplyst |

Skadesbeløb: 228.000 kr.
Henvisning: Brøndum-sagen, HT 1947, s. 146, 192.

30.7.1944 Attentat mod Hotel Landsoldaten, Fredericia
Gruppe: Petergruppen
Modterror for: Ikke oplyst i HT. If. Bovensiepen var hotellet et samlingssted for illegale
Skadesbeløb: 416.000 kr.
Henvisning: Brøndum-sagen, HT, 1947, s. 146, 192. HSB, Hovedrapport Bovensiepen s. 106.

1.8.1944 Drab på guldsmed Palle M. Skaanstrøm, Kbh.
Gruppe: Petergruppen
Modterror for: Ikke oplyst i HT
Skadesbeløb:
Henvisning: Brøndum-sagen, HT 1947, s. 146-147,192-193. Bøgh 2004, s. 122. *Faldne i Danmarks frihedskamp*, 1970, s. 407.

1.8.1944 Drab på restauratør Ejnar Frederiksen samt såret gæst, Kbh.
Gruppe: Petergruppen
Modterror for: If. Brøndum og Bothildsen Nielsen gengæld, fordi man "skyldte nogle Mord" og i øvrigt ville forvirre dansk politi
Skadesbeløb:
Henvisning: Brøndum-sagen, HT 1947, s. 147, 193. Bøgh 2004, s. 125f.

2.8.1944 Attentat mod læge Torben Jersilds vogn, Kbh.
Gruppe: Petergruppen
Modterror for: If. Bothildsen Nielsen gengæld fordi et tysk køretøj var blevet sprængt
Skadesbeløb: 11.000 kr.
Henvisning: Brøndum-sagen, HT 1947, s. 147, 193.

2.8.1944 Drab på billedskærer Otto Bülow, Helsingør
Gruppe: Petergruppen
Modterror for: If. Brøndum gengæld fordi der var blevet skudt en nationalsocialist i Helsingør
Skadesbeløb:
Henvisning: Brøndum-sagen, HT 1947, s. 147, 193.

9.8.1944 Drab på 11 arresterede modstandsfolk under transport ved Roskilde: Jens Jacob Martens, Viktor Bering Mehl, Gunnar M. Dahl, Axel Jensen, Carl Berg Sørensen, Knud Erik Gyldholm, Erik Nyemann, Per Sonne, Preben Hagelin, Kaj Holger Schiøth, Eduard Frederik Sommer

Gruppe: Gestapofolk under ledelse af Kriminalrat Erich Bunke

Modterror for: Samme dag var der indsat en tysk pressemeddelelse om "Snigmord paa Medlemmer af den tyske Værnemagt." Udløsende for nedskydningen af de 11 var form. likvideringen af den danske Gestapomand Robert Sustmann-Ment i Kbh. 7.8.1944

Skadesbeløb:

Henvisning: Dommen mod Best, Pancke, Bovensiepen og Hanneken, optrykt i PKB, 13, s. 203, 220f., 226, 244. Om likvideringen af Sustmann-Ment, se Kjeldbæk 1997, s. 389f, Alkil, 2, 1945-46, s. 894

11.8.1944 Drabsforsøg på redaktør Gunnar Helweg-Larsen, Kbh.

Gruppe: Petergruppen

Modterror for: Ikke oplyst

Skadesbeløb:

Henvisning: Brøndum-sagen, HT 1947, s. 147, 193.

15.8.1944 Drab på kaptajn Herbert Zeemann, Bagsværd

Gruppe: Petergruppen

Modterror for: Ikke oplyst. Zeeman havde if. Bovensiepen en særlig stærk antitysk indstilling

Skadesbeløb:

Henvisning: Brøndum-sagen, HT 1947, s. 147, 193. HSB, Hovedrapport Bovensiepen s. 105.

17.8.1944 Drab på fabrikant Marius Nykvist, Odense

Gruppe: Petergruppen

Modterror for: Ikke oplyst

Skadesbeløb:

Henvisning: Lauritzen 1947, s. 1389. Skov 2005, s. 10.

23.8.1944 Drab på barbermester Wilhelm Hansen, Kbh.

Gruppe: Petergruppen

Modterror for: If. Brøndum gengæld for drabet på en nazistisk barbermester. Denne var if. en politiliste barbermester Carlo Schmidt og hustru, der blev skudt i Kbh. 19.8.1944. Også clearingmordene på barbermestrene Sponholz og Petersen (hhv. 11.9. og 14.9., se nedenfor) skal if. politilisten være gengæld for dobbeltdrabet

Skadesbeløb:
Henvisning: Brøndum-sagen, HT 1947, s. 148, 194. HSB, Foreløbigt Resumé over SS-Sonderkommando Dänemarks (Petergruppen) Organisation, Medlemmer og Arbejdsmetoder. Kbh.s Opdagelsespoliti 28.12.1945, s. 4.

23.8.1944 Attentat mod Århus Sporvejes remise
Gruppe: Petergruppen
Modterror for: Ikke oplyst
Skadesbeløb: 2.029.000 kr.
Henvisning: Brøndum-sagen, HT 1947, s. 147-148, 193.

24.8.1944 Attentat mod Politikens kiosk, Århus
Gruppe: Petergruppen
Modterror for: Ikke oplyst
Skadesbeløb: 34.000 kr.
Henvisning: Brøndum-sagen, HT 1947, s. 148, 193.

24.8.1944 Drabsforsøg på slagtermester Cavelius Olsen, Kbh.
Gruppe: Petergruppen
Modterror for: Ikke oplyst
Skadesbeløb:
Henvisning: Brøndum-sagen, HT 1947, s. 148, 194.

27.-28.8.1944 Ildspåsættelse af købmand Vald. Petersens trælade i Helsinge
Gruppe: Bl.a. Helmuth Mortensen, senere Schiølergruppen
Modterror for: Pga. trusler mod nazist i Helsinge og brandattentat mod hans ejendom
Skadesbeløb: 48 kr.
Henvisning: Ibsen-sagen, HT 1949, s. 638, 674.

28.8.1944 Attentat mod købmand Vald. Petersens tømmerlager i Helsinge (mislykket)
Gruppe: Ejgil Gervig Jørgensen m.fl.
Modterror for: Gengæld for sabotager mod planteskoleejer Nielsen i Helsinge
Skadesbeløb: 48 kr.
Henvisning: Sagen mod Ejgil Gervig Jørgensen og Børge Wiese. HT 1950, s. 228, 259. *Daglige Beretninger*, 1946, s. 685.

29.8.1944 Drabsforsøg på cigarhandler Anker Hansen, Kbh.
Gruppe: Petergruppen

Modterror for: Ikke oplyst (If. Bothildsen Nielsen mente man, at Hansen tilhørte modstandsbevægelsen)
Skadesbeløb:
Henvisning: Brøndum-sagen, HT 1947, s. 148, 194.

30.8.1944 Frihedsberøvelse og drab på ingeniør Jens Emil Snog Christensen, Kbh.
Gruppe: Petergruppen
Modterror for: If. Schwerdt fik han af Best/Bovensiepen ordre på at lade en dansker forsvinde, fordi 2-3 tyskvenlige var forsvundet
Skadesbeløb:
Henvisning: Brøndum-sagen, HT 1947, s. 148-149, 195. HSB, Hovedrapport Schwerdt s. 58f.

11.9.1944 Drab på barbermester August Sponholz, Kbh.
Gruppe: Petergruppen
Modterror for: Ikke oplyst i HT. Se under clearingmordet på barbermester Hansen 23.8.1944
Skadesbeløb:
Henvisning: Brøndum-sagen, HT 1947, s. 149, 195. *Faldne i Danmarks frihedskamp*, 1970, s. 410.

11.9.1944 Drabsforsøg på forstander Lars Christian Lomholdt, Odense
Gruppe: Petergruppen
Modterror for: Ikke oplyst
Skadesbeløb:
Henvisning: Brøndum-sagen, HT 1947, s. 149, 195-196.

13.9.1944 Attentat mod trikotagehandler Kjær Knudsens forretning, Randers
Gruppe: Petergruppen
Modterror for: Ikke oplyst
Skadesbeløb: 185.000 kr.
Henvisning: Brøndum-sagen, HT 1947, s. 149, 196.

13.9.1944 Attentat mod boghandler Alfred Køsters Forretning, Randers
Gruppe: Petergruppen
Modterror for: Ikke oplyst
Skadesbeløb: 22.000 kr.
Henvisning: Brøndum-sagen, HT 1947, s. 149-150, 196.

14.9.1944 Attentat mod automobilhandler Henrik H. Kjerulffs Forretning, Aalborg
Gruppe: Petergruppen

| | | |
|---|---|---|
| | Modterror for: | Ikke oplyst |
| | Skadesbeløb: | 187.685 kr. |
| | Henvisning: | Brøndum-sagen, HT 1947, s. 150, 196. |
| 14.9.1944 | Attentat mod Spejderborgen, Aalborg | |
| | Gruppe: | Petergruppen |
| | Modterror for: | Ikke oplyst |
| | Skadesbeløb: | 53.000 kr. |
| | Henvisning: | Brøndum-sagen, HT 1947, s. 150, 196. |
| 14.9.1944 | Drab på barbermester Carl Evald B. Petersen, Kbh. | |
| | Gruppe: | Petergruppen |
| | Modterror for: | Ikke oplyst i HT (se under clearingmordet på barbermester Hansen 23.8.1944) |
| | Skadesbeløb: | |
| | Henvisning: | Brøndum-sagen, HT 1947, s. 150, 196. |
| 15.9.1944 | Attentat mod Vejle Amts Avis' bygning | |
| | Gruppe: | Petergruppen |
| | Modterror for: | Ikke oplyst |
| | Skadesbeløb: | 275.000 kr. |
| | Henvisning: | Brøndum-sagen, HT 1947, s. 150, 196. |
| 15.9.1944 | Drabsforsøg på politibetjent Kaj Jensen, Kbh. | |
| | Gruppe: | Petergruppen |
| | Modterror for: | Ikke oplyst |
| | Skadesbeløb: | |
| | Henvisning: | Brøndum-sagen, HT 1947, s. 150, 196-197. |
| 16.9.1944 | Attentat mod Kolding Folkeblad. Redaktør Therkilsen, dennes datter og portner Gejlager blev dræbt | |
| | Gruppe: | Petergruppen |
| | Modterror for: | Ikke oplyst |
| | Skadesbeløb: | 501.567 kr. |
| | Henvisning: | Brøndum-sagen, HT 1947, s. 150-151, 197. |
| 16.9.1944 | Attentat mod konsul Niels J. Haustrups Villa, Odense | |
| | Gruppe: | Petergruppen |
| | Modterror for: | Ikke oplyst i HT. If. Skov muligvis gengæld for skibssabotager i Odense 10.8. og 31.8.1944 |
| | Skadesbeløb: | 460.000 kr. |

Henvisning: Brøndum-sagen, HT 1947, s. 151, 197. Skov 2005, s. 10. Hansen 1945b, s. 108.

20.9.1944 Officiel sprængning af ejendom i Nyhavn 51

Gruppe: Petergruppen og tysk sikkerhedspoliti

Modterror for: Der var blevet skudt på værnemagtspersonel fra ejendommen

Skadesbeløb: 100.000 kr.

Henvisning: Brøndum-sagen, HT 1947, s. 151, 197. Tysk pressemeddelelse optrykt hos Alkil, 2, 1945-46, s. 900.

29.9.1944 Officiel sprængning af Vedsted Landbohjem

Gruppe: Petergruppen og tysk sikkerhedspoliti

Modterror for: Institutionen havde huset modstandsfolk ifølge Bothildsen Nielsen

Skadesbeløb: 70.000 kr.

Henvisning: Brøndum-sagen, HT 1947, s. 151, 197.Tysk pressemeddelelse optrykt hos Alkil, 2, 1945-46, s. 903.

30.9.1944 Attentat mod Århushallen, Århus. Fem blev dræbt

Gruppe: Petergruppen

Modterror for: Ikke oplyst

Skadesbeløb: 1.140.000 kr.

Henvisning: Brøndum-sagen, HT 1947, s. 151, 197.

1.10.1944 Attentat mod fabrikant Hjalmar Lystagers Fjederfabrik, Viby (Århus)

Gruppe: Petergruppen

Modterror for: Ikke oplyst (udvalgt pga. fabrikkens indehavers politiske indstilling)

Skadesbeløb: 494.219 kr.

Henvisning: Brøndum-sagen, HT 1947, s. 151, 197-198.

1.10.1944 Attentat mod ingeniør Johannes M. Thorvins villa, Åbyhøj ved Århus

Gruppe: Petergruppen

Modterror for: Ikke oplyst (udvalgt pga. at af ejeren var modstandsmand og flygtet til Sverige)

Skadesbeløb: 170.000 kr.

Henvisning: Brøndum-sagen, HT 1947, s. 151-152, 198.

3.10.1944 Attentat mod Rosendahls Trykkeri, Esbjerg

Gruppe: Petergruppen

Modterror for: Ikke oplyst

Skadesbeløb: 300.000 kr.
Henvisning: Brøndum-sagen, HT 1947, s. 152, 198. Henningsen 1955, s. 235f.

7.10.1944 Drab på ekspedient Christian Andersen, Aalborg

Gruppe: Petergruppen
Modterror for: Form. repressalie for likvidering af Gestapo-manden Ernst Mikkelsen, der blev dødeligt såret ved et attentat 5.10.1944 i Aalborg. Målet for clearingdrabet var egtl. Andersens chef, Jens Bech
Skadesbeløb:
Henvisning: Brøndum-sagen, HT 1947, s. 152, 198. RA, Informationsblatt BdO 10.10.1944. Drabet er fejldateret i Bøgh 2004, s. 161. Lottrup 2000, s. 27f.

7.10.1944 Drab på læge Richardt Raetzel, Aalborg

Gruppe: Petergruppen
Modterror for: Dette clearingdrab var med sikkerhed gengæld for likvideringen af Mikkelsen – se ovenfor – idet Raetzel blev skudt samme sted (i Rosenlundgade) som Mikkelsen (If. Brøndum gengæld for drabet på den nazistiske byleder)
Skadesbeløb:
Henvisning: Brøndum-sagen, HT 1947, s. 152, 198. *Daglige Beretninger*, 1946, s. 305. Se også Bøgh 2004, s. 159ff.

8.10.1944 Drabsforsøg på boghandler Stig Madsen, Aalborg

Gruppe: Petergruppen
Modterror for: Ikke oplyst
Skadesbeløb:
Henvisning: Brøndum-sagen, HT 1947, s. 152, 198.

8.10.1944 Attentat mod Ranum Seminarium, Løgstør

Gruppe: Petergruppen
Modterror for: Udvalgt fordi nogle elever fra seminariet var anholdt for illegal virksomhed
Skadesbeløb: 397.440 kr.
Henvisning: Brøndum-sagen, HT 1947, s. 152, 198.

8.10.1944 Bombeattentat mod nordgående eksprestog fra Hobro station. Ti personer blev dræbt og ni alvorligt såret

Gruppe: Petergruppen

Modterror for: If. Brøndum et modtræk mod jernbanesabotager, der bl.a. havde ramt en tysk troppetransport mellem Hjordkær og Rødekro, hvor 7 soldater blev dræbt og 42 såret, Alkil, 2, 1945-46, s. 904, *Daglige Beretninger*, 1946, s. 302.
Skadesbeløb: 64.000 kr.
Henvisning: Brøndum-sagen, HT 1947, s. 152-153, 199.

9.10.1944 Attentat mod *Århus Socialdemokrats* bygning, Århus. En kvinde døde af chok nogle timer efter
Gruppe: Petergruppen
Modterror for: Ikke oplyst
Skadesbeløb: 571.000 kr.
Henvisning: Brøndum-sagen, HT 1947, s. 153, 199. Andrésen 1945, s. 309.

10.10.1944 Attentat mod *Svendborg Amtsavis*
Gruppe: Petergruppen
Modterror for: Ikke oplyst i HT. If. Skov var der tale om repressalier for to skibssabotager i Svendborg i oktober
Skadesbeløb: 411.000 kr.
Henvisning: Brøndum-sagen s. 153, 199. Skov 2005, s. 10.

10.10.1944 Attentat mod manufakturhandler Hans Ziersens Forretning, Svendborg
Gruppe: Petergruppen
Modterror for: Se ovenfor
Skadesbeløb: 75.842 kr.
Henvisning: Brøndum-sagen, HT 1947, s. 153, 199.

12.10.1944 Attentat mod restaurant Sirocco, Svanemøllen, Kbh.
Gruppe: Petergruppen
Modterror for: Ikke oplyst i HT. If. Bovensiepen var restauranten et samlingssted for illegale
Skadesbeløb: 210.000 kr.
Henvisning: Brøndum-sagen, HT 1947, s. 153, 199. HSB, Hovedrapport Bovensiepen s. 106.

12.10.1944 Officiel sprængning af grosserer Bomhoffs villa på Frederiksberg, Kbh., En dræbt.
Gruppe: Petergruppen og tysk sikkerhedspoliti
Modterror for: Villaen havde huset modstandsfolk
Skadesbeløb:
Henvisning: Brøndum-sagen, HT 1947, s. 153, 200. Tysk pressemeddelelse optrykt hos Alkil, 2, 1945-46, s. 904.

15.10.1944 Nedbrænding af villa, Jægersborg Allé, Kbh.

Gruppe: Tysk politi og Værnemagten

Modterror for: If. tysk pressemeddelelse 17.10.1944 skulle Aage Strøm-Tejsen anholdes i villaen, men denne modsatte sig anholdelse inden han blev dræbt. Tysk sikkerhedspoliti forhindrede slukning af brand i villaen og lod den brænde ned. Den dræbte var ikke Strøm-Tejsen, men i virkeligheden "Citronen", Jørgen Haagen Schmith.

Skadesbeløb:

Henvisning: Birkelund 2008, s. 309. Tysk pressemeddelelse optrykt hos Alkil, 2, 1945-46, s. 905.

17.10.1944 Drab på jord- og betonarbejder Niels E.L. Olsen, matros Hans Peter Jensen og fabriksarbejder Poul J. Sørensen, Matthæusgade/Saxogade Kbh.

Gruppe: Petergruppen

Modterror for: If. Brøndum gengæld for drab på to tyske politisoldater i samme kvarter (If. BdO 25.10.1944 blev den tyske SS-mand Beige samme dag skudt ned i en sporvogn på Istedgade). Ofrene var tilfældigt forbipasserende

Skadesbeløb:

Henvisning: Brøndum-sagen, HT 1947, s. 153, 154, 200. RA, Informationsblatt BdO 25.10.1944.

17.10.1944 Drab på laboratoriearbejder Peter B. Leininger og arbejdsmand Robert Andersen og drabsforsøg på reservebetjent Christian O. Jensen i Istedgade, Kbh.

Gruppe: Petergruppen

Modterror for: If. Bothildsen Nielsen gengæld for drab på tyskere i samme kvarter. Ofrene var tilfældigt forbipasserende. Se ovenfor

Skadesbeløb:

Henvisning: Brøndum-sagen, HT 1947, s. 154, 200.

18.10.1944 Sprængning af Erik Nygaards villa, Strandvejen 184, Kbh.

Gruppe: Petergruppen og tysk sikkerhedspoliti

Modterror for: Villaen husede "Flammen", Bent Faurschou-Hviid, der begik selvmord, da tysk politi stormede villaen

Skadesbeløb: 200.000 kr.

Henvisning: Brøndum-sagen, HT 1947, s. 154, 200. Birkelund 2008, s. 310f. Tysk pressemeddelelse optrykt hos Alkil, 2, 1945-46, s. 906.

18.10.1944 Attentat mod frugtforhandler Niels K. Nielsen Forretning, Århus

Gruppe: Petergruppen

Modterror for: Ikke oplyst

Skadesbeløb: 27.000 kr.

Henvisning: Brøndum-sagen, HT 1947, s. 154, 200.

18.10.1944 Attentat mod slagtermester Hørslev Nielsens forretning, Århus
Gruppe: Petergruppen
Modterror for: Ikke oplyst
Skadesbeløb: 29.000 kr.
Henvisning: Brøndum-sagen, HT 1947, s. 154, 200.

20.10.1944 Attentat mod Goschs Tændstikfabrikker, Kbh.
Gruppe: Petergruppen
Modterror for: Ikke oplyst
Skadesbeløb: 600.000 kr.
Henvisning: Brøndum-sagen, HT 1947, s. 155, 201.

21.10.1944 Attentat mod I.C. Christensens Restauration, Randers
Gruppe: Petergruppen
Modterror for: Ikke oplyst
Skadesbeløb: 88.000 kr.
Henvisning: Brøndum-sagen, HT 1947, s. 155, 201.

21.10.1944 Attentat mod Kastrups Kemiske Fabrik, Randers
Gruppe: Petergruppen
Modterror for: Ikke oplyst
Skadesbeløb: 36.000 kr.
Henvisning: Brøndum-sagen, HT 1947, s. 155, 201.

24.10.1944 Drab på direktør Otto C.M. Olsen, Kbh.
Gruppe: Petergruppen
Modterror for: Ikke oplyst
Skadesbeløb:
Henvisning: Brøndum-sagen, HT 1947, s. 155, 201. *Faldne i Danmarks frihedskamp*, 1970, s. 343.

3.11.1944 Drab på grosserer Johan Havemann, Kbh.
Gruppe: Petergruppen
Modterror for: Ikke oplyst i HT. If. Bovensiepen støttede Havemann økonomisk og åndeligt modstandsbevægelsen. Drabet var form. udløst af likvideringsforsøget 1.11.1944 på den danske Gestapomand Rudolf Petersen, der såredes alvorligt (likvideret 20.4.1945)
Skadesbeløb:

Henvisning: Brøndum-sagen, HT 1947, s. 155, 201. HSB, Hovedrapport Bovensiepen s. 106. Birkelund 2008, s. 423.

7.11.1944 Drab på kontorassistent Steffen H. Johansen og cand.pharm. Jørgen Damgaard, Kbh.

Gruppe: Petergruppen

Modterror for: Gengæld for drab på to tyske soldater i Vestergade. De to gengældelsesofre blev taget uden for Café Heidelberg, som Petergruppen mente var et tilholdssted for illegale. Johansen og Damgaard var faktisk modstandsfolk

Skadesbeløb:

Henvisning: Brøndum-sagen, HT 1947, s. 155, 201. *Faldne i Danmarks frihedskamp*, 1970, s. 100, 225.

8.11.1944 Drab på brødrene Gunnar T. Christensen og Svend Aage Christensen, Enghavevej, Kbh.

Gruppe: Petergruppen

Modterror for: Gengæld for drab på to tyske politisoldater på Enghavevej, Kbh.

Skadesbeløb:

Henvisning: Brøndum-sagen, HT 1947, s. 155-156, 201-202. RA, Informationsblatt BdO 10.11.1944. Se også HSB, Hovedrapport Bovensiepen s. 106. *Daglige Beretninger*, 1946, s. 383, 386f.

8.11.1944 Drab på bankbud Alfred H. Andersen og mekaniker Erik B. Møgelvang, Istedgade, Kbh.

Gruppe: Petergruppen

Modterror for: Ikke oplyst i HT. If. Bovensiepen gengæld for drab samme sted på tyske politifolk – formentlig drabene på Enghavevej

Skadesbeløb:

Henvisning: Brøndum-sagen, HT 1947, s. 156, 202. HSB, Hovedrapport Bovensiepen s. 106. *Daglige Beretninger*, 1946, s. 383.

9.11.1944 Attentat mod Radiofon, Beklædningsmagasinet, Svaneapoteket, Ullsteds Herrebeklædningsforretning og Café Sct. Knud, alle Odense

Gruppe: Petergruppen

Modterror for: If. Bothildsen Nielsen var sprængningerne "Led i Gengældelsesaktionerne mod Odense." Med al sandsynlighed var det gengældelser for værftssabotager 7.11.1944

Skadesbeløb: 436.162 kr.

Henvisning: Brøndum-sagen, HT 1947, s. 156, 202. Hansen 1945b, s. 110. Skov 2005, s. 10.

9.11.1944 Drab på provisor Ulrik Dircks, Odense

Gruppe: Petergruppen

Modterror for: Målet var i virkeligheden apoteker Helweg-Mikkelsen. Det er ikke oplyst, hvorfor han skulle myrdes
Skadesbeløb:
Henvisning: Brøndum-sagen, HT 1947, s. 156, 202.

10.11.1944 Attentat mod Møllergade 2 og 47, Svendborg. To blev dræbt
Gruppe: Petergruppen
Modterror for: To dage tidl. havde der (se Skov) fundet sabotager sted mod nogle tyske minestrygere
Skadesbeløb: 794.000 kr.
Henvisning: Brøndum-sagen, HT 1947, s. 157, 203 (hvor datoen fejlagtigt opgives til 14.11.) Skov 2005, s. 10.

11.11.1944 Officiel sprængning af villa, Strandvejen, Tårbæk
Gruppe: Tysk sikkerhedspoliti
Modterror for: Villaen havde været våbenlager m.m. for Holger Danske
Skadesbeløb:
Henvisning: Tysk pressemeddelelse optrykt hos Alkil, 2, 1945-46, s. 912.

11.11.1944 Officiel sprængning af Valborup Skovridergård ved Hvalsø
Gruppe: Petergruppen og medlemmer af tysk sikkerhedspoliti
Modterror for: Skovrideren m.fl. var blevet anholdt for illegal virksomhed
Skadesbeløb: 60.000 kr.
Henvisning: Brøndum-sagen, HT 1947, s. 154, 200. Tysk pressemeddelelse optrykt hos Alkil, 2, 1945-46, s. 913. Øvig Knudsen 2004, s. 259 anfører, at Birkedal Hansen sprængte skovridergården.

11.11.1944 Drab på barbermester O.P. Nielsen og hustru Oda P. Nielsen, Randers
Gruppe: Petergruppen
Modterror for: Barberen skal have stået på "den sorte Liste," mens drabet på hans hustru var en fejltagelse
Skadesbeløb:
Henvisning: Lauritzen 1947, s. 1390. Brøndum-sagen, HT 1947, s. 156, 202.

11.11.1944 Attentater mod Brandts Isenkramforretning, Varehuset Skjødt og Mouritzen, FDB, Ritz, Duus' Vinstue (i Jens Bangs Stenhus), Aalborg. En dræbt.
Gruppe: Petergruppen
Modterror for: Ikke oplyst
Skadesbeløb: 635.000 kr.
Henvisning: Lauritzen 1947, s. 1390. Brøndum-sagen, HT 1947, s. 156, 202f.

12.11.1944 Attentat mod Hassings Kunsthandel, Lundholms Broderimagasin, Albrechtsens Radioforretning, Carlton Herreekvipering og Pelsmagasinet, alle Århus
Gruppe: Petergruppen
Modterror for: Ikke oplyst
Skadesbeløb: 1.059.300 kr.
Henvisning: Brøndum-sagen, HT 1947, s. 157, 203.

13.11.1944 Attentat mod Herremagasinet London, Købmand Toustrups Forretning, Engelsk Beklædnings Magasin og Magasin du Nord, alle Vejle
Gruppe: Petergruppen
Modterror for: Ikke oplyst
Skadesbeløb: 200.00 kr.
Henvisning: Brøndum-sagen, HT 1947, s. 157, 203.

13.11.1944 Officiel sprængning af Ella Andersens villa, Teglgårdvej, Ordrup, Kbh.
Gruppe: Petergruppen
Modterror for: Ikke oplyst
Skadesbeløb: 105.000 kr.
Henvisning: Brøndum-sagen, HT 1947, s. 157, 203. Tysk pressemeddelelse optrykt hos Alkil, 2, 1945-46, s. 913.

13.11.1944 Drab på redaktør Laurits V. Jensen, Esbjerg
Gruppe: Petergruppen
Modterror for: Med al sandsynlighed gengæld for to likvideringer i Esbjerg, hhv. 23.10.1944 og 10.11.1944.
Skadesbeløb:
Henvisning: Brøndum-sagen, HT 1947, s. 157, 203. Henningsen 1955, s. 240.

13.11.1944 Drab på læge Poul Carstensen, Esbjerg
Gruppe: Petergruppen
Modterror for: Se ovenfor
Skadesbeløb:
Henvisning: Brøndum-sagen, HT 1947, s. 157, 203. Henningsen 1955, s. 240.

14.11.1944 Attentat mod *Esbjergbladet*, Vestergaards forretning og A/S Flensborg Lager, Esbjerg
Gruppe: Petergruppen
Modterror for: Ikke oplyst i HT. If. Bothildsen Nielsen i Retsbog fra Brøndum-sagen var sprængningerne gengæld for sabotager på banelegemet (der fandt en stor sabotage sted mod banegårdsområdet 8.11.1944)

Skadesbeløb: 520.000 kr.
Henvisning: Brøndum-sagen, HT 1947, s. 158, 203-204. LAK, Retsbog fra Brøndum-sagen s. 124. Henningsen 1955, s. 242.

14.11.1944 Attentat mod Skovgaards Sæbefabrik, Varde
Gruppe: Petergruppen
Modterror for: Ikke oplyst i HT. Formentlig gengæld for sabotage mod signalposter m.m. på Varde banegård 7.-8.11.1944
Skadesbeløb: 260.000 kr.
Henvisning: Brøndum-sagen, HT 1947, s. 158, 204. RA, Informationsblatt BdO 10.11.1944.

14.11.1944 Attentat mod Engelsk Beklædningsmagasin og ejendommen Nørregade 1, begge i Bramminge
Gruppe: Petergruppen
Modterror for: Ikke oplyst i HT. Formentlig gengæld for sabotager mod signalposter m.m. på Bramminge banegård, bl.a. 7.-8.11.1944
Skadesbeløb: 46.000 kr.
Henvisning: Brøndum-sagen, HT 1947, s. 158, 204. RA, Informationsblatt BdO 10.11.1944.

16.11.1944 Attentat mod Sv. Kyhls gård i Seding ved Svendborg
Gruppe: Petergruppen
Modterror for: Ikke oplyst
Skadesbeløb: 60.000 kr.
Henvisning: Lauritzen 1947, s. 1391. HSB, Supplementary Memorandum s. 15.

17.11.1944 Officiel sprængning af fabrikant Chr. V. Hansens hus og sæbefabrik i Sønderstrup ved Kirke Eskildstrup
Gruppe: Petergruppen
Modterror for: Ejendommen blev angivelig anvendt til våbenlager m.m. Sandsynligvis skal attentatet også ses i sammenhæng med arrestationen af Chr. V. Hansen 26.10.1944
Skadesbeløb: 900.000 kr.
Henvisning: Brøndum-sagen, HT 1947, s. 158, 204. HSB, Hovedrapport vedr. Schalburgkorpset s. 52. Tysk pressemeddelelse optrykt hos Alkil, 2, 1945-46, s. 915.

17.11.1944 Drab på gartner J.V. Yde
Gruppe: Ikke oplyst
Modterror for: If. *Daglige Beretninger* var der form. tale om et rovmord. Senere hedder det, at Yde muligvis blev skudt, fordi han nægtede at levere blomster til begravelsen af Schalburg-lederen Olaf Schmidt, der blev likvideret af modstandsfolk 13.11.1944

Skadesbeløb:

Henvisning: Andrésen 1945, s. 316. (opgiver drabsdatoen til 20.11.1944, men allerede 18.11. skriver *Daglige Beretninger* om Yde-drabet) *Daglige Beretninger*, 1946, s. 421, 428.

20.11.1944 Drab på grønthandler Mogens D. Pind, Hellerup

Gruppe: Petergruppen

Modterror for: Gengæld for drabet på en nazistisk frugthandler Orla Christensen 19.11.1944

Skadesbeløb:

Henvisning: Brøndum-sagen, HT 1947, s. 158, 204. HSB, Foreløbigt Resumé over SS-Sonderkommando Dänemarks (Petergruppen) Organisation, Medlemmer og Arbejdsmetoder, s. 3.

22.11.1944 Drab på slagtermester Carl Frandsen, Lyngby

Gruppe: Petergruppen

Modterror for: Ikke oplyst

Skadesbeløb:

Henvisning: Brøndum-sagen, HT 1947, s. 158, 204.

22.11.1944 Attentat mod Hellerup & Glødefri Tændstikfabrikker, Hellerup. En blev såret

Gruppe: Petergruppen

Modterror for: Ikke oplyst i HT. De danske terrorister erklærede, at aktionen blev udført som "Clearing for et eller andet, og fordi Sprængningen af denne Fabrik vilde genere vide Kredse af Befolkningen."

Skadesbeløb: 600.000 kr.

Henvisning: Brøndum-sagen, HT 1947, s. 159, 204-205.

22.11.1944 Attentat på A/S Premier Is, Glostrup

Gruppe: Petergruppen

Modterror for: Ikke oplyst i HT

Skadesbeløb: 1.250.000 kr.

Henvisning: Brøndum-sagen, HT 1947, s. 159, 205.

23.11.1944 Drab på ingeniør Svend Aage Spelling, Århus

Gruppe: Petergruppen

Modterror for: If. Nedermark Hansen gengæld for drab på nationalsocialistisk ingeniør i Århus. Issel beordrede clearing, der gik ud over Spelling, fordi man mente han havde forbindelse til "Sovjetunionens Venner"

Skadesbeløb:

Henvisning: Brøndum-sagen, HT 1947, s. 159, 205.

24.11.19444 Drab på pastor Egon Johannesen, Kbh.

Gruppe: Petergruppen

Modterror for: If. Brøndum og Bothildsen Nielsen gengæld for drabsforsøg på pastor Erik Johannes Strøbech 17.11.1944 (herom Alkil, 2, 1945-46, s. 922)

Skadesbeløb:

Henvisning: Brøndum-sagen, HT 1947, s. 159, 205.

24.11.1944 Drab på Frank Kronbach Nielsen i Ringstedgade i Kbh.

Gruppe: Hipo

Modterror for: Ikke oplyst

Skadesbeløb:

Henvisning: HSB, Liste over Hipo-aktioner s. 2. Birkelund 2008, s. 481. *Faldne i Danmarks frihedskamp*, 1970, s. 316.

29.11.1944 Officiel sprængning af villa, Vamdrupvej, Kbh.

Gruppe: Tysk sikkerhedspoliti

Modterror for: Ejendommen blev angivelig anvendt til våben- og sprængstoflager og som fængsel af illegale

Skadesbeløb:

Henvisning: Tysk pressemeddelelse optrykt hos Alkil, 2, 1945-46, s. 916f.

29.11.1944 Drab på assistent Svend Aage B. Rasch

Gruppe: Petergruppen

Modterror for: Ikke oplyst i HT (If. HT fandt drabet sted 30.11.1944)

Skadesbeløb:

Henvisning: Brøndum-sagen, HT 1947, s. 159, 205. *Daglige Beretninger*, 1946, s. 451. *Faldne i Danmarks frihedskamp*, 1970, s. 373f.

30.11.1944 Drab på formand August J. Petersen, Århus

Gruppe: Petergruppen

Modterror for: Ikke oplyst i HT

Skadesbeløb:

Henvisning: Brøndum-sagen, HT 1947, s. 159, 205.

30.11.1944 Drab på forstander Poul C. Stegmann, Aalborg

Gruppe: Petergruppen

Modterror for: Ang. gengæld for drabet på en nazistisk boghandler – der dog ikke kan identificeres. Tidl. (11.10.1944) var den for tyskerne beskæftigede Henry Meister blevet udsat for et attentat

Skadesbeløb:

Henvisning: Brøndum-sagen, HT 1947, s. 160, 205-206. Gerningsmændenes forklaring gentaget i Bøgh 2004, s. 176f. Drabet er fejldateret i Lottrup 2000, s. 30.

1.12.1944 Attentat mod Christian Richardt Svendsens Trikotagefabrik, Aalborg. To blev såret

Gruppe: Petergruppen
Modterror for: Ikke oplyst i HT
Skadesbeløb: 516.000 kr.
Henvisning: Brøndum-sagen, HT 1947, s. 160, 206. Datoen er bl.a. hos Lauritzen 1947, s. 1391 angivet til 4.12.1944.

1.12.1944 Attentat mod Sorø Idrætsforenings klubhus

Gruppe: Birkedal Hansen-gruppen
Modterror for: Likvideringen af et medlem af gruppen kort forinden
Skadesbeløb: Ikke oplyst
Henvisning: Birkedal Hansen-sagen, HT 1950, s. 600f, 606.

2.12.1944 Attentat mod Molles Kro, Århus

Gruppe: Petergruppen
Modterror for: Ikke oplyst
Skadesbeløb: 61.000 kr.
Henvisning: Brøndum-sagen, HT 1947, s. 160, 206.

2.12.1944 Attentat mod Håndværkerforeningens bygning, Århus. En blev dræbt og to blev lettere såret

Gruppe: Petergruppen
Modterror for: Ikke oplyst
Skadesbeløb: 626.000 kr.
Henvisning: Brøndum-sagen, HT 1947, s. 160, 206. Andrésen 1945, s. 310.

2.-3.12.1944 Attentat mod vognmand Aage Christensens hyrevogn, der holdt i Høng samt Eigil Petersens redskabsskur i Tissøe

Gruppe: Birkedal Hansen-gruppen
Modterror for: Ikke oplyst
Skadesbeløb: 800 kr.
Henvisning: Birkedal Hansen-sagen, HT 1950, s. 601, 607.

5.12.1944 Attentat mod en bil tilhørende *Nationaltidende* og skade på omkringliggende forretningsvinduer, Kbh.

Gruppe: Petergruppen

Modterror for: If. danskerne i Petergruppen gengæld for sprængningen af tyske køretøjer
Skadesbeløb: 9.000 kr.
Henvisning: Brøndum-sagen, HT 1947, s. 160, 206.

6. 12.1944 Attentat mod fru Darwils Chokoladeforretning, Nørrebrogade, Kbh.
Gruppe: Petergruppen
Modterror for: Ikke oplyst – dog skulle Darwill tidl. have givet politiet oplysninger om nogle af Petergruppens medlemmer
Skadesbeløb: 42.000 kr.
Henvisning: Brøndum-sagen, HT 1947, s. 161, 206.

6.12.1944 Attentat mod læge Erik Meyers villa, Lupinvej, Kbh. En blev lettere såret
Gruppe: Petergruppen
Modterror for: Ikke oplyst – Meyer var eftersøgt for illegal virksomhed
Skadesbeløb: 150.000 kr.
Henvisning: Brøndum-sagen, HT 1947, s. 161, 206.

6.12.1944 Attentat mod ingeniør L.A. Duus Hansens villa, Klostervej, Kbh.
Gruppe: Petergruppen
Modterror for: Ikke oplyst. Villaen havde ang. været benyttet af modstandsbevægelsen
Skadesbeløb: 40.000 kr.
Henvisning: Brøndum-sagen, HT 1947, s. 161, 207.

6.12.1944 Officiel sprængning af beboelseshuset Mantziusvej 11, Hellerup
Gruppe: Tysk sikkerhedspoliti
Modterror for: Ejendommen blev angivelig anvendt til våbenlager m.m.
Skadesbeløb:
Henvisning: Tysk pressemeddelelse optrykt hos Alkil, 2, 1945-46, s. 917.

6.12.1944 Officiel sprængning af villa, Almindingen, Søborg
Gruppe: Tysk sikkerhedspoliti
Modterror for: Ejendommen blev angivelig anvendt til våbenlager m.m.
Skadesbeløb:
Henvisning: Tysk pressemeddelelse optrykt hos Alkil, 2, 1945-46, s. 917.

6.12.1944 Officiel sprængning af sommerhus, Drachmannsvej, Klampenborg
Gruppe: Tysk sikkerhedspoliti
Modterror for: Ejendommen blev angivelig anvendt til våbenlager m.m.
Skadesbeløb:
Henvisning: Tysk pressemeddelelse optrykt hos Alkil, 2, 1945-46, s. 917.

6.12.1944 Officiel sprængning af Weekendhuset, Ellebækvej, Gentofte

Gruppe: Tysk sikkerhedspoliti
Modterror for: Ejendommen blev angivelig anvendt til våbenlager m.m.
Skadesbeløb:
Henvisning: Tysk pressemeddelelse optrykt hos Alkil, 2, 1945-46, s. 917.

7.12.1944 Drab på ingeniør Erik Falck ved Teknologisk Institut

Gruppe: Petergruppen
Modterror for: Ikke oplyst i HT. Falck udvalgt som offer, da han ang. havde været uvillig til at udstede køre- og benzintilladelser til folk, der kørte for tyskerne. If. Bovensiepen var Falck førende modstandsmand
Skadesbeløb:
Henvisning: Brøndum-sagen, HT 1947, s. 161, 207. HSB, Hovedrapport Bovensiepen s. 106.

7.12.1944 Drab på vagtkontrollør Hans Jørgen V. Møller, Kbh.

Gruppe: Petergruppen
Modterror for: Ikke oplyst
Skadesbeløb:
Henvisning: Brøndum-sagen, HT 1947, s. 161-162, 207. *Faldne i Danmarks frihedskamp*, 1970, s. 303.

7.12.1944 Drab på formand i Malernes Fagforening Albert Andersen og forretningsfører i Malernes kooperative Forretning Albertus Rasmussen, Århus

Gruppe: Petergruppen
Modterror for: Ikke oplyst
Skadesbeløb:
Henvisning: Brøndum-sagen, HT 1947, s. 162, 207.

7.-8.12.1944 Officiel sprængning af lagerbygning i Tårbæk

Gruppe: Tysk sikkerhedspoliti
Modterror for: Ejendommen blev angivelig anvendt til våbenlager m.m.
Skadesbeløb:
Henvisning: Tysk pressemeddelelse optrykt hos Alkil, 2, 1945-46, s. 917.

7.-8.12.1944 Officiel sprængning af hus i havekoloni i Lersø

Gruppe: Tysk sikkerhedspoliti
Modterror for: Ejendommen blev angivelig anvendt til våbenlager m.m.
Skadesbeløb:
Henvisning: Tysk pressemeddelelse optrykt hos Alkil, 2, 1945-46, s. 917.

8.12.1944 Attentat mod Skanderborgs Amts Bogtrykkeris ejendom og boghandler Jens Pøhlgaards Forretning, Skanderborg

Gruppe: Petergruppen
Modterror for: Ikke oplyst
Skadesbeløb: 176.000 kr.
Henvisning: Brøndum-sagen, HT 1947, s. 162, 207.

8.12.1944 Attentat mod Restaurant Nørreris, Randers

Gruppe: Petergruppen
Modterror for: Ikke oplyst
Skadesbeløb: 325.000 kr.
Henvisning: Brøndum-sagen, HT 1947, s. 162, 207.

8.12.1944 Attentat mod kaffebaren Kaffekoppen, Viborg

Gruppe: Petergruppen
Modterror for: Ikke oplyst
Skadesbeløb: 4.425 kr.
Henvisning: Brøndum-sagen, HT 1947, s. 162, 207.

8.12.1944 Attentat mod manufakturforhandler Niels Aagaards Forretning, Viborg

Gruppe: Petergruppen
Modterror for: Ikke oplyst
Skadesbeløb: 25.000 kr.
Henvisning: Brøndum-sagen, HT 1947, s. 162, 207.

8.12.1944 Attentat mod *Politikens* Kiosk og Café National, Silkeborg

Gruppe: Petergruppen
Modterror for: Ikke oplyst i HT. Formentlig repressalier for fjernelsen af Silkeborg Folkeregister 16.11.1944, sabotage mod tyskvenlig bager 18.11.1944 og likvideringsforsøg 1.12.1944
Skadesbeløb: 100.000 kr.
Henvisning: Brøndum-sagen, HT 1947, s. 162, 207. Horskjær 1984, s. 128.

8.12.1944 Attentat mod manufakturforhandler Johannes Søndergaards Forretning, Silkeborg

Gruppe: Petergruppen
Modterror for: Ikke oplyst
Skadesbeløb: 17.400 kr.
Henvisning: Brøndum-sagen, HT 1947, s. 163, 207.

8.12.1944 Drab på remisearbejder Børge H. Nielsen og gravør Svend O. Jacobsen i Nørregade/Krystalgade, Kbh.

Gruppe: Petergruppen

Modterror for: Gengæld for drab på to tyske soldater (ofrene blev taget udenfor Café Heidelberg). If. BdO var en tysk soldat blevet skudt ned samme sted 5.12.1944

Skadesbeløb:

Henvisning: Brøndum-sagen, HT 1947, s. 163, 208. RA, Informationsblatt BdO 12.12.1944. *Daglige Beretninger*, 1946, s. 471, 482.

8.12.1944 Drab på Jacob H.S. Grauer, Kbh. (taget under razzia, fundet dræbt ved nakkeskud)

Gruppe: Hipo

Modterror for: Ikke oplyst

Skadesbeløb:

Henvisning: HSB, Liste over Hipo-aktioner s. 3. *Faldne i Danmarks frihedskamp*, 1970, s. 130f. Birkelund 2008, s. 408.

8.12.1944 Drab på telefonmontør Egon B. Nørgaard på Skrydstrup Flyveplads

Gruppe: Gestapo

Modterror for: Nørgaard, der bl.a. havde deltaget i den store jernbanesabotage ved Rødekro 7.10.1944, hvor flere tyske soldater blev dræbt, blev myrdet som repressalie for denne sabotage

Skadesbeløb:

Henvisning: *Faldne i Danmarks frihedskamp*, 1970, s. 337. *Jydske Tidende* 13.6.1950.

14.12.1944 Attentat mod Odinstårnet, Odense

Gruppe: Petergruppen

Modterror for: Ikke oplyst i HT. If. Bovensiepen kunne tårnet bruges som pejlemærke af britiske fly – "hertil kommer, at man fandt Taarnet smagløst ..." Skov viser, at der fra slutningen af november i Odense havde fundet en række sabotager mod bl.a. konservesfabrikker sted.

Skadesbeløb: 445.700 kr.

Henvisning: Brøndum-sagen, HT 1947, s. 163, 208. HSB, Hovedrapport Bovensiepen s. 107. Skov 2005, s. 10f.

16.12.1944 Attentat mod KFUM's spejderhytte ved Eskildstrup Lund ved Ringsted

Gruppe: Birkedal Hansen-gruppen

Modterror for: Ikke oplyst

Skadesbeløb: 8.250 kr.

Henvisning: Birkedal Hansen-sagen, HT 1950, s. 601, 607. Øvig Knudsen 2004, s. 197.

17.12.1944 Attentat mod barberforretning, Kingosgade, Kbh.

Gruppe: Birkedal Hansen-gruppen

Modterror for: Medlem af Birkedal-Hansen-gruppen Johan Henrik Bruun blev skudt i samme forretning, og gruppen mente, at indehaveren var meddelagtig i drabet

Skadesbeløb: 4.778 kr.

Henvisning: Birkedal Hansen-sagen, HT 1950, s. 601, 607. Øvig Knudsen 2004, s. 175f., Birkelund 2008, s. 414f.

19.12.1944 Attentat mod Østasiatisk Kompagnis bygning, Kbh.

Gruppe: Petergruppen

Modterror for: Ikke oplyst i HT. If . Bovensiepen var ØK et "virkningsfuldt Objekt for Modterror."

Skadesbeløb: 6.150.000 kr.

Henvisning: Brøndum-sagen, HT 1947, s. 163, 208. HSB, Hovedrapport Bovensiepen s. 107.

19.12.1944 Drab på Carlo Christensen, Kbh.

Gruppe: Hipo

Modterror for: Christensen, der var medlem af Holger Danske, blev såret af Hipo under en razzia og kort efter likvideret

Skadesbeløb:

Henvisning: HSB, Liste over Hipo-aktioner s. 3. Birkelund 2008, s. 366. *Faldne i Danmarks frihedskamp*, 1970, s. 82.

20.12.1944 Drab på journalist Morten W. Sørensen, Århus

Gruppe: Petergruppen

Modterror for: Dræbt fordi han if. Bothildsen Nielsen var modstandsmand

Skadesbeløb:

Henvisning: Brøndum-sagen, HT 1947, s. 163, 209.

20.12.1944 Drab på smedemester Carl F. Bardino, Århus

Gruppe: Petergruppen

Modterror for: If. Bothildsen Nielsen clearing for drabet på en nazistisk købmand

Skadesbeløb:

Henvisning: Brøndum-sagen, HT 1947, s. 163, 209.

20.12.1944 Drab på forretningsfører H.C.E. Carlsen, Aalborg

| | |
|---|---|
| Gruppe: | Petergruppen |
| Modterror for: | If. Bothildsen Nielsen skød de Carlsen i den tro, at han var redaktør P.C. Jacobsen, det egentlige mål for clearingaktionen. Formentlig gengæld for likvideringen af nazisten og herreekviperingshandleren Frits Borup 10.12.1944 |
| Skadesbeløb: | |
| Henvisning: | Brøndum-sagen, HT 1947, s. 164, 209. Lottrup 2000, s. 29f. |

20.12.1944 Officiel sprængning af villa, der tilhørte A/S Potagua, Chr. Winthersvej, Kbh.

| | |
|---|---|
| Gruppe: | Petergruppen og tysk sikkerhedspoliti |
| Modterror for: | Villaen havde været benyttet til illegale formål |
| Skadesbeløb: | 310.410 kr. |
| Henvisning: | Brøndum-sagen, HT 1947, s. 163, 208. Tysk pressemeddelelse optrykt hos Alkil, 2, 1945-46, s. 919. |

21.12.1944 Officiel sprængning af bankbestyrer Møllers villa, Sylows Allé, Kbh.

| | |
|---|---|
| Gruppe: | Petergruppen og tysk sikkerhedspoliti |
| Modterror for: | Tysk politi tilkendegav, at villaen havde været samlingssted for en "Mord- og Sabotageorganisation" |
| Skadesbeløb: | 52.600 kr. |
| Henvisning: | Brøndum-sagen, HT 1947, s. 164, 209. Tysk pressemeddelelse optrykt hos Alkil, 2, 1945-46, s. 919. |

21.12.1944 Attentat mod snedker Sophus Nielsens værksted, Vejle

| | |
|---|---|
| Gruppe: | Petergruppen |
| Modterror for: | If. Bothildsen Nielsen m.fl. repressalie for sabotage i byen |
| Skadesbeløb: | 45.000 kr. |
| Henvisning: | Brøndum-sagen, HT 1947, s. 164, 209. |

21.12.1944 Attentat mod bagermester Zieglers forretning og Schous Udsalg, begge Horsens

| | |
|---|---|
| Gruppe: | Petergruppen |
| Modterror for: | If. Bothildsen Nielsen m.fl. repressalie for sabotage i byen |
| Skadesbeløb: | 102.548 kr. på ejendom og 100.000 kr. på løsøre |
| Henvisning: | Brøndum-sagen, HT 1947, s. 164, 209. |

22.12.1944 Officiel sprængning af sommerhus, Højgårdsvænget, Bagsværd

| | |
|---|---|
| Gruppe: | Tysk sikkerhedspoliti |
| Modterror for: | Tysk politi tilkendegav, at villaen havde været samlingssted for en "Terrorgruppe" |

Skadesbeløb:
Henvisning: Tysk pressemeddelelse optrykt hos Alkil, 2, 1945-46, s. 919.

23.12.1944 Attentat mod Engelsk Beklædningsmagasin og F.D.B. Beklædningsmagasin, Kolding
Gruppe: Petergruppen
Modterror for: Gengæld for sprængningen af en blokpost ved jernbanen
Skadesbeløb: 349.570 kr.
Henvisning: Brøndum-sagen, HT 1947, s. 164-65, 210.

29.12.1944 Drab på fabrikant Henning Klee, Kbh.
Gruppe: Petergruppen
Modterror for: Ikke oplyst
Skadesbeløb:
Henvisning: Brøndum-sagen, HT 1947, s. 165, 210.

29.12.1944 Drab på skuespiller Bendt von Müllen, Odense
Gruppe: Petergruppen
Modterror for: Skal have været gengæld for drabet på en nazist i Odense
Skadesbeløb:
Henvisning: Brøndum-sagen, HT 1947, s. 165, 210.

30.12.1944 Attentat på boghandler A. Olsens forretning og manufakturhandler O. Bisgaards forretning, begge Kerteminde
Gruppe: Petergruppen
Modterror for: If. de implicerede gengæld for sprængning af fiskebil m.m., der tilhørte værnemagts-leverandør
Skadesbeløb: 67.000 kr.
Henvisning: Brøndum-sagen, HT 1947, s. 165, 210.

30.12.1944 Attentat mod Fåborg Jernstøberi og Maskinfabrik, Fåborg
Gruppe: Petergruppen
Modterror for: If. de implicerede gengæld for sprængning af flydedok i Fåborg
Skadesbeløb: 67.000 kr.
Henvisning: Brøndum-sagen, HT 1947, s. 165, 210.

3.1.1945 Attentat mod politimotorvogn og Herremagasinet Carlton, begge Kolding
Gruppe: Petergruppen
Modterror for: If. de implicerede var skyldtes sprængningen af bilen uoverensstemmelse mellem vagtværnet og tysk politi

Skadesbeløb: 27.300 kr.
Henvisning: Brøndum-sagen, HT 1947, s. 165, 210f.

4.1.1945 Attentat mod bygningssnedker Jens Villerslevs villa, Højsagervej, Kbh.
Gruppe: Petergruppen
Modterror for: Ikke oplyst
Skadesbeløb: 75.000 kr.
Henvisning: Brøndum-sagen, HT 1947, s. 165-66, 211.

4.1.1945 Attentat mod overingeniør Christian Baks villa, C.F. Richsvej, Kbh.
Gruppe: Petergruppen
Modterror for: Ikke oplyst
Skadesbeløb: 138.000 kr.
Henvisning: Brøndum-sagen, HT 1947, s. 166, 211.

5.1.1945 Attentat mod Tuborg Bryggeris Kedel- og Maskinanlæg, Kbh.
Gruppe: Petergruppen
Modterror for: Ikke oplyst i HT. If. Bovensiepen "almindelig Gengældelse"
Skadesbeløb: 5.000.000 kr.
Henvisning: Brøndum-sagen, HT 1947, s. 166, 211. HSB, Hovedrapport Bovensiepen s. 107.

5.1.1945 Drab på grønthandler Børge Ziegler, Kbh.
Gruppe: Petergruppen
Modterror for: Ikke oplyst
Skadesbeløb:
Henvisning: Brøndum-sagen, HT 1947, s. 166, 211.

8.1.1945 Drab på radioforhandler Anker H. Knudsen og attentat mod dennes forretning, Kbh.
Gruppe: Petergruppen
Modterror for: Ikke oplyst
Skadesbeløb: 28.000 kr.
Henvisning: Brøndum-sagen, HT 1947, s. 166, 211. *Faldne i Danmarks frihedskamp*, 1970, s. 238f.

11.-12.1.1945 Attentat mod snedker Harry Larsens lejlighed, Hans Rasmussensvej, Odense
Gruppe: Birkedal Hansen-gruppen og tysk sikkerhedspoliti
Modterror for: Ikke oplyst (Larsen var anholdt og blev mishandlet)
Skadesbeløb: 17.000 kr.
Henvisning: Birkedal Hansen-sagen, HT 1950, s. 601, 607.

11.-12.1.1945 Attentat mod ejendom, Adamsgade, Odense

Gruppe: Birkedal Hansen-gruppen og tysk sikkerhedspoliti
Modterror for: Ikke oplyst
Skadesbeløb: 20.000 kr.
Henvisning: Birkedal Hansen-sagen, HT 1950, s. 601, 607.

12.1.1945 Attentat mod Vennelyst Teater, Århus

Gruppe: Petergruppen
Modterror for: Ikke oplyst
Skadesbeløb: 862.000 kr.
Henvisning: Brøndum-sagen, HT 1947, s. 166, 211. Andrésen 1945, s. 310.

12.1.1945 Drab på dyrlæge Axel R. Møller og assistent Ole V. Larsen. Brønderslev

Gruppe: Petergruppen
Modterror for: Liget af dyrlæge Møller blev anbragt på samme sted i Aalborg, hvor nazisten E. Laursen og hans medhjælper Søren Andersen var blevet dræbt hhv. såret 4.1.1945. Terroristerne lod Assistent Larsen ligge på landevejen, hvor han var blevet skudt
Skadesbeløb:
Henvisning: Brøndum-sagen, HT 1947, s. 166-67, 212. Lottrup 2000, s. 30f. RA, Informationsblatt BdO 8.1.1945.

13.1.1945 Attentat mod Adolf Holsts Fabrikker, Aalborg

Gruppe: Petergruppen
Modterror for: Ikke oplyst
Skadesbeløb: 1.029.000 kr.
Henvisning: Brøndum-sagen, HT 1947, s. 167, 212.

14.1.1945 Attentat mod Bang og Olufsens radiofabrik, Struer

Gruppe: Petergruppen
Modterror for: If. de implicerede gengæld for jernbanesabotage. If. Bovensiepen blev fabrikken udvalgt, fordi indehaverne var særligt tyskfjendtlige
Skadesbeløb: 2.450.000 kr.
Henvisning: Brøndum-sagen, HT 1947, s. 167. HSB, Hovedrapport Bovensiepen s. 107.

15.1.1945 Attentat mod Fællesforeningen af Danmarks Brugsforeninger, Vejle (mislykket)

Gruppe: Petergruppen
Modterror for: Ikke oplyst
Skadesbeløb:
Henvisning: Brøndum-sagen, HT 1947, s. 167, 212.

16.1.1945 Officiel sprængning af Chr. Winthers villa, Mariendalsvej, Kbh.

| | |
|---|---|
| Gruppe: | Petergruppen og Tysk sikkerhedspoliti |
| Modterror for: | Ejendommen blev angivelig anvendt til våbenlager m.m. |
| Skadesbeløb: | 110.640 kr. |
| Henvisning: | Brøndum-sagen, HT 1947, s. 167, 212. Tysk pressemeddelelse optrykt hos Alkil, 2, 1945-46, s. 920. |

18.1.1945 Drab på direktør Hans Christian Hansen, Charlottenlund

| | |
|---|---|
| Gruppe: | Petergruppen |
| Modterror for: | Ikke oplyst |
| Skadesbeløb: | |
| Henvisning: | Brøndum-sagen, HT 1947, s. 167, 212. |

18.1.1945 Attentat mod Apolloteatret, Kbh.

| | |
|---|---|
| Gruppe: | Petergruppen |
| Modterror for: | Ikke oplyst i HT. (Teatret skal være blevet udpeget af Hans Wäsche fra SD). If. Bovensiepen "almindelig Gengældelse" |
| Skadesbeløb: | 993.000 kr. |
| Henvisning: | Brøndum-sagen, HT 1947, s. 167, 212-13. HSB, Hovedrapport Bovensiepen s. 107. |

23.1.1945 Attentat mod Carl Allers Etablissement, Kbh.

| | |
|---|---|
| Gruppe: | Petergruppen |
| Modterror for: | If. Brøndum skete schalburgtagen på hans foranledning, fordi der blev trykt illegalt materiale i trykkeriet. If. Bovensiepen "almindelig Gengældelse" |
| Skadesbeløb: | 7.000.000 kr. |
| Henvisning: | Brøndum-sagen, HT 1947, s. 168, 213. HSB, Hovedrapport Bovensiepen s. 107. |

24.1.1945 Drab på folketingsmand, grosserer William Priemé, Kbh.

| | |
|---|---|
| Gruppe: | Petergruppen |
| Modterror for: | Ikke oplyst i HT. If. Bovensiepen var Priemé førende konservativ og antitysk og støttede modstandsbevægelsen økonomisk |
| Skadesbeløb: | |
| Henvisning: | Brøndum-sagen, HT 1947, s. 168, 213. Hovedrapport Bovensiepen s. 107. |

28.1.1945 Attentat på Studenternes Weekendhytte, Sjælsø

| | |
|---|---|
| Gruppe: | Ikke oplyst |
| Modterror for: | Ikke oplyst |

Skadesbeløb:
Henvisning: Alkil, 2, 1945-46, s. 921. Brøndsted/Gedde, 2, 1946-47, s. 676.

8.2.1945 Officiel sprængning af Frede Nielsens villa, Kildebakkegårds Allé, Søborg
Gruppe: Petergruppen og tysk sikkerhedspoliti
Modterror for: Ejendommen blev angivelig anvendt til våbenlager m.m.
Skadesbeløb: 45.700 kr.
Henvisning: Brøndum-sagen, HT 1947, s. 168, 213. Tysk pressemeddelelse optrykt hos Alkil, 2, 1945-46, s. 921f.

8.2.1945 Officiel sprængning af Nancy Bergs villa, Højlandsvangen, Kbh.
Gruppe: Petergruppen og Tysk sikkerhedspoliti
Modterror for: Ejendommen blev angivelig anvendt til våbenlager m.m.
Skadesbeløb: 53.000 kr.
Henvisning: Brøndum-sagen, HT 1947, s. 168, 213. Tysk pressemeddelelse optrykt hos Alkil, 2, 1945-46, s. 921f (if. denne var det ikke Nancy, men Gundram Berg, kld. Richard Hansen. Herom selvstændig tysk pressemeddelelse 11.2.1945, sst. s. 922).

9.-10.2.1945 Attentat mod Café Luna, Kbh.
Gruppe: Schiølergruppen
Modterror for: Uoplyst (tyskvenlige skal være blevet generet på caféen, hvor en marinevægter også var blevet såret)
Skadesbeløb: 18.000 kr.
Henvisning: Ibsen-sagen, HT 1949, s. 646, 694ff., 749f. Se også Nissen 2001, s. 151ff.

10.2.1945 Officiel sprængning af snedkermester Christoffersens villa, Ørevadsvej, Kbh.
Gruppe: Petergruppen og tysk sikkerhedspoliti
Modterror for: Ejendommen blev angivelig anvendt til våbenlager m.m.
Skadesbeløb: 49.600 kr.
Henvisning: Brøndum-sagen, HT 1947, s. 168, 213. Tysk pressemeddelelse optrykt hos Alkil, 2, 1945-46, s. 926.

10.2.1945 Officiel sprængning af Robert Bjerres villa, Nebbegårdsbakken, Kbh.
Gruppe: Petergruppen
Modterror for: Villaen var angivelig tilholdssted for en illegal gruppe
Skadesbeløb: 30.000 kr.
Henvisning: HSB, Supplementary Memorandum s. 21. Lauritzen 1947, s. 1393. Tysk pressemeddelelse optrykt hos Alkil, 2, 1945-46, s. 925f.

12.2.1945 Officiel sprængning af Niels Hansens sommerhus, Østoftevej, Glostrup

Gruppe: Tysk sikkerhedspoliti

Modterror for: Sommerhuset blev angivelig anvendt til våbenlager m.m.

Skadesbeløb:

Henvisning: Tysk pressemeddelelse optrykt hos Alkil, 2, 1945-46, s. 926.

14.2.1945 Drab på cigarhandler Aage Valdemar Nielsen og manufakturhandler Selgan J.E. Rasmussen, Kbh.

Gruppe: Petergruppen

Modterror for: Muligvis var drabet på cigarhandler Nielsen en fejl – if. Brøndum gjaldt aktionen kun manufakturhandler Rasmussen

Skadesbeløb:

Henvisning: Brøndum-sagen, HT 1947, s. 168, 213-14 (i sagen er datoen fejlagtigt angivet til 14.1.1945).

16.2.1945 Drab på havnedirektør Frederik W.H. Laub, Gentofte

Gruppe: Petergruppen

Modterror for: Laub skal have figureret på en liste over clearingmål. If. *Faldne i Danmarks frihedskamp*, 1970 var drabet formentlig gengæld for sabotage mod krydseren Nürnberg (15.2.1944)

Skadesbeløb:

Henvisning: Brøndum-sagen, HT 1947, s. 168-69, 214. *Faldne i Danmarks frihedskamp*, 1970, s. 262.

16.2.1945 Drabsforsøg på skoleleder Kjeld Hjortø, Kbh., der døde 18.2.1945

Gruppe: Birkedal Hansen-gruppen

Modterror for: Skal være gengæld for Holger Danskes likvidering af Gestapomanden Franz Lomborg 15.2.1945

Skadesbeløb:

Henvisning: Birkelund 2008, s. 328 og Øvig Knudsen s. 233ff. (ikke nævnt i Birkedal Hansen-sagen, HT 1950). *Faldne i Danmarks frihedskamp*, 1970, s. 173.

17.2.1945 Drab på forstander Heinrich G. Gille, Kbh.

Gruppe: Petergruppen

Modterror for: Ikke oplyst

Skadesbeløb:

Henvisning: Brøndum-sagen, HT 1947, s. 169, 214.

17.2.1945 Drab på fabrikant David J.O. Nielsen, Kbh.

Gruppe: Petergruppen

Modterror for: Ikke oplyst

Skadesbeløb:
Henvisning: Brøndum-sagen, HT 1947, s. 169, 214.

19.2.1945 Drab på installatør Valdemar Petersen, Odense
Gruppe: Petergruppen
Modterror for: Ikke oplyst i HT. Dette og de øvrige clearingdrab og Schalburgtager, som Petergruppen begik i Odense 19.-21.2.1945, var gengældelser for en del likvideringer i byen i 1945 (otte likvideringer if. Skov). Udløsende var formentlig nedskydningen af ægteparret Harkjær-Simonsen 14.2.1945 og endnu to likvideringer (den ene af en Hipo-mand) på samme tid
Skadesbeløb:
Henvisning: Brøndum-sagen, HT 1947, s. 169, 215. For modterror i Odense 19.-21.2.1945 se Skov 2005, s. 14ff.

20.2.1945 Drab på lægerne Jørgen Hvalkof, Christian F. Møller, Henning Ørnsberg og Henning M. A. Dahlsgaard, alle Odense Amts og Bys Sygehus
Gruppe: Petergruppen
Modterror for: Gengæld for drab på nazister i Odense – og med al sandsynlighed fordi en såret modstandsmand, der havde deltaget i likvideringen af Harkjær-Simonsens, var blevet befriet fra Odense Amts og Bys Sygehus
Skadesbeløb:
Henvisning: Brøndum-sagen, HT 1947, s. 169, 215. Skov 2005, s. 16ff.

20.2.1945 Drabsforsøg på teaterdirektør Helge Rungwald, Odense
Gruppe: Petergruppen
Modterror for: Ikke oplyst. Rungwald blev anset for at være tyskfjendtlig
Skadesbeløb:
Henvisning: Brøndum-sagen, HT 1947, s. 170, 215. Skov 2005, s. 18.

20.2.1945 Drab på konsul Gustav Christgau, Odense
Gruppe: Petergruppen
Modterror for: Ikke oplyst. Christgau blev anset for at være tyskfjendtlig
Skadesbeløb:
Henvisning: Brøndum-sagen, HT 1947, s. 169, 215. Skov 2005, s. 18f.

20.2.1945 Drab på løjtnant Vagn Tang, Odense
Gruppe: Petergruppen
Modterror for: Ikke oplyst
Skadesbeløb:
Henvisning: Brøndum-sagen, HT 1947, s. 170, 215. Skov 2005, s. 19f.

21.2.1945 Attentater mod FDBs forretning, Skotøjslageret, I.G. Jacobsens forretning, Firmaet P.C. Rasmussens udstillingslokale, *Fyns Tidendes* Bygning, Aviskiosken på hjørnet af Vestre Stationsvej og Kongensgade, Modeforretningen, Café Sct. Knud, *Fyns Venstreblad, Fyns Stiftstidendes* bygning, H.C. Andersens Herreekviperingsforretning og forsikringsselskabet Hånd i Hånds ejendom, alle Odense

Gruppe: Petergruppen

Modterror for: Ikke oplyst. Gadeterror beordret fra Kbh., målene udpeget lokalt

Skadesbeløb: 3.116.000 kr.

Henvisning: Brøndum-sagen, HT 1947, s. 170, 215-16. Skov 2005, s. 22ff.

21.2.1945 Drab på købmand Kaj F.B. Schmidt, Århus

Gruppe: Petergruppen

Modterror for: Ikke oplyst

Skadesbeløb:

Henvisning: Brøndum-sagen, HT 1947, s. 170, 216.

22.2.1945 Drab på former Osvald E. W. Christensen, Århus

Gruppe: Petergruppen

Modterror for: If. de implicerede blev Christensen skudt, fordi han var modstandsleder. Han blev holdt op og ført til et sted, hvor en nazist var blevet skudt og dér myrdet. If. Thomassen blev Christensen skudt, fordi han så Petergruppen forberede sprængningerne i Guldsmedgadekvarteret

Skadesbeløb:

Henvisning: Brøndum-sagen, HT 1947, s. 170-71, 216. Thomassen 1945, s. 55f.

22.2.1945 Attentat på frugthandler Niels Kjeldsen forretning, købmand Alfred Lems forretning, købmand Niels Andersens forretning, boghandler Brummerstedts forretning, boghandler Christian Jørgensens forretning, købmand Gammelby Jensens forretning, skotøjshandler Otto Majboms forretning og slagtermester P.C. Jensens forretning, alle Århus omkring Guldsmedegadekvarteret. Syv mennesker blev dræbt

Gruppe: Petergruppen

Modterror for: Ikke oplyst i HT.

Skadesbeløb: 3.590.000 kr.

Henvisning: Brøndum-sagen, HT 1947, s. 171, 216. Andrésen 1945, s. 310.

22.2.1945 el. 23.2. Drab på repræsentant Sølling Fynbo i Århus.

Gruppe: Angivelig myrdet af Gestapomanden Arne Preben Bisp og to tyske Gestapofolk

Modterror for: Form. repressalie for likvideringen af den danske Gestapomand Oscar Baggersgaard 21.2.1945.

Skadesbeløb:

Henvisning: Andrésen 1945, s. 316.

22.2.1945 Drab på vagtværnschef Kristian Lykke Kristensen

Gruppe: Gestapo

Modterror for: Form. repressalie for likvideringen af den danske Gestapomand Oscar Baggersgaard 21.2.1945

Skadesbeløb:

Henvisning: *Faldne i Danmarks frihedskamp*, 1970, s. 244f. Andrésen 1945, s. 328.

23.2.1945 Attentat mod Alfred Sørensens Pelsmagasin, Manufakturhandler Vilh. Kleins forretning, Fonnesbechs Udsalg og Århus Privatbanks bygning, alle Århus

Gruppe: Petergruppen

Modterror for: Ikke oplyst

Skadesbeløb: 350.000 kr.

Henvisning: Brøndum-sagen, HT 1947, s. 171, 216.

23.2.1945 Attentat mod Silkeborg Theater og Håndværkerforeningens bygning, Silkeborg

Gruppe: Petergruppen

Modterror for: Ikke oplyst i HT (attentatmålene skal if. de implicerede være blevet udpeget fra general Lindemanns hovedkvarter)

Skadesbeløb: 575.000 kr.

Henvisning: Brøndum-sagen, HT 1947, s. 171, 216.

23.2.1945 Attentat mod Randers Theater, Randers

Gruppe: Petergruppen

Modterror for: If. de implicerede var der et illegalt våbenlager i kælderen

Skadesbeløb: 878.000 kr.

Henvisning: Brøndum-sagen, HT 1947, s. 171, 216.

24.2.1945 Drab på syv formodede modstandsfolk og drabsforsøg på en ottende: Drab på Erik Andreassen, Keld L. Jeppesen, Skjold L.A. Jensen, Sv. Erik Jensen, Cuno Odde, Christian Olsen og Eigil K. Vistisen. Helge Ulrichsen overlevede mirakuløst drabsforsøget. Muligvis fandt der endnu to drabsforsøg sted

Gruppe: Gestapofolk under ledelse af Kriminalrat Erich Bunke

Modterror for: Angreb på en afdeling Værnemagtssoldater på Roskildevej, Kbh. 23.2.1945. If. Informationsblatt BdO 27.2.1945 blev 3 tyske soldater dræbt, fem hårdt såret og to lettere såret. De fem hårdtsårede døde i dagene efter. Se også *Daglige Beretninger*, 1946, s. 670f. om angrebet

| | | |
|---|---|---|
| | Skadesbeløb: | |
| | Henvisning: | Dommen mod Best, Pancke, Bovensiepen og Hanneken, optrykt i PKB, 13, s. 204, 222, 227. Rosengreen 1982, s. 158-160. HSB, Bovensiepen hovedrapport s. 67f. *Faldne i Danmarks frihedskamp* 1970, s. 46, 214, 215, 218, 337, 445. RA, Informationsblatt BdO 27.2.1945. *Information* 27.2.1945. Høgh-Sørensen 2004, s. 32, 181ff. |
| 24.2.1945 | Drab på Elise J. Bryning, kontorchef Knud E. Bryning og kriminalbetjent Sigvard W. Bernskov, Gl. Himmelev ved Roskilde | |
| | Gruppe: | Jørgen Sørensen – sammen med Gervig Jørgensen, Børge Wiese, Hugo K. Kristensen og Alf Schneevoigt |
| | Modterror for: | If. Sørensens forklaring var de fem på en aktion efter illegale biler. I Gl. Himmelev udgav de sig for modstandsfolk over for Bryning-parret og Bernskov og fik en bil med. Senere tog de tilbage for at skyde parret og Bernskov, bl.a. fordi Sørensen mente, at de var involveret i modstand og fordi der var likvideret mange nazister på egnen. Drabene var muligvis gengæld for likvideringen af Henning Walthing 23.2.1945 |
| | Skadesbeløb: | |
| | Henvisning: | Lille-Jørgen-sagen, HT 1949, s. 886f., 907ff., 948f. Sagen mod Ejgil Gervig Jørgensen og Børge Wiese m.fl., HT 1950, s. 203f., 247ff., 266f. Bøgh 2005, s. 265ff. |
| 24.2.1945 | Attentat mod DSB-persontog ved Hobro. Ti mennesker blev dræbt og mange såret | |
| | Gruppe: | Petergruppen |
| | Modterror for: | If. de implicerede var der tale om en fra Kbh. beordret repressalie for sprængning af tysk flygtningetog (if. *Daglige Beretninger*, 1946, s. 659 fandt der ved Herning 19.2.1945 en jernbanesabotage sted, der dræbte otte, herunder kvinder og børn og sårede 32. I de følgende dage var der flere større jernbanesabotager, herunder skal 16 være blevet dræbt natten til d. 24.2.45, *Daglige Beretninger*, 1946, s. 675f). Desuden skulle attentatet finde sted for at dementere rygter om, at terrorgruppen var blevet likvideret |
| | Skadesbeløb: | 150.000 kr. |
| | Henvisning: | Brøndum-sagen, HT 1947, s. 171-72, 216f. |
| 24.2.1945 | Attentat mod ejendommen Nørregade 6, Randers | |
| | Gruppe: | Petergruppen |
| | Modterror for: | Ikke oplyst |
| | Skadesbeløb: | 187.000 kr. |
| | Henvisning: | Brøndum-sagen, HT 1947, s. 172, 217. |

26.2.1945 Officiel sprængning af gårdejer Ejnar Clausen-Jensens stuehus, Sønderby ved Ebberup på Fyn

Gruppe: Tysk sikkerhedspoliti
Modterror for: Ejendommen blev angivelig anvendt til våbenlager m.m.
Skadesbeløb:
Henvisning: Tysk pressemeddelelse optrykt hos Alkil, 2, 1945-46, s. 927.

26.2.1945 Officiel sprængning af gårdejer Jens Jacobsens stuehus, Sønderjørn ved Bøjden, Horne-land

Gruppe: Tysk sikkerhedspoliti
Modterror for: Ejendommen blev angivelig anvendt til våbenlager m.m.
Skadesbeløb:
Henvisning: Tysk pressemeddelelse optrykt hos Alkil, 2, 1945-46, s. 927.

26.2.1945 Officiel sprængning af vognmand Harry Andersens villa, Horne

Gruppe: Tysk sikkerhedspoliti
Modterror for: Ejendommen blev angivelig anvendt til våbenlager m.m.
Skadesbeløb:
Henvisning: Tysk pressemeddelelse optrykt hos Alkil, 2, 1945-46, s. 927.

26.2.1945 Officiel sprængning af malermester Hans Peder Hansens villa, Korsvej i Fåborg

Gruppe: Tysk sikkerhedspoliti
Modterror for: Ejendommen blev angivelig anvendt til våbenlager m.m.
Skadesbeløb:
Henvisning: Tysk pressemeddelelse optrykt hos Alkil, 2, 1945-46, s. 927.

26.2.1945 Officiel sprængning af værkmester Torkild Jacobsens villa, Svendborgvej i Fåborg

Gruppe: Tysk sikkerhedspoliti
Modterror for: Ejendommen blev angivelig anvendt til våbenlager m.m.
Skadesbeløb:
Henvisning: Tysk pressemeddelelse optrykt hos Alkil, 2, 1945-46, s. 927.

26.2.1945 Officiel sprængning af gårdejer Rasmus M. Petersens stuehus, Nakkebølle Sanatorium

Gruppe: Tysk sikkerhedspoliti
Modterror for: Ejendommen blev angivelig anvendt til våbenlager m.m.
Skadesbeløb:
Henvisning: Tysk pressemeddelelse optrykt hos Alkil, 2, 1945-46, s. 927.

26.2.1945 Officiel sprængning af fabrikant Hother L. Brønners garage, ved villa Fristed, Fåborg

Gruppe: Tysk sikkerhedspoliti

Modterror for: I garagen blev der angivelig fundet 30 faldskærme

Skadesbeløb:

Henvisning: Tysk pressemeddelelse optrykt hos Alkil, 2, 1945-46, s. 927.

26.2.1945 Officiel sprængning af vognmand Viktor Nellebergs villa, Vesterhæsinge.

Gruppe: Tysk sikkerhedspoliti

Modterror for: Ejendommen blev angivelig anvendt til våbenlager m.m.

Skadesbeløb:

Henvisning: Tysk pressemeddelelse optrykt hos Alkil, 2, 1945-46, s. 927.

27.2.1945 Attentater mod Café Lynet, Café Sevilla og Kaffebaren, Blågårdsgade, Kbh. Muligvis også attentat mod slagterforretning og flere forretninger.

Gruppe: Schiølergruppen samt William Petersen fra Lorentzengruppen

Modterror for: Gengæld for BOPA-folks nedskydning af en gruppe Hipoer samme dag på Blågårds Plads, hvoraf to blev dræbt og to hårdt såret

Skadesbeløb: 6.000 kr.

Henvisning: Ibsen-sagen, HT 1949, s. 647, 702, 752. Lorentzen-sagen, HT 1948, 147, 218. RA, Informationsblatt BdO 2.3.1945. Om BOPA og Blågårds Plads, se Kjeldbæk s. 415ff. *Daglige Beretninger*, 1946, s. 682f.

27.2.1945 Drab på reservepolitibetjent Villy Møller Hansen, Kbh.

Gruppe: Schiølergruppen

Modterror for: Møller Hansen blev anholdt om morgenen den 27. februar af Schiølergruppen. Formentlig skudt om aftenen som gengæld for Blågårds Plads-affæren samme dag, se ovenfor

Skadesbeløb:

Henvisning: Ibsen-sagen, HT 1949, s. 647, 700ff., 751f. Lille-Jørgen-sagen, HT 1949, s. 887, 912, 949f. Bøgh 2005 s. 269ff.

27.2.1945 Drab på bogtrykker Evald H.J. Jensen, Kbh.

Gruppe: Schiølergruppen sammen med folk fra Lille-Jørgen-gruppen

Modterror for: Jensen blev skudt om aftenen som gengæld for Blågårds Plads-affæren samme dag

Skadesbeløb:

Henvisning: Ibsen-sagen, HT 1949, 648, 702f, 752. Lille-Jørgen-sagen, HT 1949, s. 887, 910ff., 949. *Faldne i Danmarks frihedskamp*, 1970, s. 201. Bøgh 2005, s. 268f.

27.2.1945 Drab på elektriker Ernst Christiansen, Kbh.

| | |
|---|---|
| Gruppe: | Schiølergruppen |
| Modterror for: | Det fremgår ikke klart af sagen, hvorfor Christiansen, der blev anholdt sammen med flere andre modstandsfolk, blev myrdet – muligvis Blågårdsplads-gengæld igen |
| Skadesbeløb: | |
| Henvisning: | Ibsen-sagen, HT 1949, s. 648, 703ff., 753. *Faldne i Danmarks frihedskamp*, 1970, s. 90. |

27.2.1945 Attentat (med håndgranater) på Tårbæk Kro

| | |
|---|---|
| Gruppe: | Ejgil Gervig Jørgensen m.fl. |
| Modterror for: | Baggrunden var ang. en resultatløs eftersøgning efter våben og illegale. Der blev kastet håndgranater som advarsel |
| Skadesbeløb: | 2.388 kr. |
| Henvisning: | Sagen mod Ejgil Gervig Jørgensen og Børge Wiese m.fl., HT 1950, s. 200, 215, 262. |

28.2.1945 Officiel sprængning af maskinpasser Andreasens villa, Kirkebroen, Hvidovre

| | |
|---|---|
| Gruppe: | Petergruppen og tysk sikkerhedspoliti |
| Modterror for: | Villaen blev angivelig brugt som våbenlager m.m. |
| Skadesbeløb: | 40.325 kr. |
| Henvisning: | Brøndum-sagen, HT 1947, s. 172, 217. Tysk pressemeddelelse optrykt hos Alkil, 2, 1945-46, s. 928 (her hedder det, at huset tilhørte modstandslederen, premierløjtnant Artur Nielsen) |

28.2.1945 Drab på Kaj Nielsen og Ernst L. Andersen

| | |
|---|---|
| Gruppe: | Hipo |
| Modterror for: | Eftersom Nielsen og Andersen blev hentet i Vestre Fængsel, myrdet og smidt på gaden ved Todesgade/Baggesensgade i Blågårds-kvarteret i Kbh. var det formentlig endnu et led i repressalierne for Blågårds-Plads-nedskydningerne. En bror til en af de dræbte Hipofolk på Blågårds Plads blev anklaget, men frifundet for drabene på Nielsen og Andersen samt Iversen og Høj |
| Skadesbeløb: | |
| Henvisning: | *Faldne i Danmarks frihedskamp*, 1970, s. 30, 322. RA, Informationsblatt BdO 2.3.1945. |

1.3.1945 Hørup-statuen, Kongens Have, Kbh., sprængt

| | |
|---|---|
| Gruppe: | Ejgil Gervig Jørgensen, Børge Wiese m.fl. |
| Modterror for: | Ikke oplyst |
| Skadesbeløb: | 22.512 kr. |

Henvisning: Sagen mod Ejgil Gervig Jørgensen og Børge Wiese, HT 1950, s. 203, 228f, 263f. *Daglige Beretninger*, 1946, s. 685.

1.3.1945 Drab på Otto Iversen og Arne L. Høj, Kbh. (fundet på Roskildevej)

Gruppe: Hipo

Modterror for: Ikke oplyst. Formentlig relateret til Blågårds Plads-affæren

Skadesbeløb:

Henvisning: *Faldne i Danmarks frihedskamp*, 1970, s 183, 187. If. *Daglige Beretninger*, 1946, s. 685 blev de fundet på Nørrebro (hvilket dog kan være en forveksling med Nielsen og Andersen, se 28.2.).

8.3.1945 Attentat mod spejderhytte ved Fåborg og Viggo Petersens sommerhus ved Nab Strand, Åstrup

Gruppe: Birkedal Hansen-gruppen

Modterror for: Ikke oplyst

Skadesbeløb: 3.500 kr.

Henvisning: Birkedal Hansen-sagen, HT 1950, s. 601, 607.

8.3.1945 Drab på apotekerdiscipel Finn Boye Knudsen

Gruppe: Schiølergruppen

Modterror for: Med al sandsynlighed repressalie for likvideringen af Hipolederen Mogens Reholt ved Gentofte Amtssygehus 7.3.1945. Boye Knudsen blev kørt til Kathrinevej i Hellerup tæt ved sygehuset og skudt

Skadesbeløb:

Henvisning: Ibsen-sagen, HT 1949, s. 649, 706ff., 753f. *Daglige Beretninger*, 1946, s. 704. *Faldne i Danmarks frihedskamp*, 1970, s. 240.

9.3.1945 Drab på Aron Buch, Kbh.

Gruppe: Hipo- og SD-tilknyttede Ejgil G. Jørgensen, Børge Wiese og Ove Thornberg

Modterror for: Likvideringen af Mogens Reholt

Skadesbeløb:

Henvisning: *Faldne i Danmarks frihedskamp*, 1970, s. 70. If. engelsksproget liste skal mordet være begået af Lille-Jørgen-gruppen. Men se sagen mod Ejgil Gervig Jørgensen og Børge Wiese m.fl., HT 1950, s. 205, 237ff., 268ff.

10.3.1945 Officiel sprængning af Hans F. Lildholdts gård i Brunde ved Rødekro

Gruppe: Petergruppen og tysk sikkerhedspoliti

Modterror for: Ejendommen blev angivelig anvendt til våbenlager m.m.

Skadesbeløb: 122.638 kr.

Henvisning: Brøndum-sagen, HT 1947, s. 172, 217. Tysk pressemeddelelse optrykt hos Alkil, 2, 1945-46, s. 928.

11.3. og 20.3. 1945 Attentat mod jernfirmaet I.P. Jensens bygning, Kolding

Gruppe: Petergruppen

Modterror for: If. Bothildsen Nielsen var ejeren tyskfjendtlig

Skadesbeløb: 156.525 kr.

Henvisning: Brøndum-sagen, HT 1947, s. 172, 217.

11.3.1945 Drab på Helge Emil Frederiksen

Gruppe: Taget af Hipo, dræbt af Hipomanden Heinz Erik Winther på Politigården

Modterror for: Ukendt

Skadesbeløb:

Henvisning: Lorentzen-sagen, HT 1948, s. 149, 221. HSB, Supplementary Memorandum under Lorentzen-gruppen. *Faldne i Danmarks frihedskamp*, 1970, s. 118, hvor det hedder, at Frederiksen var fra BOPA og blev skudt af Hipo under en aktion 11.3.1945.

13.3.1945 Steen Verland, Kbh.

Gruppe: Anholdt af tysk politi og skudt ned af Hipomanden Mørch Petersen

Modterror for: Ikke oplyst

Skadesbeløb:

Henvisning: Lorentzen-sagen, HT 1948, s. 149, 207. *Faldne i Danmarks frihedskamp*, 1970, s. 443f. Under sagen mod Gestapomanden Erland Jensen oplyste denne, at Verland blev skudt, da han inde på Politigården (efter tortur) forsøgte at flygte (*Social-Demokraten* 2.5.1946).

13.3.1945 Drabsforsøg på socialminister Laurits Hansen, Kbh.

Gruppe: Schiølergruppen

Modterror for: If. retsakterne fik gruppen ordre fra tysk side om at udføre repressalie for Reholt-likvideringen, hvilket Schiølergruppen imidlertid ikke gik helhjertet ind for, hvorfor forsøget hurtigt blev opgivet, da Vagtværnet ankom til Hansens bopæl

Skadesbeløb:

Henvisning: Ibsen-sagen HT 1949, s. 649f, 712ff., 754f. *Daglige Beretninger*, 1946, s. 718. HSB, Supplementary Memorandum om Schiølergruppen s. 3.

13.3.1945 Attentat på motortog Århus-Risskov. Tre blev dræbt og mange såret

Gruppe: Petergruppen

Modterror for: Ikke oplyst

| | |
|---|---|
| Skadesbeløb: | 45.000 kr. |
| Henvisning: | Brøndum-sagen, HT 1947, s. 172, 217. |

14.3.1945 Drabsforsøg på byrådsfuldmægtig Kjeld Jarde, Århus

| | |
|---|---|
| Gruppe: | Petergruppen |
| Modterror for: | Ikke oplyst |
| Skadesbeløb: | |
| Henvisning: | Brøndum-sagen, HT 1947, s. 172-73, 217. |

14.3.1945 Attentat mod Århus Rådhus, Århus

| | |
|---|---|
| Gruppe: | Petergruppen |
| Modterror for: | If. Bothildsen Nielsen fandt der illegal virksomhed sted på Rådhuset. If. Bovensiepen "almindelig Gengældelse" |
| Skadesbeløb: | 1.500.000 kr. |
| Henvisning: | Brøndum-sagen, HT 1947, s. 173, 217. HSB, Hovedrapport Bovensiepen s. 107. |

15.3.1945 Attentat mod *Socialdemokratens* ejendom, Randers. To blev dræbt og seks såret

| | |
|---|---|
| Gruppe: | Petergruppen |
| Modterror for: | If. Bothildsen Nielsen gengæld for likvidering af nazist |
| Skadesbeløb: | 497.000 kr. |
| Henvisning: | Brøndum-sagen, HT 1947, s. 173, 218. |

15.3.1945 Attentat mod restaurant Kilden, Aalborg

| | |
|---|---|
| Gruppe: | Petergruppen |
| Modterror for: | Ikke oplyst |
| Skadesbeløb: | 384.314 kr. |
| Henvisning: | Brøndum-sagen, HT 1947, s. 173, 218. |

15.3.1945 Attentat mod lakfabrikken Hygæa, Skalborg (Aalborg)

| | |
|---|---|
| Gruppe: | Petergruppen |
| Modterror for: | Ikke oplyst i HT – formentlig sammenhæng med foregående aktion |
| Skadesbeløb: | 1.450.000 kr. |
| Henvisning: | Brøndum-sagen, HT 1947, s. 173, 218. |

16.3.1945 Attentat mod Fredericia Theater, Fredericia Biograf og Håndværkerforeningens bygning, alle Fredericia

| | |
|---|---|
| Gruppe: | Petergruppen |
| Modterror for: | Ikke oplyst |

| | | |
|---|---|---|
| | Skadesbeløb: | 1.881.474 kr. |
| | Henvisning: | Brøndum-sagen, HT 1947, s. 173, 218. |
| 16.3.1945 | Attentat mod Wittrups Tæppefabrik, Vejle | |
| | Gruppe: | Petergruppen |
| | Modterror for: | Ikke oplyst |
| | Skadesbeløb: | 1.650.000 kr. |
| | Henvisning: | Brøndum-sagen, HT 1947, s. 174, 218. |
| 16.3.1945 | Officiel sprængning af handelsgartner Petersens gartneri, Calvinsvej, Fredericia | |
| | Gruppe: | Petergruppen og tysk sikkerhedspoliti |
| | Modterror for: | Ejendommen blev angivelig anvendt til våbenlager m.m. |
| | Skadesbeløb: | 115.358 kr. |
| | Henvisning: | Brøndum-sagen, HT 1947, s. 173, 218. Tysk pressemeddelelse optrykt hos Alkil, 2, 1945-46, s. 930. |
| 16.3.1945 | Officiel sprængning af fabriksarbejder Andersens villa, Troldevej, Fredericia | |
| | Gruppe: | Petergruppen og tysk sikkerhedspoliti |
| | Modterror for: | Ejendommen blev angivelig anvendt til våbenlager m.m. |
| | Skadesbeløb: | 27.000 kr. |
| | Henvisning: | Brøndum-sagen, HT 1947, s. 173f, 218. Tysk pressemeddelelse optrykt hos Alkil, 2, 1945-46, s. 930. |
| 17.3.1945 | Drab på viktualiehandler Kaj W. Larsen, Vanløse | |
| | Gruppe: | Petergruppen |
| | Modterror for: | Ikke oplyst |
| | Skadesbeløb: | |
| | Henvisning: | Brøndum-sagen, HT 1947, s. 173-74, 218. |
| 17.3.1945 | Attentat mod *Svendborg Amtstidendes* bygning, Svendborg | |
| | Gruppe: | Petergruppen |
| | Modterror for: | Ikke oplyst |
| | Skadesbeløb: | 325.000 kr. |
| | Henvisning: | Brøndum-sagen, HT 1947, s. 174, 218. |
| 17.3.1945 | Attentat mod restaurant Brockmann, Odense | |
| | Gruppe: | Petergruppen |
| | Modterror for: | Ikke oplyst |
| | Skadesbeløb: | 19.508 kr. |
| | Henvisning: | Brøndum-sagen, HT 1947, s. 174, 219. |

17.3.1945 Officiel sprængning af afdelingsleder Karl Wolsgaard-Iversens villa, Slotspark, Bagsværd

Gruppe: Tysk sikkerhedspoliti

Modterror for: Ejendommen blev angivelig anvendt til våbenlager m.m.

Skadesbeløb:

Henvisning: Tysk pressemeddelelse optrykt hos Alkil, 2, 1945-46, s. 930.

18.3.1945 Attentat mod Aalborg Kommunes arkiv i den gamle synagoge i byen

Gruppe: Frantz Toft, Poul Larsen, Anders Hansen og Åge Christensen (Gestapo)

Modterror for: Ikke oplyst – if. udsagn i Bøgh og Wagner-Augustenborg iværksat af Marineefterretningstjenesten i Århus

Skadesbeløb:

Henvisning: Bøgh 2005 s. 85. Wagner-Augustenborg 2000, s. 95ff. *Daglige Beretninger*, 1946, s. 738.

18.3.1945 Officiel sprængning af hus i Skattegade, Svendborg

Gruppe: Tysk sikkerhedspoliti

Modterror for: Tysk sikkerhedspoliti var blevet beskudt fra huset, hvor der angivelig også blev opbevaret våben

Skadesbeløb:

Henvisning: Tysk pressemeddelelse optrykt hos Alkil, 2, 1945-46, s. 931.

19.3.1945 Attentat mod herreekviperingsforretningen Rio, *Politikens* telegramhal, Vagtværnets lokale i Rådhuset og fire lysmaster, alle Kolding

Gruppe: Petergruppen

Modterror for: If. Bothildsen Nielsen gengæld for sprængninger på jernbaneterrænet

Skadesbeløb: 174.307 kr.

Henvisning: Brøndum-sagen, HT 1947, s. 174.

19.3.1945 Sprængning af murer Holms villa, Kbh.

Gruppe: Tysk sikkerhedspoliti

Modterror for: Resultatløs eftersøgning af murer Holms søn

Skadesbeløb: Ikke oplyst

Henvisning: *Daglige Beretninger*, 1946, s. 745. HSB, Liste over Hipo-aktioner s. 13.

20.3.1945 Se 11.3.

22.3.1945 Drab på grønthandler Niels Louis Damsgaard, Kbh.

Gruppe: Schiølergruppen

Modterror for: Damsgaard blev taget under en razzia mod illegal bladgruppe i Nansensgade og dernæst skudt ned på gaden, muligvis fordi et par af Schiølergruppens folk var den illegale gruppes gidsler

Skadesbeløb:

Henvisning: Ibsen-sagen, HT 1949, s. 651, 722ff., 756f. *Faldne i Danmarks frihedskamp*, 1970, s. 101.

24.3.1945 Drab på Erik Stibolt Hansen på Buddinge Torv

Gruppe: Hipo

Modterror for: Uklart om det var et gengældelsesdrab – men Hansen blev nakkeskudt, mens han havde hænderne over hovedet

Skadesbeløb:

Henvisning: Lorentzen-sagen, HT 1948, s. 152f, 224, 265. *Faldne i Danmarks frihedskamp*, 1970, s. 151.

24.3.1945 Drab på Viggo Rasmussen, Kbh.

Gruppe: Ikke oplyst

Modterror for: Ikke oplyst

Skadesbeløb:

Henvisning: HSB, Supplementary Memorandum om Hipo s. 2. *Daglige Beretninger*, 1946, s. 762.

25.3.1945 Drab på overlægerne Johannes Buchholtz og Poul C.G. Fjeldborg, begge Vejle

Gruppe: Petergruppen

Modterror for: If. Bothildsen Nielsen clearing for drab på nazist i Vejle – ofrene udpeget af Gestapo i Kolding og godkendt af Bovensiepen

Skadesbeløb:

Henvisning: Brøndum-sagen, HT 1947, s. 174, 219.

25.3.1945 Drab på pastor Poul Hans Bentzen, Esbjerg

Gruppe: Petergruppen

Modterror for: If. Bothildsen Nielsen var to andre udset som clearingmål for drabet på en nazist, men det mislykkedes at ramme dem, hvorfor Gestapo i Esbjerg pegede på Bentzen som mål. Med al sandsynlighed gengæld for likvideringen af Børge Tingskou 17.3.1945. If. BdO var han nazist. Muligvis også gengæld for likvideringen af OT-manden Frede Sørensen 23.3.1945.

Skadesbeløb:

Henvisning: Brøndum-sagen, HT 1947, s. 175, 219. RA, Informationsblatt BdO 22.3.1945, 28.3.1945, 30.3.1945.

26.3.1945 Drab på banenæstformand Egon Sejr på landevej mellem Århus og Skanderborg
Gruppe: Petergruppen
Modterror for: If. Bothildsen Nielsen var drabet "Led i Kampen mod Jernbanesabotagen"
Skadesbeløb:
Henvisning: Brøndum-sagen, HT 1947, s. 175, 219.

27.3.1945 Attentat mod Frederikshavns Avis bygning, Frederikshavn
Gruppe: Petergruppen
Modterror for: Ikke oplyst
Skadesbeløb: 292.000 kr.
Henvisning: Brøndum-sagen, HT 1947, s. 175, 219.

27.3.1945 Attentat mod Vendsyssels Tidendes bygning, Hjørring
Gruppe: Petergruppen
Modterror for: Ikke oplyst
Skadesbeløb: 520.000 kr.
Henvisning: Brøndum-sagen, HT 1947, s. 175, 220.

27.3.1945 Attentat mod banelinien syd for Hjørring
Gruppe: Petergruppen
Modterror for: If. de implicerede led i bekæmpelsen af jernbanesabotagen
Skadesbeløb: 500 kr.
Henvisning: Brøndum-sagen, HT 1947, s. 175, 220.

28.3.1945 Attentat mod Jernbanelinien Hammel-Århus ved Staustrup. Elleve blev kvæstet
Gruppe: Petergruppen
Modterror for: Ikke oplyst
Skadesbeløb: 7.000 kr.
Henvisning: Brøndum-sagen, HT 1947, s. 175-76, 220.

28.3.1945 Attentat mod Skydepavillonen og Aalborg-Tårnet, begge Aalborg
Gruppe: Petergruppen
Modterror for: Ikke oplyst
Skadesbeløb: 409.800 kr.
Henvisning: Brøndum-sagen, HT 1947, s. 176, 220.

28.3.1945 Attentat mod B.T. Centralen, Aalborg
Gruppe: Petergruppen
Modterror for: Ikke oplyst

Skadesbeløb: 12.548 kr.
Henvisning: Brøndum-sagen, HT 1947, s. 176, 220.

28.3.1945 Attentat mod jernbanelinien Århus-Risskov. To blev lettere kvæstet
Gruppe: Petergruppen
Modterror for: Ikke oplyst
Skadesbeløb: 8.000 kr.
Henvisning: Brøndum-sagen, HT 1947, s. 176, 220.

29.3.1945 Drab på redaktør Børge Schmidt, Risskov
Gruppe: Petergruppen
Modterror for: Ikke oplyst
Skadesbeløb:
Henvisning: Brøndum-sagen, HT 1947, s. 176, 220.

29.3.1945 Drabsforsøg på telefondirektør M.J. Wallmann, Århus
Gruppe: Petergruppen
Modterror for: Attentatet mislykkedes, da gruppen blev beskudt af tyske soldater. If. de implicerede havde gruppen i lang tid forsøgt at få ram på direktør Wallmann. Begrundelse og anledning er ikke oplyst
Skadesbeløb:
Henvisning: Brøndum-sagen, HT 1947, s. 176, 221.

29.3.1945 Drabsforsøg på baneingeniør Leo Sørensen, Åbyhøj
Gruppe: Petergruppen
Modterror for: Da attentatet på Wallmann mislykkedes, forsøgte gruppen at myrde Sørensen, der imidlertid var anholdt og sendt i KZ-lejr
Skadesbeløb:
Henvisning: Brøndum-sagen, HT 1947, s. 176-77, 221.

4.4.1945 Drab på Georg Skovgaard Jensen, Kbh.
Gruppe: Folk fra Lorentzengruppen og Hipo
Modterror for: Ikke oplyst
Skadesbeløb:
Henvisning: Lorentzen-sagen, HT 1948, s. 154, 226. HSB, Supplementary Memorandum s. 1 vedr. Lorentzen-gruppen.

4.4.1945 Drab på Poul Møller Rasmussen. Liget blev fundet i Frederiksholms Kanal
Gruppe: Ukendt
Modterror for: Ikke oplyst

Skadesbeløb:

Henvisning: HSB, Supplementary Memorandum om Lille-Jørgen-gruppen s. 1. Gruppe:n blev imidlertid ikke anklaget derfor ved retssagen. *Faldne i Danmarks frihedskamp*, 1970, s. 376f.

5.4.1945 Drab på Finn Kauffmann Brandrup, Kbh.

Gruppe: SS-manden Arne Park på Børge Lorentzens ordre

Modterror for: Angivelig repressalie for nedskydning af Hipomands mor på Sundby Hospital

Skadesbeløb:

Henvisning: Sagen mod Arne E. Park, HT 1947, s. 296, 298ff. I HSB, Supplementary Memorandum om Lorentzen-gruppe s. 1 nævnes en Kauffmann (drabet er imidlertid ikke del af Lorentzen-sagen, HT 1948,) men offerets navn var altså Kauffmann Brandrup, se *Faldne i Danmarks frihedskamp*, 1970, s. 63. Bøgh 2005, s. 166.

5.4.1945 Drab på Jørgen E.S. Lemme og Finn Lorenzen, begge Kbh.

Gruppe: Anholdt af SS-manden Arne Park på foranledning af Jørgen Lorentzen, men skudt ned af Park på dennes eget initiativ (if. Jørgen Lorentzen)

Modterror for: If. Bøgh havde de to dræbte tidl. samme dag muligvis likvideret en SD-mand. If. Supplementary Memorandum om Lorentzen-gruppen blev de to opr. stukket af en ung kvinde, som blev likvideret – som hævn herfor blev Lorenzen og Lemme dræbt

Skadesbeløb:

Henvisning: Lorentzen-sagen, HT 1948, s. 139, 207. Sagen mod Arne E. Park, HT 1947, s. 296, 298ff. HSB, Supplementary Memorandum vedr. Lorentzen-gruppe s. 1f. Bøgh 2005, s. 167.

9.4.1945 Drabsforsøg på bankassistent Svend L. Ovesen, Århus

Gruppe: Aksel Godfred Nielsen ("Luckau") samt de tyske Gestapofolk Schretz og Reisener

Modterror for: Gengæld for likvideringer af to Gestapotolke i Århus, "Kaj og Lorentz" efter ordre fra Gestapochef Renner. If. Andrésen var det samme dag som P. Drotten og muligvis G. Lorentz blev skudt

Skadesbeløb:

Henvisning: Sagen mod Aksel G. Nielsen, HT 1947, s. 550, 569ff. Andrésen 1945, s. 322.

10.4.1945 Drab på kommis Karl Aage Karlsson, Århus

Gruppe: Aksel Godfred Nielsen ("Luckau") samt de tyske Gestapofolk Schretz og Reisener.

Modterror for: Se ovenfor
Skadesbeløb:
Henvisning: Sagen mod Aksel G. Nielsen, HT 1947, s. 550, 571ff. Andrésen 1945, s. 322.

10.4.1945 Drab på pastor Peter T. Schack, Amager
Gruppe: Folk fra Lorentzengruppen og Hipo
Modterror for: Schack blev formentlig attentatmål, fordi han i en begravelsestale over en af modstandsbevægelsen likvideret dansker havde udtalt sig kritisk om afdøde, der var blevet likvideret på Sundby Hospital 3.3.1945
Skadesbeløb:
Henvisning: Lorentzen-sagen, HT 1948, s. 155, 227, 267f. *Faldne i Danmarks frihedskamp*, 1970, s. 393. Se desuden artikel i *Fædrelandet* 11.4.1945, omtalt i *Daglige Beretninger*, 1946 s. 807, om præster og deres modvilje mod at begrave nazister. *Daglige Beretninger*, 1946, s.798. Desuden Bøgh 2005 s. 224.

10.-11.4.1945 Drabsforsøg på telefondirektør M.J. Wallmann, Århus
Gruppe: Aksel Jørgensen, Alexander Marx og Ove C.H. Petersen, SD Århus
Modterror for: Ikke oplyst
Skadesbeløb:
Henvisning: Bøgh 2005, s. 207.

11.4.1945 Drab på Poul E. Bendtsen, Humlebæk
Gruppe: Først såret af Hipomanden "Marokko-Jensen", derefter afhentet på tysk feltlazaret og dræbt
Modterror for: Ukendt (det er således muligt, at dette drab ikke var et led i modterroren)
Skadesbeløb:
Henvisning: Bøgh 2005, s. 73f. *Faldne i Danmarks frihedskamp*, 1970, s. 52.

11.4.1945 Drab på vagtværnsmand P. Ravnholt Nielsen og drabsforsøg på vagtværnsmand Erik V. Petersen, Århus
Gruppe: Aksel Jørgensen, Alexander Marx og Ove C.H. Petersen, SD Århus
Modterror for: Muligvis gengæld for likvidering af byvagt, der var udråbt til at være stikker (if. Bøgh)
Skadesbeløb:
Henvisning: Andrésen 1945, s. 316. Bøgh 2005, s. 207.

12.4.1945 Drab på Finn Rasmussen ved Slagelse
Gruppe: Gestapo

Modterror for: Ikke oplyst, muligvis skudt fordi Gestapo havde fået de nødvendige oplysninger, og fordi Rasmussen var blevet tortureret

Skadesbeløb:

Henvisning: Høgh-Sørensen 2004, s. 32f, 181ff. (på baggrund af tysk retsmateriale og obduktionsrapport). *Faldne i Danmarks frihedskamp*, 1970, s. 375 anfører, at Rasmussen blev skudt under flugtforsøg. Det samme gør Bjørnvad 1988, s. 372.

14.4.1945 Bombeattentat (håndgranat) mod købmandsforretning, Kbh.

Gruppe: Klæbel, Jensen og Bjørklund fra Lille-Jørgen-gruppen samt P. Kraulner og T. Kraulner, der ikke var medlem af gruppen

Modterror for: Indehaveren ansås for at være tyskfjendtlig

Skadesbeløb: (Ringe skade – håndgranaten eksploderede på fortovet)

Henvisning: Lille-Jørgen-sagen, HT 1949, s. 888f., 915, 951.

14.4.1945 Drab på eksp. sekretær Ejnar Larsen

Gruppe: Vilh. Barnevitz og Benny Barnevitz, ET/Hipo

Modterror for: Muligvis forbindelse til Larsens bror, som Vilh. Barnevitz mistænkte for et attentat og som var blevet truet af Hipo

Skadesbeløb:

Henvisning: Sagen mod Willi Mann, Vilhelm G. Barnevitz, Benny V.L. Barnevitz og Henry P. E. Riksted, *Højesteretstidende* 1949, s. 516, 518f, 528f, 540. HSB, Liste over Hipo-aktioner s. 16. *Daglige Beretninger*, 1946, s. 815. *Information* 17.4.1945.

15.4.1945 Drab på Bruno E.A.V. Christensen, Kaj Julius Pedersen og Carlo B. Clausen på hjørnet af Vigerslevvej og Hanstedvej, Kbh.

Gruppe: Hipo

Modterror for: Gengæld for Holger Danskes likvidering af ægteparret Kaj Jørgen og Tove Schmidt på hjørnet af Vigerslevvej og Hanstedvej 13.4.1945

Skadesbeløb:

Henvisning: Birkelund 2008, s. 341 og 343. HSB, Liste over Hipo-aktioner s. 16. *Daglige Beretninger*, 1946, s. 809, 820. *Information* 16.4.1945. *Faldne i Danmarks frihedskamp*, 1970, s. 81, 94, 349

15.4.1945 Drab på Ernst R.D. Pedersen, Kai E.P. Pedersen, Poul V. Brandt, Conny H. Meyer og Kaj Christiansen. De tre første blev myrdet ved Fiskebæk, de to sidste ved Tokkekøb Hegn

Gruppe: Sørensen, Klæbel og Jensen

Modterror for: De fem mænd, der if. *Faldne i Danmarks frihedskamp*, 1970 var med i en modstandsgruppe (if. Bøgh 2005 var de ikke modstandsfolk) blev stærkt mishandlet. De blev efter alt at dømme clearing-ofre for modstandsbevægelsens likvideringer generelt, selv om der for Jensens vedkommende også var tale om et individuelt hævnmotiv

Skadesbeløb:

Henvisning: Lille-Jørgen-sagen, HT 1949, s. 889, 915ff., 951, se også Bøgh 2005b, s. 262ff., 273ff. *Faldne i Danmarks frihedskamp*, 1970, s. 63, 246, 289, 347ff. (her staves Christiansen Kristiansen).

17.4.1945 Drab på kioskejer Niels Thorup, Kbh.

Gruppe: Vilh. Barnevitz, Benny Barnevitz, Henry Riksted og Willi Mann, ET/Hipo

Modterror for: Muligvis gengældelse for modstandsaktion på Ingemannsvej 9, Kbh.

Skadesbeløb:

Henvisning: Sagen mod Willi Mann, Vilhelm G. Barnevitz, Benny V.L. Barnevitz og Henry P. E. Riksted, HT 1949, s. 516, 529, 540f. HSB, Liste over Hipo-aktioner s. 16. Se desuden Bøgh 2005, s. 248. *Information* 19.4.1945.

17.4.1945 Drab på maskinarbejder Carl H. Petersen, Kbh.

Gruppe: Schiølergruppen

Modterror for: Ukendt. Et muligt motiv antydes dog i Ibsen-sagen, nemlig at Petersen og Villy L. Petersen (se nedenfor) var så svært mishandlede, at de derfor blev likvideret. En anden mulighed er, at drabene havde forbindelse til Schiølergruppemedlemmet Carl Svenssons død under ildkamp 15.4.1945 (se Ibsen-sagen)

Skadesbeløb:

Henvisning: Ibsen-sagen, HT 1949, 656, 732ff., 760. *Daglige Beretninger*, 1946, s. 833 bringer identifikation af flere dræbte fundet 15.4. (se s. 816), herunder Carl H Petersen og Villy L. Petersen. Det må imidlertid være en fejl, idet de begge blev pågrebet 16.4.1945 og myrdet dagen efter. *Information* 19.4.1945. *Faldne i Danmarks frihedskamp*, 1970, s. 356, 364f.

17.4.1945 Drab på bryggeriarbejder Villy L. Petersen, Kbh.

Gruppe: Schiølergruppen

Modterror for: Ukendt (se ovenfor)

Skadesbeløb:

Henvisning: Ibsen-sagen, HT 1949, s. 656, 732ff., 760. Se i øvrigt oven for. *Daglige Beretninger*, 1946, s. 833 bringer identifikation. *Information* 19.4.1945.

| | | |
|---|---|---|
| 19.4.1945 | Drab på direktør Viggo J. Hansen, Assens | |
| | Gruppe: | Petergruppen |
| | Modterror for: | If. de implicerede var drabet "Gengæld for Aktion" mod nazister i Odense |
| | Skadesbeløb: | |
| | Henvisning: | Brøndum-sagen, HT 1947, s. 177, 221. |
| 19.4.1945 | Drabsforsøg på havnefoged Martin Jacobsen, Assens | |
| | Gruppe: | Petergruppen |
| | Modterror for: | Ikke oplyst i HT |
| | Skadesbeløb: | |
| | Henvisning: | Brøndum-sagen, HT 1947, s. 177, 221. |
| 19.4.1945 | "Bombenatten" i Kbh. Drabsforsøg på afdelingsleder Knud Hansen, Kbh. | |
| | Gruppe: | Lorentzengruppen samt ET-folk |
| | Modterror for: | Likvideringen af ET-leder Erik V. Petersen 19.4.1945 |
| | Skadesbeløb: | |
| | Henvisning: | Lorentzen-sagen, HT 1948, s. 158, 235f. 271f. HSB, Liste over Hipo-aktioner s. 17. |
| 19.4.1945 | "Bombenatten" i Kbh. Attentat med håndgranat mod fiskehandler Lindholms villa, Rialtovej, Kbh. | |
| | Gruppe: | Hipo |
| | Modterror for: | Likvideringen af ET-leder Erik V. Petersen 19.4.1945 |
| | Skadesbeløb: | 300 kr. |
| | Henvisning: | Sagen mod Georg A. Olsson, HT 1948, s. 508, 512. |
| 19.4.1945 | "Bombenatten i Kbh." Attentat (håndgranat) mod fru Jensens ismejeri, Holmbladsgade, Kbh. | |
| | Gruppe: | Hipo |
| | Modterror for: | Likvideringen af ET-leder Erik V. Petersen 19.4.1945 |
| | Skadesbeløb: | 1.200 kr. |
| | Henvisning: | Sagen mod Georg A. Olsson, HT 1948, s. 508, 512. |
| 19.4.1945 | "Bombenatten" i Kbh. Attentat (håndgranat) mod frugthandler Dahls forretning, Holmbladsgade, Kbh. | |
| | Gruppe: | Hipo |
| | Modterror for: | Likvideringen af ET-leder Erik V. Petersen 19.4.1945 |
| | Skadesbeløb: | 1.000 kr. |
| | Henvisning: | Sagen mod Georg A. Olsson, HT 1948, s. 508, 512. |

19.4.1945 "Bombenatten" i Kbh. Attentat (håndgranat) mod fiskehandler Hartmanns forretning, Frankrigsgade, Kbh.

| | |
|---|---|
| Gruppe: | Hipo |
| Modterror for: | Likvideringen af ET-leder Erik V. Petersen 19.4.1945 |
| Skadesbeløb: | 4.000 kr. |
| Henvisning: | Sagen mod Georg A. Olsson, HT 1948, s. 509, 512. |

19.4.1945 "Bombenatten" i Kbh. Attentat (håndgranat) mod cykelhandler Petersens forretning, Højdevej, Kbh.

| | |
|---|---|
| Gruppe: | Hipo |
| Modterror for: | Likvideringen af ET-leder Erik V. Petersen 19.4.1945 |
| Skadesbeløb: | 400 kr. |
| Henvisning: | Sagen mod Georg A. Olsson, HT 1948, s. 509, 512. |

19.4.1945 "Bombenatten" i Kbh. Attentat (håndgranat) mod Fællesforeningen for Danmarks Brugsforeninger, Thorshavnsgade, Kbh.

| | |
|---|---|
| Gruppe: | Hipo |
| Modterror for: | Likvideringen af ET-leder Erik V. Petersen 19.4.1945 |
| Skadesbeløb: | 3.000 kr. |
| Henvisning: | Sagen mod Georg A. Olsson, HT 1948, s. 509, 512. |

19.4.1945 "Bombenatten" i Kbh. Attentat (plastisk sprængstof) mod forlystelsesetablissementet Hollænderbyen, Syvens Allé, Kbh.

| | |
|---|---|
| Gruppe: | Hipo |
| Modterror for: | Likvideringen af ET-leder Erik V. Petersen 19.4.1945 |
| Skadesbeløb: | 67.000 kr. |
| Henvisning: | Sagen mod Georg A. Olsson, HT 1948, s. 509, 512. |

20.4.1945. "Bombenatten" i Kbh. Attentat på Hovedstadens Brugsforening, Sallingvej 60, Kbh.

| | |
|---|---|
| Gruppe: | Lorentzengruppen |
| Modterror for: | Likvideringen af ET-leder Erik V. Petersen 19.4.1945 |
| Skadesbeløb: | 1.000 kr. |
| Henvisning: | Lorentzen-sagen, HT 1948, s. 159, 235f., 272. |

20.4.1945 "Bombenatten" i Kbh. Attentat på forretning, Brønshøjvej 2, Kbh. Opgivet

| | |
|---|---|
| Gruppe: | Lorentzengruppen |
| Modterror for: | Likvideringen af ET-leder Erik V. Petersen 19.4.1945 |
| Skadesbeløb: | |
| Henvisning: | Lorentzen-sagen, HT 1948, s. 159, 235f, 272. |

20.4.1945 "Bombenatten" i Kbh. Drab på overingeniør Robert A. Christensen
Gruppe: Lorentzengruppen
Modterror for: Likvideringen af ET-leder Erik V. Petersen 19.4.1945
Skadesbeløb:
Henvisning: Lorentzen-sagen, HT 1948, s. 157, 234, 269ff. HSB, Liste over Hipo-aktioner s. 16. *Faldne i Danmarks frihedskamp*, 1970, s. 88f.

20.4.1945 "Bombenatten" i Kbh. Attentat mod cigarforretning, Strandvejen 154, Kbh.
Gruppe: Lorentzengruppen
Modterror for: Likvideringen af ET-leder Erik V. Petersen 19.4.1945
Skadesbeløb: 3.000 kr.
Henvisning: Lorentzen-sagen, HT 1948, s. 157, 234, 269ff. HSB, Liste over Hipo-aktioner s. 17.

20.4.1945 "Bombenatten" i Kbh. Drab på urmager Axel Brinckmeier Jensen
Gruppe: Lorentzengruppen
Modterror for: Likvideringen af ET-leder Erik V. Petersen 19.4.1945
Skadesbeløb:
Henvisning: Lorentzen-sagen, HT 1948, s. 157, 234, 269ff. HSB, Liste over Hipo-aktioner s. 16.

20.4.1945 "Bombenatten" i Kbh. Attentat mod slagterforretning, Tagensvej 93, Kbh.
Gruppe: Lorentzengruppen
Modterror for: Likvideringen af ET-leder Erik V. Petersen 19.4.1945
Skadesbeløb: 3.000 kr.
Henvisning: Lorentzen-sagen, HT 1948, s. 157, 234, 269ff. HSB, Liste over Hipo-aktioner s. 17.

20.4.1945 "Bombenatten" i Kbh. Drabsforsøg på uidentificeret i Ragnhildsgade, Kbh.
Gruppe: Lorentzengruppen
Modterror for: Likvideringen af ET-leder Erik V. Petersen 19.4.1945
Skadesbeløb:
Henvisning: Lorentzen-sagen, HT 1948, s. 157f, 234, 269ff. HSB, Liste over Hipo-aktioner s. 17 (hvor det anføres, at pgld. blev dræbt).

20.4.1945 "Bombenatten" i Kbh. Drab på assurandør Aage Johan Milfeldt, Kbh.
Gruppe: Lorentzengruppen
Modterror for: Likvideringen af ET-leder Erik V. Petersen 19.4.1945
Skadesbeløb:
Henvisning: Lorentzen-sagen, HT 1948, s. 158, 234, 269ff. HSB, Liste over Hipo-aktioner s. 17.

20.4.1945 "Bombenatten" i Kbh. Attentat mod cykelforretning, Sct. Kjeldsplads 2, Kbh.

| | |
|---|---|
| Gruppe: | Lorentzengruppen |
| Modterror for: | Likvideringen af ET-leder Erik V. Petersen 19.4.1945 |
| Skadesbeløb: | 3.300 kr. |
| Henvisning: | Lorentzen-sagen, HT 1948, s. 158, 234, 269ff. HSB, Liste over Hipo-aktioner s. 17. |

20.4.1945 "Bombenatten" i Kbh. Attentat mod Rådhuskroen, Løngangsstræde 21, Kbh.

| | |
|---|---|
| Gruppe: | Lorentzengruppen |
| Modterror for: | Likvideringen af ET-leder Erik V. Petersen 19.4.1945 |
| Skadesbeløb: | 3.300 kr. |
| Henvisning: | Lorentzen-sagen, HT 1948, s. 158, 234, 269ff. HSB, Liste over Hipo-aktioner s. 17. |

20.4.1945 "Bombenatten" i Kbh. Attentat mod restaurant Mayfair, Østergade 15, Kbh.

| | |
|---|---|
| Gruppe: | Lorentzengruppen |
| Modterror for: | Likvideringen af ET-leder Erik V. Petersen 19.4.1945 |
| Skadesbeløb: | 75 kr. (pga. tyveri af spiritus, idet håndgranaten sprængtes uden for Mayfair) |
| Henvisning: | Lorentzen-sagen, HT 1948, s. 159f, 236f, 272. HSB, Liste over Hipo-aktioner s. 17. |

20.4.1945 "Bombenatten" i Kbh. Attentat mod beværtningen Lorry, Allégade, Kbh.

| | |
|---|---|
| Gruppe: | Lorentzengruppen sammen med ET-folk |
| Modterror for: | Likvideringen af ET-leder Erik V. Petersen 19.4.1945 |
| Skadesbeløb: | 300.000 kr. |
| Henvisning: | Lorentzen-sagen, HT 1948, s. 160, 237, 272. *Daglige Beretninger*, 1946, s. 836. Sagen mod Georg A. Olsson, HT 1948, s. 509, 512f., 516. |

20.4.1945 "Bombenatten" i Kbh. Drabsforsøg på fire mænd i Strandgade, Amagergade, Torvegade og sidegade til Holmbladsgade. Ingen blev dog fundet hjemme

| | |
|---|---|
| Gruppe: | Hipo |
| Modterror for: | Likvideringen af ET-leder Erik V. Petersen 19.4.1945 |
| Skadesbeløb: | |
| Henvisning: | Sagen mod Georg A. Olsson, HT 1948, s. 509, 512. |

20.4.1945 "Bombenatten" Kbh. Drab på tilskærer Edmund S. Rasmussen i Frankrigshusene, Kbh. Hans hustru blev også skudt og hårdt såret

| | |
|---|---|
| Gruppe: | Hipo |
| Modterror for: | Likvideringen af ET-leder Erik V. Petersen 19.4.1945. Rasmussen havde været fængslet af Gestapo, mistænkt for sabotage |

Skadesbeløb:

Henvisning: HSB, Liste over Hipo-aktioner s. 17. Sagen mod Georg A. Olsson, HT 1948, s. 509, 512. Brøndsted/Gedde, 2, 1946-47, s. 952. Frisch, 3, 1948, s. 290. *Daglige Beretninger*, 1946, s. 832. *Information* 23.4.1945. *Faldne i Danmarks frihedskamp*, 1970, s. 375.

20.4.1945 "Bombenatten" i Kbh. Attentat (håndgranat) mod cigarforretning i Teglgårdsstræde, Kbh.

Gruppe: Hipo

Modterror for: Likvideringen af ET-leder Erik V. Petersen 19.4.1945

Skadesbeløb:

Henvisning: Sagen mod Georg A. Olsson, HT 1948, s. 510, 514, 517.

20.4.1945 "Bombenatten" i Kbh. Attentat mod kaffebar på Vesterbro

Gruppe: Hipo

Modterror for: Likvideringen af ET-leder Erik V. Petersen 19.4.1945

Skadesbeløb:

Henvisning: Sagen mod Ertner, HT 1948, s. 578. NB: Flere sprængninger, der kunne være Hipo-repressalier, er omtalt i *Daglige Beretninger*, 1946, s. 831f. og 836.

20.4.1945 "Bombenatten" i Kbh. Drabsforsøg på operasanger Marius Jacobsen, der blev såret

Gruppe: Formentlig Hipo

Modterror for: Likvideringen af ET-leder Erik V. Petersen 19.4.1945

Skadesbeløb:

Henvisning: Brøndsted/Gedde, 2, 1946-47, s. 952. Frisch, 3, 1948, s. 290. *Daglige Beretninger*, 1946, s. 832.

20.4.1945 "Bombenatten" i Kbh. Drabsforsøg på højesteretssagfører Bunch-Jensen

Gruppe: Formentlig Hipo

Modterror for: Likvideringen af ET-leder Erik V. Petersen 19.4.1945

Skadesbeløb:

Henvisning: Brøndsted/Gedde, 2, 1946-47, s. 952. *Daglige Beretninger*, 1946, s. 832.

20.4.1945 "Bombenatten" i Kbh. Drab på en mand ved navn Andersen i Ny Adelgade, Kbh.

Gruppe: Formentlig Hipo

Modterror for: Med al sandsynlighed led i repressalierne for likvideringen af Erik V. Petersen 19.4.1945.

Skadesbeløb:

Henvisning: *Daglige Beretninger*, 1946, s. 832.

20.4.1945 "Bombenatten" i Kbh. Drabsforsøg på skuespiller Ebbe Rode
Gruppe: Formentlig Hipo
Modterror for: Likvideringen af ET-leder Erik V. Petersen 19.4.1945
Skadesbeløb:
Henvisning: Brøndsted og Gedde, 2, 1946, s. 952. Frisch, 3, 1948, s. 290. *Daglige Beretninger*, 1946, s. 832.

20.4.1945 Drab på kioskejer Einar S. Nielsen, Odense
Gruppe: Ikke oplyst
Modterror for: Ikke oplyst (Nielsens kiosk i Odense blev schalburgteret 20.-21.2.1945)
Skadesbeløb:
Henvisning: *Faldne i Danmarks frihedskamp*, 1970, s. 313. Lauritzen 1947, s. 1394.

20.4.1945 Drab på byretspræsident Thorkild Chr. Myrdahl kort før midnat den 20.4. 1945
Gruppe: Folk fra Lille-Jørgen-gruppen samt ET-folk
Modterror for: Likvideringen af ET-leder Erik V. Petersen 19.4.1945 (Myrdahl blev omtalt som jøde i *National-Socialisten* i januar 1945 i forbindelse med artikel om udnævnelse af ny byretspræsident)
Skadesbeløb:
Henvisning: Lille-Jørgen-sagen, HT 1949, s. 890, 926ff., 952. Sagen mod Georg A. Olsson, HT 1948, s. 510, 513f., 516f. Bøgh 2005, s. 276 ff.

20.-21.4.1945 Drabsforsøg på byretsdommer Arthur Andersen, overretssagfører Peter Paulsen og højesteretsdommer Gammeltoft
Gruppe: Folk fra Lille-Jørgen-gruppen samt ET-folk
Modterror for: Likvideringen af ET-leder Erik V. Petersen 19.4.1945
Skadesbeløb:
Henvisning: Lille-Jørgen-sagen, HT 1949, s. 890, 926ff., 952. Sagen mod Georg A. Olsson, HT 1948, s. 510, 513f., 516f. Bøgh 2005, s. 276 ff. Om Paulsen-attentatet se *Daglige Beretninger*, 1946, s. 841.

21.4.1945 Attentat på restaurant Mayfair, Kbh.
Gruppe: Lorentzengruppen
Modterror for: Ukendt (if. *Daglige Beretninger*, 1946, s. 701 (7.3.1945) nægtede tjeneren at servere for en mand, der dernæst trak en pistol og tilkaldte yderligere pistolbevæbnede mænd, der præsenterede sig som Sikkerhedspolitiet og holdt byvagten op. En af mændene var Jørgen Lorentzen)

Skadesbeløb: 1.000 kr.
Henvisning: Lorentzen-sagen, HT 1948, s. 160, 237, 272.

21.4.1945 Drab på prokurist Harald Halberg, Svendborg
Gruppe: Petergruppen
Modterror for: Ikke oplyst i HT. If. Bøgh 2004, s. 230 bl.a. repressalie for likvidering af to Hipofolk i Svendborg 19.4.1945. If. *Daglige Beretninger*, 1946 (20.4.1945), s. 835, blev tre mænd skudt i Svendborg 19.4.1945
Skadesbeløb:
Henvisning: Brøndum-sagen, HT 1947, s. 177, 221.

21.4.1945 Drab på fabrikant Hans Otto F. Halberg, Svendborg
Gruppe: Petergruppen
Modterror for: Ikke oplyst i HT – se ovenstående
Skadesbeløb:
Henvisning: Brøndum-sagen, HT 1947, s. 177, 221f.

21.4.1945 Drabsforsøg på kriminaldommer Erik Lunøe, Odense
Gruppe: Petergruppen
Modterror for: Ikke oplyst i HT
Skadesbeløb:
Henvisning: Brøndum-sagen, HT 1947, s. 177, 222.

21.4.1945 Drabsforsøg på sagfører Wolmar Veiks, Assens
Gruppe: Petergruppen
Modterror for: Ikke oplyst i HT
Skadesbeløb:
Henvisning: Brøndum-sagen, HT 1947, s. 177-78, 222.

21.-22.4.1945 Drab på cigarhandler J.P. Maansson og hustru Helga, Howitzvej, Kbh.
Gruppe: Hipo
Modterror for: Likvideringen af ET-leder Erik V. Petersen 19.4.1945. Det skulle imidlertid ligne rovmord, og Helge Ertner og hans to medskyldige røvede cigarforretningen
Skadesbeløb:
Henvisning: Sagen mod Ertner, HT 1948, s. 575-581. HSB, Liste over Hipo-aktioner s. 17. *Information* 24.4.1945 skriver, at Maansson og hustru var stikkere og indirekte, at de blev skudt af modstandsfolk, hvorefter Hipoer røvede forretningen. Det var imidlertid forkert. De blev dræbt af Ertner fra Hipo.

22.4.1945 Drab på landsretssagfører Peter Schiørring Thyssen og Gudrun Thyssen, Kbh. Deres søn blev anholdt

| | |
|---|---|
| Gruppe: | Lorentzengruppen |
| Modterror for: | Schiørring Thyssen skød på de indtrængende ET-folk. Det blev aldrig klart, om aktionen var planlagt som en terroraktion eller et anholdelsesforsøg |
| Skadesbeløb: | |
| Henvisning: | Lorentzen-sagen, HT 1948, s. 160f., 238ff., 272f. HSB, Liste over Hipo-aktioner s. 17. *Daglige Beretninger*, 1946, s. 841f. *Faldne i Danmarks frihedskamp*, 1970, s. 438f. |

23.4.1945 Drab på stud.polyt. Ib Laderriere Jensen i Rude Skov

| | |
|---|---|
| Gruppe: | Lille-Jørgen-gruppen |
| Modterror for: | Muligvis skyldtes drabet, at et medlem af gruppen dagen før var blevet skudt af en undvegen fange (if. P. Kraulners forklaring). Alternativt blev Laderriere Jensen myrdet, fordi han af Lille-Jørgen-gruppen var meget svært mishandlet (det var opr. meningen at lade ham forsvinde i en skovsø) |
| Skadesbeløb: | |
| Henvisning: | Lille-Jørgen-sagen, HT 1949, s. 891, 932ff., 952f. Bøgh 2005 s. 280ff. *Faldne i Danmarks frihedskamp*, 1970, s. 250. |

28.4.1945 Drab på gartnerne Poul Erik Larsen, Kjeld Sivertsen og Nis Philipsen i have ved Islevhusvej, Kbh.

| | |
|---|---|
| Gruppe: | Schiølergruppen |
| Modterror for: | De tre myrdede var modstandsfolk, der ved et tilfælde stødte på Schiølerfolkene, som de troede var modstandsfolk. Muligvis tilkendegav de tre myrdede, at de planlagde et angreb på Hipoer, hvorfor nedskydningen af dem kan ses som en præventiv repressalie |
| Skadesbeløb: | |
| Henvisning: | Ibsen-sagen, HT 1949, s. 657, 739ff., 763ff. Se desuden Nissen 2001 s. 40ff. samt *Faldne i Danmarks frihedskamp*, 1970, s. 258, 365f., 405f. |

# TILLÆG 4
## Die Behörde des Bevollmächtigten des Reiches in Dänemark
Stand 1.12.1942

Af de 33 ledende personer, der var ansat på eller i tilknytning til Det Tyske Gesandtskab i København 1. december 1942, var de 24 eller ca. 73 % også ansat på gesandtskabet 1. april 1941. I kraft af, at adskillige af dem havde flere funktioner, var kontinuiteten i ansættelsen høj. Hertil kan lægges, at adskillige havde været ansat før 9. april 1940 og flere kommet til umiddelbart efter, udpeget af relevante fagministerier og institutioner for at varetage den nye og større opgave.[1] Det var et gesandtskab med længere erfaring med danske forhold, der modtog Werner Best i november 1942.

Best foretog kun få umiddelbare udskiftninger. Marineattache, kontraadmiral Hans Henning afgik i begyndelsen af februar 1943[2], men det synes under alle omstændigheder at skulle være sket. Til gengæld fik Henning ingen efterfølger.[3] Mest markant var Gustav Meissners afgang som afdelingsleder 1. april 1943. I sine erindringer skrev Meissner, at han selv havde søgt om forflyttelse,[4] han kunne uden tvivl se, hvor det bar hen for hans vedkommende, men under alle omstændigheder har Best ikke holdt på ham, tværtimod. Meissners rolle blev langt mindre fremtrædende umiddelbart efter Bests ankomst, og Meissner kom ikke med i den snævre kreds (Barandon, Kanstein og Ebner), som Best oftest rådførte sig med i sin konsolideringsperiode. Dertil kom Meissners fremme af Frits Clausen og DNSAP, som nu ikke længere havde lydhørhed hos den nye rigsbefuldmægtigede, som fulgte de nye signaler fra Gottlob Berger. Det skilte parterne; det samme gjorde jødespørgsmålet, som Meissner var en villig eksponent for at fremme efter Martin Luthers diktat. Meissner blev med en undtagelse ikke inviteret

1 Det gælder f.eks. Franz Ebner, der kom fra og fortsat var ansat i RWM, og Emil Hemmersam, som havde været ansat i REM. Dertil kom specialister i bl.a. finansanliggender, arbejderspørgsmål, skovvæsen, jernbanedrift og propaganda fra en række ministerier. Det var en særlig ordning for Danmark samlet under AAs hat gennem den rigsbefuldmægtigede, men de var langtfra alle ansat af AA, selv om de havde rapporteringspligt til AA. Se tillige Renthe-Fink til AA 28. august 1942, PKB, 13, nr. 282, spec. s. 660 og Jensen 1971, s. 285f. note 3.

2 Bests kalender januar 1943. Henning havde været i København siden oktober 1939. Henning havde tillige haft en assisterende marineattaché i kaptajnløjtnant Eduard Hashagen fra 1940 til august 1942, men han var afgået før 1. december 1942. Indtil 1. december 1942 havde den tyske militærattaché, von Uthmann, og hans assisterende attaché i Stockholm også fungeret som sådanne i København, men det hørte op med Bests ankomst. Den åbenbare nedtoning af den militære repræsentation ved gesandtskabet kan have flere årsager, af hvilke kun skal peges på Bests ønske om at understrege den rigsbefuldmægtigedes rolle som civil tysk repræsentant i Danmark. Hvad det rent militære angik, kunne WB Dänemark forhandle gennem den forbindelsesofficer, der var stillet til rådighed fra dansk side. Kirchhoff, 3, 1979, s. 115 note 59 tillægger WB Dänemark en rolle i forbindelse med Hennings afgang, som der næppe er belæg for. Hennings stationering var uden for von Hannekens charge.

3 OKM notat 8. december 1942.

4 Meissner 1996, s. 293, der tillige fortæller, at Gottlob Berger havde rådet Best til at lægge ham på is. Meissner er her som i øvrigt en upålidelig kilde. Duckwitz gør det i sine erindringer på en lidet flatterende måde klart, at Best ville af med Meissner (Duckwitz' erindringer u.å. kap. VI, s. 5 (PA/AA, Nachlass Georg F. Duckwitz, bd. 29)).

med til Bests møder med Frits Clausen. Det var Bruno Boysen, Franz Riedweg eller andre. På den baggrund må det ses, at nok blev de formelle former overholdt i forbindelse med Meissners fratræden, mens Meissners efterfølgende afskedshilsen i form af et brev til Ribbentrop om tysk politik i Danmark kun kan være blevet opfattet som en krigserklæring af Best.[5] Det var ikke Meissners sag at blande sig deri.

Det eneste nye medlem af Bests stab synes at være SS-Untersturmführer Hermann Bielstein, der kom fra SS-Kriegsberichter-Abteilung og tiltrådte med virkning fra 4. december 1942 ved SS-Kriegsberichter-Abteilung hos den rigsbefuldmægtigede.[6] Det er en afdeling, som i øvrigt ikke er kendt fra organisationsskemaerne. Bielstein optræder kun sjældent i akterne, men var fast med ved møderne på Dagmarhus til udgangen af 1944 og givetvis også derefter.[7]

De få personændringer indebar ikke, at alt i øvrigt fortsatte som hidtil på gesandtskabet. Som det fremgår af Bests plan for den fremtidige forretningsgang (tillæg 5), ville han selv kontrollere al kommunikation med AA. De fleste skrivelser skulle bære den rigsbefuldmægtigedes brevhoved og alle betydende skrivelser hans underskrift. Det var stramninger i forhold til forgængerens praksis. Paul Barandon føjer i en efterkrigsforklaring til, at Best fra starten lagde særlig vægt på sin titel af rigsbefuldmægtiget, og det var ikke alene, fordi han ikke også blev udnævnt til gesandt. For Best var en rigsbefuldmægtiget mere end gesandt, og han opfattede sig som udpeget af Hitler personligt. Denne selvopfattelse kom til at præge alle de symboler, som omgav den rigsbefuldmægtigede, også hans tjenestevogn ifølge Barandon. Gesandtskabets ansatte blev den rigsbefuldmægtigedes personale. Den erfarne administrator Best dikterede sine beslutninger, men nære rådgivere betjente han sig ikke af. Han lyttede, men traf beslutningerne alene.[8]

I sommeren 1943 fik finansrådgiver Hans Clausen Korff at vide af Best, at han ikke skulle fortsætte året ud, og en afløser, Heinrich Esche, blev fundet, der skulle tiltræde og oplæres, før Korffs endelige afgang.[9] I dette tilfælde kan Best have ønsket at komme af med en rådgiver, der også var tæt tilknyttet Terbovens administration i Oslo, som ledende finansrådgiver. Det spillede i hvert fald ind i begyndelsen af 1944, da Korff blev bragt i forslag som nyt medlem af det tysk-danske regeringsudvalg.[10] Best ønskede at udelukke, at Terboven gennem Korff skulle få indblik i danske forhold, og så delte de ikke syn på besættelsespolitikken på det finansielle område. Til gengæld er det udelukket, at det skyldtes Korffs faglige kvalifikationer, de oversteg efterfølgeren Esches, men dog foretrak Best en udskiftning. Da der i efteråret 1944 indgik ordre om, at hjemsende ikke strengt nødvendigt personale samt alle familiemedlemmer, lod Best uden videre Esche indgå i den kate-

5 Meissner til Ribbentrop 18. april 1943.

6 Jüttner til SS-Kriegsberichter-Abteilung, Dienststelle des Bevollmächtigten des Deutsches Reiches, in Dänemark 30. december 1942 (PA/AA R 100.757).

7 Se Bests kalenderoptegnelser.

8 Barandons forklaring 6. juli 1948 (RA, Danica 234, pk. 88, læg 1151). Jfr. Thomsen 1971, s. 129-132, der også skriver om Bests nye stil, men det er i en rent politiske henseende. Duckwitz 1949 tillægger sig på et tvivlsomt grundlag rollen som Bests fortrolige og som hans instrument.

9 Akter i RA, Danica 201, pk. 81A. Se Korff til Christian Breyhan 9. oktober 1942.

10 Bests telegram nr. 149, 3. februar 1944.

gori. Han mente at kunne klare sig uden denne finansielle rådgivning (læs indblanding).[11]

Paul Kanstein skiftede til Hermann von Hannekens stab i slutningen af august 1943. Skiftet er blevet forklaret med, at Kanstein var blevet uenig med Best om den førte politik,[12] men hertil kan føjes, at Kanstein i sin nye funktion havde fået langt større magtbeføjelser, hvis den militære undtagelsestilstand var blevet ført ud i sin fulde konsekvens og ikke kun blev halv. Kanstein nåede ikke med skiftet frem i første geled. Det hindrede Hitlers ordre om, at Best fortsat skulle have det fulde økonomiske og erhvervsmæssige ansvar.[13] Kanstein fik ingen afløser udefra, Friedrich Stalmann overtog hans beføjelser. Med tysk politis ankomst i større antal i september 1943, blev der ikke længere plads for Anton Fest ved siden af den nye chef for det tyske sikkerhedspoliti og SD, Rudolf Mildner. Fest forlod Danmark i september 1943, hvilket på grund af Fests kendskab til danske forhold var et umiddelbart tilbageslag for det videre arbejde.[14] Efterfølgende mistede den rigsbefuldmægtigede selv kontrollen over det tyske politi i Danmark, der 1. august havde bestået af 59 politifolk og SS-politibataljon "Cholm".[15]

Rudolf Stier overtog efteråret 1943 stilling som ORR og chef for erhvervsanliggender i hovedafdeling III under gesandtskabet; muligvis som en udvidelse af staben på dette felt.[16] I hvert fald var det en understregning af netop dette felts betydning med hensyn til varetagelsen af de tyske interesser i Danmark.

I 1943 kom der enkelte nytilknyttede personer fra andre tyske ministerier og institutioner til gesandtskabet i København. Her skal omtales to, gesandtskabsråd Heinrich Gernand og Oberregierungsrat Walter Haensch. Gernand præsenterede sig hos Best 24. maj 1943 og var tilknyttet Goebbels' rigspropagandaministerium. Han var jævnligt til møder med Best 1943-44, så længe de kan følges. Best gjorde sit til, at Gernand ikke viderebragte synspunkter og oplysninger, der stred mod Bests ønsker og politik i propagandaspørgsmål, men dog i det lange løb forgæves, som det bl.a. kan følges i Goebbels' dagbøger, hvor Gernand er en af hovedkilderne til oplysningerne om forholdene i Danmark. Gernand blev hjemkaldt i december 1944 og fik, så vidt det kan spores, ikke nogen efterfølger.[17] Haensch kom til København 1. september 1943 fra RSHA, hvor han havde været leder af gruppe I D (straffesager) i Amt I. I København skulle han placeres under Kanstein, men da dennes stilling bortfaldt, blev han placeret i gesandtskabet. Det var indtil 10. oktober 1944 også retsspørgsmål og fængselsforhold i Danmark, som juristen Haensch beskæftigede sig med i København. Fra oktober 1944 til maj 1945 var han leder

11 Se Korffs notat 20. november 1944.

12 Kirchhoff i Kirchhoff, 1, 1979, s. 101 og i *Besættelsens hvem hvad hvor*, 2002, s. 261 og i *Hvem var hvem 1940-1945*, 2005, s. 200.

13 Kanstein påpegede selv dette i sin efterkrigsforklaring 12. december 1946 (LAK, Best-sagen). Se tillige von Hannekens optegnelse 4. og 16. september 1943 (Drostrup 1997, s. 337f.).

14 Henrik Lundtofte i *Hvem var hvem 1940-1945*, 2005, s. 100. Anton Fest skulle i stedet være leder af indsatskommandoen i Sarajevo (skrivelse af Geiger 15. september 1943 (PA/AA R 99.519. Jfr Weitkamp 2008a, s. 68f.)). Fest blev leder af Einsatzkommando 11a under Einsatzgruppe E 1943-45 (evt. dom ubekendt).

15 Se tillæg 6A og Kirchhoff, 1, 1979, s. 101.

16 Forklaring af Meulemann 7. marts 1948, der blev ansat under Stier i stedet for Ebner (LAK, Best-sagen).

17 Se Flügel til Naumann 8. december 1944.

af Bests Aussenstelle i Åbenrå. Trods sin baggrund som gruppeleder i RSHA fik Haensch ingen fremskudt position i Danmark, måske fordi han overgik til ansættelse i AA.[18]

I efteråret 1944 var HSSPF Pancke i offensiven over for den rigsbefuldmægtigede og hans personale og søgte angiveligt at presse flere af dem ud, dog synes kun Paul Barandon at være forflyttet af den grund i november,[19] mens tre sekretærer under Bests forgæves protest blev forflyttet fra hans til BdS' ressort.[20] I øvrigt fandt der fra efteråret nedskæringer sted på gesandtskabet i kraft af ordren om, at kun de allermest nødvendige medarbejdere skulle blive tilbage. På den konto rejste som nævnt bl.a. Esche og tillige lederen af Det Tyske Videnskabelige Institut, Otto Höfler.[21]

Trods personaleudskiftningerne var kontinuiteten på gesandtskabet stor. En række ledende nøglemedarbejdere var der i hele eller næsten hele besættelsesperioden (Chantré, Duckwitz, Ebner, Hemmersam, Krüger, Lohmann, Meulemann, Stalmann, Schröder, Schacht og Wunder).[22] De fleste af dem var betegnende nok beskæftiget med erhvervs- og handelsmæssige forhold. Kontinuiteten havde dels sin baggrund i, at besættelsessituationen i Danmark på afgørende områder ikke ændrede sig væsentligt set med en tysk optik, dels at der blev indarbejdet et personale med indgående kendskab til danske forhold – og sprog – som ikke let lod sig udskifte. Endelig var det alt i alt en lille tysk stab, der stod for opgaven, og den var på grund af sin lidenhed ikke et oplagt mål for indskrænkninger eller forflyttelser. Det ville have skadet tyske interesser mest. Tillige har det givetvis spillet ind, at nogle af de ansatte var omkring 60 år eller derover. De ville være vanskeligere at bruge mere meningsfyldt et andet sted.

*Den rigsbefuldmægtigedes konsuler og repræsentanter i provinsen*

Bests repræsentanter var i Odense: konsul Georg Böhme (fra juli 1943); i Ålborg: konsul Gustav Brandtner (hele perioden); i Silkeborg hos WB Dänemark: Landrat Wilhelm Casper (fra december 1943); i Åbenrå: konsul Ewald Lanwer (juni 1940-juli 1943), konsul Helmuth Langer (15. august 1943-marts 1944), konsul Hans Meyer (fra marts 1944), hvor der desuden blev oprettet Aussenstelle des Reichsbevollmächtigte i begyndelsen af 1944 først med Oberregierungsrat Ernst Lührmann og derefter med Oberregierungsrat, SS-Sturmbannführer, Dr. Walter Haensch som leder; i Århus: generalkonsul, dr. Herbert Hugo Hensel (fra oktober 1943).[23]

*Jødereferent*

Der optræder ikke på noget tidspunkt et referat for jødeanliggender ved gesandtskabet

18 BHAD, 2, s. 163, PKB, 4 og 7 (se reg), Wildt 2003, s. 336, 549, 552, 756, 759f., 785. Til Haenschs meritter hørte ledelsen af Sonderkommando 4b under Einsatzgruppe C i Sovjetunionen foråret 1942. For dette blev han dødsdømt i Nürnberg 1948, 1951 benådet til 15 års fængsel og 1955 løsladt.

19 Bests kalenderoptegnelse 27. november 1944. Hos Conze, Frei, Hayes, Zimmermann 2010, s. 245 bliver presseattaché (!) Barandon uden belæg afløst (!) af Jürgen Schröder marts 1943.

20 Bests telegram nr. 1378, 13. december 1944 og der anf. henvisninger.

21 Keitel til WB Dänemark 14. september 1944. Esche synes at være blevet forflyttet til WB Dänemark i Silkeborg (Lauridsen 2010d, s. 363).

22 Hertil kan lægges Hensel, som blev flyttet til Århus som generalkonsul 1. oktober1943 (BHAD, 2, s. 274, KB, Herschends dagbog 24. november 1943. Se om Hensel i Århus Andrésen 1945, s. 64f.).

23 Se BHAD, 1-3 og tillæg 6C.

på de kendte personaleoversigter. Dog synes Lorenz Christensen fra det tyske mindretal at have været ansat med det formål fra februar 1943 og til ind i 1945. Det var således ham, der optrådte på gesandtskabets vegne ved AAs arbejdskonference i Krummhübel i april 1944 vedrørende jødeforanstaltninger, hvor de fleste af de øvrige deltagere var jødereferenter fra de tyske gesandtskaber.[24]

Med * er i det følgende skema anført de personer, der også var ansat på Det Tyske Gesandtskab 1. april 1941 (* kun anført første gang, personen nævnes).[25] Der foreligger en ny oversigt 1.12.1943 i forbindelse med Günther Panckes tiltræden.[26] I skarpe parenteser er tilføjet skete ændringer på dette tidspunkt. Udgiveren har tilføjet fornavne, hvor de har kunnet oplyses.

Die Behörde des Bevollmächtigten des Reiches in Dänemark
Stand 1.12.1942[27]

Der Bevollmächtigte des Reiches,
Dr. Werner Best

| | |
|---|---|
| Vertreter: | Gesandter, Dr. Paul Barandon[28] |
| Persönlicher Referent: | Legstationssekretär Friedrich Franz Erbgroß-herzog von Mecklenburg* [1943 ikke længere ansat][29] |

24 Steuer 2000, s. 405. Steinkühler 1993, s. 258, 260, 273 (med mødeprotokol med Christensens fornavn), Weitkamp 2008, s. 278, 281. Jfr. om jødereferenten Lauridsen 2008b, se reg. og den rigsbefuldmægtigede til AA 17. oktober 1944, Ripken til Best 2. december 1944 og Pollow til AA 19. december 1944. Lorenz Christensens meritter lykkedes det ham siden delvist at skjule, og sønderjyske historikere lod ham slippe af sted med sine renselsesforsøg (for anklagerne mod ham se Bak 2004, kap. 6).

25 LAV, Thisted Amt, B2-6409. Der foreligger fra dansk side nogle fortegnelser over Det Tyske Gesandtskabs medlemmer fra august 1940, april 1941, december 1941 og august 1942 (LAV, Thisted Amt, B2-6409). Disse er imidlertid knapt så udførlige som gesandtskabets egne og supplerer dem kun på underordnede punkter. Fortegnelsen for august 1940 er dog interessant ved, at den yderligere understreger den kontinuitet, der var blandt de overordnede ansatte på gesandtskabet.

26 BArch, R 70 Dänemark 11. Her er også et eksemplar med rettelser for tysk politis vedkommende, der rækker frem til august 1944. Der er også et eksemplar af oversigten med enkelte rettelser frem til april 1944 i BArch, R2/29.939 (se tillæg 6B).

27 RA, Vesterdals nye pakker, pk. 2 og Centralkartoteket pk. 676 (aftrykt hos Alkil, 1, 1945-46, s. 639f., Kirchhoff, 3, 1979, s. 47f. og Herbert 1996, s. 611). Der foreligger for samme dag en alfabetisk "Personalverzeichnis der Behörde des Bevollmächtigten des Reiches in Dänemark" (BArch, R 83/3), der for alle ansatte opgiver stilling, afdeling, tjenestested, tjenestetelefon, bopæl og privattelefon. Der er 199 personer på listen, der omfatter alle tjenestegrupper, konsulerne i provinsen, Det Tyske Videnskabelige Institut o.a. Best sluttede foråret 1945 med at have 137 ansatte ifølge eget udsagn (BArch, B 120/359, Best: Erinnerungen aus dem Besetzen Frankreich 1940-42, 1951, s. 50).

28 Barandon blev som omtalt forflyttet i november 1944 og 9. januar 1945 erstattet af Hans Bernard.

29 Ifølge Best 1988, s. 316 udnævnt til Bests personlige referent for at kunne forbedre forbindelsen til det danske kongehus. Det hindrede ikke, at ærkehertugen 17. februar 1943 blev indkaldt til militærtjeneste. Han havde været i Danmark siden november 1940 (BHAD, 3, s. 212), og Weizsäcker havde været stærkt imod udnævnelsen (PKB, 13, nr. 132).

Zentralabteilung

| | |
|---|---|
| Abteilungsleiter: | Gesandtschaftsrat 1. Kl. Dr. Herbert Hensel* |
| Vertreter: | Gesandtschaftsrat, Dr. Rolf Kassler* für Personalien und Protokoll. Kanzler Werner für Organisation, Haushalt und Zentralbüro. |

Hauptabteilung I
Auswärtiger Dienst

| | |
|---|---|
| Hauptabteilungsleiter: | Gesandter, Dr. Paul Barandon |
| Vertreter: | Gesandtschaftsrat 1. Kl. Dr. Herbert Hensel [Hans Bielstein] |
| Referat Z: | Attaché, Dr. Oskar Frhr. von Mietis* [1943 ikke længere ansat] |

*Abteilungsleiter:*

| | |
|---|---|
| Abt. A, Außenpolitik: | Gesandter, Dr. Paul Barandon |
| Abt. B, Konsulatswesen: | Legationssekretär, Dr. Franz Machowetz[30] [1943 Rolf Kassler] |
| Abt. C, Volksturm: | Gesandtschaftsrat, Dr. Rolf Kassler |

Hauptabteilung II
Verwaltung und Innenpolitik

| | |
|---|---|
| Hauptabteilungsleiter: | SS-Brigadeführer, Regierungsvizepräsident Paul Kanstein* [F. Stalmann] |
| Vertreter: | Regierungsdirektor, Dr. Friedrich Stalmann* |
| Referat Z: | Regierungsdirektor, Dr. Friedrich Stalmann |

*Abteilungsleiter:*

| | |
|---|---|
| Abt. A, Verwaltung und Recht: | Regierungsdirektor, Dr. Friedrich Stalmann |
| Abt. B, Innenpolitik: | Regierungsrat, SS-Sturmbannführer Ludwig Chantré*[31] |
| Abt. C, Polizei: | Regierungsrat, SS-Sturmbannführer, Dr. Anton Fest* |
| Abt. D, Sicherheitsdienst: | SS-Hauptsturmführer Hans Pahl*[32] [1943 Rechtsverteidigung: Dr. Walter Haensch] |

30 Machowetz var i København fra 18. august 1941 til 5. august 1943, da han blev indkaldt til militærtjeneste (BHAD, 3, s. 155).

31 Chantré var forfremmet til ORR, da han døde i stillingen ved gesandtskabet 1. april 1945.

32 Pahl var i Danmark fra april 1940 (Henrik Lundtofte i *Hvem var hvem 1940-1945*, 2005, s. 285).

*Der Hauptabteilung II angegliedert:*

| | |
|---|---|
| Abteilung Waffen SS: | SS-Sturmbannführer Bruno Boysen[33] [1943 udskilt og delt med HSSPF] |
| Der SS-Untersuchungsführer: | SS-Hauptsturmführer Langosch [1943: fratrådt] |
| Referat Arbeitsdienst: | Arbeitsführer Hans Scheifarth[34] |
| [ny 29. juni 1943: Referent Jugendfragen: | Hauptbannführer Emil Teichmann][35] |

Hauptabteilung III
Wirtschaft:

| | |
|---|---|
| Hauptabteilungsleiter: | Ministerialrat, Dr. Franz Ebner* |
| Vertreter: | Ministerialrat, Dr. E.M. Wunder* |
| Referat Z: | Ministerialrat, Dr. E.M. Wunder |

*Abteilungsleiter*

| | |
|---|---|
| Abt. A, Landwirtschaft: | Dr. Emil Hemmersam* |
| Abt. B, Gewerbliche Wirtschaft: | Regierungsrat, Dr. Poul Clemens Meulemann* |
| Abt. C, Holz- und Forstwirtschaft: | Regierungsrat, Dr. Hermann Wiedemann [foråret 1943 bosat i Stettin med Diplomlandwirt Carstensen som stedfortræder, men vendte siden tilbage][36] |
| Abt. D, Wirtschaftverkehr mit dritten Ländern: | Ministerialrat, Dr. E.M. Wunder |

*Der Hauptabteilung III angegliedert:*

| | |
|---|---|
| Referat Öffentliches Finanzwesen: | Regierungsrat Hans Clausen Korff* [1943 = Abteilung E ledet af Heinrich Esche] |
| Referat Geld, Kredit und Währung: | Reichbankdirektor Rudolf Sattler* [1943 = Abteilung F ledet af Kurt Krause] |
| Referat Reichbahn: | Reichbahnrat Burmeister*[37] |

33 Boysen blev 1. august 1944 afløst af Dr. Kröger.

34 Scheifarth synes at have forladt Danmark februar 1944. Derefter optræder han ikke mere i Bests kalender.

35 Germanische Leitstelle: Bericht über die germanische Jugendarbeit, 30. august 1943.

36 Oberforstmeister dr. Hermann Wiedemann var med en kort afbrydelse omkring årsskiftet 1942/43 i Danmark fra sommeren 1940 til maj 1945 (Jensen 1971, s. 285f. note 3, KB, Herschends telegramkopiprotokol, telegram nr. 135, 7. maj 1945). Wiedemann talte et udmærket dansk (Sabroe 1964, s. 157).

37 Senere blev titlen ændret til Bevollmächtigter der Deutschen Reichsbahn in Dänemark meget imod Bests ønske, han ønskede ikke andre befuldmægtigede end sig selv (Bests telegram nr. 205, 15. februar 1944). Der blev også knytte flere personer til funktionen (se Best/Ebner til AA 25. marts 1943), februar 1944 var den banebefuldmægtigede Dr. Klein, og DSB's chefs udtrykte sig senere meget positivt om samarbejdet med den rigsbanebefuldmægtigede (Knutzen 1948, s. 148).

Verbindungsstelle der Hauptverwaltung der Reichkreditkassen:
Reichbankdirektor Rudolf Sattler [1943: Kurt Krause]

*Dem Reichbevollmächtigten unmittelbar unterstellt:*
Der Marineattaché: Konteradmiral Hans Henning*

Abteilung Kultur, Presse, Rundfunk,
Abteilungsleiter: Gesandtschaftsrat Gustav Meissner* (Hans Werner Schacht)
Vertreter: Assessor Hans Werner Schacht
Referat 1: Kultur, Information: Assessor Hans Werner Schacht
Referat 2: Presse: Referent Jürgen Schröder*
Referat 3: Rundfunk: Referent Ernst Lohmann*

Der Handelsattaché: Generalkonsul, Dr. F.W.E. Krüger*
Der Schiffahrtssachverständige: Herr Georg Ferdinand Duckwitz*
Abteilung Arbeit, Abteilungsleiter: Oberregierungsrat, Dr. Ernst Heise*[38] [1943 opdelt med underafdelinger ledet af Struckmann og Creutzfeldt]
[1943: Der Währungssachverständige und Beauftragte des Verwaltungsrats der Reichskreditkassen (W):
Reichsbankdirektor Dr. Sattler (bosat i Oslo)]

[1943 er oprettet en ny hovedafdeling:[39]

Hauptabteilung Technik (IV)
Landesrat Martinsen[40]
Abt. A Bauwirtschaft, Rüstungsausbau:
Stadtbaurat Gabsdil[41]
Abt. B Technische Verwaltungen:
Oberbaurat Hinterleithner
Abt. C: Energiewirtschaft: Dr. Meulemann
Abt. D Verkehr: Oberreichsbahnrat Clauss
Referat Rechtswesen: Regierungsrat Dr. Neukirchen]

38 ORR Dr. Ernst Heise var kommet til Danmark sommeren 1940, da Renthe-Fink havde ønsket en person i denne funktion (Renthe-Fink til AA 5. maj 1940 (PKB, 13, nr. 790)). Heise blev i november 1944 forflyttet til Danzig og erstattet af Direktor, Dr. Frey.

39 Den rigsbefuldmægtigedes organisationsoversigt 1. december 1943 (BArch, R 70 Dänemark 11).

40 Landesrat Martinsen blev i august 1943 leder af OT i Danmark. Han afløste afdøde Baurat Melms, og hans tilknytning kan fra Bests side have været et – forgæves – forsøg på at vinde indflydelse på, om ikke kontrollen med OT. Peder Herschend nævner 22. november 1943, at OT da var underlagt Best, men det fremgår siden af dagbogen, at det ikke længere var tilfældet, da OT flyttede sit hovedkvarter til Silkeborg (Bests kalenderoptegnelser 7. august 1943, Bests telegram nr. 1423, 18. november 1943, PKB, 8, nr. 45, Hæstrup, 1, 1966-71, s. 222f., Brandenborg Jensen 2005, s. 275, KB, Herschends dagbog 22. november 1943).

41 Gabsdil var i november 1943 Martinsens næstkommanderende i OT (Brandenborg Jensen 2005, s. 317).

# TILLÆG 5
## Geschäftsverteilung und Geschäftsordnung der Behörde des Bevollmächtigten des Reiches in Dänemark. 1. Dezember 1942.

Udarbejdelsen af en ny oversigt over opgavefordeling og forretningsorden for den rigsbefuldmægtigedes embedsmænd var blandt Werner Bests initiativer i de første uger efter sin embedstiltræden. Oversigten havde mere end symbolværdi, der blev afstukket skarpere grænser for den enkelte embedsmands opgaveområde, så godt som alle dokumenter, der skulle til Berlin, skulle over den rigsbefuldmægtigedes bord først, kommunikationen til Tyskland blev koncentreret hos ham og fuldstændig kontrolleret af ham.

Det blev gjort de ansatte klart, at Best var udpeget af Hitler og Ribbentrop, og at han var Tysklands rigsbefuldmægtigede i Danmark. Det Tyske Gesandtskab var ikke længere den højeste politiske instans for tysk interesserepræsentation i Danmark. Det var den rigsbefuldmægtigede, mens gesandtskabet var et forvaltningsorgan kommissarisk ledet af ham, hvorfor der blev indført nye brevhoveder med angivelse af, at skrivelser med enkelte undtagelser udgik fra den rigsbefuldmægtigede og ikke Det Tyske Gesandtskab.

Tilsvarende blev gesandtskabets bilers nummerplader ændret, så de ikke længere var påført "CD". Paul Barandon vurderede under en afhøring 1948, hvor hverken han eller Best var under tiltale, at gesandtskabet i København som tjenestested ændrede sig ret væsentlig ("ziemlich wesentlich") under Best i forhold til under hans forgænger. Tillige at Best nok var underlagt Ribbentrop, men at han i den først tid som SS-Gruppenführer plejede nær kontakt til RFSS og SS (Afhøring i Nürnberg 6. juli 1948, s. 539 (RA, Danica 234, pk. 88, læg 1151)). Hermed være mere end antydet, at Best opfattede sig som mere end AAs repræsentant i Danmark. Den indførte forretningsorden for den rigsbefuldmægtigede bekræfter den opfattelse. Best havde som ambition at være den ledende og bestemmende politiske repræsentant og ikke blot administrator for AA. Det skulle de gode forbindelser til SS hjælpe ham til. Han ønskede ved sin ankomst til Danmark ikke at følge i Renthe-Finks spor som gesandt for AA af den gamle skole.

Som det var gældende for andre akter vedrørende den rigsbefuldmægtigedes administration og interne forhold, fordrede Best hemmeligholdelse og destruktion eller aflevering af materiale, som den enkelte ansatte ikke længere havde brug for. Det kan tages som udtryk for, at han ikke ønskede at blive kigget over skulderen, men lige så vel være en reminiscens fra tiden ved tysk politi. Der var en forøget grad af hemmeligholdelse på "Dagmarhus", mere del og hersk, og færre som den rigsbefuldmægtigede rådslog med, før han traf sine beslutninger. Den rigsbefuldmægtigedes forretningsorden formaliserede de nye forhold med gruppevise møder med de forskellige ledergrupper uge for uge, men noget centralt råd blev ikke institutionaliseret.

Kilde: RA, Hermann von Hannekens arkiv. RA, Vesterdals nye pakker, pk. 2.

Der Bevollmächtigte des Reiches in Dänemark — *Kopenhagen, den 27.11.1942.*
Z/570

Betr.: Geschäftsverteilung und Geschäftsordnung der Behörde des Bevollmächtigen des Reiches in Dänemark.

In der Anlage übermittele ich den vom Herrn Reichsbevollmächtigten verfügten Geschäftsverteilungsplan und die Geschäftsordnung der Behörde des Bevollmächtigten des Reiches in Dänemark vom 24.11.1942. Beide gelten vom 1.12.1942 ab und sind nur für den Dienstgebrauch bestimmt.

Jedes Exemplar trägt eine Nummer. Der Empfänger wird um Empfangsbestätigung und um Rückgabe an die Zentralkanzlei z.Hd.v. K.S. Hoppe oder Vertreter für den Fall gebeten, dass die Exemplare nicht mehr benötigt werden, z.B. bei Versetzung des Empfängers oder Neufassung.

I.A.
[sign. Dr. Hensel]

Herrn Referent Schröder

Betrifft: Geschäftsverteilung und Geschäftsordnung der Behörde des Bevollmächtigen des Reiches in Dänemark.

1.) Geschäftsverteilungsplan.
Für die Behörde des Bevollmächtigten des Reiches in Dänemark gilt vom 1.12.1942 ab der anliegende Geschäftsverteilungsplan.

2.) Briefkopf.
Für alle Arbeitseinheiten der Behörde mit Ausnahme des Marineattachés, des Handelsattachés und der Abteilung I B wird einheitlich der Briefkopf "Der Bevollmächtigte des Reiches in Dänemark" ohne jeden Zusatz verwendet. Für den Marineattaché, den Handelsattaché und die Abteilung I B wird der Briefkopf "Deutsche Gesandtschaft" verwendet.

Soweit die Leiter der Hauptabteilungen und der weiteren dem Reichsbevollmächtigten unmittelbar unterstellten Arbeitseinheiten "in Vertretung" oder "im Auftrage" zeichnen, kann – wenn dies im Einzelfall zweckmäßig erscheint – die Dienststellung des Zeichnenden dem Namen hinzugesetzt werden.

*Beispiel:*

| | | |
|---|---|---|
| Im Auftrage | oder: | Im Auftrage |
| Der Leiter der Abteilung Kultur-Presse-Rundfunk | | Der Handelsattaché |
| gez. Name | | gez. Name |
| Dienstgrad | | Dienstgrad |

Die Außenstellen führen den Briefkopf:
Der Bevollmächtigte des Reiches in Dänemark
Außenstelle ............
Die Konsulate führen den bisherigen Briefkopf weiter.

3.) Verfügungen.
Jedes in den Akten der Behörde befindliche Verfügungsblatt muss außer dem Datum und dem Aktenzeichen enthalten:
- Den Betreff,
- den Text der Verfügung (oder der Verfügungen),
- die Bezeichnung der Stelle oder des Bearbeiters, der die Verfügung auszuführen hat,
- die Bezeichnung der Stellen oder der Bearbeiter, die von der Verfügung Kenntnis nehmen sollen,

– die Anordnung, was mit dem Verfügungsblatt geschehen soll (Wiedervorlage oder Ablage).

Jede der vorstehenden Positionen ist mit einer Nummer zu versehen.

*Beispiel:*

Kop., d. 1.12.42.

Z ........... /42.

Betr. ...........
1.) Schreiben an ...........:
Betr. wie oben.
...........
2.) An Kanzlei zur Fertigung.
3.) An Referat ........... zur Aushändigung des Schreibens zu 1.) an ...........
4.) An I zur Kenntnis.
5.) An H zur Kenntnis.
6.) Wiedervorlage 10.1.43.

4.) Zeichnung.

Im inneren Geschäftsverkehr zeichnen

| | |
|---|---|
| – der Reichsbevollmächtigte | mit grünem Stift, |
| – die Hauptabteilungsleiter und die Leiter der dem Reichsbevollmächtigten unmittelbar unterstellten Arbeitseinheiten | mit rotem Stift, |
| – die Abteilungsleiter, der Hauptabteilungen und die den Hauptabteilungsleitern unmittelbar unterstellten Referenten | mit blauem Stift. |

5.) Schlußzeichnung.

Dem Reichsbevollmächtigten sind zur Schlußzeichnung vorzulegen:

- Die Erledigungen aller Eingänge, in deren Eingangsstempel der Vorbehalt der Schlußzeichnung durch ein Zeichen in der Spalte "Schlußzeichnung" vermerkt ist;
- alle Drahtberichte;
- alle Schreiben an den dänischen Staatsminister und das dänische Außenministerium und alle Verbalnoten;
- alle politischen Berichte und alle Berichte von grundsätzlicher oder allgemeiner Bedeutung an das Auswärtige Amt;
- alle allgemeinen Erlasse an die nachgeordneten Dienststellen;
- Schreiben, deren Schlußzeichnung durch den Reichsbevollmächtigten die sachbearbeitende Arbeitseinheit für erwünscht hält.

Im übrigen erfolgt die Schlußzeichnung auf Grund der erteilten Zeichnungsbefugnisse.

6.) Mitzeichnung.
Soweit in der Bearbeitung einer Angelegenheit durch eine Arbeitseinheit Gesichtspunkte aus dem Zuständigkeitsbereich einer anderen Arbeitseinheit zu berücksichtigen sind, ist diese andere Arbeitseinheit durch Mitzeichnung an der Bearbeitung zu beteiligen.

7.) Verhandlungen.
Mündliche Verhandlungen mit deutschen Dienststellen außerhalb der Behörde und mit dänischen Dienststellen werden im Rahmen der Sachbearbeitung von den Leitern der dem Reichsbevollmächtigten unmittelbar unterstellten Arbeitseinheiten oder von den von ihnen hiermit beauftragten Abteilungsleitern und Referenten geführt.

Ersuchen an dänische Dienststellen dürfen schriftlich oder mündlich nur auf Anordnung des Reichsbevollmächtigten gestellt werden, wenn diese Ersuchen politischen Inhalt haben oder politische Wirkungen auslösen können. Dies gilt insbesondere für Ersuchen um personelle oder organisatorische Veränderungen in der dänischen Staatsverwaltung oder in dänischen öffentlichen Einrichtungen. Auch "Fühlungnahme", "Vorbesprechungen" u.dgl. über solche Maßnahmen dürfen erst stattfinden, wenn sie von dem Reichsbevollmächtigten genehmigt worden sind.

8.) Eingänge.
Alle für die Behörde bestimmten Eingänge sind von der Zentralabteilung entgegenzunehmen, mit dem Eingangsstempel zu versehen, zu registrieren und auf die für die Bearbeitung zuständige Arbeitseinheit auszuzeichnen. Hierfür sind die folgenden Abkürzungen zu verwenden:

| | | |
|---|---|---|
| Persönlicher Referent | | P |
| Zentralabteilung | | Z |
| Hauptabteilung | I | I |
| – | II | II |
| – | III | III |
| Marineattaché | | M |
| Handelsattaché | | H |
| Schiffahrtssachverständiger | | S |
| Abteilung Kultur, Presse, Rundfunk | | K |
| Abteilung Arbeit | | A |

Alsdann sind die Eingänge dem Reichsbevollmächtigten vorzulegen, von dem sie an die Zentralabteilung zur Verteilung zurückgegeben werden.

9.) Verteiler.
Für Verteilungen, Umläufe, Einladungen zu Besprechungen usw. sind, soweit nicht im Einzelfall andere Regelungen erforderlich werden, die folgenden Verteiler zu verwenden:

Verteiler 1: Reichsbevollmächtigter und die Leiter der Hauptabteilungen I, II, III.
Verteiler 2: Reichsbevollmächtigter, die Leiter der Hauptabteilungen I, II, III, die Leiter der Abteilungen Z und K,
Verteiler 3: Reichsbevollmächtigter und die Leiter aller dem Reichsbevollmächtigten unmittelbar unterstellten Arbeitseinheiten.
Verteiler 4: Wie Verteiler 3 und alle Referenten.
Verteiler 5: Alle Angehörigen der Behörde.

10.) Dienststunden.

Die Dienststunden der Behörde werden wie folgt festgesetzt:

Montag bis Freitag 8.30-13.30 und 16.00-19.00,
Sonnabend 8.30-14.00

Für einzelne Arbeitseinheiten erfolgt auf Antrag Sonderregelung.

11.) Bereitschaftsdienst.

Das Zentralbüro ist außerhalb der Dienststunden durch einen Beamtenbesetzt: Montags bis Freitags durchgehend von 8 Uhr morgens bis 20 Uhr abends und Sonntags von 8-13 Uhr. Nachts von 20 Uhr abends bis 8 Uhr früh sowie Sonnabends von 14 - 20 Uhr und Sonntags von 13-20 Uhr ist ein Kanzleibeamter nach einem vom Kanzler aufzustellenden Plan jeweils in seiner Privatwohnung auf Abruf zu erreichen, damit in dieser Zeit eingehende Zifferntelegramme mit Bezeichnung "Citissime nachts" sofort entziffert werden können.

Ein Bereitschaftsdienst von höheren Beamten und Referenten findet außerhalb der Dienststunden statt wie folgt:

- im Dagmarhaus nach einem vom Abteilungsleiter Z aufzustellenden Plan Sonnabends von 14-21 und Sonntags von 13-19 Uhr;
- im Kastelsvej nach einem vom Abteilungsleiter K aufzustellenden Plan Montags bis Freitags von 13-15.30 Uhr und 19-21 Uhr sowie Sonntags von 8-13 Uhr. Ferner hat je ein höherer Beamter oder Referent nach einem vom Abteilungsleiter Z aufzustellenden Plan sich in seiner Privatwohnung auf Abruf bereit zu halten jede Nacht von 21 bis 8 Uhr, Sonntags von 19 Uhr abends bis Montag früh 8 Uhr.

*Kopenhagen, den 24.11.1942*

gez. **Dr. Best**

**Geschäftsverteilungsplan**

der Behörde des Bevollmächtigten des Reiches in Dänemark.

Stand: 1.12.1942

**Der Bevollmächtigte des Reiches Dr. Best**

Vertreter: Gesandter Dr. Barandon

| | |
|---|---|
| Persönlicher Referent: | Legationssekretär Erbgroßherzog von Mecklenburg. |

**Zentralabteilung**

| | | |
|---|---|---|
| Abteilungsleiter: | Gesandtschaftsrat I. Kl. Dr. Hensel | |
| Vertreter: | Gesandtschaftsrat Dr. Kassler für Personalien und Protokoll | |
| | Kanzler Werner für Organisation, Haushalt und Zentralbüro | |
| Referat 1: | Allgemeines, Verbindung zur Landesgruppe, | Ges. Rat I. Kl. Dr. Hensel |
| Referat 2: | Personalien, | Ges. Rat I. Kl. Dr. Hensel |
| Referat 3: | Protokoll, | Leg. Sekr. Erbgr. v. Mecklenburg |
| Referat 4: | Organisation, Haushalt, Zentralbüro, Zahlstelle, Fernschreibstelle, Chiffrierdienst, Kurierabfertigung. | Kanzler Werner |

**Hauptabteilung I**
Auswärtiger Dienst.

| | | |
|---|---|---|
| Hauptabteilungsleiter: | Gesandter Dr. Barandon | |
| Vertreter: | Ges. Rat I. Kl. Dr. Hensel | |
| Referat Z: | Organisation, Verteilung des Geschäftsganges | Attaché Frhr. v. Mietis |

| | |
|---|---|
| *Abteilung A* | Gesandter Dr. Barandon<br>Vertreter: Attaché Dr. Frhr. v. Mietis |

*Außenpolitik:*
- Beratung des dän. Außenministeriums nach dem Gesichtspunkte der allgemeinen Gleichschaltung der dänischen Politik,
- Überwachung des gesamten Nachrichtenverkehrs des dän. Außenministeriums mit dem Auslande, Überwachung der Haltung der dän. ausw. Vertreter, Beratung bei den ihnen erteilten Instruktionen, insb. auch in Presseangelegenheiten und in Fragen der Intervention bei unfreundlichen Handlungen gegen die politische Linie der rechtmäßigen dänischen Regierung,
- Überwachung der isländischen Gesandtschaft,
- Verkehr mit den Vertretern fremder Missionen und ihre Information,
- Staatsverträge mit Deutschland,

- Beobachtung von Island und Grönland,
- Beobachtung der dän. wirtschaftl. Interessen im Auslande, insb. dän. Vermögen in Ostasien und Hinterindien,
- Schiffahrtsfragen (im Einvernehmen mit S), Flakbewaffnung dän. Handelsschiffe, Übernahme dän. Neubauten,
- Verkehr mit Grönland. Behandlung dän. Schiffe im feindlichen Ausland etc.

*Abteilung B* Leiter: Leg. Sekr. Dr. Machowetz
Vertreter: Kons. Sekr. Bethge

*Konsulatswesen:*
- Wahrnehmung deutscher und norwegischer konsularischer Interessen in Dänemark.
- Aufsicht über das Berufskonsulat Apenrade und über die Wahlkonsulate in Dänemark.

| | | |
|---|---|---|
| Referat 1: | Sichtvermerke, Seemannsamt, Standesamtliche Angelegenheiten, Alimentationssachen, Unterstützungen, Konsulatskasse, Urkundenbeschaffungen, Beglaubigungen und Bescheinigungen. | Kons. Sekr. Bethge |
| Referat 2: | Wehrmeldeamt, Familienunterhalt, Staatsangehörigkeitssachen, Nachlaßsachen. | Kons. Sekr. Hirschberg |
| Referat 3: | Reiseanträge nach Norwegen, Prüfung der Anträge auf Ausreise nach Schweden und Finnland und auf Einreise aus Schweden und Finnland. | Herr Rothe |

*Abteilung C* Leiter: Ges. Rat Dr. Kassler
Vertreter: WHA. Dr. Benemann

*Volkstum:*

| | | |
|---|---|---|
| Referat 1: | Deutsche Volkstumspolitik in Dänemark, Volkstums- und politische Verhältnisse der Deutschen Volksgruppe Nordschleswig, Wirtschaftliche Verhältnisse der Volksgruppe, Berichterstattung; Unterstützung der wirtschaftlichen Interessen der Volksgruppe hei staatlichen dänischen Stellen, | G-R Dr. Kassler |

| | | |
|---|---|---|
| | Beratung der Deutschen Berufsgruppen Nordschleswig,<br>Bearbeitung von Fragen des Volksdeutschen Berufseinsatzes bei der Wehrmacht und im Reich,<br>Volksdeutsche Agrarpolitik,<br>Beobachtung und Berichterstattung betr. deutschfeindliche Agitation,<br>Hetze und Boykott in Nordschleswig,<br>Dänische Grenztumsarbeit (Im Einvernehmen mit Hauptabt. II),<br>Bearbeitung von Angelegenheiten betr. Werbung Volksdeutscher zur Waffen-SS.<br>Fragen der S.K. (im Einvernehmen mit Hauptabt. II),<br>Die Volksgruppe betreffende Etat- und Finanzierungsangelegenheiten. | |
| Referat 2: | Kulturelle Volkstumsangelegenheiten:<br>Kirchen- und Schulwesen.<br>Volksdeutsche Organisationen und Veranstaltungen,<br>Beobachtung der Volksdeutschen und dänischen Grenzlandpresse. | WHA. Dr. Benemann |

**Hauptabteilung II**

Verwaltung und Innenpolitik.

| | | |
|---|---|---|
| Hauptabteilungsleiter: | SS-Brigadeführer Regierungsvizepräsident Kanstein | |
| Vertreter: | Regierungsdirektor Dr. Stalmann | |
| Referat Z: | Personal<br>Organisation<br>Haushalt<br>Hauptbüro | Reg. Dir. Dr. Stalmann<br>Vertreter:<br>Reg. Ob. Insp. Hansen |
| *Abteilung A* | *Verwaltung und Recht*<br>Abteilungsleiter: Regierungsdirektor Dr. Stalmann | |
| Referat 1: | Verwaltung und Recht<br>dänische Verwaltung,<br>dänisches Recht,<br>dänische Rechtspflege, | Reg. Dir. Dr. Stalmann |
| Referat 2: | Reichsverteidigung. | Bürgermeister<br>Dr. Handelmann |

| | | |
|---|---|---|
| Referat 3: | Aufsicht über die Außenstellen des Reichsbevollmächtigen | [Handelmann] |
| Referat 4: | Verbindung zu den anderen Hauptabteilungen und zu den Sondergruppen der Dienststelle. | [Handelmann] |
| Referat 5: | Verbindung zur deutschen Wehrmacht, | Ges. Rat. Dr. Kassler |
| *Abteilung B* | *Innenpolitik*<br>Abteilungsleiter: SS-Sturmbannführer Regierungsrat Chantré | |
| Referat 1: | Dänische Innenpolitik. | SS-Sturmbannführer<br>Reg. Rat Chantré |
| Referat 2: | Dänische politische Gruppen, Bewegungen, Parteien. | SS-Sturmbannführer<br>Reg. Rat. Chantré |
| Referat 3: | Gegner-Bekämpfung<br>(soweit nicht zu II C 4 gehörig). | [Chantré] |
| Referat 4: | Schul-, Hochschul-, Kirchenwesen<br>(in politischer Beziehung). | Regierungsrat Dr. Pritsche |
| Referat 5: | Presse, Rundfunk, Film<br>(in politischer Beziehung), | |
| Referat 6: | SS- und Waffen-SS- Angelegenheiten | Regierungsrat Ziegler. |
| *Abteilung C* | *Polizei*<br>Abteilungsleiter: SS-Sturmbannführer Regierungsrat Dr. Fest | |
| Referat 1: | Polizei allgemein:<br><br>a. Sicherheitspolizei,<br>b. Ordnungspolizei. | SS-Sturmbannführer<br>Reg. Rat Dr. Fest<br>Pol. Oberleutnant Hansen |
| Referat 2. | Dänische Polizei:<br>a. Personal und Organisation,<br>b. Ziviler Luftschutz, | [Hansen] |
| Referat 3: | Gegner-Bekämpfung:<br>a. Kommunisten,<br>b. Emigranten,<br>c. Juden,<br>d. Freimaurer. | SS-Hauptsturmführer Kriminalkommissar Hermannsen[1] |
| Referat 4: | Abwehr:<br>a. Feindlicher Nachrichtendienst,<br>b. Militärische Sicherungsmaßnahmen,<br>c. Ausländer:<br>Allgemein,<br>Internierte. | [Hermannsen] |

1 Kriminalrat og SS-Hauptsturmbannführer Hans Hermannsen var i Danmark fra april 1940 og til besættelsens slutning (Henrik Lundtofte i *Hvem var hvem 1940-1945*, 2005, s. 150).

| | | |
|---|---|---|
| Referat 5: | Zentralkartei. | SS-Hauptsturmführer Krim. Komm. Hermannsen |
| Referat 6; | Grenzaufsicht:<br>a. Zentrale,<br>b. Grenzaufsichtsstellen;<br>Helsingör<br>Kopenhagen-Hafen<br>Kopenhagen-Flughafen | |
| Referat 7: | Sicherungsmaßnahmen der Dienststelle:<br>a. Wachdienst,<br>b. Gebäudesicherung,<br>c. Waffenausbildung. | Pol. Leutnant Schmieder |
| *Abteilung D* | *Sicherheitsdienst.*<br>Abteilungsleiter: SS-Hauptsturmführer Pahl[2] | |
| Außenstellen: | Aalborg | Konsul Brandtner |
| | Aarhus | Gen. Konsul Soehring |
| | Apenrade | |
| | Odense | Konsul Lachmann |
| Der Hauptabteilung II angegliedert: | | |
| | Abteilung Waffen-SS | SS-Sturmbannführer Boysen |
| | Der SS-Untersuchungsführer | SS-Hauptsturmführer Langosch |
| | Referat Arbeitsdienst | Arbeitsführer Scheifarth |

## Hauptabteilung III
Wirtschaft

| | | |
|---|---|---|
| Hauptabteilungsleiter: | Ministerialrat Dr. Ebner | |
| Vertreter: | Ministerialrat Dr. Wunder | |
| Referat Z | Personal<br>Organisation<br>Hauptbüro | Min. Rat Dr. Wunder |
| *Abteilung A* | *Ernährung und Landwirtschaft*<br>Abteilungsleiter: Dr. Hemmersam | |
| Referat 1: | Wehrmachtsversorgung, | |

2 SS-Sturmbannführer Hans Pahl var i Danmark fra april 1940 og til besættelsens slutning (Henrik Lundtofte i *Hvem var hvem 1940-1945*, 2005, s. 285).

| | |
|---|---|
| Referat 2: | Dänische Landwirtschaft:<br>Planung, Erzeugung, Umstellung, Betriebsmittelversorgung, |
| Referat 3: | Dänischer Obst- und Gartenbau:<br>Erzeugung, Betriebsmittelversorgung, |
| Referat 4: | Dänische Fischerei:<br>Erzeugung, Betriebsmittelversorgung, |
| Referat 5: | Dänische Ernährungswirtschaft:<br>Verbrauchsfeststellung, Rationierung, |
| Referat 6: | Nahrungsmittelindustrie, |
| Referat 7: | Preisgestaltung, |
| Referat 8: | Sicherstellung von Arbeitskräften, |
| Referat 9: | Verkehrsfragen, |
| Referat 10: | Ausfuhr nach Deutschland. |
| *Abteilung B* | *Gewerbliche Wirtschaft*<br>Abteilungsleiter: Regierungsrat Dr. Meulemann |
| Referat 1: | Wehrmachtsversorgung |
| Referat 2: | Dänische Industrie:<br>Planung, Erzeugung, Umstellung, Rohstoffversorgung, Verteilung, Rationierung, |
| Referat 3: | Warenverkehr mit Deutschland einschließlich Nebenkosten, |
| Referat 4: | Dänischer Handel und Handwerk |
| Referat 5: | Preisgestaltung, |
| Referat 6: | Kapital- und Zahlungsverkehr |
| Referat 7: | Devisenfragen, |
| Referat 8: | Feindliches Vermögen, |
| Referat 9: | Energiewirtschaft, |
| Referat 10: | Lizenzen, Urheberrechte und gewerblicher Rechtsschutz, |
| Referat 11: | Auftragsverlagerung, |
| Referat12: | Verkehrsfragen, |
| Referat 13: | Versicherungswesen, |
| Referat 14: | Kraftfahrwesen, |
| Referat 15: | Nachrichtenwesen:<br>Abwehr und Ausnutzung von Wirtschaftsnachrichten. |

| | | |
|---|---|---|
| *Abteilung C* | *Holz- und Forstwirtschaft* | |
| | Abteilungsleiter: Oberforstmeister Dr. Wiedemann | |
| Referat 1: | Wehrmachtsversorgung, | |
| Referat 2: | Dänische Forstwirtschaft, | |
| Referat 3: | Dänische Holzwirtschaft, | |
| Referat 4: | Rationierung, | |
| Referat 6:[3] | Holz-Ein- und Ausfuhr. | |
| | | |
| Abteilung D | Handelsverkehr mit dritten Ländern und Sonstiges | |
| | Abteilungsleiter: Ministerialrat Dr. Wunder | |
| Referat 1: | Handelsverkehr mit dritten Ländern (ausschl. Deutschland), | |
| Referat 2: | Wehrmachtsversorgung: Allgemeines und Organisation, | |
| Referat 3: | Ausfuhr von Kriegsgerät, | |
| Referat 4: | Rechtsfragen, | |
| Referat 5: | Dänische Wirtschaftsstatistik. | |
| | | |
| *Angegliedert:* | | |
| Referat | öffentliches Finanzwesen (Dänische Finanzwirtschaft und Finanzpolitik). | Reg. Rat Korff |
| Referat | Geld, Kredit und Währung. | Reichsbankdir. Sattler |
| Referat | Reichsbahn. | Reichsbahnrat Clauss |
| Referat | Post- und- Fernmeldewesen. | Oberpostrat Dipl. Ing. Burmester |
| Verbindungsstelle der Hauptverwaltung der Reichskreditkassen. | | Reichsbankdir. Sattler |

*Dem Reichsbevollmächtigten unmittelbar unterstellt:*

Der Marineattaché: Konteradmiral Henning
Gehilfe: Korvettenkapitän Hashagen

## Abteilung Kultur - Presse - Rundfunk

| | | |
|---|---|---|
| Abteilungsleiter: | Gesandtschaftsrat Meissner | |
| Vertreter: | Assessor Schacht | |
| Referat 1: | Kultur und Information: | Assessor Schacht |

3 Referat 5 mgl. i originalen.

| | | |
|---|---|---|
| | Kunst u. Wissenschaft, allgemeine Planung und Berichterstattung, Deutsches Wissenschaftliches Institut, St. Petri-Schule, Neubau deutscher Schule, deutsch-dänische Vereinigungen. | |
| | Film- und Sportfragen | Reg. Rat Frielitz |
| | Deutsche Informationsstelle (Aktivpropaganda, Ausstellungen). | Referent Vogeler |
| | Zwischenstaatliche Jugendarbeit. | (noch unbesetzt) |
| Referat 2: | Presse: Presselenkung und Verkehr mit dänischen Redaktionen, Nachzensur dänischer Presse und Zeitschriften und Lektorat schwedischer Presse. | Referent Schröder |
| | Pressepropaganda in Verbindung mit STB, Presseinformation, Pressesekretariat, Übersichten, Informationen. | W.H.A. Dr. Hauck |
| Referat 3: | Rundfunk. | Rundfunkreferent Lohmann |
| | Verbindungsstelle zum dänischen Staatsrundfunk. | Dr. Schmitz |
| | Verbindungsstelle zu "Pressens Radioavis". | W.H.A. Mühlen |
| | Abhördienst. | Friedrich Waschnitius |

Der Handelsattaché: Generalkonsul Dr. Krüger.
Vertreter: Direktor Steven.

Deutsch-dänischer Regierungsausschuß,
Verkehr mit der Deutschen Handelskammer in Dänemark,
Reichsstelle für den Außenhandel,
Reichsstelle für Raumordnung.
Firmenbetreuung, Absatz- u. Bezugsmöglichkeiten,
Verbindung zur Konsulats-Abteilung (Begutachten der Reiseanträge),
Dringlichkeitsbescheinigungen usw.,
Dänischer Einsatz im Ostraum,
Geldüberweisungen,
Verkehrsfragen,
Zollangelegenheiten,
Steuerfragen,
Dänisches Handelsrecht, Patentrecht,
Ausstellungen – Messen.

| | |
|---|---|
| Der Schiffahrtssachverständige: | Herr Duckwitz<br>Vertreter: Herr Preuss |

- Überwachung des Einsatzes dänischer Tonnage in der Nord- und Ostseefahrt,
- Fragen wirtschaftlicher und politischer Natur, die die dänische Tonnage außerhalb des deutschen Machtbereichs betreffen (im Einvernehmen mit I A),
- Durchführung von Minenschutzeinrichtungen für dänische Schiffe (MSS-Anlagen und Entmagnetisierung),
- Deutsche Schiffsneubauten auf dänischen Werften,
- Reparaturen deutscher Handelsschiffe auf dänischen Werften,
- Fragen im Zusammenhang mit der Charterung dänischer Tonnage für den Wehrmachtsnachschub sowie Charterung oder Ankauf dänischer Schiffseinheiten durch deutsche Interessenten.

**Abteilung Arbeit**

| | | |
|---|---|---|
| Abteilungsleiter: | Oberregierungsrat Dr. Heise | |
| Vertreter: | Regierungsoberinspektor Creutzfeldt | |
| Referat 1: | Verwaltung | |
| | Leiter u. Kassenaufsicht: | O.R.R. Dr. Heise |
| | Vertreter: | R.O.J. Creutzfeldt |
| Referat 2: | Arbeitseinsatz | |
| | Leiter: | O.R.R. Dr. Heise |
| | Vertreter: | R.O.J. Creutzfeldt |
| Referat 3: | Betreuung | |
| | Leiter: | R.O.J. Creutzfeldt |
| | Vertreter: | Reg. Insp. Hohmann |
| Referat 4: | Ärztlicher Dienst | |
| | Leiter: | Dr.med. Matz |
| Referat 5: | Sozialversicherung | |
| | Leiter: | O.R.R. Dr. Heise |
| Referat 6: | Krankenkasse bei der Deutschen Arbeitsvermittlungsstelle | |
| | Leiter: | Verw. Amtmann Obuch |
| | Vertreter: | Verw. Ang. Czester |

# TILLÆG 6A

**Personalverzeichnis der zum Bevollmächtigten des Reiches in Dänemark abgeordneten Beamten und Angestellten der Sicherheits- und Ordnungspolizei (Stand vom 1. August 1943).**

Kilde: RA, Centralkartoteket, pk. 676 og RA, pk. 222.

| *Lfd. Nr* | *Name* | *Vorname* | *Diensstellung* | *Abordnende Behörde (Heimatsbehörde)* | *Dienstantritt in Kopenhagen* | |
|---|---|---|---|---|---|---|
| 1 | Chantre | Ludwig | Ober-Reg. Rat | Stapo Berlin | 18.6.40 | |
| 2 | Fest, Dr. | Anton | Ober-Reg. Rat | RHSA – 1 – | 15.4.40 | |
| 3 | Hermannsen | Hans | Kriminalrat | Stapo Kiel | 27.4.40 | 3.3.43 Aalborg |
| 4 | Bunke | Eirch | Kriminalrat | RHSA – 1 – | 2.4.43 | |
| 5 | Hillgärtner | Phillip | Amtsrat | RHSA – 1 – | 20.7.43 | |
| 6 | Berndt | Wilhelm | Krim. Inspektor | Stapo Brüx | 8.1.43 | |
| 7 | Bodeutch | Oskar | Krim. Ob. Sekr. | Stapo Frankfurt/O | 1.7.43 | 24.3.43 Aarhus |
| 8 | Ferch | Albert | Krim. Ob. Sekr. | Kripo Nürnberg-Fürth | 25.1.43 | |
| 9 | Holz | Emil | Krim. Ob. Sekr. | Kripo Posen | 6.1.43 | |
| 10 | Johannsen | Johannes | Krim. Ob. Sekr. | Stapo Kiel | 17.3.43 | 28.3.43 Esbjerg |
| 11 | Koch | Wilhelm | Krim. Ob. Sekr. | Kripo Bremen | 9.1.43 | |
| 12 | Krausse | Franz | Krim. Ob. Sekr. | Kripo Dresden | 7.1.43 | |
| 13 | Marquardt | Franz | Krim. Ob. Sekr. | Kripo Stettin | 6.1.43 | |
| 14 | Minks | Heinrich | Krim. Ob. Sekr. | Kripo Salzburg | 6.1.43 | |
| 15 | Oehlerking | Gustav | Krim. Ob. Sekr. | Kripo Hannover | 9.1.43 | |
| 16 | Reinisch | Franz | Krim. Ob. Sekr. | Kripo Graz | 9.1.43 | |
| 17 | Tappert | Bernhard | Krim. Ob. Sekr. | Kripo Hamburg | 8.1.43 | |
| 18 | Wagner | Fritz | Krim. Ob. Sekr. | Kripo Kiel | 7.1.43 | |
| 19 | Westermann | Josef | Krim. Ob. Sekr. | Kripo Hamburg | 1.7.43 | 24.3.43 Aarhus |
| 20 | Edel | Josef | Krim. Sekr. | Stäpo Regensburg | 2.7.43 | 22.7.43 Esbjerg |
| 21 | Erichsen | Karl | Krim. Sekr. | Stapo Dortmund-Hörde | 20.7.40 | |
| 22 | Fabisch | Paul | Krim. Sekr. | Stapo Breslau | 2.12.42 | |
| 23 | Gerschler | Kurt | Krim. Sekr. | Kripo Berlin | 6.7.43 | |
| 24 | Glosch | Willi | Krim. Sekr. | Stapo Stettin | 6.1.43 | |
| 25 | Hofstätter | Rudolf | Krim. Sekr. | Kripo Wien | 19.6.41 | |
| 26 | Holling | Heinrich | Krim. Sekr. | Kripo Kiel | 13.11.42 | 2.4.43 Odense |
| 27 | Höppner | Artur | Krim. Sekr. | Kripo Hamburg | 20.10.42 | 28.3.43 Esbjerg |
| 28 | Jaensch | Friedrich | Krim. Sekr. | Kripo Berlin | 12.7.42 | 20.7.43 Aalborg |
| 29 | Mikener | Wewin | Krim. Sekr. | Kripo Hamburg | 13.11.42 | |
| 30 | Rohde | Walter | Krim. Sekr. | Kripo Schwerin | 26.1.40 | |
| 31 | Thiel | Walter | Krim. Sekr. | Stapo Breslau | 2.7.43 | |

| Lfd. Nr. | Name | Vorname | Diensstellung | Abordnende Behörde (Heimatsbehörde) | Dienstantritt in Kopenhagen | |
|---|---|---|---|---|---|---|
| 32 | Welge | Friedrich | Krim. Sekr. | Stapo Berlin | 23.11.40 | |
| 33 | Beer | Ernst | Krim. Ob. Ass. | Stapo Klagenfurt | 23.11.40 | |
| 34 | Falkenberg | Walter | Krim. Ob. Ass. | Stapo Stettin | 26.4.40 | |
| 35 | Goebel | Herbet | Krim. Ob. Ass. | Stapo Wien | 23.11.40 | |
| 36 | Hemme | Karl | Krim. Ob. Ass. | Kripo Düsseldorf | 6.7.43 | |
| 37 | Juhl | Hans | Krim. Ob. Ass. | Stapo Kiel | 10.5.40 | |
| 38 | Kindel | Hans | Krim. Ob. Ass. | Stapo Schwerin | 16.7.41 | |
| 39 | Klever | Erwin | Krim. Ob. Ass. | Stapo Klagenfurt | 23.11.40 | |
| 40 | Landskron | Arthur | Krim. Ob. Ass. | Stapo Weimar | 1.7.43 | |
| 41 | Lips | Walter | Krim. Ob. Ass. | Kripo Duisburg | 5.7.43 | 15.2.43 Aalborg |
| 42 | Princic | Felix | Krim. Ob. Ass. | Stapo Wien | 23.11.40 | |
| 43 | Reumann | Albert | Krim. Ob. Ass. | Stapo Karlsruhe | 23.11.40 | |
| 44 | Rothenberg | Hermann | Krim. Ob. Ass. | Stapo Bremen | 23.11.40 | |
| 45 | Abel | Heinrich | Krim. Assistent | Stapo Hamburg | 23.11.40 | 2.4.43 Odense |
| 46 | Fehrmann | Heinz | Krim. Assistent | Stapo Kiel | 23.11.40 | |
| 47 | Huf | Ludwig | Krim. Assistent | Stapo Schwerin | 30.10.40 | |
| 48 | Renner | Fritz | Krim. Assistent | Stapo Saarbrücken | 23.11.40 | |
| 49 | Rode | Jens | Krim. Assistent | Stapo Bremen | 23.11.40 | |
| 50 | Thomer | Anton | Krim. Assistent | Arw. Kripo Essen | 1.7.43 | |
| 51 | Troost | Eduard | Krim. Assistent | Kripo Bochum | 2.7.43 | |
| 52 | Vestweber | Ernst | Krim. Assistent | Kripo Wuppertal | 19.7.43 | |
| 53 | Rottler | Wilhelm | apl. Krim. Ass | Kripo Reckling-hausen | 27.7.43 | |
| 54 | Hansen | Andreas | Hauptmann | d. Sch. Pol. Präs. Kiel | 1.9.42 | |
| 55 | Schmieder | Friedrich | Leutnant | d. Sch. Pol. Präs Berlin | 4.7.40 | |
| 56 | Schnieder | Gerhard | Hauptwmstr. | d. Sch. Pol. Präs Berlin | 4.7.40 | |
| 57 | Jelschen | Hermann | Hauptwmstr. | d. Sch. St. Pol. Pankow | 4.7.40 | |
| 58 | Abramowski | Gustav | Hauptwmstr. | d. Sch. Schutzpol. Kiel | 2.1.41 | |
| 59 | Braun | Wilhelm | Krim. Ange-stellter | Stapo Berlin | 10.4.41 | |
| 60 | König | Hedwig | Stenotypisten | Stapo Berlin | 18.6.40 | |
| 61 | Berthel | Irmgard | Stenotypisten | Stapo Berlin | 10.7.41 | |
| 62 | Fahnenstich | Helene | Stenotypisten | RHSA | 21.4.43 | |

# TILLÆG 6B
## Geschäftsverteilungsplan (Stand vom 1.12.1943) Der Höhere SS- und Polizeiführer (HSSPF) SS-Gruppenführer Pancke

Der er tale om et forlæg udarbejdet i forbindelse med Panckes tiltrædelse som HSSPF i Danmark i december 1943. Det er forsynet med håndskrevne personaleændringer foretaget i 1944, som der ikke er taget hensyn til her. Af forlægget fremgår det, at det på tilblivelsestidspunktet ikke var afgjort, hvor SS-Ersatzkommando Dänemark og SS-Fürsorgeoffizier Dänemark skulle være placeret, under HSSPF eller den rigsbefuldmægtigede, mens et andet udateret forretningsfordelingsdiagram fra samme tid placerer dem hos HSSPF, og det angives, at Schalburgkorpset var et fællesanliggende for HSSPF og den rigsbefuldmægtigede. Forlæggene er med linjeføringer til den rigsbefuldmægtigedes forretningsfordelingsdiagram (ikke medtaget), som måske antyder, at den rigsbefuldmægtigedes forestillinger om at få HSSPF underlagt, har været søg realiseret. Det blev de ikke.

Kilde: BArch, R 70 Dänemark 11.

**Geschäftsverteilungsplan**
(Stand vom 1.12.1943)

Der Höhere SS- und Polizeiführer (HSSPF) SS-Gruppenführer Pancke

| *Der Befehlshaber der Ordnungspolizei (BdO)* | *Der Befehlshaber der Sicherheitspolizei und des SD (BdS)* | *Waffen-SS* | *Gerichts-SS-Führer (SS-G)* |
|---|---|---|---|
| SS-Brigadeführer und Generalmajor d.P. von Heimburg | SS-Standartenführer Regierungsdirektor Dr. Mildner | Der SS-Standortkommandant Kopenhagen SS-St) SS-Sturmbannführer Beyson | SS-Obersturmbannführer Kaminski |
| Der Chef des Stabes Major d.Sch. Rehbein | Abteilung I (und II) Personal, Organisation, Verwaltung und Recht. SS-Hauptsturmführer Polizei-Oberinspektor Bethmann | Dem SS-Standortkommandanten Kopenhagen unterstellt:[1] | |
| Abteilung Ia Organisation, Einsatz und Verwendung. Major d.Sch. Krahmer | Abteilung III (SD) Lebensgebiete. SS-Sturmbannführer Dr. Scherdin | SS-Ersatzkommando Dänemark (SS-E) | |

1 Denne rubrik er overstreget.

| | | |
|---|---|---|
| Abteilung Ib<br>Bewaffnung, Ausrüstung, Nachschub.<br>Major d.Sch. Geue | Abteilung IV (Stapo)<br>Gegnererforschung und -bekämpfung. SS-Sturmbannführer Dr. Hoffmann | SS-Obersturmführer Fechner[2]<br>Fürsorge-SS-Führer Dänemark<br>(SS-F) |
| Abteilung Ic<br>Abwehr, Spionage, Dolmetscher<br>Oberleutnant d.Sch. Mayer | Abteilung V (Kripo)<br>Verbrechensbekämpfung. SS-Sturmbannführer Oberregierungsrat und Kriminalrat Dr. Zechenter | SS-Untersturmführer Schwenk[3] |
| Abteilung IIa/b<br>Personalangelegenheiten.<br>Hauptmann d.Sch. Hansen | | |
| Abteilung III<br>Gerichtes- und Disziplinarangelegenheiten.<br>Oberleutnant d.Sch. Mösing | | |
| Abteilung Iva<br>Verwaltung. Polizeiinspektor Eckert | | |
| Abteilung IVb<br>Sanitätswesen. Oberstabsarzt d.P. Dr. Söchting | | |
| Abteilung K<br>Sachbearbeiter für das Kraftfahrwesen.<br>Major d.Sch. Geue | | |
| Abteilung N<br>Nachrichtenführer. Major d.Sch. Dr. Lindow | | |

2 Denne rubrik er overstreget.

3 Denne rubrik er overstreget.

# TILLÆG 6C

## Übersicht über die Außenstellen des Reichsbevollmächtigten in Dänemark, ihre Besetzung, ihre Bereiche und ihre Aufgaben. 24. März 1944.

24. marts 1944 lod Best denne oversigt over sine Außenstellen med angivelse af deres opgaver og virkeområde sende til generalkonsul Herbert Hugo Hensel i Århus og konsul Hans Meyer i Åbenrå. Dermed var de orienteret om, at lederne af Außenstellen skulle tage sig af forholdet til de danske amtmænd og politimestre, samt kanalisere værnemagtens krav til det danske embedsværk i henhold til den aftale, der var mellem von Hanneken og Best derom. Endvidere skulle de rydde mulige problemer mellem værnemagten og embedsværket af vejen.

Forud havde Best med virkning fra 15. februar 1944 nyorganiseret det tyske konsulatvæsen i Danmark, hvorved var afskediget valgkonsulerne i Århus, Fredericia, Horsens, Randers, Ringkøbing, Skive, Ålborg, Frederikshavn, Thisted, Kolding, Svendborg og Vejle. Derefter var der kun fire konsuler, der som embedsmænd varetog opgaverne i Århus, Ålborg, Åbenrå og Odense (skrivelse af Best 31. maj 1944 (kilde som nedenfor)).

Kilde: RA, Vesterdals nye pakker, pk. 2.

Der Reichsbevollmächtigte in Dänemark — *Kopenhagen, den 24. März 1944.*

**Ü b e r s i c h t**

über die

Außenstellen des Reichsbevollmächtigten in Dänemark,

ihre Besetzung, ihre Bereiche und ihre Aufgaben.

I.) Zur Zeit bestehen folgende Außenstellen des Reichsbevollmächtigten in Dänemark:

1.) Außenstelle Odense.

| | |
|---|---|
| Anschrift: | Odense, Klaregade 29, 3 (Deutsches Konsulat). |
| Telefon: | Wehrmachtanschluß über Stabsvermittelung; Ortsanschluß Odense 6603. |
| Leiter: | Konsul [Georg] Böhme. |
| Bereich: | Insel Fünen und die der Insel Fünen im Süden vorgelagerten Inseln einschließlich Langeland. |

2.) Außenstelle Apenrade.

| | |
|---|---|
| Anschrift: | Apenrade, Deutsches Konsulat. |
| Telefon: | Wehrmachtanschluß über Stabsvermittelung; Ortsanschluß Apenrade 276 964. |
| Leiter: | Oberregierungsrat [Ernst] Lührmann. |
| Bereich: | Südjütland, im Norden begrenzt durch die Polizeikreise Ribe, Kolding und Fredericia (einschließlich). |

3.) Außenstelle Silkeborg.

| | |
|---|---|
| Anschrift: | Silkeborg, Aahavevej 32. |
| Telefon: | Wehrmachtanschluß über Stabsvermittelung; Ortsanschluß Silkeborg 1441/42. |
| Leiter: | Landrat Dr. [Wilhelm] Casper |
| Bereich: | Mitteljütland, begrenzt durch die Bereiche der Außenstellen Apenrade und Aalborg. |

4.) Außenstelle Aalborg.

| | |
|---|---|
| Anschrift: | Aalborg, Prinsensgade Grønnegaard B (Deutsches Konsulat). |
| Telefon: | Wehrmachtanschluß über Stabsvermittelung; Ortsanschluß Aalborg 20. |
| Leiter: | Konsul [Gustav] Brandtner. |
| Bereich: | Nordjütland, im Süden begrenzt durch die Polizeikreise Hassing-Refs Herreder (Hurup), Nyköbing M., Hobro und Mariager-Hadsund (einschließlich). |

II.) Aufgabe der Außenstellen ist:

a.) die Verwaltungsaufsicht über die dänischen Behörden ihres Bereichs – in erster Linie über die Amtmänner und Polizeimeister und die ihnen unterstellten Behörden – auszuüben;

b.) die Forderungen der örtlichen Wehrmachtstellen ihrer Bereiche, soweit sie dänische Behörden oder dänische Staatsangehörige betreffen, gegenüber den dänischen Behörden entsprechend der zwischen dem Wehrmachtbefehlshaber Dänemark und dem Reichsbevollmächtigten bestehenden Vereinbarung zu vertreten, soweit diese Vertretung nicht zentral durch meine Hauptabteilung II oder durch meinen Beauftragten beim Wehrmachtbefehlshaber erfolgt (siehe IV und V).

Die Außenstellen haben die örtlichen Wehrmachtstellen ihrer Bereiche bei der Ausräumung von Schwierigkeiten, die zwischen Truppen oder Dienststellen der Wehrmacht einerseits und dänischen Behörden oder dänischer Bevölkerung andererseits entstehen, in jeder Weise zu unterstützen.

III.) Die Leiter der Außenstellen haben Auftrag, mit den für ihre Bereiche zuständigen Divisionskommandeuren und den örtlichen Wehrmachtstellen ihrer Bereiche enge Verbindung zu halten.

IV.) Der Leiter der Außenstelle Silkeborg Landrat Dr. Casper ist gleichzeitig Beauftragter des Reichsbevollmächtigten beim Wehrmachtbefehlshaber Dänemark in Silkeborg end hat als solcher die Aufgabe, dem Wehrmachtbefehlshaber zur Durchführung seiner militärischen Forderungen gegenüber dänischen Behörden und Privatpersonen in Jütland zur Verfügung zu stehen und die [...] insbesondere die Dienststelle des Stiftamtmanns Herschend in Silkeborg – entsprechend zu steuern. Für Wehrmachtangelegenheiten von überörtlicher Bedeutung ist der Beauftragte beim Wehrmachtbefehlshaber deshalb auch in den Bereichen der Außenstellen Apenrade und Aalborg zuständig.

V.) Für Wehrmachtangelegenheiten außerhalb Jütlands und für solche Wehrmachtangelegenheiten, deren Bedeutung über Jütland hinausgeht, ist die Hauptabteilung II des Reichsbevollmächtigen – in ihr die Abteilung II D (Wehrmachtangelegenheiten), Abteilungsleiter Oberregierungsrat Dr. [Walter] Haensch, zuständig.

gez. **Dr. Best**

Beglaubigt.
[signatur]
Reg.-Sekretär.

# TILLÆG 7
## Dansk arbejdskraft ved tyske anlægsarbejder december 1941-september 1944[1]

| *Måned* | *Pionier /OT* | *Sonderbaul. d. Lw.* | *Neubauamt d. Lw.* | *Kriegs-marine* | *Heer* | *I alt* |
|---|---|---|---|---|---|---|
| 12.1941 | | | | | | 5.000 |
| 05.1942 | | | | | | 12.900 |
| 09.1942 | 3.738 | | 5.787 | | | 9.525 |
| 10.1942 | 3.400 | | 6.938 | | | 10.338 |
| 11.1942 | | | | | | |
| 12.1942 | 3.900 | | 5.182 | | | 9.082 |
| 01.1943 | 4.887 | | 6.429 | | | 11.316 |
| 02.1943 | 7.600 | | 8.060 | | | 15.660 |
| 03.1943 | 8.033 | | 7.689 | | | 15.722 |
| 04.1943 | 12.562 | | 6.549 | | | 19.111 |
| 05.1943 | 9.118 | | 6.379 | | | 15.497 |
| 06.1943 | 9.738 | 4.124 | 5.029 | | | 18.891 |
| 07.1943 | 9.566 | 5.350 | 3.029 | | | 18.534 |
| 08.1943 | 8.740 | 4.620 | 5.291 | | | 18.851 |
| 09.1943 | 9.705 | 4.949 | 5.441 | | | 20.095 |
| 10.1943 | 10.178 | 4.529 | 6.514 | | | 21.221 |
| 11.1943 | 10.383 | 4.256 | 7.135 | | | 21.774 |
| 12.1943 | | | | | | |
| 01.1944 | 21.276 | 3.667 | 14.300 | 650 | 1.900 | 41.793 |
| 02.1944 | 16.328 | 3.512 | 17.386 | 900 | 2.280 | 40.406 |
| 03.1944 | | | | | | |
| 04.1944[2] | 10.680 | 3.970 | 22.056 | 1.400 | 1.100 | 39.206 |
| 05.1944[3] | | | | | | |
| 06.1944 | | | | | | |
| 07.1944 | 11.919 | 20.250 | | 1.350 | 833 | 34.352 |
| 08.1944 | 11.490 | 18.250 | | 1.200 | 796 | 31.736 |
| 09.1944 | 13.402 | 26.946 | | 850 | 1.200 | 42.398 |

1 Wehrwirtschaftsstab Dänemark 1941-42, Rüstungsstab Dänemark: Lageberichte 1943-44, Feldwehrwirtschaftsoffizier bei WB Dänemark: Lageberichte 1944. For tiden oktober 1942-februar 1945 alle trykt ovenfor. De foregående er i BArch, Freiburg, RW 27. Jfr. Andersen/Rolf 2006, s. 30, Andersen 2007, s. 404 og Brandenborg Jensen 2005, s. 269.

2 OT opgav 30. maj 1944, at der pr. 25. marts 1944 var ansat 13.579 (Dr. Wick: Arbeitseinsatzstatistik 30. maj 1944, RA, Danica 201, pk. 81, læg 1092).

3 OT opgav 30. maj 1944, at der pr. 25. april 1944 var ansat 11.579 (Dr. Wick: Arbeitseinsatzstatistik 30. maj 1944, RA, Danica 201, pk. 81, læg 1092).

# TILLÆG 8

## Danske arbejdere i Tyskland juni 1940-april 1945[1]

Tabellen opgiver antallet af i alt rekrutterede arbejdere på det givne tidspunkt, dvs. at det ikke er et udtryk for, hvor mange arbejdere. der den givne måned var i Tyskland. F.eks. oplyste Rüstungsstab i august 1941, at af de godt 53.000 arbejdere var ca. 10.000 taget hjem igen.

| *Måned* | *I Tyskland* |
|---|---|
| 06.1940 | 4.989 |
| 08.1940 | 13.021 |
| 10.1940 | 19.872 |
| 12.1940 | 27.911 |
| 02.1941 | 36.901 |
| 04.1941 | 42.796 |
| 06.1941 | 48.538 |
| 08.1941 | 53.026 |
| 10.1941 | 60.629 |
| 12.1941 | 64.541 |
| 02.1942 | 71.427 |
| 04.1942 | 77.447 |
| 06.1942 | 81.146 |
| 08.1942 | 86.651 |
| 10.1942 | 93.068 |
| 12.1942 | 97.143 |
| 02.1943 | 104.989 |
| 04.1943 | 108.383 |
| 06.1943 | 111.821 |
| 08.1943 | 114.338 |
| 10.1943 | 117.337 |
| 12.1943 | 120.849 |
| 02.1944 | 121.127 |
| 04.1944 | 123.127 |
| 06.1944 | 124.13[0] |
| 08.1944 | 126.109 |
| 10.1944 | 125.796 |
| 12.1944 | 126.607 |
| 02.1945 | 127.737 |
| 04.1945 | 127.91[0] |

1 EUHK 7, s. 256, diagram 8. Kildegrundlaget oplyses ikke, men svarer nogenlunde til det af Rüstungsstab Dänemark opgivne.

# TILLÆG 9
## Af Rüstungsstab Dänemark indgåede og afsluttede rustningskontrakter med danske virksomheder 1941-1945[1]

Kontrakternes værdi i RM

| *Måned* | *Værnemagten* | | *Krigsvigtige civile behov* | |
|---|---|---|---|---|
| | *Indgåede kontrakter* | *Afsluttede kontrakter* | *Indgåede kontrakter* | *Afsluttede kontrakter* |
| 03.1941 | 8.432.500 | 13.127.400 | | |
| 04.1941 | 8.357.000 | 4.363.000 | | |
| 05.1941 | 19.783.095 | | | |
| 06.1941 | 11.105.000 | | | |
| 07.1941 | 15.903.000 | 5.990.000 | | |
| 08.1941 | 6.638.000 | 3.740.000 | | |
| 09.1941 | 8.900.000 | 5.116.000 | | |
| 10.1941 | 17.102.000 | 7.330.000 | | |
| 11.1941 | 12.574.000 | 12.832.000 | | |
| 12.1941 | 13.197.000 | 4.823.000 | | |
| 01.1942 | 10.188.000 | 5.780.000 | | |
| 02.1942 | 13.692.000 | 5.729.000 | | |
| 03.1942 | 10.213.000 | 2.476.000 | | |
| 04.1942 | 9.247.811 | 8.204.229 | | |
| 05.1943 | 10.360.580 | 9.213.275 | | |
| 06.1943 | 12.790.620 | 6.659.435 | | |
| 07.1943 | 8.425.590 | 14.005.427 | 1.213.300 | 984.837 |
| 08.1943 | 7.787.491 | 10.329.696 | 694.528 | 1.116.216 |
| 09.1943 | 8.155.485 | 9.221.029 | 224.515 | 2.520.751 |
| 10.1943 | 11.172.696 | 9.867.621 | 1.227.624 | 1.681.536 |
| 11.1943 | 11.196.353 | 9.214.081 | 242.654 | 1.791.491 |
| 12.1943 | 14.284.000 | 11.308.000 | 499.000 | 3.769.000 |
| 01.1944 | 4.371.586 | 16.666.762 | 255.390 | 7.084.307 |
| 02.1944 | 14.147.857 | 7.593.890 | 418.117 | 1.112.242 |
| 03.1944 | 14.856.278 | 10.423.687 | 2.443.324 | 3.185.092 |
| 04.1944 | 15.896.209 | - 13.381.079 | 1.183.845 | - 890.138 |
| 05.1944 | 10.807.245 | - 7.239.402 | 482.592 | - 812.357 |
| 06.1944 | 8.509.954 | 6.851.839 | 792.575 | - 846.840 |
| 07.1944 | 9.532.074 | 5.266.997 | 246.728 | 578.507 |
| 08.1944 | 9.338.842 | 6.437.905 | 192.429 | 357.802 |
| 09.1944 | 6.665.094 | 10.759.029 | 341.464 | 575.073 |
| 10.1944 | 5.623.976 | 14.438.717 | 561.910 | 698.084 |
| 11.1944 | 8.350.899 | 11.156.939 | 291.856 | 594.663 |
| 12.1944 | 4.683.111 | - 11.484.045 | 104.592 | - 714.895 |
| 01.1945 | 6.207.411 | - 9.572.302 | 1.875.222 | - 537.667 |

1 Tabellen er opstillet på grundlag af Wehrwirtschaftsstab/Rüstungsstab Dänemarks månedsindberetninger i BArch Freiburg, RW 27 for tiden frem til oktober 1942, for tiden derefter trykt ovenfor med kildeangivelse. Der henvises endvidere til to diagrammer for tiden 1940-44 hos Winkel 1976, s. 161 og EUHK 7, s. 256 diagram 7.

2 Heraf 48.935.000 RM til Hansaprogrammet.

# TILLÆG 10
## Anholdte m.m. af Gestapo 15. september 1943-1. april 1945[1]

| | | *Sabotage og våben-besiddelse* | *Kommu-nistisk og national modstand* | *Illegal transport* | *Spionage* | *Opkla-rede sabotager* | *Skudte sabotø-rer*[2] | *Anholdte i alt* |
|---|---|---|---|---|---|---|---|---|
| 1943 | 15. sep. - 31. dec.[3] | 169 | 424 | | | 80 | 12 | 605 |
| 1944 | Januar | 105 | 157 | | | | | 262 |
| | Februar | 136 | 155 | 38 | | | | 329 |
| | Marts | 39 | 213 | | 42 | | | 294 |
| | April | 52 | 280 | | 21 | | | 353 |
| | Maj | 147 | 303 | | 34 | 40 | | 484 |
| | Juni | 123 | 368 | | 19 | 26 | | 510 |
| | Juli | 211 | 285 | | 14 | 18 | 6 | 510 |
| | August | 186 | 233 | | 30 | 31 | 16 | 449 |
| | September | 136 | 268 | | 43 | 25 | 9 | 447 |
| | Oktober | 265 | 297 | | 50 | 28 | 16 | 612 |
| | November | 248 | 386 | | 43 | 14 | 5 | 677 |
| | December | 512 | 739 | | 80 | 23 | 8 | 1.331 |
| 1945 | Januar | 478 | 497 | | 47 | 38 | 18 | 1.022 |
| | Februar | 472 | 516 | | 41 | 38 | 21 | 1.029 |
| | Marts | 852 | 481 | | 81 | 45 | 37 | 1.414 |
| | I alt | 4.131 | 5.602 | 38 | 545 | 406 | 148 | 10.328 |

1 På grundlag af Bests telegram nr. 1538, 14. december 1943 (dækkende perioden 15. september - 14. december 1943), KTB/Rü Stab Dänemark 1. Vierteljahr, Überblick über die im 1. Vierteljahr 1944 aufgetretenen wichtigen Probleme, 20. Mai 1944 (trykt ovenfor), *Politische Informationen* 1944-45 og Bovensiepens aktivitetsberetninger maj-december 1944 (alle ligeledes trykt ovenfor). Alle tal bygger udelukkende på Gestapos oplysninger. Dog er det samlede antal anholdte yderst t.h. sammentalt af udg. (jfr. Lauridsen 2006c, s. 203). Der kan sammenlignes med oversigten over antallet af personer, der har været underkastet frihedsberøvelse af tyske myndigheder hos Alkil, 2, 1945-46, s. 938f., hvor det samlede antal anslås til 17.280.

2 Der blev officielt henrettet ni modstandsfolk indtil 31. december 1943, men hertil kommer de tre, der uofficielt blev henrettet "under flugtforsøg" 4. december 1943, som Best også tæller med som henrettede i sit telegram nr. 1538, 14. december 1943.

3 Tallene er minimumstal, da Bests opgørelse i telegram nr. 1538, 14. december 1943 kun går til den dato, henrettelserne undtaget, idet henrettelsen 20. december her er talt med.

## TILLÆG 11
## Det tyske mindretals krigsindsats juni 1943 - december 1944[1]

| Waffen- und Arbeitseinsatz | 19.6.43 | 1.8.43 | 1.9.43 |
|---|---|---|---|
| 1.) Freiwillige | | | |
| a. bei der Waffen-SS | 1.260 | 1.288 | 1.292 |
| b. bei der Wehrmacht | 437 | 438 | 438 |
| c. bei der Flak | 17 | 20 | 20 |
| d. beim Grenzzollschutz | 30 | 45 | 54 |
| e. beim Luftgaukommando als Fahrer | 108 | 108 | 108 |
| f. beim landwirtschaftlichen Osteinsatz | | 2 | 3 |
| g. beim RAD | | | |
| 2.) Arbeitseinsatz | | | |
| a. im Süden als Facharbeiter usw. | 4.264 | 4.344 | 4.414 |
| b. im Norden auf Fliegerhorsten | 1.331 | 1.593 | 1.605 |
| Gesamteinsatz | 7.447 | 7.838 | 7.934 |
| | | | |
| Verlusten | | | |
| 1.) Gefallene | | | |
| a. Waffen-SS | | | 168 |
| b. Wehrmacht | | | 34 |
| c. Arbeitseinsatz | | | |
| 2.) Vermißte | | | |
| a. Waffen-SS | | | 6 |
| b. Wehrmacht | | | 1 |
| Gesamtverlust: | | | 209 |

1 PA/AA R R 100.356, 100.257 og R 100.358. RA, pk. 237. Se PKB, 14, nr. 273 (29. marts 1941 for tiden forud), 328, 330, *Politische Informationen* 1. januar 1945, afsnit VI.

| 1.10.43 | 1.11.43 | 1.12.43 | 1.1.44 | 1.2.44 | 1.3.44 | 1.4.44 | 1.6.44 | 1.12.44 |
|---|---|---|---|---|---|---|---|---|
| 1.300 | 1.303 | 1.311 | 1.319 | 1.324 | 1.327 | 1.335 | 1.349 | 1.391 |
| 438 | 438 | 438 | 445 | 445 | 445 | 445 | 476 | 507 |
| 21 | 20 | 21 | 21 | 21 | 21 | 21 | 21 | 36 |
| 65 | 72 | 75 | 66 | 71 | 72 | 75 | 72 | 89 |
| 108 | 108 | 108 | 103 | 108 | 108 | 108 | 108 | 108 |
| 5 | 8 | 8 | 8 | 8 | 8 | 8 | 8 | 8 |
| | | | 3 | 3 | 3 | 3 | 6 | 23 |
| 4.460 | 4.545 | 4.570 | 4.617 | 4.663 | 2.163 | 2.187 | 2.219 | 2.285 |
| 1.624 | 1.655 | 1.670 | 1.691 | 1.711 | 1.726 | 1.751 | 1.783 | 1.849 |
| 8.021 | 8.150 | 8.201 | 8.278 | 8.354 | 5.873 | 5.933 | 6.050 | 6.296 |
| 174 | 186 | 190 | 194 | 201 | 217 | 223 | 2357 | 265 |
| 37 | 38 | 40 | 41 | 43 | 50 | 53 | 4 | 69 |
| | 1 | 2 | 2 | 2 | 2 | 4 | 4 | 10 |
| 8 | 17 | 18 | 18 | 18 | 18 | 18 | 24 | 40 |
| 2 | 3 | 4 | 4 | 4 | 4 | 4 | 5 | 11 |
| 221 | 245 | 254 | 259 | 268 | 291 | 302 | 327 | 395 |

# TILLÆG 12
## Danske frivillige i tysk krigstjeneste februar 1942 – juni 1944[1]

| | *Måned* | *Gesamtzahl der einberufenen Freiwilligen* | *Marine* | *DRK* | *Anzahl der insgesamt gestellten FU/AU-Anträge* | *Marine* | *DRK* | *Gesamtzahl der Verluste* | *Ausbezahlten Kriegsbesoldung* |
|---|---|---|---|---|---|---|---|---|---|
| 1942 | Februar | 2.917 | | | 1.680 | | | 89 | 143.710,62 |
| | Marts | 2.934 | | | 1.680 | | | 89 | 143.710,62 |
| | April | 3.106 | | | 1.920 | | | 121 | 194.292,75 |
| | Maj | 3.300 | | | 2.150 | | | 128 | 216.646,61 |
| | Juni | 3.400 | | | 2.171 | | | 137 | 239.282,09 |
| | Juli | 3.670 | | | 2.523 | | | 214 | 265.261,90 |
| | August | 3.762 | | | 2.659 | | | 276 | 287.630,74 |
| | September | 3.869 | | | 2.813 | | | 291 | 318.947,52 |
| | Oktober | 4.012 | | | 3.027 | | | 295 | 344.195,72 |
| | November | 4.092 | | | 3.133 | | | 317 | 370.714,51 |
| | December | 4.119 | | | 3.206 | | | 331 | 394.331,51 |
| 1943 | Januar | 4.264 | | | 3.340 | | | 355 | 426.393,90 |
| | Februar | 4.452 | | | 3.511 | | | 373 | 455.551,08 |
| | Marts | 4.549 | | | 3.617 | | | 384 | 484.183,03 |
| | April | 4.715 | | | 3.810 | | | 425 | 535.327,51 |
| | Maj | 4.860 | | | 4.035 | | | 451 | |
| | Juni | 4.899 | | | 4.101 | | | 455 | 604.281,70 |
| | Juli | 5.017 | | | 4.228 | | | 465 | 638.223,53 |
| | August | 5.054 | | | 4.329 | | | 478 | 674.116,30 |
| | September | 5.108 | | | 4.444 | | | 504 | 720.805,86 |
| | Oktober | 5.306 | | | 4.586 | | | 526 | 774.302,48 |
| | November | 5.212 | | | 4.677 | | | 555 | 850.518,27 |
| | December | 5.234 | 26 | 72 | 4.714 | | | 562 | 900.310,22 |
| 1944 | Januar | 5.302 | 35 | 72 | 4.809 | 35 | 72 | 574 | 968.037,77 |
| | Februar | 5.338 | 35 | 72 | 4.872 | 35 | 72 | 587 | 1.982.490,89 |
| | Marts | 5.395 | 51 | 76 | 5.027 | 51 | 76 | 731 | 1.048.136,80 |
| | April | 5.443 | 51 | 79 | 5.091 | 46 | 79 | 801 | 1.165.741,46 |
| | Maj | 6.000 | 211 | 95 | 5.464 | 109 | 92 | 842 | 1.245.323,41 |
| | Juni | 6.147 | 230 | 95 | 5.631 | 138 | 95 | 895 | 1.344.613,26 |

1 Oplysninger bygger på månedsindberetningerne fra Fürsorgeoffizier der Waffen-SS in Dänemark (Danica 465, Osobyj Archiv, 1372/3/828/71). Let afvigende tal opgives for 30. juni 1943 i et brev fra Berger til RFSS 28. juli 1943 (RA, Danica 1000, T-175, sp. 59, nr. 574.712-14).

# TILLÆG 13
## Førerordrer vedrørende Danmark august 1942-april 1945

Der er medtaget ordrer vedrørende Europa, der også gjaldt for Danmark. Når tidsrammen er valgt fra august 1942, skyldes det ordren, der gav RFSS ret til at udstrække sin kompetence til at være den eneste, der måtte forhandle med de völkische grupper i de germanske lande, en ret der blev yderligere cementeret 6.2.1943. Den ret fik først betydning efter Bests embedstiltræden.

I flere tilfælde er den præcise dato for førerordrens udstedelse usikker, da den alene er kendt gennem de effektuerende instansers opfølgning.

| | |
|---|---|
| 12.8.1942 | Efter Hitlers ordre udsteder Martin Bormann en forordning, der giver RFSS eneret på forhandling med de völkische grupper i de besatte lande |
| 26.9.1942 | Beordrer begyndelsen på den skærpelse af forholdet til Danmark, der siden er blevet kaldt telegramkrisen. Et lykønskningstelegram fra Christian 10. var den ydre anledning |
| 9.10.1942 | Hitler vælger ikke at eskalere telegramkrisen yderligere |
| 18.10.1942 | Fjendtlige agenter skal øjeblikkeligt slås ned (den såkaldte Kommandobefehl, kom foreløbigt ikke til at gælde for Danmark. Se Pancke 29.10.1944) |
| 27.10.1942 | Best får ordre vedr. besættelsespolitikken i Danmark af Hitler personligt |
| 6.2.1943 | Efter Hitlers ordre udsteder Lammers et cirkulære, der konsoliderer RFSS' myndighed vedrørende forhandlinger med de völkische grupper i de besatte lande |
| 19.5.1943 | Der gives tysk statsborgerskab til udlændinge af tysk afstamning, hvis de var medlemmer af den tyske værnemagt, af Waffen-SS, af tysk politi eller af OT |
| 24.8.1943 | Hitler giver ordre om, hvilke krav der skal stilles til den danske regering på baggrund af udviklingen i Danmark |
| 28.8.1943 | Hitler lader afvæbning af de danske værn iværksætte |
| 17.9.1943 | Hitler siger ja til en aktion mod jøderne i Danmark |
| 20.9.1943 | Hitler giver RFSS ret til at indsætte en HSSPF i Danmark |
| 24.9.1943 | Hitler tillader RFSS at hverve indtil 4000 internerede danske soldater og føre dem til Tyskland |
| 3.11.1943 | Führerweisung nr. 51 bl.a. vedrørende befæstningsbyggeriet i Danmark |
| 22.12.1943 | På baggrund af en sabotage mod Riffelsyndikatet, og at en tysk soldat er blevet såret, beordrer Hitler Best, Pancke og von Hanneken kaldt til førerhovedkvarteret |
| 30.12.1943 | Ordre om iværksættelse af modterror i Danmark som gengæld for angreb på tyske interesser |
| 20.1.1944 | Hitler tildeler Best forordningsret |
| 6.4.1944 | Beordrer på baggrund af en indberetning fra Best at leverancer til Danmark skal gives for at sikre eksporten til Tyskland |
| 1.7.1944 | Beordrer på baggrund af generalstrejken i København at henrettelser af terrorister efter dom skal stoppe i de besatte lande i Europa |

| | |
|---|---|
| 5.7.1944 | Best får indskærpet modterrorpolitikkens anvendelse, og at besættelsespolitikken dikteres af Hitler |
| 30.7.1944 | Hitler udsteder Terror- und Sabotageerlaß, der udmøntes 18. august |
| 14.8.1944 | På baggrund af erfaringerne fra opstanden i Warszawa, hvor det havde krævet tab, at de tyske tjenestesteder var spredt, befalede Hitler, at tyske soldater af alle tjenestegrader og rigstyskere i storbyerne i de besatte områder skulle indkvarteres samlet i blokke, der lod sig forsvare |
| 28.8.1944 | Führerweisung nr. 62 bl.a. vedrørende befæstningsbyggeriet i Danmark |
| 12.9.1944 | Hitler billiger HSSPFs iværksættelse af en aktion mod dansk politi |
| 23.9.1944 | Ved et møde med RAM beslutter Hitler, at Best skal fortsætte på sin post og fortsat have det overordnede politiske ansvar, mens HSSPF alene skulle tage sig af det politimæssige |
| 13.10.1944 | Hitler giver ordre vedr. konfiskationen af cykler i Danmark |
| 20.10.1944 | Hitler forbyder tilførsel af tysk arbejdskraft til Danmark, forbuddet ophæves igen 8. november |
| 17.11.1944 | Hitler afgør strid mellem Hanneken og Wurmbach vedrørende placering af kystbatterier |
| 29.11.1944 | Hitler beordrer, at forsyningstropperne i videst muligt omfang skulle deltage i fæstningsbyggeriet og være til rådighed som sikkerhedsbesætninger i stillingerne. |
| 9.12.1944 | Gennem RAM kræver Hitler, at der bliver forøvet foranstaltninger mod civilbefolkningen som gengæld for sabotagehandlinger |
| 30.12.1944 | Efter Goebbels forslag giver Hitler ordre om rigsinspektion i Danmark |
| 31.12.1944 | Luftwaffe i Danmark får besked om, at det er Hitlers ordre, at det deltager i bevogtningen af de danske skibsværfter |
| 31.12.1944 | Efter Dönitz' ønske beordrer Hitler beslaglæggelse af kraner og dokker i Danmark |
| 21.1.1945 | Efter ordre fra Hitler skal Danmark aflevere mindst 30.000 tons kul til Norge |
| 21.1.1945 | Hitler befaler en række værnemagtsøverstbefalende at give nøje meldinger om operative bevægelser, om forestående angreb, forventede tilbagetrækninger, opgivelse af støttepunkter og fæstninger så betids, at han kan nå at gribe ind |
| 27.1.1945 | Herman von Hanneken afskediges som øverstkommanderende over de tyske tropper i Danmark. Hitler instruerer personligt hans afløser, Georg Lindemann, om hvordan han skal forholde sig i Danmark |
| 28.1.1945 | Da særskilte alarm- og indsatsenheder havde vist sig at have ringe kampkraft i tilfælde af en invasion, beordrer Hitler, at de skulle indgå i blandede kampgrupper med de regulære hærenheder. |
| 1.2.1945 | Der foreligger en førerordre om, at København ikke skal opgives i tilfælde af en invasion |
| 4.2.1945 | Hitler giver ordre om, at tyske flygtninge fra øst skal føres til Danmark |
| 6.2.1945 | Ordre om at slå ned på jernbanesabotagen i Danmark med alle midler |

| | |
|---|---|
| 7.2.1945 | Ordre til Wurmbach om at fremme overførsel af tyske tropper fra Norge til Danmark |
| 25.2.1945 | Best får tilladelse til igen at stille modstandsfolk for retten |
| 8.3.1945 | Hitler gav tilladelse til at udskibe tyske flygtninge i København |
| 14.3.1945 | På grund af den stærkt formindskede transportkapacitet beordrer Hitler, at de militære behov til enhver tid skal have første prioritet ved tilbagetrækninger, også i forhold til flygtningene |
| 19.3.1945 | Ordre om gennemførelse af ødelæggelser af alle anlæg, der kan komme fjenden til nytte ved tysk tilbagetrækning (kaldt Nero-befalingen) |
| 23.3.1945 | Ordre om at kvinder og piger kan finde anvendelse i værnemagten |

# TILLÆG 14
## Strejker i Danmark 1944-maj 1945 og de tyske modforanstaltninger

Sommeren og efteråret 1944 var der fire store proteststrejkebølger i Danmark: Den først i tilslutning til generalstrejken i København juni/juli, den anden fra 15. august efter mordet på 11 modstandsfolk, den tredje fra 15. september efter deportationen af 197 modstandsfolk og den fjerde fra 19. september 1944 efter interneringen og deportationen af en del af det danske politi. Mens den første strejkebølge kom bag på såvel tyske som danske myndigheder og modstandsbevægelsen, havde man dog fra tysk side en plan, der kunne iværksættes for at bryde strejkerne i de større byer (aktion Monsun), mens man fra modstandsbevægelsens side fra den anden strejkebølge greb ind og søgte at gøre dem tidsbegrænsede til 24/48 timer.

Før generalstrejken i København blev de fåtallige strejker, mest på de danske værfter[1] eller i enkelte byer, løst ad forhandlingens vej, idet f. eks. Walter Forstmann gik til Best for at få problemerne løst.[2]

Nedenstående oversigt viser, at der fra tysk side ikke blev gennemført ensartede bestræbelser på strejkebekæmpelse, og at heller ikke Monsun og Taifun blev taget i brug i mere end beskedent omfang, heller ikke i de byer, der var særligt udset og forberedt dertil.[3] Der blev i talrige enkelttilfælde brugt voldsomme trusler og stillet en række rigoristiske krav, men at der blev taget gidsler, var den absolutte undtagelse (Esbjerg 15.-16.11.1944). Ved flertallet af strejkerne var den tyske reaktion beskeden.

(M) angiver, at aktion Monsun blev taget i anvendelse fra tysk side. Senere også aktion Taifun (T).

| | |
|---|---|
| 16.3.1944 | Strejke på B&W, da arbejderne ikke havde fået at vide, at der var blevet truet med (telefon)bomber |
| 18.4.1944 | Strejke i Sønderborg pga. Kriegsmarines tilfældige drab på en mand[4] |
| 26.5.1944 | Proteststrejke i Gråsten i anledning af, at oberst S.B. Paludan-Müller var blev dræbt efter en ildkamp med tyskerne. SD i Åbenrå krævede, at politimesteren i Gråsten skulle sørge for, at forretningerne åbnede igen senest kl. 12. Der kom også en trussel om belejringstilstand og krav om navnene på de personer, der havde opfordret til strejke inden kl. 12. Kravene blev frafaldet efter bl.a. Jens Møllers intervention[5] |
| 26.6.1944 | Gå-hjem strejker begynder i København i protest mod det indførte udgangsforbud |
| 30.6.-4.7.1944 | Generalstrejke i København efter henrettelsen af otte modstandsfolk (M) |
| 1.7.1944 | Strejker bryder ud i Nordsjælland, bl.a. i Helsingør, Frederikssund, Fredensborg, Holbæk, Hillerød og Lyngby |
| 1.7.1944 | Generalstrejke i Roskilde og Køge |
| 3.-4.7.1944 | Strejke i Esbjerg (M)[6] |
| 3.7.1944 | Generalstrejke i Næstved og Vordingborg |
| 3.-4.7.1944 | Strejke i Ribe og Grindsted |

1 Der havde 1942-43 været strejker på bl.a. B&W 11.12.1942 og på Odense Stålskibsværft 28.7.1943 (se Bests telegram nr. 1869, 15.12.1942 og KTB/ADM Dän 28.7.1943).

2 Se Forstmann til Best 16.3.1944.

3 Se von Collani: Massnahmen 15.7.1944. De udpegede byer var København, Helsingør, Odense, Ålborg, Århus, Esbjerg, Kolding, Randers, Vejle, Viborg, Haderslev, Åbenrå, Fredericia og Frederikshavn, men kunne også tages i anvendelse andre steder på lokalt initiativ.

4 Se Bests telegram nr. 493, 19.4.1944, Trommer 1973, s. 234-237.

5 Trommer 1973, s. 237-238.

6 Henningsen 1955, s. 224-228, Trommer 1973, s. 238-242.

| | |
|---|---|
| 3.7.1944 | Uro blandt befæstningsarbejdere i Varde |
| 4.7.1944 | Strejke i Nykøbing Falster |
| 2.8.1944 | Strejke i Helsingør pga. clearingmord[7] |
| 5.8.1944 | Strejke på Frederikshavns skibsværft, hvor arbejderne ikke vil arbejde pga. et ammunitionsskib, der skulle losses. De blev truet med arrestation, hvis de ikke genoptog arbejdet, mens værftsledelsen blev stillet i udsigt, at værket ville blive lukket i seks uger. Arbejdet blev genoptaget |
| 9.8.1944 | Arbejderne på Frederikshavns skibsværft nedlagde igen arbejdet pga. en sabotage og frygt for flere bomber |
| 15.8.1944 | Danmarks Frihedsråd opfordrer til en 24-timers strejke som protest mod mordet på 11 modstandsfolk (Alkil, 1, 1945-46, s. 260). Det fører til en stribe af strejker frem til 23. august: |
| 15.8.1944 | (og følgende dage): Strejke i København, Nakskov og 31 byer i Nord- og Midtylland (bl.a. Brønderslev, Frederikshavn, Grenå, Herning, Hjørring, Hobro, Holstebro, Horsens, Hvam, Ikast, Karup, Møldrup, Nykøbing Mors, Nørresundby, Odder, Randers,[8] Rudersholm, Ry, Silkeborg, Skive, Struer, Sæby, Thisted, Vejle, Viborg, Ålborg, Ålestrup, Århus). Efter en aftale mellem Best og Svenningsen 16.8. ville tyskerne ikke blande sig i strejkerne, hvis dansk politi slog al uro ned. Aftalen blev overholdt af von Hanneken[9] |
| 18.8.1944 | Strejke i Odense pga. clearingmord[10] |
| 2.9.1944 | Strejke i Ringsted fordi en CB-betjent var blevet såret og efterfølgende døde[11] |
| 3.9.1944 | Strejke i Helsingør pga. arrestationen af 17 værftsarbejdere[12] |
| 15.-19.9.1944 | Strejke blandt havnearbejdere i Ålborg pga. forberedelse af havneødelæggelser[13] |
| 15.9.1944 | Strejke blandt jernbanepersonale i Padborg, Kruså, Tinglev, Tønder, Rødekro, Åbenrå, Skærbæk, Ribe, Vojens, Esbjerg, Vamdrup, Lunderskov, Varde pga. meddelelsen om deportationerne af 197 modstands- |

7 Se WB Dänemark: Tagesmeldung 4.8.1944 og tillæg 3.

8 Strejken i Randers begyndte først 21.8. og fortsattes og eskalerede ud over de 24 timer, da en person blev såret af en tysk soldat. Det fik Kriminalrat Schwitzgebel til at kræve strejkens ophør, ellers ville tysk politi gribe ind. Best måtte intervenere for at hindre yderligere konfrontationer (KB, Herschends dagbog nr. 171, 23.8.1944).

9 KB, Herschends dagbog nr. 163, 16.8.1944. Dog reagerede de tyske kommandanter meget forskelligt, flere var særdeles truende, særligt i Skive, hvor der blev kørt en kanon op foran banegården, og hvor nogle forretninger tvangsmæssigt blev åbnet af tyske soldater. Siden forlangte byens kommandant, at restauranterne skulle åbne igen inden kl. 20. Casper prøvede at gribe ind gennem von Hanneken. Best måtte også påpege over for Svenningsen, at aftalen kun kunne holdes, hvis strejkerne ikke kom til at ramme de tyske militærtogs kørsel.

10 Se *Information* 19.8.1944, tillæg 3.

11 *Information* 4.9.1944.

12 *Information* 4.9.1944.

13 *Information* 19. og 19.9.1944.

folk til Tyskland.[14]

Nils Svenningsen protesterede straks til Best, der svarede, at der var kommet særlig befaling til at gennemføre denne foranstaltning, en reaktion mod den seneste tids mord. Man havde udvalgt nogle af de værste terrorister og banditter til deportation.[15]

16.9.1944 Danmarks Frihedsråd dekreterer landsomfattende strejke indtil 18.9. som protest mod deportationen af de 197 modstandsfolk til Tyskland (Alkil, 1, 1945-46, s. 264f.):

16.9.1944 Fortsat strejke i næsten alle byer i Syd- og Sønderjylland, bl.a. Padborg, Tinglev, Ribe, Skærbæk, Åbenrå, Tønder, Toftlund, Gråsten, Haderslev, Esbjerg (delvis M),[16] Varde, Bramminge,[17] Fredericia[18] og Kolding.[19] Desuden i småbyer på Rømø og Fanø.[20] Endvidere bl.a. i Skanderborg og Silkeborg (M).[21]

16.9.1944 København kommer med forsinkelse med i proteststrejken

17.9.1944 Strejke i Sønderborg

18.9.1944 Arbejdet genoptaget næsten alle steder efter protestaktionen fra 15. september

18.9.1944 Thisted følger med forsinkelse opfordringen til en 24-timers strejke pga. deportationerne

18.9.1944 Strejke blandt havnearbejderne i Frederikshavn, da der losses miner på havnen[22]

19.9.1944 Danmarks Frihedsråd opfordrer i anledning af dele af politiets internering og deportation til at fortsætte strejken til den 21. september (Alkil, 1, 1945-46, s. 265):

Opfordringen bliver fulgt i bl.a. Fredericia, Kolding, Haderslev, Viborg, Randers, Ålborg, Åbenrå, Hjørring, Silkeborg, Vejle, Næstved,

14 Trommer 1973, s. 246-253.

15 KB, Herschends dagbog nr. 201, 15.9.1944.

16 De offentlige værker og telefoncentralen blev besat, siden blev der lukket for gassen (Henningsen 1955, s. 228-230, Trommer 1973, s. 247-249).

17 Tyskerne skulle have truet med at skyde en mand, hvis arbejdet ikke blev genoptaget. det viste sig senere ikke at være krævet, men jernbanen kørte kun i kraft af tyskerne (KB, Herschends dagbog nr. 202, 16.9.1944).

18 I Fredericia reagerede tyskerne ved at besætte banegården og baneterrænet (KB, Herschends dagbog nr. 202, 16.9.1944).

19 Der var generalstrejke i Kolding, der blev yderligere kritisk efter schalburgtagen af *Kolding Folkeblad*, hvorved tre mennesker dræbtes (KB, Herschends dagbog nr. 202, 16.9.1944, tillæg 3 her. Jfr. Trommer 1973, s. 247).

20 På Fanø krævede den tyske kommandant, at sognerådet skulle sørge for, at samtlige forretninger blev genåbnet. Hvis ikke ville sognerådet omgående blive anholdt og deporteret til Tyskland, ligesom værkerne ville blive lukket. De lejre, hvori OT-arbejderne boede, var allerede blevet afspærret, og arbejderne nægtet mad og drikke (KB, Herschends dagbog nr. 202, 16.9.1944).

21 Den tyske begrundelse for de ekstraordinære foranstaltninger i Silkeborg var, at der lå det militære hovedkvarter. Gas blev afbrudt, mens vand- og elværk blev besat (KB, Herschends dagbog nr. 205, 18.9.1944).

22 KB, Herschends dagbog nr. 205, 18.9.1944, *Information* 19.9.1944.

Kalundborg, Fåborg, Odense,[23] Silkeborg, Holstebro, Struer, Horsens, Nykøbing Falster, Otterup, Århus, København, og strejkerne blev indstillet 21.9. De tyske trusler og krav for at få arbejdet i gang igen forblev de fleste steder beskedne.

I tre byer reagerede de stedlige tyske kommandanter anderledes, hvilket Casper 22.9. forklarede med, at de var besluttet på at gribe ind i henhold til WB Dänemarks ordre derom, når en særlig anledning forelå så som strejke.[24] Reelt forlængede kommandanternes fremfærd strejkerne, idet de hindrede arbejderne i at genoptage arbejdet.[25]

| | |
|---|---|
| 20.-22.9.1944 | Strejke i Varde (M)[26] |
| 20.-22.9.1944 | Strejke i Hjørring (afspærring af byen)[27] |
| 20.-22.9.1944 | Strejke i Brønderslev (M)[28] |
| 15.-16.11.1944 | Strejke i Esbjerg på tyske terrorhandlinger[29] (M og T) |
| 24.1.1945 | Strejke på B&W pga., at der blev indført registrering af arbejderne, ordningen derefter midlertidigt opgivet igen[30] |
| 24.4.1945 | Generalstrejke i Fredericia pga. henrettelser[31] |

23 I Odense blev der indført spærretid (Hæstrup 1979, s. 376-378).

24 KB, Herschends dagbog nr. 212, 22.9.1944.

25 Der var en fælles kommandant for Hjørring og Brønderslev, som efter strejkens ophør nægtede at give kørselstilladelser til bl.a. brødbiler og anden livsnødvendig transport, hvilket fik Herschend til over for Casper at anbefale kommandanten forflyttet. Krisen varede måneden ud.

26 KB, Herschends dagbog nr. 211 og nr. 212, 22.9.1944, Trommer 1973, s. 252f.

27 KB, Herschends dagbog nr. 210, 21.9. og nr. 212, 22.9.1944, *Information* 29.9.1944.

28 KB, Herschends dagbog nr. 210, 21.9.og nr. 212, 22.9.1944, *Information* 29.9.1944.

29 Se om denne Henningsen 1955, s. 244-248, Trommer 1973, s. 253-256 og Lauridsen 2007b. Tillæg 3 her.

30 KTB/Kriegsmarinedienststelle Kopenhagen 24. januar 1945.

31 *Information* 25.4.1945.

# TILLÆG 15
## Massedeportationer fra Danmark til Tyskland oktober 1943-marts 1945

Deportation af dømte personer til Tyskland blev taget i brug af besættelsesmagten i begrænset omfang før oktober 1943, men derefter blev den praktiseret i stort omfang og udvidet til at omfatte personer, der ikke var dømt for noget. Massedeportationerne tjente det praktiske formål, at få placeret personer i fangenskab, der ikke var plads til i de danske fængsler og som en soneforanstaltning for sabotager eller anden modstandsaktivitet, samt opfordring dertil. Om en massedeportation blev offentligt annonceret og begrundet som soneforanstaltning afhang af overvejelser på tysk side om det hensigtsmæssige deri, ikke om der var et behov for at overflytte personer eller ej. I takt med at kendskabet til forholdene i de tyske koncentrationslejre blev mere og mere offentligt kendt, øgede det vægten af truslen om deportation hos både de dømte, deres kammerater og pårørende. Hver deportation førte til protester fra UM, men med begrænset virkning. Gradvist fremkom også meddelelserne om omkomne blandt de deporterede.

Det lader sig ikke afgøre, om deportationerne på nogen måde mindskede tilstrømningen til modstandsbevægelsen, som det var besættelsesmagtens hensigt, deportationerne skulle virke forebyggende, men de var med til at skærpe modsætningen mellem modstandsbevægelsen og tysk politi og dets danske håndlangere og intensivere den fase af forråelse, der fandt sted i besættelsens sidste halve år.[1] Sammen med modterroren og henrettelserne var det besættelsesmagtens mest kraftige repressaliemiddel, og i lighed med denne ramte den også udvalgte persongrupper i stort tal, der ikke stod i direkte kamp med besættelsesmagten (jøder, de fleste politifolk, gendarmer, "asociale").

Her er en massedeportation defineret som mere end 20 personer. Der fandt løbende deportationer af enkeltpersoner og mindre grupper sted, også i tiden mellem januar og september 1944.

Kilde: Hæstrup, 1-2, 1966-71, Barfod 1969, s. 31f. og 355-450 (med talrige indre modsætninger i opgivelserne), Tresoglavic 2009, s. 147.[2] Sidehenvisningerne i parentes er til Barfod 1969.

Udskillelsen af jøderne i Danmark fra det offentlige liv blev 2. oktober 1943 officielt fra tysk side begrundet med deres støtte til terror- og sabotage (Alkil, 2, 1945-46, s. 856f.). Begrundelsen var dermed medvirken til forbrydelser.[3] Det blev ikke nævnt, at de blev deporteret til Tyskland, heller ikke at en gruppe danske kommunister også blev det. Deportationerne blev ikke i sig selv gjort til en repressalie, men de blev straks kendt, og deportationen af kommunisterne var en klar advarsel om, hvilken skæbne der kunne vente besættelsesmagtens fjender.[4]

| | | | |
|---|---|---|---|
| 2.10.1943 | danske og udenlandske jøder til Theresienstadt | 456 | (406ff.) |
| 2.10.1943 | danske kommunister til Stutthof | 150 | (403ff.) |

Massedeportationen af et antal kommunister, hovedsageligt fra Odense, 23. november 1943, der var blevet anholdt i løbet af november 1943 var en soneforanstaltning,

1 Jfr. Lundtofte 2003.

2 En række indlysende fejl er rettet. Hæstrup, 1-2, 1966-71 har i flere tilfælde let afvigende opgivelser af antallet af deporterede i forhold til Barfod 1969 og Tresoglavic 2009 har atter andre. Det definitive antal deporterede skal ikke søges afklaret her.

3 Herom Bests telegram nr. 1272, 18. oktober 1943.

4 Forud var det umiddelbart efter indførelsen af undtagelsestilstanden blevet diskuteret, om man helt eller delvist skulle deportere de internerede danske officerer og soldater til Tyskland. Best havde frarådet det, idet trusselseffekten ville bortfalde, hvis en deportation fandt sted (Bests telegram nr. 1017, 4. september 1943).

og blev begrundet med deres vedvarende kommunistiske virksomhed.[5] Deres navne blev opregnet (Alkil, 2, 1945-46, s. 859f.). Ingen af de deporterede var forud blevet dømt. Deportationen blev iværksat samtidig med en henrettelse og havde som baggrund Langåsabotagerne. Der blev fra besættelsesmagtens side demonstreret en handlekraft, der skulle gøre sin virkning både i Danmark og i Berlin.

| | | | |
|---|---|---|---|
| 23.11.1943 | danske kommunister til Sachsenhausen | 33 | (398, her 25.11.) |
| 23.11.1943 | bl.a. danske kommunister til Ravensbrück | 14 | (397, her 25.11.) |

Den 19. december 1943 offentliggjorde besættelsesmagten navnene på 58 personer, der var deporteret til Tyskland for vedvarende, krigsfjendtlig, kommunistisk virksomhed, to personer mere fulgte officielt to dage senere (Alkil, 2, 1945-46, s. 863). Ingen af de 60 deporterede var endnu blevet dømt, men var arresteret i den seneste tid forud i Randers, Odense, Kolding og Fredericia.[6]

| | | | |
|---|---|---|---|
| 19.12.1943 | til Sachsenhausen | 58 | (398, her 21.12.) |
| 21.12.1943 | til Sachsenhausen yderligere | 2 | |

Massedeportationen til Sachsenhausen 20. januar 1944 blev ikke fulgt af en officiel tysk meddelelse, men kom kun frem gennem den illegale presse (*Information* havde nyheden 23./24.1.1944). Uofficielt meddelte Best Nils Svenningsen i UM, at Bovensiepen som ny chef for det tyske sikkerhedspoliti var imod en praksis med offentliggørelse. I øvrigt fastholdt Best deportation til en tysk koncentrationslejr som et præventivt virkende middel.[7] Det vil sige, at deportation som repressalie fremover skulle være forbundet med uvisheden om, hvornår den fandt sted.[8]

| | | | |
|---|---|---|---|
| 20./21.1.1944 | til Sachsenhausen | 79 | (399, 77 opgives af Hæstrup) |

Overførslen af 197 fanger fra Frøslev til Neuengamme 15. september 1944 blev ikke fulgt af nogen officiel tysk meddelelse. Uagtet det kunne man fra tysk side ikke være i tvivl om, at det øjeblikkeligt ville komme til den danske offentligheds kendskab. I modsætning til tidligere deportationer førte den også øjeblikkeligt til proteststrejker. Det var fra tysk side muligvis ikke ment som en provokation, da lejren i Frøslev var overfyldt. På den anden side skærpede tysk politi sin fremfærd siden august 1944 og i september blev alle rigstyskere, der ikke var absolut nødvendige i Danmark beordret hjem[9] samtidig med, at man fra tysk side beordrede alle tyske tjenestesteder i byerne til koncentration i blokke sig for at forebygge, at modstandsfolk skulle falde dem i ryggen i tilfælde af en

5 Se Bests telegram nr. 1384, 8. november 1943, Rü Stab Dän: Lagebericht 30. november 1943, *Politische Informationen* 1. december 1943.

6 Se Bests telegram nr. 1528, 11. december 1943 og nr. 39, 8. januar 1944.

7 Hæstrup, 1, 1966-71, s. 349.

8 Barfod 1969, s. 32 har en liste over nogle af de lidt større transporter, der fandt sted til tyske fængsler mellem 9. november 1943 og 9. september 1944.

9 Keitel til WB Dänemark 4. september 1944.

invasion. Det var på grund af udenlandske erfaringer.[10] På den baggrund kan politiaktionen 19. september også anskues. Den var led i en større tysk sikring af de indre linjer.

15.9.1944 indsatte i Frøslevlejren til Neuengamme 197 (363-367)

Den 19. september 1944 lod HSSPF officielt meddelelse, at de illoyale dele af dansk politi var blevet opløst. Det blev samme dag i radioen uden afsender suppleret med oplysningen om, at 1700 arresterede danske politibetjente var blevet bragt til en interneringslejr i Tyskland, hvor den videre undersøgelse af deres forhold ville finde sted (Alkil, 2, 1945-46, s. 898-900). Deportationen var den største og mest omfattende repressalieaktion i Danmark. Det udløste på ny en tidsbegrænset strejkebølge.

19.9.1944 danske politimænd til Buchenwald ca. 1960

HSSPF lod 29. september meddele, at der 27. september 1944 var arresteret et større antal vaneforbrydere og asociale elementer, der var blevet deporteret til en koncentrationslejr i Tyskland (Alkil, 2, 1945-46, s. 903). Deportationen skulle vise offentligheden, at tysk politi agtede at gøre noget for at forebygge kriminaliteten i Danmark. Meddelelsen blev fulgt op 4. og 7. oktober, hvoraf det fremgik, at der var foretaget yderligere arrestationer af asociale (sst. s. 904). Frem til og med 12. januar 1945 var der "asociale" med otte deportationer.

27.9.1944 til Neuengamme 166 (367-70)

Efter 29. september 1944 fremkom der ikke flere officielle tyske meddelelser om deportationer til Tyskland, selv om de blev fortsat og ikke kunne eller skulle holdes skjult. Hvorfor de fortsatte deportationer ikke igen blev udnyttet som officielle soneforanstaltninger, får stå hen. Bovensiepen faldt tilsyneladende tilbage til den holdning, han havde givet udtryk for i januar 1944. Det kan have været de kraftige danske reaktioner på deportationerne, der fik tysk politi til at lade være med at skilte med dem, men de var fortsat en virkningsfuld del af terrorpolitikken, ligesom modterroren.

Fra tysk side blev det igennem censuren 24. november 1944 fortroligt meddelt de danske bladredaktioner, at dødsannoncer ikke måtte indeholde oplysninger om, at afdøde var død i en lejr eller i Tyskland i det hele taget.[11] Det indikerer, at man fra tysk side

10 Alfred Jodl til Hermann von Hanneken u.a. 14. august, OKW/WFSt til WB Dänemark u.a. 25. august, KTB/WB Dänemark 5. og 9. september, Jodl til von Hanneken u.a. 9. september, Forstmann til Rüstungsamt 10. september 1944.

11 *Udenrigsministeriets Pressebureaus ugentlige Meddelelser til Pressen* Nr. 198, 25.11.1944, jfr. Alkil, 2, 1945-46, s. 916. Denne særlige censur havde taget sin begyndelse 16.11.1944, da UMs pressebureau meddelte, at alle dødsannoncer over personer afgået ved døden i tyske lejre skulle godkendes forud af censuren, hvilket blev indskærpet 22.11. og 15.12. Den 15.12. blev det også meddelt, at der i princippet kunne bringes meddelelser om såvel dødsfald som nekrologer over internerede politikfolk i Tyskland. Dog gjaldt meddelelsen af 24.11. stadig. Senere i december, den 18.12., blev det meddelt, at godkendte nekrologer over personer døde i tyske lejre og fængsler ikke måtte placeres sammen. Det blev fulgt op af den praksis, censuren fulgte resten af foråret 1945, nemlig fra 9.1., at meddelelser om dødsfald blandt de deporterede politimænd (og påfølgende også gendarmerne) kun måtte bringes i de blade, i hvis lokalområde den pågældende var hjemmehørende eller havde gjort tjeneste (alle oplysninger fra UMs pressebureau).

ikke ville slå yderligere mønt på, hvilke farer en deportation indebar. Deportationerne, ikke mindst af politibetjentene og gendarmerne, havde skærpet den antityske stemning i den danske befolkning og kølet den danske administrations lyst til fortsat samarbejde ned. Det blev søgt modvirket med en tvangsindlagt kommentar "Koncentrationslejre og Humanitet" i dagspressen 10. december 1944, som handlede om de britiske koncentrationslejre under Boerkrigen.[12] Det viser, at tysk politi til en vis grad følte sig presset af opinionen.

| | | | |
|---|---|---|---|
| 6.10.1944 | danske gendarmer og andre til Neuengamme | 202 | (371-75) |
| 8.10.1944 | til Neuengamme | 103 | (375-77, ikke med s. 31) |
| 20.10.1944 | til Neuengamme | 195 | (377-81) |
| 28.10.1944 | til Sachsenhausen | 36 | (401f., her 26.10.) |
| 7.11.1944 | til Sachsenhausen | 23 | (402, ikke med s. 31) |
| 15.11.1944 | til Neuengamme | 47 | (381f., eller 17.11.!) |
| 29.11.1944 | til Neuengamme | 117 | (382-84) |
| 15.12.1944 | til Neuengamme | 83 | (384-86) |
| 21.12.1944 | til Neuengamme | 122 | (386-88, eller 22.12.!) |
| 12.-14.1.1945 | til Neuengamme | 384 | (388-96, eller 13.1. eller 14.) |
| 16.2.1945 | til Dachau | 253 | (356-260, her 22.2.) |
| 22.2.1945 | til Dachau | 112 | (361-63, her 2.3.) |

12 *Udenrigsministeriets Pressebureaus ugentlige Meddelelser til Pressen* Nr. 201, 16.12.1944, jfr. Lundtofte 2009, s. 64.

# TILLÆG 16
## Werner Bests rejser fra Danmark november 1942-maj 1945.

*Rejsemønster*

Næsten alle Bests tjenstlige rejser fra København til sine foresatte i AA eller Hitler skyldtes problemer med hans embedsførelse, hvor han blev alvorligt tilrettevist eller fik direkte ordre vedrørende den politik, han skulle følge. En undtagelse danner rejsen i begyndelsen af juli 1943, hvor Best kunne sole sig i RFSS Himmlers nærhed over flere dage sammen med Gottlob Berger. Han havde da netop fået Himmlers ord for, at der indtil videre ikke skulle tages yderligere skridt vedrørende jødespørgsmålet i Danmark og fik påfølgende af samme hos Hitler ros for sin politik i Danmark.[1]

Trods meget mangelfulde samtidige oplysninger om indholdet af drøftelserne i Berlin og i førerhovedkvarteret, herunder hvilke direktiver Best fik, er det af interesse at følge, hvilken personkreds uden for AA, Best mødtes med, bl.a. de hyppige møder i RSHA i det første år af hans embedsperiode. Det er mere end et indicium om, hvor nært han søgte at holde en positiv forbindelse til SS længst muligt.

Best anmodede flere gange om at rejse fra Danmark til besøg i andre områder, men fik nej, både da han ville til mødet i Posen 4.10.1943, hvor Himmler samlede de højtstående SS-officerer fra hele Europa,[2] og da han juli 1943 ville rejse til Stockholm til gesandt Hans Thomsen og til general Franz Böhme for at besigtige polarfronten. Begge rejser efter indbydelse.[3] Heller ikke i ferierne rejste Best uden for det af AA afstukne territorium. Han kom således ikke til at besøge tidligere kolleger i Frankrig eller kunne gengælde Arthur Seyss-Inquarts feriebesøg hos familien Best (se nedenfor). Det kan have været en af måderne at stække den selvstændige rigsbefuldmægtigede på.

Det hindrede ikke besøg af enkelte tyske ledere fra andre besatte lande som Josef Terboven (12.11.1942, 14.1., 6., 14. og 17.4., 29.6., 29.8., 17.10.1943, 27.11.1944) og Arthur Seyss-Inquart (december 1943, oktober 1944)[4], men den slags besøg var de sjældne undtagelser. Ribbentrop besøgte aldrig Best eller Danmark, og kun en enkelt anden rigsminister kom tjenstligt til København: Lutz Schwerin von Krosigk (6., 7. og 8.6.1944).[5] Rigsernæringsministeriets chef, Herbert Backe skulle have været til København i februar 1943, men besøget blev aflyst.[6] Himmler stillede maj 1943 Best i udsigt, at han ville komme til Danmark, hvilket aldrig blev til noget.[7] Til gengæld kom Gottlob Berger på to besøg, hvor den tyske hvervning, de frivillige og Schalburgkorpset bl.a. har

1 Wagner til Kaltenbrunner 30. juni 1943, Himmler til Berger 15.7.1943.

2 Bests telegram nr. 1157, 29.9.1943.

3 Best: Besprechungsvermerk 6.7.1943.

4 Best forklarede 1945, at Seyss-Inquarts besøg ikke var af tjenstlig karakter (HSB, IC Preliminary Interrogation Report, CI 15, 14. maj 1946, s. 43).

5 Schwerin von Krosigk havde flere gange før Bests tid som rigsbefuldmægtiget været i Danmark (Schwerin von Krosigk 1974, s. 312).

6 Backe havde været på besøg i Danmark 16.-18.6.1941 (Jensen 1971, s. 135f., Nissen 2005, s. 58, Lund 2005, s. 147, 288).

7 Himmler til Best 14. maj 1943. Himmler havde to gange i 1941 mellemlandet i Kastrup og mødt Frits Clausen (15.2. og 21.5.) (Lauridsen 2002a, s. 623). Forud havde Reinhard Heydrich 29.11.1940 været på jagtvisit på Lindenborg gods, hvor han traf ledende danske nazister, bl.a. Frits Clausen (Poulsen 1970, s. 230).

været på dagsordenen (25.4.1943 og juni 1944).[8] Det bidrog dog næppe til at øge hans viden om forholdene i Danmark, og det er sigende, at mødet i april 1943 fandt sted i Kastrup lufthavn. Det var et mellemlandingsmøde.

Der kom flere repræsentanter for det tyske magtsystems andet geled, hvor det i de fleste tilfælde drejede sig om på det generelle plan gennemskuelige formål. Admiral Canaris var på et par besøg inkognito, hvor efterretningsspørgsmål har stået på programmet (8.11.1942, 28.5.1943),[9] Viktor Lutzes besøg gjaldt AO der NSDAP (20.-21. 11.1942), Philipp Bouhler kom på rigsinspektion med bemyndigelse fra Hitler (jan.-feb. 1945), Karl Kaufmann i anledning af den danske handelsflåde og bekæmpelsen af værftssabotagen (19.3.1944, 12.9.1944, 17.11.1944, 18.11.44), mens Ernst Bohle kom til Danmark og talte ved indvielsen af "Schulungsburg Skagerrak" på Dalum Slot på Nordfyn 10.1.1945.[10] Erwin Rommel var den eneste højtstående tyske officer, der tjenstligt besøgte Danmark i december 1943, hvor Best alene agerede som vært. Den tyske krigsledelses øverste repræsentanter kom i øvrigt ikke til landet. De betydende tyske besøg i Danmark i den sidste halvdel af besættelsen var få, hvilket både afspejler landets begrænsede betydning i den tyske ledelses optik, og at der var betydeligt større problemer at tage sig af andet steds. Det er betegnende, at rigsfinansminister Schwerin von Krosigk i juni 1944 forenede sine møder i København og Silkeborg med ferie i Danmark. Best viste rundt.

Werner Best blev heller ikke overrendt af sine tidligere kolleger fra tiden før RSHA eller andre politifolk, og når de endelig kom, var besøgene enkeltstående eller få og i højeste grad tjenstlige. Det gjaldt bl.a. Kurt Daluege (27.4.1943, 2.5.1943, 3.5.1943), Walter Schellenberg (30.4.1945) og Adolf Eichmann (2.11.1943), mens Eberhard von Löws som den eneste var talrige. Hermann Seibold kom også tilbage til København efter at have forladt tjenesten i Danmark (24.8.1944, 16.9.1944), og det var heller ikke for at holde ferie. Emnet var terrorvirksomhed.[11]

Endelig var der de talrige besøg som nærmest var formelle høflighedsvisitter, men som var en tjenstlig forpligtelse for personer af tilstrækkelig høj rang.

Det kan konkluderes, at Bests tjenesterejser til Berlin og førerhovedkvarteret som hovedregel gjaldt tilrettevisninger af den rigsbefuldmægtigede i konkrete sager og et par vedrørende den generelle politik i Danmark. AA behandlede politikken som sit særlige anliggende, og Bests direkte henvendelser til andre tyske instanser blev søgt kontrolleret, hvis ikke undgået.

Der er ingen eksempler på, at AA eller andre tyske instanser indkaldte til fællesmøder om den besættelsespolitik, der generelt skulle føres i Danmark. AA indkaldte i få tilfælde andre instanser til fællesmøder om afklaring af enkeltspørgsmål (f. eks. jurisdiktionen i Danmark december 1944,[12] de tyske flygtninge marts 1945[13]). Der er til gengæld enkelte eksempler på, at andre instanser samledes til møde for at drøfte problemer vedrørende

8 Bests kalenderoptegnelser 25.4.1943 og Berger til Himmler 6.6.1944.

9 Best 1988, s. 178 og Herbert 1996, s. 389f.

10 Best til AA 15.12.1944 med "Meldungen aus Dänemark" nr. 6.

11 Se Bovensiepen til Schellenberg 8.9.1944.

12 Bobrik til Wagner 14.12.1944.

13 OKW/WFSt: Besprechung 5. marts 1945 og RMVP samme dag,

Danmark (i.e. den rigsbefuldmægtigede).[14] I forlængelse heraf blev der heller ikke på initiativ af AA eller andre tyske regeringsorganer afholdt fællesmøder, hvor erfaringerne fra forskellige besatte lande blev samlet og drøftet, i det mindste ikke hvor den danske rigsbefuldmægtigede eller hans embedsmænd var involveret.[15] Det kan have været en konsekvens af AAs ønske om at fastholde fiktionen om Danmark som ikke-besat udland.

*26.-27. oktober 1942: Winniza*

Best hos Hitler i hovedkvarteret ved Winniza i Ukraine med sin forgænger Cecil von Renthe-Fink.

Mødereferat: Niederschrift Cecil von Renthe-Fink 27.10.1942.

Senere beretning: Indledning til Bests halvårsberetning, Best til AA 5.5.1943. Best 1988, s. 23f., 129, 143, 189.

De sidste dage før afrejsen til København var Best dagligt i AA til møder med Ribbentrop selv, Gaus, Weizsäcker, Grundherr, Luther, Rademacher o.a., men der blev også plads til flere møder med Eberhard von Löw og et møde med Gottlob Berger og Franz Riedweg og påfølgende et med Riedweg alene. Der blev med de sidstnævnte lavet nogle af de aftaler, som Best hurtigt realiserede vedrørende forholdet til DNSAP, kan det formodes. Han mødtes også med statssekretær i RIM, Wilhelm Stuckart, der forud med Otto Ohlendorf havde været i København i august 1942 for at orientere sig om forholdene. Best og Stuckart så ens på værdien af oversigtsforvaltning, de redigerede tidsskriftet *Reich Volksordnung Lebensraum* sammen, og det kan anses for givet, at Stuckart var fortaler for Bests kandidatur som rigsbefuldmægtiget.[16]

4.11. brugte Best eftermiddagen på først et besøg ved Reinhard Heydrichs grav på Inwaliden-Friedhof og derpå et besøg hos Heydrichs enke. Denne prioritering er så iøjnefaldende på baggrund af det forudgående meget dårlige forhold mellem Heydrich og Best, som Heydrich til det sidste havde holdt ved lige, at besøgene kan betragtes som politisk motiverede fra Bests side. Han ville demonstrere over for Himmler, SS og de tidligere kolleger i RSHA, at der var slået en streg over den konflikt. Best fulgte det op ved at have fru Heydrich på et langt besøg i Danmark (juli-august 1943).[17]

5.11. fulgte Luther og Schröder Best til Tempelhof lufthavnen, hvorfra han fløj til København. I Kastrup blev Best modtaget af bl.a. Paul Kanstein og Nils Svenningsen.

*11.-13. december 1942: Oslo*

Sammen med Hermann von Hanneken på besøg i Oslo hos Josef Terboven og Nikolaus von Falkenhorst. En høflighedsvisit af besættelsesmagtens nye ledende repræsentanter i Danmark.

Mødereferat: Nej.

Senere beretning: Best 1988, s. 182 og Best om Terboven 8.10.1945.

14 Se Türks og Arndts mødereferater henholdsvis 1. og 5.12.1944.

15 Se endvidere Molls bemærkning 1997, s. 225 note 67.

16 I forbindelse med besøget i København besøgte Stuckart Renthe-Fink, der påfølgende skrev til AA 28.8.1942 om Stuckart som fortaler for oversigtsforvaltning (PKB, 13, nr. 282).

17 RA, Bests arkiv, Bests kalenderoptegnelser 1.-5.11.1942 og Bests kalenderoptegnelser juli-august 1943.

*7.-8. januar 1943: Berlin*
Kaldt til AA i Berlin pga. sin selvstændige optræden i forhold til SS, hvorved han havde overskredet sine beføjelser. Martin Luther gjorde heftige indsigelser i anledning af planerne om et germansk SS. Tillige til møder i RSHA med Ohlendorf og von Löw. Særskilte møder med Franz Riedweg og Eichmann (Lützow-Strasse 49).

Mødereferat: Sonnleithner til Luther 7.1. og Luther til Ribbentrop 8.1.1943.

Senere beretning: Best forklarede, at han havde møder med Ohlendorf og von Löw, fordi de modarbejdede Bests linje gennem deres rapporter til RSHA. Han ville have dem til at arbejde på sin kurs. Mødet med Eichmann drejede sig om planerne om at oprette en lejr i Danmark for de førende jøder i Europa, hvilket Best var imod, da det ville gøre et negativt indtryk på danskerne (HSB, IC Preliminary Interrogation Report IC 15, 14. maj 1946, s. 38f.).

*1.-6. juli 1943: Berlin og Feldquartier Hochwald*
1. juli: Møder i RSHA med Ernst Kaltenbrunner, SS-Brigadeführer Schulz og Heinrich Müller. Dagen efter i AA, derpå i RSHA igen. 3.7.: Møde med Franz Riedweg. 4.7.: til Grosgarten til møde med Gottlob Berger og Rudolf Brandt. Drøftelser med Himmler og Berger kl. 22.30-01 nat. 5.7.: møde med Himmler og Berger igen. 6. juli: tilbage til Berlin. I AA og derefter til Kaltenbrunner i RSHA.

Traf ikke von Ribbentrop, der var syg.

Mødereferat: Best til RAM 7.7 1943. Dagsordenspunkter for det aflyste møde med RAM: Bests Besprechungsvermerk 6.7.1943.

Senere beretning: Best 1988, s. 39, 144, 155f. Best forklarede 1945, at rejsen skete efter Ribbentrops ordre for at orientere Himmler om forholdene i Danmark. I første omgang diskuterede han forholdene med Kaltenbrunner, Müller og Ohlendorf. Efter mødet med Riedweg tog han til Himmlers hovedkvarter, hvor samtalerne med "Himmler only tended to persuade the latter that the conditions in Denmark were allright, and he states that at that time Himmler was taking up a kind attitude towards Denmark, so he had nothing to do with the events on the 29th of August 1943, this action being solely attributable to the Wehrmacht" (HSB, IC Preliminary Interrogation Report IC 15, 14. maj 1946, s. 40). Med sin generelle forklaring dækkede Best over, hvad de egentlige diskussionsemner havde været. I betragtning af, at Kaltenbrunner samtidigt havde fået at vide, at foranstaltninger mod jøderne i Danmark indtil videre skulle indstilles, var der noget at drøfte for Best i RSHA 1. juli. Samme emne, samt Schalburgkorpset og DNSAP var aktuelle emner på Hochwald, men udspørgerne i 1945 var ikke klædt på til at spørge ind dertil.

*24.-27. august 1943: førerhovedkvarteret ved Rastenburg*
Kaldt til Hitler pga. urolighederne i Danmark, hvor det med Ribbentrop blev besluttet, hvilke krav der skulle stilles til den danske regering.

Mødereferat: nej.

Senere beretning: Best 1988, s. 41f., 131, 144f. HSB, IC Preliminary Interrogation Report IC 15, 14. maj 1946, s. 41.

*29. oktober 1943: Berlin*
Kaldt til AA i Berlin, da han på egen hånd 5. oktober havde givet UM tilsagn om, at mischlinge og jøder i blandet ægteskab ikke skulle deporteres til Tyskland og påfølgende heller ikke havde underrettet AA derom. Han havde efter møderne i AA et sent aftenmøde med Heinrich Müller kl. 22-24 (Lankwitz, Cornelius-Strasse 52).

Mødereferat: nej.

Senere beretning: Best forklarede 1945, at mødet med Müller drejede sig om kursen for det tyske politi i Danmark, en kurs han ønskede lettet (HSB, IC Preliminary Interrogation Report IC 15, 14. maj 1946, s. 42).

*28.-30. december 1943: Ulveskansen i Østpreussen*
Sammen med Pancke og von Hanneken kaldt til Hitler til tilrettevisning vedrørende foranstaltninger mod sabotagen.

Mødereferat: Nej.

Senere beretninger: Best til RAM 2.7.1944. Efterkrigsforklaringer af Pancke, Hanneken og Best (se henvisningerne ved Bests kalenderoptegnelser 30. december 1943, Best 1988, s. 56-59, 129-131, 145. HSB, IC Preliminary Interrogation Report IC 15, 14. maj 1946, s. 43.

*7.-8. februar 1944: Berlin*
Kaldt til Berlin for sammen med Emil Wiehl at gøre rede for økonomiske dispositioner vedrørende Danmark, som Ribbentrop ikke mente sig orienteret om. Dette besøg i Berlin var det første siden udnævnelsen til rigsbefuldmægtiget, hvor Best ikke havde kontakt til RSHA.

Ribbentrops mødeindkaldelse: 27.1.1944.

Mødereferat: Bests telegram nr. 182, 9.2.1944 og Wiehls Aufzeichnung 23.2.1944.

Senere beretning: Nej.

*31. marts-1. april 1944: Berlin*
Kaldt til Berlin for at få nærmere instrukser om, hvad AA ønskede, at han rapporterede om fra Danmark. Møder i AA med Hencke, von Grundherr, Wiehl og Schröder og den følgende formiddag med Albrecht og Steengracht.

Mødereferat: Henckes Aufzeichnung 1.4.1944.

Senere beretning: Nej.

*22. maj 1944: Berlin*
Kaldt til møde i AA i anledning af, at Ribbentrop havde desavoueret ham i forordningsspørgsmålet.

Med telegram nr. 637, 19. maj 1944 bad Best om en udsættelse af mødet med den begrundelse, at Pancke var bortrejst. Det blev accepteret og mødet faldt helt bort, men sagen kom op igen i juli. Se Bests telegram nr. 637, 19. maj 1944 og nr. 802, 4.7.1944.

*4.-5. juli 1944 Salzburg, Berlin*
Kaldt til Hitler i anledning af henrettelserne i Danmark og generalstrejken i København.

Blev skarpt kritiseret for ikke at følge den af Hitler beordrede politik.

Forud og efterfølgende samtaler med Ribbentrop. “Nachspiel” i Salzburg, hvor RAM opførte en stormfuld scene og bebrejdede Best at have sat ham i denne situation i forhold til Hitler.

Mødereferat: Nej.

Senere beretning: Best 1988, s. 67, 131, 146. HSB, IC Preliminary Interrogation Report IC 15, 14. maj 1946, s. 34.

*7. juli 1944: Berlin*

Kaldt til samtale hos RAM i Fuschl, men fik ved ankomsten til Berlin at vide, at samtalen var udskudt. Returnerede straks med fly til København. Hvorfor Ribbentrop havde tilkaldt Best så hurtigt efter mødet hos Hitler, er uvist, men at Best rejste med uforrettet sag, var et vidnesbyrd om, at hans aktier ikke stod højt, uanset hvad årsagen til mødeaflysningen så har været. Han blev 10. juli kaldt til et nyt møde i AA senere på måneden.

Bests kalenderoptegnelser 7.7.1944, Brenner til Best 10.7.1944.

*26.-28. juli 1944: Berlin*

Kaldt til AA for at blive tilrettevist vedrørende tysk besættelsespolitik i Danmark, som opfølgning på mødet hos Hitler tidligere på måneden.

26.7. møder med Klopf og Kernert og senere med Steengracht, Hencke og Grundherr. 27.7. møde med Otto Ohlendorf, derpå Paul Schmidt og over middag med Steengracht, Hencke, Albrecht, Grundherr og Wagner. 28.7. møde med Kaltenbrunner.

Mødeindkaldelse: Brenner til Best 10.7.1944.

Mødereferat: Best til AA 27.7.1944, Steengracht til Ribbentrop 28. og 30.7.1944

Senere beretning: Best forklarede 1945, at han havde opsøgt Ohlendorf, fordi denne modtog alle SD-rapporter fra Danmark via von Löw. Han ville søge at påvirke Ohlendorf til at acceptere sit syn på forholdene i Danmark. Det samme gjorde sig gældende for mødet med Kaltenbrunner (HSB, IC Preliminary Interrogation Report IC 15, 14. maj 1946, s. 34f.). Bests forklaring 28. april 1948 om møderne i AA (LAK, Best-sagen).[18]

*21.-26. september 1944 Berlin, derfra til Schwenten, Østpreussen, 25. tilbage til Berlin*

Kaldt til Hitlers hovedkvarter Ulveskansen, hvor han havde samtaler med Ribbentrop og repræsentanter fra AA, bl.a. Hewel. Best fik ikke selv foretræde for Hitler, men 23.9. afgjorde Hitler i en samtale med Ribbentrop, at Best skal forblive i Danmark. Opfølgende samtaler i AA.

Mødereferat: Ribbentrop til Hitler 23.9. og til Best 26.9.1944.

Senere beretning: Best 1988, s. 70f., 132, 146f. Best forklarede 1945, at han ønskede at træde tilbage, men at Ribbentrop kom med beskeden, at han skulle forblive på sin post. Aktionen mod dansk politi havde været et rent militært anliggende og derfor ikke angik Best (HSB, IC Preliminary Interrogation Report IC 15, 14. maj 1946, s. 35).

18 *Information* 4. september 1944 bringer den historie, at Best lige forud havde været i Berlin med fire betroede medarbejdere. Det var ikke tilfældet. Han havde været på udflugt til Nordsjælland (Bests kalenderoptegnelser 2. september 1944).

*30. oktober 1944 Berlin, hjemrejse næste morgen*
Kaldt til Berlin sammen med Pancke i anledningen af magtkampen med Pancke.

Møde med Schröder i AA, derpå hovedmødet i AA med deltagelse af Steengracht, Kaltenbrunner, Pancke, Walter, Ludwig, Hencke, Grundherr og andre. Om aftenen først et møde med Grundherr i AA, derefter med Kaltenbrunner på Hotel Adlon.

Mødeindkaldelse: Bests telegram nr. 1189, 19. oktober til Ribbentrop, Brenner til Steengracht 20.10., Thadden til Brandt 25.10., Brandt til Thadden 26.10., Wagner til Best 26. og 27.10., Bobrik til Wagner 30.10.1944.

Mødereferat: Steengracht til Ribbentrop 1.11.1944.

Senere beretning: Best forklarede 1945, at rejsen til Berlin drejede sig om problemerne med de danske politifolk i tyske koncentrationslejre. Best havde to møder med Kaltenbrunner med det formål at få politiet løsladt og sendt tilbage til Danmark (HSB, IC Preliminary Interrogation Report IC 15, 14. maj 1946, s. 41).

*28.-30 december 1944: Berlin*
På besøg i Berlin, sandsynligvis i anledning af udpegning af Barandons afløser og muligvis også om uoverensstemmelserne vedrørende sabotagebekæmpelsesmetoderne.

Møder i AA med Steengracht og Bergmann. Dernæst Erdmannsdorff. Påfølgende i indenrigsministeriet til møde med Stuckert. Derefter familiebesøg.

Mødereferat: Nej.

Senere beretning: Best forklarede 1945, at besøget drejede sig om at finde en afløser for Barandon, som Pancke havde albuet ud (HSB, IC Preliminary Interrogation Report IC 15, 14. maj 1946, s. 37).

*5. marts 1945: Berlin*
Kaldt til Berlin for at redegøre for sin holdning til det tyske flygtningeproblem. Et møde med Hitler blev ikke til noget.

Mødereferat: Best Aufzeichnung 2.3.1945, Müller til Toepke 4.3., OKW/WFSt notits 5.3., RMVP notat 5.3.1945.

Senere beretning: Best 1988, s. 96 med meget kraftig overdrivelse af flygtningetallet. Siden overtaget af Herbert 1996, s. 398 med fejlagtig mødedato.

*15. april 1945: Flensburg*
Møde med Karl Kaufmann og Heinrich Lohse angående tysk kapitulation uden slutkamp.

Mødereferat: Nej

Senere beretning: Best 1988, s. 88, Duckwitz 1945-46c, s. 5 og i de senere erindringer.

*19.-21. april 1945: Oslo*
I Oslo i anledning af Hitlers fødselsdag. Drøftelse med Terboven og Quisling om tysk kapitulation uden slutkamp.

Mødereferat: Nej.

Senere beretning: Best 1988, s. 97, 184f. og Best om Terboven 8.10.1945, Duckwitz 1945-46c, s. 10 og i de senere erindringer.

*3. maj 1945: Mürwik*

Kaldt til Mürwik med Georg Lindemann til konference hos Dönitz

Mødereferat: Dönitz' dagbog 3. maj 1945.

Senere beretninger: Se henvisningerne til Dönitz' dagbog. Best 1988, s. 98.

Møde med Himmler: Best 1988, s.157f., hvor Bests forhold til HSSPF ikke omtales.

# TILLÆG 17
## Danmark som tysk mønsterprotektorat

„Allgemein wurde im Berliner Diplomatischen Korps die bisherige Ordnung des deutschdänischen Verhältnisses als ein Muster für die künftige Ordnung in Europa betrachtet. Daher das Interesse für das, was kommt."

*Ernst von Weizsäcker til Joachim von Ribbentrop 25. oktober 1942 (1:103).*

I 1942 udkom der i London en bog med titlen *Denmark, Hitler's Model Protectorate* skrevet af den danske journalist Sten Gudme (*Politiken*), som maj 1941 var flygtet til London.[1] Bogen var skrevet på opfordring samme efterår, og opnåede ret betydelig udbredelse (tre oplag). Den kom også til at øve indflydelse med betegnelsen "mønsterprotektoratet Danmark". Betegnelsen er næppe opfundet af Gudme selv, men opfanget som en holdning i London efter tidspunktet for hans ankomst. John Christmas Møller udlagde i en anmeldelse af bogen i juli 1942 titlen sådan, at den måtte forstås "spydigt, ironisk: at saa alvorlige og lidelsesfulde er Forholdene at leve under i en Stat, som disse *aldrig-andre forstaaende* Tyskere selv vilde kalde et Mønster-Protektorat."[2] (udhævet i originalen, JTL). Jørgen Hæstrup har opfattet det helt anderledes, at der bag udtrykket "skjulte sig en let overbærende foragt for lilleputlandet, der bekvemt ordnede sig med sine gunstige vilkår."[3] Med den vurdering ville Hæstrup stille i relief, at der alligevel i Danmark rejste sig "en massiv modstand", der vakte international opmærksomhed. Af de to tolkninger af titlen kommer Christmas Møllers sandsynligvis nærmest Gudmes intention. Gudme ønskede ikke at skabe foragt om Danmark, tværtimod, men at det også i samtiden især i ikke-danske kredse er blevet udlagt, som opfattet af Hæstrup, er der ikke tvivl om. Udtrykket synes i øvrigt kun helt undtagelsesvis benyttet i danske fremstillinger af og dansk forskning i besættelsestidens historie.

Betegnelsen er heller ikke fundet i de samtidige tyske aktørers papirer, hverken hos dem der sad i Berlin eller København, som en beskrivelse af forholdene i Danmark. Forklaringen er også klar nok, som det kommer frem i Werner Bests erindringer. Betegnelsen blev fra tysk side opfattet som en del af den fjendtlige propaganda,[4] og Best skrev derfor ironisk "Musterprotektorat" i citationstegn, når han overhovedet nævnte det et par gange som overskrift for sit virke i tiden november 1942-august 1943 – som led i sit forsvar.[5] Han ønskede ikke betegnelsen taget alvorligt.

Anderledes er det gået i den internationale forskning, hvor betegnelsen er dukket op fra tid til anden i både engelsksproget og tysk litteratur,[6] for i 1990'erne for alvor at

1 KB, Bergstrøms dagbog 28. maj 1941 havde kollegaens flugt som dagens store sensation.

2 *Frit Danmark*, London 30. juli 1942.

3 *Besættelsens hvem hvad hvor*, 1965, s. 122.

4 Trods det lader Best ført i afsnittet "Fjendtlige stemmer" i *Politische Informationen* 1. april 1944 det danske "mønsterprotektorat" optræde (6:1).

5 Best 1988, s. 27, 43. Hans Kirchhoffs karakteristik af perioden som "Best-Scavenius-alliancen" er klart mere præcis (Kirchhoff 1993a og 2001, kap. 13), men Best selv ville næppe have karakteriseret det som en alliance, han indgik ikke alliancer, og i en samtale med Nils Svenningsen februar 1945 bruger han i stedet formuleringen "Scavenius-Best-politikken" (9:101).

6 Jfr. Poulsen 1999, s. 263. – Child 1954, s. 95 (her opfattet som at føre kontrol med Danmark ved diplo-

være ført i marken af Ulrich Herbert og Fritz Petrick med både forskellig motivation og baggrund.

Herbert indleder sin behandling af Bests tid i Danmark med et kapitel "Das 'Musterprotektorat'", hvor det først i det følgende kapitel viser sig, at overskriften er hentet fra den engelske propaganda foråret 1943 (s. 243f.), selv om der forud er redegjort for de tanker, man i kredsen omkring statssekretær Wilhelm Stuckart havde gjort sig, hvorefter man arbejdede med besættelsesformer "mehr oder weniger selbständig neben dem Reich stehenden, aber doch ausschliesslich von diesem getragenen Hoheitsgewalt" (nach dem Muster des "Protektorats" oder auch des "Generalgouvernements"), oder lediglich als "Übergangsstadium zur Wideraufrichtung einer zwar wesentlich vom Reich beeinflussten, aber doch eigenstaatlichen Verwaltung." Dermed fulgte Stuckart den opfattelse, som Best tidligere havde givet udtryk for angående tyske besættelsesformer. Danmark passede godt ind i Stuckarts model for et protektorat, hvilket viste sig efter en beretning, som Paul Kanstein havde afgivet om landet på opfordring. Det blev Stuckart yderligere overbevist om efter selv at have besøgt Danmark i august 1942, og han sendte 1. september 1942 AA en indberetning derom, som faldt i ministeriets smag (s. 328-330). Best kom til Danmark med disse forestillinger i bagagen i november 1942, men et mønsterprotektorat blev det ikke kaldt. Så Herberts brug af anførselstegn kan ikke henvise dertil, men "mønsterprotektoratet" må dække over, at han er af den opfattelse, at det var det protektorat, Stuckart, Best m.fl. allerede havde i Danmark? Et "protektorat", der holdt til august 1943, ifølge Herbert. Der er tydeligvis ikke blot tale om en smart overskrift, og måske skal ideen dertil føres tilbage til Bests brug deraf i erindringerne, hvor misvisende det end er.

Uanset hvorfra ideen kommer, synes betegnelsen lidet funktionel for såvel perioden forud, som for tiden november 1942-august 1943. Der bliver nærmere argumenteret herfor i forbindelse med Fritz Petricks brug af samme udtryk. Petrick publicerede 1997 en artikel med titlen "Dänemark, das 'Musterprotektorat'?", hvor han i første afsnit med titlen "Hitlers 'Model Protectorate' 1940/41" tager afsæt i Sten Gudmes bog fra 1942, og fra bogen især viser det interesse, at Gudme skrev, at der ikke var nogen tysk rigskommissær i Danmark, og at situationen i Danmark i øvrigt ikke kunne sammenlignes med noget andet fascistisk besat lands. Petrick griber trods det til først en sammenligning med protektoratet Böhmen og Mähren (der var af Hitler udnævnt en rigsprotektor), siden med de fire lande, hvor der også var en rigsbefuldmægtiget, som i Danmark, nemlig Norge (kun kort), Grækenland, Italien og Ungarn. Det fører ikke til slutninger af betydning for det danske tilfælde, da magtforholdene i øvrigt bortset fra titler og benævnelser var så anderledes. Herefter gives en beskrivelse af visse tyske tiltag i Danmark frem til Telegramkrisen oktober 1942, hvor der fra tysk side blev lagt op til en skarpere kurs over for den danske regering. Læseren får ikke hverken svar på, hvorfor afsnittet har fået titlen "Hitlers 'Model Protectorate' 1940/41", eller om det er hans opfattelse, at Danmark var et mønsterprotektorat 1940-*42*?

Bedre bliver det ikke i afsnittet om Dr. Bests "Musterprotektorat" 1942/43, hvor

matiske midler), 105, Bennett 1966, s. 103, 106, 121, Umbreit 1981, s. 101 (eine Ausnahme) og 1999, s. 16, Meissner 1990, s. 325, Petrick 1997, s. 121 (udtrykket angiveligt ofte anvendt i Tyskland), Röhr 1997, s. 41, Benz 1998, s. 17, 22.

det nærmeste man som læser kommer på, om Petrick mener, at der i denne periode var tale om et nyt mønsterprotektorat, er, at Best i denne periode organiserede sine embedsmænd, så opbygningen knapt (kaum) adskilte sig fra rigskommissariaternes i Norge og Holland[7] og nok så vigtigt – ifølge Petrick – skaffede sig en om end beskeden eksekutivmagt i form af tysk politi. Dette mener Petrick, at Best fortav (verschwieg) i sine erindringer. Det gjorde Best måske, men er det af betydning?

Artiklens tredje og sidste afsnit har titlen "29. August 1943: Das Ende des Paradepferdes" og omhandler trods det tiden helt frem til 8. maj 1945. I denne periode ophørte mønsterprotektoratet ifølge Petrick og i stedet var der de facto indtrådt den anden besættelse (zweiten Okkupation) af Danmark, og den havde antaget en helt anden kvalitet. Ganske vist blev Best frataget indflydelse, da han fik sidestillet en HSSPF og blev berøvet sin eksekutivmagt, men til gengæld udvidede han sine legislative beføjelser. Det kom til udtryk ved, at han sammen med Pancke for første gang indførte civil undtagelsestilstand i Århus 20. november 1943 og siden 20. januar 1944 også kunne udstede forordninger. Det sidste er korrekt, og som Petrick omtaler, blev den første udstedt 24. april 1944 med etableringen af en SS- og Politiret. Derimod har det intet på sig, at der blev indført civil undtagelsestilstand i Århus. I stedet blev der indført udgangsforbud, og udgangsforbud havde der også været i Århus i foråret 1943.[8] Herefter omtales kort den københavnske generalstrejke sommeren 1944 samt politiaktionen 19. september, hvorved Pancke overtog politiudøvelsen i Danmark. Herefter konkluderer Petrick umiddelbart: "Das "Musterprotektorat" war nunmehr de facto ein Reichskommissariat." Når Best ikke fik den tilsvarende titel og heller ikke blev underlagt Hitler direkte, var det en konsekvens af den fra såvel tysk som dansk side opretholdte version, hvorefter Danmark ikke var krigsførende.

Petricks argumentation er ret springende, selv om det må formodes, at det er hans opfattelse, at Danmark var et "protektorat" i varierende former 1940-44 (?) for at gå over til et de facto rigskommissariat fra september 1944, idet kriterierne derfor må have været, hvis man skal følge Petrick, at Best havde forordningsretten og Pancke den fulde politimyndighed. Petrick ser imidlertid bort fra, at Best og Pancke hverken hver for sig eller tilsammen havde beføjelser som rigskommissærerne i Norge og Holland og heller ikke fik det. Bortset fra artiklens uklarheder demonstrerer den som Herberts kapitel i Best-biografien, hvor lidet frugtbart det er at anvende et begreb hentet fra den samtidige politiske propaganda i videnskabelig sammenhæng. Erkendelsesværdien kan i reglen – som her – ligge på et lille sted.

7 Petrick har sammenholdt organisationsplanen for Det Tyske Gesandtskab i København med organisationsplanerne for rigskommissariaterne i Holland og Norge og finder ikke overraskende ligheder, der var jo mange fælles funktioner at varetage!, som det også viser sig, hvis man sammenligner med organisationsplanen for Det Tyske Gesandtskab i Stockholm! (Roth 2009, s. 341). Det har Petrick ikke gjort.

8 Se 10:tillæg 1.

# TILLÆG 18
## Oversigt over jernbanesabotageaktioner
af Aage Trommer

De efterfølgende oversigter over jernbanesabotageaktionerne bygger på materiale fra DSB, nemlig:

1.) Tjenestetelegrammer fra jernbanestationerne til distrikterne. For 2. Distrikts vedkommende indgår de i samlemapper benævnt "Telegramafskrifter. Tkt.". Disse er bevaret for månederne december 1942, januar-december 1943, marts-juli 1944, oktober-november 1944, januar-februar 1945 og april-maj 1945. De befinder sig i: "V. Arkivalier vedr. besættelsestiden. 5 kasser. Har været forelagt Landsarkivet Fyn fra 5/7-63 til 10/1-66", kasse 1 og 2. (Forkortet: Arkivalier I & II), 2. Distrikts arkiv.
2.) Tjenestetelegrammer fra Distrikterne til Generaldirektoratet om indtrufne sabotagehandlinger. I krigens sidste måneder indsendtes de i form af "Situationsmeldinger" flere gange dagligt fra 2. Distrikt, med mellemrum fra 1. Distrikt. Telegrammerne fra 2. Distrikt findes i de under l) nævnte Telegramafskrifter; endvidere bilagt de under 3) nævnte indberetninger.
3.) Indberetninger fra Distrikterne til Generaldirektoratet (med genpart til Bbv) om de stedfundne sabotagehandlinger efter sagernes afslutning. Sagerne findes i Generaldirektoratets arkiv under j.nr. 1942/350 bd. 35 med løbenumre fra 1 og fortløbende. Den under krigen førte journal over sagerne findes på Frihedsmuseet med fotokopier af den i Generaldirektoratets arkiv og på Jernbanemuseet. Det bemærkes, at journalen ofte opfører samme aktion under flere løbenumre.
4.) "Krigsdagbog nr. 1-6. Togkontoret", 1. Distrikts arkiv. Dagbog nr. 4 mangler. - I 1. Dc.s arkiv findes endv. et læg, "Attentatet ved Espergærde 6/11-42", j.nr. 7686/1942; mappe, "Sabotagesager".

Hvor der forekommer afvigelser mellem tjenestetelegrammet og den senere indberetning (hvilket ret ofte er tilfældet), har jeg principielt fulgt tjenestetelegrammet.

Det gennemgåede materiale omfatter ikke indberetninger fra privatbaner, der kun er medtaget i det omfang, hvor aktioner mod dem optræder i DSB's materiale. Der er dog næppe tvivl om, at DSB's materiale dækker alle sådanne aktioner, der influerede på afviklingen af den tyske trafik.

Aktioner mod jernbanevogne er ikke medtaget i oversigterne.

## Indholdsfortegnelse over sabotageoversigterne

1.) Sabotageaktioner i 2. Distrikt frem til maj 1944 incl. .................... 210
2.) Sabotageaktioner i Jylland fra juni 1944 til maj 1945.................... 214
a. Den østjyske længdebane Padborg-Frederikshavn ..................... 214
b. Skjern-Varde-Esbjerg-Bramminge-Tønder ........................... 226
c. Varde-Oksbøl ............................................. 230
d. Lunderskov-Bramminge (og andre strækninger i Region III's område)..... 230
e. Skjern-Ringkøbing-Holstebro-Struer ............................... 232
f. Bramminge-Brande-Herning-Holstebro ............................. 233
g. Langaa-Viborg-Skive-Struer ..................................... 236
h. Skanderborg-Silkeborg-Brande-Vejle ............................... 237
i. Faarup-Viborg-Herning-Skjern ................................... 240
j. Randers-Ryomgaard-Grenaa; Ryomgaard-Århus ...................... 241
k. Hobro-Aalestrup-Løgstør; Viborg-Aalestrup; himmerlandske privatbaner .. 242
l. Vendsysselske privatbaner........................................ 243
m. Struer-Thisted ............................................. 244
n. Herning-Silkeborg .......................................... 245
o. Silkeborg-Langaa; Silkeborg-Viborg ............................... 245
p. Kolding-Grindsted-Troldhede; Vejle-Vandel-Grindsted ................ 246
q. Århus-Odder-Horsens .......................................... 247
r. Hammelbanen .............................................. 247
s. Horsens-Brædstrup-Silkeborg..................................... 247
t. Skive-Glyngøre.............................................. 247
3.) Sabotageaktioner på Fyn fra juni 1944 til maj 1945..................... 248
a. Middelfart-Nyborg ........................................... 248
b. Øvrige fynske baner.......................................... 250
4.) Sabotageaktioner i 1. Distrikt........................................ 253
a. Kystbanen og Nordbanen ...................................... 253
b. Københavns nærtrafikområde (incl. Valby, Vanløse og Holte)............ 253
c. København Valby-Korsør ....................................... 256
d. Roskilde-Kalundborg .......................................... 257
e. Roskilde/Ringsted-Næstved-Gedser ............................... 258
f. Andre banestrækninger i 1. Distrikt ............................... 259

I oversigterne er angivet tidspunktet for stræknings-afbrydelsens indtræden (hvilket ikke nødvendigvis er identisk med tidspunktet for aktionen) og tidspunktet for trafikkens genoptagelse, begge dele udtrykt i sekscifrede datotidsgrupper, hvor de første to cifre betegner datoen, de sidste fire cifre klokkeslettet. Trafikkens genoptagelse er på dobbeltsporede strækninger undertiden markeret med to datotidsgrupper, adskilt ved en skråstreg (f.eks. 080920/081458). Herved markeres, at det ene spor toges i brug på det først nævnte tidspunkt (in casu den 8. kl. 09:20), og at begge spor toges i brug på det sidst nævnte tidspunkt. En enkeltstående datotidsgruppe efterfulgt af en bindestreg markerer, at vedkommende strækning har været afbrudt, men at tidspunktet for trafikkens genoptagelse ikke er bevaret i materialet. En enkeltstående datotidsgruppe uden efterfølgende bindestreg markerer et sabotageforsøg, der ikke har medført indstilling af trafikken. Sprængningsstedet er angivet ved hjælp af de to nærmest liggende stationer samt angivelse af kilometerstedet (for så vidt det er bevaret i materialet). Aktionens art er kort angivet som skinnesprængning, sporskiftesprængning, afsporing, sabotageforsøg (forsøg på at etablere en skinne- eller sporskiftesprængning, uden at dette har medført en sprængning på banelegemet, men ofte en afbrydelse af trafikken), afsporingsforsøg (der ikke har medført, at nogen vogne er gået af skinnerne), telefonbombe (datidens betegnelse for grundløs telefonopringning om udlagte bomber), formodet sabotage eller på anden kortfattet vis. Kriteriet for at medtage aktioner i oversigterne har været, om de medførte indstilling af trafikken, eller de var forsøg herpå.

*Udgivers bemærkninger:*
Aage Trommer benyttede i sin originale liste datoformatet <ddhhmm> (f.eks. 080920). Dette har vi ændret til det mere læsbare <dd. hh:mm> (f.eks. 08. 09:20).
Af pladshensyn er ordene "før" og "efter" (ved klokkeslæt) erstattet af hhv. "<" og ">". Cirkatidspunkter er angivet med "c.", morgen med "morg.", formiddag med "frm." og eftermiddag med "eftm.". Omvendt er en række forkortelser i kolonnen "sabotageart" skrevet ud af hensyn til læsbarheden.

**1. Sabotageaktioner i 2. Distrikt til maj 1945 (incl.)**

| *navn* | *fra* | *til* | *til* | *strækning* | *sabotageart* |
|---|---|---|---|---|---|
| | JAN 1943 | | | | |
| | 29. | | | Odense-Holmstrup | Form. sab. |
| | 31. 01:00 | | | Børkop-Bregning | Sab. forsøg (jagtptr.) |
| | FEB 1943 | | | | |
| | 16. 01:15 | – | / 16. 03:22 | Holmstrup-Odense i 35,0 | Afsp. forsøg (bombe) |
| | MAR 1943 | | | | |
| | 04. | | | Fredericia-Taulov | Sab. forsøg |
| | 09. 22:00 | – 10. 08:10 | | Bramminge-Gredstedbro | Afsporing (tipvogn) |
| | 11. 04:40 | – | / 11. 11:45 | Esbjerg-Tjæreborg i 52,8 | Skinnespr. |
| | 11. | | | Vejen-Andst | Sab. forsøg (sten) |
| | 24. 06:45 | – | / 24. 08:15 | Odense-Marslev i 25,8 | Sab. forsøg |
| | 26. 04:55 | – 26. 07:18 | / 26. 11:55 | Tjæreborg-Esbjerg i 53,1 | Afsp. forsøg |
| | 30. 08:00 | | | Varde-Sig | Sab. forsøg (jernklods) |
| | APR 1943 | | | | |
| | 10. 00:30 | | | Rødekro-Hjordkær | Form. sab. |
| | 16. 04:10 | | | Tønder st. | Olielager |
| | 28. 23:36 | – | / 29. 02:05 | Odense-Holmstrup | Sab. forsøg |
| | MAJ 1943 | | | | |
| | 20. 00:01 | – 20. 06:25 | | Esbjerg-Guldager | Skinnespr. |
| | 20. 01:00 | – 20. 05:45 | | Esbjerg st. (-Guldager) | Afsp. forsøg 249563 (Hamburg) |
| | 21. 01:48 | – | / 21. 03:20 | Odense-Holmstrup | Skinnespr. |
| | JUN 1943 | | | | |
| | 01. 01:55 | | | Tønder st. | Loko-remise |
| | 13. 01:00 | – 15. | | Varde V-Hyllerslev i 6,0 | Brospr. & afsp. forsøg 149725 |
| | 14. 02:40 | – | / 14. 03:20 | Middelfart st. | Form. sab. |
| | 20. 02:00 | – 20. 03:30 | | Esbjerg-Guldager i 57,6 | Afsp. forsøg 149788 |
| | 23. 23:30 | – 24. 00:50 | | Fredericia-Taulov | Form. sab. |
| | JUL 1943 | | | | |
| | 04. 02:23 | – 04. 03:40 | / 04. 09:45 | Århus-Brabrand | Skinnespr. |
| | 04. | | | Viby-Tranbjerg | Sab. forsøg |
| | 14. 00:37 | – 14. 01:30 | | Århus H-Århus havn | Forsøg på brospr. |
| | AUG 1943 | | | | |
| | 10. 00:45 | – 10. 02:30 | | Lunderskov st. | Spr. i vandforsyning |
| | 11. 00:45 | – 11. 05:00 | | Aalborg-Nørresundby | Brand i Limfjordsbroen |
| | 15. 01:30 | | | Aalborg st. | Privatbaneremise |

| | | | | |
|---|---|---|---|---|
| 15. 02:40 | – | / 16. 15:30 | Mundelstrup-Hinnerup | Skinnespr. |
| 15. 02:40 | – 16. 15:30 | / 18. 16:05 | Brabrand-Mundelstrup | Skinnespr. |
| 15. 02:40 | – 16. 15:30 | / 17. 20:45 | Århus-Brabrand | Skinnespr. |
| 15. 02:45 | – 16. 13:42 | / 16. 18:00 | Hasselager-Skanderborg | Skinnespr. |
| 17. | – | 18. 10:30 | Viborg-Rindsholm | Skinnespr. |
| 19. 03:20 | – | 19. (04:50) | Viborg-Bækkelund | Form. sab. |
| 19. 23:45 | | | Lunderskov st. | Sab. forsøg |
| 20. 23:50 | – 22. 03:20 | / 22. 10:10 | Odense-Marslev i 25,6 | Skinnespr. |
| 23. 02:10 | – | 23. (16:15) | Silkeborg-Svejbæk | Skinnespr. |
| 23. | – | 23. (17:12) | Aulum | Afsp. (da persontog løsnet skinne) |
| 23. | – | 23. 18:20 | Silkeborg-Resenbro | Skinnespr. |
| 26. 00:52 | | | Varde st. | Privatbaneremise |
| 26. 02:20 | | | Odense-Marslev | Form. sab. |
| 27. 04:38 | | | Hjerm-Holstebro | Sab. forsøg |
| 31. 22:30 | – | / 01. 10:40 | Århus-Hasselager i 104,4 | Afsp. forsøg |
| | | | | |
| SEP 1943 | | | | |
| 01. 00:20 | – | / 01. 01:35 | Århus-Brabrand | Form. sab. |
| 02. 00:15 | – 03. 08:50 | | Silkeborg-Resenbro i 4,0-4,5 | Skinnespr. |
| 02. 00:15 | – 02. 07:00 | | Silkeborg-Svejbæk | Form. sab. |
| 05. 18:10 | – 05. 22:40 | / 06. 01:40 | Århus-Hasselager i 102,6 | Skinnespr. |
| 07. 23:32 | – | / 08. 03:10 | Horsens-Tvingstrup i 61,3 | Skinnespr. |
| 13. 21:15 | – | / 13. 22:04 | Brabrand-Mundelstrup | Form. sab. |
| 13. 23:30 | – 14. 08:00 | / 14. 11:15 | Aalborg-Svendstrup | Skinnespr. |
| 14. | – 14. 12:25 | | Aalborg havn | Sporsk. spr. & vandkran |
| 14. 16:45 | – | / 14. 21:25 | Aalborg-Svendstrup | Afsp. forsøg |
| 17. 21:30 | – | / 17. 22:15 | Brabrand-Mundelstrup | Form. sab. |
| 19. 00:20 | | | Brønderslev st. | Sab. forsøg |
| 19. 06:20 | – 19. 09:50 | | Brønderslev-Vraa i 278,2 & 279,3 | Skinnespr. |
| 22. 21:30 | | | Århus st. | Spr. af vandtårn |
| 23. 01:00 | | | Århus st. | Sab. forsøg pumpehus |
| 24. 06:25 | – | / 24. 07:41 | Horsens-Tvingstrup | Form. sab. |
| 26. | – 26. 12:00 | | Padborg-Bajstrup i 101,2-107,4 | Skinnespr. |
| 26. | – 26. 13:00 | | Bjerndrup-Kliplev | Skinnespr. |
| 26. | – 26. 14:00 | | Tønder-Døstrup i 42,1-58,0 | Skinnespr. |
| 26. | – 26. 15:30 | | Jejsing-Bylderup Bov | Skinnespr. |
| 26. | – | / 26. 10:00 | Horsens-Hatting i 54,0 | Skinnespr. |
| 26. | – | / 26. 10:00 | Horsens-Tvingstrup i 58,1 & 66,2 | Skinnespr. |
| 26. | – | / 26. 13:00 | Hylke-Skanderborg i 83,2-3 | Skinnespr. |
| 26. | | | Århus st. | Sporsk. & sk. spr. |
| 26. | – 26. 14:00 | / 26. 16:35 | Stevnstrup-Randers i 164,1-2 | Skinnespr. |
| 26. | – 26. 10:15 | / 27. 16:30 | Randers-Bjerregrav i 169,6-7 | Skinnespr. |
| 26. 12:00 | – 26. 16:00 | | Randers-Bjerregrav | Sab. forsøg |
| 26. | – 26. 16:30 | | Gimming-Lem | Skinnespr. |
| 26. | – 26. 15:00 | | Strømmen-Uggelhuse i 4,5-5,0 | Skinnespr. |

| | | | | |
|---|---|---|---|---|
| 26. 20:20 | – 26. 23:00 | | Strømmen-Uggelhuse | Sab. forsøg |
| 26. | – 26. 20:30 | | Langå-Ulstrup i 301,5-302,0 | Skinnespr. |
| 26. | – 27. 16:30 | | Sønderbæk-Hammershøj | Skinnespr. |
| 26. | – 26. 14:00 | | Nørresundby-Hvorupgaard i 253,5 | Skinnespr. |
| 26. | – 26. 12:00 | | Nørresundby-Vadum | Skinnespr. |
| 26. | – 26. 12:00 | | Nørresundby-Vodskov | Skinnespr. |
| 28. 04:45 | | | Sønderborg-Ragebøl | Sab. forsøg (skinne) |
| 29. 14:25 | | | Ribe st. | Sab. forsøg |

OKT 1943

| | | | | |
|---|---|---|---|---|
| 06. 20:47 | – 06. 23:08 | | Ulstrup-Rødkærsbro | Form. sab. |
| 07. 21:58 | | | Århus st. | Sporsk. spr. |
| 07. 23:30 | – | / 08. 00:05 | Horsens-Hatting | Form. sab. |
| 14. 20:15 | – | / 14. 21:45 | Århus-Brabrand | Form. sab. |
| 14. 20:30 | – | / 14. 21:25 | Århus-Hasselager | Form. sab. |
| 18. 22:00 | – 19. 03:00 | | Vraa st. | Sk. & sporsk. spr. |
| 19. 06:45 | – | / 19. 07:20 | Århus-Hasselager | Form. sab. |
| 19. 20:28 | – 19. 23:05 | | Esbjerg-Varde | Form. sab. |
| 22. 21:40 | – | / 23. 01:20 | Kolding-Eltang i 17,6 | Skinnespr. |
| 23. 23:59 | | | Randers-Stevnstrup | Form. sab. |
| 24. 03:05 | – | / 24. 04:15 | Randers-Langå | Form. sab. |
| 30. 23:57 | | | Ribe st. | Afsp. forsøg |

NOV 1943

| | | | | |
|---|---|---|---|---|
| 03. 14:50 | | | Spr. af motorfærgen "Sjælland" i Nyborg | |
| 03. 20:05 | | | Spr. af færgen "Odin" i Nyborg | |
| 05. 09:40 | – 05. 16:50 | | Snedsted-Hørdum | Sab. forsøg |
| 06. 16:00 | | | Viborg- i 45,0 | Sab. forsøg (tlgr. pæl) |
| 08. 20:20 | | | Randers st. | Spr. i pumpehus |
| 17. 18:33 | | | Århus st. | Spr. af kommandopost |
| 18. 00:40 | – 19. 01:45 | | Århus Ø st. | Spr. i signalhus |
| 18. 05:50 | – | / 30. 00:01 | Langå st. | Spr. af bro over Gudenåen |
| 18. 07:26 | – 18. 23:30 | | Strømmen-Uggelhuse | Skinnespr. |
| 18. 07:28 | – 18. 08:26 | | Langå-Ulstrup | Skinnespr. |
| 18. 13:30 | – | / 18. 13:57 | Hobro-Onsild | Form. sab. |
| 19. 04:00 | – 19. 10:45 | | Århus H-Århus Ø | Sk. & sporsk. spr. |
| 19. 04:55 | – | / 19. 05:48 | Hobro-Onsild | Form. sab. |
| 19. 06:00 | – 19. 12:00 | | Randers-Bjerregrav i 171 | Skinnespr. |
| 19. 13:55 | – 19. 21:00 | | Randers-Bjerregrav | Skinnespr. |
| 20. 01:00 | – 20. 10:00 | | Risskov-Lystrup | Skinnespr. |
| 20. 01:25 | – | / 20. 16:30 | Randers-Bjerregrav | Sab. forsøg |
| 20. 04:55 | – 20. 09:15 | | Århus H-Århus Ø | Skinnespr. |
| 20. 05:15 | – 20. 15:00 | | Strømmen st. | Skinnespr. |
| 22. 05:15 | – 22. 06:00 | | Arden st. | Form. sab. |
| 22. 20:30 | – 23. 05:30 | | Århus H-Århus Ø | Skinnespr. |
| 25. 20:00 | – 26. 10:00 | | Århus Ø-Risskov | Brospr. |

| | | | | |
|---|---|---|---|---|
| 25. 22:37 | – | / 26. 00:17 | Århus-Hasselager | Form. sab. |
| 28. 21:30 | – 29. 13:00 | | Padborg-Tinglev | Sporsk. & sk. spr. |
| 28. 21:30 | – 29. 14:30 | | Tinglev-Rødekro | Sporsk. & sk. spr. |
| 28. 21:30 | – 29. 17:00 | | Lundtoft-Bjerndrup | Sporsk. & sk. spr. |
| 28. 21:30 | – 29. 17:00 | | Bylderup-Bov-Rørkær | Sporsk. & sk. spr. |
| 28. 21:30 | – 29. 17:00 | | Tønder-Brøns | Sporsk. & sk. spr. |
| 28. 21:30 | – 30. 11:50 | | Tønder-Süderlögum i 65,5-66,0 | Skinnespr. |
| 29. 16:00 | – 29. 17:30 | | Padborg-Fårhus | Skinnespr. |
| 29. 18:30 | – 29. 20:30 | | Jejsing-Bylderup Bov i 59,3 | Skinnespr. |
| 29. 19:30 | – 29. 21:25 | | Fårhus-Bajstrup i 105,1 | Skinnespr. |
| 29. 20:15 | – 30. 10:00 | | Skærbæk-Døstrup i 41,5 | Skinnespr. |

DEC 1943

| | | | | |
|---|---|---|---|---|
| 02. 18:15 | – 02. 19:05 | | Vraa-Hæstrup | Form. sab. |
| 04. 10:38 | – 04. 16:30 | | Oddesund-Uglev | Form. sab. |
| 27. 00:35 | – | / 27. 10:30 | Aalborg st. | Spr. i vandtårne og signalhus |
| 27. 00:35 | | | Hjørring st. | Spr. i vandtårn |
| 27. 00:40 | | / 27. 10:30 | Nørresundby st. | Spr. i blokpost |

JAN 1944

| | | | | |
|---|---|---|---|---|
| 10. 21:15 | | | Silkeborg st. | Vandtårn |
| 16. 22:30 | – 16. 22:50 | | Hjørring st. | Form. sab. |
| 20. 19:40 | – 21. 01:10 | | Århus rbg. | Signalpost |
| 26. morg. | | | Ulstrup st. | Sab. forsøg |

FEB 1944

| | | | | |
|---|---|---|---|---|
| 09. 15:00 | – 09. 17:55 | | Silkeborg-Funder | Skinnespr. |
| 14. 20:23 | – 14. 21:25 | | Silkeborg st. | Telefonbombe |
| 19. 20:30 | – 20. 07:30 | / 20. 14:30 | Århus-Hasselager i 101,8-9 | Afsporing (da. tog) |
| 19. 22:30 | – 20. 12:55 | / 20. 14:30 | Skanderborg-Hylke i 82,2-83,2 | Skinnespr. |
| 19. 23:38 | | | Silkeborg st. | Telefonbombe |

MAR 1944

| | | | | |
|---|---|---|---|---|
| 08. 20:13 | – | / 08. 22:26 | Randers st. | Telefonbombe |
| 18. 03:10 | – 18. 04:10 | | Nyborg st. | Spr. mod posthus |

APR 1944

| | | | | |
|---|---|---|---|---|
| 07. 18:25 | – | / 07. 20:22 | Bjerregrav-Faarup | Form. sab. |
| 19. | – 19. 11:30 | | Lunderskov-Anst i 3,2 | Skinnespr. |

MAJ 1944

| | | | | |
|---|---|---|---|---|
| 22. 18:20 | – 22. 18:38 | | Herning-Hammerum | Sab. forsøg |
| 24. 23:50 | – 25. 03:05 | / 25. 08:05 | Odense-Holmstrup i 35,7 | Skinnespr. |
| 31. 06:20 | | | Brande-Thyregod i 67,5 | Skinnespr. |

## 2. Sabotageaktioner i Jylland fra juni 1944 til maj 1945

### A. Den østjyske længdebane (Padborg-Frederikshavn)

| *navn* | *fra* | *til* | *til* | *strækning* | *sabotageart* |
|---|---|---|---|---|---|
| | JUN 1944 | | | | |
| Kalif | 15. 01:08 | – 15. 18:00 | | Farris-Vamdrup i 41,7 | Afsporing 676017 |
| Baron | 16. 01:20 | – 16. 08:30 | | Lunderskov-Vamdrup i 34,7 | Afsporing 651094 |
| | 18. 23:00 | – 19. 01:55 | | Onsild-Faarup i 185,3 | Sab. forsøg |
| Scheich | 19. 00:10 | – 19. 00:25 | | Stevnstrup-Randers | Formodet sab. |
| | 19. 02:50 | – 19. 04:15 | | Tvingstrup-Horsens i 58,8 | Sab. forsøg |
| | 22. 02:25 | – 22. 04:55 | / 22. 06:40 | Børkop-Fredericia i 9,3 | Skinnespr. |
| | 22. 10:30 | | | Hesselager-Hørning i 96,8 | Fund af bomber |
| | 22. 10:50 | – 22. 12:55 | | Hatting-Løsning i 46,0 | Sab. forsøg (fund af bombe |
| | 24. 00:42 | – 24. 04:25 | | Vamdrup-Farris i 46,7 | Afsp. forsøg 651114 |
| | 24. 00:52 | – 24. 04:00 | / 24. 07:42 | Hørning-Stilling i 93,3 | Afsp. forsøg |
| | 24. 19:00 | – 24. 22:41 | / 24. 22:54 | Munkebjerg-Brejninge i 18,1 | Afsp. forsøg |
| | 28. 02:00 | – 28. 04:55 | / 28. 10:45 | Vejle H.-Brejninge i 16,5 | Afsporing 9998 |
| | 29. 16:17 | – 29. 20:00 | | Mosskov-Skørping i 219,7 | Afsp. forsøg 151334 |
| | JUL 1944 | | | | |
| | 03. 02:45 | – 03. 06:02 | / 03. 08:55 | Randers-Stevnstrup i 164,2 | Afsp. forsøg, orlovst. 9915 |
| | 11. 03:25 | – 11. 05:00 | / 11. 09:30 | Randers-Stevnstrup i 169,3 | Afsp. forsøg 9915 |
| | 12. 23:45 | – 13. 02:15 | | Århus maskindepot | Spr. |
| Graf | 13. 21:50 | – 14. 00:19 | / 14. 06:05 | Skanderborg-Stilling i 88,5 | Afsporing 651155 |
| | 13. 23:43 | – 14. 02:15 | | Århus H. remise | Loko. spr. |
| | 19. 00:55 | – 19. 03:00 | / 19. 04:45 | Brejning-Børkop i 13,0 | Skinnespr. |
| | 20. 19:42 | – 20. 22:00 | / 20. 23:10 | Bjerregrav-Randers i 170,0 | Afsp. forsøg 9996 |
| | 21. 22:40 | – 22. 00:45 | / 22. 05:07 | Skanderborg-Hylke i 81,0 | Afsp. 651177 |
| | 22. 00:25 | – 22. 01:05 | | Horsens-Løsning | Formodet sab. |
| | 22. 00:25 | – 22. 03:40 | | Horsens-Hovedgaard i 59,5 | Sab. forsøg |
| | 25. 03:00 | – 25. 04:25 | | Stevnstrup-Randers i 165,0 | Sab. forsøg |
| | 25. 04:45 | – 25. 05:15 | | Stevnstrup-Randers | Sab. forsøg |
| | 29. 01:00 | – 29. 02:20 | | Aalborg-Nørresundby | Sab. mod andet objekt |
| | 29. 02:45 | – 29. 04:27 | / 29. | Stevnstrup-Randers i 161,5 | Afsp. forsøg 9915 |
| | 30. 19:58 | – 30. 21:40 | / 01. | Stevnstrup-Randers i 163-164 | Afsp. 9996 |
| | AUG 1944 | | | | |
| Postinspektor | 09. 21:20 | – 10. 10:15 | | Hobro-Doense i 204,2 | Afsporing, dansk tog |
| | 09. 23:45 | – 10. 07:50 | / 10. 12:00 | Svendstrup J. st. | Sporsk. spr. |
| | 11. 00:40 | – 11. 22:52 | / 12. 15:15 | Vejle-Daugaard i 32,2 | Tirsbæk-dæmn. |
| | 14. 06:00 | | | Bolderslev-Hjordkær | Sab. forsøg |
| Baronesse | 16. 03:50 | – 16. 08:50 | / 16. 21:35 | Svendstrup-Skalborg i 243,5 | Skinnespr. |
| | 17. 02:15 | – 17. 08:20 | | Frederikshavn-Kvissel i 333,0 | Skinnespr. |
| | 17. 03:10 | – 17. 12:08 | | Hjordkær st. | Sporsk. spr. |

| | | | | | |
|---|---|---|---|---|---|
| | SEP 1944 | | | | |
| edensr. | 05. 00:55 | – 05. 20:20 | | Tinglev-Bolderslev | Brospr. |
| | 06. 01:00 | – 06. 08:11 | / 06. 10:04 | Ejstrup-Kolding | Brand i benzinvogne |
| | 06. 23:25 | – 17. 02:15 | | Taulov-Eltang i 10,2 | Sab. forsøg |
| | 08. 23:40 | – 09. 08:05 | | Vojens-Sommersted i 56,2 | Skinnespr. |
| | 08. 23:59 | – 09. 06:30 | | Vojens-Overjerstal i 62,7 | Skinnespr. |
| | 09. | | | Hjørring st. | Sab. forsøg |
| | 09. 23:50 | – 10. 17:00 | | Tinglev-Bolderslev | Brospr. |
| | 09. 23:50 | – 10. 17:00 | | Bolderslev st. | Sporsk. spr. |
| | 09. 23:59 | – 10. 17:00 | | Hjordkær st. | Sporsk. spr. |
| | 09. 23:59 | – 10. 17:00 | | Rødekro-Hjordkær i 81,4 | Skinnespr. |
| | 10. 00:03 | – 10. 17:00 | | Fårhus st. | Sporsk. spr. |
| | 10. 00:01 | – 10. 17:00 | | Rødekro st. | Sporsk. spr. |
| | 10. 00:20 | – 10. 17:00 | | Bajstrup st. | Sab. forsøg |
| | 10. 00:30 | – 10. 17:00 | | Hovslund st. | Sporsk. spr. |
| | 13. 22:57 | – 14. 01:10 | / 14. 06:50 | Taulov st. | Sporsk. spr. |
| | 14. 22:50 | – 15. 07:00 | / 15. 12:50 | Hatting-Løsning i 48,1 | Skinnespr. |
| | 15. 00:10 | – 15. 06:00 | | Bajstrup st. | Sporsk. spr. |
| | 15. 00:15 | – 15. 02:25 | | Tinglev-Bolderslev | Formodet sab. |
| | 15. 21:00 | – 15. 22:25 | | Randers-Bjerregrav | Formodet sab. |
| | 15. 21:40 | – 15. 23:34 | | Løsning-Hedensted | Sab. forsøg |
| | 16. 01:00 | – 16. 02:50 | | Bolderslev st. | Sporsk. spr. |
| | 16. 04:30 | – 16. 06:15 | | Vojens st. | Sab. forsøg |
| | 16. 06:00 | – 16. 13:12 | / 17. 11:30 | Ejstrup-Lunderskov i 30,1 | Afsporing |
| | 16. 23:50 | – 17. 06:55 | | Hovslund-Overjerstal i 67,2 | Skinnespr. |
| | 17. 00:45 | – 17. 04:50 | / 17. 07:50 | Fredericia-Pjedsted i 5,1 | Afsporing |
| | 17. 00:50 | – 17. 06:15 | | Tinglev-Bolderslev | Formodet sab. |
| | 18. 00:55 | – 18. 07:00 | | Hovslund st. | Sporsk. spr. |
| | 19. 01:30 | – 19. 09:10 | | Lunderskov-Vamdrup i 37,2 | Brand i vogn |
| | 19. 03:30 | – 19. 10:30 | | Bolderslev st. | Sporsk. spr. |
| | 20. 23:50 | – 21. 06:00 | | Hjørring-Sønderskov | Skinnespr. |
| | 20. 21:00 | – 21. 09:50 | | Vejle-Daugaard i 33,8 | Skinnespr. |
| | 20. 22:00 | – 21. 02:20 | / 21. 13:00 | Løsning-Hatting | Skinnespr. |
| | 21. 21:30 | – 22. 00:20 | / 22. 05:15 | Randers-Bjerregrav i 169,3 | Skinnespr. |
| | 21. 23:45 | – 22. 08:39 | | Overjerstal-Hovslund i 67,2 | Skinnespr. |
| | 22. 03:00 | – 22. 05:55 | | Vejle H.-Børkop | Formodet sab. |
| | 22. 20:40 | – 22. 21:40 | | Randers st. | Sporsk. spr. |
| | 22. 21:45 | – 23. 11:00 | | Overjerstal st. | Sporsk. spr. |
| | 22. 21:50 | – 22. 22:45 | | Tvingstrup-Hovedgaard | Formodet sab. |
| | 22. 22:22 | – 23. 07:00 | / 23. 08:50 | Randers-Stevnstrup i 164,3 | Skinnespr. |
| | 23. 20:30 | – 24. 01:40 | / 24. 03:40 | Randers-Stevnstrup i 161,8 | Skinnespr. |
| | 23. 20:40 | – 23. 22:28 | | Randers-Bjerregrav | Formodet sab. |
| ev. fra Fyn | 24. 00:17 | – 24. 05:35 | / 24. 07:40 | Lunderskov-Ejstrup i 31,8 | Afsp. forsøg |
| | 24. 00:30 | – 24. 01:20 | | Overjerstal-Vojens | Formodet sab. |
| | 24. 21:30 | – 24. 23:40 | | Fredericia-Pjedsted | Formodet sab. |
| | 24. 22:00 | | | Padborg st. | Afsp. forsøg |

| | | | | | |
|---|---|---|---|---|---|
| | 24. 22:40 | – 24. 23:00 | | Stilling-Hørning | Formodet sab. |
| | 24. 22:40 | – 24. 23:30 | | Horsens st. | Formodet sab. |
| | 25. 00:10 | – 25. 01:05 | | Horsens-Tvingstrup | Formodet sab. |
| | 25. 20:35 | – 26. 01:20 | | Rødekro st. | Afsporing |
| | 25. 22:22 | – 26. 01:55 | | Randers st. | Sporsk. spr. |
| | 26. 01:25 | – 26. 08:54 | | Sommersted-Jegerup i 54,8 | Afsporing |
| | 26. 20:40 | – 27. 04:40 | / 27. 14:30 | Randers-Bjerregrav i 174,7 | Skinnespr. |
| | 27. 22:00 | – 29. 16:00 | | Bolderslev-Hjordkær i 87,5 | Afsporing |
| | 28. 20:40 | – 28. 22:45 | / 29. 02:00 | Skanderborg-Hykle i 83,5 | Skinnespr. |
| | 29. 03:05 | – 29. 08:00 | / 29. 14:00 | Eltang st. i 14,5 | Skinnespr. |
| | OKT 1944 | | | | |
| | 01. 01:06 | – 01. 05:25 | | Fredericia-Taulov | Sab. forsøg |
| | 02. 03:30 | – 02. 13:00 | | Bajstrup-Fårhus i 105,5 | Afsporing 9996 |
| Reichsrichter | 04. 19:17 | – 05. 04:40 | / 05. 19:30 | Randers-Bjerregrav i 174,7 | Afsp. forsøg da. tog |
| | 05. 21:37 | – 05. 23:12 | | Hjørring-Hæstrup | Skinnespr. |
| | 05. 23:08 | – 06. 06:15 | | Bjerregrav- Faarup i 177,8 | Skinnespr. |
| | 05. 23:30 | – 06. 01:15 | | Lunderskov-Ejstrup | Sab. forsøg |
| | 06. 01:15 | – 06. 12:05 | | Hjørring-Hæstrup i 295,6 | Skinnespr. |
| | 06. 05:47 | – 06. 11:00 | | Sindal-Sønderskov i 310,0 | Skinnespr. |
| | 06. 07:15 | – 16. 10:12 | | Brønderslev-Tylstrup | Sab. forsøg |
| | 06. 18:50 | – 06. 20:40 | / 06. 23:50 | Randers-Bjerregrav i 169,7 | Skinnespr. |
| | 06. 18:50 | – 06. 20:40 | | Stevnstrup-Randers | Formodet sab. |
| | 06. 19:19 | – 06. 20:59 | | Lunderskov-Vamdrup | Formodet sab. |
| | 06. 19:19 | – 06. 21:45 | | Lunderskov-Ejstrup | Formodet sab. |
| | 06. 21:55 | – 07. 00:50 | | Aalborg st. i sydg. retning | Sporskiftespr. |
| | 07. 02:15 | – 07. 02:46 | | Aalborg st. i sydg. retning | Sporskiftespr. |
| | 06. 21:55 | – 07. 03:00 | / 07. 05:50 | Aalborg st. i nordg. retning | Sporskiftespr. |
| | 07. 01:50 | – 08. 12:40 | | Rødekro-Hjordkær i 82,8 | Afsporing 651240 |
| | 07. 04:00 | – 07. 06:45 | | Hjørring-Vraa | Formodet sab. |
| | 07. 22:10 | – 08. 01:20 | | Randers-Bjerregrav | Formodet sab. |
| | 08. 17:03 | – 08. 17:50 | | Aalborg st. | Vognspr. |
| | 08. 22:35 | – 08. 23:59 | | Padborg-Fårhus | Formodet sab. |
| | 09. 23:45 | – 10. 01:30 | | Randers st. | Telefonbombe |
| | 10. 00:01 | – 10. 01:30 | | Stevnstrup-Randers | Formodet sab. |
| | 10. 04:30 | – 10. 06:02 | | Skanderborg-Hovedgaard | Formodet sab. |
| | 12. 22:15 | | | Århus H.-Hesselager | Sab. forsøg på loko. |
| | 16. 19:50 | – 16. 20:50 | | Århus-Brabrand | Formodet sab. |
| | 16. 21:50 | – 17. 01:26 | / 17. 15:00 | Brabrand st. | Sporsk. spr. |
| Bülow | 26. 01:05 | – 26. 10:30 | / 26. 12:20 | Århus-Hasselager i 102,6-103 | Skinnespr. |
| | 26. 23:05 | – 27. 00:25 | / 27. 12:20 | Skanderborg-Hylke i 83,8 | Skinnespr. |
| | 26. 23:05 | – 27. 00:40 | | Hasselager-Hørning | Formodet sab. |
| | 26. 23:05 | – 27. 00:34 | | Hørning-Stilling | Formodet sab. |
| | 26. 23:05 | – 27. 00:55 | | Stilling-Skanderborg | Formodet sab. |
| | 26. 23:10 | – 27. 05:50 | / 27. 09:01 | Århus-Hasselager | Skinnespr. |
| | 28. 07:50 | – 28. 08:40 | | Skanderborg st. | Sab. forsøg |
| | 28. 18:50 | – 28. 23:50 | | Århus rbg. | Sporsk. spr. |

| | | | | |
|---|---|---|---|---|
| 28. 20:55 | – 29. 01:00 | / 29. 02:17 | Skanderborg-Stilling | Sporsk. spr. |
| 30. 17:55 | – 30. 19:00 | | Brabrand-Mundelstrup | Formodet sab. |
| 30. 23:45 | – 31. 08:30 | / 31. 10:10 | Hylke-Skanderborg | Sporsk. spr. |
| 31. 20:05 | – 31. 22:10 | / 01. 06:30 | Stilling-Skanderborg | Afsporing |
| NOV 1944 | | | | |
| 01. 00:15 | – 01. 08:00 | / 01. 12:00 | Løsning st.-Hatting | Sporsk. spr. |
| 01. 00:15 | – 01. 01:22 | | Daugaard-Vejle | Formodet sab. |
| 02. 22:30 | – 03. 09:00 | | Århus H.-Århus Havn | Sporsk. spr. |
| 02. 22:30 | – 03. 00:30 | | Århus rbg. | Formodet sab. |
| 02. 22:30 | – 03. 03:05 | | Århus H.-sydl. retning | Formodet sab. |
| 02. 22:30 | – 03. 02:20 | | Århus H.-nordl. retning | Formodet sab. |
| 03. 23:00 | – 04. 06:45 | / 04. 07:25 | Pjedsted st. & Pj.-Fria i 5,6 | Sporsk. & skinnespr. |
| 04. 09:00 | – 04. 10:00 | | Århus-Hasselager i 107,0 | Sab. forsøg |
| 04. 10:00 | – 14. 12:05 | | Løsning st. | Sab. forsøg |
| 07. 20:25 | – 07. 22:25 | | Fredericia st. i nordl. retning | Sporsk. spr. |
| 07. 20:25 | – 08. 02:30 | | Fredericia st. i sydl. retning | Sporsk. spr. |
| 07. 22:00 | – 08. 08:30 | / 08. 13:30 | Århus-Hasselager i 99,6-100,9 | Skinnespr. |
| 08. 07:00 | – 08. 09:07 | | Fredericia-Pjedsted | Sab. forsøg |
| 09. 00:15 | – 19. 13:00 | | Århus-Brabrand i 113,6-113,9 | Skinnespr. |
| 09. 05:10 | – 09. 17:00 | / 10. 17:50 | Hinnerup-Søften i 128,5 | Skinnespr. |
| 09. 08:45 | – 09. 14:00 | / 09. 16:30 | Århus-Hasselager i 100,3 | Skinnespr. |
| 09. 16:40 | – 09. | | Hinnerup-Hadsten i 135,4 | Skinnespr. |
| 09. 17:40 | – 09. 22:00 | | Århus-Hasselager | Formodet sab. |
| 09. 17:40 | – 10. 04:50 | / 10. 11:30 | Hasselager-Hørning i 97,9 | Skinnespr. |
| 09. 18:00 | – 10. 06:30 | / 10. 09:50 | Stilling-Hørning i 93,2 | Skinnespr. |
| 09. 20:18 | – 09. 21:10 | | Skanderborg-Hylke | Formodet sab. |
| 09. 21:00 | – 09. 22:30 | | Århus H. | Telefonbombe |
| 09. 21:10 | – 10. 03:30 | / 10. c. 14:00 | Aalborg st. i nordl. retning | Sporsk. spr. |
| 09. 21:15 | – 10. 03:35 | / 10. 19:25 | Hinnerup-Hadsten i 135,4 | Skinnespr. |
| 09. 23:10 | – 10. 00:40 | | Skanderborg st. | Telefonbombe |
| 09. 23:35 | – 10. 11:10 | | Ellidshøj-Svendstrup i 239,8 | Skinnespr. |
| 09. 23:35 | – | / 10. 16:00 | Svendstrup-Skalborg i 245,1 | Skinnespr. |
| 10. 01:25 | – 10. 11:45 | | Frederikshavn st. i 332,5-333,0 | Skinnespr. |
| 10. 02:00 | – 10. 08:30 | | Tylstrup-Brønderslev i 270,0 | Skinnespr. |
| 10. 03:00 | – 10. 15:10 | | Hæstrup st. | Sporsk. spr. |
| 10. 09:50 | | | Fredericia st. | Sporsk. spr. |
| 10. 10:00 | – 10. 14:00 | / 10. 15:55 | Fredericia-Taulov i 1,9 & 3,4 | Sporsk. & skinnespr. |
| 10. 15:40 | – | / 10. 17:55 | Skanderborg-Stilling i 88,4-88,6 | Skinnespr. |
| 10. 20:40 | – 10. 23:56 | | Århus-Hasselager | Formodet sab. |
| 11. 03:10 | – 11. 19:05 | | Svendstrup J.-Ellidshøj i 236,9-237,2 | Skinnespr. |
| 11. 22:25 | – 11. 23:12 | | Stevnstrup-Randers | Sab. forsøg |
| 11. 22:55 | – 12. 00:22 | | Skanderborg st. | Vandforsyningsanlæg |
| 12. 17:50 | – 13. 11:25 | | Hobro-Doense i 206,2 | Skinnespr. |
| 12. 22:55 | – 13. 09:50 | | Støvring-Ellidshøj i 232,4 | Skinnespr. |

| | | | | | | | |
|---|---|---|---|---|---|---|---|
| 12. 23:35 | – | 13. 04:30 | / | 13. 08:00 | Taulov st. & Fria-Taulov i 8,9 | Sporsk. & skinnespr. |
| 13. 02:00 | – | 13. 02:50 | | | Onsild-Hobro | Formodet sab. |
| 13. 04:00 | – | 13. 04:45 | | | Onsild-Hobro | Formodet sab. |
| 13. 05:45 | – | 13. 06:30 | / | 13. 15:30 | Laurbjerg-Langaa | Skinnespr. |
| 13. 22:35 | | | | | Randers st. | Vandtårn |
| 14. 20:00 | – | 14. 21:20 | | | Fredericia-Pjedsted | Formodet sab. |
| 14. 23:25 | – | 15. 01:26 | | | Hvorupgaard-Nr. Sundby | Formodet sab. |
| 15. 01:00 | – | 15. 04:00 | | | Fredericia-Taulov | Formodet sab. |
| 15. 01:35 | – | 15. 03:10 | | | Fredericia-Pjedsted | Formodet sab. |
| 15. 11:30 | – | 15. 12:56 | / | 15. 17:25 | Skanderborg-Stilling i 87,7 | Skinnespr. |
| 15. 13:15 | | | | | Århus H. | Østre vandtårn |
| 16. 03:15 | – | 16. 05:15 | / | 16. 12:15 | Fredericia-Taulov | Skinnespr. |
| 18. 18:35 | – | 19. 12:00 | | | Århus H.-Århus Havn | Tankvognsbrand |
| 21. 23:24 | – | 22. 03:50 | / | 22. 04:40 | Taulov st. | Sporsk. spr. |
| 24. 18:07 | – | 24. 20:55 | | | Fredericia rbg. | Sporsk. spr. |
| 25. 00:27 | – | 25. 04:40 | / | 25. 06:20 | Fredericia-Pjedsted i 5,6 | Skinnespr. |
| 25. 01:43 | – | 25. 06:11 | / | 25. 07:00 | Taulov st. | Sporsk. spr. |
| 25. 21:41 | – | 25. 23:30 | | | Fredericia st. | Sporsk. spr. |
| 27. 22:23 | – | | / | 28. 10:50 | Fredericia st.(-Taulov) | Sporsk. spr. |

DEC 1944

| | | | | | | |
|---|---|---|---|---|---|---|
| 02. 23:02 | – | 02. 23:30 | | | Århus H st. | Tankvognsspr. |
| 10. 00:55 | – | 10. 02:15 | | | Hedensted-Daugaard | Formodet sab. |
| 10. 02:35 | – | | / | 10. 04:20 | Daugaard st. | Sporsk. spr. |
| 10. 02:50 | – | 10. 08:30 | | | Sommersted-Farris i 48,9 | Skinnespr. |
| 10. 06:50 | – | 10. 08:07 | | | Århus H st. | Godsvognsspr. |
| 10. 14:00 | – | 10. 15:15 | | | Fredericia-Taulov | Formodet sab. |
| 11. 01:55 | – | 11. 10:30 | | | Vojens-Jegerup i 57,5 | Afsporing |
| 12. 01:18 | – | 12. 11:46 | | | Hovslund-Over Jerstal i 71,5 | Afsporing |
| 12. 21:30 | – | 12. 22:28 | | | Århus H. - østre plads | Barakspr. |
| 13. 01:05 | – | 13. 08:30 | | | Bolderslev-Tinglev i 93,5 | Afsp. forsøg |
| 13. 17:32 | – | 13. 20:25 | | | Skanderborg-Stilling i 89,7 | Afsp. forsøg |
| 13. 19:30 | – | 13. 21:07 | | | Fredericia st. (-Pjedsted) | Sporsk. spr. |
| 13. 20:57 | | | | | Bolderslev st. | Afsp. forsøg |
| 13. 21:20 | – | 13. 22:00 | | | Fredericia st. (-Pjedsted) | Sporsk. spr. |
| 14. 00:21 | – | 14. 02:08 | | | Århus H | Telefonbombe |
| 14. 03:05 | – | 14. 05:45 | | | Taulov st. | Sab. forsøg |
| 14. 08:11 | – | 14. 09:55 | / | 14. 10:20 | Taulov st. | Sporsk. spr. |
| 14. 18:30 | – | 14. 23:30 | / | 15. 00:05 | Børkop st. | Sporsk. spr. |
| 14. 22:15 | – | 15. 01:25 | / | 15. 02:00 | Pjedsted st. | Sporsk. spr. |
| 14. 18:20 | | | | | Fredericia st. | Sporsk. spr. |
| 15. 19:55 | – | 16. 05:20 | / | 16. 08:45 | Vejle H.-Daugaard | Skinnespr. |
| 15. 20:10 | – | 16. 01:45 | | | Løsning st. | Sporsk. spr. |
| 15. 20:45 | – | 15. 23:10 | | | Horsens-Tvingstrup | Formodet sab. |
| 16. 00:42 | – | 16. 19:30 | | | Hovslund-Rødekro i 73,2 | Afsporing |
| 17. 03:15 | – | 17. 20:40 | | | Lunderskov-Vamdrup i 34,6 | Afsporing |
| 19. 18:55 | | | | | Fredericia st. | Lokoremise |

| | | | | |
|---|---|---|---|---|
| 19. 22:35 | – 19. 23:24 | | Kolding-Ejstrup | Formodet sab. |
| 30. 01:30 | – 30. 03:10 | | Ejstrup-Lunderskov i 30,5 | Sab. forsøg |
| 30. 23:17 | – 31. 10:00 | | Padborg st. | Sporsk. spr. |

JAN 1945

| | | | | |
|---|---|---|---|---|
| 04. 01:15 | – 04. 02:30 | | Skanderborg st. | Vandkran |
| 04. 01:22 | – | / 04. 05:15 | Horsens-Hatting i 52,9 | Skinnespr. |
| 04. 06:20 | – 04. 11:30 | | Horsens-Hatting | Skinnespr. |
| 04. 18:30 | – 05. 10:20 | / 05. 11:32 | Fredericia st. -(nordpå) | Sporsk. spr. |
| | – < 05. 07:00 | | do. -(sydpå) | |
| 04. 20:30 | – 05. 02:05 | / 05. 04:45 | Fredericia-Taulov i 7,8 | Skinnespr. |
| 04. 21:00 | – 05. 05:40 | / 05. 10:20 | Fredericia-Pjedsted | Skinnespr. |
| 05. 01:05 | – | / 05. 02:05 | Horsens-Hatting i 55,5 | Skinnespr. |
| 05. 04:55 | – 05. 10:20 | | Horsens-Hatting | Formodet sab. |
| 05. 12:15 | – 05. 16:20 | / 05. 17:55 | Fredericia-Pjedsted | Skinnespr. |
| 06. 19:52 | – 06. 22:45 | / 06. 23:55 | Hedensted st. i 40,7 | Skinnespr. |
| 07. 02:30 | – 07. 05:00 | | Vejle H.-Børkop | Formodet sab. |
| 07. 17:05 | – 07. 19:00 | | Hylke-Skanderborg | Formodet sab. |
| 07. 21:30 | – | | Fredericia st. | Reservelager af skinnekrydsninger |
| 11. 20:53 | – 11. 22:25 | | Vejle H. i 25,3 | Sporsk. spr. |
| 13. 20:14 | – 13. 22:25 | | Århus H. | Spr. af vogne |
| 13. 22:15 | – 14. 00:35 | | Lunderskov st. | Sporsk. spr. |
| 18. 17:51 | – 18. 23:10 | / 19. 00:30 | Horsens-Hatting i 56,1 | Skinnespr. |
| 18. 23:15 | – 19. 01:30 | | Hatting-Løsning | Formodet sab. |
| 19. 23:00 | – 20. 04:40 | / 20. 13:00 | Hatting-Løsning i 48,5 | Skinnespr. |
| 20. 04:02 | – | / 20. 13:00 | Horsens-Hatting i 52,9 | Skinnespr. |
| 20. 10:10 | – 20. 14:10 | / 20. 16:10 | Horsens-Tvingstrup | Skinnespr. |
| 20. 23:05 | – | / 21. 04:30 | Hatting-Løsning i 52,45 | Skinnespr. |
| 25. 22:46 | – | / 26. 05:30 | Århus rbg. | Sporsk. spr. |
| 30. 02:15 | – 30. 06:20 | / 30. 16:50 | Aalborg-Skalborg i 247,05 | Afsp. forsøg 651640 |
| 30. 02:45 | – | / 30. 15:30 | Randers st. i 167, 35 (-Stevnstrup) | Skinnespr. |
| 30. 04:55 | – 30. 08:30 | / 30. 15:45 | Nr. Sundby-Aalborg | Skinnespr. |
| 30. 22:50 | – 31. 16:40 | | Aalborg-Skalborg i 245,0 | Skinnespr. |
| 30. 22:56 | – 31. 04:30 | | Skalborg-Svendstrup J. | Formodet sab. |
| 30. 23:45 | – | / 31. 01:00 | Aalborg st. (-Nr. Sundby) | Sporsk. spr. |

FEB 1945

| | | | | |
|---|---|---|---|---|
| 01. 17:00 | – 03. 15:42 | | Aalborg-Skalborg i 246,7 | Skinnespr. |
| 02. 00:45 | – 02. 12:20 | | Randers-Bjerregrav | Skinnespr. |
| 02. 00:45 | – 02. 16:10 | / 03. 19:30 | Randers-Stevnstrup | Skinnespr. |
| 02. 21:15 | – | / 03. 02:20 | Skalborg-Svendstrup | Sab. forsøg |
| 02. 22:05 | – 03. 17:24 | | Lunderskov-Vamdrup i 34,4 | Afsporing |
| 03. 00:01 | – 03. 02:00 | | Randers-Bjerregrav | Formodet sab. |
| 03. 19:40 | – 04. 23:30 | | Ellidshøj-Støvring | Afsporing |
| 03. 20:26 | – 04. 01:15 | | Fredericia-Pjedsted | Formodet sab. |

| | | | | |
|---|---|---|---|---|
| 04. 02:55 | – 04. 06:20 | | Århus-Brabrand | Formodet sab. |
| 04. 09:58 | – | / 04. 12:30 | Brabrand-Mundelstrup i 118,1 | Skinnespr. |
| 04. 15:57 | – 05. 07:52 | / 05. 14:15 | Århus H.-Hasselager i 102,2 | Skinnespr. |
| 04. 22:30 | – | / 05. c. 15:00 | Fredericia st. | Sporsk. spr. |
| 05. 00:05 | – 05. 04:00 | / 05. 07:15 | Fredericia-Pjedsted i 5,9 | Skinnespr. |
| 05. 03:50 | – 05. 10:53 | / 05. 13:50 | Taulov-Eltang i 9,35 | Skinnespr. |
| 05. 20:05 | – | / 06. 09:15 | Århus H. | Sporsk. spr. |
| 06. 02:10 | – | | Nr. Sundby st. | Tipvognsloko. spr. |
| 06. 21:00 | – 07. 10:30 | | Aalborg havnebane | Skinnespr. |
| 07. 01:00 | – | / 07. 05:15 | Skanderborg st. | Sporsk. spr. |
| 07. 04:15 | – 07. 08:35 | / 07. 12:15 | Århus H. (-nord og syd) | Skinnespr. |
| 08. 01:00 | – 08. 21:45 | | Farris-Sommersted i 45,3 | Afsporing |
| 08. 18:40 | – 08. 23:30 | / 09. 06:38 | Daugaard-Vejle H. | Skinnespr. |
| 08. 18:54 | – | / 08. 23:10 | Taulov-Eltang | Skinnespr. |
| 08. 19:13 | – 09. 09:50 | | Stevnstrup-Randers i 162,8-165,6 | Skinnespr. |
| 08. 21:30 | – | | Ejstrup-Lunderskov i 31,9 | Sab. forsøg |
| 09. 02:07 | – 09. 11:00 | / 09. 11:40 | Randers-Bjerregrav i 172,4 | Skinnespr. |
| 09. 02:10 | – 09. 12:00 | / 16. 11:45 | Skørping-Støvring i 228,1 | Skinnespr. |
| 09. 02:30 | – 09. 05:00 | / 09. 08:50 | Vejle H.-Børkop | Skinnespr. |
| 09. 02:45 | – 09. 07:50 | / 09. 10:30 | Horsens-Tvingstrup i 59,1 | Skinnespr. |
| 09. 06:32 | – | / 09. 12:20 | Vojens-Over Jerstal i 60,6 | Skinnespr. |
| 09. 13:20 | – 09. 15:15 | / 09. 17:30 | Horsens-Hatting i 53,8 | Skinnespr. |
| 09. 18:30 | – 09. 21:00 | / 09. 23:05 | Hørning-Stilling | Skinnespr. |
| 09. 20:00 | – | / 09. 22:08 | Fredericia st. | Sporsk. spr. |
| 09. 21:10 | – 10. 01:45 | / | Nr. Sundby st. | Sporsk. spr. |
| 09. 23:05 | – | / 10. 07:00 | Bajstrup-Fårhus i 105,5 | Afsp. forsøg |
| 09. 23:45 | – 10. 04:40 | / 01. 01:00 | Løsning-Hedensted i 41,87 | Skinnespr. |
| 10. 00:50 | – 10. 08:20 | / 10. 10:45 | Horsens-Tvingstrup | Skinnespr. |
| 10. 04:15 | – | / 10. 09:00 | Over Jerstal-Hovslund i 67,7 | Afsp. forsøg |
| 10. 17:35 | – | / 10. 21:30 | Stilling-Hørning | Formodet sab. |
| 10. 17:35 | – 10. 21:30 | / 11. 00:25 | Stilling-Skanderborg | Skinnespr. |
| 10. 19:47 | – | / 10. 22:45 | Fredericia st. (-nordpå) | Skinnespr. |
| 10. 21:08 | – | / 11. 05:15 | Langaa st. (sydpå) | Sporsk. spr. |
| | | / 11. 05:30 | Langaa st. (nordpå) | |
| 12. 00:25 | – | / 12. 11:00 | Brabrand st. (-Mundelstrup) | Skinnespr. |
| 12. 04:00 | – 12. 11:00 | / 12. 12:00 | Brabrand-Århus i 113,9 | Skinnespr. |
| 13. 01:13 | – | / 13. 03:05 | Fredericia-Taulov | Formodet sab. |
| 13. 01:55 | – | / 13. 09:30 | Vojens st. i 60,0 | Afsporing |
| 15. 01:00 | – | / 15. 05:45 | Fredericia-Taulov | Formodet sab. |
| 15. 01:15 | – | / 15. 07:30 | Børkop-Pjedsted i 10,06 | Skinnespr. |
| 14. 19:15 | – 14. 22:20 | / 15. 06:40 | Horsens-Tvingstrup i 62,8 | Skinnespr. |
| 14. 21:25 | – | / 15. 00:30 | Århus rbg. | Formodet sab. |
| 15. 00:45 | – | / 15. 02:10 | Hedensted-Daugaard | Formodet sab. |
| 15. 01:00 | – | / 15. 05:55 | Fredericia-Pjedsted | Formodet sab. |
| 16. 08:10 | – | | Skanderborg st. | Spr. i kørekran |
| 17. 21:05 | – 18. 12:58 | / 18. 16:00 | Brabrand st. | Sporsk. spr. |
| 18. 22:05 | – 19. 00:20 | / 19. 00:20 | Aalborg-Skalborg | Formodet sab. |

| | | | | | | |
|---|---|---|---|---|---|---|
| 19. 20:10 | – | | / | 19. 23:01 | Vejle H.-Daugaard | Formodet sab. |
| 19. 21:40 | – | | / | 19. 23:15 | Århus H. | Kulkran, kørekran m.v. |
| 19. 22:20 | – | 20. 01:40 | / | 20. 17:00 | Aalborg-Skalborg | Skinnespr. |
| 22. 22:25 | | | | | Århus-Hasselager | Afsp. forsøg |
| 23. 19:30 | – | | / | 24. eftm. | Århus H. (-rbg.) | Sporsk. spr. |
| 23. 19:40 | – | | | 23. 21:25 | Skanderborg-Stilling | Formodet sab. |
| 23. 21:30 | – | 24. 11:55 | / | | Hovedgaard st. | Sporsk. spr. |
| 24. 00:30 | – | 24. 11:55 | / | | Hylke-Hovedgaard | Skinnespr. |
| 24. 02:35 | – | 26. 18:00 | / | | Hjørring-Hæstrup | Afsporing |
| 25. 10:40 | – | 25. 13:30 | / | 25. 16:20 | Skanderborg-Hylke i 83,0 | Skinnespr. |
| 25. 18:15 | – | 25. 20:14 | / | 26. 00:40 | Skanderborg-Hylke i 83,0 | Skinnespr. |
| 25. 23:18 | – | 26. 07:00 | / | 26. 14:25 | Skanderborg-Stilling i 89,2 | Skinnespr. |
| 26. 00:50 | – | | / | 26. 10:30 | Horsens-Hatting i 55,9 | Skinnespr. |
| 26. 07:25 | – | 26. 12:30 | / | 26. 14:45 | Horsens-Tvingstrup | Skinnespr. |
| 26. 14:20 | – | 26. 15:20 | / | 26. 16:25 | Vejle H.-Munkebjerg i 23,8 | Skinnespr. |
| 26. 23:25 | – | 27. 01:25 | / | 27. 04:00 | Vejle H.-Munkebjerg i 23,8 | Skinnespr. |
| 27. 00:25 | – | | / | 27. 05:30 | Kolding-Eltang i 16,7 | Skinnespr. |
| 27. 01:25 | – | 27. 07:00 | / | 27. 09:00 | Hylke-Hovedgaard i 73,0 | Skinnespr. |
| 27. 04:45 | – | 27. 09:00 | / | 27. 10:14 | Fredericia-Taulov i 7,8 | Skinnespr. |
| 27. 09:35 | | | | | Horsens st. | Spr. af skinnelager |
| 27. 21:05 | – | 28. 01:20 | / | 28. 02:15 | Vejle H. (Børkop) i 25,1 | Skinne- & sporsk. spr. |
| 27. 23:04 | – | 28. 02:38 | | | Fredericia-Taulov | Formodet sab. |
| 27. 23:06 | – | 28. 02:45 | / | 28. 05:55 | Fredericia-Fjedsted | Skinnespr. |
| 28. 00:30 | – | 28. | | c. 22:00 | Vraa st. | Sporsk. spr. |
| 28. 00:30 | – | 28. | | c. 22:00 | Vraa-Brønderslev i 276,1 | Skinnespr. |
| 28. 00:30 | – | 28. | | c. 22:00 | Brønderslev st. | Sporsk. spr. |
| 28. 01:30 | – | 28. 11:25 | | | Vamdrup-Farris i 42,6 | Skinnespr. |
| 28. 10:25 | – | 28. 12:05 | / | 28. 14:37 | Horsens-Tvingstrup i 59,2 | Skinnespr. |
| 28. 18:45 | – | 10. c. 04:00 | / | 01. 01:00 | Børkop-Pjedsted i 10,4 | Skinnespr. |
| 28. 20:40 | – | 01. 01:50 | / | 01. 15:30 | Aalborg st. | Skinnespr. |
| 28. 20:40 | – | 01. 01:50 | / | 01. 15:30 | Aalborg-Nr. Sundby | Skinnespr. |
| 28. 22:00 | – | | | | Horsens st. | Spr. i skinnelager |
| MAR 1945 | | | | | | |
| 01. 01:15 | – | 01. 05:50 | | | Vojens st. | Spr. i signalposter 2 sporsk. 2 vandtårne |
| 01. 21:45 | – | 02. 04:25 | / | 02. 04:50 | Børkop-Pjedsted | Skinnespr. |
| 01. 23:10 | – | 02. 03:50 | | | Vraa-Sulsted | Sab. forsøg |
| 02. 04:45 | – | 02. 14:30 | / | 02. 18:45 | Laurbjerg-Lerbjerg | Skinnespr. |
| 02. 05:45 | – | | | | Farris-Sommersted | Formodet sab. |
| 02. 10:30 | – | 02. 12:20 | / | 02. 12:30 | Børkop-Pjedsted i 10,4 | Skinnespr. |
| 02. 23:20 | – | 03. 13:00 | / | 03. 14:30 | Randers-Stevnstrup i 161,9 & 165,8 | Skinnespr. |
| 02. 22:40 | – | 03. 13:00 | / | 03. 14:30 | Stevnstrup-Langaa i 160,4 | Skinnespr. |
| 03. 01:10 | – | | / | 03. 21:45 | Bjerregrav-Randers | Skinnespr. |
| 03. 02:00 | – | 03. 12:20 | | | Sommersted-Vojens i 57,5 | Afsporing |
| 03. 02:00 | – | 03. 08:05 | | | Hovslund-Vojens | Formodet sab. |

| | | | | |
|---|---|---|---|---|
| 04. 00:20 – 04. 03:30 | / | 04. 06:15 | Hylke st. | Skinnespr. |
| 04. 21:25 – 05. 01:20 | | | Hørning-Stilling | Formodet sab. |
| 04. 23:58 – 05. 01:20 | | | Aalborg-Nr. Sundby | Skinnespr. |
| 04. 02:30 – 04. 10:00 | | | Bolderslev-Tinglev i 92,2 | Skinnespr. |
| 05. 00:20 – 05. 08:00 | | 05. 10:15 | Skanderborg-Hylke | Skinnespr. |
| 05. 00:20 – 05. 02:30 | | | Stilling-Skanderborg | Formodet sab. |
| 05. 03:44 – 05. 06:00 | | | Rødekro-Over Jerstal | Formodet sab. |
| 05. 03:44 – 05. 06:00 | | | Over Jerstal-Sommersted | Formodet sab. |
| 05. 04:25 – 05. 10:20 | | | Rødekro-Hovslund i 74,9 | Skinnespr. |
| 05. 20:25 – 05. 23:10 | | | Århus H. | Formodet sab. |
| 06. 00:01 – 06. 03:35 | | | Horsens-Tvingstrup | Formodet sab. |
| 06. 00:40 – 06. 18:15 | | | Onsild-Faarup | Skinnespr. |
| 06. 00:45 – 06. 09:40 | | | Farris-Sommersted i 45,9 | Afsporing |
| 06. 02:30 – 06. 18:15 | | | Vraa-Hæstrup i 289,5 & 290, 2 | Skinnespr. |
| 06. 15:35 – 07. 14:30 | / | 11. 15:00 | Stevnstrup-Randers i 164,3-164,6 | Skinnespr. |
| 06. 16:00 – 07. 14:30 | / | | Randers-Bjerregrav i 173,1 | Stenkistespr. |
| 06. 16:05 – 07. 13:40 | / | 11. 15:00 | Stevnstrup-Langaa i 157,3 | Skinnespr. |
| 06. 18:50 – 07. 18:00 | / | 22. 17:00 | Aalborg-Skalborg | Skinnespr. |
| 06. 19:30 – | | | Skalborg-Svendstrup | Formodet sab. |
| 06. 20:20 – | / | 06. 22:30 | Hasselager st. | Spr./stat.bygn. |
| 07. 00:30 – 07. 16:15 | | | Tylstrup st. (-Brønderslev) | Sporsk. spr. |
| 07. 00:30 – 07. 19:00 | | | Brønderslev st. | Sporsk spr. |
| 07. 03:18 – 07. 09:15 | | | Tinglev-Bolderslev i 92,3 | Skinnespr. |
| 07. 03:50 – 07. 06:50 | | | Hjordkær-Bolderslev | Formodet sab. |
| 07. 07:10 – 07. 09:00 | | | Onsild st. | Sab. forsøg |
| 07. 20:05 – 07. 23:55 | | | Svendstrup-Bllidshøj | Skinnespr. |
| 07. 20:05 | | | Aalborg mdt. | Spr./mask. |
| 07. 23:00 – 08. 03:10 | | | Mundelstrup-Hinnerup i 123,9 | Skinnespr. |
| 08. 04:30 – 08. 06:50 | | | Hjørring-Hæstrup | Formodet sab. |
| 08. 05:40 – 08. 08:10 | | | Hørning-Stilling | Formodet sab. |
| 08. 10:30 – | / | 08. 11:30 | (nordfra-) Århus H. | Rangerfejl |
| 09. 20:35 – 10. 01:45 | | | Vamdrup-Lunderskov i 31,3 | Skinnespr. |
| 09. 22:30 – 10. 00:58 | | | Tinglev-Bolderslev | Formodet sab. |
| 10. 14:15 – 10. 16:00 | | | Kolding st. | Spr./signalhus |
| 10. 23:10 – 11. 14:20 | | | Aalborg-Skalborg i 246,5 | Skinnespr. |
| 11. 00:20 – | / | 11. 20:00 | Mundelstrup st. | Sporsk. spr. |
| 11. 00:26 – | / | 11. 20:00 | Hinnerup st. | Sporsk spr. |
| 11. 01:10 – 11. 04:40 | | | Hobro-Onsild | Formodet sab. |
| 11. 06:20 – 12. 10:05 | / | 13. 14:25 | Mundelstrup-Hinnerup i 130,5 | Skinnespr. |
| 11. 17:05 – 12. 00:01 | / | | Aalborg-Skalborg i 254,8 | Skinnespr. |
| 11. 20:30 – 12. 09:30 | / | 12. 15:00 | Århus H. (-sydpå) i 107,5 | Skinnespr. |
| 12. 22:55 – | / | 12. 23:45 | Skanderborg st. | Spr./kommandopost |
| 12. 23:30 – 13. 10:30 | / | 13. 15:00 | Lerbjerg st. i 146,2-146,5 | Skinnespr. |
| 13. 06:00 – 13. 11:00 | / | 13. 22:30 | Århus-Hasselager i 101,6 | Skinnespr. |
| 13. 07:00 – | / | 13. 10:15 | Århus-Brabrand | Sab. forsøg |
| 13. 14:32 – 13. 20:55 | / | | Hinnerup-Mundelstrup i 130,0 | Skinnespr. |

| | | | | | |
|---|---|---|---|---|---|
| 13. 22:05 | – 14. 13:50 | / | 15. 18:00 | Hinnerup-Mundelstrup i 138,5-130,1 | Skinnespr. |
| 14. 01:45 | – 14. 08:45 | | | Hovslund-Over Jerstal i 71, 6 | Skinnespr. |
| 14. 15:35 | – 14. 17:15 | | | Hinnerup-Hadsten | Formodet sab. |
| 14. 15:50 | – 14. 18:35 | | | Randers-Langaa | Formodet sab. |
| 15. 01:52 | – 15. 18:00 | | | Fårhus-Bajstrup i 103,6 | Afsporing |
| 16. 02:40 | – 17. 12:00 | | | Hjørring-Sønderskov i 302,2 | Afsporing |
| 16. 04:42 | – 16. 11:18 | | | Tinglev-Bolderslev i 92,3 | Afsp. forsøg |
| 16. 16:45 | – 16. 19:15 | | | Bajstrup-Tinglev i 98,2 | Skinnespr. |
| 17. 16:18 | | | | Århus H. st. | Spr./drejeskive |
| 17. 22:08 | – | / | 18. 00:45 | Aalborg st. | Spr./skinnelager |
| 17. 23:05 | – | / | 18. 04:40 | Kolding st. | Sporsk. spr. |
| 17. 23:30 | – 18. 07:15 | / | 18. 09:00 | Kolding-Ejstrup i 22,3 - 22,7 | Skinnespr. |
| 18. 00:32 | – 18. 17:30 | | | Farris-Sommersted i 45,5 -49,0 | Afsporing & skinnespr. |
| 18. 02:10 | – 18. 05:30 | | | Lunderskov-Vamdrup | Formodet sab. |
| 18. 02:35 | – 18. 14:30 | | | Bolderslev-Tinglev i 90,7-90,9 | Skinnespr. |
| 18. 12:20 | – 18. 14:30 | / | 18. 16:20 | Pjedsted-Børkop i 10,7 | Skinnespr. |
| 18. 20:00 | – 18. 23:20 | | | Farris-Sommersted | Formodet sab. |
| 18. 22:25 | – | | | Århus H.-Hasselager | Sab. forsøg |
| 19. 02:22 | – 19. 09:00 | / | 19. 09:50 | Horsens-Tvingstrup i 64,7 | Skinnespr. |
| 19. 04:05 | – 19. 14:00 | | | Århus rbg. | Sporsk. spr. |
| 19. 21:40 | – 19. 23:45 | / | 20. 01:30 | Hedensted-Daugaard i 40,0 | Skinnespr. |
| 21. 22:15 | – 22. 00:28 | | | Århus-Hasselager | Formodet sab. |
| 23. 22:00 | – 24. 11:05 | | | Tolne-Sindal i 315,4 | Skinnespr. |
| 23. 23:45 | – | | | Brabrand-Århus H. | Afsp. forsøg |
| 24. 00:12 | – | | 24. 00:52 | Vejle H. st. | Sporsk. spr. |
| 24. 01:40 | – 24. 05:40 | | | Hovslund-Over Jerstal | Formodet sab. |
| 24. 01:45 | – | | | Bolderslev-Tinglev | Sab. forsøg |
| 25. 02:10 | – 25. 11:00 | / | 25. 15:10 | Brabrand st. | Sporsk. spr. |
| 25. 22:05 | – 26. 20:30 | / | 27. 18:15 | Brabrand-Mundelstrup i 116,0-116,7 | Skinnespr. |
| 26. 00:30 | | | | Hedensted st. (grusgravsporet) | Skinnespr. |
| 27. 11:45 | | | | Århus, centralværkstedet | Spr./kørekran |
| 27. 19:30 | – | | | Århus, centralværkstedet | Spr./løbevogne til kørekran & tenderværksted |
| 26. 22:30 | – 27. 01:47 | / | | Kolding-Ejstrup i 22,4 | Skinnespr. |
| 26. 23:37 | – 27. 00:50 | | | Vamdrup-Lunderskov | Formodet sab. |
| 28. 01:30 | – 28. 12:00 | / | 28. 17:40 | Langaa-Stevnstrup i 156,7-156,9 | Skinnespr. |
| 28. 23:40 | – 29. 12:45 | / | 31. 16:15 | Mundelstrup-Brabrand i 117,9-120,0 | Skinnespr. |
| 28. 23:50 | – 29. 21:00 | | | Farris-Vamdrup i 41,6 | Afsporing |
| 29. 00:10 | – 29. 22:30 | / | | Aalborg-Skalborg i 244,9-245,1 | Skinnespr. |
| 29. 00:30 | – 29. 22:30 | / | | Skalborg-Svendstrup i 243,3-243,7 | Skinnespr. |
| 29. 01:02 | – 29. 03:45 | | | Kolding st. i 19,15 | Spr./stenkiste |
| 29. 01:35 | – 29. 17:40 | | | Onsild st. | Sporsk. spr. |
| 29. 01:35 | – 29. 17:40 | | | Onsild-Faarup i 189,2 | Skinnespr. |

| | | | | | |
|---|---|---|---|---|---|
| 29. 21:58 – | 30. 00:05 | | | Århus H. st. | Formodet sab. |
| 29. 21:58 – | 30. 02:00 | | | Århus rbg. | Formodet sab. |
| 30. 03:58 – | 30. 18:45 | | | Bajstrup-Fårhus i 103,6-103,8 | Skinnespr. |
| 30. 17:20 – | 31. 04:55 | / | | Aalborg-Skalborg i 245,6-245,8 | Skinnespr. |
| 31. 08:05 – | | | | Aalborg st. | Spr./maskindepot |
| 31. 23:18 – | 01. 10:00 | | | Hjordkær-Bolderslev i 88,7-88,9 | Skinnespr. |
| 31. 23:20 – | 01. 07:30 | / | | Hatting-Løsning i 50,8 | Skinnespr. |
| 31. 23:40 – | 01. 08:55 | | | Over Jerstal-Hovslund i 68,5 | Afsp. forsøg |
| 31. 23:50 – | 01. 07:30 | / | | Horsens-Hatting i 55,9 | Skinnespr. |
| APR 1945 | | | | | |
| 02. 23:10 – | 03. 00:55 | | | Onsild st. | Spr. af vogn |
| 03. 02:06 – | 03. 08:25 | | | Bajstrup-Fårhus i 101,1 | Afsporing 651826 |
| 03. 23:15 – | 04. 04:05 | | | Over Jerstal-Hovslund i 66,1 | Skinnespr. |
| 04. 22:15 – | | | | Århus H.-Hasselager | Spr. i loko. |
| 05. 02:00 – | | / | 05. 06:15 | Fredericia st. (-Taulov) | Formodet sab. |
| 05. 03:44 – | 05. 06:00 | | | Rødekro-Over Jerstal | Formodet sab. |
| 05. 03:44 – | 05. 07:00 | | | Over Jerstal-Sommersted | Formodet sab. |
| 05. 23:40 – | 06. 16:00 | / | | Brabrand-Mundelstrup | Afsp. forsøg 2036 |
| 06. 00:40 – | 07. 02:10 | / | | Aalborg-Skalborg i 244,6-245,2 | Skinnespr. |
| 06. 22:35 – | 07. 01:05 | | | Vamdrup-Farris | Formodet sab. |
| 06. 22:15 – | 07. 13:15 | | | Århus rbg. | Sporsk. spr. |
| 07. 01:20 – | 07. 14:20 | / | | Lerbjerg st. | Sporsk & sk. spr. |
| 07. 03:20 – | 07. 17:50 | / | 30. 08:00 | Kolding-Ejstrup i 21,9 | Stenkistespr. |
| 07. 21:50 – | | / | 07. 23:35 | Århus H. | Spr. af barak |
| 08. 02:00 – | 09. 02:00 | | | Hovslund-Over Jerstal i 71,7 | Afsporing |
| 08. 17:30 – | 08. 19:25 | | | Kvissel-Tolne | Sab. forsøg |
| 08. 19:50 – | | | | Tolne-Sindal | Formodet sab. |
| 08. 23:10 – | 09. 01:00 | | | Børkop-Pjedsted | Formodet sab. |
| 10. 00:45 – | 10. 08:00 | / | 10. 12:50 | Horsens-Tvingstrup i 64,7 | Skinnespr. |
| 10. 02:30 – | 10. 03:50 | | | Faarup-Onsild | Formodet sab. |
| 10. 02:35 – | 10. 07:30 | | | Farris-Vamdrup i 42,6 | Skinnespr. |
| 11. 00:50 – | 11. 09:05 | / | 11. 12:05 | Løsning-Hatting i 50,3 | Skinnespr. |
| 11. 12:10 – | 12. 09:00 | / | | Skalborg-Svendstrup i 241,5 & 242,6-242,9 | Skinnespr. |
| 11. 14:05 – | 11. 20:55 | | | Aalborg-Skalborg i 245,1 | Skinnespr. |
| 12. 01:15 – | 12. 17:10 | / | | Århus H.-Brabrand i 114,0-114,6 | Skinnespr. |
| 12. 01:50 – | 12. 10:30 | | | Farris-Sommersted i 46,2 | Afsp. forsøg lazarett. |
| 12. 12:07 – | 13. 16:00 | | | Århus-Brabrand i 113,0-114,0 | Skinnespr. |
| 12. 23:46 – | | / | 12. 02:00 | Århus H. | Spr. i barak |
| 13. 06:00 – | 13. 11:45 | | | Bajstrup st. | Sporsk. spr. |
| 13. 15:30 – | | | | Padborg-Flensborg | Skinnespr. !!! |
| 13. 23:20 – | 14. 09:30 | | | Sommersted-Farris | Formodet sab. |
| 14. 00:09 – | 14. 10:05 | | | Farris st. | Afsporing |
| 14. 22:26 – | 15. 00:18 | | | Lunderskov-Vamdrup | Formodet sab. |
| 14. 23:05 – | 15. 14:30 | | | Århus rbg. | Sporsk. & skinnekrydsningslagerspr. |

| | | | | | | |
|---|---|---|---|---|---|---|
| 14. 23:05 | – | 14. 23:45 | | | Fredericia st. | Formodet sab. |
| 15. 00:45 | – | 16. 17:30 | | | Farris-Sommersted i 48,0 | Afsporing 255280 |
| 15. 01:15 | – | 15. 11:20 | / | | Ejstrup-Lunderskov i 32,0 | Afsporing 2394 |
| 15. 01:15 | – | 15. 01:45 | | | Lunderskov-Vamdrup | Formodet sab. |
| 15. 02:23 | – | 15. 10:00 | | | Bolderslev-Hjordkær i 88,2 | Skinnespr. |
| 15. 05:00 | – | 15. 08:05 | / | 15. 09:50 | Tvingstrup-Hovedgaard i 67,3 | Skinnespr. |
| 15. 23:50 | – | 16. 10:10 | / | | Århus H.-Brabrand | Afsporing 3018 |
| 16. 01:00 | – | 21. 10:30 | | | Farris-Sommersted i 51,18-51,35 | Skinne- & brospr. |
| 16. 01:10 | – | 16. 11:10 | / | | Laurbjerg st. | Sporsk. spr. |
| 16. 04:50 | – | 18. 09:00 | | | Over Jerstal-Hovslund i 70,8 | Skinnespr. |
| 16. 14:15 | – | 16. 15:30 | | | Fredericia st. | Formodet sab. |
| 16. 15:42 | – | 17. 02:00 | | | Svendstrup-Ellidshøj i 236,9-237,3 | Skinnespr. |
| 16. 22:10 | – | 17. 10:05 | | | Mundelstrup-Hinnerup | Skinnespr. |
| 17. 23:30 | – | 16. 09:10 | | | Nørresundby st. | Sporsk. spr. |
| 18. 02:30 | – | 18. 21:35 | | | Hjordkær-Bolderslev | Afsporing, lazarett. |
| 18. 03:45 | – | 18. 08:20 | / | 18. 09:45 | Vejle H.-Munkebjerg i 24,0 | Skinnespr. |
| 19. 01:30 | – | | / | 19. 09:00 | Horsens-Hatting i 52,4 | Skinnespr. |
| 19. 05:10 | – | 19. 09:30 | | | Over Jerstal-Hovslund i 68,8 | Skinnespr. |
| 19. 18:15 | – | 19. 20:30 | / | 19. 21:30 | Pjedsted-Børkop | Skinnespr. |
| 19. 22:20 | | | | | Randers st. | Spr. i drejeskive & kulkran |
| 19. 23:20 | – | 21. 13:50 | / | | Brabrand-Mundelstrup | Skinnespr. |
| 20. 03:00 | – | 20. 10:00 | | | Over Jerstal-Hovslund i 66,8 | Skinnespr. |
| 20. frm. | – | 21. 12:30 | | | Århus H.-Brabrand | Skinnespr. |
| 21. 10:10 | | | | | Kolding i 23,3 | Sab. forsøg |
| 21. 00:10 | – | 22. 16:15 | / | | Lerbjerg-Hadsten i 144,6-144,9 | Skinnespr. |
| 21. 02:00 | – | 21. 06:17 | | | Daugaard-Vejle H. | Formodet sab. |
| 22. 03:10 | | | | | Lunderskov st. | Sporsk. spr. |
| 23. 00:10 | – | 23. 05:04 | | | Vojens-Hovslund | Formodet sab. |
| 23. 12:36 | – | 23. 15:30 | | | Lunderskov-Vamdrup i 35,5 | Afsp. forsøg lazarett. |
| 24. 01:10 | – | | / | 24. 11:25 | Brabrand st. | Skinnespr. |
| 24. 13:15 | – | 24. 14:40 | / | | Lerbjerg-Hadsted | Sab. forsøg |
| 24. 10:00 | – | 25. 12:00 | | | Fredericia st. | Strejke |
| 26. 23:55 | – | 27. 02:00 | / | 27. 09:00 | Stilling-Hørning i 91,1 | Skinnespr. |
| 28. 01:34 | – | | / | 28. 02:55 | Århus H. st. | Spr. i bunker |
| 28. 07:45 | – | 28. 10:30 | | | Nr. Sundby st. | Skinnespr. |
| 28. 21:33 | – | 29. 00:10 | | | Lerbjerg-Laurbjerg | Formodet sab. |
| 28. 23:45 | – | 29. 09:00 | / | 29. 14:00 | Horsens-Tvingstrup i 61,4 | Skinnespr. |
| 29. 00:10 | – | 29. 11:00 | / | | Svendstrup-Ellidshøj i 236,9 | Skinnespr. |
| 29. 04:55 | – | 29. 06:40 | | | Lunderskov-Ejstrup i 30,0 | Brospr. |
| 29. 16:05 | – | 29. 21:00 | / | 29. 23:00 | Hørning-Stilling i 93,6 | Skinnespr. |
| 29. 23:10 | – | 30. 03:30 | | | Horsens-Tvingstrup | Formodet sab. |
| 30. 02:40 | – | 30. 08:00 | | | Tinglev st. | Spr. af signalposter |
| 30. 01:00 | – | 30. 06:30 | | | Aalborg-Skalborg | Formodet sab. |
| 30. 00:40 | – | 30. 08:00 | | | Svendstrup-Ellidshøj | Skinnespr. |
| 30. 00:45 | – | 30. 05:00 | | | Kolding-Ejstrup | Formodet sab. |

MAJ 1945

| | | | | | | |
|---|---|---|---|---|---|---|
| 01. 02:10 | – | 01. 06:10 | | | Taulov-Eltang | Formodet sab. |
| 01. 22:55 | – | 02. 09:00 | / | | Horsens-Tvingstrup i 64,5 | Skinnespr. |
| 02. 00:10 | – | 02. 05:10 | / | 02. 07:25 | Århus H.-Hasselager i 101,2 | Skinnespr. |
| 02. 14:50 | | | | | Lunderskov st. | Sporsk. spr. |
| 02. 17:25 | – | 03. 03:50 | / | | Horsens st. | Stenkistespr. |
| 02. 22:37 | – | 03. 03:35 | | | Århus personbanegård | Formodet sab. |
| 02. 22:57 | – | 03. 14:30 | / | 03. 16:00 | Århus rbg. | Sporsk. spr. |
| 03. 02:25 | – | 03. 09:20 | | | Tinglev-Bajstrup i 96,7 | Skinnespr. |
| 03. 02:40 | – | 03. 11:20 | | | Tinglev-Bolderslev | Skinnespr. |
| 03. 04:55 | – | 03. 13:10 | / | 03. 14:00 | Pjedsted-Fredericia i 4,1 | Skinnespr. |
| 03. 06:30 | | | | | Horsens st. | Sporsk. & sk. spr. |
| 03. 12:15 | – | 03. 19:10 | / | | Århus H.-Hasselager | Skinnespr. |
| 03. 17:45 | – | 03. 19:05 | / | 03. 21:40 | Horsens-Tvingstrup | Skinnespr. |
| 03. 18:00 | – | 03. 19:40 | / | | Skanderborg-Stilling | Skinnespr. |
| 03. 21:00 | – | 04. 01:25 | | | Brabrand st. | Skinnespr. |
| 04. 01:30 | – | 04. 02:35 | | | Lunderskov st. | Formodet sab. |
| 04. 02:00 | | | | | Langaa st. | Spr. i loko. |
| 04. 04:10 | – | 04. 07:20 | | | Fredericia-Taulov | Formodet sab. |
| 04. 12:45 | – | 04. 19:45 | / | | Hørning-Stilling i 93,1 | Skinnespr. |

**B. Skjern-Varde-Esbjerg-Bramminge-Tønder**

SEP 1944

| | | | | |
|---|---|---|---|---|
| 06. 05:40 | – | 06. 11:25 | Sejstrup-Gredstedbro i 4,9 | Skinnespr. |
| 10. 04:32 | – | 10. 08:06 | Tønder H.-Visby i 62,8 | Skinnespr. |
| 11. 03:30 | – | 11. 09:21 | Tønder H.-Visby i 57,1 | Skinnespr. |
| 16. 01:30 | – | 16. 19:00 | Guldager-Varde i 71,2 | Afsporing |
| 16. 01:30 | – | 16. 19:00 | Varde-Sig i 75,8 | Skinnespr. |
| 19. 00:10 | – | 19. 06:30 | Ribe-Hviding i 18,0 | Skinnespr. |
| 20. 05:20 | – | 20. 11:00 | Visby st. | Sporsk. spr. |
| 20. 12:10 | – | 20. 13:15 | Visby st. i 54,0 | Afsp. forsøg |
| 29. 00:20 | – | 29. morg. | Guldager st. | Sporsk. spr. |

OKT 1944

| | | | | | |
|---|---|---|---|---|---|
| | 01. 00:10 | – | 02. 18:05 | Hviding-Ribe i 19,6 | Afsporing |
| | 04. 02:35 | – | | Bramminge st. | Vandtårn |
| Reichsrichter? | 07. 05:30 | – | 07. 10:30 | Ribe-Hviding i 20,3-21,3-18,0 | Sab. forsøg |
| | 07. 07:12 | – | 07. 10:30 | Gredstedbro-Ribe i 10,1 | Sab. forsøg |
| | 07. 07:43 | – | | Hviding-Brøns | Formodet sab. |
| | 09. 18:05 | – | 09. 20:40 | Varde-Sig i 74,4 | Skinnespr. |
| | 13. 02:15 | – | 13. 04:45 | Varde-Tistrup | Formodet sab. |
| | 23. 02:40 | | | Ribe st. | Vandtårn |
| | 30. 00:30 | – | 30. 09:30 | Guldager st. | Sporsk. spr. |
| | 25. 22:00 | – | 26. 00:08 | Tønder H.-Visby | Formodet sab. |

NOV 1944

| | | | | |
|---|---|---|---|---|
| 05. 17:50 | – 15. 20:12 | | Ribe-Brøns | Formodet sab. |
| | – 08. 02:45 | / | Bramminge st. | Signalhus |
| 08. 04:30 | – 08. 11:30 | | Esbjerg st. i nordl. retning | Signalhus, vandtårn & sporsk. spr. |
| 08. 12:30 | – | | Esbjerg st. i vestl. retning | Signalhus, vandtårn & sporsk. spr. |
| 08. 22:15 | – | | Varde st. | Signalhus |
| 12. 04:00 | – 12. 12:40 | | Varde-Sig i 77,9 | Skinnespr. |
| 12. 04:00 | – 12. 16:15 | | Sig st. | Sporsk. spr. |
| 12. 23:15 | – | | Varde st. | Vandkran |

DEC 1944

| | | | | |
|---|---|---|---|---|
| 11. 00:56 | – 11. 21:15 | | Gredstedbro st. | Afsporing |
| 17. 08:20 | – | | Varde-Sig i 74,6-75,5 | Sab. forsøg |

JAN 1945

| | | | | |
|---|---|---|---|---|
| 01. 11:40 | – 02. 11:50 | | Varde-Sig i 75,8 | Togafsporing |
| 07. 18:15 | – 08. 00:10 | | Varde-Guldager i 71,8 | Afsporing |
| 20. 18:40 | – | | Varde st. | Vandtårn |
| 31. 10:45 | – | | Ribe st. | Vandkran |

FEB 1945

| | | | | |
|---|---|---|---|---|
| 03. 21:48 | – 04. 05:40 | | Ribe-Hviding i 20,4 | Afsp. forsøg |
| 04. 22:00 | – 05. 02:30 | | Tarm-Ølgod i 110,4 | Skinnespr. |
| 04. 22:48 | – 05. 02:30 | | Ribe st. | Sporsk. spr. |
| 05. 01:35 | – 05. 10:45 | | Varde-Guldager i 70,2 & 71,8 | Skinnespr. |
| 05. 12:57 | – 05. 15:30 | | Ribe-Hviding i 17,5 | Skinnespr. |
| 06. 22:25 | – 07. 02:00 | | Skjern st. i 111,5 | Sporsk. spr. |
| 07. 23:42 | – 08. 09:40 | | Hviding-Rejsby i 25,0 | Skinnespr. |
| 09. 00:58 | – 09. 09:00 | | Hviding-Rejsby i 25,0 | Skinnespr. |
| 10. 00:02 | – 10. 08:00 | | Ribe-Hviding i 18,4 | Skinnespr. |
| 10. 22:00 | – 11. 15:00 | | Skjern st. | Sporsk. spr. |
| 11. 19:15 | – 11. 22:35 | / 12. 04:00 | Esbjerg-Tjæreborg i 53,5-54,0 | Afsporing |
| 11. 19:55 | – 12. 10:50 | | Esbjerg-Guldager i 57,4 | Afsporing |
| 11. 21:05 | – 12. 11:45 | | Sig st. & 81,5 | Sporsk. spr. |
| 12. 21:10 | – 12. 22:40 | | Bredebro-Visby | Formodet sab. |
| 12. 22:05 | – 13. 09:40 | | Sig st. | Signalhus & sporsk. |
| 12. 22:05 | – 13. 01:30 | / 13. 13:30 | Esbjerg-Tjæreborg i 54,1 | Afsp. forsøg |
| 12. 22:02 | – 13. 11:45 | | Esbjerg-Guldager | Skinnespr. |
| 12. 23:00 | – 13. 11:30 | | Skjern st. | Sporsk. spr. |
| 12. 23:00 | – 13. 01:50 | | Skjern-Tarm | Formodet sab. |
| 12. 23:10 | – 13. 03:10 | | Ribe-Hviding | Formodet sab. |
| 12. 23:10 | – 12. 12:15 | | Tarm-Ølgod | Skinnespr. |
| 13. 09:55 | – 13. 13:15 | | Skjern-Tarm i 114,0 | Skinnespr. |
| 13. 23:02 | – | | Skjern st. | Skinnespr. |
| 14. 21:40 | – 15. 02:50 | | Esbjerg-Guldager i 56,7 | Skinnespr. |

| | | | | | |
|---|---|---|---|---|---|
| 14. 22:00 | – 15. 06:30 | / 15. 12:00 | Esbjerg-Tjæreborg i 48,8 | Skinnespr. |
| 14. 22:00 | – 15. 15:25 | | Varde-Guldager | Formodet sab. |
| 15. 18:10 | – 15. 22:35 | | Esbjerg-Guldager i 56,8 | Skinnespr. |
| 15. 18:10 | – 15. 21:15 | / 16. 00:55 | Esbjerg-Tjæreborg i 53,0 | Skinnespr. |
| 15. 18:10 | – 16. 10:30 | | Esbjerg gl. havn | Sporsk. spr. |
| 27. 02:45 | – 28. 08:50 | | Ribe-Hviding i 18,8 | Skinnespr. |
| 27. 23:30 | – 28. c. 15:00 | | Ølgod st. | Sporsk. spr. |
| 28. 02:35 | – 28. 15:00 | | Sig-Tistrup | Skinnespr. |
| 28. 02:35 | – 28. 12:00 | | Tistrup st. | Sporsk. spr. |

MAR 1945

| | | | | |
|---|---|---|---|---|
| 03. 01:10 | – 03. 06:15 | | Hviding-Rejsby | Sab. forsøg |
| 03. 06:20 | – 03. 10:55 | | Skærbæk-Døstrup i 38,3-38,5 | Skinnespr. |
| 05. 21:15 | – 06. 09:40 | | Bredebro-Døstrup i 43,2-43,3 | Skinnespr. |
| 05. 23:10 | – 06. 04:00 | | Bredebro-Visby | Formodet sab. |
| 06. 02:00 | – 06. 07:15 | | Døstrup-Skærbæk | Formodet sab. |
| 07. 09:00 | – 07. 11:20 | | Varde-Sig i 76,4 & Varde st. | Skinnespr. |
| 07. 02:40 | – 07. 09:00 | | Skærbæk-Brøns i 33,3-33,4 | Skinnespr. |
| 07. 04:10 | – 07. 06:35 | | Tønder H.-Bredebro | Formodet sab. |
| 07. 05:55 | – 07. 08:55 | | Varde-Guldager | Formodet sab. |
| 07. 22:00 | – | / 08. 11:45 | Esbjerg st. (-østpå) | Sporsk. spr. |
| 08. 00:30 | – 08. 10:45 | | Gaarde st. | Sporsk. spr. |
| 08. 00:30 | – 08. 02:00 | / 08. 12:00 | Esbjerg-Tjæreborg i 53,9-54,0 | Skinnespr. |
| 08. 04:00 | – 08. 07:15 | | Esbjerg-Guldager i 56,4-56,5 | Skinnespr. |
| 09. 05:20 | – 09. 16:00 | | Gaarde-Ølgod i 94,3-94,5 | Skinnespr. |
| 10. 17:05 | – 11. 15:00 | / 28. 15:45 | Tjæreborg st.-Bramminge i 45,2 | Sporsk. & skinnespr. |
| 10. 20:40 | – | / 11. 09:00 | Esbjerg-Tjæreborg | Sab. forsøg |
| 10. 23:59 | – 11. 08:15 | | Ribe-Gredstedbro i 14,1 | Skinnespr. |
| 11. 18:20 | – 12. 08:30 | | Guldager st. | Sporsk. spr. |
| 15. 10:30 | – | | Guldager st. | Spr./vogn |
| 15. 11:10 | – 15. 14:40 | | Skjern-Dejbjerg i 118,2 | Afsp. forsøg |
| 14. 21:50 | – 15. 04:34 | | Ribe-Gredstedbro i 14,7 | Skinnespr. |
| 17. 21:50 | – 17. 23:50 | | Varde-Guldager | Formodet sab. |
| 17. 22:00 | – 18. 14:30 | | Varde-Sig i 76,7-77,0 & 77,4-77,5 | Skinnespr. |
| 18. 07:30 | – 18. 11:30 | | Tønder H.-Visby i 59,7-59,8 | Skinnespr. |
| 18. 12:15 | – 18. 15:20 | | Tønder H.-Visby i 57,7-57,8 | Skinnespr. |
| 18. 23:45 | – 19. 12:15 | / | Tjæreborg-Esbjerg i 51,2 & 53,4-53,6 | Skinnespr. |
| 18. 23:45 | – 19. 11:50 | | Esbjerg-Guldager i 56,3-57,3 | Skinnespr. |
| 19. 01:00 | – 19. 04:40 | | Varde-Guldager | Formodet sab. |
| 19. 07:55 | – 19. 11:05 | | Tønder H.-Visby i 57,0 | Skinnespr. |
| 19. 15:12 | – 19. 18:20 | | Varde-Guldager i 71,0 | Skinnespr. |
| 21. 22:15 | – | | Esbjerg havn | Sporsk. spr. |
| 27. 21:05 | – 28. 01:15 | | Esbjerg-Tjæreborg | Formodet sab. |
| 28. 22:00 | – 26. 23:45 | | Visby-Tønder H. | Sab. forsøg |

| | | | | |
|---|---|---|---|---|
| 29. 21:50 – 30. 10:15 | | Tønder H.-Tønder Ø. i 67,5 | Skinnespr. |
| 29. 21:50 – 29. 22:50 | | Tønder H.-Visby | Formodet sab. |
| 31. 20:10 – 03. morg. | | Esbjerg st. (-Ny Havn) | Sporsk. spr. |

APR 1945

| | | | |
|---|---|---|---|
| 01. 13:15 – | | Esbjerg st. | Sporsk. spr. |
| 01. 22:00 – 02. 13:15 | / | Esbjerg-Tjæreborg i 54,0 | Skinnespr. |
| 01. 22:00 – 02. 10:45 | | Esbjerg-Guldager i 56,4-56,5 | Skinnespr. |
| 02. 23:30 – 03. 10:40 | | Brøns st. | Formodet sab. |
| 03. 01:58 – 03. 10:00 | | Bøstrup-Bredebro i 44,1 | Skinnespr. |
| 04. 01:20 – 04. 02:15 | | Gredstedbro-Ribe | Formodet sab. |
| 06. 22:30 – 07. 13:50 | | Varde-Guldager i 70,5-71,9 | Skinnespr. |
| 06. 22:30 – 07. 08:00 | | Esbjerg-Guldager | Formodet sab. |
| 06. 23:45 – 07. 17:00 | | Varde-Sig i 75,5-76,1 | Skinnespr. |
| 07. 01:43 – 07. 04:30 | | Tønder H. | Sporsk. spr. |
| 07. 04:30 – 07. 10:55 | | Tønder H.-Visby i 53,9-54,3 | Skinnespr. |
| 07. 15:50 – 07. 17:17 | | Esbjerg-Guldager | Formodet sab. |
| 07. 23:15 – 06. 13:55 | | Bredebro st. | Sporsk. spr. |
| 07. 23:42 – 08. 10:20 | | Tønder H.-Visby | Sab. forsøg |
| 08. 01:45 – 08. 12:00 | | Varde-Sig i 74,8-75,0 | Skinnespr. |
| 08. 07:25 – 08. 09:50 | | Gredstedbro st. | Sab. forsøg |
| 08. 11:45 – 08. 16:00 | | Esbjerg-Guldager i 57,8 | Afsp. forsøg, orlovstog |
| 09. 00:30 – 09. 11:30 | | Varde-Sig i 75,4 | Skinnespr. |
| 09. 00:55 – 09. 08:55 | | Skærbæk-Brøns i 34,5 | Skinnespr. |
| 11. 12:30 – 12. 21:45 | / | Esbjerg-Tjæreborg i 53,4 | Spr. i underføring |
| 13. 05:10 – 13. 14:50 | | Varde-Sig i 76,5-76,9 | Skinnespr. |
| 13. 05:10 – 13. 16:00 | | Varde-Guldager i 71,1-71,2 | Skinnespr. |
| 14. 04:30 – 14. 19:30 | | Tønder-Visby | Afsporing 3351293 laz |
| 15. 01:15 – 16. 09:00 | | Døstrup-Skærbæk i 40,0-40,1 | Afsporing 3351305 laz |
| 15. 00:05 – 15. 17:35 | / | Bramminge-Tjæreborg i 46,0-46,3 | Skinnespr. |
| 15. 00:30 – 15. 01:45 | | Esbjerg-Tjæreborg | Formodet sab. |
| 15. 05:30 – 15. 13:05 | | Ølgod-Gaarde i 96,9 | Skinnespr. |
| 15. 06:55 – 15. 12:43 | | Ølgod-Skodsbøl i 99,0 | Skinnespr. |
| 15. 22:10 – 16. 08:00 | | Ølgod-Skodsbøl i 99,1 | Skinnespr. |
| 18. 10:20 – 18. 12:40 | | Døstrup-Skærbæk | Formodet sab. |
| 19. 07:40 – 19. 10:15 | | Varde-Guldager i 71,3 | Skinnespr. |
| 19. nat – 19. 12:35 | | Varde-Sig i 76,3-76,6 | Skinnespr. |
| 19. 03:30 – 19. 21:25 | | Ølgod st. | Sporsk. spr. |
| 19. 09:50 – 19. 21:25 | | Tarm-Ølgod i 100,0-100,2 | Skinnespr. |
| 22. 01:00 – 22. 03:15 | | Varde-Sig | Formodet sab. |
| 22. 03:15 – 22. 15:05 | | Tarm-Skodsbøl | Skinnespr. |
| 28. 22:30 – 29. 10:55 | | Sejstrup-Gredstedbro i 4,9 | Skinnespr. |
| 29. 05:30 – 29. 10:15 | | Varde-Sig i 76,3 | Skinnespr. |
| 30. 23:10 – 01. 06:30 | | Esbjerg-Tjæreborg | Formodet sab. |

| | | | | |
|---|---|---|---|---|
| | MAJ 1945 | | | |
| | 03. 01:00 | – 03. 08:50 | Varde-Sig i 75,3 | Skinnespr. |
| | 03. 15:00 | – 03. 16:45 | Bramminge-Gredstedbro i 7,5 | Skinnespr. |
| | 04. 02:00 | – 04. 12:30 | Ølgod-Gaarde i 95,7 | Skinnespr. |
| | 04. 05:00 | – 04. 08:00 | Gaarde-Tistrup | Formodet sab. |

**C. Varde-Oksbøl**

| | | | | |
|---|---|---|---|---|
| | SEP 1944 | | | |
| Friendensr. | 05. 06:16 | – 08. morg. | Varde V.-Hyllerslev | Brospr. afsporing af tog 301 |
| | OKT 1944 | | | |
| | 01. 01:30 | – | Varde st. | Remise |
| | 09. 00:30 | – 09. 10:30 | Varde V. st. | Sporsk. spr. |
| | 09. 17:50 | – 09. 20:30 | Varde-Varde V. | Skinnespr. |
| Kluck | 22. 21:45 | – 23. 04:30 | Varde st. | Sporsk. spr. |
| | 29. 22:40 | – 30. 01:00 | Varde-Varde V. i 2,3 | Skinnespr. |
| | FEB 1945 | | | |
| | 05. 00:30 | – 05. 09:00 | Varde V.-Hyllerslev | Skinnespr. |
| | 12. 18:45 | – 13. 03:00 | Varde V.-Hyllerslev | Skinnespr. |
| | MAR 1945 | | | |
| | 08. 04:00 | – 08. 14:30 | Varde-Varde V. & Varde V. st. | Skinnespr. |
| | 17. 22:15 | – 18. 14:55 | Varde-Hyllerslev i 5,0-6,0 | Skinnespr. |
| | APR 1945 | | | |
| | 07. 04:00 | – 07. 18:00 | Oxbøl-Janderup | Skinnespr. |
| | 16. 09:40 | – 16. 15:00 | Varde V.-Hyllerslev i 5,0 | Skinnespr. |
| | 28. | – 28. 11:00 | Varde-Varde V. | Skinnespr. |
| | 29. | – 29. 08:45 | Varde-Varde V. i 1,2 | Skinnespr. |

**D. Lunderskov-Bramminge (og andre strækninger i Region III's område)**

| | | | | |
|---|---|---|---|---|
| SEP 1944 | | | | |
| 20. 05:15 | – 20. 09:00 | | Jejsing st. | Sporsk. spr. |
| OKT 1944 | | | | |
| 06. 19:19 | – 06. 20:45 | | Lunderskov-Andst | Formodet sab. |
| 25. 22:00 | – 26. 00:08 | | Tønder H.-Jejsing | Formodet sab. |
| NOV 1944 | | | | |
| 14. 18:45 | – 14. 19:47 | | Bramminge-Gørding | Formodet sab. |
| FEB 1945 | | | | |
| 02. 18:50 | – 03. 01:00 | / 03. 21:55 | Lunderskov-Andst i 3,1 | Skinnespr. |
| 04. 00:55 | – 04. 10:10 | / 05. 17:00 | Vejen-Brørup i 14,6 | Afsporing |
| 08. 03:15 | – 08. 09:10 | | Brørup-Holsted i 23,0 | Afsporing |

| | | | | | | |
|---|---|---|---|---|---|---|
| 09. 23:20 | – | 10. 05:35 | / | 11. 13:00 | Vejen-Brørup i 13,5 | Skinnespr. |
| 13. 23:30 | – | 14. 01:55 | | | Brørup st. | Vandtårn |
| 17. 20:10 | – | 18. 02:35 | | | Holsted-Brørup | Formodet sab. |
| 26. 00:25 | – | 26. 19:50 | / | | Vejen-Brørup i 14,7-17,9 | Skinnespr. |
| 26. 02:40 | – | 26. 15:00 | / | | Vejen-Andst i 10,9-11,0 | Skinnespr. |
| 26. 19:40 | – | 26. 22:00 | | | Vejen-Andst | Formodet sab. |
| 27. 01:05 | – | 28. 19:00 | | | Gørding-Holsted i 30,4-30,7 | Skinnespr. |
| 28. 02:30 | – | 28. 22:30 | | | Vejen-Brørup i 13,2-18,0 | Skinnespr. |
| MAR 1945 | | | | | | |
| 02. 04:00 | – | 02. 12:00 | | | Brørup-Holsted i 23,8 | Skinnespr. |
| 07. 05:30 | – | 07. 06:20 | | | Vejen-Brørup | Sab. forsøg |
| 08. 01:00 | – | 08. 08:15 | | | Vojens-Haderslev i 21,8 | Skinnespr. |
| 14. 01:15 | – | 14. 04:00 | | | Vejen-Brørup | Formodet sab. |
| 18. 06:40 | – | 18. 07:55 | | | Andst-Vejen i 10,5 | Skinnespr. |
| 19. | – | | | | Aabenraa st. | Spr./tankvogn |
| 22. 07:30 | – | 22. 13:00 | | | Tapsore trb. | Afsp. forsøg Schalb.? |
| 22. 10:30 | – | | | | Varmark st. | Afsp. forsøg Schalb.? |
| 22. 07:00 | – | | | | Kolding-Dybvadbro i 87,8 | Afsp. forsøg Schalb.? |
| 21. 01:25 | – | 21. 03:40 | | | Brørup-Vejen | Formodet sab. |
| 27. 22:47 | – | 28. 00:58 | | | Vejen-Brørup | Formodet sab. |
| APR 1945 | | | | | | |
| 01. 00:51 | – | 01. 09:00 | / | | Vejen-Brørup i 13,2 | Skinnespr. |
| 03. 01:10 | – | 03. 02:43 | | | Vejen-Brørup | Formodet sab. |
| 06. 15:15 | – | 09. 15:30 | | | Vejen-Brørup i 13,9-14,2 | Skinnespr. & spr. i underføring |
| 06. 08:16 | – | 06. 09:25 | | | Vejen-Brørup | Sab. forsøg |
| 08. 04:00 | – | 09. 15:30 | | | Brørup-Holsted i 23,7-23,9 | Skinnespr. |
| 10. 02:30 | – | 10. 09:20 | | | Gørding-Holsted i 33,7 | Skinnespr. |
| 10. 02:45 | – | 10. 14:00 | | | Brørup-Holsted i 21,9-22,2 | Skinnespr. |
| 11. 02:08 | – | 11. 06:15 | | | Holsted-Brørup | Formodet sab. |
| 11. 02:10 | – | 11. 12:00 | / | | Vejen-Brørup i 13,8 | Skinnespr. |
| 12. 01:45 | – | 12. 04:25 | / | | Vejen-Andst | Formodet sab. |
| 14. 02:10 | – | 14. 15:00 | / | | Vejen st. | Sporsk. spr. & sk. spr. |
| 14. 00:08 | – | 14. 07:55 | / | | Vejen-Andst | Formodet sab. |
| 14. 03:00 | – | | | | Aabenraa st. | Spr. i vogn |
| 15. 01:15 | – | 15. 10:15 | | | Gørding-Holsted i 28,6-28,7 | Skinnespr. |
| 15. 01:15 | – | 15. 01:45 | | | Lunderskov-Andst | Formodet sab. |
| 16. 01:00 | – | 16. 05:25 | | | Lunderskov-Vejen | Formodet sab. |
| 17. 02:10 | – | 17. 10:00 | / | 18. 11:00 | Andst-Vejen i 10,5 | Skinnespr. |
| 22. 00:20 | – | 22. 10:30 | / | | Holsted-Brørup i 24,7-24,8 | Skinnespr. |
| 22. 23:00 | – | 23. 03:50 | | | Holsted-Gørding | Formodet sab. |
| 14. 01:28 | – | 14. 10:30 | | | Vejen-Brørup i 12,0 | Sab. forsøg i vejoverf. |
| MAJ 1945 | | | | | | |
| 02. 16:50 | – | 05. 13:30 | | | Brørup-Vejen i 17,0 | Spr. i bro |

### E. Skjern-Ringkøbing-Holstebro-Struer

| | | | |
|---|---|---|---|
| JAN 1945 | | | |
| 04. 00:50 | – 04. 11:10 | Struer-Hjerm i 196,5-197,0 | Skinnespr. |
| 04. 01:30 | – 04. 11:10 | Hjerm-Holstebro i 189,0 | Skinnespr. |
| 05. 00:35 | – 05. 09:45 | Struer-Egerm i 200,0 | Skinnespr. |
| FEB 1945 | | | |
| 01. 01:10 | – | Vemb st. | Vandtårn |
| 04. 07:48 | – 04. 15:30 | Vemb-Ulfborg i 162,0-162,5 | Skinnespr. |
| 04. 07:48 | – 04. 15:30 | Ulfborg-Tim i 154,5-155,0 | Skinnespr. |
| 04. 07:48 | – 04. 20:00 | Ringkøbing-Velling i 135,5-136,0 | Skinnespr. |
| 04. 20:00 | – 06. 09:50 | Holstebro-Buur i 185,3-185,5 | Skinnespr. |
| 04. 20:00 | – 06. 11:50 | Holstebro-Hjerm i 187,5-188,0 | Skinnespr. |
| 05. 01:40 | – 06. 10:45 | Struer-Hjerm i 196,0-197,5 | Skinnespr. |
| 06. 08:00 | – 06. 11:23 | Velling-Lem | Skinnespr. |
| 06. 21:37 | – 07. 01:15 | Tim-Ulfborg | Afsp. forsøg |
| 07. 22:40 | – 08. 07:45 | Ulfborg st. | Sporsk. spr. |
| 08. 00:45 | – 08. 11:45 | Ringkøbing st. i 138,8 | Sporsk. spr. |
| 08. 08:15 | – 08. 15:45 | Ulfborg-Tim i 153,0 | Skinnespr. |
| 09. 00:40 | – 09. 17:20 | Ringkøbing-Hee i 142,0-143,0 | Skinnespr. |
| 10. 21:15 | – 11. 14:10 | Hjerm-Holstebro i 188,0 | Skinnespr. |
| 10. 21:15 | – 11. 14:25 | Holstebro-Buur i 185,0 | Skinnespr. |
| 12. 22:40 | – 13. 00:30 | Ringkøbing-Velling | Formodet sab. |
| 12. 23:00 | – 13. 06:35 | Skjern-Dejbjerg | Formodet sab. |
| 12. 23:50 | – 13. 21:35 | Holstebro st. | Sporsk. & vandkran |
| 14. 08:11 | – 14. 09:30 | Skjern-Dejbjerg | Skinnespr. |
| 15. 21:20 | – 16. 00:15 | Holstebro-Struer | Formodet sab. |
| 24. 01:11 | – 24. 10:30 | Struer-Hjerm, Lindemanns tog! | Afsporing |
| MAR 1945 | | | |
| 02. 21:50 | – 03. 19:00 | Ringkøbing-Hee i 140,0-141,1 | Skinnespr. |
| 02. 22:10 | – 03. 12:00 | Ringkøbing-Velling i 147,3 | Skinnespr. |
| 15. 11:10 | – 15. 14:40 | Skjern-Lerbjerg i 118,2 | Afsp. forsøg |
| 31. 06:35 | – 31. 08:55 | Hjerm-Holstebro | Sab. forsøg |
| APR 1945 | | | |
| 03. 00:45 | – 03. 12:30 | Hjerm st. | Sporsk. spr. |
| 03. 01:00 | – 03. 17:58 | Hjerm-Holstebro i 184,4-184,7 | Skinnespr. |
| 03. 05:50 | – 03. 21:28 | Holstebro-Buur i 162,0 | Skinnespr. |
| 07. 22:30 | – 08. 10:20 | Holstebro-Naur i 162,0 | Afsporing 351898 |
| 08. 21:54 | – 13. 18:00 | Holstebro-Naur i 182,9 | Afsporing, orlovstog |
| 10. 01:25 | – | Struer st. | Brand i hjælpevogn |
| 18. 00:30 | – 18. 02:30 | Struer-Hjerm | Formodet sab. |
| 18. 00:46 | – 18. 11:00 | Holstebro-Naur i 182,0 | Skinnespr. |
| 19. nat | – 19. 18:00 | Tim st. | Sporsk. spr. |
| 19. 02:08 | – 19. 09:55 | Struer-Hjerm i 198,0 | Skinnespr. |

| | | | |
|---|---|---|---|
| 19. 04:02 | – 19. 04:53 | Holstebro-Naur | Formodet sab. |
| 19. 07:20 | – 21. aften | Dejbjerg-Skjern | Skinnespr. |
| 20. 00:50 | – 21. 14:45 | Holstebro-Hjerm i 188,0-3 & 189,0-4 | Skinnespr. |
| 20. 00:50 | – 22. 12:50 | Holstebro-Buur i 182,5-186,0 | Skinnespr. |
| 20. 02:33 | – | Struer st. | Spr. i bro & signalp. |
| 20. 02:00 | – 21. aften | Lem st. | Sporsk. spr. |
| 21. 08:00 | – 21. 21:00 | Ringkøbing-Hee i 140,0-141,8 | Skinnespr. |
| 20. 07:45 | – 21. 15:00 | Ringkøbing-Velling i 137,5 | Skinnespr. |
| 22. nat | – 22. 17:00 | Skjern-Dagbjerg | Skinnespr. |
| 25. 01:15 | – 25. 10:40 | Ulfborg st. | Sporsk. spr. |
| 25. 02:45 | – 25. 08:40 | Ulfborg-Tim | Formodet sab. |
| 25. 07:15 | – 25. 11:40 | Hee-Tim i 148,3 | Skinnespr. |
| 26. 05:20 | – 26. 13:05 | Holstebro-Hjerim i 189, 0 | Skinnespr. |
| 27. 06:00 | – 27. 12:30 | Lem-Velling | Skinnespr. |
| 27. 08:35 | – 28. 15:00 | Holstebro-Buur i 183,5-184,0 | Skinnespr. |
| 27. 08:35 | – 27. 20:00 | Holstebro-Hjerm i 187,5-188,0 | Skinnespr. |
| 28. 05:50 | – 28. 09:55 | Naur-Buur | Sab. forsøg |
| 28. 07:45 | – 28. 18:00 | Tim-Hee i 148,0 | Skinnespr. |
| 29. nat | – 01. 15:00 | Ulfborg-Vemb | Skinnespr. |
| 29. nat | – 29. 16:00 | Holstebro-Hjerm | Skinnespr. |
| 29. 07:15 | – 30. 18:00 | Holstebro-Buur i 185, 0 | Skinnespr. |
| 29. 13:40 | – 01. 15:00 | Tim-Ulfborg i 158,0-160,0 | Skinnespr. |
| MAJ 1945 | | | |
| 01. 00:10 | – 01. 18:00 | Hjerm st. & Struer-Hjerm i 195,0-5 & 195,6 | Sporsk. & sk. spr. |
| 01. 20:30 | – 02. 11:35 | Struer-Hjerm | Skinnespr. |
| 03. 04:00 | – 03. 20:00 | Ringkøbing-Velling i 136,6-8 | Skinnespr. |
| 03. 06:00 | – 03. 13:20 | Vemb-Buur i 173,0-5 | Skinnespr. |
| 03. 23:50 | – 04. 10:50 | Skjern-Bagbjerg i 117,5 | Skinnespr. |
| 04. 01:40 | – 04. 09:10 | Hjerm-Struer i 195,5-196,0 | Skinnespr. |
| 04. 07:30 | – 04. 10:00 | Holstebro-Naur | Sab. forsøg |
| 04. 12:30 | – 04. 16:15 | Skjern-Dabjerg | Skinnespr. |

**Bramminge-Brande-Herning-Holstebro**

| | | | |
|---|---|---|---|
| NOV 1944 | | | |
| 09. 14:50 | – 09. 16:45 | Herning-Nr. Kollund | Skinnespr. |
| JAN 1945 | | | |
| 03. 22:33 | – 04. 00:04 | Herning st. | Spr. af tankvogn |
| 09. 04:50 | – 09. 09:00 | Blaahøj-Drantum i 62,8 | Skinnespr. |
| FEB 1945 | | | |
| 04. 20:12 | – 06. 03:45 | Holstebro-Tvis i 2,0-9,2 | Skinnespr. |
| 04. 23:20 | – 05. 14:00 | Herning-Nr. Kollund i 44,5 | Afsp. forsøg |

| | | | |
|---|---|---|---|
| 05. 02:20 | – 05. 16:00 | Drantum st. i 63,0-63,2 | Skinnespr. |
| 00. 00:50 | – 06. 09:35 | Herning-Gødstrup i 38,5-39,0 | Skinnespr. |
| 06. 03:15 | – 06. 17:00 | Grindsted-Blaahøj | Skinnespr. |
| 07. 05:20 | – 07. 10:40 | Grindsted-Kroager | Skinnespr. |
| 10. 21:15 | – 11. 12:20 | Tvis-Holstebro i 4,0-6,5 | Skinnespr. |
| 12. 23:50 | – 13. 21:35 | Holstebro st. | Sporsk. & vandtårn |
| 13. 01:10 | – 13. 07:10 | Herning-Gødstrup | Formodet sab. |
| 13. 01:10 | – 13. 05:35 | Herning-Nr. Kollund | Formodet sab. |
| 13. 01:10 | – 13. 12:10 | Fasterholt-Brande | Skinnespr. |
| 13. 01:30 | – 13. 11:55 | Filskov-Blaahøj | Skinnespr. |
| 15. 07:30 | – 15. 10:20 | Fasterholt st. | Sporsk. spr. |
| 19. 23:10 | – 20. 20:00 | Herning-Gødstrup | Afsporing |
| 21. 08:12 | – 21. 21:30 | Grindsted-Kroager i 33,1-33,9 | Skinnespr. |
| 26. 01:30 | – 26. 11:10 | Brande-Fasterholt i 62,2 | Skinnespr. |
| 26. 03:45 | – 26. 18:00 | Brande-Blaahøj i 53,0-53,5 & 60,0-60,5 | Skinnespr. |
| 27. 01:00 | – 27. 13:00 | Herning-Nr. Kollund | Skinnespr. |
| 27. 02:50 | – 27. 05:15 | Fasterholt st. | Sporsk. spr. |
| 27. 20:46 | – 28. 05:20 | Herning-Nr. Kollund | Skinnespr. |
| 28. 12:25 | – 28. 17:10 | Herning-Nr. Kollund i 44,2 | Afsp. forsøg |
| 28. 15:50 | – 26. 19:10 | Nr. Kollund st. i 46,8 | Skinnespr. |
| MAR 1945– | | | |
| 02. 01:05 | – 02. 07:00 | Herning-Nr. Kollund i 42,2 | Skinnespr. |
| 02. 04:30 | – | Herning-Gødstrup | Formodet sab. |
| 02. | – 12. 18:30 | Kroager st. | Sporsk. spr. |
| 03. 05:00 | – 03. 14:30 | Filskov st. | Sporsk. spr. |
| 03. 04:50 | – 03. 07:55 | Kølkær-Nr. Kollund | Sab.' forsøg |
| 04. 06:55 | – 04. 15:00 | Nr. Kollund - Kølkær | Skinnespr. |
| 04. 21:50 | – 05. 02:25 | Herning-Kølkær | Formodet sab. |
| 05. 07:15 | – 05. 12:10 | Grindsted-Filskov i 46,0 | Skinnespr. |
| 07. 07:00 | – 07. 12:45 | Grindsted-Filskov i 45,5 | Skinnespr. |
| 07. 21:00 | – 08. 08:50 | Fasterholt st. | Sporsk. spr. |
| 08. 23:00 | – 09. 14:00 | Grindsted st. | Sporsk. spr. |
| 09. 22:00 | – 10. 08:20 | Brande-Fasterholt i 61,8 | Skinnespr. |
| 09. 21:30 | – 10. 07:20 | Grindsted st. | Sporsk. spr. |
| 11. 02:00 | – 11. 03:35 | Kølkær-Nr. Kollund | Formodet sab. |
| 11. 08:30 | – 11. 11:10 | Kroager-Grindsted | Skinnespr. |
| 12. 00:32 | – 12. 05:40 | Herning-Nr. Kollund | Formodet sab. |
| 14. 03:00 | – 14. 15:00 | Vildbjerg-Aulum | Skinnespr. |
| 14. 03:00 | – 14. 15:00 | Aulum-Tvis | Skinnespr. |
| 14. 05:14 | – 17. 19:10 | Grindsted st. i 39,5 | Brospr. |
| 25. 20:55 | – 26. 10:00 | Kølkær-Søby Brunkul i 52,0-52,5 | Skinnespr. |
| 27. 03:05 | – 27. 14:10 | Sønderport-Tvis i 6,0-6,5 | Skinnespr. |
| 27. 03:30 | | Brande st. | Spr. i hjælpevogn |
| 27. 23:20 | – 28. 18:00 | Fasterholt st. | Sporsk. spr. |
| 27. 23:20 | – | Fasterholt-Kølkær | Formodet sab. |

| | | | |
|---|---|---|---|
| 27. 23:20 | – 28. 04:00 | Brande-Fasterholt | Formodet sab. |
| 31. 23:45 | – 01. 17:50 | Aulum-Tvis i 11,5-12,0 & 14,4-14,7 | Skinnespr. |

APR 1945

| | | | |
|---|---|---|---|
| 01. 01:00 | – 02. 16:30 | Vildbjerg-Aulum | Skinnespr. |
| 03. 04:00 | – 03. 18:50 | Sønderport-Tvis i 3,0 & 6,5 | Skinnespr. |
| 03. 05:12 | – 04. 19:00 | Fasterholt-Søby Brunkul | Afsporing, brunkulst. |
| 04. 07:30 | – 04. 12:30 | Kroager-Tofterup i 31,9 & 33,2 | Skinnespr. |
| 07. 23:15 | – 08. 14:45 | Fasterholt st. | Sporsk. spr. |
| 07. 23:45 | – 08. 14:00 | Brande-Fasterholt i 63,0 | Skinnespr. |
| 07. 23:45 | – 08. 15:00 | Brande-Drantum i 65,8-9 | Skinnespr. |
| 08. nat | – 08. 20:10 | Grindsted-Kroager i 36,5-38,0 | Skinnespr. |
| 09. 22:06 | – 10. 09:10 | Brande-Blaahøj | Skinnespr. |
| 12. 06:00 | – 12. 12:00 | Tofterup-Agerbæk i 21,6-21,7 | Skinnespr. |
| 15. 09:30 | – 15. 19:30 | Grindsted-Filskov i 44,5-45,0 | Skinnespr. |
| 15. 09:30 | – 15. 19:30 | Filskov-Blaahøj i 50,5 | Skinnespr. |
| 17. 05:00 | – 17. 12:30 | Kroager-Tofterup i 28,9-29,5 | Skinnespr. |
| 17. 05:30 | – 17. 15:47 | Agerbæk-Glejbjerg i 17,0-18,0 | Skinnespr. |
| 18. 02:20 | – 18. 12:45 | Brande-Fasterholt i 63,5 | Skinnespr. |
| 18. 03:50 | – 18. 10:10 | Herning-Nr. Kollund i 42,5 | Skinnespr. |
| 18. 21:29 | – 19. 13:10 | Nr. Kollund st. | Afsporing 351971 |
| 18. 21:45 | – 19. 10:05 | Herning-Gødstrup | Skinnespr. |
| 18. 23:45 | – 19. aften | Grindsted-Filskov | Skinnespr. |
| 18. 09:45 | – 18. 11:45 | Brande-Blaahøj | Formodet sab. |
| 19. 23:30 | – 23. 12:00 | Sønderport-Tvis i 5,0-9,0 | Skinnespr. |
| 19. 23:30 | – 23. 12:00 | Tvis st. | Sporsk. spr. |
| 19. 23:30 | – 20. 19:03 | Brande-Blaahøj i 66,9-67,2 | Skinnespr. |
| 20. 01:00 | – 20. 16:15 | Grindsted st. | Sporsk. spr. |
| 20. 00:40 | – 20. 19:25 | Fasterholt st. | Sporsk. spr. |
| 20. 01:00 | – 23. 12:00 | Tvis-Aulum i 14,0-15,5 | Skinnespr. |
| 20. 02:30 | – 20. 19:25 | Brande-Fasterholt st. i 61,1-5 | Skinnespr. |
| 21. 06:55 | – 21. 14:00 | Nr. Kollund-Kølkær | Skinnespr. |
| 21. 06:55 | – 23. aften | Kølkær-Fasterholt | Skinnespr. |
| 22. nat | – 29. 16:30 | Grindsted st. i 39,4 | Spr. i bro |
| 22. 05:40 | – 22. 13:55 | Herning st. | Spr. i signalpost |
| 23. 08:30 | – 24. 17:00 | Filskov-Blaahøj i 49,0-52,0 | Skinnespr. |
| 24. 03:00 | – 24. 17:00 | Fasterholt-Kølkær | Skinnespr. |
| 26. 04:00 | – 26. 07:35 | Herning-Kølkær | Formodet sab. |
| 26. 06:35 | – 26. 16:00 | Søby Brunkul-Fasterholt | Afsporing 2734 |
| 26. 20:30 | – | Nr. Kollund-Kølkær | Formodet sab. |
| 27. 04:45 | – 08. 13:30 | Sønderport-Tvis | Skinnespr. |
| 28. 03:40 | – 30. 18:00 | Herning-Nr. Kollund | Skinnespr. |
| 29. 05:00 | – 08. 13:30 | Vildbjerg-Aulum | Skinnespr. |
| 29. 05:00 | – 08. 13:30 | Aulum-Tvis i 15,0-15,5 | Skinnespr. |
| 29. 22:05 | – 30. 08:40 | Brande-Fasterholt | Formodet sab. |
| 30. 01:45 | – 01. 14:30 | Søby Brunkul-Fasterholt i 55,0-55,7 | Skinnespr. |

| | | | |
|---|---|---|---|
| MAJ 1945 | | | |
| 02. 22:00 | – 03. 16:15 | Fasterholt-Kølkær i 52,5-53,0 | Skinnespr. |
| 03. 04:30 | – 04. 13:30 | Bramminge-Vejrup i 6,6-7,0 | Skinnespr. |
| 03. eftm. | – 05. 10:00 | Grindsted-Filskov i 48,0-49,0 | Skinnespr. |
| 04. 02:00 | – 06. 14:30 | Kølkær-Nr. Kollund i 50,0-51,0 | Skinnespr. |

**G. Langaa-Viborg-Skive-Struer**

| | | | |
|---|---|---|---|
| JUL 1944 | | | |
| 19. 08:51 | – 19. 10:38 | Rindsholm-Viborg i 35,2 | Afsp. forsøg |
| 20. 07:50 | – 20. 16:30 | Sparkær-Stoholm i 53,0 | Afsporing |
| AUG 1944 | | | |
| 26. 16:50 | – 26. 20:41 | Rønbjerg-Hvide. mose i 223,4 | Afsp. forsøg |
| SEP 1944 | | | |
| 06. 22:00 | – 09. morg. | Rindsholm-Viborg i 35,1 | Afsporing |
| 13. 12:45 | – 13. 19:00 | Højslev-Skive i 65,9 | Skinnespr. |
| 25. 06:20 | – 25. 07:52 | Viborg-Ravnstrup i 42,2 | Sab. forsøg |
| NOV 1944 | | | |
| 13. 20:02 | – 13. 23:15 | Viborg-Ravnstrup | Formodet sab. |
| 14. 02:00 | – 14. 08:45 | Rødkærsbro-Rindsholm i 31,1 | Skinnespr. |
| 14. 09:25 | – 14. 10:50 | Rødkærsbro-Rindsholm i 31,2 | Afsp. forsøg |
| 15. 22:10 | – 16. 12:45 | Langaa-Ulstrup i 2,4-2,7 | Skinnespr. |
| 23. 07:25 | – 24. 13:00 | Viborg-Ravnstrup i 42,7-42,9 | Skinnespr. |
| JAN 1945 | | | |
| 05. 00:35 | – 05. 09:45 | Hanbjerg-Vinderup i 213,5 | Skinnespr. |
| FEB 1945 | – | | |
| 04. 01:30 | – 04. 18:00 | Viborg-Rindsholm i 35,8-36,0 | Skinnespr. |
| 04. 03:05 | – 04. 16:05 | Viborg-Ravnstrup i 42,0 | Skinnespr. |
| 06. 02:10 | – 06. 18:10 | Hanbjerg-Vinderup i 213,5 | Skinne- & sporsk. spr. |
| 06. 02:50 | – 06. 18:10 | Vinderup-Rønbjerg i 216,5 | Skinnespr. |
| 28. 12:30 | – 28. 15:10 | Rønbjerg st. | Afsporing |
| MAR 1945 | | | |
| 02. 02:15 | – 02. 16:00 | Langaa-Ulstrup i 3,3-3,4 | Skinnespr. |
| 02. 00:45 | – 02. 04:50 | Viborg-Ravnstrup | Formodet sab. |
| 02. 00:45 | – | Viborg-Rødekærsbro | Formodet sab. |
| 04. 01:00 | – | Højslev st. | Spr./vogn |
| 06. 23:30 | – 07. 07:00 | Viborg-Ravnstrup | Formodet sab. |
| 07. 03:10 | – 07. 10:45 | Langaa-Ulstrup | Skinnespr. |
| 11. 00:50 | – 11. 08:30 | Vinderup st. | Sporsk. spr. |
| 12. 05:30 | – 12. 17:55 | Viborg-Rindsholm i 38,4-38,6 | Skinnespr. |
| 12. 05:30 | – 12. 17:45 | Viborg-Ravnstrup i 41,5-41,9 | Skinnespr. |

| | | | |
|---|---|---|---|
| 16. 03:30 | – 16. 15:30 | Ulstrup st. | Sporsk. spr. |
| 16. 04:30 | – 16. 14:50 | Rindsholm-Rødkærsbro i 32,4 | Skinnespr. |
| 16. 07:50 | – 16. 19:35 | Højslev-Skive i 60,0-67,7 | Skinnespr. |
| 17. 01:30 | – 17. 20:40 | Struer-Hanbjerg i 207,3-207,6 | Skinnespr. |
| 22. 02:50 | – 22. 10:45 | Ulstrup-Langaa i l,0 | Skinnespr. |
| 23. 22:00 | – 26. 12:00 | Viborg-Rindsholm i 38,4 | Afsporing |
| 25. 07:00 | – 26. 12:00 | Viborg-Ravnstrup i 41,1-41,5 | Skinnespr. |
| 24. 23:30 | – 26. 12:00 | Viborg st. (-Skive) | Sporsk. spr. |
| 29. 01:30 | – 29. 19:00 | Langaa-Ulstrup i 2,8-3,0 | Skinnespr. |
| 30. 07:45 | – 30. 15:20 | Langaa-Ulstrup i 6,1 | Skinnespr. |
| 31. 00:15 | – 31. 12:00 | Ulstrup st. | Sporsk. spr. |
| 31. 00:21 | – 31. 20:50 | Vinderup-Rønbjerg st. & 211,5-212,3 & 216,6 | Sporsk. & skinnespr. |
| 31. 00:35 | – 31. 08:30 | Tange st. | Afsporing 351896 |
| 31. 07:15 | – 31. 09:05 | Rødkærsbro-Rindsholm | Sab. forsøg |
| APR 1945 | | | |
| 01. 09:20 | – 01. 15:35 | Bjerringbro-Tange i 19,4-20,0 | Skinnespr. |
| 02. 00:30 | – 02. 13:05 | Ulstrup-Bjerringbro i 11,5 | Afsporing L 35. |
| 04. 02:00 | – 04. 19:00 | Struer-Hanbjerg i 209,8-210,4 | Skinnespr. |
| 04. 17:15 | – 05. 03:00 | Hvidemose-Rønbjerg | Skinnespr. |
| 05. 00:25 | – 05. 19:00 | Skive H.-Højslev i 68,6-68,8 | Skinnespr. |
| 05. | – 05. 19:00 | Højslev-Stoholm i 63,05 | Skinnespr. |
| 06. 16:35 | – 06. 23:00 | Hanbjerg-Vinderup i 21,3 | Skinnespr. |
| 10. 04:05 | – 10. 21:00 | Rønbjerg-Hvidemose i 230,0-230,6 | Skinnespr. |
| 16. 20:00 | – 16. 22:45 | Struer-Hanbjerg i 204,9 | Sab. forsøg |
| 17. 18:10 | – 17. 23:59 | Vinderup-Hanbjerg i 213,5 | Skinnespr. |
| 18. 00:30 | – 18. 16:00 | Sparkær st. | Sporsk. spr. |
| 20. 06:00 | – 24. 18:00 | Højslev st. & Højslev-Stoholm i 64,1-64,8 | Sporsk. & sk. spr. |
| 20. 08:40 | – | Højslev st. | Tlf. bombe m. 24 t. |
| 22. nat | – 22. 17:30 | Skive-Rønbjerg | Skinnespr. |
| 24. 06:25 | – 24. 21:00 | Rønbjerg st. i 226,0-226,7 | Skinnespr. |
| 29. 02:40 | – 29. 20:00 | Stoholm st. | Sporsk. spr. |
| 29. 07:15 | – 03. 12:45 | Ulstrup-Bjerringbro | Afsporing, flygtninget. |
| MAJ 1945 | | | |
| 03. 19:45 | – 04. 13:00 | Langaa-Ulstrup | Afsporing, lazaret 028 |

**Skanderborg-Silkeborg-Brande-Vejle**

| | | | |
|---|---|---|---|
| AUG 1944 | | | |
| 12. 02:30 | – 12. 09:50 | Brande-Lundfod i 73,4 | Skinnespr. |
| NOV 1944 | | | |
| 01. 01:10 | – 01. 10:16 | Alken st. (-Skanderborg) | Sporsk. spr. |

| | | | | |
|---|---|---|---|---|
| 05. 23:10 | – | 06. 00:30 | Ry-Skanderborg | Formodet sab. |
| 09. 16:30 | – | 09. 17:00 | Brande-Thyregod | Formodet sab. |
| 09. 22:40 | – | 10. 00:45 | Alken-Skanderborg | Formodet sab. |
| 28. 18:10 | – | 28. 19:30 | Silkeborg-Svejbæk | Formodet sab. |

JAN 1945

| | | | | |
|---|---|---|---|---|
| 04. 01:30 | – | 04. 14:30 | Skanderborg-Alken i 1,0 | Skinnespr. |
| 21. 04:20 | – | 21. 17:34 | Silkeborg-Funder i 33,1 | Skinnespr. |
| 21. 04:45 | – | 21. 16:25 | Hampen-Ejstrupholm | Afsporing Schalb.? |
| 22. 07:02 | – | 23. 15:10 | Silkeborg-Funder i 31,9 | Afsporing Schalb.? |

FEB 1945

| | | | | |
|---|---|---|---|---|
| 04. 03:20 | – | 04. 09:10 | Vejle N.-Grejsdal i 112,25 | Skinnespr. |
| 06. 22:40 | – | 07. 05:40 | Vejle N. st. (-Vejle H) | Sporsk. spr. |
| 06. 23:50 | – | 07. 12:30 | Silkeborg-Funder i 31,0-32,0 | Skinnespr. |
| 09. 01:07 | – | 09. 09:50 | Brande-Thyregod i 72,5 | Skinnespr. |
| 09. 06:20 | – | 09. 13:45 | Ejstrupholm-Hampen i 85,9 | Skinnespr. |
| 09. 23:25 | – | 10. 15:00 | Silkeborg-Svejbæk | Skinnespr. |
| 10. 11:20 | – | 10. 16:02 | Mølvang-Gadbjerg | Skinnespr. |
| 10. 22:40 | – | 11. 09:30 | Give-Farre i 83,6 | Skinnespr. |
| 12. 00:45 | – | 12. 08:25 | Jelling-Hørup i 101,0 | Skinnespr. |
| 13. 01:10 | – | 13. 12:10 | Brande-Lundfod | Skinnespr. |
| 13. 01:10 | – | 13. 03:40 | Brande-Thyregod | Formodet sab. |
| 13. 21:35 | – | 14. 14:30 | Funder-Kristianshede | Skinnespr. |
| 24. 07:35 | – | 24. 10:00 | Brande st. (-Thyregod) | Skinnespr. |
| 25. 14:04 | – | 25. 20:55 | Skanderborg-Alken | Skinnespr. |
| 26. 01:30 | – | 26. 11:10 | Brande-Ejstrupholm i 71,3 | Skinnespr. |
| 26. 06:35 | – | 26. 15:40 | Ejstrupholm-Hampen i 85,0-86,0 | Skinnespr. |
| 28. 01:35 | – | 26. 13:10 | Farre st. | Sporsk. spr. |

MAR 1945

| | | | | |
|---|---|---|---|---|
| 04. 02:50 | – | 04. 05:30 | Give-Brande | Formodet sab. |
| 04. 21:00 | – | 05. 10:10 | Silkeborg-Svejbæk i 26,6-28,0 | Skinnespr. |
| 05. 01:20 | – | 05. 12:30 | Skanderborg-Alken | Skinnespr. |
| 05. 23:00 | – | 06. 12:00 | Silkeborg-Funder i 31,9 | Skinnespr. |
| 06. 03:45 | – | 06. 04:35 | Hørup-Mølvang | Formodet sab. |
| 09. 22:20 | – | | Brande-Lundfod | Formodet sab. |
| 10. 23:40 | – | 11. 12:00 | Vejle N. st. | Sporsk. spr. |
| 14. 01:30 | – | | Brande st. | Brand i hjælpevogn |
| 13. 22:30 | – | 14. 02:00 | Jelling st. | Spr. i vogn 9726 |
| 14. 20:45 | – | 15. 10:00 | Silkeborg-Funder i 31,9-32,0 | Skinnespr. |
| 14. 20:45 | – | 15. 10:00 | Silkeborg-Svejbæk i 28,0-26,4 | Skinnespr. |
| 16. 02:35 | – | 16. 11:45 | Thyregod st. | Sporsk. spr. |
| 25. 11:40 | – | 25. 14:45 | Funder-Kristianshede | Formodet sab. |
| 26. 23:00 | – | 27. 12:25 | Silkeborg st. (-Skanderborg) | Sporsk. spr. |

APR 1945

| | | | | |
|---|---|---|---|---|
| 01. 22:55 | - | 02. 00:30 | Silkeborg st. | Sporsk. spr. |
| 02. 15:20 | - | 02. 21:33 | Silkeborg-Svejbæk | Skinnespr. |
| 02. 22:50 | - | 03. 16:00 | Silkeborg st. | Sporsk. spr. |
| 03. 04:00 | - | 03. 08:20 | Brande-Thyregod i 66,5 | Skinnespr. |
| 06. 23:00 | - | 07. 09:00 | Silkeborg-Funder i 33,3 | Skinnespr. |
| 07. 23:45 | - | 08. 10:45 | Brande-Thyregod | Skinnespr. |
| 07. 23:45 | - | 08. 11:20 | Brande-Lundfod | Skinnespr. |
| 08. 16:25 | - | 08. 17:00 | Funder-Kristianshede | Formodet sab. |
| 08. 16:25 | - | 08. 17:45 | Silkeborg-Funder | Formodet sab. |
| 08. 18:45 | - | 08. 23:00 | Silkeborg-Funder i 33,5 | Skinnespr. |
| 10. 00:05 | - | 10. 09:00 | Brande st. | Spr. i sporsk. & hj.vogn |
| 13. 01:15 | - | | Silkeborg st. | Spr. i vogn |
| 16. nat | - | 16. 14:00 | Ejstrupholm-Hampen i 84,0-84,5 | Afsporing 9505 |
| 18. 02:30 | - | 18. 09:20 | Brande-Lundfod i 70,1 | Skinnespr. |
| 18. 03:00 | - | 18. 13:05 | Vejle N.-Grejsdal i 109,8 | Skinnespr. |
| 18. 09:45 | - | 18. 11:00 | Brande-Lundfod | Formodet sab. |
| 18. 21:10 | - | 19. 17:00 | Skanderborg-Alken i 2,5-3,0 | Skinnespr. |
| 18. 23:30 | - | 19. 13:20 | Silkeborg-Funder i 33,7 | Skinnespr. |
| 19. 00:50 | - | 19. 17:00 | Grejsdal st. | Sporsk. spr. |
| 19. 08:00 | - | 19. 17:00 | Ejstrupholm-Hampen i 84,4-85,6 | Skinnespr. |
| 19. 21:10 | - | 20. 18:50 | Skanderborg-Alken i 1,5-2,0 | Skinnespr. |
| 19. 23:30 | - | 21. 12:00 | Brande-Thyregod i 66,1-67,1 | Skinnespr. |
| 20. 00:35 | - | | Silkeborg st. | Spr. i vandkraner |
| 19. 23:30 | - | 20. 19:00 | Brande-Lundfod i 72,0-72,5 | Skinnespr. |
| 20. 13:25 | - | | Brande st. | Tlf. sab. - 24 t. |
| 20. 23:15 | - | 21. 16:00 | Silkeborg-Funder | Skinnespr. |
| 20. 23:45 | - | 21. 09:15 | Svejbæk-Laven | Spr. i telegrafvogn |
| 21. 06:55 | - | 21. 19:00 | Ejstrupholm-Hampen i 84,0-84,5 | Skinnespr. |
| 21. 23:00 | - | 22. 17:15 | Silkeborg-Funder i 32,0 | Skinnespr. |
| 22. 02:00 | - | 22. 16:25 | Vejle N.-Grejsdal i 111,7-112,3 | Skinnespr. |
| 22. 14:50 | - | 23. 14:15 | Alken st. | Sporsk. spr. |
| 22. 14:50 | - | 25. aften | Silkeborg-Svejbæk i 27,6-28,0 | Skinnespr. |
| 22. 17:50 | - | 23. 18:00 | Ry-Alken i 10,4 | Skinnespr. |
| 22. 17:00 | - | 23. 12:55 | Grejsdal-Højgaard i 112,3 | Skinnespr. |
| 23. 20:45 | - | 25. aften | Svejbæk-laven i 19,5-19,6 | Sk. & stenkistespr. |
| 26. 14:35 | - | 26. 16:30 | Svejbæk-Laven | Formodet sab. |
| 27. 03:10 | - | 27. 07:55 | Laven st. | Sab. forsøg |
| 27. 02:10 | - | 27. 12:30 | Vejle N.-Grejsdal i 112,3 | Skinnespr. |
| 28. 00:45 | - | 28. 14:25 | Laven-Svejbæk i 20,5-21,0 | Skinnespr. |
| 28. 01:45 | - | 28. 08:00 | Brande-Thyregod i [6]5,5 | Afsp. forsøg 9975 |
| 28. 22:00 | - | 01. 10:00 | Silkeborg-Funder i 34,8-35,0 | Skinnespr. |
| 29. 23:30 | - | 30. 05:00 | Silkeborg st. | Spr. i vogn m/skinner |

MAJ 1945

| | | | | |
|---|---|---|---|---|
| 01. 22:15 | - | 07. 16:15 | Silkeborg-Svejbæk i 27,3-27,6 | Skinnespr. |
| 01. 22:15 | - | 06. 12:10 | Silkeborg-Funder i 33,0 | Skinnespr. |

| | | | | |
|---|---|---|---|---|
| | 03. 01:00 | – 03. 16:00 | Jelling st. | Sporsk. spr. |
| | 03. 20:00 | – 08. 11:35 | Ry-Alken i 10,0 | Skinnespr. |
| | 03. 23:30 | – 04. 16:50 | Farre-Give i 84,0 | Skinnespr. |
| | 04. 00:15 | – 04. 16:50 | Give-Thyregod i 81,0 | Skinnespr. |
| | 04. 04:00 | – 05. 13:50 | Jelling-Hørup | Skinnespr. |

**I. Faarup-Viborg-Herning-Skjern**

| | | | | |
|---|---|---|---|---|
| | SEP 1944 | | | |
| | 03. 21:30 | – 07. morg. | Herning-Sunds i 3,0 | Afsporing 152196 |
| Bev Rød | 07. 10:35 | – 08. morg. | Viborg-Bækkelund i 42,0 | Afsporing 651259 |
| | 24. 13:47 | – 25. morg. | Viborg-Bækkelund i 43,5 | Afsporing 351761 |
| | NOV 1944 | | | |
| | 05. 19:00 | – 05. 23:55 | Kibæk-Trolhede | Afspr. forsøg |
| | 13. 19:39 | – 14. 01:20 | Viborg st. | Drejeskive |
| | 15. 03:00 | – 15. 12:20 | Viborg-Herning | Skinnespr. |
| | 17. 04:15 | – | Viborg st. | Drejeskive & sporsk. spr. |
| | JAN 1945 | | | |
| | 13. 01:40 | – 13. 11:00 | Viborg-Bækkelund i 45,4-45,5 | Skinnespr. |
| | 14. 02:25 | – 14. 04:08 | Viborg st. | Drejeskive |
| | FEB 1945 | | | |
| | 04. 04:15 | – 04. 16:00 | Trolhede-Kibæk i 91,9-92,5 | Skinnespr. |
| | 04. 10:32 | – 04. 20:00 | Viborg-Bækkelund i 42,5 | Skinnespr. |
| | 05. 00:10 | – 05. 10:50 | Herning-Nybo i 1,5 | Skinnespr. |
| | 06. 04:15 | – 06. 13:20 | Troldhede-Kibæk i 92,6 | Skinnespr. |
| | 07. 20:30 | – 08. 18:00 | Herning-Studsgaard i 73,0 | Skinnespr. |
| | 08. 01:00 | – 08. 11:45 | Herning-Sunds | Skinnespr. |
| | 08. 06:45 | – 08. 11:00 | Troldhede st. | Sporsk. spr. |
| | 10. 01:30 | – 10. 09:40 | Troldhede st. | Sporsk. spr. |
| | 10. 05:40 | – 10. 08:00 | Herning-Sunds | Sab. forsøg |
| | 12. 01:20 | – 12. 08:00 | Herning-Studsgaard i 41,0-42,0 | Afsporing |
| | 13. 01:10 | – 13. 05:00 | Herning-Nybo | Formodet sab. |
| | 13. 01:10 | – 13. 04:00 | Herning-Studsgaard | Formodet sab. |
| | 14. 04:15 | – > 14. 14:00 | Kibæk-Troldhede | Skinnespr. |
| | 14. 06:30 | – 14. 12:40 | Borris st. | Sporsk. spr. |
| | 23. 18:55 | – 27. 15:00 | Herning-Nybo | Afsporing |
| | 18. 21:30 | – | Herning-Studsgaard i 73,1 | Sab. forsøg |
| | MAR 1945 | | | |
| | 02. 00:45 | – 02. 05:30 | Viborg-Bækkelund | Formodet sab. |
| | 02. 04:30 | – 02. 06:20 | Herning-Studsgaard | Formodet sab. |
| | 07. 02:15 | – 07. 08:00 | Herning-Sunds | Formodet sab. |
| | 08. 03:10 | – 08. 13:00 | Kibæk st. | Sporsk. spr. |

| | | | | |
|---|---|---|---|---|
| 09. 02:00 | – | 09. 11:00 | Troldhede st. | Sporsk. spr. |
| 10. 03:00 | – | 10. 08:35 | Troldhede st. | Sporsk. spr. |
| 11. 01:15 | – | 12. 18:15 | Kibæk st. | Afsporing 351803 |
| 12. 05:30 | – | 12. 17:50 | Viborg-Bækkelund i 46,5 | Sporsk. spr. |
| 12. 06:20 | – | 12. 09:00 | Herning st. | Sporsk. spr. |
| 12. 06:20 | – | 13. 18:00 | Sunds st. | Sporsk. spr. |
| 12. 09:00 | – | 13. 18:00 | Herning-Sunds i 2,0 | Skinnespr. |
| 13. 01:00 | – | 13. 09:00 | Troldhede st. | Sporsk. spr. |
| 15. 01:00 | – | 15. 04:00 | Troldhede st. | Sporsk. spr. |
| APR 1945 | | | | |
| 10. 04:45 | – | 14. 16:00 | Viborg-Bækkelund i 2,0 | Brospr. |
| 17. 02:25 | – | 20. 16:52 | Herning-Studsgaard | Afsporing 9555 |
| 19. 02:00 | – | 20. 16:35 | Skjern-Borris i 108,0-108,5 | Skinnespr. |
| 20. 12:30 | – | 20. 14:48 | Viborg-Bækkelund | Formodet sab. |
| 22. 06:35 | – | 22. 16:15 | Skjern-Borris | Skinnespr. |
| 25. 00:45 | – | 25. 15:00 | Studsgaard-Kibæk | Afsporing 351826 |
| 25. 05:00 | – | 25. 16:00 | Skjern-Borris | Skinnespr. |
| 26. 05:20 | – | 26. 17:30 | Herning-Studsgaard | Skinnespr. |
| 26. 05:25 | – | 26. 21:00 | Herning-Nybo | Skinnespr. |
| 28. 04:50 | – | 28. 15:00 | Skjern-Borris i 100,8 | Skinnespr. |
| 28. 05:45 | – | 29. 11:50 | Borris-Troldhede i 98,0-98,5 | Skinnespr. |
| 28. 20:00 | – | 29. 12:40 | Skjern-Borris i 106,8 | Skinnespr. |
| 29. 03:30 | – | 30. 09:15 | Troldhede st. | Skinnespr. |
| 29. 07:55 | – | 04. 18:40 | Herning-Sunds i 4,5 | Skinnespr. |
| 29. 16:30 | – | 30. 09:15 | Troldhede-Kibæk i 92,5 | Skinnespr. |
| MAJ 1945 | | | | |
| 01. 01:30 | – | 01. 16:00 | Kibæk-Troldhede | Skinnespr. |
| 01. 01:30 | – | | Troldhede-Borris | Formodet sab. |
| 02. 05:25 | – | 02. 10:15 | Borris-Troldhede i 98,0 | Skinnespr. |
| 05. 03:30 | – | 03. 12:45 | Troldhede-Kibæk | Skinnespr. |
| 03. 23:45 | – | 04. 15:15 | Skjern-Borris i 111,0 | Skinnespr. |
| 04. 05:00 | – | 04. 12:30 | Troldhede-Borris i 97,5 | Skinnespr. |
| 04. 21:15 | – | 05. 10:00 | Troldhede-Borris i 96,0 | Skinnespr. |

**Randers-Ryomgaard-Grenaa; Ryomgaard-Århus**

| | | | | |
|---|---|---|---|---|
| NOV 1944 | | | | |
| 02. 22:25 | – | 03. 12:30 | Århus Ø. st. | Sporsk. spr. |
| 08. 22:15 | – | 10. 16:00 | Århus Ø.-Lystrup i 4,5 | Skinnespr. |
| 14. 06:30 | – | 14. 14:10 | Strømmen-Uggelhuse i 4,5 | Skinnespr. |
| JAN 1945 | | | | |
| 01. 18:35 | – | 01. 19:45 | Århus Ø. st. | Godsvognsspr. |
| 30. 02:45 | – | 30. 16:50 | Randers st. (-Uggelhuse) | Skinnespr. |

| | | | |
|---|---|---|---|
| | FEB 1945 | | |
| | 02. 05:55 – 02. 12:02 | Strømmen st. | Sporsk. spr. |
| | 03. 20:26 – 05. 08:54 | Risskov-Lystrup i 3,9-4,5 | Skinnespr. |
| | 03. 22:43 – 03. 23:45 | Århus Ø. (-østpå) | Sporsk. spr. |
| | 06. 22:45 – 07. 09:30 | Århus Ø. | Sporsk. spr. |
| | 08. 18:35 – 09. 14:00 | Strømmen st. | Skinnespr. |
| | MAR 1945 | | |
| | 02. 23:20 – 03. 17:20 | Strømmen st. | Sporsk. spr. |
| | 05. 20:25 – 05. 23:25 | Århus Ø. st. | Sporsk. spr. |
| | 06. 16:00 – 08. 19:00 | Strømmen-Volkmølle i 2,5-3,0 | Skinnespr. |
| | 07. 08:45 – 08. 04:45 | Århus ø. st. | Skinnespr. |
| | 10. 23:40 – 13. 19:15 | Århus Ø.-Lystrup i 5,3-5,5 | Skinnespr. |
| | 25. 10:00 – 25. 17:00 | Ryomgård-Koed i 36,5 | Skinnespr. |
| | 25. 16:02 – 27. 00:30 | Århus Ø.-Lystrup | Afsporing |
| | 26. 02:30 – 26. 18:00 | Ryomgård-Thorsager i 37,0-37,5 | Skinnespr. |
| | 26. 06:15 – 26. 14:15 | Auning-Pindstrup i 28,0 | Skinnespr. |
| | 27. 21:15 – 29. 17:10 | Trustrup-Kolind | Afsporing 351228 |
| | 31. 15:00 – 01. 11:45 | Hjortshøj-Løgten | Afsporing |
| | APR 1945 | | |
| | 20. 10:45 – 22. 17:00 | Risskov-Lystrup | Afsporing 9945 orlovst. |
| | 20. 17:45 – 21. 21:15 | Risskov-Grenåvej | Skinnespr. |
| | 20. 19:28 – 21. 06:00 | Århus Ø.-Risskov | Skinnespr. |
| | 25. 22:30 – 24. 16:00 | Lystrup-Grenåvej | Skinnespr. |
| | 24. 20:50 – 26. 11:40 | Hjortshøj-Løgten | Skinnespr. |
| | 27. 14:20 – 28. 11:50 | Lystrup-Hjortshøj | Skinnespr. |
| | 29. 03:00 – 29. 10:00 | Århus Ø.-Lystrup | Skinnespr. |
| | MAJ 1945 | | |
| | 03. 23:50 – 04. 08:15 | Århus Ø.-Lystrup | Formodet sab. |

**K. Hobro-Aalestrup-Løgstør; Viborg-Aalestrup; Himmerlandske privatbaner**

| | | | |
|---|---|---|---|
| | SEP 1944 | | |
| | 11. 05:20 – | Løgstør-Vindblæs i 64,0 | Afsporing 351631 |
| | NOV 1944 | | |
| Terpitz | 10. 04:20 – 10. 18:05 | Nørager-Simested | Skinnespr. |
| | 10. 06:00 – 10. 17:10 | Skals-Møldrup | Skinnespr. |
| | 23. 17:00 – 24. 08:00 | Viborg-Aalestrup | Formodet sab. |
| | DEC 1944 | | |
| | 03. 19:15 – 04. 20:40 | Skals-Viborg i 20,0-20,5 | Skinnespr. |
| | 03. 20:00 – 04. 11:30 | Løgstrup-Viborg i 28,0-28,5 | Skinnespr. |

| | | | | |
|---|---|---|---|---|
| | FEB 1945 | | | |
| | 03. 05:40 | – 03. 10:55 | Løgstrup-Skals | Skinnespr. |
| | 03. 13:20 | – 04. 14:40 | Nørager-Simested i 19,5 | Skinnespr. |
| | 03. 02:00 | – 04. 13:25 | Viborg-Løgstrup i 36,0 | Skinnespr. |
| | 03. 22:30 | – 06. 12:25 | Hvam-Møldrup i 8,5-9,0 | Afsporing 651653 |
| | 04. 17:30 | – 05. 01:30 | Nørager-Simested | Skinnespr. |
| | 08. 07:34 | – 08. 14:25 | Randers havnebane (-Hadsund) | Sporsk. spr. |
| | MAR 1945 | | | |
| | 02. 00:45 | – 02. 17:03 | Viborg-Løgstrup i 35,0 | Skinnespr. |
| | 06. 23:30 | – 07. 11:45 | Viborg-Løgstrup | Skinnespr. |
| | 11. 09:40 | – 11. 18:00 | Skrigstrup-Møldrup i 14,0 | Skinnespr. |
| | 11. 07:30 | – 12. 13:30 | Rørbæk-Nørager i 14,0 | Skinnespr. |
| | 12. 05:30 | – 12. 18:30 | Viborg-Løgstrup i 35,9-36,3 | Skinnespr. |
| | 13. 18:06 | – 15. | Randers-Spentrup | Skinnespr. |
| | 14. 16:00 | – 14. 20:40 | Skelum-Visborg | Skinnespr. |
| | 22. 08:00 | – 22. 12:30 | Simested-Aalestrup | Formodet sab. |
| | 25. 07:00 | – 25. 16:20 | Viborg-Løgstrup i 36,5 | Skinnespr. |
| | 24. 23:30 | – 25. 16:00 | Viborg st. (-Aalestrup) | Sporsk. spr. |
| | APR 1945 | | | |
| | 13. nat | – 14. 09:00 | Skals st. | Sporsk. spr. |
| | 13. nat | – 16. 07:40 | Løgstrup-Kølsen i 23,9 | Spr. i bro |

**Vendsysselske privatbaner**

| | | | | |
|---|---|---|---|---|
| | AUG 1944 | | | |
| ronesse | 16. 23:30 | – 17. 05:30 | V. Hassing-Ganderup | Skinnespr. |
| | NOV 1944 | | | |
| rpitz | 09. 04:00 | – | Frederikshavn-Understed | Afsporing 651401 |
| | 09. 22:00 | – | Vester Hassing-Langholt | Skinnespr. |
| | 13. 23:45 | – 14. 12:05 | Nr. Sundby havnest.-Vodskov | Skinnespr. |
| | 14. 23:25 | – 15. 11:15 | Vadum-Nr. Sundby | Skinnespr. |
| | FEB 1945 | | | |
| | 09. 02:00 | – | Sæby-Sulbæk | Afsporing |
| | 25. 01:35 | – | Understed-Sæby | Afsporing |
| | 27. 18:25 | – | Nr. Sundby-Vodskov | Skinnespr. |
| | MAR 1945 | | | |
| | 02. 05:55 | – | Sæby-Understed | Afsporing |
| | 02. 08:45 | – 02. 15:30 | Sæby-Volstrup | Skinnespr. |
| | APR 1945 | | | |
| | 10. 00:10 | – | Aalborg - privatbanernes værksteder | Spr. |
| | 28. | – | Nr. Sundby-Vodskov | Skinnespr. |

**M. Struer-Thisted**

| | | | |
|---|---|---|---|
| SEP 1944 | | | |
| 13. 08:10 | – 13. 11:30 | Hvidbjerg-Ydby i 31,7 | Sab. forsøg |
| 16. 05:00 | – 16. 09:40 | Lyngs-Hvidbjerg i 25,2 | Skinnespr. |
| 16. 05:10 | – 16. 05:30 | Ydby-Hurup | Formodet sab. |
| 22. 03:15 | – 22. | Hurup-Ydby i 37,4 | Skinnespr. |
| OKT 1944 | | | |
| 10. 04:30 | – 10. 09:59 | Lyngs-Ydby i 33,8 | Skinnespr. |
| DEC 1944 | | | |
| 15. 22:25 | – 16. 00:55 | Ydby-Hvidbjerg | Formodet sab. |
| FEB 1945 | | | |
| 03. 22:55 | – 04. 10:20 | Uglev-Hvidbjerg i 19,8 | Skinnespr. |
| 04. 05:40 | – 04. 10:50 | Ydby-Lyngs i 34,7 | Skinnespr. |
| 04. 06:15 | – 04. 15:00 | Oddesund-Uglev i 16,1 | Skinnespr. |
| 05. 22:10 | – 06. 01:30 | Struer-Humlum | Formodet sab. |
| 07. 19:25 | – 08. 18:05 | Struer-Humlum i 1,0-1,5 | Afsporing |
| MAR 1945 | | | |
| 09. 22:30 | – 10. 01:20 | Hvidbjerg-Uglev | Formodet sab. |
| 09. 22:30 | – 10. 01:20 | Hvidbjerg-lyngs | Formodet sab. |
| 09. 22:58 | – 10. 01:20 | Bedsted-Hørdum | Formodet sab. |
| 09. 22:40 | – 10. 14:00 | Hurup-Bedsted i 49,1 | Skinnespr. |
| 09. 22:00 | – 10. 10:25 | Ydby st. | Sporsk. spr. |
| 09. 22:00 | – 10. 10:25 | Ydby-Hurup i 37,5 | Skinnespr. |
| 11. 01:05 | – 11. 03:40 | Struer-Oddesund | Formodet sab. |
| 22. 14:15 | | Thisted st. | Spr. i vogn |
| 24. 03:55 | | Ydby st. | Spr. i vogn |
| 25. 18:55 | – 26. 06:05 | Thisted-Sjørring i 71,2-71,5 | Skinnespr. |
| 25. 23:15 | – 26. 09:30 | Oddesund-Uglev i 15,0-15,1 | Skinnespr. |
| 25. 22:15 | – 26. 14:15 | Uglev-Hvidbjerg i 18,5-18,7 | Skinnespr. |
| 26. 05:30 | – 26. 15:00 | Lyngs-Hvidbjerg i 23,1 | Skinnespr. |
| 30. 01:25 | – 30. 10:30 | Struer-Humlum | Skinnespr. |
| APR 1945 | | | |
| 03. 22:25 | – 04. 03:05 | Sjørring-Thisted | Formodet sab. |
| 04. 04:28 | – 04. 18:00 | Humlum-Uglev i 14,7-15,0 & Uglev st. | Sporsk. & sk. spr. |
| 04. 04:55 | – 04. 17:00 | Uglev-Hvidbjerg | Skinnespr. |
| 04. 19:30 | – 05. 12:25 | Ydby-Hurup i 37,2 | Skinnespr. |
| 04. 22:55 | – 05. 19:15 | Hurup-Bedsted i 41,0-41,2 & 45,5 | Skinnespr. |
| 04. 23:50 | – 05. 19:00 | Lyngs-Ydby i 34,4 | Skinnespr. |
| 05. 00:40 | – 05. 18:00 | Uglev-Hvidbjerg i 20,1-20,6 | Skinnespr. |
| 05. | – 05. 19:00 | Bedsted-Hørdum i 48,2 & 51,2-51,3 | Skinnespr. |

| | | | |
|---|---|---|---|
| 06. | – 06. 10:30 | Humlum-Oddesund i 7,3 | Skinnespr. |
| 06. 13:00 | – 06. 16:05 | Humlum st. | Spr. i signalpost |
| 07. 16:30 | – 08. 17:25 | Hørdum-Snedsted i 58,1-58,4 | Skinnespr. |
| 08. 06:40 | – 18. 16:50 | Bedsted-Hørdum | Skinnespr. |
| 10. 23:10 | – 11. 21:00 | Thisted-Sjørring i 72,1-72,9 | Skinnespr. |
| 11. 09:00 | – 11. 17:28 | Bedsted-Hurup | Sab. forsøg |
| 12. 06:30 | – 12. 17:10 | Hvidbjerg-Uglev i 18,5-18,7 & 20,3-20,4 | Skinnespr. |
| 12. 06:30 | – 12. 17:10 | Hvidbjerg-Lyngs i 23,0-23,3 | Skinnespr. |
| 12. 18:10 | – 13. 02:20 | Lyngs-Ydby | Skinnespr. |
| 13. 02:45 | – 13. 10:35 | Hvidbjerg-Lyngs i 23,2 | Skinnespr. |
| 13. 09:45 | – 13. 17:00 | Oddesund-Uglev i 15,6-15,7 | Skinnespr. |
| 18. | | Østerild-Vesløs | Brand i vogn |
| 21. 09:30 | – 21. 23:00 | Snedsted-Hørdum | Skinnespr. |
| 23. 01:00 | | Snedsted st. | Spr. i vogn |
| 26. 05:50 | – 26. 15:00 | Hørdum-Bedsted | Skinnespr. |

MAJ 1945

| | | | |
|---|---|---|---|
| 02. 07:33 | – 02. 11:55 | Struer-Humlum i 5,5 | Skinnespr. |
| 04. 02:10 | – 04. 09:25 | Struer-Humlum | Formodet sab. |

**Herning-Silkeborg**

FEB 1945

| | | | |
|---|---|---|---|
| 09. 05:00 | – 09. 10:50 | Hammerum st. | Sporsk. spr. |
| 09. 22:07 | – 10. 10:40 | Silkeborg-Funder | Skinnespr. |
| 11. 01:30 | – 11. 03:30 | Herning-Hammerum | Formodet sab. |
| 13. 01:00 | – 13. 03:20 | Herning-Hammerum | Formodet sab. |
| 13. 21:35 | – 14. 14:30 | Funder-Engesvang | Skinnespr. |

MAR 1945

| | | | |
|---|---|---|---|
| 02. 01:15 | – 02. 03:00 | Herning-Hammerum | Formodet sab. |
| 07. 08:00 | – 07. 11:35 | Engesvang-Bording | Sab. forsøg |
| 24. 23:05 | – 29. 16:10 | Hammerum-Herning | Afsporing 351816 |
| 25. 11:35 | – 25. 18:00 | Funder-Engesvang i 36,5 | Skinnespr. |

APR 1945

| | | | |
|---|---|---|---|
| 08. 23:35 | – 09. 01:58 | Ikast-Hammerum | Formodet sab. |

MAJ 1945

| | | | |
|---|---|---|---|
| 03. 03:00 | – 03. 19:00 | Bording st. | Sporsk. spr. |

**Silkeborg-Langaa; Silkeborg-Viborg**

NOV 1944

| | | | |
|---|---|---|---|
| 10. 10:03 | – 10. 16:10 | Silkeborg-Resenbro i 4,0-5,0 | Skinnespr. |
| 28. 18:10 | – 28. 20:20 | Silkeborg-Resenbro | Formodet sab. |

| | | |
|---|---|---|
| JAN 1945 | | |
| 22. 13:00 – 23. 15:30 | Silkeborg-Lysbro | Skinnespr. Schalb.? |
| MAR 1945 | | |
| 04. 21:00 – 05. 14:00 | Silkeborg-Resenbro i 2,5 | Skinnespr. |
| 13. 02:30 – 13. 13:15 | Døstrup-Laurbjerg | Skinnespr. |
| 26. 18:00 – 27. 17:00 | Silkeborg-Resenbro i 2,3 | Skinnespr. |
| APR 1945 | | |
| 08. 16:25 – 09. frm. | Lysbro-Øster Bording | Skinnespr. |
| 12. 17:20 – 12. 23:59 | Silkeborg-Resenbro | Skinnespr. |
| 12. 22:00 – 13. 00:37 | Gern-Resenbro | Formodet sab. |
| 13. 17:20 – 14. 16:00 | Silkeborg-Resenbro i 2,0-3,0 | Skinnespr. |
| 15. 12:45 – 15. 19:00 | Lysbro-Øster Bording | Skinnespr. |
| 15. 19:40 – | Lysbro-Øster Bording | Afsporing 351414 |
| 16. 01:10 – 16. 19:00 | Laurbjerg st. (-Silkeborg) | Skinnespr. |
| 18. 22:50 – 19. 14:30 | Silkeborg-Resenbro i 2,5 | Skinnespr. |
| 20. 23:45 – 21. 16:00 | Silkeborg-Resenbro i 2,0-1 | Skinnespr. |
| 21. 02:10 – 23. 16:15 | Laurbjerg-Bøstrup i 36,0-2 | Skinnespr. |
| 21. 22:00 – | Silkeborg-Lysbro | Skinnespr. |
| 23. 14:07 – 26. morg. | Sminge-Gern i 12,6 | Skinnespr. |
| 27. 21:55 – 28. 17:00 | Silkeborg-Resenbro | Skinnespr. |
| MAJ 1945 | | |
| 01. 22:15 – 02. 16:30 | Silkeborg-Resenbro i 2,4-5 | Skinnespr. |
| 03. 23:30 – 04. 17:00 | Silkeborg-Resenbro i 2,0-4,0 | Skinnespr. |
| 04. frm. – | Silkeborg-Lysbro | |
| | | Skinnespr. |

**P. Kolding-Grindsted-Troldhede; Vejle-Vandel-Grindsted**

| | | |
|---|---|---|
| NOV 1944 | | |
| 03. – 03. 07:00 | Stakroge-Sandet | Skinnespr. |
| DEC 1944 | | |
| 11. 22:00 – 12. 10:00 | Vejle N.-Skibet | Skinnespr. |
| 21. 23:00 – | Vejle N | Remisespr. |
| FEB 1945 | | |
| 26. 09:00 – 26. 15:00 | Sdr. Felding-Sandet i 9,4 | Skinnespr. |
| MAR 1945 | | |
| 10. 23:40 – | Vejle N | Remisespr. |
| 15. 11:15 – | Løvlund-Billund i 11,0 | Brospr. |
| 22. 07:00 – | Hejnsvig-Grindsted i 36,0 | Skinnespr. |
| 22. 07:00 – | Kolding-Dybvadbro | Afsporing |
| 22. 06:30 – | Billund-Grindsted i 37,0 | Skinnespr. |

| | | | |
|---|---|---|---|
| 29. 11:50 – | | Troldhede-Sdr. Felding | Afsporing Schalb.? |
| APR 1945 | | | |
| 20. 01:00 – | 20. 12:00 | Grindsted st. | Sporsk. spr. |
| 22. nat – | | Limskov-Bindballe | Skinnespr. |
| 27. 05:15 – | | Vejle N.-Skibet | Skinnespr. |
| 28. – | | Vejle N.-Skibet | Skinnespr. |

**Århus-Odder-Horsens**

| | | | |
|---|---|---|---|
| NOV 1944 | | | |
| 18. 18:35 – | 19. 00:13 | Århus st. (-Odder) | |
| MAR 1945 | | | |
| 13. 10:35 – | | Maarslet-Beder | Brand i tankvogn skinnespr. |

**Hammelbanen**

| | | | |
|---|---|---|---|
| MAR 1945 | | | |
| 15. 07:00 – | | Stavstrup-Ormslev | Sab. forsøg |

**Horsens-Brædstrup-Silkeborg**

| | | | |
|---|---|---|---|
| APR 1945 | | | |
| 28. – | | Silkeborg-Virklund | Skinnespr. |
| MAJ 1945 | | | |
| 04. frm. – | | Silkeborg-Virklund | Skinnespr. |

**Skive-Glyngøre**

| | | | |
|---|---|---|---|
| FEB 1945 | | | |
| 08. 20:05 – | | Nykøbing M. | Spr. i bro |
| 13. 01:30 – | 27. 14:00 | Glyngøre st. | Spr. i bro |
| APR 1945 | | | |
| 10. 06:30 – | 10. 15:00 | Jebjerg-Roslev i 13,0-5 | Skinnespr. |
| 11. 01:00 – | 03. 14:30 | Glyngøre st. | Spr. i bro |
| 11. 09:20 – | 11. 15:00 | Glyngøre-Durup i 26,0 | Skinnespr. |

*navn* *fra* *til* *til* *strækning* *sabotageart*

**3. Sabotageaktioner på Fyn fra juni 1944 til maj 1945**

**A. Middelfart-Nyborg**

| *navn* | *fra* | *til* | *til* | *strækning* | *sabotageart* |
|---|---|---|---|---|---|
| | JUN 1944 | | | | |
| | 04. 02:45 | – 04. 05:05 | / 04. 08:00 | Langeskov-Marslev i 16,9 | Skinnespr. |
| | 04. 21:15 | – 14. 22:58 | | Odense-Marslev i 27,2 | Hj. lavet "bombe" |
| | 16. 00:07 | – 16. 02:00 | / 16. 05:40 | Holmstrup-Tommerup i 39,7 | Afsporing |
| | OKT 1944 | | | | |
| | 16. 01:32 | – 16. 02:20 | | Middelfart-Nr. Aaby | Formodet sab. |
| | NOV 1944 | | | | |
| | 01. 04:51 | – 01. 06:00 | | Holmstrup-Odense | Formodet sab. |
| | 01. 04:51 | – 01. 06:42 | | Holmstrup-Tommerup | Formodet sab. |
| | 16. 03:15 | – 16. 11:40 | | Fredericia-Middelfart | Skinnespr. |
| | 23. 20:07 | – 23. 22:51 | | Odense st. | Formodet sab. |
| | DEC 1944 | | | | |
| | 10. 14:00 | – 10. 15:15 | | Fredericia-Middelfart | Formodet sab. |
| | 14. 06:43 | – 14. 08:11 | | Holmstrup-Odense | Formodet sab. |
| | JAN 1945 | | | | |
| | 04. 18:30 | – 04. 20:30 | | Fredericia st. (-Fyn) | Sporsk. spr. |
| | 24. 15:45 | – 24. 16:40 | / 24. 23:00 | Odense-Holmstrup | Afsp. forsøg. 142657 (1000 md t. ox) |
| | 25. 01:00 | – 25. 09:25 | / 25. 15:20 | Kavslunde-Nr. Aaby i 70,9 | Skinnespr. |
| | 25. 07:50 | – 25. 10:27 | / 25. 11:15 | Middelfart-Kavslunde i 76,0 | Skinnespr. |
| | 25. 19:52 | – 25. 22:27 | / 26. 02:20 | Nyborg-Hjulby | Afsp. forsøg 2059 |
| | 26. 05:30 | – 26. 11:35 | / 26. 15:20 | Marslev-Odense i 22,3 | Afsporing 2007 |
| | 26. 19:30 | – 27. 00:40 | / 27. 12:35 | Nyborg-Hjulby i 2,0 | Afsporing 142655 |
| | 26. 17:20 | – | / 26. 21:35 | Holmstrup-Tommerup i 39,0 | Sab. forsøg |
| | 26. 23:05 | – 27. 04:00 | | Nyborg st. | Skinnespr. |
| | 27. 02:10 | – | / 27. 11:15 | Marslev-Odense i 26,2 | Skinnespr. |
| | 27. 03:20 | – 27. 11:10 | / 27. 11:49 | Kavslunde-Middelfart i 76,0 | Skinnespr. |
| | 27. 01:30 | – 27. 09:25 | | Odense-Holmstrup | Formodet sab. |
| | 27. 09:55 | – 27. 17:30 | / | Odense-Holmstrup i 31,9 | Afsporing Schalb. ? |
| | 27. 21:35 | – 28. 06:25 | / | Odense-Marslev | Skinnespr. |
| | 27. 21:58 | – 28. 05:00 | / | Middelfart st. (-Fredericia) | Sporsk. spr. |
| | 28. 21:00 | – 29. 08:10 | / 29. 10:07 | Middelfart st. (-Fredericia) | Skinnespr. |
| | 28. 21:50 | – 29. 08:20 | / 29. 11:55 | Odense-Holmstrup i 31,5 | Skinnespr. |
| | 28. 22:20 | – 29. 03:35 | / 29. 17:00 | Odense-Marslev i 27,5 | Skinnespr. |
| | 28. 22:30 | – 29. 05:25 | / 29. 09:55 | Kavslunde-Nr. Aaby i 69,9 | Skinnespr. |
| | 29. 20:10 | – 30. 06:35 | / 30. 09:00 | Middelfart-Broen i 79,7 | Skinnespr. |
| | 29.20:40 | – 30. 00:15 | / 31. 12:00 | Hjulby-Ullerslev i 9,3 | Afsporing |
| | 29.23:40 | – 30. 00:55 | | Holmstrup-Marslev | Formodet sab. |

| | | | | |
|---|---|---|---|---|
| FEB 1945 – | | | | |
| 10. 22:25 – | | | Odense fr. | Sporsk. spr. |
| 22. 22:45 | – 23. 02:38 | / | Ullerslev-Langeskov i 11,9 | Afsporing |
| MAR 1945 | | | | |
| 02. 13:15 | – 02. 14:40 | / 02. 19:55 | Middelfart-Kauslund i 76,2 | Skinnespr. |
| 07. 13:00 | – | / 07. 14:30 | Ullerslev-Hjulby | Sao. forsøg |
| 08. 20:00 | – 09. 02:30 | / 09. 04:10 | Nyborg-Hjulby | Skinnespr. |
| 08. 23:00 | – 09. 03:30 | / 09. 07:50 | Ullerslev-Langeskov | Skinnespr. |
| 09. 02:43 | – | / 09. 15:00 | Holmstrup st. | Sporsk. spr. |
| 09. 03:30 | – | / 09. 15:00 | Holmstrup-Tommerup i 39,9 | Skinnespr. |
| 09. 17:50 | – 09. 23:12 | / 10. 00:55 | Middelfart-Fredericia | Skinnespr. |
| 09. 20:37 | – 10. 12:00 | / 10. 16:00 | Middelfart-Kavslunde i 76,0 | Skinnespr. |
| 09. 23:20 | – 10. 16:00 | / 12. 09:30 | Nr. Aaby-Ejby i 68,2 | Skinnespr. |
| 09. 23:50 | – 10. 16:00 | / 12. 09:30 | Kavslunde-Nr. Aaby i 69,4 & 70,7 | Skinnespr. |
| 09. 23:50 | – 10. 16:00 | / 12. 09:30 | Nr. Aaby st. | Sporsk. spr. |
| 09. 23:30 | – 10. 15:45 | / 10. 17:05 | Gelsted-Aarup i 54,6 | Skinnespr. |
| 09. 23:30 | – | / 10. 17:05 | Aarup st. | Sporsk. spr. |
| 09. 23:15 | – 10. 12:30 | / 10. 13:35 | Tommerup-Holmstrup i 39,8 | Skinnespr. |
| 09. 23:00 | – 10. 13:15 | / 10. 15:35 | Langeskov-Ullerslev i 14,1-14,4 | Skinnespr. |
| 09. 23:00 | – 10. 13:15 | / 10. 15:35 | Langeskov st. | Sporsk. spr. |
| 10. 00:15 | – 10. 05:35 | | Odense-Holmstrup | Formodet sab. |
| 10. 00:15 | – 10. 08:05 | / 10. 10:30 | Odense-Marslev i 23,4 | Skinnespr. |
| 10. 19:35 | – | / 10. 21:25 | Middelfart st. | Skinnespr. |
| 10. 20:08 | – 11. 13:20 | | Holmstrup-Odense | Skinnespr. |
| 10. 21:15 | – 11. 12:00 | / 11. 14:00 | Hjulby-Ullerslev | Skinnespr. |
| 10. 22:30 | – 11. 10:05 | / 11. 17:00 | Marslev st. | Sporsk. spr. |
| 10. 22:00 | – 11. 13:20 | / | Holmstrup-Tommerup | Skinnespr. |
| 10. 23:40 | – 11. 12:15 | / | Ejby-Nr. Aaby i 67,0 | Skinnespr. |
| 10. 23:40 | – 11. 04:00 | | Middelfart-Kauslunde | Formodet sab. |
| 10. 23:20 | – 11. 01:50 | | Broen-Fredericia | Formodet sab. |
| 11. 00:30 | – 11. 10:05 | / 11. 17:00 | Marslev-Odense i 22,1 | Skinnespr. |
| 12. 00:25 | – | / 12. 05:45 | Kauslunde st. (-Middelfart) | Skinnespr. |
| 19. | – | | Odense Havn | Spr./skinnelager |
| 20. 18:30 | – 21. 08.20 | / 21. 10:20 | Odense-Marslev i 23,2 | Skinnespr. |
| 21. 21:00 | – | | Odense st. | Spr./vogn |
| 23. 21:15 | – 24. 09:00 | / 24. 11:00 | Odense-Holmstrup | Skinnespr. |
| 23. 22:30 | – 24. 09:05 | / 24. 11:30 | Tommerup-Skalbjerg i 46,7 | Skinnespr. |
| 24. 20:52 | – 25. 05:50 | / 25. 07:25 | Holmstrup-Tommerup i 39,1 | Skinnespr. |
| 25. 01:50 | – 25. 04:45 | | Fredericia-Middelfart | Formodet sab. |
| 26. 22:10 | – 27. 05:20 | / 27. 07:30 | Marslev-Odense i 21,4 | Skinnespr. |
| 26. 22:23 | – 27. 13:40 | / | Holmstrup-Tommerup i 35,1-39,6 | Skinnespr. |
| 27. 17:05 | – 27. 22:45 | / 28. 00:35 | Odense-Marslev | Skinnespr. |
| 27. 19:50 | – 28. 07:00 | / 28. 12:15 | Odense-Holmstrup i 33,7 | Skinnespr. |
| 29. 19:15 | – 29. 23:10 | | Hjulby-Ullerslev | Formodet sab. |
| 30. 22:01 | – 30. 23:15 | | Gelsted-Bred | Formodet sab. |
| 30. 22:05 | – | / 31. 02:00 | Middelfart st. | Sporsk. spr. |

| | | | | |
|---|---|---|---|---|
| 30. 22:30 | – 31. 05:45 | / 31. 08:00 | Marslev st. | Sporsk. spr. |
| 31. 20:20 | – | / 01. 09:00 | Odense st. | Spr./signalpost, vandtårn & -kraner, drejeskibe, privatbaneremise, lager af sporskiftedele. |
| APR 1945 | | | | |
| 02. 04:03 | – 02. 11:10 | / 02. 11:40 | Ejby-Nr. Aaby i 67,0 | Skinnespr. |
| 03. 14:33 | – 03. 19:10 | / 03. 20:40 | Odense-Marslev i 27,8 & 29,3 | Skinnespr. |
| 04. 21:20 | – 05. 08:00 | / 05. 09:35 | Odense-Marslev i 22,1 | Skinnespr. |
| 05. 02:00 | – 05. 08:25 | | Fredericia st. (-Middelfart) | Formodet sab. |
| 05. 12:00 | – | / 05. 14:56 | Gelsted-Aarup | Sab. forsøg |
| 05. 23:00 | – 06. 07:30 | / 06. 20:37 | Ejby-Gelsted i 60,5-60,6 | Skinnespr. |
| 06. | – 06. 12:10 | / 06. 20:37 | Ullerslev st. | Spr. af post & sporsk. |
| 06. 06:45 | – 06. 23:55 | | Marslev-Langeskov i 17,7 | Skinnespr. |
| 07. 01:00 | – 07. 05:30 | | Holmstrup-Tommerup | Formodet sab. |
| 07. 23:15 | – 08. 10:00 | / 08. 11:00 | Holmstrup-Tommerup i 39,6 | Skinnespr. |
| 08. 23:55 | – 09. 20:23 | / | Kauslunde-Nr. Aaby | Afsporing, lazarett. |
| 09. 00:05 | – 09. 09:00 | | Middelfart-Kauslunde | Formodet sab. |
| 09. 04:45 | – | / 09. 15:00 | Ejby-Nr. Aaby i 66,7 | Skinnespr. |
| 09. 23:45 | – 10. 03:15 | / 10. 08:50 | Skalbjerg st. | Afsporing, hjælpet. |
| 10. 00:10 | – 10. 09:30 | | Nr. Aaby-Ejby | Formodet sab. |
| 10. 00:20 | – 10. 02:50 | | Langeskov-Marslev | Formodet sab. |
| 10. 23:45 | – 11. 04:25 | | Odense-Tommerup | Formodet sab. |
| 12. 01:25 | – 12. 09:00 | / | Holmstrup st. | Afsporing, lazarett. |
| 12. 23:35 | | | Nyborg st. | Spr. i drejeskive |
| 13. 01:45 | – 13. 06:20 | | Fredericia-Kauslunde | Formodet sab. |
| 15. 06:03 | – 15. 13:15 | / 15. 16:15 | Marslev-Langeskov | Skinnespr. |
| 15. 18:50 | – 15. 21:40 | / 15. 22:15 | Marslev-Langeskov | Skinnespr. |
| 17. 00:20 | – | / 17. 01:05 | Aarup st. | Spr. i pumpehus |
| 20. 00:50 | – 20. 03:45 | | Odense-Holmstrup | Formodet sab. |
| 21. 00:20 | – 21. 07:55 | / 21. 12:15 | Tommerup-Odense i 39,6 | Skinnespr. |
| 22. 01:25 | – 22. 14:05 | / 22. 19:50 | Nr. Aaby-Ejby i 66,6 | Skinnespr. |
| 22. 20:50 | – 23. 01:45 | / | Middelfart-Fredericia i 79,9-80,1 | Skinnespr. |
| 23. 02:14 | – 23. 07:05 | / 23. 13:00 | Middelfart-Fredericia | Skinnespr. |
| 23. 03:30 | – 23. 10:25 | / | Langeskov-Marslev i 15,5 | Skinnespr. |
| 30. nat | – | | Middelfart gl. st. | Spr. i skinnelager |
| 30. 11:30 | – | | Nyborg st. (-Knudshoved) | Skinnespr. |
| MAJ 1945 | | | | |
| 01. 05:25 | – 01. 08:00 | / 01. 11:30 | Marslev-Langeskov i 16,5 | Skinnespr. |
| 01. 01:45 | – 01. 09:55 | / 01. 10:55 | Odense-Holmstrup i 35,7 | Skinnespr. |
| 01. 23:35 | – 02. 01:50 | | Odense-Holmstrup | Formodet sab. |
| 04. 00:15 | – 04. 05:20 | / 04. 07:50 | Marslev-Odense i 21,3 | Skinnespr. |
| 04. 04:10 | – 04. 08:05 | | Fredericia-Broen | Formodet sab. |

**Øvrige fynske baner**

| | | | |
|---|---|---|---|
| FEB 1945 | | | |
| 15. 19:30 – | | Middelfart-Røjle | Afsporing |
| 24. 23:50 – | | Kirke Sørup | Afsporing |
| MAR 1945 | | | |
| 09. 05:00 – | | Fangel st. | Sporsk. spr. |
| 09. 21:15 – | | Allested-Nr. Søby | Skinnespr. |
| 09. 22:00 – | | Røjle st. & Røjle-Middelfart | Skinnespr. |
| 10. 05:30 – | | Aarslev st. | Sporsk. spr. |
| 10. 21:20 – | | Kværndrup st. | Sporsk. & sk. spr. |
| 10. 21:55 – | | Skt. Klemens-Fruens Bøge | Skinnespr. |
| 10. 22:20 – | 11. 18:00 | Nr. Søby st. | Sporsk. spr. |
| 15. 10:30 – | | Holse-Mejlskov | Skinnespr. |
| 15. 12:30 – | | Aarslev-Højby | Skinnespr. |
| 15. 21:45 – | | Fruens Bøge st. | Skinnespr. |
| 16. 22:45 – | | Fruens Bøge st. | Skinnespr. |
| 20. 05:00 – | | Pederstrup-Ringe | Skinnespr. |
| 20. 07:15 – | 20. 19:10 | Flemløse-Glamsbjerg | Skinnespr. |
| 21. 06:40 – | 21. 12:00 | Aarslev st. | Sporsk. spr. |
| 21. 07:20 – | 21. 16:00 | Knarreborg-Naarup | Sporsk. spr. |
| 21. 07:30 – | 21. 16:30 | Flemløse-Ebberup | Skinnespr. |
| 21. 22:00 – | 22. 10:07 | Naarup-Glamsbjerg i 10,0 | Skinnespr. |
| 23. 21:00 – | | Næsby-Søhus | Skinnespr. |
| 23. 21:00 – | | Snapind-Næsby | Skinnespr. |
| 24. 03:00 – | | Fruens Bøge-Hjallese | Skinnespr. |
| 24. 03:00 – | | Nr. Søby-Allested | Skinnespr. |
| 26. 23:45 – | 27. 13:30 | Flemløse-Glamsbjerg i 13,0-13,5 | Stenkistespr. |
| 27. 21:00 – | 27. 11:35 | Flemløse-Ebberup i 21,0 | Skinnespr. |
| 27. 03:15 – | | Langesø st. | Sporsk. spr. |
| 27. 05:30 – | | Aarslev-Højby | Skinnespr. |
| 27. 21:08 – | 28. 01:30 | Glamsbjerg-Flemløse i 12,0 | Skinnespr. |
| 29. 16:40 – | | Snapind-Næsby | Afsporing |
| 31. 05:40 – | | Beldringe-lunde | Skinnespr. |
| APR 1945 | | | |
| 01. 11:45 – | | Næsby st. | Spr. |
| 05. 06:00 – | | Højby st. | Sporsk. spr. |
| 10. 06:45 – | | Brenderup-Asperup | Skinnespr. |
| 10. 06:45 – | | Brenderup-Harndrup | Skinnespr. |
| 10. 08:00 – | | Søhus-Beldringe | Skinnespr. |
| 10. 08:00 – | | Skamby-Jullerup | Skinnespr. |
| 11. 06:25 – | | Fangel-Nr. Søby | Skinnespr. |
| 11. 06:40 – | | Pederstrup st. | Sporsk. spr. |
| 12. 08:00 – | 12. 17:15 | Otterup-Lunde | Skinnespr. |

| | | | |
|---|---|---|---|
| 12. 17:30 | – 12. 18:10 | Søhus-Næsby | Formodet sab. |
| 16. 17:50 | – | Bogense-Guldbjerg | Sab. forsøg |
| 18. 05:10 | – | Ringe-Pederstrup | Skinnespr. |
| 19. 05:00 | – | Aarslev-Pederstrup | Skinnespr. |
| 19. 05:00 | – | Hjallese- Højby | Skinnespr. |
| 19. 14:00 | – | Bredbjerg-Langesø | Skinnespr. |
| 20. nat | – | Langesø-Bredbjerg | Spr. |
| 20. 01:00 | – | Lunde st. | Spr. |
| 20. 04:30 | – | Holmdrup-Skaarup | Spr. |
| 20. 04:30 | – | Katterød st. & Katterød-Faaborg | Spr. |
| 20. 04:30 | – | Fjellerup st. | Spr. |
| 20. 04:30 | – | Stensgaard st. & Stensgaard-Haastrup | Spr. |
| 20. 04:30 | – | Nyborg-Bynkel | Spr. |
| 20. 23:00 | – | Fruens Bøge st. | Spr. |
| 21. nat | – | Middelfart-Stavrbyskov | Spr. |
| 21. nat | – | Nr. Søby-Fangel | Spr. |
| 21. 15:40 | – | Fangel-Nr. Søby | Spr. |
| 22. 01:00 | – 23. 15:00 | Næsby-Søhus | Spr. |
| 23. 08:15 | – | Ebberup st. | Sporsk. spr. |
| 23. 07:40 | – 23. 15:00 | Ebberup-Flemløse i 20,5 | Skinnespr. |
| 23. 07:40 | – 23. aften | Naarup-Glamsbjerg i 9,5-10,5 | Skinnespr. |
| 23. 21:00 | – | Ørbæk-Ellested | Skinnespr. |
| 24. nat | – 25. 12:15 | Naarup st. | Sporsk. spr. |
| 24. 08:10 | – 24. 17:30 | Flemløse st. | Sab. forsøg |
| 25. 09:00 | – | Skt. Klemens st. | Spr. |
| 26. 04:30 | – | Lunde-Otterup | Skinnespr. |
| 26. 05:00 | – | Langesø-Bredbjerg | Afsporing, godstog |
| 26. 06:00 | – 26. 16:30 | Ebberup-Flemløse i 20,0 & 23,1 | Skinnespr. |
| 26. 07:20 | – 26. 18:30 | Naarup-Glamsbjerg i 10,0 | Skinnespr. |
| 26. 08:30 | – 26. 17:30 | Glamsbjerg-Flemløse i 13,2 & 14,5 & 15,5 | Skinnespr. |
| 26. 08:30 | – 26. 16:30 | Flemløse st. | Sporsk. spr. |
| 26. 16:20 | – 26. 20:30 | Fruens Bøge-Hjallese | Skinnespr. |
| 26. 23:10 | – | Fruens Bøge-Hjallese | Afsporing, godstog 815 |
| 27. 07:40 | – | Ringe-Lammehave | Skinnespr. |
| 26. 22:00 | – 27. 11:00 | Ebberup-Flemløse | Skinnespr. |
| 27. 21:35 | – | Odense sydbanegård | Spr. i skinnelager |
| 28. | | Nr. Søby-Fangel | Skinnespr. |
| 28. | | Otterup-Lunde | Skinnespr. |
| 28. | | Skamby-Jullerup | Skinnespr. |
| 29. 09:45 | – 30. 05:00 | Skt. Klemens-Dalum | Skinnespr. |
| 30. 05:30 | – | Aarslev st. | Sporsk. spr. |
| 30. 07:40 | – | Faaborg-Millinge | Skinnespr. |
| 30. nat | – | Næsby-Søhus | Skinnespr. |

| | | | | |
|---|---|---|---|---|
| MAJ 1945 | | | | |
| 02. 00:15 | – | | Langesø-Morud | Afsporing 7018171, flygtninget. |
| 04. frm. | – | | Bellinge-Skt. Klemens | Skinnespr. |
| 04. frm. | – | | Nr. Søby-Fangel | Skinnespr. |

| ɔn fra | til | til | *strækning* | *sabotageart* |
|---|---|---|---|---|

**Sabotageaktioner i 1. Distrikt**

**Kystbanen og Nordbanen**

| | | | | |
|---|---|---|---|---|
| SEP 1942 | | | | |
| 01. 08:30 | – | | Espergærde-Snekkersten i 40,5 | Sab. forsøg |
| NOV 1942 | | | | |
| 06. 22:20 | – 08. 09:20 | / 08. 14:58 | Espergærde-Snekkersten i 40,8 | Afsporing |
| FEB 1943 | | | | |
| 05. 00:00 | – 05. 10:53 | | Snekkersten-Helsingør i 43,8 | Skinnespr. |
| AUG 1943 | | | | |
| 14. 16:20 | – | | Springforbi-Klampenborg | Afsp. forsøg |
| FEB 1944 | | | | |
| 12. 23:00 | – | | Hillerød st. | Sab. forsøg |
| JUN 1944 | | | | |
| 26. 22:25 | – 27. 02:15 | / | Holte-Birkerød | Afsporing |
| 26. 21:15 | – | | Hillerød-Lillerød i 34,3 | Afsp. forsøg |
| JUL 1944 | | | | |
| 02. 04:38 | – | | Hillerød st. | Spr. i kommandopost |
| 22. 03:00 | – | / 22. 11:45 | Birkerød-Lillerød i 28 ,8 | Skinnespr. |
| OKT 1944 | | | | |
| 10. 15:45 | – | / 10. 16:50 | Humlebæk-Espergærde | Skinnespr. |

**Københavns nærtrafikområde (incl. Valby, Vanløse og Holte)**

| | | | | |
|---|---|---|---|---|
| NOV 1942 | | | | |
| 26. 23:50 | – | | Hellerup-Charlottenlund | Skinnespr. |

| | | | |
|---|---|---|---|
| MAR 1943 | | | |
| 14. 01:10 | – 14. 03:26 | Vigerslev-København G. | Sab. forsøg |
| 22. 19:05 | | København G. | Spr. i kørekran |
| APR 1943 | | | |
| 09. 02:38 | – 09. 06:03 | Svanemøllen st. | Skinnespr. |
| 11. 23:44 | – 12. 01:52 | København G.-Vigerslev | Skinnespr. |
| 14. 02:45 | | Nørrebro G. | Brand i bygn. |
| 23. 22:30 | – 23. 23:18 | Hellerup st. | Sab. forsøg |
| JUN 1943 | (-JUL) | | |
| 30. 00:30 | – 01. 01:56 | Vigerslev st. | Sab. forsøg |
| JUL 1943 | | | |
| 24. 15:30 | | København G. | Spr. i lokorem. |
| 28. 18:35 | – | Enghave st. | Sab. forsøg |
| SEP 1943 | | | |
| 01. 12:45 | – 01. 13:05 | Vesterport st. | Sab. forsøg |
| 10. 21:20 | | Nørrebro st. | Spr. i kran |
| OKT 1943 | | | |
| 13. 12:10 | | Enghave-Valby i 3,1 | Sab. forsøg |
| NOV 1943 | | | |
| 20. 14:20 | – 20. 16:10 | Vesterport st. | Form. sab. |
| 29. 14:17 | – 29. 15:20 | København H. | Telefonbombe |
| DEC 1943 | | | |
| 01. 11:46 | – 01. 13:05 | Hellerup st. | Telefonbombe |
| 02. 10:13 | – 02. 11:55 | Godthåbsvej st. | Telefonbombe |
| 02. 15:43 | – 02. 17:01 | København H. | Telefonbombe |
| 03. 08:44 | – 03. 09:38 | København H. | Telefonbombe |
| 03. 14:15 | – | Hellerup st. | Telefonbombe |
| 05. 19:10 | | Hellerup st. | Telefonbombe |
| JAN 1944 | | | |
| 04. 11:56 | | Hellerup st. | Telefonbombe |
| 11. 10:30 | – 11. 11:35 | Enghave st. | Form. sab. |
| FEB 1944 | | | |
| 29. 23:15 | | København H. | Spr. i bygn. |
| APR 1944 | | | |
| 20. 20:15 | – | Islands Brygge-Vigerslev | Form. sab. |

AUG 1944

| | | | | |
|---|---|---|---|---|
| 24. 01:40 | – | | København - centralværkstedet | Form. sab. |

SEP 1944

| | | | | |
|---|---|---|---|---|
| 02. 23:10 | – | | København - centralværkstedet | Form. sab. |
| 03. 01:40 | | | København - centralværkstedet | Form. sab. |

OKT 1944

| | | | | |
|---|---|---|---|---|
| 04. 15:28 | – | | Gentofte-Lyngby | Form. brospr. |
| 10. 11:20 | – 10. 12:35 | | København G. | Telefonbombe |
| 19. 01:05 | | | København G. | 12 loko i skydebrograven |

NOV 1944

| | | | | |
|---|---|---|---|---|
| 21. 10:00 | – 21. 12:30 | | Ydre godsbane v. Roskildevej | Form. sab. |

FEB 1945

| | | | | |
|---|---|---|---|---|
| 12. | | | Sydhavnen | Spr. i kørekran |
| 19. 04:19 | – | | Herlev st. | Afsporing |
| 26. 04:05 | – | | Vanløse-Islev | Spr. i tog |

MAR 1945

| | | | | |
|---|---|---|---|---|
| 12. 20:05 | | | Amagerbro st. | Sporsk. spr. |
| 13. 18:10 | – 14. 01:55 | | Vanløse-Herlev i 9,0 og 10,3 | Sk. spr. |
| 14. 09:40 | – 14. 11:05 | | Valby-Vanløse | Form. sab. |
| 16. 22:25 | – 17. 07:00 | | Vanløse-Husum i 8,1 og 10,8 | Skinnespr. |
| 21. 21:45 | – | / 22. 06:00 | Flintholm st. (-Vigerslev) | Sporsk. spr. |
| 27. | – | | København | Spr. i Langebro |
| 30. 19:50 | – 31. 08:45 | | Vanløse-Herlev i 11,0 | Skinnespr. |

APR 1945

| | | | | |
|---|---|---|---|---|
| 06. 22:17 | – | | Nordhavn st. (-fjerntrafik) | Sab. forsøg |
| 09. 14:00 | – 09. 16:00 | | Hellerup st. (-Gentofte & Charlottenlund) | Sporsk. spr. |
| 11. 11:25 | | | København G. | Spr. i kran |
| 11. 12:25 | – | | København G.-Sydhavnen | Skinnespr. |
| 12. 11:18 | – 12. 13:20 | | Hellerup st. (-nærtrafik) | Spr. i skinnelager |
| 12. 23:15 | – 13. 07:45 | | Vigerslev-København H | Form. sab. |
| 12. 23:15 | – 13. 06:20 | | Valby Langgade-Enghave | Form. sab. |
| 15. 22:47 | | | Gentofte st. | Afsporing |
| 16. 10:50 | – 16. 13:50 | | Bernstorffsvej-Jægersborg | Form. sab. |
| 18. 12:10 | | | Lersø st. | Spr. af el-kran |
| 18. 22:28 | | | København G. | Spr. af transformator |
| 19. 07:56 | – 19. 08:16 | | Hellerup- Østerport | Form. sab. |
| 20. | | | København G. | Spr. i hovedbygning |
| 22. 23:40 | | | Lersøen-Østerport | Afsp. forsøg |
| 23. 11:20 | | | Nørreport st. | Spr. i tysk kranvogn |

| | | | | |
|---|---|---|---|---|
| 24. 17:42 | – 24. 21:55 | | Vanløse-Herlev i 11,0 | Skinnespr. |
| 24. 18:38 | – 24. 21:55 | | Husum-Herlev | Form. sab. |
| 24. 23:00 | | | Vigerslev-Flintholm | Skinnespr. |
| 24. 23:00 | – 25. 08:30 | | Valby Langgade st. (godsforb. banen) | Skinnespr. |
| 30. 16:45 | | | Sydhavnen | Sporsk. spr. |
| MAJ 1945 | | | | |
| 03. 22:17 | | | København G. | Sporsk. spr. |

**C. København-Valby-Korsør**

| | | | | |
|---|---|---|---|---|
| JAN 1943 | | | | |
| 12. 03:25 | – 12. 06:20 | | Vigerslev-Brøndbyøster i 8,1 | Skinnespr. |
| 28. 21:30 | – 29. 02:00 | | Vigerslev-Brøndbyøster i 7,6 | Skinnespr. |
| APR 1943 | | | | |
| 04. 02:55 | | | Kværkeby-Ringsted i 62,6 | Harve i sporet |
| MAJ 1943 | | | | |
| 16. 00:15 | | | Taastrup st. | Sab. forsøg |
| JUL 1943 | | | | |
| 24. 01:17 | – 24. 01:50 | | Glostrup-Brøndbyøster | Form. sab. |
| OKT 1943 | | | | |
| 15. 22:30 | – 15. 23:15 | | Kværkeby-Borup | Form. sab. |
| DEC 1943 | | | | |
| 04. 20:55 | – 04. 21:50 | | Taastrup st. | Telefonbombe |
| AUG 1944 | | | | |
| 24. 12:05 | | | Brøndbyøster blokpost | Afkoblingsforsøg |
| 29. c. 13:00 | | | Taastrup-Hedehusene | Angrebsforsøg på tog |
| FEB 1945 | | | | |
| 01. 23:30 | – 02. 08:30 | / 02. 09:45 | Forlev st. i 93,95 | Skinnespr. |
| 02. 23:45 | | | Korsør st. | Spr. af kulkran |
| 07. 23:01 | – 08. 07:30 | / | Slagelse-Forlev i 93,9 | Skinnespr. |
| 09. 06:44 | – 09. 13:00 | / | Slagelse-Forlev i 94,2 | Skinnespr. |
| 11. 22:30 | – | | Korsør st. | Spr. i kulkran |
| 16. 09:05 | – 16. 10:27 | / | Roskilde st.(-Hedehusene) | Afsporing |
| 21. 12:35 | – 21. 14:20 | | Korsør st. | Telefonbombe |
| 25. 01:35 | – | / 25. 10:22 | Borup-Viby i 47,2 | Afsp. forsøg |
| 27. 15:20 | – 28. 00:48 | | Gøderup-Roskilde i 31,5 | Skinnespr. |
| 27. 15:20 | – 28. 00:48 | | Gøderup-Roskilde i 34,3 | Sab. forsøg |

| | | | | |
|---|---|---|---|---|
| MAR 1945 | | | | |
| 05. 22:00 | – | / 06. 07:35 | Slagelse st.(-Forlev) | Sporsk. spr. |
| 07. 00:57 | | | Slagelse st.(-Sorø) | Sporsk. spr. |
| 07. 23:45 | | | Slagelse st.(-Forlev) | Sporsk. spr. |
| 12. 03:00 | – 12. 07:20 | | Korsør-Forlev | Form. sab. |
| 12. 23:05 | – 13. 00:35 | | Valby-Glostrup | Form. sab. |
| 16. 09:30 | | | Brøndbyøster blokpost | Ildkamp om tog |
| 17. 20:50 | – 17. 23:35 | | Sorø-Slagelse | Form. sab. |
| 18. 00:30 | – | / 18. 02:30 | Korsør-Forlev | Skinnespr. |
| 27. 22:00 | – | | Roskilde st. i 33,5 | Afsporing |
| 31. 01:47 | – 31. 07:45 | / 31.14:50 | Forlev st. i 102,9 | Afsp. forsøg |
| APR 1945 | | | | |
| 04. 02:45 | – 04. 08:29 | | Borup-Kværkeby | Form. sab. |
| 04. 22:40 | – 05. 01:55 | | Borup-Ringsted | Form. sab. |
| 05. 23:15 | – 06. 10:15 | / 06. 16:00 | Glostrup-Vigerslev i 7,5-10,1 | Skinnespr. |
| 07. 00:30 | – 07. 05:00 | | Glostrup-Vigerslev | Form. sab. |
| 09. 00:00 | | | Korsør (-Halsskov) | Skinnespr. |
| 10. 17:45 | – 10. 23:54 | / 11. 10:50 | Glostrup-Vigerslev i 7,4 | Skinnespr. |
| 15. 02:58 | – 15. 16:25 | / 15. 20:25 | Korsør st. | Sporsk. spr. |
| 17. 04:30 | – 17. 07:35 | / | Glostrup st. | Spr. i tog |
| 21. 03:58 | – 21. 13:40 | | Forlev-Slagelse | Form. sab. |
| 21. 04:01 | – 21. 06:40 | / 21. 10:00 | Vigerslev-Glostrup i 7,4 | Spr. i vogn |
| 26. 01:00 | | | Korsør st. | Sporsk. spr. |
| MAJ 1945 | | | | |
| 01. 21:17 | – 02. 10:20 | / 02. 13:00 | Korsør-Forlev i 108,9 | Skinnespr. |

**Roskilde-Kalundborg**

| | | | |
|---|---|---|---|
| SEP 1944 | | | |
| 22. 00:00 | – | Vipperød-Holbæk i 63,3 | Skinnespr. |
| FEB 1945 | | | |
| 23. 06:35 | – 23. 20:55 | Hvalsø-Tølløse i 50,6 | Afsporing 342329 & -330 |
| (FEB-) | (-MAR) | | |
| 28. 17:05 | – 01. 02:30 | Roskilde-Lejre i 33,4 | Spr. i tog (Schalb.?) |
| MAR 1945 | | | |
| 28. | – | Vipperød st. i 60,5-50,8 | Skinnespr. |
| 28. | – | Holbæk - Regstrup | Skinnespr. |
| 29. 00:55 | – 29. 02:02 | Roskilde-Lejre | Sab. forsøg |
| 29. 10:22 | – | Viskinge-Værslev i 100,8-100,9 | Skinnespr. |
| 29. | – 29. 19:16 | Hvalsø-Lejre i 46,9-47,0 | Skinnespr. |
| 30. | – | Hvalsø-Tølløse i 40,5 | Skinnespr. |

| | | | | |
|---|---|---|---|---|
| 31. 02:21 | – 31. | | Hvalsø-Tølløse | Skinnespr. |
| 31. 21:38 | – 31. | | Hvalsø st. | Sporsk. spr. |
| 31. 23:00 | | | Holbæk st. (-Regstrup) | Sporsk. spr. |
| APR 1945 | | | | |
| 01. 01:00 | – 01. 14:40 | | Værslev st. | Sporsk. spr. |
| 04. 22:30 | – 05. 04:15 | | Tølløse-Holbæk | Form. sab. |
| 05. | – | | Holbæk havnebane | Skinnespr. |
| 09. 22:40 | – | | Holbæk havnespor | Skinnespr. |
| 09. 23:55 | – 10. 00:43 | | Holbæk-Vipperød | Form. sab. |
| 15. 23:27 | – 16. 03:12 | | Hvalsø-Tølløse | Form. sab. |

**E. Roskilde/Ringsted-Næstved-Gedser**

| | | | | |
|---|---|---|---|---|
| OKT 1943 | | | | |
| 13. 21:10 | – 13. 22:30 | | Nykøbing F-Veggerløse i 25,9 | Sab. forsøg |
| DEC 1943 | | | | |
| 04. 23:00 | – | | Køge st. | Telefonbombe |
| FEB 1944 | | | | |
| 14. 21:38 | – 14. 23:02 | | Næstved st. | Telefonbombe |
| OKT 1944 | | | | |
| 30. 23:00 | – 31. 09:00 | | Klarskov st. i 114,5 | Skinnespr. |
| NOV 1944 | | | | |
| 04. 14:09 | – 04. 16:50 | | Næstved-Rislev | Sab. forsøg |
| 05. 20:11 | – 05. 21:15 | | Næstved st. | Form. sab. |
| FEB 1945 | | | | |
| 04. 00:45 | – 04. 10:00 | / 04. 16:30 | Lov st. | Sporsk. spr. |
| 06. 23:14 | – | | Vordingborg st. (-Klarskov) | Skinnespr. |
| 11. 01:15 | – 11. 14:00 | / 20. 14:00 | Lundby st. | Sporsk. spr. |
| 11. 00:35 | – 12. 08:00 | / 20. | Vordingborg st. | Sporsk. spr. |
| 22. 22:20 | – 23. 03:08 | / 27. | Lundby st. | Sporsk. spr. |
| 22. 23:15 | – 23. 09:35 | / 27. | Vordingborg st. | Sporsk. spr. |
| 24. 23:55 | | | Vordingborg-Klarskov | Spr. i tog |
| 24. | | | Lov-Klarskov | Sab. forsøg |
| MAR 1945 | | | | |
| 01. 09:10 | – 02. 04:00 | | Gedser-Fiskebæk | Form. sab. |
| 03. 20:54 | – 03. 22:30 | | Klarskov-Lov | Form. sab. |
| 05. 22:30 | – 06. 02:34 | | Vordingborg-Næstved | Form. sab. |
| 16. 22:42 | – | | Næstved-Herlufmagle i 22,5 | Brand i benzinvogn |
| 18. | | | Nykøbing F.-Gedser i 25,9 | Brospr. |

| | | | |
|---|---|---|---|
| 18. 05:03 – | | Gedser havn | Spr. i færge |
| 18. 05:10 | – 18. 06:15 | Gedser (-Nykøbing F.) | Sporsk. spr. |
| 19. 08:00 | – 19. 10:10 | Nykøbing F.-Orehoved | Form. sab. |
| 21. 00:02 | – 21. 13:00 | Masnedsund st. (-havn & Kalvehavebane) | Sporsk. spr. |
| 21. 21:21 | – 22. 12:00 | Vordingborg-Masnedsund | Skinnespr. |
| 23. 17:24 | – 24. 11:20 | Vordingborg st. (-Masnedsund) | Skinnespr. |
| (MAR-) | (-APR) | | |
| 30. 21:15 | – 01. 15:30 | Vordingborg-Masnedsund | Skinnespr. |
| 31. 23:25 | | Gedser st. | Spr. i pumpehus |
| APR 1945 | | | |
| 01. – | | Næstved-Ringsted i 22,9 | Skinnespr. |
| | – 02. 07:30 | Gedser-Fiskebæk st. | Sab. forsøg |
| 05. 00:15 – | | Nykøbing F.-Gedser i 25,9 & 26,4 & 32,5 | Brospr. |
| 05. 10:18 | - 05. 14:05 | Rislev-Næstved | Spr. i kørekran |
| 10. 04:28 | - 11. 10:10 | Tureby st. | Sporsk. spr. |
| 17. 23:10 | – 19. 14:45 | Fiskebæk st. | Sporsk. spr. |
| 18. 22:47 | – 19. 04:43 | Næstved st. | Spr. af kulkran |
| 24. 16:35 | – 25. 06:03 | Tingsted st. | Skinnespr. |
| 24. 16:55 | – 25. 06:00 | Nykøbing F.-Tingsted | Skinnespr. |
| 24. 23:30 – | | Nykøbing F. st. & Nykøbing F.-Veggerløse i 22,7 og 22,8 | Spr. af broer |
| 27. 05:30 – | | Næstved-Lov | Skinnespr. |
| 27. 14:45 | – 27. 21:00 / | Næstved-Lov | Skinnespr. |
| 27. 22:37 | – 28. 00:25 | Klarskov-Vordingborg | Form. sab. |
| (APR-) | (-MAJ) | | |
| 28. | – 01. 15:00 | Braaby-Holme Olstrup i km 86,7 | Brospr. |
| 29. 05:15 | – 29. 18:20 | Tureby-Haslev i 73,4 | Brospr. forsøg |
| MAJ 1945 | | | |
| 04. 01:30 | – 04. 03:42 | Haslev-Herfølge | Form. sab. |

**Andre banestrækninger i 1. Distrikt**

ederikssundbanen

| | | | |
|---|---|---|---|
| FEB 1945 | | | |
| 27. 00:30 – | | Frederikssund st. | Spr. i skinnelager |
| APR 1945 | | | |
| 20. 23:30 – | | Herlev-Ballerup i 15,3 | afsporing 15336 |

Slagelse-Næstved

| | | | |
|---|---|---|---|
| MAR 1945 | | | |
| 07. 19:00 | – | Slagelse-Sludstrup i 3,15 | Skinnespr. |

Slagelse-Værslev

| | | | |
|---|---|---|---|
| MAR 1945 | | | |
| 29. 08:15 | – 29. 16:30 | Værslev-Forsinge i 30,8 | Skinnespr. |

Odsherredbanen

| | | | |
|---|---|---|---|
| MAR 1945 | | | |
| 29. 04:38 | – 29. 16:20 | Holbæk st. (Odsherredbanen) | Sporsk. spr. |

# OVERSIGT
## over indholdet af *Politische Informationen* november 1942 – april 1945

Indholdet af *Politische Informationen* er *ikke* indekseret i emneregistret, da det var en månedligt tilbagevendende oversigt med genkommende omtale af faste temaer, der hvis de blev medtaget, ville have et antal, så det blev meningsløst. Det gælder især indholdet af afsnittet "Fjendtlige stemmer", hvor udenlandsk presse og den illegale presse bliver citeret i talrige sammenhænge. I stedet bringes en oversigt over de særlige emner, som ved enkelte lejligheder blevtaget op til særlig omtale.

Teksten i skarpe parenteser er det eller de stikord, som udgiver har tildelt overskriften

A

Abschluß der deutsch-dänischen Regierungsausschuß-Verhandlungen und die Leistungen der dänischen Landwirtschaft an das Reich. *24. November 1942*

[akademischen Zeitschriften] Hetztätigkeit in akademischen Zeitschriften; die Zeitschrift "Stud.merc." *1. März 1943*

Ansprache des Reichsbevollmächtigten an die Kopenhagener Presse. *15. August 1943*

[Arbeitskräfte] Betreuung der in Hamburg bombengeschädigten dänischen Arbeitskräfte. *15. August 1943*

Arbeitslosigkeit, Arbeitslosenunterstützung und Lohnentwicklung. *1. April 1945*

Arbeitspflicht der Dänen in England. *15. August 1943*

Der Arbeitseinsatz nach Deutschland und Norwegen. *1. Dezember 1943*

[Arbeitseinsatz] Dänischer Arbeitseinsatz in Deutschland. *1. Februar 1943*

[Arbeitskräfte] Der Einsatz dänischer Arbeitskräfte für deutsche Zwecke. *5. Juli 1944*

Arbeitsvermittlung in das Reich. *1. Februar 1945*

Auflageartikel und politische Sendungen im März, April und Mai 1944. *1. Juni 1944*

Ausstellung deutscher Waffenscheine.[1] *1. November 1943*

B

[bombengeschädigten dänischen Arbeitskräfte] Betreuung der in Hamburg bombengeschädigten dänischen Arbeitskräfte. *15. August 1943*

[Bornholm] Sicherungsgebiet Bornholm. *1. Juli 1943*

D

Danmarks National-Socialistiske Arbejder-Parti.[2] *1. April 1945*

Das dänische Gesetz über Kriegsgewinnsteuer und Zwangsaufsparung vom 2.7.1943. *15. Juli 1943*

Die dänischen Handelsschiffsverluste im Kriege. *1. Juli 1943*

[dänischen Landwirtschaft] Die Leistungen der dänischen Landwirtschaft an das Reich in der ersten Hälfte des Wirtschaftsjahres 1942/43 (1.10.42-31.3.43) und die Lieferungsaussichten für das zweite Halbjahr. *15. April 1943*

[dänischen national-sozialistischen Bewegung] Die Entwicklung der dänischen national-sozialistischen Bewegung. *1. September 1944*

1 Dette er en underoverskrift til overskriften "Neue Einzelregelungen betreffend" *1. November 1943*

2 Dette er en underoverskrift til overskriften "Politische Organisation" *1. April 1945*

Die dänischen Staatsfinanzen. *15. August 1943*
Die dänischen Staatsfinanzen 1943/44. *1. Dezember 1944*
Die dänische Polizei. *15. August 1943*
Dänischer Arbeitseinsatz in Deutschland. *1. Februar 1943*
[Arbeitskräfte]Der Einsatz dänischer Arbeitskräfte für deutsche Zwecke. *5. Juli 1944*
Dänischer Kriegseinsatz. *1. Februar 1944*
[Dänischer Kriegsmarine] Entführung eines dänischen Motorbootes nach Schweden. *15. Juli 1943*
[dänischer Offiziere] Die Beurlaubung dänischer Offiziere zum Dienst in der deutschen Wehrmacht. *1. August 1943*
[dänischer Sonderrechte in China] Aufgabe dänischer Sonderrechte in China. *15. Maj 1943*
[De frie Danske] Nationale Widerstandsbewegung in Dänemark (Aufrollung der Organisation "De frie Danske"). *15. Januar 1943*
[demonstrativer Abzeichen] Maßnahmen gegen das Tragen demonstrativer Abzeichen. *15. Juli 1943*
Deutsch-dänische Jugendarbeit. *1. Februar 1945*
Deutsche Jugend in Dänemark. *1. Dezember 1944*
Die deutsche Polizei in Dänemark. *1. Dezember 1943*
Deutsche Verwaltungsmaßnahmen. *1. August 1944*
Deutsche Verwaltungsmaßnahmen. *1. September 1944*
[Deutsche Volksgruppe] Deutsche Volksgruppe in Nordschleswig. *15. Januar 1943*
[Deutschen Volksgruppe] Mitteilungen aus der Deutschen Volksgruppe Nordschleswig. *1. März 1943*
[deutsche Volksgruppe] Die deutsche Volksgruppe in Nordschleswig. *1. Januar 1944*
[Deutschen Volksgruppe] Mitteilungen aus der Deutschen Volksgruppe in Nordschleswig. *1. Maj 1944*
[Deutschen Volksgruppe] Der Kriegseinsatz der Deutschen Volksgruppe in Nordschleswig. *1. November 1944*
[deutsche Volksgruppe] Die deutsche Volksgruppe in Nordschleswig. *1. Januar 1945*

E
[Eltermann] Der Mord an dem estnischen Kommunisten Eltermann im Jahre 1936 in Kopenhagen. *1. April 1943*
Der englische Rundfunk zur Lage in Dänemark. *1. Juli 1943*

F
Finnland-Ausstellung in Kopenhagen. *15. April 1943*
[Frit Danmark]Die illegale Organisation "Frit Danmark." *15. Februar 1943*
Freiwillige der Waffen-SS aus Dänemark. *1. Januar 1945*
[Freiwillige der Waffen-SS] Zwischenfälle in Kopenhagen am 6.7.1943. *15. Juli 1943*
[Färöern] Die Wahl auf den Färöern. *15. Maj 1943*
[Färöern] Lagtings-Wahl auf den Färöern. *15. Juni 1943*

G

Grönland, Island und die Färöer im dänischen Staatshaushaltsplan 1943/44. *1. März 1943*

H

Handelsschiffsverluste im Kriege, Die dänischen. *1. Juli 1943*

Heirat deutscher Wehrmachtsangehöriger mit Däninnen.[3] *1. November 1943*

I

Illegale Hetzschriften in deutscher Sprache. *1. Juli 1943*

Innenpolitische und kulturpolitische Mitteilungen. *1. Dezember 1944*

Island seit der Besetzung. *15. Juni 1943*

[Island] Die Loslösung Island von Dänemark. *15. Maj 1943*

J

[Jugend] Deutsche Jugend in Dänemark. *1. Dezember 1944*

[Jugendarbeit] Deutsch-dänische Jugendarbeit. *1. Februar 1945*

K

[Kinderlandverschickung] Dänische Unterstützung der deutschen Kinderlandverschikkung und der Berliner Bombengeschädigten. *1. Januar 1944*

[Kinderlandverschickung] KLV-Lager und Wehrertüchtigungslager in Dänemark. *1. Maj 1944*

Die Kohlenversorgung Dänemarks. *1. Juni 1943*

Die Kommunalwahl 1943 in Dänemark. *15. Maj 1943*

Der Kommunismus in Dänemark.[4] *15. Dezember 1943*

[König Christian X] Wiederaufnahme der Regierungsgeschäfte durch König Christian X. *1. Juni 1943*

Die Krankenkasse bei der Deutschen Arbeitsvermittlungsstelle in Kopenhagen. *15. April 1943*

Die Krankenkasse bei der Deutschen Arbeitsvermittlungsstelle in Kopenhagen. *1. Februar 1944*

Kriegsgewinnsteuer und Zwangsaufsparung vom 2.7.1943, Das dänische Gesetz über. *15. Juli 1943*

[Kriegsmarine, dänischen] Entlassung des Kommandanten des Minensuchbootes "Söridderen" aus dem Dienst der dänischen Kriegsmarine. *15. Juni 1943*

[Kriegsmarine, dänischen] Entführung eines dänischen Motorbootes nach Schweden. *15. Juli 1943*

[Kulturpolitik] Mitteilungen den Gebiete der Außenpolitik und Kulturpolitik.[5] *15. Dezember 1943*

3 Dette er en underoverskrift til overskriften "Neue Einzelregelungen betreffend" *1. November 1943*

4 Dette er en underoverskrift til overskriften "Kommunismus in Dänemark und Mitteilungen aus der Außenpolitik und Kulturpolitik" *15. Dezember 1943*

5 Dette er en underoverskrift til overskriften "Kommunismus in Dänemark und Mitteilungen aus der Außenpolitik und Kulturpolitik" *15. Dezember 1943*

[Kulturpolitik] Innenpolitische und kulturpolitische Mitteilungen. *1. Dezember 1944*

L

Die Lage in Dänemark (Sabotage, 9. April). *15. April 1943*
Lagtings-Wahl auf den Färöern. *15. Juni 1943*
Landbrugernes Sammenslutning.[6] *1. April 1945*
[Landwirtschaft] Abschluß der deutsch-dänischen Regierungsausschuß-Verhandlungen und die Leistungen der dänischen Landwirtschaft an das Reich. *24. November 1942*
[Landwirtschaft] Die Leistungen der dänischen Landwirtschaft an das Reich in der ersten Hälfte des Wirtschaftsjahres 1942/43 (1.10.42-31.3.43) und die Lieferungsaussichten für das zweite Halbjahr. *15. April 1943*
Die Loslösung Island von Dänemark. *15. Maj 1943*
[Löhne] Neufestsetzung der Löhne in Dänemark für das Jahr 1944. *1. März 1944*

M

[Mitteilungen aus der Verwaltung] Die Fortführung der verwaltungsmäßigen Funktionen der aufgelösten dänischen Polizei. *1. Dezember 1944*
[Mitteilungen aus der Verwaltung] Kriegsschäden-Regelung. *1. Januar 1945*
[Mitteilungen aus der Verwaltung] Die Vermessungsarbeiten des dänischen Geodätischen Institutes. *1. Januar 1945*
[Mitteilungen aus der Verwaltung] Internierten-Fragen. *1. Januar 1945*
[Mitteilungen aus der Verwaltung] Die Entwicklung der deutschen Verwaltungstätigkeit in Dänemark im Jahre 1944. *1. Januar 1945*
[Mitteilungen aus der Verwaltung] Die Beschaffung von Truppenunterkünften. *1. Februar 1945*
[Mitteilungen aus der Verwaltung] Die Entschädigung für Sabotageschäden an Wehrmachtgut. *1. Februar 1945*
[Mitteilungen aus der Verwaltung] Die Unterbringung von deutschen Flüchtlingen aus den Ostgebieten in Dänemark. *1. März 1945*
[Mitteilungen aus der Verwaltung] Die Unterbringung deutscher Flüchtlinge in Dänemark. *1. April 1945*
[Mitteilungen aus der Verwaltung] Das Flüchtlingshilfswerk im Nordschleswig Volksgruppengebiet. *1. April 1945*
Musterungen der in Dänemark ansässigen deutschen Staatsangehörigen. *1. März 1943*

N

Die nationalsozialistischen Gruppen in Dänemark. *1. Januar 1945*
Die "Nordschleswigsche Zeitung" - die deutsche Tageszeitung in Dänemark. *1. Maj 1944*

O

[Offiziere] Die Beurlaubung dänischer Offiziere zum Dienst in der deutschen Wehrmacht. *1. August 1943*

6 Dette er en underoverskrift til overskriften "Politische Organisation" *1. April 1945*

P

[Polizei] Organisation, Stärke und Bewaffnung der dänischen Polizei und des C.B. *15. März 1943*

[Polizei] Die dänische Polizei. *15. August 1943*

[Polizei] Verpflichtung der dänischen Polizei zum Einschreiten gegenüber deutschen Wehrmachtsangehörigen und Wehrmachtsgefolge.[7] *1. November 1943*

[Polizei] Die deutsche Polizei in Dänemark. *1. Dezember 1943*

[Postausschusses] Tagung des Europäischen Postausschusses in Kopenhagen. *15. Juli 1943*

Preisbildung und Preisüberwachung in Dänemark. *15. Juni 1943*

[Presse] Die Überwachung des dänischen Rundfunks und der dänischen Presse. *1. März 1944*

[Presse] Die Schwedische Presse. *15. Maj 1943*

R

[Radio] Abhören- von Nachrichtensendungen der Feindstaaten in öffentlichen Lokalen. *1. Februar 1943*

[Rechtsetzung] Maßnahmen deutscher Rechtsetzung und Verwaltung in Dänemark. *5. Juli 1944*

[Reichtagswahl] Die dänische Reichtagswahl 1943. *15. März 1943*

[Reichtagswahl] Die dänische Reichtagswahl. *1. April 1943*

Reisen dänischer Vertreter in die Ostgebiete. *1. August 1943*

[reisenden] Kontrolle der Zivilreisenden in Urlauberzügen durch die deutsche Grenzaufsicht Helsingör. *1. August 1943*

[reisenden Reichsdeutschen] Meldepflicht der nach Dänemark reisenden Reichsdeutschen. *15. Maj 1943*

[Rundfunks] Die Überwachung des dänischen Rundfunks und der dänischen Presse. *1. März 1944*

[Rundfunk] Der englische Rundfunk zur Lage in Dänemark. *1. Juli 1943*

S

[Sabotage]Die Bekämpfung der Sabotage. *1. Januar 1944*

Sabotageakte in Dänemark. *1. April 1943*

Sabotageakte in Dänemark. *1. Maj 1943*

Sabotageakte in Dänemark. *1. Juni 1943*

Die Sabotagefälle in Dänemark im ersten Halbjahr 1943. *15. Juli 1943*

Das Schalburg-Korps. *1. November 1943*

[Schiffahrt] Leistungen der dänischen Schiffahrt und der dänischen Werften für Deutschlands dänische Schiffsverluste. *1. Februar 1943*

Die Schwedische Presse. *15. Maj 1943*

Schwedische Zeitungen in Dänemark. *15. April 1943*

[schwedischer Zeitungen] Die Einfuhr schwedischer Zeitungen nach Dänemark im Juni 1943. *1. August 1943*

7 Dette er en underoverskrift til overskriften "Neue Einzelregelungen betreffend" *1. November 1943*

Sicherungsgebiet Bornholm. *1. Juli 1943*
Strafverfahren wegen Verfehlungen gegen die dänische Krisen- und Wirtschaftsgesetzgebung. *1. April 1944*
[Staatsfinanzen] Die dänischen Staatsfinanzen. *15. August 1943*
[Staatsfinanzen] Die dänischen Staatsfinanzen 1943/44. *1. Dezember 1944*
[Stud.merc.] Hetztätigkeit in akademischen Zeitschriften; die Zeitschrift "Stud.merc." *1. März 1943*

T

[Technik und Verkehr] Mitteilungen aus Technik und Verkehr. *1. Januar 1945*

V

Das "Verordnungsblatt des Reichsbevollmächtigten in Dänemark." *1. Juni 1944*

W

Waffenscheine, Ausstellung deutscher.[8] *1. November 1943*
[Waffen-SS] Freiwillige der Waffen-SS aus Dänemark. *1. Januar 1945*
Die Wahl auf den Färöern. *15. Maj 1943*
[Widerstandsbewegung] Nationale Widerstandsbewegung in Dänemark (Aufrollung der Organisation "De frie Danske"). *15. Januar 1943*

Z

[Zeitungen, ausländischer] Verbot der Einfuhr ausländischer Zeitungen und sonstiger Druckschriften außerhalb des Postweges. *15. Juli 1943*

8 Dette er en underoverskrift til overskriften "Neue Einzelregelungen betreffend" *1. November 1943*

# OVERSIGT

## over Rüstungsstab Dänemarks 14-dages- og månedsindberetninger og kvartalsoversigter juni 1940-februar 1945.

For perioden forud for 1. oktober 1942 er oplyst, hvor materialet er lokaliseret i Militärarchiv i Freiburg.[1] Der er ikke taget hensyn til, at Rüstungsstab Dänemark hed Wehrwirtschaftsstab Dänemark til 1. februar 1943. Der blev i perioden februar 1943-august 1944 rapporteret særskilt af Abteilung Wehrwirtschaft i Rüstungsstab Dänemark til Wehrwirtschaftsstab i OKW, mens der sideløbende blev rapporteret til Rüstungsamt i Reichsminister für Bewaffnung und Munition. Den af Rüstungsstab Dänemark august 1944 udskilte Feldwirtschaftsoffiziers indberetninger er ligeledes medtaget, og det samme er Walter Forstmanns særindberetninger i kritiske situationer.

Indberetningernes indhold er *ikke* indekseret i emneregistret, da det vedvarende drejede sig om rustningsproduktionen, sabotagen og bekæmpelsen af den, samt de fortsatte muligheder for at få danske kontrakter og om de store tyske problemer med at levere nødvendige råstoffer og brændstoffer. Enkeltvirksomheders forhold vil være at finde via navneregistret.

Wwi angiver, at indberetningen er udarbejdet i Abteilung Wehrwirtschaft.

Allgemeine wirtschaftliche, insbesondere rüstungswirtschaftliche Lage in Dänemark 10.5.1940 (RA, Danica 1000, T-77, sp. 697, nr. 908.336-344).
Lagebericht 4.6.1940 (RW 27/19)
Lagebericht 15.8.1940 (RW 27/19)
Lagebericht 15.10.1940 (RW 27/19)
Lagebericht 15.11.1940 (RW 27/19)
Lagebericht 15.12.1940 (RW 27/19)
Lagebericht 15.1.1941[2] (RW 27/20)
Lagebericht 15.2.1941[3] (RW 27/20)
Lagebericht 15.3.1941 (RW 27/20)
Lagebericht 15.5.1941 (RW 27/19)
Lagebericht 15.4.1941 (RW 27/21)
Lagebericht 15.5.1941 (RW 27/21)
Lagebericht 15.6.1941 (RW 27/21)
Lagebericht 15.7.1941 (RW 27/21)
Lagebericht 15.8.1941 (RW 27/21)
Lagebericht 15.9.1941 (RW 27/21)
Lagebericht 15.10.1941 (RW 27/21)
Lagebericht 15.11.1941 (RW27/22)
Lagebericht 15.12.1941 (RW27/22)
Lagebericht 15.1.1942 (RW27/22)

1 Kopi af materialet er på RA (Danica 1000, T-77, sp. 695-697) og KB.
2 PKB, 13, nr. 151, uddrag.
3 PKB, 13, nr. 157, uddrag.

Lageberícht 15.2.1942 (RW27/22)
Lagebericht 15.3.1942 (RW27/22)
Lagebericht 15.4.1942 (RW27/22)

Indberetninger for maj-september 1942 er ikke lokaliseret.

*4. kvartal 1942*
Lagebericht 31.10.1942
Lagebericht 1.12.1942
Lagebericht 5.1.1943
Übersicht über die in den Monaten Oktober, November, Dezember 1942 aufgetretenen wichtigen Probleme, 5.1.1943

*1. kvartal 1943*
Lagebericht 1.2.1943
Verkehrs- und Lagebericht 23.2.1943 (RW 27/6, ikke medtaget) (Wwi)
Lagebericht 1.3.1943
Lagebericht 5.3.1943 (Wwi)
Verkehrs- und Lagebericht 27.3.1943 (RW 27/6, ikke medtaget) (Wwi)
Darstellung der wehrwirtschaftliche Lage 31.3.1943 (Wwi)
Lagebericht 31.3.1943
Darstellung der rüstungswirtschaftlichen Entwicklung 31.3.1943

*2. kvartal 1943*
Lagebericht 3.4.1943 (Wwi)
Lagebericht 30.4.1943
Lagebericht 4.5.1943 (Wwi)
Verkehrs- und Lagebericht 5.5.1943 (RW 27/8, ikke medtaget) (Wwi)
Lagebericht 21.5.1943 (Wwi)
Lagebericht 31.5.1943
Verkehrs- und Lagebericht 3.6.1943 (RW 27/8, ikke medtaget) (Wwi)
Lagebericht 21.6.1943 (Wwi)
Lagebericht 30.6.1943
Darstellung der rüstungswirtschaftlichen Entwicklung 30.6.1943
Überblick über die im 2. Vierteljahr 1943 aufgetretenen wichtigen Probleme 30.6.1943 (Wwi)

*3. kvartal 1943*
Lagebericht 21.7.1943 (Wwi)
Lagebericht 30.7.1943
Lagebericht 20.8.1943 (Wwi)
Walter Forstmann an Kurt Waeger 23.8.1943
Walter Forstmann an Kurt Waeger 28.8.1943
Lagebericht 31.8.1943

Walter Forstmann an Kurt Waeger 6.9.1943
Walter Forstmann an Kurt Waeger 11.9.1943
Walter Forstmann an Kurt Waeger 17.9.1943
Lagebericht 21.9.1943 (Wwi)
Lagebericht 30.9.1943
Darstellung der rüstungswirtschaftlichen Entwicklung 30.9.1943
Überblick über die im 3. Vierteljahr aufgetretenen wichtigen Probleme 12.11.1943 (Wwi)

*4. kvartal 1943*
Walter Forstmann an Kurt Waeger 8.10.1943
Lagebericht 21.10.1943 (Wwi)
Lagebericht 30.10.1943
Lagebericht 21.11.1943 (Wwi)
Lagebericht 30.11.1943
Lagebericht 23.12.1943 (Wwi)
Lagebericht 31.12.1943
Darstellung der rüstungswirtschaftlichen Entwicklung 31.12.1943
Überblick über die im 4. Vierteljahr aufgetretenen wichtigen Probleme 11.2.1944 (Wwi)

*1. kvartal 1944*
Lagebericht 23.1.1944 (Wwi)
Lagebericht 31.1.1944
Lagebericht 23.2.1944 (Wwi)
Lagebericht 29.2.1944
Lagebericht 31.3.1944
Lagebericht 31.3.1944 (Wwi)
Darstellung der Rüstungswirtschaftliche Entwicklung im 1. Vierteljahr 1944, 31.3.1944
Überblick über die im 1. Vierteljahr 1944 aufgetretenen wichtigen Probleme 20.5.1944 (Wwi)

*2. kvartal 1944*
Lagebericht 30.4.1944
Allgemeiner Überblick einschließlich wehrpolitischer Lage 15.5.1944: Monat April 1944 (Wwi)
Lagebericht 31.5.1944
Lagebericht 30.6.1944
Darstellung der rüstungswirtschaftlichen Entwicklung 30.6.1944

*3. kvartal 1944*
Aktenvermerk über der Ereignisse in Kopenhagen 5.7.1944
Lagebericht 31.7.1944
Lagebericht. Allgemeiner Überblick einschließlich wehrpolitischer Lage. 15.8.1944 (Wwi)

Lagebericht 31.8.1944
Walter Forstmann an das Rüstungsamt 10.9.1944
Lagebericht 15.9.1944 (Feldwirtschaftoffizier)
Walter Forstmann an Kurt Waeger 21.9.1944
Lagebericht 30.9.1944
Darstellung der rüstungswirtschaftliche Entwicklung 30.9.44
Überblick über die im 3. Vierteljahr aufgetretenen wichtigen Probleme 25.11.1944 (Feldwirtschaftoffizier)

*4. kvartal 1944*
Lagebericht 15.10.1944 (Feldwirtschaftoffizier)
Lagebericht 31.10.1944
Lagebericht 30.11.1944
Lagebericht 31.12.1944
Darstellung der Rüstungswirtschaftliche Entwicklung 31.12.1944

*1. kvartal 1945*
Lagebericht 31.1.1945
Lagebericht 28.2.1945

# FORKORTELSER

Mængden af forkortelser i dokumenterne er særdeles omfattende, og de anvendte forkortelser følger ikke en bestemt praksis, men varierer – ikke kun fra myndighed til myndighed, men også inden for det enkelte embedsområde. Alene af den grund er en fuldstændig forkortelsesliste ikke forsøgt tilstræbt. I stedet henvises til forkortelseslisterne i bl.a. PKB, 13, ADAP/E, 8, KTB/OKW og KTB/Skl. (Beiheft). For Det Tyske Gesandtskabs signatur- og forkortelsespraksis henvises til tillæg 5.

| | |
|---|---|
| 1. Skl. | Seekriegsleitung, Operationsabteilung |
| Ia | Erster Generalstabsoffizier |
| Ic | Dritter Generalstabsoffizier |
| IIa | Adjudant |
| | |
| A III | 3. Admiralstabsoffizier |
| A VI | Schiffahrtsabteilung Skl./Qu. |
| AA | Auswärtiges Amt |
| ABA | Arbejderbevægelsens Bibliotek og Arkiv |
| Abs. | Absatz |
| Abt. | Abteilung |
| Abt. Recht | Abteilung Recht, AA |
| Abw. | Abwehr |
| ADAP | *Akten zur Deutschen Auswärtigen Politik* |
| Adm. | Admiral |
| Adm. Qu. | Admiralquartiermeister der Skl. |
| Adm. Qu. VI | Schiffahrtsabteilung in der Skl./Admiralquartiermeister |
| AG | Aktien-Gesellschaft |
| Ag. | Amtsgruppe |
| AHA | Allgemeine Heeres Amt |
| Akt. Z | Aktenzeichen |
| Amtsgr. | Amtsgruppe |
| Anl. | Anlage |
| Anm. | Anmerkung |
| ANST | Abwehr-Nebenstelle |
| AO | Auslandsorganisation |
| AOK | Armeoberkommando |
| AST | Abwehrstelle |
| AÜ (mit AÜ) | mit Anschriftenübermittlung als Zusatz auf Fernschreiben |
| Aufz. | Aufzeichnung |
| AV | Aktenvermerk |
| AWA/WV | Artilleriewaffenamt |
| | |
| BArch | Bundesarchiv |
| BDC | Berlin Document Center |

| | |
|---|---|
| BdE | Befehlshaber des Ersatzheeres |
| BdO | Befehlshaber der Ordnungspolizei |
| BdS | Befehlshaber der Sicherheitspolizei |
| Bef. | Befehlshaber |
| Bespr. | Besprechung |
| Bests kalenderoptegnelser: | før 1943 i bl.a. RA, Bests privatarkiv, 1933-44 er trykt |
| Betr. | Betreffend |
| BHAD | *Biographisches Handbuch des deutschen Auswärtigen Dienstes 1871-1945* |
| Bl. | Blatt |
| Bln. | Berlin |
| BOPA | Borgerlige Partisaner |
| BRAM | Büro RAM (Reichsaußenminister) |
| BRT | Bruttoregistertonnen |
| BSN | Befehlshaber der Sicherung der Nordsee |
| BSO | Befehlshaber der Sicherung der Ostsee |
| Btl. | Bataillon |
| | |
| CdO | Chef der Ordnungspolizei |
| CdS, CSSD | Chef der Sicherheitspolizei und des SD |
| CdSSHA | Chef des SS-Hauptamts |
| CIS | Counter Intelligence Corps |
| CK | Centralkartoteket |
| Consugerma | Deutsche konsularische Vertretung |
| | |
| DAF | Deutsche Arbeitsfront |
| Dän. | Dänemark |
| DBN | Deutsche Berufsgruppen in Nordschleswig |
| DDPA | Det Danske Petroleums-Aktieselskab |
| Dg. | Dirigent |
| Diplogerma | Deutsche diplomatische Vertretung |
| Div. | Division |
| DKP | Danmarks Kommunistiske Parti |
| DNB | Deutsches Nachrichtenbureau |
| DNSAP | Danmarks Nationalsocialistiske Arbejderparti |
| Dok. | Dokument |
| DPT | Dansk Pressetjeneste, illegalt nyhedsbureau |
| DRK | Deutsches Rotes Kreuz |
| DUT | Deutsche Umsiedlungs-Treuhandgesellschaft |
| | |
| EMAA | Ersatz-Marineartillerieabteilung |
| ERR | Einsatzstab Reichsleiter Rosenberg |
| EUHK | *Europa unterm Hakenkreuz* |

| | |
|---|---|
| F.d.R.d.A | für die Richtigkeit der Abschritt |
| FAD | Freiwilliger Arbeitsdienst |
| Fest. Pi. | Festungspioniere |
| FHQ | Führerhauptquartier |
| Flak | Flugzeug-Abwehr-Kanone |
| Fluko | Flugmeldekompanie |
| FM | Frihedsmuseet, København |
| FRB | Front Reparatur Betrieb |
| FS | Fernschreiben |
| | |
| G. Kdos. | geheime Kommandosache |
| G.-Schreiber | Geheimschreiber |
| GASt | Grenz-Abwehrstelle |
| GBA | Generalbevollmächtigter für den Arbeitseinsatz |
| Gen. Dir. | Generaldirektor |
| Ges. | Gesandter |
| Ges. Rat | Gesandtschaftsrat |
| Gestapo | Geheime Staatspolizei |
| GFL | Germanische freiwillige Leitstelle |
| GFP | Geheime Feldpolizei |
| Ggf. | Gegebenenfalls |
| GR | Gesandtschaftsrat |
| Gr. Adm. | Großadmiral |
| | |
| H. Qu. | Hauptquartier |
| HA | Hauptamt |
| Ha. Pol. | Handelspolitische Abteilung, AA, ledet af Emil Wiehl til sept. 1944 |
| Ha. Pol. VI | Underafdeling af Ha. Pol. med Nordeuropa som interessefelt, ledet af Albert van Scherpenberg |
| Haka | Hafenkapitän |
| Hako | Hafenkommandant |
| Hipo | Hilfspolizei |
| Hiwi | Hilfswillige, tyske hjælpetropper bestående af krigsfanger fra den Røde Hær |
| HKK | Höheres Kommando Kopenhagen |
| HKP | Heeres Kraftwagen Park |
| Höh. Kdo. | Höheres Kommando |
| HPA | Handelspolitische Ausschuß |
| HPA | Heerespersonalamt |
| Hpt. | Hauptmann |
| HSB | Historisk Samling fra Besættelsestiden 1940-45, Esbjerg |
| HSSPF | Höhere SS- und Polizeiführer |
| HZBA | Hilfszollbetriebsassistent |

| | |
|---|---|
| I.A. | im Auftrag |
| I.G. | im Generalstab |
| IfZG | Institut für Zeitgeschichte, München |
| IMT | International Military Tribunal, Nürnberg |
| Inl. I | Gruppe Inland I, afdeling i AA, leder var Ernst Frenzel |
| Inl. II | Gruppe Inland II, afdeling i AA, leder fra marts 1943 var Horst Wagner |
| | |
| K III | Hauptamt Schiffbau, OKW |
| K. Adm. | Konteradmiral |
| K.i.A. | Kommandant im Abschnitt |
| KB | Det Kongelige Bibliotek, København |
| KdK | Kommando der Kleinkampfverbände |
| Kdo. | Kommando |
| Kdr. | Kommandeur |
| KKKK | Københavns Kul- og Koks Kompagni A/S |
| KLV | Kinderlandverschickung |
| KMD | Kriegsmarinedienststelle |
| Koralle | Dæknavn for Seekriegsleitungs hovedkvarter i Bernau nord for Berlin (fra 30.1.1944) |
| Kripo | Kriminalpolizei |
| KTB | Kriegstagebuch |
| KTB/Skl. | se *Kriegstagebuch der Seekriegsleitung 1939-45. Teil A.* 1-71. Hg. von Werner Rahn, Gerhard Schreiber und Hansjoseph Maierhöfer. Berlin, Bonn, Hamburg 1988-97. |
| KTB/WB Dän. | se Kildefortegnelsen under RA, Generalstabens Efterretningssektion |
| Kult. Pol. | Kulturpolitische Abteilung, AA, leder var Franz Six |
| Kümo | Küstenmotorschiff |
| KZ | Konzentrationslager |
| | |
| LAÅ | Landsarkivet for Sønderjylland |
| LAK | Landsarkivet for Sjælland |
| LAT | Landsarbejdstjenesten |
| LAV | Landsarkivet for Nørrejylland |
| LKW | Lastkraftwagen |
| LR | Legationsrat |
| LS | Legationssekretär |
| Lt. | Leutnant |
| LW | Luftwaffe |
| | |
| M.E. | meines Erachtens |
| MBSK | Marine-Bergungs- und Sicherheitskommando |
| MD | Ministerialdirektor |

| | |
|---|---|
| MG | Maschinengewehr |
| Min. Dir. | Ministerialdirektor |
| Min. Dirig. | Ministerialdirigent |
| Min. R. | Ministerialrat |
| MOK Nord | Marineoberkommando der Nordsee |
| MOK Ost | Marineoberkommando der Ostsee |
| MR | Ministerialrat |
| | |
| N. Abg. | Nach Abgang |
| NA | National Archives |
| NA | Nebenabdruck |
| Nachr. | Nachrichtung |
| NE-Metalle | Nicht-Eisenmetalle |
| NHWE | *Nationalsozialismus, Holocaust, Widerstand und Exil 1933-1945* |
| NL | Nachlaß/Nachlässe |
| NORD | *Expansionsrichtung Nordeuropa.* Hg. von Manfred Menger, u.a., 1987. |
| NS | Nationalsozialistische |
| NSDAP | Nationalsozialistische Deutsche Arbeiterpartei |
| NSKK | Nationalsozialistische Kraftfahrkorps |
| NSU | Nationalsocialistisk Ungdom |
| NSV | Nationalsozialistische Volkswohlfahrt |
| | |
| O.V.i.A. | oder Vertreter im Amt |
| OB | Oberbefehlshaber |
| Ob. Reg. Rat | Oberregierungsrat |
| OKH | Oberkommando des Heeres |
| OKL | Oberkommando der Luftwaffe |
| OKM | Oberkommando der Kriegsmarine |
| OKW | Oberkommando der Wehrmacht |
| OL | Ortsgruppenleiter |
| ORR | Oberregierungsrat |
| Ostubaf. | Obersturmbannführer |
| OT | Organisation Todt |
| | |
| P | Presseabteilung, AA, leder var Paul Schmidt |
| P VI | Underafdeling af P, ledet af Georg Schaller og med Sverige, Finland, Danmark, Norge og Island som arbejdsområde |
| PA | Politisches Archiv (des Auswärtiges Amt) |
| Pak. | Panzerabwehrkanone |
| Pers./Pers. H | Personal- und Haushaltungsabteilung/Personal- und Verwaltungsabteiling, AA |
| Pg. | Parteigenosse |
| PHA | Personalhauptamt |

| | |
|---|---|
| Pi. | Pionier |
| Pk. | Pakke |
| PKB | Den parlamentariske Kommissions Betænkninger |
| PKW | Personenkraftwagen |
| Pol. | Politische Abteilung, AA, opdelt i Pol I-XVIII (sept. 1943) |
| Pol. VI | Underafdeling af Pol. med emneområdet Danmark (Grønland), Sverige, Norge, Island og Finland, leder var Werner von Grundherr |
| Promi | Propagandaministerium |
| Prot. | Protokoll, afdeling i AA (Abteilung Protokoll) |
| Pz. | Panzer |
| Pz. Kw. | Panzerkampwagen |
| | |
| Qu. | Quartier; Quartiermeister |
| | |
| R | Rechtsabteilung, AA, leder var Eduard Sethe |
| R.V | Rechtsabteilung V |
| RA | Rigsarkivet |
| RA, pk. … | Rigsarkivets samling *Fotografier fra Auswärtiges Amt, SS-Kontorer m.v.*, pakke nr. … |
| RAD | Reichsarbeitsdienst |
| Radf. | Radfahrer |
| RAF | Royal Air Force |
| RAM | Reichsaußenminister |
| RB | Reuters Bureau |
| RBM | Reichsbevollmächtigte |
| Ref. | Referent |
| Ref. Deutschland | Referat Deutschland, AA |
| Reg. Rat | Regierungsrat |
| Reikosee | Reichskommissar für die Seeschiffahrt |
| REM | Reichsernährungsministerium/Ministerium für Ernährung und Landwirtschaft |
| Res. | Reserve |
| RFM/RMF | Reichsfinanzministerium |
| RFSS | Reichsführer-SS |
| RGBl. | Reichsgesetzblatt |
| Rgt. | Regiment |
| RIM/RMI | Reichsinnenministerium, Reichsminister des Innern |
| RKS/ReikoSee | Reichskommissar für die Seeschiffahrt |
| RLM | Reichsluftfahrtministerium |
| RM | Reichsmark |
| RMEL | se REM |
| RMVP | Reichsministerium für Volksaufklärung und Propaganda |
| RR | Regierungsrat |
| RRK | Reichsministerium für Rüstung und Kriegsproduktion |

| | |
|---|---|
| RSHA | Reichssicherheitshauptamt |
| Ru | Rundfunk/Rundfunkpolitische Abteilung, AA, leder var Gerhard Rühle |
| Rü. Stab | Rüstungsstab |
| RVM | Reichsverkehrsministerium |
| RW | Reich Wehrmacht |
| RWM | Reichswirtschaftsministerium |
| | |
| SA | Sturmabteilung |
| SD | Sicherheitsdienst |
| Sipo | Sicherheitspolizei |
| SK | Schleswigsche Kameradschaft |
| Skl. | Seekriegsleitung |
| Skl. Qu. A VI | Quartiermeisteramt, OKMs skibsfartsafdeling |
| Slg. | Sammlung |
| SOE | Special Operations Executive |
| Sp. | Spole |
| SS | Schutzstaffel |
| SS-Brigf. | SS-Brigadeführer |
| SS-Gruf. | SS-Gruppenführer |
| SS-Hschaf. | SS-Hauptscharführer |
| SS-Hstuf. | SS-Hauptsturmführer |
| SS-Ogruf. | SS-Obergruppenführer |
| St.S. | Staatssekretär |
| STB | Skandinavisk Telegrambureau |
| Stubaf. | Sturmbannführer |
| SVK | Sperrversuchskommando |
| | |
| Tel. | Telegramm |
| Telko | Telegrammkontrolle |
| Tgb. | Tagebuch |
| TKB | Tätigkeitsbericht |
| TN | Technische Nothilfe |
| To. | Tonne |
| | |
| U.St.S. | Unterstaatssekretär |
| U.St.S. Pol. | Unterstaatssekretär, politische Abteilung |
| UM | Udenrigsministeriet |
| UP | United Press |
| | |
| VB | Völkischer Beobachter |
| Vfg. | Verfügung |
| VLR | Vortragender Legationsrat |
| Vm. | Vermerk |

| | |
|---|---|
| V-Mann | Vertrauensmann (Agent für Nachrichtenbeschaffung) |
| VOMI | Volksdeutsche Mittelstelle |
| | |
| WB | Wehrmachtsbefehlshaber |
| WBK | Wehrbezirkskommando |
| WEK | Wehrmachtskommandantur |
| WFSt. | Wehrmachtsführungsstab |
| WOK | Wachoffizier Kopenhagen |
| WPrO | Wehrmachtspresseoffizier |
| Wwi. | Wehrwirtschaft |
| | |
| z.d.A. | zu den Akten |
| z.Hd. | zu Handen |

# KILDER OG LITTERATUR

(trykkested opgives ikke for litteratur trykt i Danmark)

## Kilder


**Politisches Archiv, Auswärtiges Amt, Berlin (PA/AA)**

R 27.634: Handakten Luther. Akten betr. Schriftverkehr K-M
R 27.641: Handakten Luther. Akten betr. Schriftverkehr D
R 27.650: Handakten Luther. Akten betr. Vortragsnotizen
R 27.654: Handakten Luther. Akten betr. Korrespondenz mit Sonnleithner, Rintelen und Steengracht
R 28.888: Büro RAM. Sonderzugakte, bd. 35
R 28.889: bd. 36
R 29.564: Büro des Staatssekretärs, Akten betreffend Dänemark bd. 1
R 29.565: (samme) bd. 2
R 29.566: (samme) bd. 3
R 29.567: (samme) bd. 4
R 29.568: (samme) bd. 5
R 29.837: Büro des Staatssekretärs: Diplomatenbesuche bd. 12
R 29.838: (samme) bd. 13
R 29.857: Büro des Staatssekretärs: Schriftwechsel mit Beamten des auswärtiges Dienstes, bd. 7, 1942
R 29.858: Büro des Staatssekretärs: Schriftwechsel mit Beamten des auswärtiges Dienstes, bd. 8, januar-juni 1943
R 35.553: RAM-Film Nr. 17
R 46.371: Rechtsabteilung. Akten betreffend der Strafrecht in Dänemark
R 61.119: Politische Abt. Anlage zu Pol. IV 1530-42 g. Rs
R 61.128: Pol. VI: Dänemark. Politische Lage in Dänemark
R 61.130: (samme, fortsat)
R 64.302: Deutsche Wissenschaftliche Institute im Ausland
R 67.655: Abteilung Kult
R 69.205: [Personaleforhold, opr. set i BArch men siden flyttet til PA/AA]
R 97.656: Auslands-Propaganda-Leitstelle
R 99.413: Inland II A/B 83-26: Akten betr. Juden[frage] in Dänemark bd. 1
R 99.414: (samme) bd. 2
R 99.415: Inland II A/B: Juden in Dänemark 1943-44
R 99.501: Inland II A/B: Nach Deutschland überstellte Dänen 1943-44
R 99.502: Inland II A/B 83-60, Sdh. I: Nach Deutschland überstellte Dänen
R 99.503: samme, Sdh. II: Nach Deutschland überstellte Dänen: Einzelfälle
R 99.519: Inland II A/B 83-60E, Sdh. I: Polizei-Attachés und SD-Leute bei einzelnen Missionen
R 100.134: Inland II A/B 83-78: Spionageabwehr: Länder C-R
R 100.299: Inland II A/B. Beauftragte des Chefs der Sicherheitspolizei und des SD für Dänemark, 1943-44

| | | | |
|---|---|---|---|
| R 100.354: | Inland II C | bd. 14: | Akten betreffend Deutschtum in Dänemark |
| R 100.355: | | bd. 15: | (fortsat) |
| R 100.356: | | bd. 16: | (fortsat) |
| R 100.357: | | bd. 17: | (fortsat) |
| R 100.358: | | bd. 18: | (fortsat) |
| R 100.542: | Inland II D: | | Akten betr. Dänemark, deutschfeindliche Maßnahmen |
| R 100.570: | Inland II D: | | Akten betreffend Dänemark, Siedlungsplan Nordschleswig |
| R 100.682: | Inland II g 9: | | Geschäftsgang |
| R 100.686: | Inland II g: | | Akten betreffend Personalien des Auswärtigen Dienstes A-G |
| R 100.692: | Inland II g: | bd. 17a: | Geheime Reichssachen |
| R 100.693: | | bd. 17b: | (fortsat) |
| R 100.694: | | bd. 17c: | (fortsat) |
| R 100.570: | | | Nordschleswigsche Selbsthilfe |
| R 100.735: | Inland II g: | bd. 54: | Sabotage und Attentate |
| R 100.736: | | bd. 55: | (fortsat) |
| R 100.757: | Inland II g: | bd. 77: | Dänemark: Personalien |
| R 100.758: | Inland II g: | bd. 78: | Dänemark: Sabotage, Polizeibataillon |
| R 100.815: | Inland II g: | bd. 136: | Auslandsreisen nach Dänemark |
| R 100.816: | | bd. 137: | (fortsat) |
| R 100.864: | Inland II g: | bd. 184: | Judenfrage in Dänemark |
| R 100.865: | | bd. 185: | (fortsat) |
| R 100.944: | Inland II g: | bd. 258: | Volksdeutsche: Nordschleswig: Haushaltsplan, Schulbauprogramme |
| R 100.945: | Inland II g: | bd. 259: | Volksdeutsche: Nordschleswig: Haushaltsvoranschlag des Volksgruppe in Nordschleswig |
| R 100.986: | Inland II g: | bd. 298: | Waffen-SS: Dänemark |
| R 100.987: | | bd. 299: | (fortsat) |
| R 100.988: | | bd. 300: | (fortsat) |
| R 100.989: | | bd. 301: | (fortsat) |
| R 101.039: | Inland II g: | bd. 351: | Dänemark: Berichte und Meldungen zur Lage in Dänemark |
| R 101.040: | | bd. 352: | (fortsat) |
| R 101.041: | | bd. 353: | (fortsat) |
| R 101.042: | Inland II g: | bd. 354: | Dänemark: Gehässigkeiten gegen das Deutschtum |
| R 101.043: | Inland II g: | bd. 355: | Dänemark: Verhaftung des Rittmeisters Lunding sowie Oberst Hartz und Kommunist A. Larsen |
| R 104.608: | Pol. VI. | | Akten betreffend Judenfragen |
| R 105.208: | Ha Pol. | | Handakten von Behr betreffend Dänemark: Besprechungen deutsch-dänischer Regierungsausschüsse |
| R 105.209: | Ha Pol. | | Handakten von Behr betreffend Dänemark: Dänemarks Einfuhrwünsche |
| R 105.210: | Ha Pol. | | Handakten von Behr betreffend Dänemark: Entwicklung in Dänemark, Kriegskostenbeitrag, geheim |
| R 105.211: | Ha Pol. | | Handakten von Behr betreffend Dänemark: Finanzangelegenheiten, Besatzungskosten |

| | | |
|---|---|---|
| R 105.212: | Ha Pol. | Handakten von Behr betreffend Dänemark: Finanzbesprechungen (deutsch-dänische) |
| R 105.213: | Ha Pol. | Handakten von Behr betreffend Dänemark: Handel, Kinderlandverschickung |
| R 105.218: | Ha Pol. | Handakten von Behr betreffend Dänemark: Verträge |
| R 105.221: | Ha Pol. | Handakten betreffend Dänemark: Wirtschaftsfragen |
| R 113.551: | Ha Pol. VI | Akten betreffend Einzelausstellungen (Dänemark) |
| R 113.554: | Ha Pol VI | Dänemark Finanzwesen. Währung, Valuta und Devisenpolitik Mai 1942 – Dez. 1943 |
| R 113.555: | Ha Pol VI | Dänemark Finanzwesen. Währung, Valuta und Devisenpolitik Dez. 1943 – Jan. 1945 |
| R 113.560: | Ha Pol. VI | Akten betreffend Lieferungen |
| R 113.561: | Ha Pol. VI | Akten betreffend Ernährungspolitik |
| R 118.986: | Protokoll | Dänemark. Allgemeine Angelegenheiten der Konsulate im Deutschland |
| R 123.389: | Presse-Abtlg. | Belegen Kopenhagen |
| R 123.390: | Presse-Abtlg. | Belegen Kopenhagen |
| R 123.391: | Presse-Abtlg. | Kopenhagen |
| R 123.392: | Presse-Abtlg. | Kopenhagen |

Nachlass Georg F. Duckwitz, bd. 29
Nachlässe Cecil von Renthe-Fink, bd. 6

**Bundesarchiv, Berlin Lichterfelde (BArch, Berlin)**

B 120/359: Werner Best: Erinnerungen aus dem besetzten Frankreich 1940-1942, ms. 1951

*Serie NS (Nationalsozialistische Organisationen)*

NS 1: Reichsschatzmeister der NSDAP
NS 6: Partei-Kanzlei der NSDAP
NS 8: Kanzlei Rosenberg
NS 18: Reichspropagandaleiter der NSDAP
NS 19: Persönlicher Stab Reichsführer SS
NS 21: Das Ahnenerbe
NS 30: Einsatzstab Reichsleiter Rosenberg
NS 31: SS-Hauptamt

*Serie R (Reich)*

R 2: Reichsfinanzministerium
R 3: Reichsministerium für Rüstung und Kriegsproduktion
R 7: Reichswirtschaftsministerium
R 14: Reichsministerium für Ernährung und Landwirtschaft
R 19: Hauptamt Ordnungspolizei

R 26 II: Reichskommissar für die Preisbildung
R 28: Dienststellen der Deutschen Reichsbank
R 29: Hauptverwaltung der Reichskreditkassen
R 43 II: Neue Reichskanzlei
R 51: Deutsche Akademie
R 55: Reichsministerium für Volksaufklärung und Propaganda
R 58: Reichssicherheitshauptamt
R 70: Polizeidienststellen in den besetzten und eingegliederten Gebieten
R 83: Zentralbehörden der allgemeinen deutschen Zivilverwaltungen während des Zweiten Weltkrieg in den besetzten Gebieten (ohne Osteuropa)
R 147: Reichskommissar für die Seeschiffahrt
R 3102: Statistisches Reicshamt

*Serie R 901 (Auswärtiges Amt [delvist overført til PA/AA])*
R 901 60.727: Presse
R 901 67.511: Ha Pol. Dänemark. Eisenbahnwesen. Eisenbahnbeziehungen zu Deutschland, Okt. 1936 – Nov. 1943
R 901 67.734: Ha Pol. Dänemark Handel 11: Handelsbeziehungen zu Deutschland, bd. 1
R 901 67.735: (samme) bd. 2
R 901 67.740: Ha Pol. Dänemark Handel 11-3: Austauschgeschäfte, Wirtschaftsabkommen
R 901 68.228: Ha Pol. Schifffahrtswesen. Schifffahrtsbeziehungen zu Deutschland
R 901 68.230: Ha Pol. Schifffahrtswesen. Schifffahrtsbeziehungen zu Deutschland
R 901 68.310: Wirtschaft, Dänemark
R 901 68.311: Wirtschaft, Dänemark
R 901 68.312: Wirtschaft, Dänemark
R 901 68.602: Telegrammkorrespondenz mit den deutschen Vertretungen in Dänemark. Kopenhagen: Eingänge
R 901 68.603: Telegrammkorrespondenz mit den deutschen Vertretungen in Dänemark. Kopenhagen: Ausgänge
R 901 68.682: Telegrammkorrespondenz mit deutschen Dienststellen und Wirtschaftsunternehmen: Sonderzug "Westfalen" Eingänge
R 901 68.683: Telegrammkorrespondenz mit deutschen Dienststellen und Wirtschaftsunternehmen: Sonderzug "Westfalen" Ausgänge
R 901 68.684: Telegrammkorrespondenz mit deutschen Dienststellen und Wirtschaftsunternehmen: "Wolfsschanze" Eingänge
R 901 68.711: Ha Pol. Handakten Clodius. Wirtschaftsbeziehungen zu Dänemark. Verträge, Abkommen, Protokolle
R 901 68.712: Ha Pol. Handakten Clodius. Wirtschaftsbeziehungen zu Dänemark. Korrespondenz
R 901 113.554: Ha Pol VI Dänemark Finanzwesen. Währung, Valuta und Devisenpolitik Mai 1942 – Dez. 1943

R 901 113.555: Ha Pol VI Dänemark Finanzwesen. Währung, Valuta und Devisenpolitik Dez. 1943 – Jan. 1945
R 901 113.560: Ha Pol VI Dänemark. Handel. Lieferungen
R 901 113.561: Ha Pol VI Dänemark. Landwirtschaft. Ernährungspolitik

*Serie NL (Nachlässe)*
NL 263: Kurt Rheindorf
NL 276: Lutz Schwerin von Krosigk
NL 1023: Werner Best

*Andre fonds:*
BDC, Petersen, Tage, 18.7.15
DS/G 124 [tidl. BDC]
SS-Führerpersonalakten 165 A
SSO 064 [tidl. BDC, nu SS-Offiziere]
ZR 782, A. 12 Arthur Nebe [tidl. Stasi-arkiv]

**Bundesarchiv-Militärarchiv, Freiburg im Breisgau (BArch, Freiburg)**
*Serie RH (Reich Heer)*
RH 2: Oberkommando des Heeres
RH 10: Generalinspekteur der Panzertruppen
RH 19: Heeresgruppenkommandos
RH 26: Infanteriedivisionen

*Serie RL (Reich Luftwaffe)*
RL 2: Generalstab der Luftwaffe

*Serie RM (Reich Marine)*
RM 4: Kaiserliches Oberkommando der Marine
RM 6: Oberbefehlshaber der Marine
RM 7: OKM/Seekriegsleitung
RM 12: Marineattachés
RM 31: Marinestation der Ostsee (MOK Ost)
RM 45: III: Marienbefehlshaber Dänemark/Admiral Dänemark/Admiral Skagerrak

*Serie RW (Reich Wehrmacht)*
RW 4: OKW/Wehrmachtsführungsstab
RW 19: OKW/Wehrwirtschafts- und Rüstungsamt
RW 27: Rüstungsdienststellen in Dänemark
RW 35: Militärbefehlshaber in Frankreich
RW 38: Wehrmachtbefehlshaber in Dänemark
RW 44: OKW/Führungsstab A (Nord)

**Institut für Zeitgeschichte, München**
*Mikrofilme der Akten des Reichsführer SS und Chef der deutschen Polizei*
Nr. MA 148D, 284, 300

*IMT – Nürnberger Dokumente*
PS – NG – NO

*Zeugenschrifttum*
ZS 207/1: Affidavit Dr. Werner Best
ZS: 207/2: Werner Best: Erlebnisse mit Vidkun Quisling (MS), Kopenhagen, den 25.12.1948
ZS: 1991/1: Ernst Kanter: Meine Erlebnisse als Chefrichter in Dänemark während in Dänemark während der deutschen Besetzung (11. Februar 1943 bis zur Kapitulation). Ndschr. v. 1970

MS 478/1: Dr. Werner Best: Die deutsche Abwehrpolizei
MS 478:3: Dr. Werner Best: Die deutsche Politik in Dänemark während der letzten 2 ½ Kriegsjahre
MS 478/5: Dr. Werner Best: Die Gestapo

**Niedersächsische Staats- und Universitätsbibliothek Göttingen**
Nachlass Krause, Cod. Ms. W. Krause G 10,

**Riksarkivet, Oslo**
Landssvikarkivet
L-dom Oslo: 4434 (SS-Hstuf. Oscar Hans)

**Norges Hjemmefrontsmuseum, Oslo**
Krigsarkivet i Norges Hjemmefrontmuseum
Spredte tyske arkiver, Nr. 86: RK HAVoWi, Abt. Binnewirtschaft, Kohlenversorgung Norwegens

**Utrikesdepartementets arkiv, Stockholm,**
HP 1 Politik: allmänt, Danmark 1943 aug-1945 maj, AD, XLVII

**Moskva, Rossiikii Gosudarstvenni Voenni Archiv (RGVA)**
[Joachim Lunds kopisamling]
Osobyj Archiv

**Rigsarkivet, København**
Tyske arkivalier om Danmark 1848-1945

*Fotografier fra Auswärtiges Amt, SS-Kontorer m.v*
Alte und neue Reichskanzlei
7: Dänemark 1940-44

Auswärtiges Amt 1936-45
Büro Staatssekretär I
202: Akten betr. Dänemark 1942-43
203: Akten betr. Dänemark 1943
204: Akten betr. Dänemark 1943-44
211: Aufzeichnungen des Herrn Staatssekretärs über Diplomaten besuche
212: Diverse sager 1939-43

Büro Unterstaatssekretär
216: Diplomaten-Aufzeichnungen 1942

Inland I D
218: "Times" über Verteidigungsanlagen in Dänemark 1943-44

Inland II A-B
219: Judenfragen in Dänemark 1934-43
220: Juden in Dänemark 1943-44
221: Nach Deutschland überstellte Dänen 1943-44
222: Diverse sager 1934-44

Inland II geheim
223: Sabotage in Dänemark 1944
224: Antikomintern in Dänemark 1943
225: Waffen SS in Dänemark 1940-44
226: Judenmassnahmen in Dänemark I-II, 1942-43
228: Spionage, Abwehr, Vertrauensmänner und Agenten 1940-44
229: Sabotagebekämpfung in Dänemark 1942-43
231: Diverse sager 1936-45
232: Diverse sager 1936-45
233: Diverse sager 1936-45
234: Diverse sager 1931-44

Inland II C
235: Deutschtum in Dänemark 1942-44
236: (samme)
237: (samme)
240: Diverse sager 1938-44

Inland II. D
245: Landwirtschaft-Nordschleswig und Banat 1941-44
246: Berufsgruppen Nordschleswig 1943-44
247: Dänemark und Nordschleswig, Bodenbesitzfragen, Industrie- und Wirtschaftsfragen 1937-44
248: Diverse sager 1938-44
249: Diverse sager 1930-44

Personal- und Verwaltungsabteilung
250: Akten betr. Dr. Werner Best 1944

Pol. I.M
251: Diverse sager 1944-44 og udat.

Ha. Pol. Abteilung
270: Regierungsausschüsse. Dänemark, vol. VI
270a: Währung, Valuta und Devisenpolitik, vol. 2-5
271: (samme, fortsat)
280: Handakten von Behr. Dänemark. Besprechungen deutsch-dänischen Regierungsausschüsse 1939-44
281: Handakten von Behr. Finanzangelegenheiten. Besatzungskosten 1944
282: Handakten von Behr. Diverse sager 1943-45

Rechtsabteilung
283: Verhandlungen mit Dänemark über Abschluss von Staatsverträgen 1938-44
284: Ref. I. Diverse sager 1939-45
285: Ref. III og IV Diverse sager 1932-44
287: Beschäftigung deutscher Arbeiter in Dänemark und umgekehrt, vol. 3. 1941-44
288: Rechtsstellung der unehelichen Kinder in Dänemark. 1940-44
289: Diverse sager 1934-44

Abt. Kult. Pol
290: Neubau Kopenhagen, vol. 1-6, 1941-43
291: Kopenhagen 5, vol. 1, 1943-44

Handakten
299: Hencke: Kopenhagen 1940-43
300: Luther: Diverse sager 1936-43
305: Renthe-Fink: Persönliche Akten 1942-43
306: Renthe-Fink: Akten. Dänemark 1942-43
308: Ritter: Dänemark 1940-42, I-II
310: Schmidt: Aufzeichnungen 1941, 1943

Deutsches Konsulats Apenrade
392: Angelegenheiten Nordschleswigs aug. 1942-feb.1943
393: Angelegenheiten Nordschleswigs feb.-okt. 1943

Uden for kontoropdeling. Tillæg
438a: Pol. Arch. Dänemark Jan. 1943-Sept. 1944

Diverse nazistiske partiinstansers arkiver
441: Indkomne sager til Reichs-Sicherheitshauptamt (IV B) 1941-45
442: Indkomne sager til diverse partiorganisationer 1941-45
443: Indkomne sager til Reichsführer-SS (III B) 1939-45
443a: SS-Personalakter

Fotokopier fra Militärarchiv Freiburg, Washingtondokumenterne
449: Sager vedr. den tyske værnemagts ophold i Danmark I 1940-45
450: Sager vedr. den tyske værnemagts ophold i Danmark II 1940-45
451: Sager vedr. værnemagtens ophold i Danmark III 1942-45
455: Diverse breve til den tyske øverstkommanderende i Danmark 1940-42
456: Diverse sager 1936-44 10) Telegrammer vedr. aktionen mod de danske jøder
465: Diverse dokumenter vedr. besættelsestiden 1940-46
467: Originale tyske fotografiske optagelser fra indmarchen i Danmark 9.4.1940

*Diverse Danica:*
Danica 50: Riksarkivet, Oslo (pk. 91)
Danica 201: Bundesarchiv, Koblenz (pk. 66, 81, 81A, 82, 91)
Danica 203: Militärarchiv, Freiburg (pk. 28, 29, 30, 38, 45, 46, 62, 63, 82)
Danica 234: Staatsarchiv, Nürnberg (pk. 88, 89)
Danica 465: Mikrofilm af akter fra Sovjetunionen
Danica 465 (2): Osobyj Archiv, Moskva (angivet er alene arkivfondnr., pknr. og lægnr.): 500/1/1191; 700/1/83; 1303/3/58; 1363/1/163; 1372/3/135; 1458/3/909; 1458/21/6; 1458/3/909; 1458/21/3; 1458/21/6; 1458/21/42; 1458/21/58; 1458/21/71; 1458/21/76; 1458/21/83; 1458/21/112; 1458/21/113; 1458/21/120; 1458/21/124
Danica 628: Mikrofilm af akter fra den tyske krigsmarines arkiv, Admiralty, London
Spole 3, 6, 7, 8, 9, 10. Herpå bl.a.
KTB/Admiral Dänemark/Admiral Skagerrak 1942-45 (sp. 3)
KTB/Kriegsmarinedienststelle Kopenhagen 1942-45 (sp. 6)
KTB/Seetransportchef Skagerrak Kopenhagen 1945 (sp. 6)
KTB/8. Sicherungsdivision (sp. 6)
Korrespondance (sp. 7)
KTB/Seekriegsleitung 1942-45 (sp. 8)
KTB/Marine Oberkommando Ostsee 1942-45 (sp. 9)
Korrespondance, Lagebesprechungen (sp. 10)
Danica 630: Imperial War Museum, London (pk. 91)

Danica 1000: T-mikrofilm fra The National Archives, USA
T-71: Reichswirtschaftsministerium
T-74, sp. 8: Reichskommissar f.d. Festigung dt. Volkstums: Stabshauptamt.
T-77, sp. 320, 392, 595, 693, 695, 696, 697: Akter fra OKW, Wehrwirtschaft- und Rüstungsamt
T-78, sp. 273, 320: Akter fra OKH
T-84, sp. 25, 26: Akter af forskellig proveniens
T-175, sp. 15, 17, 22, 25, 26, 33, 56, 57, 59, 74, 94, 102, 119, 120, 122, 125, 126, 128: Akter fra forskellige SS-myndigheder
T-450, sp. 87: Einsatzstab Reichsleiter Rosenberg
T-501, sp. 101: Akter fra forskellige tyske besættelsesmyndigheder
Danica 1069: Mikrofilm fra The World War II Record Division, Alexandria VA
Spole 1, 2, 3, 4, 5, 6, 7, 8, 10, 11, 12, 13, 15, 16. Herpå bl.a.
Akter fra OKW/WFSt (sp. 1)
OKH/Generalstab des Heeres (sp. 2)
Inf. Div. 23 (sp. 2)
Inf. Div. 71 (sp. 3-4)
Inf. Div. 166 (sp. 4)
Indf. Div. 416 (sp. 5-6)
Reichsführer-SS u. Chef d. deutschen Polizei (sp. 6)
Akter fra den tyske værnemagt og tysk politi (sp. 7 og 8)
WB Dänemark (sp. 9-11)
WB Dän. Tätigkeitberichte Ia og Ic (sp. 9-10)
KTB/HKK 1944 (sp. 10)
v. Heydebreck KTB 1943 (sp. 11)
Opr. klass. mat. fra OKW/WFSt og RSHA (sp. 12)
Festungs-Pionierstab 31 (sp. 13)
OKW og div. akter (sp. 16)

Rüstungsstab Dänemark
pk. K 599: Diverse korrespondance 15.8.1944-20.8.1945

Vesterdals nye pakker, pk. 1-2

*Udenrigsministeriet*
84: Danmark under den tyske besættelse

*Landbrugs- og Fiskeriministeriet*
0014: Landbrugs- og Fiskeriministeriet 1948-: J04: Statskonsulenten i Berlin 1921-45 (14/200/13). Pk. 9-12,

*Generalstabens Efterretningssektion*
Stockholmarkivet CXXI
WB Dänemark, KTB 4. november 1943-25. maj 1945 (K 509-510, pk. 200-201)
Arkivalier af tysk proveniens, pk. 270

*Politiets Efterretningstjeneste*
Centralkartoteket
417: Redegørelser fra Bovruparkivet: Karen Marie Nielsen: Landsarbejdstjeneste, 1946.
600: Der Befehlshaber der Ordnungspolizei in Dänemark: Informationsblatt 1943-45
676: Tlf.- og organisationslister fra tyske myndigheder i Danmark 1940-43
680-81: Politische Informationen für die deutschen Dienststellen in Dänemark 1942-45
726: Dr. Werner Bests dagbøger

*Håndskriftsamlingen*
Jørgen Hæstrups samling (IV./.38)

*Privatarkiver:*
5135: Werner Best
5243: Vilhelm Buhl
5284: Poul Christiansen
5533: Herman von Hanneken
5895: Ole Lippmann
6540: Ejnar Vaaben

**Landsarkivet for Sjælland, København**
*Københavns Politi:*
V. Politiinspektorat. Kontoret for Straffesager: Frits Clausen-sagen

*Københavns Byret:*
Straffesagen imod Werner Best Best, Hermann von Hanneken m.fl. (25. afd. nr. 3/1948)
- Pk. 2 Anklageskrift m.m.
- Pk. 6, Unummereret, udateret og usigneret, dansk-sproget redegørelse (antagelig) af Bovensiepen "Om Forholdet mellem danske og tyske Aktioner" (I oversigten kld. Bovensiepen-redegørelsen). Redegørelsen henviser til *Besættelsestidens Fakta*, *Daglige Beretninger* og Rapport fra 1. undersøgelseskammer af 24.7.47. Redegørelsen må altså være udarbejdet efter denne dato.
- Pk. 15 Forhold VI "Panckes Terror".

Retsbog fra Brøndumsagen (25. Afd., sag nr. 211/1946)

**Landsarkivet for Nørrejylland, Viborg**
Thisted Amt, B2-6409

**Landsarkivet for de sønderjyske landsdele, Åbenrå**
Det tyske mindretals arkiv, pk. 616

**Frihedsmuseet, København**
FM-24
FM-26

**Det Kongelige Bibliotek, København**

| | |
|---|---|
| Udklipssamlingen: | Wilhelm Bergstrøm: En borger i Danmark under Krigen 1939-45 |
| Illegal samling: | Spørgeskemaer vedr. illegale blade |

*Håndskriftafdelingen:*
Peder Herschends arkiv, Acc. 2010/68
Gunnar Larsens dagbog 1941-43 (deponeret)

**Arbejderbevægelsens Bibliotek og Arkiv, København**
Arkiv 33536-149/8: G.F. Duckwitz:
"Die Aktion gegen die dänischen Juden am 2. Oktober 1943",
"Der Generalstreik in Kopenhagen Ende Juni/Anfang Juli 1944",
"Die Kapitulation Hamburgs, ihre Vorgeschichte und ihre Folgen"
[alle tre kapitler fra 1945-46, benævnt a-c]

**Historisk Samling fra Besættelsestiden 1940-1945, Esbjerg**

| | |
|---|---|
| Gruppe 24A | Interrogation Report CI-PIR/115, 14 May 1946 (kopi) |
| Gruppe 24E | Hovedrapport vedr. Schalburgkorpset. |
| Gruppe 24G | Oversigt over Gerningssteder (Hipo-aktioner) af 20.2.1946 (benævnt *Liste over Hipo-aktioner*). |
| Gruppe 24G | Rapport vedr. Efterretningstjenesten og Hipo. Københavns Politi 21.8.1945. |
| Gruppe 27AB | Politirapporter vedr. nedskydning af 11 danske fanger 9.8.1944. |

| | |
|---|---|
| Gruppe 27AB | Second Supplementary Memorandum of the Danish Government regarding Terrorisme (sic) and "Clearing-Murders" during the German Occupation of Denmark (i oversigten kaldet Supplementary Memorandum).<br>– Enclosure 16 om Lorentzengruppen<br>– Enclosure 17 om Schiølergruppen<br>– Enclosure 20 om Sommerkorpset<br>– Enclosure 21 om Hipo |
| Gruppe 27AB | Foreløbigt Resumé over SS-Sonderkommando Dänemarks (Petergruppen) Organisation, Medlemmer og Arbejdsmetoder. Kbh.s Opdagelsespoliti 28.12.1945. |
| Gruppe 40F | Hovedrapport vedr. Bovensiepen. |
| Gruppe 40F | Hovedrapport vedr. Schwerdt. |
| Gruppe 40F | Retsbog fra sagen mod Hoffmann, Schwerdt m.fl. |

**H.C. Bjergs arkiv**
(privateje)

**Online database:**
De Gruyter: Nationalsozialismus, Holocaust, Widerstand und Exil
http://db.saur.de/

**Aviser, tidsskrifter, årbøger, illegal presse**

*Berlingske Tidende*
*Brandfare og Brandvæsen*
*BT*
*Budstikken* (illegal)
*Budstikken Gaar* (illegal)
*Daggry. Tidsskrift for det germanske Front og Kampfællesskab*
*De frie Danske* (illegal)
*Deutsche Allgemeine Zeitung*
*DNSAP's Leder-Meddelelser*
*Frit Danmark* (illegal)
*Frit Danmark*, Londonudgave
*Frit Danmarks Nyhedstjeneste* (illegal)
*Fædrelandet* 1942-45
*Højesteretstidende* 1945-50
*Information* (illegal) 1943-45
*Information*
*Jul i Norden*
*Kopenhagener Soldatenzeitschrift*
*Kraks Blaa Bog*
*Land og Folk* (illegal)
*Morgenbladet* (illegal)
*National-Socialisten*
*Norschleswigsche Zeitung*
*Meddelelser*, produceret af det illegale politi (et sæt indsat i Vilhelm Bergstrøms dagbog, KB)
*Meddelelser om Rigsarkivet for årene 1921-55*, 1958
*Paa godt Dansk*
*Politiken*
*Salmonsens Leksikontidsskrift*
*Skagerrak. Zeitschrift der deutschen in Dänemark*
*Skt. Petri Skoles Aarsberetning*
*Social-Demokraten*
*Typograftidende*
*Udenrigsministeriets Pressebureaus ugentlige Meddelelser til Pressen*
*Udenrigsministeriets Pressebureaus Situationsmelding*
*Ugeskrift for Læger*
*Ugeskrift for Retsvæsen*
*Verordnungsblatt des Reichsbevollmächtigten in Dänemark*
*Völkischer Beobachter*
*Weekendavisen*
*Økonomi og Politik*

## Litteratur

Aagaard, Christian: *Forledt til fronten. En tematisk og kvantitativ undersøgelse af rekrutteringsindsatsen i Danmark til tysk krigstjeneste 1940-45*. Utrykt speciale, Københavns Universitet 2012.

Abraham, Reinhard: *Der deutsche Imperialismus und Dänemark 1939-1942 unter besonderer Berücksichtigung der faschistischen Besatzungspolitik in der Zeit vom 9. April 1940 bis 29. September 1942*. Greifswald 1979.

Abraham, Reinhard: Die Verschärfung der faschistischen Okkupationspolitik in Dänemark 1942/43. *Militärgeschichte*, 23, Berlin 1984, s. 506-524.

Agertoft, Peter: "Kæmp for alt, hvad du har kært". Christian Fries 1916-1944. *Historisk årbog for Bov og Holbøl sogne*, 27, 2004, s. 14-31.

Ahtola Nielsen, Jan: *Broderfolk i krigstid. Dansk-finske relationer 1941-45*. Ph.d.-afhandling, Århus Universitet 2002.

*Akten der Partei-Kanzlei der NSDAP. Rekonstruktion eines verlorengegangenen Bestandes*. Teil 1-2: Regesten. Bd. 1-4+Mikrofisches Bd. 1-2/Teil 1, Mikrofisches Bd. 1-2/Teil 2. Bearbeitet von Helmut Heiber, Peter Longerich. München, Wien, London, New York 1983-92.

*Akten zur deutschen auswärtigen Politik 1918-1945. Aus dem Archiv des Deutschen Auswärtigen Amtes (ADAP)*. Serie E, *1941-1945*. Bd. 1-8. Göttingen 1969-79. Serie A-E, *Ergänzungsband*. Göttingen 1995.

*Aktstykker vedrørende de tyske flygtninge i Danmark 1945-1950*. Udg. af Udenrigsministeriet. 1950.

Algreen-Petersen, Chr.: *Fange i et besat Danmark*. 2003 (Beretninger fra Modstandskampen 2. del).

Alkil, Niels (red.): *Besættelsestidens Fakta*. 1-2, 1945-46.

Aly, Götz: *Hitlers Volksstaat. Raub, Rassenkrieg und nationaler Sozialismus*. Erweiterte Ausgabe, Frankfurt 2006.

Andersen, H.C.: Terrorkorps og Stikkere. Vilh. la Cour (red.): *Danmark under Besættelsen*. 2. 1947, s. 535-576.

Andersen, Jens: *Tysk invasionsforsvar i Danmark 1940-45*. 2007.

Andersen, Jens og Rudi Rolf: *German Bunkers in Denmark*. Middelburg 2006.

Andersen, Steen: Forberedelsen af en handelspolitisk tilpasning til nyordningen. Udvalget for økonomisk Samarbejde med Tyskland 1940-41. Henrik Dethlefsen og Henrik Lundbak (red.): *Fra mellemkrigstid til efterkrigstid. Festskrift til Hans Kirchhoff og Henrik S. Nissen på 65-årsdagen oktober 1998*. 1998, s. 205-230.

Andersen, Steen: *Danmark i det tyske Storrum. Dansk økonomisk tilpasning til Tysklands nyordning af Europa 1940-41*. 2003.

Andersen, Steen: *De gjorde Danmark større... De multinationale danske entreprenørfirmaer i krise og krig 1919-1947*. 2005.

Andersen, William Dan: *The German armed forces in Denmark 1940-43. A study in occupation policy*. Upubl. Diss. University of Kansas 1972.

Andersen, William Dan: The German Removal of the Danish Cabinet in 1943. *Scandinavian Studies*, 49, Kansas 1977, s. 439-451.

Andreasen, Knud: Vardes store arbejdsplads og den tyske Værnemagt. *Fra Ribe Amt* 2010, s. 15-24.

Andrésen, G. (red.): *Aarhus under Besættelsen.* 1945.

Augustinovic, Werner und Martin Moll: Gunter d'Alquen. Propagandist des SS-Staates. Ronald Smelser, Enrico Syring (Hg.): *Die SS. Elite unter dem Totenkopf. 30 Lebensläufe.* Paderborn 2000, s. 100-118.

Bak, Sofie Lene: Altruisme og Holocaust. Jødeforfølgelserne i Danmark og Italien. En sammenligning. *Rambam. Tidsskrift for jødisk kultur og forskning* 8, 1999, s. 74-87.

Bak, Sofie Lene: *Jødeaktionen oktober 1943.* 2001.

Bak, Sofie Lene: Historiografien om antisemitismen i Danmark i 1930erne og under besættelsen. Betragtninger over en dansk antisemitismeforskning. Michael Mogensen (red.): *Antisemitisme i Danmark?* 2002, s. 80-90. (Arbejdsrapporter fra DCHF, 5, 2002).

Bak, Sofie Lene: *Dansk antisemitisme 1930-1945.* 2004.

Bak, Sofie Lene: Indtil de vender hjem. Københavns Socialtjeneste og de danske jøder 1943-45. Peter Henningsen og Rasmus Mariager (red.): *Strenge tider. København i krig og fred, 1943-49.* 2006, s. 11-43.

Bak, Sofie Lene: Danmarks fremmeste antisemit – Aage H. Andersen. John T. Lauridsen (red.): *Over stregen – under besættelsen.* 2007, s. 19-40.

Barfod, Jørgen H.: *Helvede har mange navne. En beretning om koncentrationslejre og fængsler, hvor der sad danskere 1940-1945.* 1969.

Barfod, Jørgen H.: *Et centrum i periferien. Modstandsbevægelsen på Bornholm.* 1976.

Barfod, Jørgen H.: *København kampklar.* 1988.

Barfoed, Niels: *En kriger. Portræt af Ole Lippmann.* 2005.

Bay-Petersen, Hans: *En selskabelig invitation. Det Kongelige Teaters gæstespil i Nazi-Tyskland i 1930'erne.* 2003.

Becker-Christensen, Henrik: NSDAPN – og Slesvigsk Parti. Det tyske mindretals politiske virke under besættelsen. Joachim Lund (red.): *Partier under pres – demokratiet under besættelsen.* 2003, s. 328-345.

Beier, Gerhard: Kollaboration mit dem Nationalsozialismus? Zum Verhalten der Gewerkschaften im Dänemark der Besatzungszeit und dem Deutschland der Machtergreifung Adolf Hitlers. *Grenzfriedenshefte* 1973, s. 43-50, 81-89.

Bengtsen, Henrik A.: Modstandskampen i Helsingør 1940-1945. *Helsingør Kommunes Museer. Årbog* 1981, s. 5-139.

Bennett, Jeremy: *British Broadcasting and the Danish Resistance Movement, 1940-45.* Cambridge 1966.

Benz, Wigbert: *Paul Carell. Ribbentrops Pressechef Paul Karl Schmidt vor und nach 1945.* Berlin 2005.

Benz, Wolfgang: Dr.med. Sigmund Rascher. Eine Karriere. *Dachauer Hefte,* 4, 1988, s. 190-214.

Benz, Wolfgang: Typologie der Herrschaftsformen in den Gebieten unter deutschen Einfluss. Wolfgang Benz, Johannes Houwink ten Cate, Gerhard Otto (Hg.): *Die Bürokratie der Okkupation. Strukturen der Herrschaft und Verwaltung im besetzten Europa.* Berlin 1998, s. 11-25.

Benz, Wolfgang/Hermann Graml und Hermann Weiss (Hg.): *Enzyklopädie des Nationalsozialismus*. München 1997.
Berenstein, Tatiana: Betragtninger over forløbet af den mislykkede jødedeportation under den tyske besættelse af Danmark. *Rambam. Tidsskrift for jødisk kultur og forskning*, 2, 1993, s. 101-110.
*Beretning om Fragtnævnets Virksomhed 5. september 1939-31, marts 1949*. 1950.
Berglund, Tobias/Niclas Sennertag: *Svenska koncentrationsläger i Tredje Rikets skugga*. Stockholm 2008.
Bergstrøm, V. Rauer: *Hellere hertug i helvede. Henning Brøndum – SS-mand i Rusland og Jugoslavien – besættelsestidens største terrorist i Danmark*. 1977. (Krigens vidner 5).
Bergstrøm, Vilhelm: *Istedgade overgiver sig aldrig*. 1946.
Bergstrøm, Vilhelm: *En borger i Danmark under krigen*. Udg. af John T. Lauridsen. 1-2. 2005.
Bernadotte, Folke: *Sidste Akt*. 1945.
Bertolt, Oluf, Ernst Christiansen og Poul Hansen: *En bygning vi rejser. Den politiske arbejderbevægelse i Danmark*. 3. 1955.
Best, Werner: Grundfragen einer deutschen Grossraum-Verwaltung. *Festgabe für Heinrich Himmler*. Darmstadt 1941, s. 33-60. (a)
Best, Werner: Die deutsche Militärverwaltung in Frankreich. *Reich-Volksordnung-Lebensraum*, 1, 1941, s. 29-76. (b)
Best, Werner: Dr. Best skrev hyldestdigt til faldne danske frihedskæmpere i fængslet. *Gestapo-Fangen* 16:12, 1962, s. 6-7.
Best, Werner: *Den tyske politik i Danmark i de sidste 2 ½ år af besættelsestiden*. 1981.
Best, Werner: *Dänemark in Hitlers Hand*. Hg. von Siegfried Matlok. Husum 1988.
Best, Werner: *Danmark i Hitlers hånd*. Udg. af Siegfried Matlok. 1989.
Best, Werner: *Kalenderoptegnelser 1943-44*. 1-3. 1990.
Best, Werner: [Hidtil ukendte notater skrevet under Bests fængsling i Danmark efter krigen]. [1-3]. *FV. Frihedskampens Veteraner* 120, 1990, s. 72-93.
Best, Werner: [Himmler – som Best så ham]. *FV. Frihedskampens Veteraner*, 122, 1990, s. 17-23.
Best, Werner: [Werner Bests kapitulation]. Forhandlinger i Flensborg 3. 5. 1945 om Danmarks og Norges forsvar. *FV. Frihedskampens Veteraner* 121, 1990, s. 69-70.
Best, Werner: Göring – den primitive. *FV. Frihedskampens Veteraner* 124, 1991, s. 43-45.
Best, Werner: Det tyske forbillede. Reichsminister Graf Schwerin von Krosigk. *FV. Frihedskampens Veteraner* 128, 1992, s. 45-49.
*Besættelsens hvem-hvad-hvor*. Red. af Jørgen Hæstrup, Henning Poulsen, Hjalmer Petersen. 1965. 3. udg. 1979.
*Besættelsestidens illegale blade og bøger 1940-45*. Ved Leo Buschardt, Albert Fabritius og Helge Tønnesen. 1954.
Biehl, Friedrich K.: *Standortältester i Vejle. Erindringer 1939-1945*. 1981.
Biewer, Ludwig: Das Politische Archiv des Auswärtigen Amts. Pläydor für ein Ressortarchiv. *Archivalische Zeitschrift*, 87, 2005, s. 137-164.

Billeschou Christiansen, Søren og Rasmus Hyllested: Fra lykkeridder til landsforræder – Poul Sommer. John T. Lauridsen (red.): *Over stregen – under besættelsen.* 2007, s. 783-796.

Bindsløv Frederiksen, L.: *Pressen under besættelsen. Hovedtræk af den danske dagspresses vilkår og virke i perioden 1940-45.* 1960.

*Biographisches Handbuch des deutschen Auswärtigen Dienstes 1871-1945.* Hg. von Auswärtiges Amt. 1-(3), Paderborn, München, Wien, Zürich 2000-(12). [uafsluttet]

Birkelund, Peter: *De loyale oprørere. Den nationalt-borgerlige modstandsbevægelses opståen og udvikling 1940-45.* 2000.

Birkelund, Peter: *Holger Danske. Sabotage og likvidering 1943-45.* 1-2. 2008. [med sabotage- og likvideringsliste]

Birkelund, Peter og Henrik Dethlefsen: *Faldskærmsfolk.* 1986.

Birn, Ruth Bettina: *Die Höheren SS- und Polizeiführer. Himmlers Vertreter im Reich und in den besetzten Gebieten.* Düsseldorf 1986.

Bjerg, Hans Chr.: *Ligaen. Den danske militære efterretningstjeneste 1940-45. En studie i efterretningsfunktionen som en del af det europæiske modstandsbegreb under 2. verdenskrig.* 1. 1985.

Bjerg Clausen, Torben: *Typer & tryk.* 1985.

Bjerre, Jacob Halvas: *Udsigt til forfølgelse. Udenrigsministeriets viden om forfølgelsen af de europæiske jøder 1938-1945.* Utrykt magisterafhandling, Københavns Universitet 2011.

Bjørneboe, Lars: *Forhandlingerne vedrørende Danmarks tilslutning til Antikominternpagten 25.11.1941.* Utrykt speciale, Københavns Universitet 1965.

Bjørnvad, Anders: *Faldne allierede flyvere 1939-1945.* 1978. 2. udg. 1995.

Bjørnvad, Anders: *Hjemmehæren. Det illegale arbejde på Sjælland og Lolland-Falster 1940-45*, 1988.

Biddiscombe, Perry: *Werwolf? The History of the Nationalist Socialist Guerilla Movement, 1944-1946.* Toronto 1998.

Black, Peter R.: *Ernst Kaltenbrunner: Ideological Soldier of the Third Reich.* Princeton, N. J. 1984.

Bloch, Michael: *Ribbentrop.* New York 1993.

Blodig, Vojtéch: Anmerkungen zu Maurice Rossels Bericht. *Theresienstädter Studien und Dokumente.* 3. Prag 1996, s. 302-320.

Blytgen-Petersen, E.: Det Danske Raad i London. Vilhelm la Cour (red.): *Danmark under Besættelsen.* 3. 1946, s. 539-594.

Blædel, Niels: *Harmoni og enhed. Niels Bohr. En biografi.* 1985.

Bobé, Louis: *Livsdagen lang.* 1947.

Boberach, Heinz (Hg.): *Meldungen aus dem Reich.* München 1968.

Boberach, Heinz: Die schriftliche Überlieferung der Behördern das Deutschen Reiches 1871-1945. Sicherung, Rückführung, Ersatzdokumentation. Heinz Boberach und Hans Booms (Hg.): *Aus der Arbeit des Bundesarchivs.* Boppard am Rhein 1977, s. 50-61.

Boberach, Heinz (Hg.): *Meldungen aus dem Reich. Die geheimen Lageberichte des Sicherheitsdienstes der SS 1938-1945.* 1-17. München 1984.

Bobert, Manfred/Willy Büttner: Zu einigen Aspekten der ökonomischen und politischen Zielsetzungen der Expansionsbestrebungen des faschistischen deutschen Imperialismus gegenüber Dänemark. *Wissenschaftliche Zeitschrift der Ernst-Moritz-Arndt-Universität Greifswald, Gesellschafts- und sprachwissenschaftliche Reihe*, 13:1-2. 1962, s. 89-103.

Boelcke, Willi A. (Hg.): *Deutschlands Rüstung im Zweiten Weltkrieg. Hitlers Konferenzen mit Albert Speer 1942-1945*. Frankfurt am Main 1969.

Boelcke, Willi A.: Die "europäische Wirtschaftspolitik" des Nationalsozialismus. *Historische Mitteilungen*, 5, 1992, s. 194-232.

Boest, Erik: "Rydhave". Dansk politis bevogtning af den tidligere tyske rigsbefuldmægtigede dr. Werner Bests privatbolig i 1943-1944. *Årsskrift. Politihistorisk Selskab* 1997, s. 73-87.

Bohn, Robert: "Ein solches Spiel kennt keine Regeln". Gestapo und Bevölkerung in Norwegen und Dänemark. Gerhard Paul og Klaus-Michael Mallmann (Hg.): *Die Gestapo. Mythos und Realität*. Darmstadt 1995, s. 463-481.

Bohn, Robert (Hg.): *Die deutsche Herrschaft in den "germanischen" Ländern 1940-45*. Stuttgart 1997. (Historische Mitteilungen. Beiheft 26).

Bohn, Robert: *Reichskommissariat Norwegen. "Nationalsozialistische Neuordnung" und Kriegswirtschaft*. München 2000.

Boisen Schmidt, J.: *F.E. Jensen og Danmarks Radio under besættelsen*. 1965.

Bollmus, Reinhard: *Das Amt Rosenberg und seine Gegner. Studien zum Machtkampf im nationalsozialistischen Herrschaftssystem*. Stuttgart 1970. (*Studien zur Zeitgeschichte* 1).

Bonde, Hans: *Niels Bukh. Danmarks store ungdomsfører – en politisk-ideologisk biografi*. 2, 2001.

Bonde, Hans: *Fodbold med fjenden*. 2006.

Bonnesen, Hans: *Hemmelig dansk radiotjeneste under 2. verdenskrig. En beretning om den danske radiokontakt med England og om de øvrige telekommunikationsveje, der illegalt blev skabt under den tyske besættelse af Danmark, 1940-1945*. 1992.

Bonvig Christensen, Arne: *Invasion i Danmark? Danmark i det tyske invasionsforsvar under Den anden Verdenskrig*. 1976.

Borchsenius, Poul: *Bogen om Leif*. 1946.

Bovensiepen, Richard Otto: Die Sabotage- und Militär-Organisation in Dänemark. *FV. Frihedskampens Veteraner*, 83, 1980, s. 15-37.

Bracher, Karl Dietrich: *Die deutsche Diktatur*. Köln 1972.

Bramstedt, Ernest K.: *Goebbels and National Socialist Propaganda 1925-1945*. Michigan 1965.

Brandenborg Jensen, Ole: *Besættelsestidens økonomiske og erhvervsmæssige forhold. Studier i de økonomiske relationer mellem Danmark og Tyskland 1940-1945*. 2005.

Brandenborg Jensen, Ole: Hitlers spisekammer? En kildekritisk undersøgelse af de danske fødevareleverancers betydning for ernæringstilstanden i Tyskland 1940-1945. *Historisk Tidsskrift* 108, 2008, s. 66-105.

Brandt, Børge og Kaj Christiansen: *Sabotage*. 1945.

Brandt, Karl m.fl.: *Management of Agriculture and Food in the German-Occupied and other Areas of Fortress Europe. A Study in Military Government. Germany's Agricultural and Food Policies in World War II.* 2. Stanford, California 1953.

Brather, Hans-Stephan: Aktenvernichtungen durch deutsche Dienststellen beim Zusammenbruch des Faschismus. *Archivmitteilungen*, 8, 1958, s. 115-117.

Browder, George C.: Schellenberg – Eine Geheimdienst-Phantasie. Ronald Smelser, Enrico Syring (Hg.): *Die SS. Elite unter dem Totenkopf. 30 Lebensläufe*. Paderborn 2000, s. 418-430.

Browning, Christopher R.: Unterstatssekretär Martin Luther and the Ribbentrop Foreign Office. *Journal of Contempory History*, 12, 1977, s. 313-344.

Browning, Christopher R.: *The Final Solution and the German Foreign Office. A Study of Referat D III of Abteilung Deutschland 1940-43*. New York, London 1978. (tysk udg. 2010).

Brunbech, Peter: Politiske og videnskabelige mål – bagom stiftelsen af Udgiverselskabet for Danmarks Nyeste Historie (DNH). *Den jyske Historiker*, 97, 2002, s. 160-185.

Brustin-Berenstein, Tatiana: The historiographic Treatment of the abortive Attempt to deport the Danish Jews. *Yad Vashem Studies*, 17, Jerusalem 1986, s. 181-218.

Bryld, Claus: Historieskrivningen om besættelsestiden – en polemik. *Historievidenskab*, 18-19, 1980, s. 157-178.

Bryld, Claus: Besættelseshistorien – på vej mod tomhed eller nyt paradigme? *Den jyske Historiker* 75-76, 1997, s. 133-153.

Bryld, Claus: *Kampen om historien. Brug og misbrug af historien siden Murens fald.* 2001.

Brøndsted, J. og K. Gedde (red.): *Danmark under den anden Verdenskrig.* 1-3, 1946-47.

Buchheim, Christoph: Die besetzten Länder im Dienste der deutschen Kriegswirtschaft während des zweiten Weltkriegs. *Vierteljahrshefte für Zeitgeschichte*, 34, 1986, s. 117-145.

Buggeln, M.: Währungspläne für den europäischen Grossraum, *Europäische Integration: Deutsche Hegemonialpolitik gegenüber Westeuropa 1920-1960.* Göttingen 2002, s. 41-76. (Beiträge zur Geschichte des Nationalsozialismus 18).

Bundgård Christensen, Claus: *Den sorte børs – fra besættelsen til efterkrigstid.* 2003.

Bundgård Christensen, Claus, Niels Bo Poulsen og Peter Scharff Smith: *Dansk arbejde – tyske befæstningsanlæg.* 1997.

Bundgård Christensen, Claus, Niels Bo Poulsen og Peter Scharff Smith: *Under hagekors og Dannebrog. Danskere i Waffen SS 1940-45.* 1998.

Bundgård Christensen, Claus, Joachim Lund, Niels Wium Olesen og Jakob Sørensen: *Danmark besat. Krig og hverdag 1940-45.* 2005.

Buschardt, Leo, Albert Fabritius og Helge Tønnesen: *Besættelsestidens illegale blade og bøger 1940-45.* 1954.

Buschardt, Leo og Helge Tønnesen: Falske illegale tryk under besættelsen. *Fund og Forskning*, 12, 1965, s. 143-154.

Bøgh, Frank: *Peter-Gruppen. Tysk terror i Danmark.* 2004.

Bøgh, Frank: *Terror i Tobberup. Togattentaterne i Østjylland.* 2004. (a)

Bøgh, Frank: *De dødsdømte. Henrettelsen af 46 danskere efter besættelsen.* 2005.

Bøgh, Frank: *Krigeren. K.B. Martinsen, officer og landsforræder*. 2005. 2. udg. 2006. (a)
Baagøe, K. og E. Ebstrup (red.): *Kolding under Besættelsen 9. April 1940-5. Maj 1945*. 1946.

Carlgren, Wilhelm M.: *Svensk utrikespolitik 1939-1945*. Stockholm 1973.
Carlyle, Margaret (ed.): *Documents on International Affairs 1939-1946*. 2. London, New York, Toronto 1954.
Casper, Wilhelm: *Wir Menschen sind eine Familie. Erinnerungen und Gedanken*. Husum 1994.
Cassidy, David C.: *Uncertainty. The Life and Science of Werner Heisenberg*. New York 1992.
Cesarani, David: *Eichmann – hans liv og forbrydelser*. 2004.
Child, Clifton J.: The political Structure of Hitlers Europe. Arnold and Veronica Toynbee (eds.): *Hitler's Europe*. London, New York, Toronto 1954, s. 11-153.
Chilston, Viscount: The occupied Countries in Western Europe. Arnold and Veronica Toynbee (eds.): *Hitler's Europe*. London, New York, Toronto 1954, s. 475-548.
Christensen, Lars Bjarke: Glem ikke at lytte igen kl. 21! Sabotagen mod Storebæltsfærgerne i november 1943. *Tog i tiden 2009*. Årsskrift for Danmarks Jernbanemuseum 2009, s. 4-13.
Christensen, Poul: *Af en illegals erindringer*. Udg. af Hans Kirchhoff. 1976.
Christiansen, Asger: Tyske krigslokomotiver fra Århus – 1. del. og 2. del. *Jernbanen* 1998, nr. 3, s. 15-18 og nr. 4, s. 26-31.
Christiansen, Ernst: Radioen i krigens og besættelsens tid. Ernst Christiansen, Knud Rée og J. Rosenkjær (red.): *Statsradiofonien 1925-1950*. 1950, s. 163-293.
Christiansen, Ernst og Peder Nørgaard: *Hvad skete med Radioen under Krigen*. 1945.
Christiansen, Karl O.: *Landssvigerkriminaliteten i sociologisk belysning*. 1955.
Collins, Donald E. and Herbert P. Rothfeder: The Einsatzstab Reichsleiter Rosenberg and the Looting of Jewish and Masonic Libraries during World War II. *Journal of Library History*, 18:1, 1983, s. 21-36.
Conrad, Rud: Den sociale Forsorg. *Københavns Kommune 1940-1955*. Udg. af Københavns Kommunalbestyrelse. 1947, s. 250-275.
Conze, Eckart/Norbert Frei, Peter Hayes, Moshe Zimmermann: *Das Amt und die Vergangenheit. Deutsche Diplomaten im Dritten Reich und in der Bunderepublik*. München 2010.
Corni, Gustavo und Horst Gies: *Brot – Butter – Kanonen. Die Ernährungswirtschaft in Deutschland unter der Diktatur Hitlers*. Berlin 1997.
Conway, Martin: *Collaboration in Belgium. Léon Degrelle and the Rexist Movement, 1940-1944*. New Haven, London 1993.

Dabel, Gerhard: *KLV. Die erweiterte Kinder-Land-Verschickung. KLV-Lager 1940-1945*. Freiburg 1981.
*Daglige Beretninger om Begivenheder under den tyske Besættelse* (Fra Januar 1944 til Maj 1945). 1946.
Dahl, Hans Fredrik: *Vidkun Quisling. En fører for fall*. Oslo 1992.

*Danica i Rusland. Kilder til Danmarks historie efter 1917 i russiske arkiver: Resultater af et forskningsprojekt.* 1994.

Danielsen, Niels-Birger og Suzanne Wowern Rasmussen: *Gestapochefen – Karl Heinz Hoffmann – den kultiverede nazist.* 2011.

*Dansk biografisk leksikon.* 1-16. Red. af Sv. Cedergreen Bech. 1979-84.

*Dansk Kvindebiografisk Leksikon.* 1-3. Red. af Jytte Larsen. 2000-01.

*Dansk skønlitterært forfatterleksikon 1900-1950.* 1-3. Red. af Svend Dahl m.fl. 1959-64.

Dansk Dampskibsrederiforening (udg.): *Skibsfartsberetning for Aarene 1939-1945.* 1947.

Dansk Dampskibsrederiforening (udg.): *Skibsfartsberetning for Aarene 1939-1945.* II. 1950.

*De SS en Nederland. Documenten uit SS-Archieven 1935-1945.* Uitg. door N.K.C.A. in T'Veld. 1-2. s'Gravenhage 1976.

*Den alm. Danske Lægeforenings Forhandlinger ang. Lægehjælp til tyske Civilflygtninge.* 1945.

Den Parlamentariske Kommissions Betænkning = *Betænkning til Folketinget afgivet af den af Tinget under 15. Juni 1945 nedsatte Kommission i henhold til Grundlovens § 45.* I-XV, registre og 23 bind bilag. 1945-58.

*Der Dienstkalender Heinrich Himmlers 1941/42.* Von Peter Witte u.a., Hamburg 1999.

*Det stod ikke i Avisen.* 1945.

Dethlefsen, Henrik: Mellem attentisme og aktivisme. Synspunkter på den politiske kollaboration 1939-43. *Historisk Tidsskrift*, 89, 1989, s. 78-125.

Dethlefsen, Henrik: Denmark and the German Occupation: Cooperation, Negotiation or Collaboration? *Scandinavian Journal of History*, 15, 1990, s. 193-206.

Dethlefsen, Henrik: *De illegale Sverigesruter 1943-45. Studier i den maritime modstands historie*, 1993.

Dethlefsen, Henrik: Samarbejdets problem – begreber, metoder og perspektiver. Knud J.V. Jespersen og Thomas Pedersen (red.): *Besættelsen i perspektiv. Bidrag til konference om besættelsestiden 1940-1945.* 1995, s. 57-71.

Dethlefsen, Henrik: Denmark. The Diplomatic Solution. Wolfgang Benz m.fl. (Hg.): *Nationalsozialistische Besatzungspolitik in Europa 1939-1945.* 1. *Anpassung, Kollaboration, Widerstand. Kollektive Reaktionen auf die Okkupation.* Berlin 1996, s. 25-41.

Dethlefsen, Henrik: Arven fra Hæstrup. Henrik Dethlefsen og Henrik Lundbak (red.): *Fra mellemkrigstid til efterkrigstid. Festskrift til Hans Kirchhoff og Henrik S. Nissen på 65-årsdagen oktober 1998.* 1998, s. 333-357.

Dinnesen, Niels Jørgen og Edvin Kau: *Filmen i Danmark.* 1983.

Dlugoborski, Wackaw: Economic Policy of the Third Reich in occupied and dependent Countries 1938-1945. An attempt at a typology. *Studia Historiæ Oeconomicæ*, 15, 1980, s. 179-212.

Dlugoborski, Wackaw: Faschismus, Besatzung und sozialer Wandel. Fragestellung und Typologie. Wackaw Dlugoborski (Hg.): *Zweiter Weltkrieg und sozialer Wandel.* Göttingen 1981, s. 11-61.

Dorries, Reinhard R.: *Hitlers last Chief of Foreign Intelligence. Allied Interrogations of Walter Schellenberg.* London, Portland 2003.

Drostrup, Ole: *Den hæmmede kriger. Et portræt af general von Hanneken.* 1997.
Duschek, Hans Erik: *Signal. Et eksempel på tysk militærpropaganda under 2. verdenskrig.* Utrykt speciale, Odense Universitet 1976.
Dönitz, Karl: *Zehn Jahre und zwanzig Tage.* Bonn 1958.
Duckwitz, Georg Ferdinand: Bag det tyske gesandtskabs kulisser. *Jødisk Samfund*, 23:10, 1949, s. 12-17.
Duckwitz, Georg Ferdinand: Erindringer om et hus i Lyngby. *Lyngby-bogen* 1966, s. 3-9.
Duckwitz, Georg Ferdinand: Hamborgs kapitulation – Dens historie og følger. Tage Revsgård Andersen (udg.): *En studie i rødt, hvidt og blåt.* 1981, s. 110-118.
Dyrberg, Gunnar: *Kom, maj …* 1989.
Döscher, Hans-Jürgen: *Das Auswärtige Amt im Dritten Reich. Diplomatie im Schatten der "Endlösung".* Berlin 1987. (ny udg. 1991)
Döscher, Hans-Jürgen: Martin Luther – Aufstieg und Fall eines Unterstaatssekretärs. Ronald Smelser, Enrico Syring, Rainer Zitelmann (Hg.): *Die braune Elite.* 2. Darmstadt 1993, s. 179-92.
Döscher, Hans-Jürgen: *Seilschaften. Die verdrängte Vergangenheit des Auswärtigen Amtes.* Berlin 2005.
Døssing, Peter: Landbruget. Aage Friis (red.): *Danmark under Verdenskrig og Besættelse.* 5. Danmarks økonomiske Forhold 1939-1945. 1948, s. 100-143.

Eckert, Astrid M.: *Kampf um die Akten. Die Westalliierten und die Rückgabe von deutschen Archivgut nach dem Zweiten Weltkrieg.* Stuttgart 2004.
Eckert, Rainer: Gestapo-Berichte. Abbildungen der Realität oder reine Spekulation? Gerhard Paul, Klaus-Michael Mallmann (Hg.): *Die Gestapo im Zweiten Weltkrieg.* Darmstadt 2000, s. 200-215.
Edelberg, Peter: Andy og Grethe. John T. Lauridsen (red.): *Over stregen – under besættelsen.* 2007, s. 41-52.
Eichholtz, Dietrich: *Geschichte der deutschen Kriegswirtschaft 1939-1945.* 1-3. Berlin 1969-1996.
Eichholtz, Dietrich: Expansionsrichtung Nordeuropa. Der "Europäische Grosswirtschaftsraum" und die nordischen Länder nach dem faschistischen Überfall auf die UdSS. *Zeitschrift für Geschichtswissenschaft*, 27:1, Berlin 1979, 17-31.
Eichholtz, Dietrich: Institutionen und Praxis der deutschen Wirtschaftspolitik im NS-besetzten Europa. Johannes Houwink ten Cate, Gerhard Otto, Richard J. Overy (Hg.): *Die "Neuordnung" Europas. NS-Wirtschaftspolitik in den besetzten Gebieten.* Berlin 1997, s. 29-62.
Eichholtz, Dietrich: Die "Neuordnung" des europäischen "Grosswirtschaftsraumes". Deutsche Pläne und Realität. Joachim Lund (ed.): *Working for the New Order. European Business under German Domination, 1939-1945.* 2006, s. 13-28.
Eilstrup, Per og Lars Lindeberg (red.): *De så det ske under besættelsen.* 1-2. 1969.
Eisenhower, Dwight D.: *Korstog i Europa.* 1948.
Emkjær, Stefan: *Stikkerdrab. Modstandsbevægelsens likvidering af danskere under besættelsen.* 2000.

Engberg, Terkel: Hvor ved vi det fra? *Besættelsens hvem-hvad-hvor*. Red. af Jørgen Hæstrup, Henning Poulsen, Hjalmar Petersen. 1965, s. 380-384.
Engberg, Terkel og Hans Kirchhoff: Hvor ved vi det fra? *Besættelsens hvem-hvad-hvor*. Red. af Jørgen Hæstrup, Hans Kirchhoff, Henning Poulsen, Hjalmar Petersen. 3. udg., 1979, s. 256-265.
Engelbrecht, Michael: Anm. af "Dänemark in Hitlers Hand". *Skandinavistik* , 2/1989, s. 157-160.
*Europa unter Hakenkreuz*. 7: Die Okkupationspolitik des deutschen Faschismus in Dänemark und Norwegen (1940-1945). Von Fritz Petrick. Berlin, Heidelberg 1992.
Evald, Jens: "Smag af nazistisk jern" – juristen C. Popp-Madsen. John T. Lauridsen (red.): *Over stregen – under besættelsen*. 2007, s. 707-729.
*Expansionsrichtung Nordeuropa. Dokumente zur Nordeuropaåplitik des faschistischen deutschen Imperialismus 1939 bis 1935*. Hg. von Manfred Menger, Fritz Petrick, Wolfgang Wilhelmus unter Mitarbeit von Reinhard Abraham. Berlin 1987.

*Faldne i Danmarks frihedskamp*. Red. af Ib Damgaard Petersen. 1970. 2. udg. 1990.
Favez, Jean-Claude: *Warum schwieg das Rote Kreuz? Eine internationale Organisation und das Dritte Reich*. München 1994.
Favez, Jean-Claude: *The Red Cross and the Holocaust*. Cambridge 1999.
Fehr, Hubert: Die archäologische Westforschung und das Problem der germanischen Besiedlung Galliens. Mathias Middell, Ulrike Sommer (Hg.): *Historische West- und Ostforschung in Zentraleuropa zwischen dem Ersten und dem Zweiten Weltkrieg – Verflechtung und Vergleich*. Leipzig 2004, s. 29-53.
Fehr, Hubert: The "Germanic Heritage" of Northern Gaul: German Early Medieval History in Occupied France and Belgium. Jean-Pierre Legrendre, Laurent Olivier et Bernadette Schnitzler (dir.): *L'archéologoe nazie en Europe de l'Ouest*. Lavis 2007, s. 325-335.
Fink, Troels: *Sønderjylland siden Genforeningen i 1920*. 1955.
Fischer-Jørgensen, Eli og Jens Ege: *Interneringskartoteket. Om Carsten Høeg og hans gruppe under besættelsen*. 2005.
Fisker, Ernst: Sabotagen paa Højdepunktet. G. Andrésen (red.): *Aarhus under Besættelsen*. 1945, s. 278-289. [med sabotageliste]
*Flygtninge i Danmark 1945-1949*. Udg. af Flygtningeadministrationen. 1950.
Fog, Mogens: *Efterskrift 1904-1945*. 1976.
*Fortegnelse over fotografier fra Auswärtiges Amt, SS-kontorer m.v.* Udg. af Rigsarkivet. 1965.
*Förhandlingarna 1945 om svensk intervention i Norge och Danmark*. Aktstycken utgivna av kungl. Utrikesdepartementet. Ny serie II:11. Stockholm 1957.
Frederichsen, Frederik: 2. Verdenskrigs standardskibe. Det tyske Hansaprogram. *Maritim Kontakt*, 7, 1984, s. 121-138.
Frederichsen, Kim: Lamont Library: En guldgrube af russisk Danica i Boston. *Arbejderhistorie* 2011:3, s. 100-105.
Freund, Wolfgang: NS-Volksforschung im Nibelungenland. Gerold Bönnen und Volker Gallé (Hg.): *Die Nibelungen in Burgund*. Worms 2001, s. 138-159.

Friberg, Göte: *Stormcentrum Öresund. Krigsåren 1940-45*. Stockholm 1977.
Friediger, M.: *Theresienstadt*. 1946.
Friedman, Philip: The Fate of the Jewish Book during the Nazi Era. *Jewish Book Annual*, 13, 1957-58, s. 3-13.
Frisch, Hartvig: *Danmark Besat og Befriet*. 3. 1948.
*"Føreren har ordet!" Frits Clausen om sig selv og DNSAP*. Udg. af John T. Lauridsen. 2003.
*Frit Danmarks Hvidbog*. Red. af Peter P. Rohde. 1-2. 1945-46.

Gad, Lone og Kate Winther Christiansen: *Udenrigsministeriets Pressebureaus administration af dagbladscensuren 9. April 1940 til 29. August 1943*. Utrykt speciale, Københavns Universitet 1997.
Gad, Lone og Kate Winther Christiansen: Udenrigsministeriets Pressebureaus administration af dagbladscensuren 9. April 1940 til 29. August 1943. *Grafiana* 1999, s. 43-64.
Gad, Povl Heiberg: Emdrupborg. Nazistisk og dansk arkitektur. *Architectura*, 30, 2008, s. 123-152.
*Gads hvem var hvem 1940-45*. Red. af Hans Kirchhoff, John T. Lauridsen og Aage Trommer. 2005.
*Gads leksikon om dansk besættelsestid 1940-1945*. Red. af Hans Kirchhoff, John T. Lauridsen og Aage Trommer. 2002.
Gammelgaard, Arne: *På Hitlers befaling. Tyske flygtninge i Danmark 1945-1949*. 2005.
Geller, Jay Howard: The Role of Military Administration in German-occupied Belgium, 1940-1944. *The Journal of Military History*, 63, 1999, s. 99-125.
Gemzell, Carl-Axel: *Räeder, Hitler und Skandinavien. Der Kampf für einen maritimen Operationsplan*. Lund 1965.
*Geodætisk Institut 1928-1978*. 1979.
Gersfeldt, Jørgen: *Saadan narrede vi Gestapo*. 1945.
Gertsen, Frants: *"Åh, det var så lidt". Erindringer fra besættelsestiden og modstandskampen i Esbjerg*. 1995. (Skriftrække B. Esbjerg Byhistoriske Arkiv 10).
Giltner, Philip: Feeding the Enemy: The Danish-German Maltese Trade Agreement of 9 October 1939. *International History Review*, 19:2, 1997, s. 333-346.
Giltner, Philip: *"In the Friendliest Manner". German-Danish Economic Cooperation during the Nazi Occupation of 1940-45*. New York 1998._(Studies in modern European history 27).
Giltner, Philip: The Success of Collaboration: Denmark's Self-Assessment of its Economic Position after five Years of Nazi Occupation. *Journal of Contemporary History*, 36:3, 2001, s. 485-506.
Goebbels, Joseph: *Goebbels Dagbøger*. Med noter af Louis P. Lochner. 1948. (tysk og engelsk udg. samme år).
Goebbels, Joseph: *Die Tagebücher von Joseph Goebbels*. Teil II:6-13. Hg. von Elke Fröhlich. München 1996ff.
Götz, Aly: *Hitlers Volksstaat. Raub, Rassenkrieg und nationaler Sozialismus*. Erweiterte Ausgabe, Nördlingen 2006.
Goldensohn, Leon: *Nürnberginterviewene*. Red. af Robert Gellately. 2004.

Graae, Poul: *Hundrede år på havene. Det Forenede Dampskibs-Selskab 1866-1966.* 1966.
Greiner, Helmuth, og Percy Ernst Schramm: *Kriegstagebuch des Oberkommandos der Wehrmacht. (Wehrmachtführungsstab).* 4:1. 1961.
Greiner, Helmuth, og Percy Ernst Schramm: *Kriegstagebuch des Oberkommandos der Wehrmacht. (Wehrmachtführungsstab).* 2:1. 1963.
Greiner, Helmuth, og Percy Ernst Schramm: *Kriegstagebuch des Oberkommandos der Wehrmacht. (Wehrmachtführungsstab).* 3:2. 1963.
Grimnes, Ole Kristian: Sabotasjen i norsk og dansk motstandsbevegelse. *Studier i norsk samtidshistorie.* Oslo 1972, s. 9-36,157-163.
Grimnes, Ole Kristian: Ny okkupasjonslitteratur og nye synspunkter på okkupasjonstiden. *Nytt lys på okkupasjonshistorien.* Oslo 1991, s. 45-54.
Gruchmann, Lothar: "Nacht- und Nebel"-Justiz 1942-1944. Die Mitwirkung deutscher Strafgerichte an der Bekämpfung des Widerstandes in den besetzten westeuropäischen Ländern. *Vierteljahrshefte für Zeitgeschichte,* 29, 1981, s. 342-396.
Grunz, Martin E.O.: Den totalitære fristelse – socialdemokraters veje ind i nationalsocialismen. *Arbejderhistorie* 2-3, 2004, s. 21-43.
Grunz, Martin E.O.: Åndeligt hjemløs – Børge Jacobsen fra socialist til nazist. John T. Lauridsen (red.): *Over stregen – under besættelsen.* 2007, s. 378-393.
Grünbaum, Isi: *Da mit hår blev grønt.* 1988.
*Guide to German records microfilmed at Alexandria,* Va. Publ. by the American Historical Association, Committee for the Study of War Document. 1-94. Washington 1958-93.

Haaest, Erik: *Forrædere. Frikorps Danmark-folk fortæller.* 3. 1975.
Haaest, Erik: *Frikorpsfolk.* Frikorps Danmark på Østfronten: fortalt af dem der var med. 1995.
Hachmeister, Lutz: *Der Gegnerforscher. Die Karriere des Führers Franz Alfred Six.* München 1998.
Halder, Franz: *Kriegstagebuch. Tägliche Aufzeichnungen des Chefs des Generalstabes des Heeres 1939-1942.* 1. Berb. Hans-Adolf Jacobsen/Alfred Philippi. Stuttgart 1962.
Hammerich, L.L.: *Duo.* 1973.
Hanneken, Herman von: Dagbogsnotater 12.-26. oktober 1942 og 21. august-5. oktober 1943 [på tysk]. Ole Drostrup: *Den hæmmede kriger. Et portræt af general von Hanneken.* 1997, s. 332-339.
Hansen, Jørn: *Svitzer-aktionen i 1945. Evakueringen af de danske bjergnings- og bugserbåde til Sverige under sidste fase af den tyske besættelse af Danmark.* 2000.
Hansen, Peer H.: *Da yankee'erne kom til Danmark. Fra Verdenskrig til Kold krig – den amerikanske efterretningstjeneste og Danmark 1943-1946.* 2007.
Hansen, Per H.: Dansk økonomi under besættelsen: Ved vi nok? *Den jyske Historiker,* 73, 1996, s. 33-54.
Hansen, Per H.: The Danish Economy during War and Occupation. Richard J. Overy et al. (Hg.): *Nationalsozialistische Besatzungspolitik in Europa 1939-1945.* 3: Die "Neuordnung" Europas. NS-Wirtschaftspolitik in den besetzten Gebieten. Berlin 1997, s. 63-81.

Hansen, Per H.: Business as Usual? The Danish Economy and Business during the German Occupation. Harald James, Jakob Tanner (eds.): *Enterprise in the Period of Fascism in Europe*. Cornwall 2002, s. 115-143.
Hansen, Poul: *Kampen om Amalienborg 19. September 1944*. 1945. (a)
Hansen, Søren: *Træk fra Odense under den tyske Besættelse*. 1945. (b)
Hansen, Reimer: *Das Ende des Dritten Reiches. Die deutsche Kapitulation 1945*. Stuttgart 1966.
Hansen, Salomon: *Jydske Sabotører. Willy Samsing Gruppen*. 1946.
Harhoff, Christian: Skibsfarten. Vilhelm la Cour (red.): *Danmark under Besættelsen*. 3. 1946, s. 299-326.
Harsløf, Olav: *Mondegruppen. Kampen om kunsten og socialismen i Danmark 1928-1932*. 1997.
Hartz, A.: *– og saaledes maatte det gaa*. 1945.
Hassel, Ulrich von: *Vom anderen Deutschland*. Zürich 1946.
Hassel, Ulrich von: *Det andet Tyskland*. 1947.
Hassel, Ulrich von: *Die Hassel-Tagebücher 1938-1944. Aufzeichnungen vom Andern Deutschland*. Hg. von Friedrich Freiherr Hiller von Gaertringen. Berlin 1988.
Hauerbach, Sven: *5. Kolonne. Aarhus-sabotørernes modige Indsats*. 1945. [med sabotageliste]
Hausmann, Frank Rutger: *"Auch im Krieg schweigen die Musen nicht". Die Deutschen Wissenschaftlichen Institute im Zweiten Weltkrieg*. Göttingen 2001.
Havning, Thomas: Træk af Emdrupborgs historie. Ernst Larsen (red.): *Danmarks Lærerhøjskole 1856-1956*, 1956, s. 75-85.
Havrehed, Henrik: *De tyske flygtninge i Danmark 1945-1949*. 1987. (tysk udg. 1989)
Hedegaard, Ole A.: Bovensiepen-rapporten. *FV-bladet*, september 1989, s. 107-121.
Heiber, Helmut (Hg.): *Hitlers Lagebesprechungen. Die Protokollfragmente seiner militärischen Konferenzen*. Stuttgart 1962.
Heiber, Helmut (Hg.): *Reichsführer! Briefe an und von Himmler*. München 1968.
Heiber, Helmut: Einleitung, i *Akten der Partei-Kanzlei der NSDAP. Rekonstruktion eines verlorengegangenen Bestandes. Regesten*. 1. München, Wien 1983. Bearbeitet von Helmut Heiber, s. VII-XXV.
Heider, Angelika: Mücken – Fliegen –Flöhe. Das Entomologische Institut des SS-"Ahnenerbe" in Dachau. *Dachaur Hefte*, 15, 1999, s. 99-115.
Hejgaard, David: *I det lange løb*. 2. En kommunists erindringer fra besættelsestidens Danmark. 1981.
Helk, Vello: Dansk ministerbesøg i Baltikum 1942. *Annales Societatis Litterarum Estonicae in Svecia* 1985-87, s. 143-162.
Helweg-Larsen, Flemming: *Dødsdømt. Flemming Helweg-Larsens beretning*. Udg. af Henrik Skov Kristensen og Ditlev Tamm. 2008.
Hendriksen, Knud: *Våben i klitterne*. 1983.
Hendriksen, Knud: *Operation Safari. 29. august 1943*. 1993.
Henningsen, Sven: *Esbjerg under den anden verdenskrig*. 1955.
Herbert, Ulrich: Die deutsche Besatzungspolitik in Dänemark im 2. Weltkrieg und die Rettung der dänischen Juden. *Tel Aviver Jahrbuch für deutsche Geschichte*, 23, Gerlingen 1994, s. 93-114.

Herbert, Ulrich: Die deutsche Militärverwaltung in Paris und die Deportation der französischen Juden. Christian Jansen, Luzt Niethammer und Bernd Weisbrod (Hg.): *Von der Aufgabe der Freiheit. Politische Verantwortung und bürgerliche Gesellschaft im 19. und 20. Jahrhundert*. Berlin 1995, s. 427-450.

Herbert, Ulrich: *Best. Biographische Studien über Radikalismus, Weltanschauung und Vernunft, 1903-1989*. Bonn 1996.

Herschend, Peder: *Fra min Silkeborgtid*. 1980.

Heuer, Gerd F.: *Die Generalobersten des Heeres Inhaber deutscher Kommandostellen 1933-1945*. [Rastatt 1997] (Dokumentationen zur Geschichte der Kriege 1910-1945).

Hilberg, Raul: *The Destruction of the European Jews*. 1-3. 2. Rev. and def. Ed. New York, London 1985.

Hillgruber, Andreas: *Der Krieg in Finnland, Norwegen und Dänemark vom 1. Januar-31. März 1944*. Frankfurt am Main 1969.

Hinze, Rolf: *Das Verhältnis Deutschland-Dänemark während des zweiten Weltkrieges. Eine völkerrechtliche Untersuchung*. Göttingen 1955.

Hirschfeld, Gerhard: *Fremdherrschaft und Kollaboration. Die Niederlande unter deutscher Besatzung 1940-1945*. Stuttgart 1984.

Hjorth, Niels, Flemming og Jørgen Kieler: Sabotagen mod Varde Stålværk. *Vestjyder fortæller*. 1992, s. 59-63.

Hjorth Jensen, Søren og Henrik Mogensen: Samarbejdsproblemer på Korsør havn under besættelsen. En analyse af Brosagen i Korsør november 1942-marts 1943. *Maritim kontakt,* 13, 1989, s. 103-119.

Hjorth Rasmussen, Alan: *Det er nødvendigt at sejle ... Nordsøfiskeriet under 2. verdenskrig*. 1980.

Hjorth Rasmussen, Alan: *Tand for tunge... Modstandskamp i Gundsø. SIS – Secret Intelligence Service i Danmark 1941-45*. 1998.

Höhne, Heinz: *Der Orden unter dem Totenkopf. Die Geschichte der SS*. Hamburg 1967.

Hoeck, Ejnar: Politiet under Besættelsen. G. Andrésen (red.): *Aarhus under Besættelsen*. 1945, s. 114-142.

Hoff, Troels: De tyske Instanser og Politiet. Vilhelm la Cour (red.): *Danmark under Besættelsen*. 1. 1946, s. 675-738.

Hoffmann, Karl Heinz, Otto Mayr-Arnold: *Okänd Armé. De europeiska motstandsrörelsernas historia*. Stockholm 1959.

Holmgaard, J. B.: *Sket i livet*. 1990.

Homze, Edward L: *Foreign Labor in Nazi Germany*. Princeton 1967.

Hopp, Peter: Anm. af "Dänemark in Hitlers Hand". *Zeitschrift der Gesellschaft für Schleswig-Holsteinische Geschichte*, 115, 1990, s. 330-336. (a)

Hopp, Peter: "Dänemark in Hitlers Hand". Ein später Bucherfolg des "Reichsbevollmächtigten" Werner Best. *Grenzfriedenshefte* 1990, s. 189-209. (b)

Hornemann, Jacob (udg.): *Bornholm mellem øst og vest*. 2006.

Horskjær, Jan: *Silkeborg 1940-45 – besat og befriet*. 1984.

Houmann, Børge (udg.): *Det illegale Land og Folk*, 2-3, 1980.

Houmann, Børge: *Martin Andersen Nexø og hans samtid 1919-1934*. 1982.

Houmann, Børge: *Martin Andersen Nexø og hans samtid*. 3. 1933-1954. 1988.

Houmann, Børge: *Kommunist under besættelsen*. 1990.
Houwink ten Cate, Johannes/Gerhard Otto/Richard J. Overy (Hg.): *Die "Neuordnung" Europas. NS-Wirtschaftspolitik in den besetzten Gebieten*. Berlin 1997.
Houwink ten Cate, Johannes/Gerhard Otto (Hg.): *Das organisierte Chaos. "Ämterdarwinismus" und "Gesinnungsethik". Determinanten nationalsozialistischer Besatzungspolitik in Europa 1939-1945*. Berlin 1999.
Hubatsch, Walther (Hg.): *"Weserübung". Die deutsche Besetzung von Dänemark und Norwegen 1940*. 2. Aufl. Göttingen 1960.
Hubatsch, Walther (Hg.): *Hitlers Weisungen für die Kriegsführung 1939-1945. Dokumente des Oberkommandos der Wehrmacht*. München 1962.
Hurwitz, Stephan: Var Danmark i Krig? *Tidsskrift for udenrigspolitik*, 11, 1945, s. 209-220. Også trykt i *Nordisk Tidsskrift for International Ret*, 16, 1946, s. 140-151.
Hvidtfeldt, Johan: Kilderne til Besættelsestidens Historie. *Fortid og Nutid*, 16, 1945-46, s. 229-244.
Hvidtfeldt, Johan: Redegørelse vedrørende det tyske mindretal under besættelsen. PKB, 14, 1953, s. 9-199.
Hvidtfeldt, Johan: Heinrich Himmler og mindesmærkerne ved Dannevirke. *Sønderjyske Årbøger* 1964, s. 467-476.
Hvidtfeldt, Johan: *Fra kapitulationsdagene 1945. Dönitz, Lindemann og Best. Wehrmachtbefehlhaber Dänemark. Kriegstagebuch 20. april-26. maj 1945*. 1985.
Hüttenberg, Peter: Nationalsozialistische Polykratie. *Geschichte und Gesellschaft*, Sonderheft 2, 1976, s. 417-442.
Hæstrup, Jørgen: *Kontakt med England 1940-43*. 1954.
Hæstrup, Jørgen: "Linz" – en sabotageepisode. Johan Hvidtfeldt og Harald Jørgensen (red.): *Afhandlinger tilegnede arkivmanden og historikeren rigsarkivar, dr.phil. Axel Linvald*. 1956, s. 155-167.
Hæstrup, Jørgen: *Hemmelig alliance. Hovedtræk af den danske modstandsorganisations udvikling 1943-45*. 1-2. 1959.
Hæstrup, Jørgen: *... til landets bedste. Hovedtræk af departementschefstyrets virke 1943-45*. 1-2. 1966-71.
Hæstrup, Jørgen: *Krig og besættelse. Odense 1940-45*. 1979.
Hæstrup, Jørgen: Jøderne og den tyske besættelse. Harald Jørgensen (red.): *Indenfor murene. Jødisk liv i Danmark 1684-1984*. 1984, s. 315-348.
Hæstrup, Jørgen: The Danish Jews and the German Occupation. Leo Goldberger (ed.): *The Rescue of the Danish Jews*. New York and London 1987, s. 13-53. (første gang trykt i *Indenfor murene*. 1984).
Hæstrup, Jørgen: The Historiography of the Holocaust and Rescue Efforts in Denmark and Norway. Yisrael Gutmann/Gideon Greif (Eds.): *The Historiography of the Holocaust Period*. Jerusalem 1988, s. 535-544.
Høeg, Carsten: Gestapo og dets danske Hjælpere. Peter P. Rohde (red.): *Frit Danmarks Hvidbog*, 2, 1945-46, s. 48-95.
Høgh-Sørensen, Erik: *Dansk dødspatrulje. En bog om SS-officer Søren Kam*. 1998.
Høgh-Sørensen, Erik: *Forbrydere uden straf. Nazisterne der slap fri*. 2004.
Höhne, Heinz: *Der Orden unter dem Totenkopf. Die Geschichte der SS*. Gütersloh 1967.

Højbjerg Christensen, A.C.: Skolen. Aage Friis (red.): *Danmark under Verdenskrig og Besættelse*. 4. 1946, s. 9-100.

Haarløv, Viggo (red.): *Signal. Nazisternes propaganda-billedblad i Danmark under anden verdenskrig*. 1979.

IMT = *Prozess gegen die Hauptkriegsverbrecher vor dem Internationalen Militärgerichtshof Nürnberg, 14.11.1945 bis 1.10.1946*. 1-42. Nürnberg 1947-49.

In 'T Veld, Nanno: Höhere SS- und Polizeiführer und Volkstumspolitik: ein Vergleich zwischen Belgien und den Niederlanden. Wolfgang Benz, Johannes Houwink ten Cate, Gerhard Otto (Hg.): *Die Bürokratie der Okkupation. Strukturen der Herrschaft und Verwaltung im besetzten Europa*. Berlin 1998, s. 121-138.

Jacobsen, Kurt: *Aksel Larsen. En biografi*. 1993.

Jäckel, Eberhard: *Frankreich in Hitlers Europa. Die deutsche Frankreichpolitik im Zweiten Weltkrieg*. Stuttgart 1966.

Jakubowski-Tiessen, Manfred: Kulturpolitik im besetzten Land. Das Deutsche Wissenschaftliche Institut in Kopenhagen 1941 bis 1945. *Zeitschrift für Geschichtswissenschaft*, 42, 1994, s. 129-138.

Jakubowski-Tiessen, Manfred: Kulturpoltik i det besatte land. Det Tyske Videnskabelige Institut i København 1941 til 1945. *Fund og Forskning*, 37, 1998, s. 271-292.

Janssen, Gregor: *Das Ministerium Speer. Deutschlands Rüstung im Krieg*. Frankfurt a/M, Berlin 1968.

Jefsen, Jef: Deutsche Nachrichten. Steffen Steffensen (red.): *På flugt fra nazismen. Tysksprogede emigranter i Danmark efter 1933*. 1986, s. 585-620.

Jefsen, Jef: Deutsche Nachrichten/Zeitung für deutsche Flüchtlinge. Willy Dähnhardt und Birgit S. Nielsen (Hg.): *Exil in Dänemark*. Heide in Holstein 1993, s. 659-701.

Jensen, Bent: *Den lange befrielse. Bornholm besat og befriet 1945-1946*. 1996.

Jensen, Christian, Thomas Kristiansen og Karl Erik Nielsen: *Krigens købmænd. Det hemmelige opgør med Riffelsyndikatet, A.P. Møller, Novo og den øvrige storindustri efter Anden Verdenskrig*. 2000.

Jensen, J.P.: De sejlede ikke! Skibs- og skibsværftssabotage i Danmark under besættelsen. *Årsskrift for Frihedsmuseets Venner* 1976, s. 3-40.

Jensen, Johannes: Die St.-Petri-Schule in Kopenhagen 1932-1949. *Grenzfriedenshefte*, 1986, s. 131-155.

Jensen, Ole Møller og Mogens Bendixen: *Den lange vej til glæden. Herning-egnen under besættelsen 1940-1945*. 1986.

Jensen, Sigurd: *Levevilkår under besættelsen. Træk af den økonomiske og sociale udvikling under den tyske besættelse 1940-45*. 1971.

Jensen, Victor: *Klunketid og krigsår. Århus omkring år 1900 og under besættelsen 1940-45*. Ved Vagn Dybdahl. 1968.

Jespersen, Knud J.V.: *Med hjælp fra England. Special Operations Executive og den danske modstandskamp 1940-1945*. 1-2. 1998-2000.

Jessen, Anna Elisabeth: *Kraniet fra Katyn*. 2008.

Jessen, Lisbeth: F.L. Smidth i Estland. Tvangsarbejdere. Erik Valeur m.fl. (red.): *Magtens bog*. 2002, s. 876-896.
Johannsen, Ove: *Tilfældet Leifer*. 1949.
Johansson, Alf W.: *Per Albin och kriget. Samlingsregeringen och utrikespolitiken under andra världskriget*. Stockholm 1985.
Jong, Louis de: Zwischen Kollaboration und Résistance. *Das Dritte Reich und Europa*. München 1957, s. 133-151. Optrykt i Andreas Hillgruber (Hg.): *Probleme des Zweiten Weltkrieges*. Köln, Berlin 1967, s. 245-265.
Juul Pedersen, Asger: Socialdemokratiet og kommunalvalget den 5. maj 1943. *Årbog for arbejderbevægelsens historie* 1977, s. 54-83.
Jørgensen, A.R.: Spionage mod Danmark. *Årsskrift for Frihedsmuseets Venner* 1990.

Kaden, Helma: Konkordanz der archivalischen Quellen. Werner Röhr (Hg.): *Europa unterm Hakenkreuz*. 8. Analysen. Quellen. Register. Heidelberg 1996, s. 469-506.
Kahn, David: *Hitler's Spies. German Military Intelligence In World War II*. New York 1978.
Kaienburg, Hermann: *Das Konzentrationslager Neuengamme 1938-1945*. Bonn 1997.
Kaiser, Jens og Søren Tange Rasmussen: *Den århusianske massemorder. Bothildsen Nielsens hævntogt og Petergruppen i Aarhus*. 2011.
Kaldor, N.: The German War Economy. *The Manchester School of Economic and Social Studies*, 14, 1946, s. 19-53.
Kárný, Miroslav: Vorgesichte, Sinn und Folgen des 23. Juni 1944 in Theresienstadt. *Judaica Bohemia*, 19:2, 1983, s. 72-85.
Kárný, Miroslav: Besuch im Ghetto. Die Geschichte eines fatalen Berichts. Karsten Linne u.a. (Hg.): *Patient Geschichte*. Frankfurt/Main 1993, s. 280-296.
Kárný, Miroslav: Maurice Rossels Bericht über seine Besichtigung des Theresienstädter Ghettos am 23. Juni 1944. *Theresienstädter Studien und Dokumente*. 3. Prag 1996, s. 276-283.
Kater, Michael H.: *Die "Ahnenerbe" der SS 1935-1945. Ein Beitrag zur Kulturpolitik des Dritten Reiches*. Stuttgart 1974. 2. Aufl. München 1997.
Kempner, Robert M.W.: *Eichmann und Komplizen*. Zürich, Stuttgart, Wien 1961.
Kempner, Robert M.W./Carl Haensel (Hg.): *Das Urteil im "Wilhelmstrassen-Prozess"*. Schwäbisch-Gmünd 1950.
Kent, George A.: *A Catalog of Files and Microfilms of the German Foreign Ministry Archives 1920-1945*. 1-4. Stanford/California 1962-72.
Kieler, Jørgen: *En modstandsgruppes historie*. Skrevet af tidligere medlemmer af Frit Danmarks Studentergruppe og Holger Danskes 2den gruppe – HD2. 1-2. 1982.
Kieler, Jørgen: *Nordens lænkehunde. Den første Holger Danske-gruppe*, 1-2, 1993. [med sabotagelister]
Kieler, Jørgen: *Hvorfor gjorde I det? Personlige erindringer fra besættelsestiden i historisk belysning*. 1-2. 2001.
Kienitz, W. og O. Drostrup: *Silkeborg Bad. Hauptmann Kienitz' erindringer fra det tyske hovedkvarter 1943-1945*. 2. udg. 2001.

Kier, Erling: *Med Gestapo i Kølvandet.* 1945.

Kirchhoff, Hans: Georg Ferdinand Duckwitz. Skitser til et politisk portræt. *Lyngby-Bogen* 1978, s. 134-179.

Kirchhoff, Hans: *Augustoprøret 1943. Samarbejdspolitikkens fald. Forudsætninger og forløb. En studie i kollaboration og modstand.* 1-3. 1979.

Kirchhoff, Hans: Omkring den socialdemokratiske historieskrivning 1940-1945. *Historie* Ny Rk., 14:1, 1981, s. 133-159.

Kirchhoff, Hans: Historieskrivning og myter. Konsensus og konflikt i synet på besættelsestidens historie. Forsøg på et rids af forskningsdiskussionen. *Historie & Samtidsorientering* 24, 1985, s. 42-66.

Kirchhoff, Hans: Verden ifølge Dr. Best. *Politiken* 6. december 1988.

Kirchhoff, Hans: Foreign Policy and Rationality – the Danish Capitulation of 9 April 1940. An Outline of a Pattern of Action. *Scandinavian Journal of History*, 16, 1991, s. 237-268. (a)

Kirchhoff, Hans: Anm. af Werner Best: Dänemark in Hitlers Hand, 1988 og samme på dansk 1989. *Historisk Tidsskrift*, 91, 1991, s. 556-563. (b)

Kirchhoff, Hans: Best-Scavenius-alliancen – et skæbnefællesskab. Carsten Due-Nielsen m.fl. (red.): *Konflikt og samarbejde. Festskrift til Carl-Axel Gemzell.* 1993, s. 183-205. (a)

Kirchhoff, Hans: Endlösung over Danmark. Hans Sode-Madsen (red.): *"Føreren har befalet!" Jødeaktionen oktober 1943.* 1993, s. 57-107. (b)

Kirchhoff, Hans: Censuren i Danmark under II verdenskrig. *Litteraturen och den nationella identiteten: kulturförbindelserne mellan Estland och Norden.* Helsinki 1993, s. 31-37. (c)

Kirchhoff, Hans: SS-Gruppenführer Werner Best and the Action against the Danish Jews – October 1943. *Yad Vashem Studies*, 24, 1994, s. 195-222. (a)

Kirchhoff, Hans: Hvorfor udløste dr. Best aktionen mod de danske jøder – og hvorfor saboterede han den? *Rambam. Tidsskrift for jødisk kultur og forskning*, 3, 1994, s. 59-75. (b)

Kirchhoff, Hans: Denmark: A Light in the Darkness of the Holocaust? A Reply to Gunnar S. Paulsson. *Journal of contemporary history* 30:3, 1995, s. 465-479.

Kirchhoff, Hans: Erik Scavenius – landsforræder eller patriot? Niels Wium Olesen (red.): *Mennesker, politik og besættelse. Fire biografiske skitser.* 1996, s. 10-49.

Kirchhoff, Hans: Oktober 1943 set "från hinsidan". Det svenske Utrikesdepartement og jødeforfølgelserne i Danmark. En studie i humanitær hjælp og realpolitik. I: Démarchen – forspil og forløb. *Historisk Tidsskrift*, 97, 1997, s. 80-115. II: Protest og reaktion. *Historisk Tidsskrift*, 97, 1997, s. 313-355.

Kirchhoff, Hans: Den store myte om det danske folk i kamp. Om besættelsen i dansk kollektiverindring. Henrik Dethlefsen og Henrik Lundbak (red.): *Fra mellemkrigstid til efterkrigstid. Festskrift til Hans Kirchhoff og Henrik S. Nissen på 65-årsdagen oktober 1998.* 1998, s. 397-423. (a)

Kirchhoff, Hans: Die dänische Staatskollaboration. Werner Röhr (Hg.): *Europa unterm Hakenkreuz.* 9. Okkupation und Kollaboration (1938-1945). Berlin, Heidelberg 1998, s. 101-118. (b)

Kirchhoff, Hans: "Doing All That Can Be Done" – The Swedish Foreign Ministry and the Persecution of Jews in Denmark in October 1943. A Study in Humanitarian Aid and Realpolitik. *Scandinavian Journal of History*, 24, 1999, s. 1-43. (a)

Kirchhoff, Hans: Georg Ferdinand Duckwitz. *Tyskere imod Hitler. Fem diplomater i København.* 1999, s. 7-24. (b)

Kirchhoff, Hans: *Samarbejde og modstand under besættelsen. En politisk historie.* 2001. 2. udg. 2004.

Kirchhoff, Hans: H.O. Lange-Prisen 2002 – Takketale. *Magasin fra Det Kongelige Bibliotek* 15:4, 2002, s. 11-15. (a)

Kirchhoff, Hans: Den glemte interneringsplan. Samme (red.): *Nyt lys over oktober 1943.* 2002, s. 37-48.

Kirchhoff, Hans: Endlösung over Danmark. Hans Sode-Madsen (red.): *I Hitler-Tysklands skygge. Dramaet om de danske jøder 1933-1945.* 2003, s. 136-181.

Kirchhoff, Hans: Besættelsestidens historie – forsøg på en status. *Historisk Tidsskrift*, 104, 2004, s. 162-178.

Kirchhoff, Hans: Broen over Øresund. Redningen af de danske jøder i oktober 1943. Kjell Å Modéer (red.): *Grændse som skiller ej! Kontakter över Öresund under 1900-talet.* 2007, s. 93-108.

Kirchhoff, Hans: Erik Scavenius. Werner Best. Alliance til forsvar for kollaborationen. Hans Kirchhoff (red.): *Sådan valgte de. Syv dobbeltportrætter fra besættelsens tid.* 2008, s. 21-44.

Kirchhoff, Hans og Aage Trommer (udg.): *"Vor Kamp vil vokse og styrkes!" Dokumenter til belysning af Danmarks kommunistiske Partis og Frit Danmarks virksomhed 1939-1943/44.* 2001.

Kirchhoff, Hans/Lone Rünitz: *Udsendt til Tyskland. Dansk flygtningepolitik under besættelsen.* 2007.

Kirkebæk, Mikkel: *Beredt for Danmark. Nationalsocialistisk Ungdom 1932-1945.* 2004.

Kirkebæk, Mikkel: Den grå officer – DNSAP's ungdomsfører Hans Jensen. John T. Lauridsen (red.): *Over stregen – under besættelsen.* 2007, s. 394-409.

Kirkebæk, Mikkel: *Schalburg – en patriotisk landsforræder.* 2008.

Kjeldbæk, Esben: *Aktionen mod de danske kommunister den 22. juni 1941 – med særligt henblik på de tyske forberedelser.* Utrykt speciale, Københavns Universitet 1977.

Kjeldbæk, Esben: *Sabotageorganisationen BOPA 1942-1945.* 1997. [med sabotageliste]

Kjeldbæk, Esben: Terror mod kultur. Henrik Lundbak (red.): *Spærretid. Hverdag under besættelsen 1940-45*, 2005, s. 204-209.

Kjeldbæk, Esben: Café Mokka – en terroraktion. John T. Lauridsen (red.): *Over stregen – under besættelsen.* 2007, s. 164-177.

Klarsfeld, Serge: *Vichy-Auschwitz. Die Zusammenarbeit der deutschen und französischen Behörden bei der "Endlösung der Judenfrage" in Frankreich.* Nördlingen 1989.

Klee, Ernst: *Auschwitz, die NS-Medizin und ihre Opfer.* Frankfurt am Main 1997.

Klee, Ernst: *Das Personenlexikon zum Dritten Reich.* Frankfurt am Main 2005.

Klee, Ernst: *Das Kulturlexikon zum Dritten Reich. Wer war was vor und nach 1945.* Frankfurt am Main 2007.

Klint, Helge: Duckwitz. Forspil til kapitulationen på Lüneburger Heide den 4. maj 1945. *Krigshistorisk tidsskrift*, 10:3, 1974, s. 3-11.
Klint, Helge: *Efterretningstjenesten og hærens illegale transporttjeneste 1940-45*. 1977.
Knudsen, Helge/Henrik V. Ringsted: *Maskerne falder i Nürnberg*. 1946.
Knudsen, Birgit: *Hverdag, besættelse og befrielse. Ålborg 1940-1945*. 1986.
Knutzen, Peter: *40 Aar i Statens Tjeneste*. 1948.
Koch, Henning: *Demokrati – slå til! Statslig nødret, ordenspoliti og frihedsrettigheder 1932-1945*. 1994.
Kock, Gerhard: *Der Führer sorgt für unsere Kinder. Die Kinderlandsverchickung im Zweiten Weltkrieg*. Paderborn 1997.
Koehl, Robert: *The Black Corps. The Structure and Power Struggles of the Nazi SS*. Madison 1983.
*Kolding under Besættelsen*. 1946. Red. af K. Baagøe og E. Ebstrup.
Kwiet, Konrad: *Reichskommissariat Niederlande. Versuch und Scheitern nationalsozialistischer Neuordnung*. Stuttgart 1968. (Schriftenreihe der Vierteljahrshefte für Zeitgeschichte 17).
Krabbe, Oluf: *Danske soldater i kamp på Østfronten 1941-1945*. 1976. 2. udg. 1998.
Kraft, Ole Bjørn: *En konservativ politikers erindringer 1926-1945*. 1971.
Krag, Jens O.: Byerhvervene og Krigsøkonomien. Hartvig Frisch m.fl. (red.): *Danmark Besat og Befriet*. 2. Økonomi og Kultur. 1947, s. 5-89.
Kressel, Carsten: *Evakuierung und Erweiterte Kinderlandverschickung im Vergleich. Das Beispiel der Städte Liverpool und Hamburg*. Frankfurt/M. 1996.
Kreth, Rasmus og Michael Mogensen: *Flugten til Sverige. Aktionen mod de danske jøder oktober 1943*. 1995.
*Kriegstagebuch der Seekriegsleitung 1939-1945. Teil A*. 1-71. Hg. von Werner Rahn, Gerhard Schreiber und Hansjoseph Maierhöfer. Berlin, Bonn, Hamburg 1988-97.
Kristensen, Sigvald: Samvittigheden maa aldrig blive neutral. Socialdemokratiets Formand, Hans Hedtoft-Hansen løfter i dette Interview Sløret for en række afgørende og dramatiske Beslutninger, der blev truffet og bragt til Udførelse i den underjordiske Krigsførelse mod Tyskerne. *Arbejderens Almanak*, 38, 1946, s. 16-28.
Kroener, Bernhard R.: "Menschenbewirtschaftung", Bevölkerungsverteilung und personelle Rüstung in der zweiten Kriegshälfte (1942.1944). *Das Deutsche Reich und der Zweite Weltkrieg*. Bd. 5:2. *Organisation und Mobilisierung des deutschen Machtbereichs*. 2. Stuttgart 1999, s. 777-1002.
Kröger, Martin/Roland Thimme: Das Politische Archiv des Auswärtigen Amts im Zweiten Weltkrieg. Sicherung, Flucht, Verlust, Rückführung. *Vierteljahrshefte für Zeitgeschichte*, 47, 1999, s. 243-264.
Kvam, Kela: Krise og besættelse. Kela Kvam, Janne Risum og Jytte Wiingaard (red.): *Dansk teaterhistorie*. 2. Folkets teater. 1992, s. 124-192.
Kühl, Jørgen: *Heinrich Himmler, Søren Telling og Danevirke*. Flensborg 1999.
*Københavns Kommune 1940-55*. Udg. af Københavns Kommunalbestyrelse. 1957.
Köller, Vera: *Der deutsche Imperialismus und Dänemark 1933-1945 unter besonderer Berücksichtung der faschistischen Wirtschaftspolitik*. Diss. Berlin 1965.

la Cour, Vilhelm: Frikorpset og Schalburgkorpset. Vilh. la Cour (red.): *Danmark under Besættelsen*. 2. 1947, s. 507-534.

la Cour, Vilhelm: *Vejs ende*. 1959.

Lammers, Cornelis J.: Levels of Collaboration. A comparative study of German Occupation Regimes during the second World War. *Journal of Social Sciences*, 31, 1995, s. 3-31.

Lammers, Cornelis J.: Levels of Collaboration. A comparative study of German Occupation Regimes during the second World War. Robert Bohn (Hg.): *Die deutsche Herrschaft in den "germanischen" Ländern 1940-1945*. Stuttgart 1997, s. 47-69.

Lammers, Karl Chr.: Kultur- und Kunstpolitik in Dänemark. Wolfgang Benz, Anabella Weismann, Gerhard Otto (Hg.): *Kultur – Propaganda – Öffentlichkeit. Intentionen deutscher Besatzungspolitik und Reaktionen auf die Okkupation*. Berlin 1998, s. 105-121.

Lang, Arnim: "Operation". Die Zerstörung Nordnorwegens durch deutsche Truppen beim Rückzug aus Finnland im Spätjahr. Robert Boh und Jürgen Elvert (Hg.): *Kriegsende im Norden. Vom heissen zum kalten Krieg*, Stuttgart 1995, s. 25-42.

Larass, Claus: *Der Zug der Kinder. KLV – Die Evakuierung 5 Millionen deutscher Kinder im 2. Weltkrieg*. München 1983.

Larsen, J.: Den ekstraordinære Bevogtning m.v. af visse Strækninger. *De Danske Statsbaner 1847-1947*. Udg. af Generaldirektoratet for Statsbanerne. 1947, s. 716-719.

Larsen, Leif: *Borgerlige Partisaner*. 1982.

Larsen, Aksel: *Taler og artikler gennem 20 år*. 1953.

Laub, Søren: Operation Safari. En redegørelse for planlægningen og gennemførelsen af den maritime del af operation "Safari" – den tyske operationsplan for afvæbningen af Hæren og Flåden den 29. august 1943. *Tidsskrift for søvæsen* 1993, s. 81-102.

Lauridsen, John T.: Nazisamlingen på Det Kongelige Bibliotek. Samme: *De danske nazister. En forskningsoversigt*. 1995, s. 63-75.

Lauridsen, John T.: På kant med loven. Bogforbud, beslaglæggelser og klausulering. Henrik Horstbøll og John T. Lauridsen (red.): *Den trykte kulturarv. Pligtaflevering gennem 300 år*. 1998, s. 223-264.

Lauridsen, John T.: *Dansk nazisme 1930-45 – og derefter*. 2002. (a)

Lauridsen, John T.: *Samarbejde og Modstand. Danmark under den tyske besættelse 1940-45. En bibliografi*. 2002. (Med supplement som tillæg til *Fund og Forskning*, 42, 2003 og 46, 2007). (b)

Lauridsen, John T.: (udg.): *"Føreren har ordet!" Frits Clausen om sig selv og DNSAP*. 2003. (a)

Lauridsen, John T.: En storm i et meget lille glas vand. "Problemet" Frits Claus og elimineringen af DNSAP 1943-44. *Historie* 2003:2, s. 337-409. (b)

Lauridsen, John T.: Ellum og Barvid Syssel 1943-44. En studie i DNSAP's lokalhistorie. *Sønderjyske årbøger* 2005, s. 7-56.

Lauridsen, John T. (udg.): Gunnar Larsen: Til middag hos Werner Best. *Magasin fra Det Kongelige Bibliotek*, 19:1, 2006, s. 13-22. (a)

Lauridsen, John T: "Hitlers hemmelige våben". *Magasin fra Det Kongelige Bibliotek*, 19:3, 2006, s. 13-24. (b)

Lauridsen, John T.: Werner Best og den tyske sabotagebekæmpelse i Danmark. Henrik Lundtofte (red.): *Sabotage og modstand*, 2006, s. 144-209. (c)

Lauridsen, John T. (udg.): DNSAP i spil. Frits Clausens beretning om tiden efter 9. april 1940. *Danske Magazin*, 50:1, 2006, s. 163-301. (d)

Lauridsen, John T.: Telegram fra Best. John T. Lauridsen og Olaf Olsen (red.): *Umisteligt. Festskrift til Erland Kolding Nielsen*. 2007, s. 431-451. (a)

Lauridsen, John T.: Monsun og Taifun – tysk strejkebekæmpelse i Danmark belyst ved undtagelsestilstanden i Esbjerg 16.-10. november 1944. *Magasin fra Det Kongelige Bibliotek*, 20:3, 2007, s. 11-25. (b)

Lauridsen, John T.: SS i Danmark – en diskussion i anledning af en nyudkommen bog. *Historie* 1, 2007, s. 93-105. (c)

Lauridsen, John T. (udg.): Akter til "jødespørgsmålet" i Danmark april 1940-august 1943. *Danske Magazin* 50:2, 2008, s. 477-606. (a)

Lauridsen, John T.: "Dansk nazismes største sejr". Frits Clausen og grænserøret juni 1940. *Sønderjyske årbøger 2008*, s. 185-214. (b)

Lauridsen, John T.: Færgen "Store Bælts" kapring november 1944 og den tyske gengældelsesaktion. *Magasin fra Det Kongelige Bibliotek*, 22:3, 2009, s. 19-34.

Lauridsen, John T.: Noget for noget. Det Danske Udenrigsministeriums salgsfremstød over for Tyskland efteråret1943-sommeren 1944. *Danske Magazin*, 51:1, 2010, s. 359-418. (a)

Lauridsen, John T.: Werner Best og Kriegsmarine. En studie i den rigsbefuldmægtigedes konflikthåndtering. Manuskript 2010. (b)

Lauridsen, John T.: Walter Forstmann og Rüstungsstab Dänemark. Manuskript 2010. (c)

Lauridsen, John T.: Silkeborgkontorets sidste dage. Peder Herschends dagbog omkring den tyske kapitulation maj 1945. *Fund og Forskning*, 49, 2010, s. 335-418. (d)

Lauridsen, John T.: Den første "grænseredder." Ejnar Vaaben og Den Berlinske Linie. *Fund og Forskning*, 50, 2011, s. 411-449.

Lauridsen, John T.: Franz Ebners indberetninger til Auswärtiges Amt om de erhvervsmæssige forhold i Danmark 1940-44. *Danske Magazin* 51:2, 2012, s. 621-703.

Lauridsen, John T. og Henrik Lundtofte (red.): *Hitlers mænd i Danmark* (kommende).

Lauritzen, M.: I tysk Krigstjeneste. Johannes Brøndsted og Knud Gedde (udg.): *De fem lange Aar*. 3. 1947, s. 1362-399.

Laustsen, Jørgen: *Medløbere og modløbere. DKP, besættelsen og illegaliteten*. Ph. afhandling, Syddansk Universitet 2006.

Laustsen, Jørgen: *Medløbere og modløbere. DKP, besættelsen og illegaliteten*. 2007.

Lehmann, Joachim: Herbert Backe – Technokrat und Agrarideologe. Enrico Syring, Rainer Zitelmann (Hg.): *Die braune Elite*. 2. Darmstadt 1993, s. 1-12.

Leifer, Vilhelm: *Min tid. Erindringer*. 1983.

Leifland, Leif: Hamburgs Kapitulation im Mai 1945: Querverbindungen nach Schweden. *Zeitschrift des Vereins für hamburgische Geschichte*, 78, 1992, s. 235-252.

Lemkin, Raphaël: *Axis Rule in occupied Europe. Laws. Analysis of Government. Proposals for Redress*. Washington 1944.

Lenler-Eriksen, Thomas: *Dansk-Tysk Forening og dens tyske forbindelser.* Utrykt speciale, Århus Universitet 2000.

Leth, Jacob: *Silkeborg-kontoret – departementschefstyrets midlertidige kontor i Jylland 1943-45.* Utrykt speciale, Syddansk Universitet 2009.

Leube, Achim: Das Danewerk und die "Kriegsarchäologie" in den Jahren 1944-1945. U. Masemann (Hg.): *Forschungen zur Archäologie und Geschichte in Norddeutschland. Festschrift für Wolf-Dieter Tempel zum 65. Geburtstag.* Rotenburg 2002, s. 407-427.

Leube, Achim: Deutsche Prähistoriker im besetzten Westeuropa 1940-1945. Das "Ahnenerbe" der SS in Westeuropa. Jean-Pierre Legrendre, Laurent Olivier et Bernadette Schnitzler (dir.): *L'archéologie nazie en Europe de l'Ouest.* Lavis 2007, s. 93-120.

Lidegaard, Bo: *Overleveren, 1914-1945.* 2003 (Dansk Udenrigspolitiks Historie 4).

Lidegaard, Bo: *Kampen om Danmark 1933-1945.* 2005.

Lilienthal, Georg: *Der "Lebensborn e.V." Ein Instrument nationalsozialistischer Rassenpolitik.* Stuttgart, New York 1985.

Lindø Westergaard, Martin: *"Geduld, Ruhe, Takt und Zähigkeit". Gesandt Cecil von Renthe-Fink og samarbejdspolitikken i Danmark april 1940-januar 1941.* Utrykt speciale, Odense Universitet 2000.

Longerich, Peter: *Propagandisten im Krieg. Die Presseabteilung des Auswärtigen Amtes unter Ribbentrop.* München 1987. 356 s. (Studien zur Zeitgeschichte 33).

Longerich, Peter: Das Portrait einer Generation? Ulrich Herberts Best-Biographie. *Neue Politische Literatur,* 42, 1997, s. 5-12.

Longerich, Peter: *Heinrich Himmler. Biographie.* Berlin 2008.

Loock, Hans-Dietrich: Zur "Großgermanischen Politik" des Dritten Reiches. *Vierteljahreshefte für Zeitgeschichte,* 8, 1960, s. 37-63.

Loock, Hans-Dietrich: *Quisling, Rosenberg und Terboven. Zur Vorgeschichte und Geschichte der nationalsozialistischen Revolution in Norwegen.* Stuttgart 1970.

Lottrup, Erik: *Stikkerlikvideringer og clearingmord i Nordjylland: hvordan det begyndte og endte.* 2000.

*Luftværnsmæssige begivenheder under krigen 1939-45.* Udg. af Civilforsvarsstyrelsen. 1950.

Lumans, Valdis O.: The Nordic Destiny. The peculiar role of the German Minority in North Slesvig in Hitlers plans and policies in Denmark. *Scandinavian Journal of History,* 15, 1990, s. 109-123.

Lumans, Valdis O.: *Himmlers Auxiliaries. The Volksdeutsche Mittelstelle and the German National Minorities of Europe 1933-1945.* Chapel Hill 1993.

Lund, Erik: *Fire millioner frie ord. Det illegale nyhedsbureau "Information" august 1943-maj 1945.* 1970.

Lund, Erik og Jakob Nielsen: *Outze i krig. Med skrivemaskinen som våben.* 2008.

Lund, Joachim: Den danske østindsats 1941-43. Østrumudvalget i den politiske og økonomiske kollaboration. *Historisk Tidsskrift,* 95, 1995, s. 35-74. (a)

Lund, Joachim: Lebensraum og kollaboration 1941-43. *Den jyske Historiker,* 71, 1995, s. 19-38. (b)

Lund, Joachim: F.L. Smidth & Co. og spørgsmålet om den gamle, konsekvente linie. Port Kunda Cement fra mønsterfabrik til tvangsarbejde 1893-1944. *Arbejderhistorie* 2001: 4, s. 94-120. (a)

Lund, Joachim: Port Kunda Cement mellem forretning og folkemord. F.L. Smidth & Co. i Estland 1893-1944. *Fortællinger i tiden. Venneskrift til Dorthe Gert Simonsen.* 2001, s. 69-86. (b)

Lund, Joachim: Review of Philip Giltner: "In the Friendliest Manner". 1998. *Scandinavian Journal of History*, 26, 2001, s. 350-353. (c)

Lund, Joachim: Denmark and the "European New Order", 1940-1942. *Contemporary European History*, 13, 2004, s. 305-321.

Lund, Joachim: *Hitlers spisekammer. Danmark og den europæiske nyordning 1940-43.* 2005.

Lund, Joachim: Business Elite Networks in Denmark: Adjusting to German Domination. Joachim Lund (ed.): *Working for the New Order. European Business under German Domination, 1939-1945.* 2006, s. 115-128.

Lund, Joachim: "At opretholde Sindets Neutralitet" – Geografen Gudmund Hatt, det ny Europa og det store verdensdrama. John T. Lauridsen (udg.): *Over stregen – under besættelsen.* 2007, s. 242-293.

Lund, Joachim: Hitlers spisekammer, den tyske fødevarekrise og de danske leverancer. *Historisk Tidsskrift*, 108, 2008, s. 505-531.

Lund, Joachim: Collaboration in Print. The 'Aktion Ritterbusch' and the Failure of German Intellectual Propaganda in Occupied Denmark, 1940-1942. *Scandinavian Journal of History.* 2012. (i trykken)

Lund, Tove: Fagbevægelsens forhold til samarbejdspolitikken 1940-42. *Årbog for arbejderbevægelsens historie*, 2, 1972, s. 71-123.

Lundbak, Henrik: *Staten stærk og folket frit. Dansk Samling mellem fascisme og modstandskamp 1936-47.* 2001.

Lundbak, Henrik: Nordværk. En tysk rustningsfabrik i Danmark 1943-44. Charlotte Appel, Peter Henningsen og Nils Hybel (red.): *Mentalitet og historie. Om fortidige forestillingsverdener.* 2002, s. 319-354.

Lundbak, Henrik: Sabotagevagterne på Nordværk. John T. Lauridsen (red.): *Over stregen – under besættelsen.* 2007, s. 625-655.

Lunding, H.M.: *Stemplet fortroligt. Oberst H.M. Lundings erindringer.* 1970.

Lundtofte, Henrik: Gestapo på Staldgården. *Koldingbogen* 2002, s. 37-48.

Lundtofte, Henrik: *Gestapo – Tysk politi og terror i Danmark 1940-45.* 2003. (a)

Lundtofte, Henrik: Den store undtagelse – Gestapo og jødeaktionen. Hans Sode-Madsen (red.): *I Hitler-Tysklands skygge. Dramaet om de danske jøder 1933-1945.* 2003, s. 182-201. (b)

Lundtofte, Henrik: Ejnar Krenchel – "Hele overskuddet gaar til Sabotagens Bekæmpelse". Samme (red.): *Samarbejde og sabotage.* 2006, s. 100-143. (a)

Lundtofte, Henrik: Gestapochef i Esbjerg. *Fra Ribe amt 2006*, 2006, s. 23-38. (b)

Lundtofte, Henrik: "Selv Børnene optræder som smaa Hitler'r..." Om tyskerne og Nazi-regimet i besættelsestidens illegale presse. John T. Lauridsen og Olaf Olsen (red.): *Umisteligt. Festskrift til Erland Kolding Nielsen.* 2007, s. 405-430. (a)

Lundtofte, Henrik: SS'er og terrorist – Henning Brøndum. John T. Lauridsen (red.): *Over stregen – under besættelsen*. 2007, s. 119-163. (b)

Lundtofte, Henrik: For Danmark – mod kommunismen. Agitatoren Axel Høyer. *Magasin fra Det Kongelige Bibliotek*, 21:3-4, 2008, s. 34-48.

Lundtofte, Henrik: Opdragelsesanstalter og dødslejre. Billedet af koncentrationslejrene i danske medier 1933-45. Therkel Stræde (red.): *De nazistiske koncentrationslejre. Studier og bibliografi*. 2009, s. 45-74.

Lundtofte, Henrik: "Vi er ikke forbrydere..." Legitimeringsstrategier og selvbilleder blandt HIPO- og ET-folk. *Fund og Forskning*, 50, 2011, s. 451-481.

Lüdde-Neurath, Walter: *Regierung Dönitz*. Göttingen 1964.

Lylloff, Kirsten: Kan lægeløftet gradbøjes? Dødsfald blandt og lægehjælp til de tyske flygtninge i Danmark 1945. *Historisk Tidsskrift*, 99, 1999, s. 33-68.

Lylloff, Kirsten: Lægeforeningens dilemma. Lægeforeningens forhandlinger om lægehjælp til tyske flygtninge i 1945. *Bibliotek for Læger*, 195, 2003, s. 203-223.

Lylloff, Kirsten: *Barn eller fjende? Uledsagede tyske flygtningebørn i Danmark 1945-1949*. 2006.

Lynge, Erik: Markedsreguleringer og Krigsøkonomi. *Handelsvidenskabeligt Tidsskrift* 9, 1945, s. 1-26.

Løkkegaard, Finn: *Det danske gesandtskab i Washington 1940-1942. Henrik Kauffmann som uafhængig dansk gesandt i USA 1940-42 og hans politik vedrørende Grønland og de oplagte danske skibe i Amerika,* 1968.

Madajczyk, Czeslaw: Die Besatzungssysteme der Achsenmächte. Versuch einer Komparativen Analyse. *Studia Historiæ Oeconomicæ*, 14, 1979, s. 105-122.

Madajczyk, Czeslaw: Die Herrschaftssysteme in den Okkupationsgebieten der Achsenmächte (1938-1945). Ein Vergleich. Ger van Roon (Hg.): *Europäischer Widerstand im Vergleich*. Berlin 1985, s. 16-37.

Madajczyk, Czeslaw: Das Hauptamt für Volkstumsfragen und die Germanische Leitstelle. Ursula Büttner (Hg.): *Das Unrechtsregime. Internationale Forschung über den Nationalsozialismus*. 1. Hamburg 1986, s. 261-270.

Madajczyk, Czeslaw: Zur Besatzung der Achsenmachte – ein persönliches Forschungsresüme. Gerhard Otto und Johannes Th. M. ten Cate (Hg.): *Das organisierte Chaos*. Berlin 1997, s. 303-338. (Nationalsozialistische Besatzungspolitik in Europa 1939-1945. 7).

Madajczyk, Czeslaw: Zwischen neutraler Zusammenarbeit der Bevölkerung okkupierter Gebiete und Kollaboration mit den Deutschen. Werne Röhr (Hg.): *Europa unterm Hakenkreuz*. 9. Okkupation und Kollaboration (1938-1945). Berlin, Heidelberg 1998, s. 45-58.

Mahler Sasbye, Kjeld: *Operation Carthage. "Gestapos Hovedkvarter i København ausradiert. Mosquito-Angrebet på Shellhuset, hvorfra den tyske Terror udgik"*. 1994.

Maier, Klaus A. og Bernd Stegemann: Die Sicherung der europäischen Nordflanke. 4. Die politische und militärische Sicherung der besetzten Gebiete. *Das Deutsche Reich und der Zweite Weltkrieg*. Bd. 2. *Die Errichtung der Hegemonie auf dem europäischen Kontinent*. Stuttgart 1979, s. 226-231.

Mallmann, Klaus-Michael: Die V-Leute der Gestapo. Umrisse einer kollektiven Biographie. Gerhard Paul og Klaus-Michael Mallmann (Hg.): *Die Gestapo. Mythos und Realität*. Darmstadt 1995, s. 268-287.

Mallmann, Paul, Klaus-Michael/Gerhard (Hg.): *Karrieren der Gewalt. Nationalsozialistische Täterbiographien*. Darmstadt 2004.

Materne, Barbara: *Die Germanische Leitstelle der SS 1940-1945. Entstehung, Aufgabenbereich und Bedeutung in der Machtstruktur des Dritten Reiches*. Hausarbeit der Philosophischen Fakultät der Heinrich-Heine-Universität Düsseldorf 2000.

Matlok, Siegfried (Hg.): *Dänemark in Hitlers Hand. Der Bericht des Reichsbevollmächtigten Werner Best über seine Besatzungspolitik in Dänemark mit Studien über Hitler, Göring, Himmler, Heydrich, Ribbentrop, Canaris u.a.* Husum 1988.

Matlok, Siegfried (udg.): *Danmark i Hitlers hånd. Rigsbefuldmægtiget Werner Bests beretning om sin besættelsespolitik i Danmark*. 1989.

Mau, Mark: *"Business as usual?" De dansk-tyske handelsrelationer under besættelsen. En analyse af Udenrigsministeriets embedsmænds politik i regeringsudvalget*. Utryk konferensspeciale, Københavns Universitet 2002.

Mau, Mark: "Af politiske grunde". Økonomiens funktionalisering for politiske formål under besættelsen. *1066. Tidsskrift for Historie*, 33:2, 2003, s. 14-23.

Mau, Mark: Ein Bollwerk gegen die Deutschen? Das dänische Aussenministerium und die deutsch-dänischen Handelsbeziehungen 1940-1945. *Historische Mitteilungen der Ranke-Gesellschaft*, 17, 2004, s. 213-227.

Mau, Mark: *Kampen om telefonen. Det danske telefonvæsen under den tyske besættelse 1940-45*. 2007.

*Meddelelser om Rigsarkivet for årene 1921-55*. Udg. af Rigsarkivet. 1958.

Meissner, Gustav: *Dänemark unterm Hakenkreuz. Die Nord-Invasion und die Besetzung Dänemarks 1940-1945*. Berlin/Frankfurt 1990.

Meissner, Gustav: *Som jeg så det – som jeg ser det. Diplomat i København 1939-43*. 1996.

*Meldungen aus dem Reich 1938-1945*. 1-17. Hg. von Heinz Boberich. München 1984.

Menger, Manfred, Fritz Petrick og Wolfgang Wilhelmus: Grundzüge imperialistischer deutscher Nordeuropapolitik bis 1945. *Zeitschrift für Geschichtswissenschaft*, 21:9, Berlin 1973, s. 1029-1044.

Messerschmidt, Manfred: Karl Dietrich Erdmann, Walter Bussmann und Percy Ernst Schramm. Historiker an der Front und in den Oberkommandos der Wehrmacht und des Heeres. Hartmut Lehmann und Otto Gerhard Oexle (Hg.): *Nationalsozialismus in den Kulturwissenschaften*. 1. Göttingen 2004, s. 417-443.

Meyer, Ahlrich: Grossraumpolitik und Kollaboration im Westen. *Beiträge zur nationalsozialistischen Gesundheits- und Sozialpolitik,* 10, 1992, s. 29-76.

Meyer, Ahlrich: "... dass französische Verhältnisse anders sind als polnische". Die Bekämpfung des Widerstands durch die deutsche Militärverwaltung in Frankreich 1941. Christoph Dieckmann u.a. (Hg.): *Repression und Kriegsverbrechen. Die Bekämpfung von Widerstands- und Partisanbewegungen gegen die deutsche Besatzung in West- und Südeuropa*. Berlin, Göttingen 1997, s. 43-91.

Meyer, Ahlrich: *Die deutsche Besatzung in Frankreich 1940-1944. Widerstandsbekämpfung und Judenverfolgung*. Darmstadt 2000.

Meyer, Ahlrich: *Täter im Verhör. Die "Endlösung der Judenfrage" in Frankreich 1940-1944*. Darmstadt 2005.
Milward, Alan S.: *Der Zweite Weltkrieg. Krieg, Wirtschaft und Gesellschaft 1939-1945*. München 1977.
Molin, Karl/Henrik S. Nissen, Magne Skodvin, Hannu Soikkanen, Jørgen Weibill: *Norden under 2. Verdenskrig*. 1979.
Moll, Martin: *"Das Neue Europa". Studien zur nationalsozialistischen Auslandspropaganda in Europa, 1939-1945. Die Geschichte eines Fehlschlages*. Phil. Diss. Graz 1986. [ikke tilgængelig]
Moll, Martin: "Signal". Die NS-Auslandsillustrierte und ihre Propaganda für Hitlers "Neues Europa". *Publizistik. Vierteljahreshefte für Kommunikationsforschung*, 31, 1986, s. 357-400.
Moll, Martin: Kapitulation oder heroischer Endkampf in der "Festung Norwegen"? Die Entscheidung für ein friedliches Ende der deutschen Okkupation Dänemarks und Norwegens im Frühjahr 1945. Robert Bohn und Jürgen Elvert (Hg.): *Kriegsende im Norden. Vom heissen zum kalten Krieg*. Stuttgart 1995, s. 43-83.
Moll, Martin (Hg.): *"Führer-Erlasse" 1939-1945*. Stuttgart 1997.
Moll, Martin: Die deutsche Propaganda in den besetzten "germanischen Staaten" Norwegen, Dänemark und Niederlande 1940-1945. Institutionen – Themen – Forschungsprobleme. Robert Bohn (Hg.): *Die deutsche Herrschaft in den "germanischen" Ländern 1940-1945*. Stuttgart 1997, s. 209-245. (Historische Mitteilungen. Beiheft 26). (a)
Moll, Martin: Zwischen Weimarer Klassik und nordischem Mythos: NS-Kulturpropaganda in Norwegen 1940-1945. Wolfgang Benz, Gerhard Otto, Anabel Weismann (Hg.): *Kultur, Propaganda, Öffentlichkeit. Intentionen deutscher Besatzungspolitik und Reaktionen auf die Okkupation*. Berlin 1999, s. 103-131.
Monrad Pedersen, Andreas: "Den nordiske tanke" – bidrag til en politisk biografi af Ejnar Vaaben. Henrik Dethlefsen og Henrik Lundbak (red.): *Fra mellemkrigstid til efterkrigstid. Festskrift til Hans Kirchhoff og Henrik S. Nissen på 65-årsdagen oktober 1998*. 1998, s. 117-134.
Monrad Pedersen, Andreas: *Schalburgkorpset – historien om korpset og dets medlemmer*. 2000.
Morgenbrod, Brigitt und Stephanie Merkenich: *Das Deutsche Rote Kreuz unter der NS-Diktatur 1933-1945*. Paderborn 2008.
Mortensen, Nikolaj: Fra Frederiksværk til Neuengamme på grund af et punkteret bildæk. *Prøven* 5:18, maj 2008, s. 4-19.
Mouritzsen, Dan: *Gefechtstand Silkeborg Bad. Det tyske militære hovedkvarter på Silkeborg Bad. Den tyske værnemagt i Silkeborg og omegn 1940-1945*. 2003.
Munch, P.: *Erindringer. Optegnelser fra og om besættelsestiden*. 1-2. 1967. (*Erindringer* 7-8. Red. af Povl Bagge under medvirken af Torben Damsholt og Erik Stig Jørgensen).
Muus, Flemming B.: *Ingen tænder et lys*. 1950.
Møller, Andreas: Centraladministrationen under den tyske Besættelse 1940-45. *Centraladministrationen 1848-1948*. Udg. af Ministerialforeningen. 1948, s. 33-43.

Möller, Kurt Detlev: *Das Letzte Kapitel. Geschichte der Kapitulation Hamburgs*. Hamburg 1947.

Møller Jensen, Ole og Mogens Bendixen: *Den lange vej til glæden. Herning-egnen under besættelsen 1940-1945*. 1986.

Müller, Rolf-Dieter: Albert Speer und die Rüstungspolitik im totalen Krieg. *Das deutsche Reich und der Zweite Weltkrieg*, 5:2, München 1999, s. 275-776.

*Nationalsozialismus, Holocaust, Widerstand und Exil 1933-1945*. Online-Datenbank. K.G. Saur Verlag. https://db.saur.de

*Nazi Conspiracy and Aggression*. 3. Office of United States Chief Counsel for Prosecution of Axis Criminality. Washington 1946.

*Nazi Germany's War Against the Jews*. New York 1947.

Nelleman, George: *For Danmarks frihed og Polens ære. Den polsk-engelske efterretningstjeneste i Danmark 1940-45*. 1989.

Neufeldt, H.J., J. Huch und G. Tessin: *Zur Geschichte der Ordnungspolizei 1936-1945*. Koblenz 1957 (Schriften des Bundesarchivs Nr. 3).

Neumann, H.J.: *Arthur Seyss-Inquart*. Graz, Wien, Köln 1970.

Nielsen, Karen Marie: *Landsarbejdstjenesten*. 1946.

Nielsen, Martin: *Rapport fra Stutthof*. 1947.

Nielsen, Niels Aage: *Mellem jyske modstandsfolk*. 1980.

Nissen, Henrik S. og Henning Poulsen: *På dansk friheds grund. Dansk Ungdomssamvirke og De ældres Råd 1940-45*. 1963.

Nissen, Henrik S.: En fiktion bliver til. Danmarks neutralitet efter 9. april. *Hilsen til Hæstrup*. 1969, s. 160-174.

Nissen, Henrik S.: *1940. Studier i forhandlings- og samarbejdspolitikken*. 1973.

Nissen, Henrik S. (ed.): *Scandinavia during the Second World War*. Oslo and Minneapolis 1983.

Nissen, Henrik S.: 1940-1945. Besættelsen. Søren Mørch (red.): *Danmarks historie*. 7. Tiden 1914-1945. 1988, s. 361-426.

Nissen, Mogens R.: *Til fælles bedste – det danske landbrug under besættelsen*. 2005.

Nissen, Mogens R.: Fødeleverancernes betydning. *Historisk Tidsskrift*, 108, 2008, s. 532-551.

Munck, Ebbe og Børge Outze (red.): *Danmarks Frihedskamp. Skrevet af danske Journalister*. 1-2. 1948.

Noack, Johan Peter: *Det tyske mindretal i Nordslesvig under besættelsen*. 1975.

Noe-Nygaard, Arne: Geologen unter den deutschen Emigranten. Hans Frebold, Rudolf Kaufmann, Curt Teichert. Willy Dähnhardt und Birgit S. Nielsen (Hg.): *Exil in Dänemark*. Heide 1987.

Nolzen, Armin: Die NSDAP, der Krieg und die deutsche Gesellschaft. Jörg Echternkamp (Hg.): *Das deutsche Reich und der Zweite Weltkrieg*, 9:1, München 2004, s. 99-193.

NORD = *Expansionsrichtung Nordeuropa. Dokumente zur Nordeuropaåplitik des faschistischen deutschen Imperialismus 1939 bis 1935*. Hg. von Manfred Menger, Fritz Petrick, Wolfgang Wilhelmus unter Mitarbeit von Reinhard Abraham. Berlin 1987.

Nordlien, Niels-Henrik: *Træk af den tyske propaganda- og kulturpolitik i Danmark 1940-1943. En analyse af besættelsesmagtens forsøg på at fremme en tyskvenlig opinion i Danmark*. Utrykt speciale, Københavns Universitet 1998.
Næsh Hendriksen, C. og Ove Kampmann (red.): *Shellhuset 21.3.1945*. 1955. 2. udg. 1964.
Nørgaard, Erik: *Den usynlige krig. Historien om Ernst Wollwebers sabotageorganisation*. 1975.
Nørgaard, Erik: *Krig og slutspil. Gestapo og dansk politi mod Kominterns "bombefolk". Fra besættelsen af Danmark til idag*. 1986.
Nørgaard, Erik: *Mordet i Kongelunden*. 1991.
Nørgaard Olesen, Thomas: *Lokomotivfabrikken Frichs*. 2005.
Nørregaard, Hans Chr.: Bertolt Brecht og Danmark. Steffen Steffensen (red.): *På flugt fra nazismen. Tysksprogede emigranter i Danmark efter 1933*. 1986, s. 337-398.
Nørregaard, Hans Chr.: Bertolt Brecht und Dänemark. Willy Dähnhardt und Birgit S. Nielsen (Hg.): *Exil in Dänemark. Deutschsprachige Wissenschaftler, Künstler und Schriftsteller im dänischen Exil nach 1933*. Heide 1993, s. 405-462.

Olesen, O.M.: Den dansk-tyske Forening. Vilhelm la Cour (red.): *Danmark under Besættelsen*. 2. 1947, s. 393-408.
Orlow, Dietrich: *The History of the Nazi Party: 1933-1945*. Pittsburg 1973.
Ossendorff, Ingo: "Den Krieg kennen wir nur aus der Zeitung". Zwischen Kollaboration und Widerstand. Dänemark im II. Weltkrieg. Studie zum fünfzigsten Jahrestag der Aktion "Weserübung", dem 9. April 1990. Frankfurt am Main 1990. (*Europäische Hochschulschriften*. Reihe 3. *Geschichte und ihre Hilfswissenschaften* 449).
Ottmer, Hans Martin: Skandinavien in der marinestrategischen Planung der Reichs- bzw. Kriegsmarine. Robert Bohn u.a. (Hg.): *Neutralität und totalitäre Aggression. Nordeuropa und die Grossmächte im Zweiten Weltkrieg*. Stuttgart 1991, s. 49-72.
Ottmer, Hans-Martin: "Weserübung". Der deutsche Angriff auf Dänemark und Norwegen im April 1940. München 1994. (*Operationen des Zweiten Weltkrieges* 1).
Outze, Børge: Manden bag Terroren i Danmark. Aage Svendstorp (red.): *Fem Aar i Lænker. Danmark under Besættelsen*. 1945, s. 349-354.
Outze, Børge: *Danmark under den anden verdenskrig*. 1-4. 1962-68.
Outze, Børge: Manden, som altid smilede. *Børge Outze's journalistik*. 1. Red. af J.B. Holmgaard, Palle Koch og Erik Lund. 1980, s. 9-13.

Padfield, Peter: *Himmler*. New York 1991.
Pais, Abraham: *Niels Bohr og hans tid. I fysik, filosofi og samfundet*. 1994.
Paul, Gerhard (Red.): *"Flensburg meldet:...!" Flensburg und das deutsch-dänische Grenzgebiet im Spiegel der Berichterstattung der Geheimen Staatspolizei und des Sicherheitsdienstes (SD) des Reichsführers-SS (1933-1945)*. Flensburg 1997.
Paul, Gerhard: "Kämpfende Verwaltung". Das Amt IV des Reichssicherheitshauptamtes als Führungsinstanz der Gestapo. Gerhard Paul, Klaus-Michael Mallmann (Hg.): *Die Gestapo im Zweiten Weltkrieg. Heimatfront und besetztes Europa*. Darmstadt 2000, s. 42-81. (a)

Paul, Gerhard: "Diese Erschiessungen haben mich innerlich gar nicht mehr berührt." Die Kriegsendphasenverbrechen der Gestapo 1944/45. Gerhard Paul, Klaus-Michael Mallmann (Hg.): *Die Gestapo im Zweiten Weltkrieg. Heimatfront und besetztes Europa*. Darmstadt 2000, s. 543-568. (b)

Paul, Gerhard (Hg.): *Die Täter der Shoah*. Darmstadt 2004.

Paul, Gerhard, Klaus-Michael Mallmann: Sozialisation, Milieu und Gewalt. Fortschritte und Probleme der neueren Täterforschung. Klaus-Michael Mallmann, Gerhard Paul (Hg.): *Karrieren der Gewalt. Nationalsozialistische Täterbiographien*. Darmstadt 2004, s. 1-32.

Paulsen, Helge: Terboven i konflikt med Kriegsmarine. *Motstandskamp, strategi og marinepolitik*, Oslo 1972, s. 59-117.

Paulsson, Gunnar S.: The 'Bridge over the Øresund'. The Historiography on the Expulsion of the Jews from Nazi-Occupied Denmark. *Journal of contemporary History*, 30:3, 1995, s. 431-464.

Pedersen, Bertel: *Tysk propagandavirksomhed i Danmark under besættelsen 1940-45*. Utrykt speciale, Århus Universitet 1977.

Pedersen, Thomas: Kapitulationen og afviklingen af den tyske besættelse af Danmark. *Den jyske Historiker*, 71, 1995, s. 41-58.

Petersen, Carl Otto: *De sorte tog. Lokomotivmænd i krig*. 1980.

Petersen, Conny: Ungarerne i Hvalsø kommune. *Roskilde Amt under besættelsen 1940-45*. 1990, s. 198-203. (*Historisk Årbog fra Roskilde Amt* 1990).

Petrick, Fritz: Das wirtschaftliche Okkupationsprogramm des faschistischen OKW beim Überfall auf Dänemark und Norwegen. *Zeitschrift für Geschichtswissenschaft*, 22, 1974, s. 742-747.

Petrick, Fritz: Das deutsche Okkupationsregime in Dänemark 1940 bis 1945. *Zeitschrift für Geschichtswissenschaft*, 39, 1991, s. 755-774.

Petrick, Fritz (Hg.): *Die Okkupationspolitik des deutschen Faschismus in Dänemark und Norwegen (1940-1945)*. Berlin 1992. (*Europa unterm Hakenkreuz*, 7).

Petrick, Fritz: Der 9. April 1940 und die "Neuordnung" Nordeuropas. *Deutschland, Europa und der Norden. Ausgewählte Probleme der nord-europäischen Geschichte im 19. und 20. Jahrhundert*. Stuttgart 1993, s. 97-105.

Petrick, Fritz: Den Tyske Arbejdsfront og fagbevægelsen i de tysk besatte lande. *Årbog for arbejderbevægelsens historie* 1994, s. 87-118.

Petrick, Fritz: Dänemark, das "Musterprotektorat"? Robert Bohn (Hg.): *Die deutsche Herrschaft in den "germanischen" Ländern 1940-1945*. Stuttgart 1997, s. 121-134. (*Historische Mitteilungen*. Beiheft 26).

Petrick, Fritz: "Bündnisverwaltung" und "Führungsverwaltung". Die deutschen Okkupationsregimes in Dänemark und Norwegen 1940-1945 im Vergleich. Samme: "*Ruhestörung*". *Studien zur Nordeuropapolitik Hitlerdeutschlands*. Berlin 1998, s. 155-192.

Petrick, Fritz: Aggression "Weserübung". Samme: "*Ruhestörung*". *Studien zur Nordeuropapolitik Hitlerdeutschlands*. Berlin 1998, s. 25-34.

Petrick, Fritz: "Neuordnung" des Nordens 1940. Zu Den Plänen für die Einbeziehung Nordeuropas in den "Grosswirtschaftsraum". Samme: *"Ruhestörung". Studien zur Nordeuropapolitik Hitlerdeutschlands.* Berlin 1998, s. 35-43.

Petrick, Fritz: Die norwegische Kollaboration 1940-1945. Werne Röhr (Hg.): *Europa unterm Hakenkreuz.* 9. Okkupation und Kollaboration (1938-1945). Berlin, Heidelberg 1998, s. 119-132.

Petrick, Fritz: Werner Best. Ein verhinderter Generalgouverneur. Ronald Smelser, Enrico Syring (Hg.): *Die SS. Elite unter dem Totenkopf. 30 Lebensläufe.* Paderborn 2000, s. 60-76.

Petrick, Fritz und Reinhard Abraham: Zur faschistischen "Neuordnung" in Nordeuropa 1940/41. *Wissenschaftliche Zeitschrift der Ernst-Moritz-Arndt-Universität Greifswald,* 36:3-4, 1987, s. 35-38.

Pilgaard Jeremiassen, Eva: *Sabotagen i København juni 1942-august 1943.* Speciale, Københavns Universitet 1974. [med sabotagelister]

Piper, Ernst: *Alfred Rosenberg. Hitlers Chefideologe.* München 2005.

Poliakov, Leon und Josef Wulf (Hg.): *Das dritte Reich und seine Diener. Dokumente.* Berlin 1956.

Poulsen, Henning: "Fædrelandet" – tysk understøttelse af danske dagblade 1939-45. *Historie,* Ny Rk. VII:2, 1966, s. 232-272.

Poulsen, Henning: *Besættelsesmagten og de danske nazister. Det politiske forhold mellem tyske myndigheder og nazistiske kredse i Danmark 1940-43.* 1970.

Poulsen, Henning: Danmark i tysk krigsøkonomi. Myter og realiteter om den økonomiske udnyttelse af de besatte områder under 2. verdenskrig. *Den jyske Historiker,* 31/32, 1985, s. 121-132.

Poulsen, Henning: Die deutsche Besatzungspolitik in Dänemark. Robert Bohn u.a. (Hg.): *Neutralität und totalitäre Aggression. Nordeuropa und die Grossmächte im Zweiten Weltkrieg.* Stuttgart 1991, s. 369-380. (Historische Mitteilungen. Beiheft 1). (a)

Poulsen, Henning: Dänemark unter deutscher Besetzung. Thomas Steensen (Hg.): *Dänemark und die Niederlande unter deutscher Besetzung.* Bræist/Bredstedt 1991, s. 15-20. (b)

Poulsen, Henning: Dansk modstand og tysk politik. *Den jyske Historiker* 71, 1995, s. 7-18.

Poulsen, Henning: Denmark at War? The Occupation as History. Stig Ekmann og Nils Edling (eds.): *War Experience, Self Image and National Identity: The Second World War as Myth and History.* Södertälje 1997, s. 98-113.

Poulsen, Henning: Danmark i krig? Besættelsens eftermæle. *Magasin fra Det Kongelige Bibliotek* 11:4, 1997, s. 26-35. Også trykt i Lotte Philipson og John T. Lauridsen (red.): *Bøger, samlinger, historier. En antologi.* 1999, s. 263-269.

Poulsen, Henning: Hvad mente danskerne? *Historie,* 2000, s. 318-324.

Poulsen, Henning: *Besættelsesårene 1940-1945.* 2002.

Poulsen, Henning: Brug og misbrug af besættelsestidshistorien. *Magasin fra Det Kongelige Bibliotek,* 15:4, 2002, s. 17-23. (a)

Poulsen, Henning: Besættelsestiden i europæisk perspektiv. *Magasin fra Det Kongelige Bibliotek,* 18:1, 2005, s. 13-29.

Poulsen, Henning: Det tyske hvervekontor i Danmark. *Danske Magazin*, 50, 2006-08, s. 135-162.

Priemé, Hans: En Gestapo-officers dobbeltspil. Hans Hermannsen, SS-Hauptsturmführer i Danmark 1940-1945. *Politihistorisk Selskab. Årsskrift 2010*, s. 33-56.

Prip, Tage S.: "Søridderen" affæren. *Tidsskrift for søvæsen* 1979, s. 281-349.

*Der Prozess gegen die Hauptkriegsverbrecher vor dem Internationale Gerichtshof Nürnberg*. 1-42, Nürnberg 1947-49.

Prytz, R.: Økonomisk Samarbejde. Vilhelm la Cour (red.): *Danmark under Besættelsen*. 2. 1947, s. 409-424.

Puchert, Berthold: Aussenhandel und Okkupationswirtschaftspolitik 1939-1945. Lotte Zumpe: *Wirtschaft & Staat in Deutschland 1933 bis 1945*. Berlin 1980, s. 366-407.

Rasmussen, René: "Han var sit land en god søn" – Søren Telling. John T. Lauridsen (red.): *Over stregen – under besættelsen*. 2007, s. 797-817.

Ravnskov, Mette: *Den korte rejse, den lange skygge*. 2000.

*Records of the United States Nuremberg War Crimes Trials Interrogations, 1946-1949*. Roll 42, Washington 1976 (National Archives Microfilm Publications. Microfilm Publication M1019).

Reitlinger, Gerald: *Die Endlösung. Hitlers Versuch der Ausrottung der Juden Europas 1939-1945*. Berlin 1956 (1. engelske udg. 1953).

Rempel, Gerhard: Gottlob Berger and Waffen-SS Recruitment, 1939-1945. *Militärgeschichtliche Mitteilungen*, 27, 1980, s. 107-122.

Rempel, Gerhard: Gottlob Berger – "Ein Schwabengeneral der Tat. Ronald Smelser, Enrico Syring (Hg.): *Die SS. Elite under dem Totenkopf. 30 Lebensläufe*. Paderborn 2000, s. 45-59.

Reuth, Ralf Georg: *Goebbels*. München, Zürich 1990. Taschenbuchausgabe 1995. 5. Aufl. 2005.

Revsgård Andersen, Tage: *En studie i rødt, hvidt og blåt*. 1981.

Revsgård Andersen, Tage (udg.): *Notizen und Aufzeihungen für Gesandtschaft*. u.å. [2006?]

Rich, Norman: *Hitlers War Aims*. 1-2. New York 1974.

Rimestad, Chr.: *Horsens går til modstand: modstandskampen i Horsens 1940-1945*. Bd. 1: *April 1940-foråret 1944*. Bd. 2: *Foråret 1944-december 1944*. Bd. 3: *Januar 1945-september 1945*. 1998-2000. [med sabotageliste]

Rohde, Peter P. (red.): *Frit Danmarks Hvidbog*. 1-2. 1945-46.

Rosdahl, Nils: En international lægekommissions medvirken til at afdække sandheden om likvideringen af polske officerer i massegraven ved Katyn i foråret 1943; en dansk deltager, Helge Tramsen (1910-1970), og hans biografi. *Dansk Medicinhistorisk Årbog* 2008, s. 133-154.

Rose, Arno: *Werwolf 1944-1945*. Stuttgart 1980.

Rosengren, Bjørn: *Dr. Werner Best og tysk besættelsespolitik i Danmark 1943-1945*. 1982.

Roslyng-Jensen, Palle: Russerne i Danmark 1943-45. "Osttruppen" og andre "freiwillige Verbände" i den tyske besættelseshær. *Historie* Ny rk., 11:3, 1975, s. 392-416.

Roslyng-Jensen, Palle: *Værnenes politik – politikernes værn. Studier i dansk militærpolitik under besættelsen 1940-45*. 1980.
Roslyng-Jensen, Palle: Den 9. april 1940 som halvtresårsjubilar. En oversigt. *Historisk Tidsskrift*, 91, 1991, s. 154-174.
Roslyng-Jensen, Palle: Befrielsesjubilæet og den nyeste besættelseslitteratur. Idealister og "materialister" i besættelsesforskningen. *Historisk Tidsskrift*, 95, 1995, s. 367-398.
Roslyng-Jensen, Palle: Besættelsesforskningen 1995-2001. En national eller en ideologisk historieskrivning. *Historisk Tidsskrift* 101, 2001, s. 480-530.
Roslyng-Jensen, Palle: Historieskrivningen. *Gads leksikon om dansk besættelsestid 1940-1945*. Red. af Hans Kirchhoff, John T. Lauridsen og Aage Trommer. 2002, s. 203-210.
Roslyng-Jensen, Palle: Besættelseslitteraturen 2001-2006. Postmodernistisk variation og fortsat Hausse. *Historisk Tidsskrift*, 106, 2006, s. 198-242.
Roslyng-Jensen, Palle: *Danskerne og besættelsen. Holdninger og meninger 1939-1945*. 2007.
Rossel, Maurice: Besuch im Ghetto. *Theresienstädter Studien und Dokumente*. 3. Prag 1996, s. 284-301.
Roth, Daniel: *Hitlers Brückenkopf in Schweden. Die deutsche Gesandtschaft in Stockholm 1933-1945*. Berlin 2009.
Rozental, Stefan: Fyrrerne og halvtredserne. *Niels Bohr. Hans Liv og virke fortalt af en kreds af venner og medarbejdere*. 1964, s. 145-183.
Rudolph, Jörg: "Sämtliche Sendungen sind zu richten an:..." Das RSHA-Amt VII: "Weltanschauliche Forschung und Auswertung" als Sammelstelle erbeuteter Archive und Bibliotheken. Michael Wildt (Hg.): *Nachrichtendienst, politische Elite und Mordeinheit. Der Sicherheitsdienst des Reichsführer SS*. Hamburg 2003, s. 204-240.
Ruge, Friedrich: *Rommel und die Invasion*. Stuttgart 1958.
Rybner, Svend: I de russiske arkiver. *Arbejderhistorie*, 2004:1, s. 55-69.
Rüdiger, Mogens: To salt the Well – om saltfundet ved Harte i 1936. Ning de Coninck-Smith, Mogens Rüdiger og Morten Thing (red.): *Historiens kultur. Fortælling, kritik, metode. Tilegnet Niels Finn Christiansen*. 1997, s. 177-192.
Rünitz, Lone: *Danmark og de jødiske flygtninge 1933-1940*. 2000.
Rürup, Reinhard (ed.): *Topography of Terror*. Berlin 1989. 15. ed. 2005.
Røde Kors' beretning om kommissionens besøg den 23. juni 1944. Hans Sode-Madsen (red.): *Dengang i Theresienstadt. Deportationen af de danske jøder 1943-45*. 1995, s. 51-72.
Røder, H.C.: *De sejlede bare. En beretning om danske sømænds og fiskeres indsats hjemme og ude i den anden verdenskrig*. 1957. 2. opl. 1974.
Röhr, Werner: Forschungsprobleme zur deutschen Okkupationspolitik im Spiegel der Reihe "Europa untern Hakenkreuz". Werner Röhr (Hg.): *Europa unterm Hakenkreuz*. 8. Analysen. Quellen. Register. Heidelberg 1996, s. 25-343.
Röhr, Werner: System oder organisiertes Chaos? Fragen einer Typologie der deutschen Okkupationsregime im Zweiten Weltkrieg. Robert Bohn (Hg.): *Die deutsche Herrschaft in den "germanischen" Ländern 1940-45*. Stuttgart 1997, s. 11-45.

Röhr, Werner (Hg.): *Europa unterm Hakenkreuz.* 9. Okkupation und Kollaboration (1938-1945). Berlin, Heidelberg 1998. (a)

Röhr, Werner: Okkupation und Kollaboration. Werner Röhr (Hg.): *Europa unterm Hakenkreuz.* 9. Okkupation und Kollaboration (1938-1945). Berlin, Heidelberg 1998, s. 59-86. (b)

Røjel, Jørgen: Sabotagen mod Langåbroerne. Hans Jørgen Lembourn (red.): *Gå til modstand. Beretninger fra besættelsen.* 1961, s. 91-100.

Røjel, Jørgen: *Kæft trit og retning. En sabotørs erindringer.* 1973.

Røjel, Jørgen: *Holger Danske rejser sig. Opgøret med stikkere og terrorister.* 1993.

Røjel, Jørgen: *Dobbeltagenten, en stikkers historie.* 2000.

Rønne, Børge: Helsingør Syklub. *Helsingør Bymuseum. Årbog 1980*, s. 49-84.

Sabile, Jacques: Comment furent sauvés les juifs du Danemark. *Le monde juif* 24, 1949, s. 7-11. Fortsættes i nr. 25, 1949, s. 5-7 + s. 15. Fortsættes i nr. 26, 1949, s. 5-9.

Sabroe, Aksel S.: *Uden for skovvejene. En forstmands oplevelser.* 1964.

Salewski, Michael: *Die deutsche Seekriegsleitung 1935-1945.* 3: Denkschriften und Lagebetrachtungen 1942-1944, Frankfurt am Main 1973.

Salmon, Patrick: *Scandinavia and the great Powers 1890-1940.* Cambridge 1997.

*Salmonsens Leksikon Tidsskrift* 1945-46.

*Saltfundet ved Harte.* 1948.

Sandbæk, Harald: *Præst/sabotør flygtningearbejder.* 1983.

Sannemand Larsen, Kim: *Oprettelsen af den Dansk-Tyske Forening. En analyse af baggrunden for foreningens oprettelse med udgangspunkt i forhandlingspolitikken; samt en statistisk analyse af foreningens medlemmer.* Utrykt speciale, Odense Universitet 1998.

Scavenius, Erik: *Forhandlingspolitikken under Besættelsen.* 1948.

Schellenberg, Walter: *Aufzeichnungen. Die Memoiren des letzten Geheimdienstchefs unter Hitler.* Limes 1956.

Schellenberg, Walter: *Memoiren.* Köln 1959.

Schellenberg 2003, se Dorries, Reinhard R.: *Hitlers last Chief of Foreign Intelligence. Allied Interrogations of Walter Schellenberg.* London, Portland 2003.

Schmidt, Erik Ib: Tysk Fremtrængen og dansk Modværge. Aage Friis (red.): *Danmark under Verdenskrig og Besættelse.* 5. Danmarks økonomiske Forhold 1939-1945. 1948, s. 24-82. (a)

Schmidt, Erik Ib: Udenrigshandelens Omfang og Rammer. Aage Friis (red.): *Danmark under Verdenskrig og Besættelse.* 5. Danmarks økonomiske Forhold 1939-1945. 1948, s. 83-99. (b)

Schmidt, Erik Ib: *Fra psykopatklubben. Erindringer og optegnelser.* 1993.

Schnabel, Reimund: *Missbrauchte Mikrofone. Deutsche Rundfunkpropaganda im zweiten Weltkrieg. Eine Dokumentation.* Wien 1967.

Schramm, Percy Ernst (Hg.): *Die Niederlage. Aus dem Kriegstagebuch des OKW.* München 1962.

Schramm, Percy Ernst (Hg.): *Kriegstagebuch des Oberkommandos der Wehrmacht 1940-45.* I-IV. Frankfurt/M 1961-69.

Schreiber Pedersen, Lars: En SS-arkæolog i Vendsyssel. *Vendsyssel Årbog* 2002, s. 95-106.

Schreiber Pedersen, Lars: Dansk arkæologi i hagekorsets skygge 1933-1945. *Kuml* 2005, s. 145-186.
Schreiber Pedersen, Lars: Deutsche Archäologie im okkupierten Dänemark 1940-1945. Jean-Pierre Legrendre, Laurent Olivier et Bernadette Schnitzler (dir.): *L'archéologie nazie en Europe de l'Ouest.* Lavis 2007, s. 379-291. (a)
Schreiber Pedersen, Lars: Arkæolog på afveje – Mogens B. Mackeprang. John T. Lauridsen (red.): *Over stregen – under besættelsen.* 2007, s. 542-558. (b)
Schreiber Pedersen, Lars: "Damit die Dänen sehen, dass wir uns darum kümmern". Ahnenerbes forbindelser til Danmark 1935-1945. *Fund og Forskning,* 47, 2008, s. 271-311.
Schorn, Hubert: *Der Richter im Dritten Reich.* Frankfurt am Main 1959.
Schröter, Harm G.: Administrative Ansätze nationalsozialistischer Grossraumwirtschaft – die Fälle Norwegen und Dänemark. Gerhard Otto und Johannes Th. M. ten Cate (Hg.): *Das organisierte Chaos.* Berlin 1997, s. 143-172. (Nationalsozialistische Besatzungspolitik in Europa 1939-1945. 7).
Schröter, Harm G.: Thesen und Desiderata zur ökonomischen Besatzungsherrschaft. Skandinavien und die NS-Grossraumwirtschaft. Joachim Lund (ed.): *Working for the New Order. European Business under German Domination, 1939-1945.* 2006, s. 29-44.
Schulz, Erik: Statens civile Luftværn. Vilh. la Cour (Red.): *Danmark under Besættelsen,* 2, 1947, s. 185-210.
Schumann, Wolfgang: Das Scheitern einer Zoll- und Währungsunion zwischen dem faschistischen Deutschland und Dänemark. *Jahrbuch für Geschichte,* 9, 1973, s. 515-566.
Schumann, Wolfgang und Ludwig Nestler (Hg.): *Weltherrschaft im Visier. Dokumente zu den Europa- und Weltherrschaftsplänen des deutschen Imperialismus von der Jahrhundertwende bis Mai 1945.* Berlin 1975.
Schumann, Wolfgang und Ludwig Nestler (Hg.): *Die faschistische Okkupationspolitik in Belgien, Luxemburg und den Niederlanden (1940-1945).* Dokumentenauswahl und Einleitung von Ludwig Nester. Berlin 1990. (*Europa unterm Hakenkreuz,* 3).
Schwartz, Niels: *Skagen besat 1940-1945.* 1995.
Schwendemann, Heinrich: "Deutsche Menschen vor der Vernichtung durch den Bolchewismus zu retten." Das Programm der Regierung Dönitz und der Beginn einer Legendenbildung. Jörg Hillmann und John Zimmermann (Hg.): *Kriegsende 1945 in Deutschland.* München 2002, s. 9-33.
Schwendemann, Heinrich: Der deutsche Zusammenbruch im Osten 1944/45. Bernd-A. Rusinek (Hg.): *Kriegsende 1945. Verbrechen, Katastrophen, Befreiungen in nationaler und internationaler Perspektive.* Göttingen 2004, s. 125-150.
Schwerin von Krosigk, Lutz: *Es geschah in Deutschland.* Tübingen, Stuttgart 1951.
Schwerin von Krosigk, Lutz: *Staatsbankrott. Die Geschichte der Finanzpolitik des Deutschen Reiches von 1920 bis 1945.* Göttingen 1974.
Schjødt-Eriksen, Svend: *En udsat post. Erindringer fra besættelsestiden.* 1976.
Scholtyseck, Joachim: Der "Schwabenherzog". Gottlob Berger, SS-Obergruppenführer. Michael Kissener, Joachim Schlotyseck (Hg.): *Die Führer der Provinz. NS-Biographien aus Baden und Württemberg.* Konstanz 1997, s. 77-110.

Seabury, Paul: *The Wilhelmstrasse. A Study of German Diplomats under the Nazi Regime.* Berkeley/Los Angeles 1954.
Segerstedt, Torgny: *I dag.* 1945.
Simonsen, Jørgen D.: *Søens top ti.* 1973.
Sjøqvist, Viggo: *Danmarks udenrigspolitik 1933-1940.* 1966.
Sjøqvist, Viggo: *Erik Scavenius.* 2. 1973.
Sjøqvist, Viggo: *Nils Svenningsen. Embedsmanden og politikeren. En biografi.* 1995.
Skade, Rigmor: Danmark under Krigen. Økonomiske Foranstaltninger i Perioden Sept.-Decbr. 1939-Oktober-December 1944. 1939-1944. (Tillæg til *Økonomi og Politik* 13:4-18:4).
Skade, Rigmor: Danmark under Krigen. Økonomiske Foranstaltninger i Aaret 1945. 1947. (Tillæg til *Økonomi og Politik* 20:3, 1946. Særskilt udgave).
*Skibsberetning for årene 1939-1945.* II. 1950.
Skodvin, Magne: Norsk okkupasjonshistorie i europeisk samanheng. Samme: *Samtid og historie. Utvalde artiklar og avhandlingar.* Oslo 1975, s. 13-24.
Skodvin, Magne: *Norsk historie 1939-1945. Krig okkupasjon.* Oslo 1991.
Skov, Andreas: Clearingmord og sabotage. Den tyske terror på Fyn 1944-45. *Fynske årbøger* 2005, s. 5-27.
Skov, Andreas: For Danmark og demokratiet. Landsretssagfører Ernst Petersen og besættelsen. *Odense Bogen* 2008, s. 52-71.
Skov, Andreas: Torturens grimme ansigt. Gestapo og tysk polititerror i Odense under besættelsen. *Odense Bogen* 2011, s. 7-30.
Skov, Niels Aage: *Brev til mine efterkommere.* 2000.
Skov Kristensen, Henrik, Claus Kofoed og Frank Weber: *Vestallierede luftangreb i Danmark under 2. verdenskrig.* 1-2. 1988.
Skov Kristensen, Henrik: Episoder fra Als og Sundeved april 1940 til september 1944. Henrik Skov Kristensen og Inge Adriansen (red.): *Als og Sundeved 1940-45.* 1995, s. 56-104. (a)
Skov Kristensen, Henrik: Tiden omkring den tyske kapitulation. Henrik Skov Kristensen og Inge Adriansen (red.): *Als og Sundeved 1940-45.* 1995, s. 219-260. (b)
Skov Kristensen, Henrik: Befrielsen af Danmark – Det militære slutspil om Danmark. *Sønderjysk Månedsskrift* 71, 1995, s. 109-121. (c)
Skov Kristensen, Henrik: En politik med rækkevidde: Samarbejdspolitikken og de danske kz-fanger. *Magasin fra Det Kongelige Bibliotek*, 18:3, 2005, s. 31-45.
Skov Kristensen, Henrik: Thora teilt mit... – Storstikkersken Grethe Bartram. John T. Lauridsen (red.): *Over stregen – under besættelsen.* 2007, s. 53-103. (a)
Skov Kristensen, Henrik: Gestapos danske Mata Hari – Jenny Holm. John T. Lauridsen (red.): *Over stregen – under besættelsen.* 2007, s. 308-351. (b)
Skov Kristensen, Henrik: I hemmelig tysk tjeneste – Hvis lille kat er du, Max Pelving? John T. Lauridsen (red.): *Over stregen – under besættelsen*, 2007, s. 671-706. (c)
Skov Kristensen, Henrik: Mellem Hitler og hjemstavn – Folkegruppefører Jens Møller. John T. Lauridsen (red.): *Over stregen – under besættelsen*, 2007, s. 582.608. (d)
Snitker, Hans: *Det illegale Frit Danmark – bladet og organisationen.* 1977.
Sode-Madsen, Hans: *Theresienstadt – og de danske jøder 1940-45.* 1992. 67 s. (*Årsskrift for Frihedsmuseets Venner* 1992). (a)

Sode-Madsen, Hans: Perfekter Betrug. Die dänischen Juden und Theresienstadt. Miroslav Kárný, Vojtech Blodig und Margita Kárná (Hg.): *Theresienstadt in der "Endlösung der Judenfrage"*. Prag 1992, s. 101-109. (b)
Sode-Madsen, Hans: "Her er livets lov egoisme". De danske jøder i Theresienstadt. Hans Sode-Madsen (red.): *"Føreren har befalet!" Jødeaktionen oktober 1943*. 1993, s. 174-219. (a)
Sode-Madsen, Hans: The Perfect Deception. The Danish Jews and Theresienstadt 1940-45. *Leo Baeck Yearbook*, 38, London 1993, s. 263-293. (b)
Sode-Madsen, Hans (red.): *"Føreren har befalet!" Jødeaktionen oktober 1943*. 1993. (c)
Sode-Madsen, Hans: Røde Kors besøget i Theresienstadt den 23. juni 1944. Hans Sode-Madsen (red.): *Dengang i Theresienstadt. Deportationen af de danske jøder 1943-45*. 1995, s. 53-74. [s. 57-74 gengivelse af E. Juel Henningsens beretning om besøget i Theresienstadt]
Sode-Madsen, Hans (red.): *I Hitler-Tysklands skygge. Dramaet om de danske jøder 1933-1945*. 2003.
Sode-Madsen, Hans: *Reddet fra Hitlers helvede. Danmark og De Hvide Busser 1941-45*. 2005.
Sode-Madsen, Hans: "Åndeligt værnemageri"? – Helmer Rosting og Dansk Røde Kors 1943-45. John T. Lauridsen (red.): *Over stregen – under besættelsen*. 2007, s. 730-751.
Sonnleithner, Franz von: *Als Diplomat im "Führerhauptquartier"*. Wien, München 1989.
Staf, Karl: *Den röda lågan. En dödsdömd antinazists memoarer*. Stockholm 1997.
*Statens Civile Luftværn 1938-1949*. 1-3. 1950.
Steinert, Marlis G.: *Die 23 Tage der Regierung Dönitz*. Düsseldorf, Wien 1967.
Steinkühler, Manfred: "Antijüdische Auslandsaktion". Die Arbeitstagung der Judenreferenten der deutschen Missionen am 3. und 4. April 1944. Karsten Linne u.a. (Hg.): *Patient Geschichte*. Frankfurt/Main 1993, s. 256-279.
Stemann, P. Chr. v.: *En dansk Embedsmands Odyssé*. 1, 1961.
Stender-Petersen, Ole: Den tyske kommunistiske emigration i Danmark 1933-1945. *Meddelelser om forskning i arbejderbevægelsens historie*, 10, 1978, s. 4-17.
Steuer, Claudia: Die "Judenberater" in Hitlers Europa. Gerhard Paul, Klaus-Michael Mallmann (Hg.): *Die Gestapo im Zweiten Weltkrieg. Heimatfront und besetztes Europa*. Darmstadt 2000, s. 403-436.
Stevnsborg, Henrik: *Politiet 1938-47. Bekæmpelsen af spionage, sabotage og nedbrydende virksomhed*. 1992.
Stevnsborg, Henrik: Politifuldmægtigen, der havde goodwill hos Gestapo – Vilhelm Leifer. John T. Lauridsen (red.): *Over stregen – under besættelsen*. 2007, s. 503-523.
Strand, Frederik: *Førerens germanske arm. SS i Danmark*. 2006.
Struch, Matthias: Walter Frentz – der Kameramann des Führer. Hans Georg Hiller von Gaertringen (Hg.): *Das Auge des Dritten Reiches. Hitlers Kameramann und Fotograf Walter Frentz*. München, Berlin 2007, s. 14-42.
Stræde, Therkel: Neuere Forschungen zum Zweiten Weltkrieg in Dänemark. Jürgen Rohwer og Hildegard Müller (Hg.): *Neue Forschung zum Zweiten Weltkrieg. Literaturberichte und Bibliographien aus 67 Ländern*. Koblenz 1990, s. 75-86.
Stræde, Therkel: Deutschlandarbeiter. Dänen in der deutschen Kriegswirtschaft 1940-

1945. Ulrich Herbert (Hg.): *Europa und der "Reichseinsatz". Ausländische Zivilarbeiter, Kriegsgefangene und KZ-Häftlinge in Deutschland 1938-1945.* Essen 1991, s. 140-171.
Stræde, Therkel: Danske entreprenører i Nazi-Tyskland under den 2. verdenskrig. *Arbejderhistorie* 2001:1, s. 1-22.
Svenningsen, Nils: Udenrigstjenesten under krig og besættelse. *Den danske udenrigstjeneste 1770-1970.* 2. 1970, s. 147-242.
Søgaard Olesen, Peter: *Danmark i Neuropa? Den tyske propaganda fra den 9. april 1940 til juli 1941.* Utrykt speciale, Odense Universitet 1991.
Søndergård Gude, Jane: *Paul Kanstein og hans embedsførelse under den tyske besættelse af Danmark 1940-43.* Utrykt speciale, Århus Universitet 2000.
Sørensen, Lars Peter: *Radiogrupperne Moses og Cain.* 1992.
Sørensen, Søren Peder: *De ungarske soldater. En glemt tragedie fra den tyske besættelse af Danmark under 2. Verdenskrig.* 2005.
Sørensen, Søren Peder: *Die ungarischen Soldaten eine vergessene Tragödie aus der deutschen Besatzungszeit Dänemarks während des 2. Weltkriegs.* 2005.

Tamm, Ditlev: *Retsopgøret efter besættelsen.* 1984
Taylor, Telford: *The Anatomy of the Nuremberg Trials.* London 1993.
Teglers, Hans Edvard: *Kæmp for alt hvad du har kært.* 1946.
*Teologisk Stat.* Red. af Agnes Siersted. 1949.
Tessin, G., se Neufeldt und Tessin
Thalmann, Rita: *Gleichschaltung in Frankreich 1940-1944.* Hamburg 1999.
Thamer, Hans-Ulrich: Monokratie-Polykratie. Historiographischer Überblick über eine kontroverse Debatte. Gerhard Otto und Johannes Th. M. ten Cate (Hg.): *Das organisierte Chaos.* Berlin 1997, s. 21-34. (*Nationalsozialistische Besatzungspolitik in Europa 1939-1945.* 7).
Thing, Morten: *Kommunismens kultur.* 1-2, 1993.
Thing, Morten: Kommunisternes kapital. Morten Thing (red.): *Guldet fra Moskva. Finansieringen af de nordiske kommunistpartier 1917-1990.* 2001, s. 165-186.
Thomas, Georg: *Geschichte der deutschen Wehr- und Rüstungswirtschaft (1918-1943/45).* Boppard am Rhein 1966.
Thomassen, Erik: *Beretning om Aarhus Byvagts Virksomhed i Tiden Oktober 1944 – Juli 1945.* 1945.
Thomsen, Erich: *Deutsche Besatzungspolitik in Dänemark 1940-1945.* Düsseldorf 1971.
Thomsen, Niels og Jette D. Søllinge: *De danske aviser 1634-1991.* 3. 1991.
Thorsen, Sigurd (red.): *Københavns Vagtværn 1944-1945.* 1947.
Thostrup Jacobsen, Erik: *Som om intet var hændt. Den danske folkekirke under besættelsen.* 1991.
Thygesen, Paul: *Læge i tysk Koncentrationslejr.* 1945.
Tillisch, Frits G.: *Min tjeneste som officer i et besat Danmark.* 1-2, 2009.
Toldstrup, Anton: *Uden Kamp ingen Sejr.* 1948.
Tooze, Adam: The *Wages of Destruction. The making and breaking of the Nazi Economy.* London 2006.

Topp, Niels-Henrik: Fiscal Policy in Denmark 1930-1945. *European Economic Review*, 32, 1988, s. 512-518.
Torell, Ulf: *Hjälp till Danmark. Militäre och politiska förbindelser 1943-1945*. Stockholm 1973.
Tortzen, Christian: *Søfolk og skibe*. 1-4. 1981-85.
Tresoglavic, Adrian: Danske "asociale" og "vaneforbrydere" i tyske koncentrationslejre. Nazistisk kriminalitetsbekæmpelse i Danmark efter 19. september 1944. Therkel Stræde (red.): *De nazistiske koncentrationslejre. Studier og bibliografi*. 2009, s. 145-166.
*The Trial of Adolf Eichmann. Record of Proceedings in the District Court of Jerusalem*. State of Israel Ministry of Justice. 2. Jerusalem 1992.
*Trials of War Criminals before the Nuremberg Military Tribunals under Control Counsil Law No. 10*. 12. Nürnberg 1949.
*Trials of War Criminals before the Nuremberg Military Tribunals under Control Counsil Law No. 10*. 13-14. Washington D.C. 1952.
Trolle, Børge: De revolutionære Socialisters indsats i besættelsesårene. Karen Pedersen og Therkel Stræde (red.): *Anarki og arbejderhistorie. Festskrift for Carl Heinrich Petersen*. 1985, s. 224-240.
Trolle, Jørgen: *Syv Maaneder uden Politi*. 1945.
Trommer, Aage: *Jernbanesabotagen i Danmark under den anden verdenskrig. En krigshistorisk undersøgelse*. 1971.
Trommer, Aage: *Modstandsarbejde i nærbillede. Det illegale arbejde i Syd- og Sønderjylland under den tyske besættelse af Danmark 1940-45*. 1973.
Trommer, Aage: Modstandsarbejdet i Kolding under anden verdenskrig. Knud Moseholm, Aksel Nellemann, Knud Erik Reddersen (red.): *Kolding i det tyvende århundrede indtil kommunesammenlægningerne i 1970*. 2. 1979, s. 257-324. [med sabotageliste]
Trommer, Aage: Sabotage und Streiks im besetzten Dänemark. Waclaw Dlugoborski (Hg.): *Zweiter Weltkrieg und sozialer Wandel*. Göttingen 1981, s. 248-275.
Trommer, Aage: Kollaboration und Widerstand in Dänemark. Robert Bohn u.a.(Hg.): *Neutralität und totalitäre Aggression. Nordeuropa und die Grossmächte im Zweiten Weltkrieg*. Stuttgart 1991, s. 381-397.
Trommer, Aage: Norge, Danmark og Holland under okkupationen. Et forsøg på en komparation. *Folk og erhverv tilegnet Hans Chr. Johansen*. 1995, s. 271-286. (a)
Trommer, Aage: Hvad har vi naaet og hvad mangler vi? Knud J.V. Jespersen og Thomas Pedersen (red.): *Besættelsen i perspektiv. Bidrag til konference om besættelsestiden 1940-1945*. 1995, s. 11-26. (b)
Tuchel, Johannes: Gestapa und Reichssicherheitsamt. Die Berliner Zentralinstitution der Gestapo. Gerhard Paul og Klaus-Michael Mallmann (Hg.): *Die Gestapo. Mythos und Realität*. Darmstadt 1995, s. 84-100.
Tuchtenhagen, Ralf: Dänemark im Zweiten Weltkrieg. Forschungstendenzen der letzen zehn Jahre (1985-95). *Neue Politische Literatur*, 42, 1997, s. 13-28.
Tudvad, Peter: *Sygeplejerske i Det Tredje Rige. En danskers historie*. 2009.

*Tyske civile og militære myndigheder og tyske partiinstitutioner 1934-1947.* 1972. Udg. af Rigsarkivet.

*Tyske arkivalier om Danmark 1848-1945.* 1-4. 1978-97. Udg. af Rigsarkivet.

Umbreit, Hans: *Der Militärbefehlshaber in Frankreich 1940-1944.* Boppard am Rhein 1968.

Umbreit, Hans: Der Kampf um die Vormachtstellung in Westeuropa. *Das Deutsche Reich und der Zweite Weltkrieg.* 2. *Die Errichtung der Hegemonie auf dem europäischen Kontinent.* Stuttgart 1979, s. 235-327.

Umbreit, Hans: Auf dem Weg zur Kontinentalherrschaft. *Das Deutsche Reich und der Zweite Weltkrieg.* Bd. 5:1. *Organisation und Mobilisierung des deutschen Machtbereichs.* 1. Stuttgart 1988, s. 3-345.

Umbreit, Hans: Zur Organisation der Besatzungsherrschaft. Gerhard Otto und Johannes Th. M. ten Cate (Hg.): *Das organisierte Chaos.* Berlin 1997, s. 35-54. (*Nationalsozialistische Besatzungspolitik in Europa 1939-1945.* 7).

Umbreit, Hans: Die Rolle der Kollaboration in der deutschen Besatzungspolitik. Werne Röhr (Hg.): *Europa unterm Hakenkreuz.* 9. Okkupation und Kollaboration (1938-1945). Berlin, Heidelberg 1998, s. 33-44.

Umbreit, Hans: Die deutsche Herrschaft in den besetzten Gebieten 1942-1945. *Das Deutsche Reich und der Zweite Weltkrieg.* Bd. 5:2. *Organisation und Mobilisierung des deutschen Machtbereichs.* 2. Stuttgart 1999, s. 3-272.

*Das Urteil im "Wilhelmstrassen-Process".* Der amtliche Wortlaut der Entscheidung im Fall Nr. 11 des Nürnberger Militärtribunals gegen Weizsäcker und andere, mit abweichender Urteilsbegründung, Berichtigungbeschlüssen, den grundlegenden Gesetzbestimmungen, einem Verzeichnis der Gerichtspersonen und Zeugen und Einführungen von Robert M.V. Kempner und Carl Haensel. Schwäbisch-Gmünd 1950.

Vang Hansen, Jesper: *Højreekstremister i Danmark 1922-1945. En bibliografi over "genrejser"-bevægelsernes blade og tidsskrifter.* 1982.

Vang Hansen, Jesper, Esben Kjeldbæk, Bjarne Maurer: *Industrisabotagen under besættelsen i tal og kommentarer.* 1984.

Vilhjálmsson, Vilhjálmur Örn: *Medaljens bagside. Jødiske flygtningeskæbner i Danmark 1939-1945.* 2005.

Vilhjálmsson, Vilhjálmur Örn: "Ich weiss, was ich zu tun habe." En kildekritisk belysning af Georg Ferdinand Duckwitz' rolle i redningen af jøderne 1943. *Rambam,* 15, 2006, s. 72-93.

Vogel, Detlef: Deutsche und Alliierte Kriegsführung im Westen. *Das Deutsche Reich und der Zweite Weltkrieg.* 7. Stuttgart 2001, s. 419-642.

Volkmann, Hans-Erich: Landwirtschaft und Ernährung in Hitlers Europe 1939-1945. *Militärgeschichtliche Mitteilungen,* 35, 1984, s. 9-74.

Volkmann, Hans-Erich: Landwirtschaft und Ernährung in Hitlers Europe 1939-1945. I samme: *Ökonomie und Expansion. Grundzüge der NS-Wirtschaftspolitik. Ausgewählte Schriften.* Hg. von Bernhard Chiari. München 2003, s. 365-442. (*Beiträge zur Militärgeschichte* 58). [udvidet udg. af Volkmann 1984]

Voorhis, Jerry L.: *A Study of official Relations between the German and Danish Governments in the Period between 1940-1943*. Upubl. diss., Northwestern University 1968.
Voorhis, Jerry L.: Germany and Denmark 1940-1943. *Scandinavian Studies*, 44, 1972, s. 171-185.
Vyff, Iben: "Hvad hun gør, gør hun helt ud" – Olga Eggers. John T. Lauridsen (red.): *Over stregen – under besættelsen*. 2007, s. 210-221.

Wagner, Gerhard (Hg.): *Lagevorträge des Oberbefehlshaber der Kriegsmarine vor Hitler 1939-1945*. München 1972.
Wagner-Augustenborg, Bjarne: *Den vildfarne. Historien om gestapomanden Frantz Toft, der valgte side – den forkerte – og blev henrettet*. 2000.
Walker, Mark: The History Behind Historical Fiction. Matthias Dörries (ed.): *Michael Frayn's Copenhagen in Debate*. Berkeley 2005, s. 89-98.
Warmbrunn, Werner: *The Dutch under German Occupation 1940-1945*. Stanford 1963.
Warring, Anette: *Tyskerpiger under besættelsestid og retsopgør*. 1994.
Weber, Wolfram: *Die innere Sicherheit im besetzten Belgien und Nordfrankreich 1940-44*. Düsseldorf 1987.
Wegner, Bernd: Das Kriegsende in Skandinavien. *Das deutsche Reich und der Zweite Weltkrieg*, 8, München 2007, s. 961-1008. (a)
Wegner, Bernd: Deutschland am Abgrund. *Das deutsche Reich und der Zweite Weltkrieg*, 8, München 2007, s. 1165-1210. (b)
Weiss, Hermann: Dänemark. Wolfgang Benz (Hg.): *Dimension des Völkermords. Die Zahl der jüdischen Opfer des Nationalsozialismus*. München 1991, s. 167-185.
Weiss, Hermann: Die Rettung der Juden in Dänemark während der deutschen Besatzung 1940-1945. Wolfgang Benz und Juliane Wetzel (Hg.): *Solidarität und Hilfe für Juden während der NZ-Zeit, Regionalstudien 3: Dänemark, Niederlande, Spanien, Portugal, Ungarn, Albanien, Weissrusland*. Berlin 1999, s. 11-86.
Weiss, Hermann (Hg.): *Biographisches Lexikon zum Dritten Reich*. Franfurt am Main 2002.
Weitkamp, Sebastian: *Braune Diplomaten. Horst Wagner und Eberhard von Thadden als Funktionäre der "Endlösung"*. Bonn 2008.
Weitkamp, Sebastian: SS-Diplomaten. Die Polizei-Attachés und SD-Beauftragten an den deutschen Auslandsmissionen. Christian A. Braun, Michael Mayer, Sebastian Weitkamp (Hg.): *Deformation der Gesellschaft? Neue Forschungen zum Nationalsozialismus*. Berlin 2008, s. 49-74. (a)
Weitz, John: *Hitler's Diplomat. The Life and Times of Joachim von Ribbentrop*. New York 1992.
Werner, Sebastian: Werner Best – Der völkische Ideologe. Ronald Smelser, Enrico Syring, Rainer Zitelmann (Hg.): *Die braune Elite*. 2. Darmstadt 1993, s. 13-25.
Werther, Steffen: *SS-Vision und Grenzland-Realität. Vom Umgang dänischer und volksdeutscher Nationalsozialistischen in Sönderjylland mit der grossgermanische Ideologie der SS*. Ph.d.-afhandling, Stockholms Universitet 2012.
Wessel-Tolvig, Per (red.): *Flådens oprør. Søværnet den 29. august 1943*. 1993
Westergaard-Nielsen, Chr.: Island under Krigen, *Økonomi og Politik* 1943, s. 22-33.

Wildt, Michael: *Generation des unbedingten. Das Führungskorps des Reichssicherheitshauptamtes*. Hamburg 2003.
Winkel, Harald: Die wirtschaftlichen Beziehungen Deutschlands zu Dänemark in den Jahren der Besetzung 1940-1945. Friedrich-Wilhelm Henning (Hg.): *Probleme der nationalsozialistischen Wirtschaftspolitik*. Berlin 1976, s. 119-174.
Winther Hansen, Michael: *Retsopgøret med de tyske krigsforbrydere*. Utrykt speciale, Københavns Universitet 2003.
Witthöft, Hans Jürgen: *Das Hansa-Bauprogram*. München 1968.
Wolfe, Robert (ed.): *Captured German and Related Records. A National Archives Conference*. Athens/Ohio 1974.

Yahil, Leni: Jehudej Dania be Theresienstadt. *Yalkut Moreshet*, 7:2/4, 1965, s. 56-87.
Yahil, Leni: *Et demokrati på prøve. Jøderne i Danmark under besættelsen*. 1967.
Yahil, Leni: *The Rescue of Danish Jewry. Test of af Democracy*. Philadelphia 1969. (Paperback ed. med tilføjelser 1983).
Yahil, Leni: Jødeforfølgelsens metoder. Gennemførelsen af "Endlösung" i Holland og Danmark. *Hilsen til Hæstrup*. 1969, s. 33-351. (a)
Yahil, Leni: Methods of persecution; A comparison of the "final solution" in Holland and Denmark. *Scripta Hierosolymitana* 23, Jerusalem 1972, s. 279-300. Optrykt i Michael R. Marrus (ed.): *The Nazi Holocaust*, 4, London 1989, s. 169-190.
Yahil, Leni: Doubted Nothing, Learned Noting. *Vad Yashem Studies*, 26, 1998, s. 449-468. [Anm. af Herbert 1996]

Zimmermann, John: Die deutsche militärische Kriegsführung im Westen 1944/45. *Das deutsche Reich und der Zweite Weltkrieg*, 10:1, München 2008, s. 277-490.

Øvig Knudsen, Peter: *Efter drabet. Beretninger om modstandskampens likvideringer*. 2001.
Øvig Knudsen, Peter: *Birkedal. En torturbøddel og hans kvinder*. 2004.

# Emneregister

De emner, der behandles eller omtales i akterne er så mangfoldige, at det har været nødvendigt at foretage visse afgrænsninger, idet der er taget højde for dels udvalgskriterierne (se indledningen afsnit 2.1.), dels at visse månedsberetninger er af genkommende standardiseret karakter, som Rüstungsstab Dänemarks og *Politische Informationen*. Det skal forstås sådan, at de emner, der er omfattet af udvalgskriterierne er særligt prioriteret i emneregistret, og at de standardiserede månedsberetninger ikke er medtaget i emneregistret. I stedet er der til indholdet i sidstnævnte udarbejdet to selvstændige oversigter, som er bragt ovenfor.

Emneregistret omfatter ikke indledningen i bind 1, da overskrifter klart angiver, hvad indholdet drejer sig om.

Alle henvisninger i emneregistret er til dokumentnumre; i bind 10 dog til tillæggenes numre.


Abort **3:** 223

Afbrydelse af strøm, gas og vand **3:** 259, 266f., 295; **6:** 261f., 264, 270; **7:** 1f., 6ff., 11f., 14, 18, 20-24, 28f., 39, 41, 44, 60f., 68, 86, 96, 138,d 141, 166, 171, 178, 224, 232f., 237f., 259f., 264, 269; **8:** 7, 11, 134, 154, 169; **9:** 85, 88, 157

Agenter, fjendtlige (se også • Modstandsfolk) **4:** 315, 336, 446; **6:** 180, 218, 221

Anholdelser; se • Kommunister, anholdelse af, • Modstandsfolk, anholdelse af danske, • Krigsfrivillige, anholdelse af danske, • Jøder, anholdelse pga. kriminelle eller politiske aktiviteter, • Danskere, masseanholdelse af kendte, • Politibetjente i forbindelse med illegalt arbejde, anholdelse af danske

Antisemitisme, dansk **2:** 347, 359, 365; **3:** 5, 7, 22, 48ff., 71, 73, 97, 106, 127f., 135, 142, 156, 173, 179f., 288; **8:** 45, 211, 264; **9:** 15

Arbejdere i Østeuropa, danske **1:** 191

Arbejdskraft i Danmark, tysk **8:** 150

Arbejdskraft, dansk **7:** 133; **10:** 7

Arbejdskraft, dansk (se også • Finlandsarbejdere, danske, • Norgesarbejdere, danske, • Arbejdere i Østeuropa, danske og • Tysklandsarbejdere, danske) **1:** 12, 125, 130, 191; **2:** 2, 58, 61, 63, 86, 115, 126, 153, 161, 181f., 243, 284, 363; **3:** 14, 31, 88, 114, 154, 187, 230; **4:** 378, 383, 388, 398, 403, 414, 425, 433, 450, 458, 464, 472; **5:** 27, 73, 78, 86, 166, 201, 245, 329, 365; **6:** 92, 129, 157, 219; **7:** 106, 139, 168ff., 172, 179, 183f., 186, 189, 193, 198f., 201, 204, 209, 214, 218, 223f., 246, 257; **8:** 2, 18, 32, 36, 39, 42, 46, 53, 64, 106, 225, 267, 280f.; **9:** 17, 37, 40, 42, 48, 120f., 158, 205, 211, 214

Arbejdskraft, kvindelig dansk **6:** 157

Arbejdsløshed, dansk **1:** 33, 73, 125, 191; **2:** 2, 58, 61, 86, 126, 284; **3:** 88, 230; **4:** 378, 383, 433, 450; **5:** 73; **6:** 92, 129; **7:** 224; **8:** 39; **9:** 120

Arbejdstjeneste, dansk **1:** 87; **2:** 63, 153, 161, 181f., 243, 264, 363, 366; **3:** 114, 286; **4:** 136, 140, 191, 206, 243f., 252, 256f., 261, 268, 271, 278, 284, 309

Arkivmateriale, destruktion af tysk **7:** 207; **9:** 181

Arktisforskning **1:** 160; **3:** 89, 191

Arrestationskartotek over danske jøder, kommunister og tyskfjendtlige funktionærer og officerer, tysk (se også • Kartotek over jøder, kommunister, tyskfjendtlige funktionærer og officerer, tysk) **1:** 27, 43

Atomfysik **5:** 183

Attentater på tyske interesser, oversigt over antallet af **5:** 102

Attentater på værnemagtsrepræsentanter **3:** 29; **4:** 35, 37, 48, 94, 105, 186, 195, 202, 253, 259, 348, 358ff., 376, 379f., 406, 412, 418, 434f., 438ff., 445, 450, 455; **5:** 13ff., 17, 29, 73, 82, 89, 101f., 110, 191, 193; **6:** 52, 92, 95, 129, 234; **7:** 29, 38, 144, 224; **8:** 80, 169, 227; **9:** 8, 13, 17, 87, 93, 105, 108f., 111, 113, 129, 133, 138f., 141, 192, 254, 257f., 264f.

Bedriftsværn, oprettelse af (se også • Sabotagevagter og • Sabotage mod virksomheder, bekæmpelse af) **1:** 201; **2:** 2, 23, 28, 61, 123, 126, 256, 270, 301ff., 390; **3:** 14, 91, 148, 222, 253; **4:** 48; **5:** 64, 136, 141, 147, 168, 193, 196, 223, 238; **8:** 137

Befrielsen, bevogtning af tyske myndigheders opholdssteder og af danske virksomheder efter **9:** 229

Befrielsen, tysk rømning af Danmark efter **9:** 249f., 254-259, 264f.

Benådningsret, tysk strid om **4:** 439, 465; **5:** 68, 273, 316, 340, 363, 367; **6:** 16, 32, 53, 59, 62f., 81, 89, 121, 137ff., 148; **7:** 18, 37, 45ff., 112; **9:** 45, 108, 179

Beslaglæggelse af amerikansk boreudstyr, tysk **1:** 71, 90, 147f.

Beslaglæggelse af danske cykler (se også • Køretøjer, beslaglæggelser og opkøb af danske) **8:** 12, 29, 31, 35, 37

Beslaglæggelse af Geodætisk Institut **5:** 183, 361

Beslaglæggelse af hospital i Løgumkloster (se også • Fødeanstalt til danske kvinder) **8:** 123, 191

Beslaglæggelse af Ollerup Gymnastikhøjskole **3:** 114, 312; **4:** 136, 140, 191, 206, 243f., 252, 256f., 261, 268, 271, 278, 284, 293, 309, 325f., 353, 376

Beslaglæggelser, forordning om **4:** 38; **8:** 213

Besættelse af Horserødlejren, tysk **3:** 316; **4:** 2, 356

Besættelse, markering af Danmarks **2:** 336f., 339, 389; **3:** 14

Besættelseskodeks **2:** 77

Besættelsesomkostninger?, dansk betaling af **1:** 130; **2:** 216, 230, 246; **3:** 14, 16; **4:** 50, 68, 73f., 93, 135, 143, 164, 291, 363, 375, 400; **5:** 27, 75, 84, 179, 185, 210, 216ff., 226f., 231, 240, 248, 258, 263ff., 271, 276, 288f., 307, 319, 325f., 335, 339, 351, 353; **6:** 2, 19, 48, 128, 166, 179, 208, 236; **7:** 152, 157, 173f., 225, 281, 290; **8:** 5, 28, 44, 50, 55, 68, 74, 85, 87, 113f., 167, 178, 195, 201, 206, 209, 222, 236, 249f., 263, 266, 269; **9:** 12, 14, 21, 81, 89, 114, 121f.

Bibliotek for nationalsocialistiske skrifter **5:** 274

Biblioteker, oprettelse af **5:** 309

Biskopper, danske (se også • Folkekirken og • Præster, danske) **3:** 194, 221; **4:** 58, 303, 322, 365, 408, 429; **5:** 197, 239; **6:** 71

Bogindkøb, tyske **5:** 274, 277, 372; **6:** 108, 170; **8:** 96

Bortførelser af tyske håndlangere til Sverige **8:** 260; **9:** 9

Brevduer, militær øvelsesflyvning med danske **3:** 83

Brevsmugling fra Sverige **5:** 36, 97

Broer, forberedelser til sprængning af **1:** 137; **2:** 271, 301, 367; **3:** 83, 187; **9:** 171

Budget, det tyske gesandtskabs **2:** 42, 54, 112; **3:** 155, 165, 197; **4:** 50, 68

Bøde **2:** 8; **3:** 263, 276; **4:** 35, 37, 94, 105, 135, 259, 358ff., 414, 425, 450; **5:** 15, 17, 191

Børn af tyske fædre og danske mødre **3:** 223; **6:** 28; **9:** 21

Børn af værnemagtsmedlemmer, underholdsbidrag til uægte **1:** 124; **2:** 313; **6:** 28; **8:** 114

Børn i Danmark, tyske **1:** 11; **2:** 114, 193, 278; **5:** 230; **6:** 45, 54, 68, 249; **7:** 203, 217, 279

Cementproduktion, dansk **2:** 2, 62, 302; **3:** 126, 145; **5:** 61, 73, 109, 362; **8:** 39; **9:** 37, 98, 142

Censur **2:** 340; **4:** 142; **6:** 138, 231; **7:** 142; **8:** 51

Censur, tysk **2:** 197, 209, 217, 360; **3:** 242, 281; **4:** 106, 195, 418, 423; **5:** 197, 239, 365; **6:** 107, 216, 250; **7:** 124; **8:** 45, 227, 260; **9:** 17

Clearingkontoen **2:** 94, 114, 193; **3:** 86, 88, 230, 312; **4:** 135, 375, 413; **5:** 7, 84, 122, 179, 185f., 224, 226, 235, 240, 258f., 265, 276, 321, 326, 351, 353, 355; **6:** 19, 21, 166, 200; **7:** 67, 77, 105, 126, 146, 157, 226, 294; **8:** 44, 49f., 113f., 164, 200, 206, 209, 249, 263, 266, 269, 271; **9:** 14, 21, 81, 89

Clearingmord **5:** 86, 96, 110, 199, 207, 270, 318; **6:** 2, 62, 244; **7:** 81; **8:** 180, 227; **9:** 17, 39, 101, 120; **10:** 3

Cykler, beslaglæggelse af danske cykler (se også • Køretøjer, beslaglæggelser og opkøb af danske) **8:** 12, 29, 31, 35, 37

Danskere som arbejdskraft i Tyskland, deporterede **9:** 63

Danskere, masseanholdelse af kendte **5:** 283

Davidsstjerne **1:** 178; **2:** 135

D-dag **6:** 176, 193, 201, 208, 214, 230, 234

Demonstrationer (se også • Strejker) **1:** 42, 95, 131; **2:** 336, 347; **3:** 9, 87, 183, 255, 257, 280, 306; **4:** 88, 137; **6:** 241, 264; **7:** 29, 171, 188, 224; **8:** 227

Deportation af danske modstandsfolk **5:** 40, 47; **7:** 65, 84

Deportation af danskere **4:** 480; **5:** 12, 108, 114, 116, 133, 206, 214, 315, 377ff.; **6:** 5, 7, 50, 169, 174, 245; **7:** 65, 84, 115, 143, 155, 161, 168, 170, 172, 177, 188, 198, 211, 213, 231-

234, 236, 239, 241, 244, 262; **8:** 165, 190, 218; **9:** 4, 9, 63, 104, 108f., 121, 127, 134, 185; **10:** 15
Deportationer; se • Deportationer af danskere, • Jøder, deportation af danske, • Kommunister, deportation af dansk, • Politi, deportation af dansk, • Officerer og menige, deportation af danske
Deviser; se • Valuta
DNSAP's arrangementer **1:** 129
DNSAP's mulige regeringsovertagelse **1:** 20f., 29, 52, 61, 64f., 67, 72, 75, 78, 93, 104f., 110, 129f., 138f., 145f., 155
Drab på dansk SS-mand, K.B. Martinsens beordring af **6:** 73, 83, 94, 101, 136, 156, 177; **7:** 137, 154; **8:** 27, 97, 193, 215, 227, 281; **9:** 19
Dødsmarch, danske KZ-fangers **9:** 63
Dødsstraf (se også • Modstandsfolk, henrettelse af, • Nedskydninger) **1:** 192; **2:** 17f., 24, 29, 37, 49, 82, 84, 354; **3:** 27, 82, 91, 94, 196, 203, 246, 270, 277, 281, 289, 297, 306, 314, 320; **4:** 16, 25, 48, 86, 219, 340, 437-440, 445, 455, 462, 480; **5:** 5, 12, 166; **6:** 52, 61f., 92, 95, 105f., 121, 129, 132f., 138, 145f., 148, 153, 159, 256, 258, 261, 263; **9:** 120f., 156

Efterretningstjeneste, illegal dansk militær **6:** 161, 180; **7:** 124; **8:** 101, 104, 165, 208, 256, 260, 274
Efterretningstjeneste, udvidelse af tysk **4:** 1, 50, 55, 68, 164, 179
Eksport til Tyskland, illegal **8:** 197
Eksport, dansk **2:** 62, 76, 108, 126, 132, 166, 302, 305, 316; **3:** 14, 20, 88, 104, 110, 121, 149, 152, 174, 227, 230, 233, 238, 241f., 284; **4:** 9f., 63, 75, 119, 127, 135, 166, 213, 219, 230, 259, 277, 317, 362, 375, 388, 418, 450, 458, 464; **5:** 8, 27, 56, 73, 75, 81, 91, 103, 123, 166, 181, 198, 201, 204, 210, 231, 234, 238, 240, 249, 265, 276, 286, 288f., 298f., 324, 333, 362, 365, 375, 388; **6:** 2f., 12, 23, 31, 33f., 36, 44, 46, 49, 51, 61, 76, 96, 103, 126, 129, 140, 147, 173, 179, 208, 217, 247; **7:** 82, 86, 98, 105f., 112, 117, 134, 138f., 148, 155, 157, 186, 188, 193, 207, 224, 271, 280, 282, 298; **8:** 5, 19, 29, 33, 42, 47, 52, 73, 87, 96, 102, 169, 180, 210, 227, 256, 281; **9:** 2, 12, 30f., 66, 106, 120f., 217
Eksportfremstød, tysk **2:** 97
Embedsmænd i Danmark, antallet af tyske **3:** 14, 39, 112, 311; **4:** 107, 152; **9:** 36
Embedsmænds rolle umiddelbart efter 29. august 1943, danske **4:** 1; **7:** 105
Embedsmænds rolle umiddelbart efter 30. august 1943, danske **3:** 295, 297f., 300ff., 306, 308-311, 315, 319
Erhvervsliv efter jødeaktionen, dansk **5:** 71
Erhvervsliv efter krigsafslutning, dansk **5:** 249; **8:** 73
Erhvervsliv umiddelbart efter 29. august 1943, dansk **4:** 4, 26, 31, 48, 63f., 75, 82, 92, 127, 135, 158, 195, 230, 246, 259, 277, 301, 317, 418, 470; **5:** 81, 238, 324, 354; **6:** 80
Erhvervslivs engagement i østlige områder, dansk **3:** 174, 241; **4:** 416; **5:** 56; **6:** 98

Faderskabssager **1:** 124; **2:** 313
Fagforeninger, danske **3:** 30, 36, 45, 254, 257, 261, 264, 266, 270, 277, 281, 284, 290, 314; **4:** 8, 18, 33; **6:** 263; **7:** 2, 8, 14, 20f., 30, 41, 48, 68, 188, 193, 224; **8:** 169; **9:** 120, 158
Faldskærmsagenter (se også • Agenter, fjendtlige) **1:** 21, 29; **2:** 17f., 24, 29, 37, 49, 82, 84, 101, 257, 270, 295, 301, 316; **3:** 14, 21, 28, 69, 94, 148, 246, 255, 257, 270, 277, 320; **4:** 53, 71, 346; **5:** 47f., 55, 133, 166, 303, 385; **6:** 147, 180, 208; **7:** 18, 105, 124, 136, 156, 224; **8:** 104, 133, 138, 141, 208, 260; **9:** 9, 176
Finlandsarbejdere, danske **1:** 12, 191; **2:** 2, 61, 86, 284; **3:** 14
Finlandshjælp **1:** 12
Finsk træindustri **1:** 12
Finsk-dansk samhandel **2:** 229
Finsk-tysk forhold **1:** 12, 140; **2:** 22; **4:** 57
Fiskeri, dansk **2:** 290, 292, 344, 390; **3:** 82, 110, 123, 145, 170, 205, 210, 268f., 272, 298, 313f., 317, 320; **4:** 10ff., 17, 32, 45, 118, 145, 166, 196, 273, 371, 419, 458; **5:** 36, 97; **6:** 84, 90, 96, 129, 141, 173, 187ff., 192, 197, 217, 228; **7:** 39, 103; **8:** 227, 256, 281; **9:** 76
Fjendtligt land, Danmark som **1:** 20f., 29, 137; **2:** 316; **3:** 186, 200, 220, 249; **4:** 88, 91, 172, 390
Flakbevæbning på danske skibe **1:** 13, 19; **3:** 317f.; **4:** 18; **8:** 115, 125, 189, 267
Flakmilits i Danmark, opstilling af (se også • Skibe, flakbevæbning på dansk, • Værfter, flakbevæbning på danske og • Virksomheder, flakbevæbning på danske) **2:** 173, 176, 370; **3:** 136
Flugt til Sverige **2:** 17, 238, 240, 254, 283, 290, 332, 343, 353, 387, 390; **3:** 57, 74, 82f., 91, 108, 158, 164, 166, 177, 181, 210, 224, 235,

243, 285, 294, 303, 306, 318; **4:** 16, 183, 189, 196, 223, 226, 242, 253, 260, 270, 273, 285, 304, 324, 338, 343, 376, 380, 478, 480; **5:** 8, 24, 34, 82, 88, 117, 193, 219, 303, 368, 385; **6:** 15, 61, 69, 88, 180; **7:** 124, 258; **8:** 48, 93, 104, 107, 110f., 115f., 118, 125f., 129, 139, 151, 155, 159ff., 174, 176, 184f., 189, 227, 229, 240, 244, 247, 254, 265, 270, 272; **9:** 27, 137, 151, 195
Flygtninge, tyske (se også • Mindretal, indkvartering af tyske flygtninge hos tysk) **8:** 224; **9:** 56, 61, 71f., 74, 77, 79, 81ff., 89f., 95, 99f., 104, 107, 114, 116f., 120ff., 125-128, 131f., 135f., 139ff., 143f., 147, 149f., 153, 155, 161, 163, 166, 173f., 183-187, 196, 198f., 205, 213, 215, 220, 226-231, 237, 239, 241, 244, 246, 248, 250f., 253, 259, 266
Flyvepladser i Danmark, tyske **2:** 173, 176; **5:** 103, 238, 245; **6:** 3, 103, 147, 207; **8:** 267; **9:** 9, 32
Folkekirken (se også • Biskopper, danske og • Præster, danske) **2:** 175, 183; **3:** 194, 221; **4:** 58, 263, 303, 322, 365, 389, 408, 429; **5:** 101, 134, 173, 197, 239; **6:** 71, 109, 117, 231; **7:** 18, 115, 142; **8:** 227, 256; **9:** 120
Folkeregistre, ødelæggelse eller fjernelse af **8:** 256; **9:** 9
Forordning af 12. august 1942, Hitlers **1:** 28, 44, 51, 74, 79, 86, 96, 117, 127; **2:** 56, 139; **3:** 14, 64, 178, 182, 196, 216, 230, 245; **5:** 322
Forordning om udøvelse af værnemagtsjurisdiktion overfor ikke-tyske statsborgere i Danmark 28. januar 1943, Bests **2:** 96, 119, 159
Forordning af 6. februar 1943, Lammers **2:** 95; **3:** 64, 182; **5:** 322
Forordning om erhvervelse af tysk statsborgerskab af 19. maj 1943, Hitlers **3:** 52, 70, 96; **4:** 420
Forordning vedrørende at fastslå værnemagtsmedlemmers underholdspligt for danske børn 9. august 1943 **3:** 313
Forordning om beslaglæggelser 4. september 1943, von Hannekens **4:** 48, 63, 246, 317, 377, 418
Forordning om danske virksomheders leveringer til eller arbejder for værnemagten af 4. september 1943, von Hannekens **4:** 48, 63, 112, 158, 246, 317, 323, 372, 377, 418; **5:** 91, 238, 272; **6:** 1, 80; **7:** 193; **8:** 213
Forordning om beslaglæggelse af bygninger og grunde 4. september 1943 **4:** 38, 246, 317, 377, 418
Forordning om afgivelse af dansk militær udrustning 16. september 1943: 246, 377 **4:** 246, 377
Forordning vedr. de danske jøder 2. oktober 1943 **4:** 212, 237, 242, 247
Forordning om skat af 21. februar 1944 **6:** 19, 166
Forordning om oprettelse af SS-domstol af den 24. april 1944, Bests **6:** 53, 78, 89, 103, 119, 130, 133, 137, 139, 142, 154, 265; **7:** 19, 33, 45f., 55f., 105, 112; **8:** 100
Forordning om besiddelse af skydevåben af 25. april 1944, Bests **6:** 60, 78
Forordning om beskyttelse af værnemagten 23. maj 1944 **9:** 1
Forordning om beslaglæggelser 23. maj 1944 **6:** 154, 168; **8:** 90; **9:** 1, 72
Forordning om danske virksomheders ydelser til værnemagten 23. maj 1944 **6:** 154, 168; **8:** 213, 250; **9:** 1
Forordning om at angreb på tyske interesser på Sjælland vil blive behandlet ved standret af 24. juni 1944, Bests **6:** 233
Forordning om forstyrrelse af ro og orden 24. juni 1944 **7:** 62, 90; **9:** 1
Forordning 27. juni 1944 om indskrænkning af ejendomsretten (Schutzbereichverordnung) **7:** 62, 90; **9:** 1
Forordning om at modarbejde tyske interesser og om indskrænkninger i ejendomsretten, hvor der er tale om militære interesser af 18. juli 1944, Bests **7:** 90
Forordning angående den politimæssige undtagelsestilstand 19. september 1944, HSSPFs **7:** 249, 285; **8:** 59
Forordning om bilkørsel i Danmark 19. september 1944, HSSPFs **8:** 39
Forbud om at bære våben af enhver art 27. september 44, HSSPFs **8:** 13
Forordning af 23. oktober 1944 om ophævelse af forordning af 24. april 1944 **8:** 100
Forordning 14. november 1944 om ændring af forordningen af 23. maj 1944 om beskyttelse af værnemagten **9:** 1
Forordning 10. dec. 1944 om regler for arbejdsbetingelserne ved de tyske tjenestesteder **9:** 1
Forordning om tyske statsborgere ml. 16-65 års forpligtelse til at bidrage til tysk krigsindsats af 12. marts 1945, Bests **9:** 143
Forordning om at ansvaret for værftssabotage skulle pålægges værftsarbejdere og deres pårørende, krav om **8:** 202, 205, 233, 241f., 255; **9:** 2
Forordningsret **5:** 94, 161; **6:** 81, 119, 130, 133, 139, 142, 154, 233, 265; **7:** 19, 33, 90

Forsvarsanlæg i Danmark, inspektion af tyske (se også • Invasion, militære forholdsregler i tilfælde af) **4:** 477; **5:** 16, 28, 39, 46, 65, 80, 145, 245, 302; **6:** 3; **7:** 248; **8:** 199; **9:** 84
Forsøg med mennesker i KZ-lejre, medicinske **1:** 141, 160; **2:** 169; **3:** 89, 191
Frimureri **4:** 33, 39, 52, 56, 109
Fuldmagtslov, Rigsdagens **1:** 104, 110, 130, 145, 155f., 159; **2:** 2, 59
Færgedrift **1:** 125, 189; **2:** 2, 27, 61, 126, 301, 316; **3:** 145; **4:** 391, 466; **5:** 73, 350; **6:** 125, 129f.; **7:** 23, 39, 224, 261; **8:** 38ff., 48, 107, 110f., 115f., 125f., 139, 151, 155, 159, 185, 208, 229, 231, 240, 244, 254, 265; **9:** 159
Fæstningsbyggeri **1:** 29, 125, 191; **2:** 2, 202, 216, 230, 236, 246, 279, 302, 333; **3:** 14, 88, 145, 194, 211, 230, 254; **4:** 378, 382f., 398, 403, 414, 423, 425, 433, 450, 458, 464, 477; **5:** 16, 73, 78, 86, 109, 166, 201, 228, 235, 238, 245, 286, 329, 332, 362, 365; **6:** 2f., 46, 61, 129, 208, 219, 236; **7:** 157, 182ff., 189, 199, 201, 204, 209, 214, 218, 223ff., 246, 257; **8:** 2, 5, 18, 28, 32, 36, 39, 42, 46, 53, 60, 64, 106, 108, 127, 146f., 150, 180, 200, 243, 262, 281; **9:** 6, 37, 80, 98, 120, 142, 205, 228
Fæstningsbyggeri i Tyskland, danske arbejdere og firmaer til **6:** 34
Fæstningsbyggeri, arbejdskraft fra det tyske mindretal til **7:** 209, 246; **8:** 32
Fæstningsbyggeri, dansk arbejdskraft til **1:** 191; **3:** 14, 88; **4:** 378, 383, 388, 398, 403, 414, 425, 433, 450, 458, 464; **5:** 73, 78, 86, 166, 201, 245, 329, 365; **6:** 129, 219; **7:** 106, 183f., 189, 199, 201, 204, 209, 214, 218, 223f., 246, 257; **8:** 2, 18, 32, 36, 39, 42, 46, 53, 60, 64, 106, 127, 281; **9:** 37, 205
Fæstningsbyggeri, krigsfanger som arbejdskraft til **8:** 46, 60, 64, 106, 127
Fæstningsbyggeri, status over **5:** 228, 332
Fæstningsbyggeri, stigende udgifter til **2:** 202, 216, 230, 246, 333; **3:** 230; **5:** 235
Fæstningsbyggeri, tysk arbejdskraft til **8:** 53, 64, 108, 150, 243, 262
Fødeanstalt til danske kvinder (se også • Beslaglæggelse af hospital i Løgumkloster) **3:** 223; **8:** 123, 191; **9:** 21, 163
Førerordrer; se tillæg 13 i bd. 10, s. 185.

Genealogiske arbejde i Danmark, SS' **6:** 216
Generalstrejken i København **6:** 267; **7:** 9, 29, 32, 38, 41, 44, 48f., 60
Generalstrejker udenfor København **3:** 255, 257, 265, 281; **4:** 33, 84, 128; **6:** 4, 205, 255-264, 266, 270; **7:** 1-9, 11-15, 17f., 20-24, 27-30, 32, 36, 38f., 41-45, 48, 50f., 59ff., 63f., 68ff., 74, 81, 83, 86, 93, 96, 112ff., 134, 138f., 155, 166, 168, 170ff., 188, 202, 224, 232, 247, 249ff., 254ff., 263, 266; **8:** 114, 134, 154, 169f., 180; **9:** 73, 85, 88, 157; **10:** 14
Germanisering af Midt- og Nordeuropa, herunder Danmark **1:** 45
Germansk Europa, konference om et **1:** 167; **2:** 74
Germansk korps i Danmark **1:** 45, 70, 146, 171; **2:** 88, 95, 127, 143, 329, 335, 349, 364, 366, 373; **3:** 52, 54, 58
Germansk-völkisch arbejde **1:** 28, 44, 74, 86, 96, 127, 133, 163, 171, 173; **2:** 12, 56, 95, 109, 127, 139, 143; **3:** 15, 66, 182, 186, 193, 200, 208, 220, 234, 249; **4:** 109; **5:** 322
Gesandtskaber efter 29. august 1943, danske **4:** 7, 25, 29, 55, 99, 114, 123, 142, 245, 251, 254, 262; **5:** 220
Gesandtskaber; se Navneregister;
Gesandtskabspersonale, det tyske i Danmark **10:** 4ff.
Gidsellister, tysk opstilling af **2:** 262, 266, 282, 328, 348; **3:** 187
Gidseltagning, planlægning og forberedelse af tysk **2:** 186, 262, 266, 282, 328, 348; **3:** 187, 222, 276, 297; **4:** 6, 26, 142, 437; **6:** 53, 62, 121, 125, 129; **7:** 19, 141, 144, 244; **8:** 233, 256; **9:** 243
Gidseltagning, planlægning og forberedelse til tysk **9:** 111
Grænsebevogtning **1:** 55; **3:** 101; **6:** 15; **7:** 185, 279; **8:** 10, 23, 30, 59, 101, 197; **9:** 127, 134, 145, 217
Grænsegendarmer, deportation af danske **8:** 10, 59, 83; **9:** 121, 127, 132, 134, 145

Havne, tyske forholdsregler vedr. danske **3:** 187; **4:** 170, 479; **5:** 10, 53, 128, 368; **7:** 49, 53f., 73, 176, 191, 234, 239, 259, 261, 266f., 270, 284; **8:** 3, 13, 50, 57, 79, 98, 106, 135, 273, 276f.; **9:** 10, 16, 22, 35, 53, 58, 61, 68, 96, 112, 129, 168, 171, 193, 196, 207
Henrettelser; se • Modstandsfolk, henrettelse af, • Kommunister, henrettelse af, • Dødsstraf
Hvervning af dansk ungdom, tysk **1:** 16; **2:** 181f.; **3:** 312; **4:** 193, 268; **5:** 306
Hvervning af danske krigsfrivillige til Schalburgkorpset, tysk **3:** 161, 182, 193, 202, 208, 218
Hvervning af danske krigsfrivillige, dansk **7:** 81
Hvervning af danske krigsfrivillige, tysk **1:** 51,

183; **2:** 56, 95, 144, 176f., 191, 369f.; **3:** 3, 6, 35, 40, 83, 107, 111, 153, 182, 193, 202, 208, 218, 313; **4:** 116f., 141, 149, 190, 193, 223, 228; **5:** 166, 306
Hvervning af danske officerer, tysk **2:** 335, 351, 357; **3:** 3, 6, 35, 40, 63, 83, 107, 111, 153; **4:** 70, 88, 116f., 124, 126, 128, 136, 141, 145, 149, 168, 172, 182f., 194, 217
Hvervning af danske soldater til værnemagten, tysk **2:** 177; **3:** 313, 320; **4:** 70, 79, 116f., 119, 124, 126, 128, 136, 141, 145, 149f., 155, 168, 172, 182f., 194, 217, 223, 226, 228, 238
Hær og marine efter 29. august 1943, dansk **3:** 296, 298, 301, 307, 313, 315, 317, 319f.; **4:** 5, 8, 19f., 26ff., 41, 43, 59ff., 65, 70f., 79, 81, 88, 91, 95, 102, 109, 116f., 119, 122, 124ff., 128ff., 136, 141, 145, 149f., 155f., 163, 168, 172, 174, 177, 181f., 194ff., 198, 200, 207, 209, 217, 221, 223-226, 228, 238, 242, 246, 250, 257, 259, 261, 268, 271, 278, 284, 293ff., 309f., 325f., 376, 419, 430, 443, 471f.; **5:** 73, 117, 131, 280, 376; **6:** 6, 36, 180
Hær og marine, konsekvenser af tysk afvæbning og opløsning af dansk **2:** 140, 146, 158, 167, 171
Hær, forbindelsesstab mellem værnemagt og dansk **3:** 40, 83, 93
Hær, rømning af danske garnisoner i Jylland og på Als **1:** 161, 201
Hær, styrke og udrustning af dansk **1:** 112; **2:** 100, 140, 146; **3:** 14
Hær, tysk afvæbning af dansk **1:** 21, 29; **2:** 100, 108, 140, 146, 158, 167, 171, 177, 206, 209, 213, 218, 224, 228, 249, 282f., 291, 332, 343, 351, 355, 368; **3:** 224, 236, 271, 274, 278f., 281, 283, 287, 291-296, 298ff., 303, 306f., 311, 313, 315, 319f.; **4:** 8, 26, 42f., 57, 78, 88, 142, 195, 217, 317, 390, 418, 450, 471; **5:** 27, 73; **6:** 92, 103; **7:** 224; **9:** 87
Hær, værnemagtens mistillid til dansk **2:** 100, 108; **3:** 216, 224, 303; **4:** 26, 88, 91, 136, 156, 172
Hærs mobiliseringsforberedelser, dansk **2:** 209, 213, 218, 224, 228, 249, 282f., 291, 332, 343, 351, 355, 368; **3:** 14, 23, 44; **4:** 88
Hærs våben og materiel, aflevering af dansk **1:** 172, 174, 176f., 184, 193, 195-198, 201; **2:** 6, 100, 108, 140, 146, 158, 167, 171, 177, 249; **3:** 14, 296, 313, 319; **4:** 55, 59, 61, 69, 78, 81, 88, 91, 95, 102, 109, 125, 129, 136, 141, 156, 172, 217, 228, 238, 246; **5:** 131

Illegal indrejse fra Sverige **4:** 374; **5:** 34ff., 76, 88, 97
Illegal rejsetrafik til og fra Sverige, danske myndigheders rolle i **5:** 368; **6:** 69, 88
Immigranter, illegale tyske **4:** 411
Indrejsetilladelse **3:** 113
Inflation **3:** 14, 88; **4:** 143, 363; **5:** 27, 92, 179, 210, 276, 324; **6:** 103, 179f.; **7:** 193; **8:** 5, 128, 167, 210, 281; **9:** 12
Inspektion af tyske tjenestesteder i Danmark **3:** 195
Inspektion vedr. den totale krigsindsats (se også • Invasion, militære forberedelser i tilfælde af) **7:** 26; **8:** 77; **9:** 36, 49, 57, 84, 115, 162
Internering af amerikanske statsborgere **1:** 30
Internering af britiske statsborgere **3:** 155, 165
Internering af danske officerer og menige **3:** 287, 296, 298, 300f., 307, 313, 315, 317, 319f.; **4:** 19, 41, 43, 51, 59, 65, 70f., 79, 81, 88, 116, 119, 122, 124ff., 130, 136, 141, 145, 149f., 155f., 163, 168, 172, 174, 177, 181ff., 194, 196, 198, 200, 207, 209, 212f., 217, 219, 221, 224ff., 228, 238, 259, 294f., 310, 315, 317, 332, 336, 346, 376; **9:** 87
Internering af tyske statsborgere **9:** 248, 266
Internering af udvalgte persongrupper, tysk **3:** 256, 263, 276, 287, 300; **4:** 46, 134, 142, 389, 429
Invasion, agentmelding om **3:** 247, 250
Invasion, civile forholdsregler i tilfælde af **3:** 119, 170, 183, 187, 205, 210f., 224, 268, 282; **4:** 366, 376, 382, 441; **5:** 143f., 146, 233, 237, 253, 300, 320, 334, 346, 350, 352; **6:** 4, 125, 141, 149; **7:** 222, 227; **8:** 88, 93, 95, 99, 101; **9:** 54, 59
Invasion, dansk politis rolle i tilfælde af **5:** 352
Invasion, danske embedsmænd i tilfælde af **9:** 54
Invasion, den danske regerings rolle i tilfælde af **2:** 210
Invasion, København ved fjendtlig **9:** 22, 53, 58, 75, 112, 129, 175, 193
Invasion, militære forberedelser i tilfælde af **1:** 137, 161, 201; **2:** 83, 104, 189, 202, 210, 226, 271, 301, 316, 367; **3:** 83, 110, 119, 138, 145, 183, 187, 210f., 224; **4:** 170, 366, 376, 378, 382, 441, 479; **5:** 16, 28, 39, 46, 53, 65, 80, 143f., 233, 245, 253, 300, 330, 346; **6:** 3f., 149, 214, 234; **7:** 200, 215, 219; **8:** 95, 101, 146f., 235, 267; **9:** 32f., 36, 38, 41, 45, 47, 49, 53, 55, 57, 60, 65, 67, 70, 75f., 84, 87, 96, 112, 115, 129, 154, 167f., 171, 175, 180ff., 193, 202f., 207, 209ff., 216
Invasion, modstandsbevægelsens forberedelser i tilfælde af **8:** 208

Invasion, opråb formuleret i tilfælde af **2:** 210
Invasion, sikring af kulturarv i tilfælde af **8:** 99
Invasionsforsvar af Danmark umiddelbart efter 29. august 1943, tysk **4:** 82
Invasionstrussel, allieret **1:** 21, 29, 41, 161, 201; **2:** 83, 100, 104, 108, 176, 189, 210, 226, 271, 316, 327, 367, 379; **3:** 83, 110, 119, 138, 145, 170, 183, 187, 205, 210f., 224, 229, 247, 250, 260, 268, 272, 303, 319; **4:** 26, 170, 366, 376, 378, 382, 427, 433, 441, 446, 479; **5:** 28, 39, 46, 53, 65, 67, 80, 143-146, 233, 237, 245, 253, 300, 320, 330, 333f., 346, 350, 352; **6:** 2ff., 41, 88, 90, 95, 125, 141, 149, 176, 193, 206f., 214f., 228, 234; **7:** 105, 182, 200f., 203, 215, 219, 222, 225, 227, 240, 253, 276, 279; **8:** 6, 14, 17, 46, 81, 86, 88, 93, 95, 99, 101f., 146f., 155, 170, 180, 199, 208, 235, 267, 277; **9:** 22, 32f., 36, 38, 41, 45, 47, 49, 53ff., 57-60, 65, 67, 70, 75f., 80, 84, 87, 91, 96, 106, 112, 115, 129, 154, 168, 171, 175, 180ff., 189, 193, 200, 202ff., 207, 209-212, 216, 220, 226

Jernbanedrift, dansk **2:** 2, 51, 62, 67, 91, 126, 200, 279, 380; **3:** 11, 60, 224, 231, 233; **4:** 434, 439, 442, 447f., 450, 469, 480; **5:** 43, 73, 250, 333; **6:** 129; **7:** 2, 7, 13, 22f., 28, 39, 43, 95, 224, 229, 231-234, 236, 238f., 243, 250f., 254, 260ff., 281; **8:** 36, 39, 42, 201, 229; **9:** 61f., 74, 194
Jernbanestrækninger, bevogtning af **2:** 265, 380; **3:** 14; **4:** 70, 119, 141, 434f., 439, 442, 447f., 453, 475, 477; **5:** 4, 43; **8:** 181; **9:** 13, 62, 64, 70, 123
Journalister betalt af det tyske gesandtskab, danske **2:** 360
Jurisdiktionsspørgsmålet **1:** 200; **2:** 11, 17ff., 24, 29, 37, 49, 82, 84, 96, 119, 159, 325; **3:** 39, 77, 96, 196, 203; **4:** 1, 76, 153, 465; **5:** 68; **6:** 63, 81, 92; **7:** 56, 112; **8:** 216, 253
Jødeaktionen **3:** 144; **4:** 30, 33, 39, 56, 72, 77, 84f., 92, 98, 108, 110, 117, 119, 124, 126, 128, 136f., 144, 158f., 161f., 168f., 175f., 182ff., 187, 189, 192, 198ff., 203ff., 207f., 210-215, 217, 220-227, 229, 231ff., 237, 242, 247f., 250, 255, 258f., 263, 272-275, 281, 283, 285, 287f., 301, 303f., 307, 311ff., 317, 321, 329ff., 341ff., 349, 352, 357, 361, 363f., 368f., 376, 385f., 393, 395, 408, 429, 450; **5:** 71, 274; **6:** 103; **8:** 208; **9:** 246
Jødeaktionen, dansk erhvervsliv umiddelbart efter **5:** 71
Jødeaktionen, den svenske regerings reaktion på **4:** 208, 226, 231f., 304, 312, 415, 461; **5:** 6
Jødeaktionen, rygter om (se også • Rygtedannelse) **4:** 175, 204f., 217, 223, 226, 343
Jødeforfølgelser, beretninger om **2:** 59; **5:** 374; **6:** 27, 235
Jødekartotek (se også • Kartotek over jøder, kommunister, tyskfjendtlige funktionærer og officerer, tysk) **4:** 216, 343
Jøder i blandet ægteskab **2:** 170; **3:** 171; **4:** 272, 281, 288, 368f., 385, 395; **5:** 50, 328
Jøder i Danmark, antallet af **2:** 375; **3:** 10
Jøder i Danmark, antallet af statsløse **2:** 375; **3:** 10
Jøder i dansk erhvervsliv, eliminering af **1:** 49; **2:** 73, 76, 116, 128, 137, 242, 263, 293, 375; **3:** 10; **4:** 259; **5:** 71, 167
Jøder i KZ-lejre, brug af begavede danske **5:** 72
Jøder i tysk magtområde ekskl. Danmark, danske **1:** 49, 131; **2:** 93, 99, 162f.; **3:** 171, 232
Jøder med svensk statsborgerskab, danske **4:** 189, 283, 312, 369, 415, 461; **5:** 6
Jøder, • fejldeportation• af danske **4:** 255, 258, 272, 274, 281, 287f., 292, 312f., 341, 349, 352, 357, 361, 364, 368f., 385, 393, 395; **5:** 50, 100, 108, 254, 262, 292; **6:** 8, 254; **7:** 125
Jøder, anholdelse pga. kriminelle eller politiske aktiviteter **2:** 76, 116, 128, 137, 375; **3:** 10
Jøder, antallet af deporterede **6:** 243, 254
Jøder, besøg hos deporterede danske **4:** 329, 342, 349, 385, 395, 407, 436, 452, 454; **5:** 41, 108, 292, 374; **6:** 8ff., 14, 26f., 116, 120, 127, 131, 178, 181, 194f., 210, 220, 224, 235, 237, 242; **7:** 10, 125; **8:** 218
Jøder, deportation af danske **4:** 84, 108, 119, 124, 126, 174, 183, 198, 200, 210, 212, 214, 226, 231, 255, 258, 272, 274, 281, 283, 287f., 311ff., 317, 329, 341ff., 349, 352, 356f., 361, 364, 368f., 385f., 393, 395, 407, 415, 436, 452, 454, 461; **5:** 6, 21, 41, 50, 72, 100, 108, 197, 239, 254, 262, 292, 315, 374; **6:** 5, 8ff., 14, 25ff., 116, 120, 127, 131, 178, 181, 194f., 210, 224, 235, 237, 242f., 254; **7:** 10, 125; **8:** 218
Jøder, fjernelse fra det offentlige liv **2:** 76, 116, 128, 137, 375; **3:** 10
Jøder, tilsendelse af levnedsmiddelpakker til deporterede **4:** 329, 342, 349, 395; **5:** 108
Jøders flugt til Sverige **2:** 290; **4:** 183, 189, 223, 226, 242, 253, 260, 270, 273, 285, 304, 343, 376, 432, 480; **6:** 243
Jøders forbindelse til sabotage og spionage, danske **1:** 49; **4:** 212, 273, 307

Jødespørgsmålet i Danmark **1:** 25, 27, 43, 49, 72, 75, 93, 104, 131, 160; **2:** 48, 59, 73, 76f., 93, 99, 116, 128, 137, 162f., 170, 196, 208, 242, 263, 268, 293, 359, 365, 375; **3:** 5, 7, 10, 38, 48ff., 52, 71, 73, 89, 97, 106, 127f., 135, 142ff., 156, 161, 171, 173, 179f., 191, 232, 288; **4:** 30, 33, 39, 52, 56, 77, 84f., 92, 98, 108, 110, 117, 119, 124, 126, 128, 136f., 144, 159, 161f., 168f., 174ff., 182ff., 187, 189, 192, 198ff., 203ff., 207f., 210-215, 217, 220-227, 229, 231ff., 237, 242, 247f., 250, 255, 258f., 263, 272-275, 281, 283, 285, 287f., 292, 303f., 307, 312f., 317, 331, 341ff., 349, 352, 357, 361, 363f., 368f., 376, 385f., 393, 395
Jødespørgsmålet i Danmark, tyske forslag til løsning (se også • Jøder, fjernelse fra det offenlige liv og • Jøder i dansk erhvervsliv, eliminering af) **2:** 76, 116, 128, 137, 375; **3:** 10
Jødisk ejendom, behandling af **4:** 200, 211, 317; **5:** 274, 365; **6:** 175
Jødisk indflydelse på DKP **1:** 49, 131
Jødisk kirkegård i Kiev **6:** 55, 108
Jødiske kunstskatte **5:** 274

Kapitulation på Bornholm, tysk **9:** 260-263
Kapitulation, militære forholdsregler ved tysk **9:** 234-239, 241, 249ff., 253-259, 264f.
Kapitulation, tysk **9:** 216, 218ff., 223ff., 228, 231-236, 239ff., 246, 248-252
Kapitulationserklæring, tysk **9:** 240
Kaptajner og besætninger, repressalier mod slægtninge til danske **8:** 247, 272; **9:** 137, 151
Kartotek over jøder, kommunister, tyskfjendtlige funktionærer og officerer, tysk **1:** 27, 43; **4:** 216, 338, 343
Kartotek, Frihedsrådets **8:** 104
Kommunalvalg, afholdelse af **2:** 120, 148, 188, 201, 341; **3:** 14, 19
Kommunalvalg, valgresultat for **3:** 19
Kommunisme, bekæmpelse af dansk **1:** 23, 151; **2:** 33, 45, 59, 70, 100, 130f., 184, 389; **3:** 14, 215, 255, 257f., 316; **4:** 57, 126, 136, 263; **5:** 313, 365; **6:** 180; **7:** 75, 224; **8:** 104
Kommunisme, regeringens forhold til **1:** 151; **2:** 33
Kommunister, anholdelse af danske **1:** 23, 27, 126, 135; **2:** 59, 130f., 389; **3:** 14, 203; **4:** 132, 233, 269, 330, 356, 427, 449; **5:** 13, 31, 40, 73, 219, 229, 236, 313, 315; **6:** 180, 191, 208; **7:** 75f., 124, 224; **8:** 104, 260; **9:** 9
Kommunister, anmodning om besøg hos deporterede **4:** 436, 452, 454; **5:** 108, 205, 262, 290f., 348; **6:** 116, 220, 224
Kommunister, deportation af danske **4:** 215, 233, 330, 356, 364, 427, 436, 452, 454; **5:** 205, 73, 108, 114, 116, 238, 262, 290f., 315, 348, 379; **6:** 5, 181, 220, 224, 237, 245
Kommunister, henrettelse af danske **3:** 246, 277; **4:** 48, 340, 455, 462; **5:** 14f., 17, 219; **6:** 52, 121, 144ff., 148, 153f., 159; **7:** 18, 47, 124; **8:** 227; **9:** 9
Kommunister, tilbageføring af danske deporterede **4:** 330, 356, 364, 427, 452; **5:** 262
Kommunistkartotek (se også • Kartotek over jøder, kommunister, tyskfjendtlige funktionærer og officerer, tysk) **4:** 216, 338
Konfektionsindustri, dansk **2:** 62; **3:** 273, 284; **6:** 267; **7:** 93; **8:** 71, 279
Konfektionsindustri, tysk **3:** 113
Kongehuset **1:** 8, 20f., 27, 29, 31, 40ff., 46, 52, 61, 83f., 98-101, 104-107, 110, 113ff., 118, 120, 123, 130, 152, 178, 194; **2:** 44, 57, 75, 85, 100, 108, 117f., 122, 134f., 138, 145, 167, 198, 207, 215, 219, 222, 241, 252, 256, 261, 287, 318, 335, 346, 352, 354f., 361, 368; **3:** 14, 33, 46, 83, 155, 165, 198, 248, 254ff., 290, 295f., 298, 300-304, 308, 310; **4:** 4, 24, 26, 31, 41, 43, 54, 72, 83, 88, 98, 106, 115, 123, 128, 150f., 162, 168, 196, 205f., 211, 217, 219, 233f., 249, 254, 259, 343; **5:** 247; **6:** 211ff., 218, 221; **7:** 250f.; **8:** 281; **9:** 120, 220
Krigergrave, vedligeholdelse af **1:** 34, 153; **2:** 40, 129, 269, 285
Krigsbørn; se • Børn af tyske fædre og danske mødre
Krigsfanger i Danmark, tyske **9:** 228
Krigsfanger, dansk politi som **8:** 8, 15, 21, 30, 43, 102, 218, 226
Krigsfanger, danske officerer som **2:** 158, 167, 171, 228
Krigsfanger, sovjetiske **2:** 123; **8:** 60, 64, 106, 127
Krigsfrivillige, danske **1:** 20, 22, 31, 52, 64, 85, 95, 130, 171, 183; **2:** 12, 25, 56f., 66, 71, 78, 98, 107, 121, 127, 136, 143f., 175f., 183, 191, 221, 300, 345, 347, 357, 364, 366, 369f.; **3:** 14, 47, 92, 117, 136, 153, 159ff., 163, 167f., 182, 192f., 202, 208, 215, 218, 228, 252, 308; **4:** 19, 165, 240; **5:** 59, 166, 293; **6:** 85, 102, 198, 222; **7:** 81, 88, 152, 188, 220, 279, 288, 294; **8:** 13, 27, 97, 102, 114, 123, 191, 217, 227f., 232, 271; **9:** 11, 17, 21, 39
Krigsfrivillige, danske, anholdelse af **1:** 22; **7:** 188

Krigsfrivillige, danske, antallet af **2:** 373; **3:** 14, 117, 182, 251; **5:** 306; **10:** 11f.
Krigsfrivillige, deserterede **5:** 166
Krigsfrivillige, familieunderholdsbidrag til danske **6:** 222
Krigsfrivillige, forordning om tysk statsborgerskab til **3:** 53, 72, 98, 161, 185; **4:** 420; **5:** 126, 212, 337; **6:** 203; **8:** 194
Krigsfrivillige, mindreårige **2:** 221, 300, 370
Krigsfrivillige, retsforfølgelse af kriminelle danske **2:** 347; **3:** 9
Krigsfrivillige, skadeserstatninger til danske **3:** 136; **7:** 294; **9:** 11
Krigsfrivillige, sårede og faldne **2:** 57, 81; **3:** 117, 153, 182, 228; **5:** 306; **10:** 11f.
Krigsfrivillige, Tysklandsarbejdere, danske som **3:** 251; **5:** 306
Krigsfrivillige, udgifter til danske **8:** 217, 271
Krigsfrivilliges forhold til den danske befolkning, danske **3:** 92, 159f., 163, 167f., 192, 210f., 226
Krigsfrivilliges landsforræderi, danske **2:** 177
Krigsfrivilliges orlov, danske **1:** 42, 50, 54, 68, 76, 95, 102, 111, 154, 164, 171; **2:** 39, 127; **3:** 96, 226; **5:** 166
Krigsindtræden, Sveriges **9:** 80, 226
Krigskonjunkturskat, dansk **3:** 4, 16, 230; **5:** 179
Krigslovgivning, tysk **3:** 87
Krigsret, straffesager mod udenlandske statsborgere ved tysk **3:** 203
Krigsret, tysk **1:** 200; **2:** 11, 19, 24, 29, 37, 49, 82, 84, 96, 119, 159, 256, 325; **3:** 27, 39, 77, 82, 87, 91, 96, 196, 203, 222, 245f., 270, 276f., 289; **4:** 25, 76, 438f., 444f., 455, 480; **5:** 5, 40, 74, 86, 166, 238, 273, 320; **6:** 16, 52, 61, 121, 138, 145, 265; **7:** 3ff., 16, 18f., 33, 35, 64, 108, 112, 114, 181, 228; **8:** 100; **9:** 138, 156
Krigsskadeserstatninger, aftale om **5:** 232, 244; **7:** 92, 118; **8:** 49; **9:** 29
Krigsspil, tyske **5:** 330; **6:** 3f.; **9:** 32, 38, 41, 45, 58
Kulturpolitik, tysk **1:** 47f., 60, 180, 199; **2:** 10, 217; **3:** 81, 178; **8:** 169, 227, 256; **9:** 17, 120
Kvinder; se • Fødeanstalt til danske kvinder, • Beslaglæggelse af hospital i Løgumkloster, • Værnemagten, anvendelse af kvinder i, • Ægteskab mellem germanske frivillige og tyske kvinder og • Ægteskab mellem tyske soldater og danske kvinder
Kystbevogtning **1:** 8, 21, 29, 40-43, 55, 57, 201; **2:** 316; **4:** 5, 28, 59, 65, 79, 136, 182f., 194, 196, 242, 273, 343, 371, 376, 435, 445; **5:** 8, 10, 24, 36, 51, 70, 88, 97, 117, 128, 193, 219, 303, 368, 385; **6:** 15, 61, 69, 84; **8:** 84, 88, 159, 181
Kystforsvar (se også • Invasion, militære forberedelser i tilfælde af) **1:** 77, 125, 201; **2:** 123, 202, 216, 226, 246, 301; **3:** 211, 224, 258, 271; **4:** 59, 382, 423, 441, 477; **5:** 16, 28, 39, 46, 61, 65, 80, 109, 145, 245, 302; **6:** 3; **8:** 84, 88, 95, 146f., 155, 199, 235; **9:** 6, 32, 80
KZ-lejre, medicinske forsøg med mennesker i **1:** 141, 160; **2:** 169; **3:** 89, 191
Kønssygdomme **8:** 169
Køretøjer, beslaglæggelse og opkøb af danske (se også • Cykler, beslaglæggelse af danske) **7:** 120
Køretøjer, beslaglæggelser og opkøb af danske (se også • Cykler, beslaglæggelse af danske cykler) **2:** 190; **3:** 86; **9:** 177

Landbrugsproduktion, dansk **1:** 33, 52, 130, 188; **2:** 2, 61, 126, 166, 302; **3:** 14, 88, 104, 121, 227, 230, 238; **4:** 9, 63, 118f., 127, 166, 172, 213, 219, 230, 317, 362, 388, 398, 418, 445, 450, 458, 464; **5:** 9, 73, 81, 166, 181, 198, 204, 210f., 231, 234, 238, 288, 362, 365; **6:** 2, 11ff., 23, 44, 46, 49, 51, 61, 76, 92, 103f., 112, 126, 129, 140, 143, 164, 177, 204, 207f., 230, 247; **7:** 82, 98, 106, 112, 121, 138f., 155, 188, 196, 207, 224, 271, 280, 282; **8:** 5, 19, 29, 33, 47, 52, 87, 96, 102, 169, 180, 227, 256, 281; **9:** 2, 17, 30f., 66, 120f., 190, 217
Leverancer til Danmark, tysk (se også • Værfter, bygning af tyske skibe på danske)e **4:** 301; **6:** 24, 30, 33, 49, 87, 96, 129, 173, 199, 208, 247; **7:** 135, 138, 224f.; **8:** 39, 42, 180; **9:** 37
Lokalvalg på Færøerne **3:** 12
Lokomotiver, tysk overtagelse af danske **2:** 200, 279; **3:** 11, 60
Luftbombardementer, allierede **2:** 115, 126; **5:** 223; **8:** 94, 104, 153, 225, 256, 260; **9:** 85, 161, 201, 260
Luftovervågning af engelsk-svensk sejlads, tysk **4:** 371
Læger i tysk tjeneste, danske **1:** 119, 141; **4:** 190, 210; **5:** 293; **6:** 38, 85, 134, 216; **8:** 227
Løsrivelse fra Danmark, Islands **6:** 211ff.

Marine, afvæbning af dansk **2:** 316; **3:** 211, 224, 229, 236f., 255, 281, 283, 285, 287, 291-296, 298ff., 303, 306f., 311, 313, 317, 319f.; **4:** 5, 8, 20, 26, 28, 42, 57, 78, 142, 195, 217, 317,

390, 418, 450, 471; **5:** 27, 73; **6:** 92, 103; **7:** 224; **9:** 87
Marine, Kriegsmarines samarbejde med dansk **1:** 7, 21, 29, 40, 42f., 55, 57, 63, 69, 77, 123; **2:** 100, 108, 140, 146, 198, 215, 219, 238, 240f., 254, 282, 287, 316, 353; **3:** 24, 57, 74, 138, 158, 164, 166, 177, 181, 210f., 224, 229, 235, 237, 243, 255, 313, 317, 319; **4:** 5, 20, 27, 65; **7:** 258
Marine, tysk plan for afvæbning af dansk **3:** 237
Marinehovedkvarter i Danmark, tysk **2:** 23; **10:** 1
Marineres flugt til Sverige, danske **2:** 238, 240, 254, 283, 332, 343, 353, 387; **3:** 57, 74, 158, 164, 166, 177, 181, 210, 235, 243; **7:** 258; **9:** 188; **10:** 1
Marines loyalitet overfor værnemagten, dansk **3:** 224, 229, 235, 237, 303; **4:** 5, 26f.; **7:** 258
Marionetregering, evt. dansk **1:** 20f., 29
Militære anlæg og havne, indskærpelse af forbud mod fotografering af tyske **9:** 20
Mindretal, arbejdskraft herunder Tysklandsarbejdere, danske fra det tyske (se også • Fæstningsbyggeri, arbejdskraft fra det tyske mindretal til) **3:** 31; **6:** 207
Mindretal, dansk **2:** 175; **5:** 169; **6:** 143
Mindretal, erhvervsmæssige forhold for tysk **2:** 113; **4:** 47; **8:** 248
Mindretal, indkvartering af bomberamte tyske familier hos tysk **3:** 213, 219; **4:** 133; **5:** 45
Mindretal, indkvartering af tyske flygtninge hos tysk (se også • Flygtninge, tyske) **9:** 90, 121, 127f., 132, 198
Mindretal, kontor under Statsministeriet til tysk **2:** 188, 201, 220, 223, 225, 233, 235, 237, 244f., 248, 260; **3:** 14, 225; **6:** 207; **8:** 281
Mindretal, krigsfrivillige fra det tyske **1:** 85; **2:** 25, 81, 90, 98, 107, 121, 136, 175, 178, 183, 192; **3:** 14, 47, 53, 72, 98, 143; **4:** 165, 240, 420, 451; **5:** 30, 126, 144, 162, 212, 310, 337; **6:** 143, 203, 207; **7:** 163, 205; **10:** 11
Mindretal, militær uddannelse af tysk **2:** 3, 25, 98, 136, 168, 178, 192, 203, 386; **3:** 14, 52, 187; **5:** 162; **6:** 149
Mindretal, opråb i tilfælde af invasion til tysk **6:** 206; **9:** 59
Mindretal, rigstyske børn hos tysk **1:** 11
Mindretal, skoler til tysk **1:** 23, 169; **2:** 9, 42, 54, 64, 231; **5:** 328
Mindretal, sårede og faldne krigsfrivillige fra det tyske **3:** 117, 182; **6:** 207; **10:** 11
Mindretal, tysk **1:** 11, 16, 53, 79, 169; **2:** 3, 9, 25, 65, 90, 98, 102, 107, 109, 112f., 136, 148, 168, 175, 178, 183, 188, 192, 201, 203, 212, 220, 223, 225, 232f., 235, 237, 244f., 247f., 260, 341, 382, 386; **3:** 14, 31, 52f., 70, 72, 78, 98, 161, 185, 189, 209, 213, 219, 225, 262; **4:** 47, 133, 165, 397, 420, 451, 475; **5:** 30, 45, 115, 121, 126, 134, 144, 162, 169, 212, 256, 295, 310, 337, 344; **6:** 86, 111, 123, 143, 149, 203, 206f.; **7:** 134, 163, 167, 205, 209, 217, 222, 227, 240, 246, 253, 276, 279, 295; **8:** 14, 17, 32, 123, 150, 167, 191, 194, 248, 281; **9:** 59, 90, 95, 121, 127f., 132, 163, 166, 184, 198ff.
Mindretal, tysk og kommunalvalg **2:** 341; **3:** 14, 19
Mindretal, udgifter til tysk **1:** 169; **2:** 112, 231; **3:** 209, 225; **4:** 451; **5:** 45, 115, 295, 328, 344
Mindretal, øget kulturel autonomi til tysk **2:** 90
Mindretals deltagelse i sabotagebekæmpelse, tysk **5:** 256; **6:** 149, 207; **7:** 134; **9:** 200
Mindretals forhold til Folkekirken, tysk (se også • Biskopper, danske og • Præster, danske og • Folkekirken) **5:** 134
Mindretals landssportstævne, tysk **1:** 16
Mindretals rolle i tilfælde af invasion, tysk **5:** 162, 310; **6:** 149, 206; **7:** 222, 227, 240, 253, 276, 279; **8:** 14, 17; **9:** 59, 200
Mobiliseringsforberedelser, dansk hærs; se • Hærs mobiliseringsforberedelser, dansk
Modeshow, tysk **2:** 97
Modstandsbekæmpelse **1:** 20, 47f., 60, 66, 72, 75, 104, 126, 180, 192, 199; **2:** 10, 23, 28, 33f., 45, 92, 123, 184, 186, 217, 256ff., 262, 265f., 270, 277, 282, 290, 294f., 298, 307, 317ff., 324-328, 331, 342, 348, 350, 374, 378, 387-390; **3:** 2, 14, 25-29, 34, 37, 41, 46, 51, 69, 75, 83, 91, 94, 105, 115, 126, 133, 139, 145, 169, 172, 176, 187, 199, 211, 222, 248; **4:** 31, 53, 71f., 74, 79, 86, 103, 164, 190, 286, 291, 294, 417, 428, 437, 445f., 450, 460, 465, 468, 477; **5:** 4, 10, 12, 14, 31, 47f., 73, 86, 88, 91, 96, 136, 141, 147f., 151, 163, 166, 168, 181f., 187, 191f., 196, 199, 202, 207, 213, 223, 225, 238, 256, 270, 297, 320, 365, 385; **6:** 2, 62, 82, 92, 110, 118, 121, 129, 132, 138, 144ff., 148, 152f., 159f., 162, 180, 191, 201, 205, 208, 214, 225, 239, 265; **7:** 4, 19, 35, 63f., 66, 102, 105, 111-114, 124, 134, 136, 141, 144, 155, 165, 167, 170ff., 181, 190, 202, 217, 224, 235, 250, 279, 287, 289; **8:** 13, 20, 25, 63, 65, 87, 102, 104f., 111f., 120ff., 124f., 131, 133f., 136f., 141-145, 149, 153, 163, 165f., 168-173, 181, 198, 202, 205, 207,

221, 229, 233, 237, 239, 241f., 244, 252, 255, 267, 274f., 279, 281; **9:** 7, 40, 42, 44, 48, 62, 64, 70, 73, 78, 85f., 120, 156, 178
Modstandsfolk, anholdelse af danske **1:** 81, 97; **2:** 17f., 24, 29, 34, 37, 258, 290, 295, 298, 311, 324, 387, 389f.; **3:** 14, 18, 25f., 77, 79, 82f., 91, 94, 145, 157, 222, 245f., 257, 277; **4:** 6, 11, 14, 19, 22, 25, 37, 66, 71, 113, 132, 196, 260, 269, 305, 338, 340, 351, 358, 373f., 379f., 387f., 406, 410, 431, 435, 438, 444f., 449, 467; **5:** 13, 29, 31, 34ff., 40, 47f., 55, 73, 76, 82, 97, 113, 129, 133, 153, 166, 178, 189f., 193, 196, 200, 206, 214, 219, 222, 229, 238, 242, 257, 297, 303, 313, 331, 343, 385; **6:** 15, 65, 79, 95, 105f., 113ff., 117f., 147, 150, 159, 162f., 180f., 191, 220, 225; **7:** 64f., 75f., 105, 124, 224; **8:** 104, 138, 141, 165, 208, 214, 281; **9:** 3, 9, 130, 139, 172, 176; **10:** 10
Modstandsfolk, bekendtgørelse om straf for hjælp til **4:** 25f.
Modstandsfolk, henrettelse af **2:** 17f., 24, 29, 37, 49, 82, 84; **3:** 94, 246, 270, 277, 289, 297, 306, 320; **4:** 48, 340, 437-440, 445, 455, 462, 480; **5:** 5, 12, 14f., 17, 40, 73, 166, 219, 238; **6:** 52, 61f., 92, 95, 121, 129, 132, 138, 144ff., 148, 153f., 159, 208, 256, 258, 263; **9:** 111, 120f., 129; **10:** 2
Modstandsfolk, nedskydning af **3:** 26, 79; **4:** 213, 376, 422; **5:** 40, 82, 214, 242, 320; **6:** 162, 180; **7:** 2-5, 18f., 33-36, 46f., 55, 63, 105, 124, 129, 134, 138, 141, 144, 153, 155, 188, 224, 228, 273; **8:** 104, 180, 208, 227, 281; **9:** 9, 62, 64, 73, 108f.; **10:** 3
Modstandsfolks strafafsoning, forhold under **1:** 58
Modstandskartotek (se også • Kartotek over jøder, kommunister, tyskfjendtlige funktionærer og officerer, tysk) **4:** 216
Modterror **4:** 440, 462, 468; **5:** 86, 96, 102, 110, 112, 120, 125, 133, 148, 151, 182, 187, 191f., 199, 202, 207, 213, 222, 225, 270, 297, 318, 328; **6:** 2f., 7, 52, 61, 95, 145, 148, 160, 177, 208, 241, 244, 250; **7:** 3ff., 9, 18f., 32, 35f., 63f., 76, 80f., 105, 134, 155, 167, 181, 190, 198, 212, 262, 289; **8:** 13, 97, 102, 134, 169, 193, 227, 256, 281; **9:** 8, 17, 39, 44, 101, 108, 120, 178; **10:** 3

Nationalsocialistiske skrifter, bibliotek for **5:** 274
Nazister, danske **2:** 141, 157, 172, 322, 330, 335, 359, 365f., 372, 382, 385; **3:** 7, 9, 14, 22, 50, 52, 76, 99, 116, 182, 184f., 206, 286, 312; **4:** 8, 86, 174, 190; **5:** 360, 365; **6:** 74f., 85, 91, 97, 100, 134, 250; **7:** 81, 119, 121, 140, 162, 190, 235, 279, 288; **8:** 13, 80, 97, 101f., 169, 193, 227, 256, 281; **9:** 8f., 17, 39, 120, 132, 224
Nazistisk udenrigspolitik, foredrag om **2:** 35
Nazistiske organisationer, tysk finansiel støtte til danske (se også DNSAP, NSU, LAT, Schalburgkorpset) **3:** 286
Nedskydninger (se også • Dødsstraf) **7:** 2f., 18, 33f., 46f., 55, 64, 105, 114, 134, 138, 141, 155, 224, 228, 273; **8:** 97, 208, 281; **9:** 64, 73, 109
Norgesarbejdere, danske **1:** 73, 125, 191; **2:** 2, 61, 86, 284; **3:** 14; **4:** 450; **5:** 73; **6:** 129; **7:** 224
Nyordning af Europa, Danmarks rolle i **1:** 151
Nyordning af Europa, tysk-dansk forhold som mønster for **1:** 103; **10:** 17

Officerer og menige, deportation af danske **3:** 301; **4:** 19, 141, 149, 156, 172, 194, 198, 238, 250
Officerer til værnemagten, udkommandering af danske **3:** 63, 83, 211
Officerer, danske (se også • Hvervning af danske officerer, tysk, • Internering af danske officerer og menige og • Krigsfanger, danske officerer som) **1:** 27, 161; **2:** 100, 108, 140, 146, 158, 167, 171, 177, 209, 213, 228, 282f., 332, 335, 343, 351, 355, 357, 368; **3:** 3, 6, 35, 40, 63, 83, 107, 111, 153, 210f., 235, 298, 301, 313, 317, 319f.; **4:** 19, 25, 70, 88, 116f., 124, 126, 128, 136, 141, 145, 149, 156, 168, 172, 174, 182, 194, 200, 217, 228, 238, 259, 294f., 310, 315, 332, 336, 346, 478; **6:** 180; **8:** 104, 256, 260, 281
Oldtidsminder, beskyttelse af danske **1:** 163; **2:** 323; **3:** 90; **5:** 11, 188; **8:** 6, 24
Operation Safari til tysk presse, informationer om **3:** 303
Operation Safari, plan for **3:** 281, 292f.
Operation Safaris forløb **3:** 294f., 297ff., 301, 303, 306, 311
Opstand, tyske forholdsregler ved bevæbnet dansk **3:** 242, 256, 260; **5:** 330; **6:** 3f.; **9:** 32, 38, 41, 45, 58, 85f.
Overløbere, forholdsregler mod tyske **9:** 13; **10:**

Pangermanisme **3:** 240
Politi efter befrielsen, dansk **9:** 228f., 250
Politi efter opløsning, reorganisering af dansk **7:** 262, 268, 288, 296; **8:** 8, 27, 33f., 59, 86, 119, 130, 162, 169, 180

Politi i Danmark, antallet af tysk **2:** 281, 289, 308f.; **3:** 242; **8:** 117; **9:** 244
Politi i Danmark, finansiering af tysk **4:** 50, 68, 74, 93, 135, 143, 164, 291; **5:** 49; **7:** 173f.; **8:** 41, 55, 68, 85, 206, 209, 228
Politi i Danmark, tysk **2:** 45, 50, 52, 87, 130f., 256, 270, 277, 281, 289, 295f., 307ff., 311, 314, 317, 319, 326, 331, 350, 358, 374, 378f.; **3:** 2, 14, 28f., 37, 41, 51, 69, 77, 83, 105, 112, 115, 133, 139, 160, 169, 172, 176, 211, 214, 242, 252, 308, 311; **4:** 1f., 14f., 23, 26, 31, 33, 50, 53, 55, 66ff., 71, 74, 77f., 84f., 87, 90, 93f., 96, 101, 109f., 113, 120f., 124, 126, 128, 132, 134f., 144, 164, 172f., 176, 179, 184, 186, 192, 199, 201, 210, 217f., 220, 222, 227, 236, 242, 264-267, 269f., 279, 289, 291, 294, 298f., 302, 305f., 318, 327, 343, 345, 347f., 350, 379, 384, 387, 391, 393, 400, 402, 406, 412, 414, 417, 427, 450, 477; **5:** 36f., 40, 48f., 88, 91, 93, 97, 99, 102, 111f., 114, 117, 129, 132f., 138, 147, 153, 163, 189, 200, 214, 219, 238, 241, 253, 268, 300, 348, 359, 365, 385; **6:** 2, 4f., 7, 48, 94f., 128, 147, 162, 180, 205, 208, 225, 257; **7:** 2, 15, 30, 54, 87, 91, 102, 105, 129, 132, 134, 136, 138, 141, 144, 165f., 168, 171, 174, 188, 224, 231, 244, 255, 279, 288; **8:** 13, 41, 55, 59, 68, 85, 92, 96, 103f., 114, 117, 119, 130, 136f., 140, 149, 153, 156, 163, 165f., 168ff., 173, 180f., 206, 208f., 218, 227f., 233, 274; **9:** 2, 9, 31, 44, 76, 78, 86f., 97, 105, 108, 120f., 182, 187, 192, 195, 204, 214, 228; **10:** 6
Politi i Sønderjylland, dansk **7:** 279
Politi, antallet af sårede og faldne under opløsning af dansk **7:** 247, 250f.
Politi, dansk **1:** 22, 66, 126, 131, 135; **2:** 17f., 29, 33, 45, 59, 101, 133, 164, 186, 204, 227, 253, 256ff., 270, 295, 302f., 307, 311, 324, 331, 339, 378, 387, 389f.; **3:** 14, 25, 69, 108, 126, 210f., 222, 243, 250, 254ff., 259, 261, 267, 280f., 284, 290, 297, 300, 308, 311, 315f.; **4:** 1f., 8, 14, 16, 26, 46, 66, 80, 86, 92, 105, 119, 136, 196, 217, 259, 263, 338, 356, 373, 388, 427, 434f., 439, 447, 453, 479; **5:** 8, 43, 73, 91, 196, 214, 238, 303, 352, 365, 368; **6:** 15, 43, 66, 69, 129, 152, 162, 165, 261, 264; **7:** 20, 25, 28, 32, 39, 41, 60, 83, 185, 188, 224, 237, 246-251, 254ff., 258, 260-263, 265, 268f., 271, 274, 277, 279, 285, 288, 293, 295f.; **8:** 8, 10, 13, 15f., 19, 21, 23, 27, 29ff., 33ff., 39, 43, 47, 51, 59, 70, 86f., 96, 100-104, 119, 130, 137, 162, 169, 180, 190, 223, 226f., 256; **9:** 17, 82, 87, 95, 97, 101, 108, 116, 120f., 127, 145, 153, 155, 209, 224, 228
Politi, deportation af dansk **7:** 249ff., 256, 261ff., 265, 279, 285, 296; **8:** 8, 10, 13, 15f., 19, 21, 23, 29ff., 33ff., 39, 43, 47, 51, 59, 70, 86f., 96, 100, 102ff., 119, 162, 169, 180, 190, 218, 223, 226f., 256; **9:** 17, 82, 95, 97, 101, 108, 116, 120f., 127, 134, 145, 153, 155, 224
Politi, forberedelser til opløsning af dansk **1:** 43
Politi, opløsning af dansk **7:** 237, 246-251, 254ff., 258, 260-263, 265, 268f., 271, 274, 277, 279, 285, 288, 293, 295f.; **8:** 8, 10, 13, 15f., 19, 21, 23, 29ff., 33ff., 39, 43, 47, 51, 59, 70, 86f., 96, 100, 102ff., 119, 130, 137, 162, 169, 180, 190, 218, 223, 226f., 256; **9:** 17, 87, 95, 97, 101, 116, 120f., 127, 134, 145, 153, 155, 224
Politi, tysk samarbejde med dansk **1:** 22, 66, 126, 131, 135; **2:** 17f., 29, 45, 59, 101, 133, 186, 204, 227, 253, 256ff., 270, 295, 302f., 307, 311, 324, 331, 387, 390; **3:** 14, 25, 108, 126, 210f., 222, 243, 250, 254ff., 261, 280f., 284, 300, 308, 311, 315; **4:** 1f., 14, 16, 26, 46, 66, 80, 86, 92, 105, 119, 136, 196, 217, 259, 338, 373, 388, 427, 434f., 439, 447, 453, 479; **5:** 43, 73, 91, 238, 352, 365, 368; **6:** 15, 69, 129, 152, 162, 165; **7:** 25, 28, 237, 262, 268, 279; **8:** 87
Politi, udlevering af anholdte SOE-agenter til tysk **2:** 17f., 24, 29, 37, 49, 82, 84
Politiarbejde i Danmark, oversigt over tysk **5:** 40; **6:** 180; **7:** 124; **8:** 104; **9:** 9
Politibetjente i forbindelse med illegalt arbejde, anholdelse af danske **5:** 303; **6:** 15, 162
Politibetjente, antallet af anholdte danske **7:** 250
Politibetjente, antallet af deporterede danske **7:** 262, 279
Politimesteraktionen **6:** 162, 180
Politis rolle efter 30. august 1943, diskussion af dansk **3:** 297, 306
Politische Informationen (se også oversigt i bd. 10, s. 261) **1:** 181; **2:** 31, 80, 124, 154, 194, 255, 306, 356; **3:** 1, 43, 85, 118, 151, 175, 212, 239; **4:** 377; **5:** 1, 92, 195, 305; **6:** 1, 78, 168; **7:** 62, 123, 195; **8:** 1, 90, 204; **9:** 1, 52, 119, 179
Politistationer i Danmark, oprettelse af tyske **4:** 1, 15, 68, 74, 78, 87, 90, 93, 96, 110, 120, 135, 144, 164, 173, 179
Presse, dansk **1:** 31, 72, 75, 104, 159, 192; **2:** 13, 30, 35, 59, 67, 105, 156, 164, 261, 324, 360; **3:** 14, 26f., 59, 77, 157, 187, 286; **4:** 4, 78f., 86, 115, 136, 142, 151, 200, 209, 225, 246,

359, 439; **5:** 12, 36, 97, 120f., 196, 238, 249, 323, 365; **6:** 62, 92, 111, 117, 121, 123, 125, 129, 266; **7:** 82, 144, 188, 205, 224, 247, 277; **8:** 13, 20, 25, 34, 51, 96, 169, 220, 227, 245, 256, 258; **9:** 17, 23, 62, 85, 88, 94, 106, 108, 120
Presse, engelsk **3:** 194, 210, 221; **5:** 133; **9:** 228
Presse, illegal **1:** 159; **2:** 59, 70, 103, 184, 197, 389; **3:** 277; **4:** 55, 57, 132, 213, 260, 263, 269, 338, 351, 379f., 387, 411, 417, 467; **5:** 31, 34ff., 40, 91, 97, 110, 129, 200, 206, 219, 229, 297, 303, 313f.; **6:** 15, 35, 110, 117, 135, 171f., 180, 223, 244; **7:** 39, 75, 110, 115, 124, 134, 153, 155, 171, 188, 236, 239, 262, 277; **8:** 51, 101, 104, 208, 227, 252, 256, 260; **9:** 9, 17, 76, 205, 224
Presse, illegal kommunistisk **1:** 159, 192; **2:** 30, 59, 70, 103, 131, 184, 197, 389; **4:** 269, 411; **5:** 206, 297, 313f.; **6:** 117, 135, 223; **7:** 75, 124; **8:** 104, 260; **9:** 9, 76
Presse, jødisk **3:** 314
Presse, neutral **1:** 159
Presse, regeringens forhold til illegal **2:** 33f.
Presse, schweizisk **4:** 303
Presse, svensk **3:** 155, 192, 245, 255, 314; **4:** 226, 231, 285, 304, 336, 432; **5:** 133; **6:** 67, 70, 88, 95, 107, 138, 244, 266; **7:** 155, 258, 260; **9:** 76, 228
Presse, tysk **3:** 303, 314; **7:** 82
Presse, udenlandsk **6:** 35, 43, 61; **9:** 224
Priskontrol **1:** 33; **4:** 154; **6:** 179; **7:** 208; **8:** 62, 152, 249
Prispolitik **3:** 88; **6:** 103f., 200; **7:** 208; **8:** 5, 28, 128, 167, 178
Propaganda, amerikansk **2:** 340
Propaganda, engelsk **1:** 52; **2:** 150, 155, 340; **3:** 210, 255; **4:** 165; **8:** 104; **9:** 87
Propaganda, fjendtlig **1:** 192; **2:** 46, 175; **3:** 238, 275, 299; **4:** 98, 142, 207, 217, 317, 336, 418, 432; **5:** 91; **6:** 35, 52, 61, 70; **7:** 32, 155; **8:** 51, 220, 281; **9:** 228
Propaganda, kommunistisk **1:** 52
Propaganda, tysk (se også • Radiopropaganda, tysk) **2:** 46, 89, 110, 120, 152, 160, 360; **3:** 62, 137; **4:** 49, 79, 111, 290, 307; **5:** 105, 208; **6:** 171f.; **8:** 51, 220, 227, 238, 245, 258; **9:** 23f., 26, 50
Præster, danske (se også • Biskopper, danske og • Folkekirken) **2:** 175, 183; **3:** 194, 221; **4:** 58, 263, 303, 322, 365, 389, 408, 429; **5:** 101, 173, 197, 239; **6:** 71, 109, 117, 231; **7:** 18, 115, 142; **8:** 227, 256; **9:** 120
Radio på offentlige steder, forbud mod aflytning af udenlandsk **1:** 192; **2:** 30
Radio, aflytning af udenlandsk **1:** 192; **2:** 30; **3:** 59, 130, 283; **4:** 432; **6:** 35
Radio, amerikansk **2:** 30; **3:** 59
Radio, dansk **1:** 104, 159; **3:** 59, 187, 300; **4:** 4, 49, 103, 111, 142, 151, 190, 200, 246, 290, 432; **5:** 101; **7:** 29, 110, 247; **8:** 51, 220, 227, 245, 256, 258; **9:** 17, 23, 26, 88, 120, 250
Radio, engelsk **1:** 159; **2:** 30, 59, 150, 155; **3:** 59, 91, 94, 130, 210, 222, 254, 257, 281; **4:** 103, 432; **5:** 104; **6:** 187, 193, 197, 217, 228; **7:** 279; **8:** 104, 134, 208, 227, 256; **9:** 17, 120, 224
Radio, svensk **2:** 59; **3:** 59; **4:** 219; **6:** 88, 107, 138; **7:** 188; **8:** 104, 134, 256; **9:** 224
Radio, tysk **3:** 62, 137; **4:** 290; **8:** 245f.; **9:** 17
Radio, udenlandsk **3:** 248, 283
Radioapparater, konfiskation af danske **3:** 283; **5:** 104f.; **8:** 245
Radioforbindelse med England, illegale kredses **1:** 66
Radioforbindelse til Moskva, DKPs illegale **1:** 135
Radiogudstjenester, censur af **5:** 239; **6:** 231; **7:** 142
Radioindustri, dansk **2:** 62
Radiopropaganda, tysk (se også • Propaganda, tysk) **3:** 59, 137; **4:** 49; **5:** 105; **6:** 171f.; **7:** 110; **8:** 245f.
Rationering **1:** 165; **2:** 58; **3:** 68, 88; **6:** 47, 204; **7:** 117; **8:** 87, 256; **9:** 66, 120
Razziaer, tyske **4:** 72, 380, 417, 428, 467; **5:** 4, 31, 206; **6:** 61, 95, 117, 208; **7:** 134; **8:** 80, 165, 260; **9:** 9
Regering, afvisning af tysk ultimatum i august 1943 til dansk **3:** 287, 290-293, 297, 306, 311, 314, 320; **4:** 42, 195
Regering, bekendtgørelse i august 1943 fra dansk **3:** 248, 252, 254-257, 281, 290; **4:** 418
Regering, tysk ultimatum i august 1943 til dansk **3:** 263, 274f., 278f., 281, 285, 287, 289-293, 297, 306, 311, 314, 320; **4:** 42, 57, 195, 219; **6:** 257
Regeringens afgang i august 1943 **3:** 245, 256, 260, 295f., 298, 300-303, 308-311, 314f., 317, 319f.; **4:** 13, 24, 26, 62, 195, 217, 317, 418
Regeringens afgang i august 1943, forholdsregler ved **3:** 242, 252, 255, 260; **10:**
Regeringsdannelse i november 1942, ny dansk **1:** 72, 75, 87, 104f., 109f., 121f., 130, 138f., 142, 144ff., 150f., 155f., 159, 166, 171; **2:** 59, 85, 108; **3:** 14

Regeringskrise, dementi af **3:** 245, 248
Regeringsudvalgsforhandlinger, tysk-danske **1:** 88f.; **2:** 4, 55, 166, 199; **4:** 118, 127, 213, 233, 277, 317, 388; **5:** 84, 156f., 172, 203, 235, 243, 248, 259, 267; **6:** 37; **7:** 31, 82, 117, 282; **8:** 19, 49, 219, 222; **9:** 11, 25, 30f., 43, 66, 69, 95, 102
Repressalier (se også • Afbrydelse af strøm, gas og vand, • Bøde, • Clearingmord, • Gidseltagning, planlægning og forberedelse til tysk, • Modterror, • Schalburgtage, • Spærretid og • Skibe, forbud mod udsejling af dansk) **2:** 8, 77, 115, 186; **3:** 29; **4:** 79, 136, 358, 439, 445, 455, 460, 462, 465, 468; **5:** 12, 14f., 17, 96, 102, 110, 112, 120, 148, 151, 182, 187, 191f., 199, 202, 207, 213, 222, 225, 270, 318, 328; **6:** 2f., 7, 52, 61, 95, 145f., 148, 153, 159, 177, 201, 205, 208; **7:** 18, 105, 168, 170ff., 188, 249, 258; **8:** 13, 110, 118, 124, 129, 133f., 139, 151, 155, 160f., 169f., 173, 176, 182-185, 233, 241, 247, 255, 265, 267f., 270, 272; **9:** 2, 8, 105, 108-111, 137, 151; **10:** 2f., 15
Repressalier mod slægtninge til danske kaptajner og besætninger **8:** 247, 272; **9:** 137, 151
Rigsbefuldmægtiget, arrestation af **9:** 242, 245, 247f., 266
Rigsbefuldmægtiget, udnævnelse af ny **1:** 65, 75, 102, 109f., 116, 128, 132, 134, 138, 142, 155, 159, 171, 179; **2:** 20, 26, 32, 41, 53
Rustningskontrakter med danske virksomheder, oversigt over tyske (se også tillæg 9 i bd. 10, s. 180) **7:** 283
Rustningsproduktion for Tyskland, dansk (se også tillæg 9 i bd. 10, s. 180) **2:** 61f., 115, 126, 132, 302, 305; **3:** 14, 88, 129, 149, 230, 233, 257, 284; **4:** 47, 59, 64, 185, 195, 259, 301, 317, 475; **5:** 59f., 64, 66, 73, 91, 102, 127, 136, 141, 150, 223, 252, 272, 279, 342, 364, 384; **6:** 2, 61, 92, 147, 182, 269; **7:** 86f., 92, 96, 111, 126, 193, 209, 217, 224, 283, 298; **8:** 4, 39, 120, 137, 169, 279, 281
Rygtedannelse **1:** 95; **2:** 226, 327; **3:** 245, 254ff., 270, 289; **4:** 86, 175, 196, 204f., 208, 211, 217, 223, 226, 263, 343, 408; **5:** 64, 108; **6:** 41, 250, 264; **7:** 232, 279; **8:** 13, 21, 227, 256f.; **9:** 17, 120, 219f.
Rüstungsstab Dänemark: Lagebericht (Se oversigt i bd. 10, s. 267) **2:** 195, 211, 304, 391; **3:** 84, 147, 190, 207, 244, 321; **4:** 112, 197, 323, 372, 481; **5:** 90, 177, 194, 278, 304, 386f.; **6:** 77, 167, 268; **7:** 122, 149, 194, 297; **8:** 89, 203, 278; **9:** 51, 118
Råstofforsyning, dansk **1:** 15, 33, 71, 90, 125, 147f., 165; **2:** 2, 7, 51, 58, 60ff., 67, 91, 123, 126, 216, 302, 305; **3:** 11, 14, 68, 88, 146, 149, 230f., 233, 273; **4:** 277, 317, 450, 471; **5:** 61, 73, 78, 109, 204, 238, 285f., 299, 312, 329, 346, 356; **6:** 23, 129, 147; **7:** 224; **8:** 19, 39, 102, 169, 180, 227, 281; **9:** 34, 76, 82, 120, 124, 142, 146, 148, 152, 191, 196, 220

Sabotage i anledning af Hitlers fødselsdag **6:** 52
Sabotage mod butikker med tyskvenlige ejere **3:** 266; **4:** 2, 409; **5:** 137
Sabotage mod Dagmarhus **3:** 217, 259, 267
Sabotage mod danske fly **4:** 457, 462
Sabotage mod den danske hærs materiel **4:** 25, 55
Sabotage mod DNSAP **3:** 91
Sabotage mod færger, havne og skibe **2:** 387; **3:** 199, 204, 210, 265, 270, 316, 319f.; **4:** 6, 18f., 48, 380f., 391, 426, 450, 457, 480; **5:** 70, 89, 102, 110, 207, 213, 242, 303, 347, 366, 385; **6:** 3, 95, 145, 185ff., 190, 201; **7:** 18, 43, 47, 135, 224, 229; **8:** 50, 54, 58, 63, 65, 104f., 109, 111f., 121f., 124, 130-133, 136ff., 141-145, 149, 166, 168-172, 177, 180ff., 188, 198, 202, 205, 208, 210, 214, 221, 229, 233, 237, 239, 242, 244, 252, 267, 275; **9:** 2, 9, 40, 42, 44, 48, 92, 208
Sabotage mod færger, havne og skibe, bekæmpelse af **8:** 63, 65, 105, 111f., 121f., 124, 130f., 133, 135ff., 141-145, 149, 166, 168-172, 177, 181, 188, 198, 202, 205, 210, 214, 221, 229, 233, 237, 239, 242, 244, 252, 267, 275; **9:** 9, 27, 40, 42, 44, 48
Sabotage mod jernbaner (se også • Jernbanestrækninger, bevogtning af samt tillæg 18 i bd. 10, s. 207) **2:** 2, 123, 133, 253, 265, 305, 311, 324, 380, 387; **3:** 14, 82, 91, 126, 157, 264, 320; **4:** 2, 6, 14, 22, 24, 29, 35, 37, 46, 48, 55, 61, 78, 94, 121, 132, 148, 151, 159, 163, 168, 177, 196, 202, 209, 217, 219, 259f., 269f., 273, 310, 314, 337, 344, 364, 404, 422, 434f., 438ff., 442, 444f., 447f., 450, 453, 457, 460, 462, 468f., 475, 477, 480; **5:** 2ff., 23, 31, 43, 48, 60, 73, 82, 89, 102, 120, 164, 182, 189, 193, 200, 229, 269, 320, 331; **6:** 4, 208, 241, 251, 253; **7:** 49, 95, 224, 229, 233, 237f., 242, 254, 260, 264, 272, 274; **8:** 20, 25, 104, 180f., 208, 227; **9:** 9, 13, 62, 64, 70, 73, 76, 93, 105, 108, 110, 120, 123, 129, 133, 138f., 141, 161, 170, 172, 178, 194, 201, 208, 220; **10:** 18
Sabotage mod tysk politi **4:** 406, 457, 462

Sabotage mod virksomheder (se også • Sabotage mod værfter) **1:** 23; **2:** 133, 253, 270, 290, 303, 305, 324, 387, 390; **3:** 14, 25, 34, 56, 75, 82, 91, 126, 145, 148, 230, 250, 253, 284, 289, 320; **4:** 6, 26, 41, 48, 51, 55, 61, 66, 71, 78, 94, 105, 148, 151, 171, 186, 202, 219, 235, 259f., 265f., 298, 305, 317, 332, 340, 344, 351, 376, 379f., 394, 399, 406, 409f., 412, 417, 424, 426, 432, 435, 438, 444, 449, 455, 457, 462f., 473, 475; **5:** 2, 13, 20, 23, 25, 31, 34f., 44, 52, 54, 59f., 62ff., 66, 73, 77, 89, 91, 96, 98, 101f., 107, 110, 113, 119, 124f., 127, 129, 136f., 141f., 151, 153, 164, 171, 175, 178, 189, 191, 193, 199, 202, 207, 214, 219, 222f., 225, 252, 272, 275, 279, 308, 324, 331, 339, 342; **6:** 2, 57f., 82, 92, 95, 144, 148, 152, 155, 158, 182, 191, 209, 226, 228, 230, 238f., 241, 250, 269; **7:** 18, 87, 93, 102, 111, 118, 124, 126, 224; **8:** 61, 71, 104, 120, 163, 180, 208, 227, 256, 279; **9:** 9, 78, 141, 178, 220

Sabotage mod virksomheder, bekæmpelse af (se også • Bedriftsværn, oprettelse af og • Virksomheder, flakbevæbning på danske) **3:** 75, 126; **5:** 136, 141

Sabotage mod virksomheder, erstatning for **3:** 34, 56, 75; **4:** 259, 305, 394, 475; **5:** 31, 171, 223, 339; **6:** 2, 182, 209; **7:** 118; **8:** 61

Sabotage mod værfter **2:** 133, 387; **3:** 82, 126, 204, 210, 267, 320; **4:** 40; **5:** 62ff., 89, 91, 113, 164, 207, 303, 342, 385; **6:** 95; **7:** 18, 47, 87, 135, 224, 229; **8:** 58, 109, 112, 130, 133, 137f., 141f., 149, 188, 198, 202, 205, 214, 221, 229, 233, 237, 239, 244, 252, 267, 275; **9:** 2, 9, 44, 48

Sabotage mod værnemagten **1:** 192; **2:** 123, 133, 204, 241, 253, 256, 258, 265, 290, 294, 305, 311, 318, 380, 387, 390; **3:** 14, 26, 32, 77, 79, 82, 91, 126, 148, 157, 204, 210f., 245, 281, 320; **4:** 41, 57, 78, 80, 105, 186, 253, 259, 286, 294, 314, 319, 364, 367, 374, 376, 379ff., 396, 410, 422, 426, 444, 450, 457, 462, 473, 480; **5:** 3, 23, 54f., 59, 66, 70, 73, 89, 102, 123, 151, 175, 182, 187, 189, 193, 215, 244, 275, 303, 318, 320, 345; **6:** 53, 95, 155, 185ff., 190, 201, 214, 228, 241; **7:** 124, 233, 237, 242, 254, 260, 272; **8:** 109, 114, 208, 237; **9:** 129, 133

Sabotage mod værnemagten, erstatning for **3:** 32, 148; **4:** 396; **5:** 123, 215, 244; **8:** 114

Sabotage og dansk presse **3:** 27, 91; **6:** 62

Sabotage, dansk politis forbindelse til **6:** 162, 180; **8:** 101f., 104

Sabotage, danske kommunisters **1:** 23, 62, 131; **2:** 28, 92, 241, 253, 303, 305, 311, 387; **3:** 27, 305; **4:** 6, 14, 57, 212, 263; **5:** 129; **6:** 65, 147, 180, 191, 250; **7:** 124; **8:** 233, 260; **9:** 9

Sabotage, dusør for oplysninger om **2:** 324f.; **4:** 48, 51; **5:** 196

Sabotage, kollektivt ansvar for (se også • Repressalier) **1:** 126

Sabotage, kongens radiotale mod **3:** 46, 83

Sabotage, regeringens advarsler imod **1:** 23, 61, 151; **2:** 33f., 318, 324f.

Sabotage, statsministers tale mod **1:** 23

Sabotagebekæmpelse **1:** 20, 23, 66, 72, 75, 104, 126, 192; **2:** 23, 28, 33f., 45, 101, 123, 184, 186, 189, 214, 256ff., 262, 265f., 270, 277, 282, 290, 294f., 298, 301, 307, 317ff., 324-328, 331, 342, 348, 350, 374, 378, 387-390; **3:** 2, 14, 25-29, 34, 37, 41, 46, 51, 69, 75, 83, 91, 94, 105, 115, 126, 133, 139, 145, 169, 172, 176, 187, 199, 211, 222, 248; **4:** 31, 53, 71f., 74, 79, 86, 103, 164, 190, 219, 286, 291, 294, 417, 428, 437, 445f., 450, 460, 462, 465, 468, 477; **5:** 4, 10, 12, 14, 31, 47f., 73, 86, 88, 91, 96, 117f., 136, 141, 147f., 151, 163, 166, 168, 181f., 187, 191f., 196, 199, 202, 207, 213, 223, 225, 238, 256, 270, 297, 320, 323, 365, 385; **6:** 2, 62, 82, 92, 110, 118, 121, 129, 132, 138, 144ff., 148, 152f., 159f., 162, 180, 191, 201, 205, 208, 214, 225, 239, 265; **7:** 4, 19, 35, 63f., 66, 102, 105, 111-114, 124, 126, 134, 136, 141, 144, 155, 159f., 165, 167, 170ff., 181, 190, 202, 217, 224, 235, 250, 279, 287, 289; **8:** 13, 20, 25, 50, 63, 65, 87, 102, 104f., 111f., 120ff., 124f., 131, 133f., 136f., 141-145, 149, 153, 163, 165f., 168-173, 177, 181, 198, 202, 205, 207, 221, 229, 233, 237, 239, 241f., 244, 252, 255, 267, 274f., 279, 281; **9:** 7, 40, 42, 44, 48, 62, 64, 70, 73, 78, 85f., 120, 156, 178

Sabotagebekæmpelse i Frankrig **2:** 77

Sabotagebekæmpelse i Norge **2:** 342; **5:** 118

Sabotagebekæmpelse, særkommando til **3:** 69; **4:** 53

Sabotagemateriale **1:** 23; **2:** 17, 101, 133, 186, 253, 388; **3:** 28, 79, 82, 91, 126, 145, 204, 210, 253, 257, 269f., 272, 277, 320; **4:** 7, 14, 22, 48, 53, 66, 71, 113, 151, 171, 259, 265, 294, 317, 319, 359f., 380, 387, 391, 394, 406, 409, 457, 462f., 480; **5:** 31, 34ff., 40, 47f., 52, 55, 64, 91, 97, 107, 110, 129, 151, 153, 166, 193, 202, 207, 219, 252, 272, 279, 297, 303,

308, 318, 342, 385; **6:** 95, 118, 146f., 159, 180, 182, 190, 225f., 264; **7:** 8, 87, 124, 136, 156, 224; **8:** 104, 165, 208, 233, 260; **9:** 5, 9, 92f., 129, 133, 172, 176, 208
Sabotageoversigt **1:** 23; **2:** 133, 253, 258, 303, 387, 390; **3:** 91, 126, 148, 284, 320; **4:** 48, 78, 259, 380, 457; **5:** 64, 89, 102, 168, 193, 244, 388; **7:** 224; **8:** 54, 208, 260; **9:** 9
Sabotager i anledning af kongens fødselsdag **4:** 150f., 168, 196, 209, 219
Sabotageskader (se også • Sabotage mod virksomheder, erstatning for og • Sabotage mod værnemagten, erstatning for) **3:** 14, 34, 56, 75, 82, 125; **4:** 94, 332, 381, 399, 409; **5:** 13, 25, 31, 60, 63f., 89, 123f., 127, 142, 153, 168, 215, 244, 331; **6:** 2, 57f., 147, 155, 158, 180, 190, 226; **8:** 61, 114
Sabotagetilfælde, antallet af **4:** 367
Sabotagetilfælde, fald i antallet af **1:** 159; **2:** 302; **3:** 83, 94, 148, 317, 319; **4:** 48, 78, 195, 219, 480; **5:** 89, 193, 303, 328; **6:** 2, 46, 61, 160; **7:** 96, 134, 224; **8:** 102
Sabotagetilfælde, stigning i antallet af **1:** 49; **2:** 23, 123, 241, 256, 270, 290, 294, 301, 303, 311, 316, 327, 342; **3:** 14, 77, 83, 148, 211, 222, 250, 252, 254, 256f., 270, 275, 281, 320; **4:** 8, 61, 86, 195, 376, 418, 447, 450, 480; **5:** 27, 64, 66, 104, 163, 181, 238, 365; **6:** 52, 61, 88, 92, 95, 129, 132, 137, 144, 147, 152, 234, 238, 250f.; **7:** 18, 105, 224; **9:** 17, 37, 120, 220
Sabotagevagter **4:** 259, 265, 298; **5:** 136, 141, 147, 168, 193, 196, 199, 238, 365; **6:** 144, 152, 182, 191, 239; **7:** 18, 25, 87, 93f., 224; **8:** 50, 101, 104, 137, 141, 163, 169f., 173, 181, 205, 214, 221, 227, 229, 239, 242, 244, 252, 275; **9:** 2, 17, 27, 44, 78, 92, 229
Schalburgkorpset, materiel til **4:** 109; **5:** 166
Schalburgkorpset, oprettelse af **1:** 45, 70, 146, 171; **2:** 12, 56, 66, 71, 78, 88, 95, 106, 127, 205, 329, 335, 349, 369, 372f.; **3:** 52, 54, 58, 161, 182, 193, 202, 208, 215, 218
Schalburgkorpsets aktivitet, redegørelse for **7:** 80
Schalburgskolen, indvielse af **1:** 82, 171; **2:** 106; **4:** 193
Schalburgtage **5:** 120, 125, 151, 182, 187, 192, 202, 222, 225, 297; **6:** 7, 180, 241, 244, 250; **7:** 9, 18, 138; **8:** 13, 134, 169, 227, 256; **9:** 17; **10:** 3
Skadeserstatninger; se • Krigsfrivillige, skadeserstatninger til danske, • Krigsskadeserstatninger, aftale om, • Tysklandsarbejdere, krigsskadeserstatninger til og • Værnemagtsskader, tysk-dansk aftale om
Skibe i udenlandske havne, tyske forholdsregler vedr. danske **4:** 62, 89, 142, 146f., 167, 180, 239, 251, 262, 296, 316, 335, 339, 354f., 370, 390, 392, 459; **5:** 369
Skibe, chartring af danske **1:** 158, 168; **2:** 38, 60, 151, 165
Skibe, forbud mod udsejling af danske **9:** 195
Skibe, salg af danske **1:** 136; **2:** 60; **4:** 44, 104, 296, 335, 339, 370, 392, 419
Skibe, tysk beslaglæggelse af danske **1:** 186f.; **4:** 396, 419, 456, 466, 476; **5:** 9, 22, 38, 42, 58, 74, 85, 95, 130, 135, 139f., 149, 152, 154, 158f., 164f., 170, 174, 176, 184, 198, 221, 260, 336, 338, 341, 347, 349, 358, 366, 370f., 373, 381ff.; **6:** 2f., 17, 31, 42, 61, 72, 93, 99, 184, 196, 227, 229; **7:** 31, 40, 57f., 71f., 77f., 85, 89, 97, 99, 107, 109, 116, 130, 146, 164, 180, 197, 221, 275, 291; **8:** 9, 26, 38, 40, 48f., 58, 93, 110, 115, 118, 129, 132f., 139, 151, 155, 157f., 160f., 175f., 179f., 182-185, 189, 192, 210, 231, 240, 254, 265, 268, 270; **9:** 9, 27, 159, 172, 195
Skibsfart umiddelbart efter 29. august 1943, dansk **4:** 11f., 59, 65, 135; **6:** 90
Skoler, se • Mindretal, skoler til tysk
Skolingslitteratur til Schalburgkorpset **5:** 277
Smugleri **3:** 269; **8:** 197; **9:** 5
Soldater i Danmark, sårede tyske **9:** 71f., 227-231, 235, 237, 241, 244, 251
Soldater i Jylland, stationering af sovjetiske **4:** 294, 315, 336, 346
Soldater, antallet af sårede tyske **9:** 244
Soldater, antallet af tyske **9:** 244
Sortbørshandel **2:** 125, 166; **3:** 88; **8:** 197
Sovjetiske krigsfanger **2:** 123; **8:** 60, 64, 106, 127
Russiske soldater i Jylland, stationering af **4:** 294, 315, 336, 346; **9:** 57, 65, 189, 210
Spaniensfrivillige **1:** 23, 126, 135; **2:** 186, 311; **3:** 203
Spionage **2:** 130f., 290; **3:** 203; **4:** 14, 279, 297, 307, 324, 328, 346, 373, 467, 478; **5:** 21, 33, 108, 178, 343; **6:** 61, 79, 105f., 113ff., 150, 161, 163, 181, 183, 220; **7:** 64, 84, 105, 124, 134, 224; **8:** 104, 260, 274; **9:** 4, 9
Sprængstoffer, bekendtgørelse om forbud mod anvendelse af **2:** 388
Spærretid **2:** 8; **3:** 77, 256, 263, 277; **4:** 2, 7, 14, 16, 26, 35, 37, 41, 46, 48, 51, 55, 66, 71, 78, 80, 94, 105, 113, 138, 148, 151, 259, 286, 358ff., 439, 450; **5:** 89, 91, 187, 229, 238;

**6:** 186, 238, 241, 248, 250, 253, 256, 258ff., 263f.; **7:** 2, 8f., 17ff., 21f., 24, 29, 43f., 48, 50, 63, 138, 250; **9:** 85, 120
Spærretid umiddelbart efter 29. august 1943, overtrædelse af **4:** 2, 14, 35, 41, 46, 51, 55, 66, 71, 78, 80, 105, 113, 138, 148
SS-domstol, oprettelse af **5:** 68
Standret **2:** 210; **4:** 5, 25, 38, 72, 195, 418; **6:** 63, 73, 233, 238, 241, 250, 261; **7:** 18, 215, 273; **9:** 64, 120
Statsborgere i Danmark skal forlade landet, civile tyske **7:** 203, 217
Stemningen i Danmark **1:** 192; **2:** 59, 72, 175, 256; **3:** 14, 76, 94, 99, 116, 210, 224, 284; **4:** 8, 79, 136, 149, 165, 217, 219, 446; **5:** 27, 173, 188, 365; **6:** 2, 92, 103, 177, 193, 218, 230; **7:** 72, 89; **8:** 8, 13, 169, 180, 227, 245, 256; **9:** 17, 106, 120
Stemningsberetninger fra Danmark, tyske **1:** 62; **2:** 59, 72, 175; **3:** 76, 99, 116; **4:** 8, 217, 219, 437; **5:** 365; **6:** 177, 193; **8:** 13, 169, 180, 227, 256; **9:** 17, 106, 120
Stikkerdrab **2:** 295; **3:** 21; **5:** 59, 102, 193; **7:** 105; **8:** 101, 104
Stikkere, angivelige **8:** 165, 180, 227; **9:** 224
Strejkebekæmpelse (se også • Afbrydelse af strøm, gas og vand);
Strejker **2:** 28, 92, 290, 316; **3:** 210, 254-257, 259, 261, 265ff., 270, 272, 275, 277, 280f., 284, 289f., 295, 297f., 314, 320; **4:** 8, 57, 78, 86, 196, 317, 418; **5:** 272, 279, 342; **6:** 4; **7:** 129, 138, 153, 155, 158, 168, 170ff., 176, 181, 188, 198, 224, 229, 231-234, 236-239, 241-245, 250f., 254ff., 259-262, 264-270, 279; **8:** 7, 11, 39, 127, 227; **9:** 37, 40, 42, 48, 64, 73, 88, 121, 194, 205, 211, 214, 220, 243; **10:** 14
Strejker, tyske forholdsregler ved **7:** 168, 170ff., 181, 198, 232f., 238, 244, 250, 254ff., 259f., 262, 264, 267, 269f.; **8:** 7, 11, 127
Studieophold i Danmark **1:** 47f., 60, 180, 199; **2:** 10, 217; **3:** 188; **4:** 157
Svensk-dansk samhandel **9:** 82
Særkommando til sabotagebekæmpelse **3:** 69; **4:** 53

Telegramkrisen **1:** 5-10, 14, 17-21, 24-27, 29, 31, 36-43, 46, 52, 54f., 57, 61, 63f., 69f., 93, 103-106, 109f., 113, 120-123, 129f., 140, 152, 171, 194; **2:** 1, 5, 21, 43f., 57, 75, 85, 117f., 122, 134, 138, 145, 198, 207, 215, 219, 222, 241, 252, 287, 346, 352, 354, 361; **3:** 14, 33, 224
Telegramkrisen, bekymringer om det dansk-tyske forhold i berlinske diplomatkredse efter **1:** 103
Telegramkrisen, militære forholdsregler under **1:** 39
Telegramkrisen, orientering til dansk presse om **1:** 31
Telegramkrisen, politiske konsekvenser af **1:** 20f., 25, 27, 52, 54, 57, 61, 64, 104f., 109f., 123, 129f.; **2:** 5, 21, 43f., 57, 75, 85, 117f., 122, 134, 138, 145, 198, 207, 215, 219, 241, 287, 346, 352, 354, 361; **3:** 14, 33
Telegramkrisen, rygtedannelse under (se også • Rygtedannelse) **1:** 10, 18, 61
Telegramkrisen, tysk frygt for flugtforsøg under **1:** 8, 21, 29, 40ff., 55, 63, 201
Tjenestebiler, forbud mod flag på tyske kommandanters **9:** 20
Tjenesterejser, regler for tyske **3:** 101; **4:** 178; **8:** 77; **9:** 103, 204
Tjenestesteder i Danmark, samling af tyske **7:** 145, 175, 206, 216f.
Toldlov, ændring af dansk **1:** 175
Tortur **8:** 165
Total krigsindsats, inspektion vedr.; se • Inspektion vedr. den totale krigsindsats (se også • Invasion, militære forberedelser i tilfælde af)
Tvangsarbejde, trusler om indførelse af **3:** 211; **4:** 398, 403, 425, 433, 464; **5:** 78; **7:** 179, 204, 209, 218, 223; **8:** 2, 18, 42, 46
Tysk-dansk regeringsudvalg, formandskab for og medlemskab af **1:** 143; **5:** 156f., 172, 203, 243, 248, 267
Tysk-dansk regeringsudvalg, formandskab for og medlemsskab af **1:** 149, 162
Tyskfjendtlighed (se også • Stemningen i Danmark, • Stemningsberetninger fra Danmark, tyske, • Tyskvenlighed) **1:** 5, 27, 52, 62, 64, 130; **2:** 47, 59, 100, 108, 140, 146f., 149f., 152, 155, 160, 167, 171, 175, 256, 261, 282f., 302, 305, 332, 343, 351, 355, 366, 368, 387; **3:** 14, 89, 92, 111, 130, 201, 210f., 216, 221, 224, 252, 257, 267, 284, 300; **4:** 26, 35, 58, 86, 88, 91, 140f., 156, 172, 174, 191, 195, 206, 212, 217, 219, 233, 257, 304, 321f., 332, 389, 429; **5:** 27, 82, 86, 96, 101f., 120, 125, 142, 148, 151, 163, 173, 182, 187, 192, 199, 202, 207, 222, 225, 297; **6:** 43, 66, 92, 95, 103, 110, 161, 171f., 193, 208, 218, 221, 230, 238, 250, 260, 267; **7:** 18, 27, 64, 84, 89, 94, 105, 128, 138, 148, 155; **8:** 13, 51, 70, 80, 86, 169, 177, 193, 227, 245, 279; **9:** 3, 87, 120, 127, 210, 212, 220, 224, 226, 228

Tysklandsarbejdere, danske **1:** 73, 125, 191; **2:** 2, 61, 86, 111, 191, 284; **3:** 14, 251; **5:** 306; **6:** 34, 106, 113, 129, 202; **7:** 84, 104, 139, 155, 169, 179, 186, 224, 246; **8:** 39; **10:** 8
Tysklandsarbejdere, danske som krigsfrivillige **3:** 251
Tysklandsarbejdere, danske, aflønning af **7:** 179
Tysklandsarbejdere, danske, antallet af **1:** 73, 125, 191; **2:** 2, 61, 86, 111, 284; **3:** 14, 251; **10:** 8
Tysklandsarbejdere, danske, hvervning af **1:** 73
Tysklandsarbejdere, danske, krigsskadeserstatninger til **6:** 202; **7:** 104
Tysklandsarbejdere, kvindelige danske **1:** 73
Tyskvenlighed (se også Stemningen i Danmark, • Stemningsberetninger fra Danmark, tyske, • Tyskfjendtlighed) **1:** 11, 62, 130, 139; **2:** 147, 149f., 152, 155, 193; **3:** 14, 312; **4:** 86, 136, 140, 190f., 206, 244, 268, 304; **5:** 102, 144; **6:** 109, 193, 230; **7:** 94, 167, 288; **8:** 86, 101, 169, 227, 256, 281; **9:** 17, 85, 87, 120

Udenlandske statsborgere i Danmark **3:** 108
Udgangsforbud for tyske enheder **1:** 9
Udrejsetilladelse **1:** 47, 60, 180, 199
Undtagelsestilstand **3:** 77, 222, 242, 254ff., 258, 271, 278f., 281, 287, 291, 295f., 300, 302, 306, 308-311, 314, 316f., 319f.; **4:** 1, 4, 8, 11, 14, 18f., 22, 24, 26, 30f., 33ff., 42f., 48, 72f., 78, 82, 88, 98, 100, 103, 108, 119, 124, 126, 128, 136, 142, 147, 162, 165, 168, 175, 177, 183, 195, 205, 208f., 213, 217ff., 221, 228, 234, 238, 246, 250, 253, 259, 300f., 317, 320, 333, 343, 358, 363, 373, 376, 379, 401, 418, 424, 433, 438, 445, 450; **5:** 22, 91, 238, 272; **6:** 4, 92, 154, 208, 238, 241; **7:** 1f., 6, 18, 23f., 49, 70, 170, 224, 268, 279, 285; **8:** 19, 34; **9:** 3, 54
Undtagelsestilstand, forholdsregler ved militær og civil **3:** 256
Undtagelsestilstand, rejser mellem Sverige og Danmark under **4:** 34
Ungdomskriminialitet **6:** 129
Ungdomstjeneste, germansk (se også • Hvervning af dansk ungdom) **3:** 312; **5:** 166, 306
Uroligheder i København **3:** 159f., 163; **6:** 241, 246, 248, 250, 259, 261f., 264, 270; **7:** 8, 12f., 15, 17, 20, 22ff., 27f., 38, 41f., 48, 50, 64, 69, 83, 86, 93, 96, 134, 188; **9:** 85, 88
Uroligheder i København, antallet af døde og sårede ved **6:** 246, 253, 270; **7:** 8, 22, 48, 83, 96
Uroligheder, tyske forholdsregler ved **6:** 4, 240; **7:** 83, 166, 171, 178, 181, 202, 217; **8:** 7, 11; **9:** 85, 88, 157

Valg til Rigsdagen, afholdelse af **2:** 110, 120, 134, 142, 148ff., 152f., 155, 160, 168, 185, 188, 196, 201, 208, 220, 223, 225, 232ff., 243ff., 247f., 250f., 261, 272-275, 286; **3:** 14, 182
Valgresultat for Rigsdagsvalget **2:** 272-275, 286, 366; **3:** 14, 182
Valuta **1:** 48, 169; **2:** 4, 38, 42, 54, 64, 95, 112, 169, 179, 190, 193, 214, 278, 378; **3:** 7, 22, 49f., 71, 73, 81, 86, 106, 109, 128, 135, 142, 173, 179, 188, 209, 312; **4:** 50, 135, 157, 193, 291, 301, 396, 400, 419, 451; **5:** 75, 84, 115, 121, 186, 230, 249, 276, 328, 339, 353, 357, 365, 372, 381; **6:** 22, 56, 68, 166, 199; **7:** 31, 40, 71f., 77, 85, 97, 146, 164, 179, 184, 208, 223; **8:** 5, 49, 73, 96, 128, 167, 210, 257, 267; **9:** 29, 107, 122, 158
Varulvegrupper **7:** 235, 289; **9:** 252
Vikingespørgsmålet **5:** 357
Vikingestrikkekunst, urgammel **2:** 297
Virksomheder, flakbevæbning på danske **5:** 223; **6:** 144
Virksomheder, forlægning af tysk produktion til danske **6:** 157
Vraggods ved danske kyster, bjærgning af **2:** 310, 312; **7:** 67
Værfter, bygning og reperation af skibe på danske **1:** 21, 29, 91, 108, 130; **2:** 15, 20, 23, 28, 32, 53, 62, 92, 126, 147, 180, 301f., 305; **3:** 14, 146, 154, 210, 266, 270, 280f., 289, 317, 319; **4:** 40, 59, 196, 471f.; **5:** 62ff., 91, 150, 364, 384; **6:** 2f.; **7:** 135, 168, 170, 172, 224; **8:** 120, 124, 130, 132f., 138, 141f., 168f., 172f., 225, 244, 252, 267, 275, 280; **9:** 9f., 40, 42, 48
Værfter, flakbevæbning på danske **2:** 301; **8:** 141
Værfter, koncentrationslejrfanger som arbejdskraft på danske **8:** 267
Værnemagten, anvendelse af kvinder i **9:** 133, 162
Værnemagten, forplejningssituation for **1:** 125; **2:** 55, 125, 166; **6:** 129, 140; **9:** 55, 58, 179, 254
Værnemagtens hovedkvarter til Jylland, flytning af **4:** 423, 433
Værnemagtens hovedkvarter, dansk repræsentant ved **4:** 433; **9:** 54
Værnemagtens hovedkvarter, rigsbefuldmægtigets repræsentant ved **9:** 54, 174, 198, 246
Værnemagtsintendant **6:** 40, 128, 140, 222; **7:** 67, 117, 192, 290, 295; **8:** 28, 62, 68, 87, 114, 123, 128, 154, 167, 178, 206, 209, 213, 222, 230, 236, 250, 263, 269, 271; **9:** 12, 14, 99, 121, 198
Værnemagtskonto **1:** 185; **2:** 199, 202, 216, 230,

246, 333; **3:** 16, 20; **4:** 135, 413; **5:** 27, 179, 259, 326, 375, 380; **7:** 91, 290; **8:** 41, 50, 209, 217, 228, 271; **9:** 95, 107
Værnemagtsrepræsentanters forhold til den danske befolkning **1:** 20f., 29; **3:** 92, 254-257, 259, 263, 266f., 275f., 281, 320; **6:** 43, 52, 66
Værnemagtsskader, tysk-dansk aftale om **1:** 80; **2:** 14, 362, 384; **3:** 55, 80, 95, 100, 125, 140; **5:** 123, 232, 244; **8:** 61
Værnemagtstransport, tysk **1:** 189; **2:** 126; **5:** 333; **6:** 129, 241, 251; **7:** 231, 239; **8:** 20, 25, 39, 139, 201; **9:** 62, 170, 183, 196, 201
Værnemagtstropper i Danmark, antallet af tyske **1:** 112
Værnemagtsudgifter **3:** 230; **8:** 167, 178, 195, 219, 228, 236, 250, 263, 266, 269
Völkisch-germansk arbejde; se • Germansk-völkisch arbejde
Våbenbesiddelse, bekendtgørelse om **4:** 16, 26
Våbenbesiddelse, forordning om **6:** 60f., 95
Våbenstilstand **9:** 203

Ægteskab mellem germanske frivillige og tyske kvinder **4:** 240
Ægteskab mellem tyske soldater og danske kvinder **2:** 310

Åben by, Flensborg som **9:** 228
Åben by, Kiel som **9:** 228
Åben by, København som **9:** 227, 231, 233
Årsdagen for 29. august 1943, forholdsregler ved **7:** 170f., 178, 188, 224

## Navneregister

Navnestoffet er så omfattende, at det har været nødvendigt med visse begrænsninger. Navneregistret medtager ikke en række meget ofte forekommende navne, som Tyskland, Berlin, Danmark, de danske landsdele som helhed (Bornholm undtaget) eller dele af landsdele som f.eks. Nordjylland, København; heller ikke Werner Best, Herman von Hanneken og andre meget ofte forekommende personer og institutioner, f.eks. SS, OKW, OKM og WFSt. En del mindre tyske enheder i Danmark og tyske underorganisationer i Tyskland er udeladt. Endelig er stednavnene i jernbanesabotagelisten i tillæg 18 ikke medtaget, men skal søges via den regionale opstilling i selve tillægget.


A. Frederiksen & Søn, maskinsætteri, Kbh. **6:** 319
A. Petersen & Co., firma, Kolding **2:** 533
A. Søeborgs Chokoladefabrik, Kbh. **4:** 522, 526
A.G. Møller & Jocumsens Maskinfabrik, Horsens **2:** 534
A.P. Bernstorff, skib **4:** 531; **5:** 203f., 222f., 234f., 451, 504; **6:** 55, 121f., 137; **7:** 114, 121, 285; **8:** 355
A.P. Hansen, firma, Kbh. **4:** 95; **7:** 256
A.P. Møller, firma, Kbh. **7:** 195, 216
A.T. Hansen, firma, Kbh. **7:** 147
Abel, Carl Erik, modstandsmand **10:** 60
Abel, Heinrich, ty. politimand **10:** 173
Abell, Kjeld, dramatiker **1:** 568, 571
Aberdeen **9:** 90
Abrahamson, Valdemar, da. jøde **4:** 309, 399
Abramowski, Gustav, ty. politimand **10:** 173
Absalon, maskinfabrik, Kbh. **5:** 42
Abteilung Wehrwirtschaft **2:** 449f.; **3:** 16f., 85, 206ff., 232f.
Abwehr **1:** 414, 468, 544; **2:** 12, 36, 155, 204, 246, 343, 413, 418; **3:** 98, 284; **4:** 88, 239, 331f.; **5:** 67, 69; **6:** 48, 86, 290, 330; **7:** 104, 287; **8:** 342, 437; **9:** 53, 216, 325f., 361
Abwehrstelle Dänemark **2:** 10
Ackermann, Reichsbahnrat **5:** 61
Adam, transportfirma **6:** 328
Adamsgade, Odense **10:** 119
Adelgade, Kbh. **5:** 49; **6:** 448; **7:** 75; **9:** 299
Adler Service, firma, Kbh. **2:** 205f.; **7:** 147
Adlon, hotel, Berlin **6:** 32; **10:** 202
Admiral der Seebefehlsstellen **5:** 59f., 188, 490, 505, 507
Admiral Dänemark/Admiral Skagerrak **1:** 21, 34, 50, 180, 195, 212; **2:** 34, 43f., 47f., 129, 141, 154, 162, 186, 191, 220, 281f., 302, 326, 343f., 346f., 372, 404, 406, 414, 441f., 444, 448, 467, 472, 553; **3:** 284, 288, 315, 340f., 361, 391; **4:** 42, 59, 77f., 97, 99, 112, 118, 146, 152, 164, 204, 222, 227, 273, 303, 328, 417, 500, 506, 543f.; **5:** 29f., 46, 65f., 73, 112, 116, 165, 177f., 187ff., 192, 195, 199, 202f., 206f., 210f., 234f., 244, 303, 349f., 364, 386f., 423, 450, 453, 466, 488, 490f., 494, 506-510; **6:** 10, 80, 153, 166, 252, 258, 301, 333, 340, 379, 402, 442f.; **7:** 10, 36, 61, 65, 115, 264, 290, 327, 352, 365, 398, 402, 417, 420, 425; **8:** 18, 26, 85, 94, 125, 130f., 154, 163, 188f., 191, 203ff., 213, 218, 225, 227, 231, 238, 240, 242, 252f., 264, 281, 288ff., 294, 298, 366, 393, 395, 400, 407, 410, 412, 414f., 425, 427, 433, 453, 478, 486; **9:** 157, 164, 172, 178, 190, 202, 289, 359, 362, 366, 396, 425
Admiral Kriegsmarine-Dienststelle Hamburg **5:** 503
Admiral Ostland **3:** 144
Admiral Scheer, ty. slagskib **5:** 86
Admiral östliche Ostsee **9:** 439
Admiral, østr. fodboldklub **3:** 269
Adolf Holsts Fabrikker, Aalborg **10:** 119
AEG, ty. firma **4:** 545; **8:** 134
*Affairs,* am. tidsskrift **3:** 271
African Reefer, skib **4:** 449
Afrika **1:** 557f., 605, 646
*Aftonbladet,* sv. avis **5:** 20, 261, 268; **6:** 421; **7:** 99, 201; **8:** 147, 149, 330; **9:** 34, 247, 346
*Aftontidningen,* sv. avis **2:** 489; **3:** 67, 374; **5:** 22, 135, 268; **7:** 341; **8:** 146, 329f.
Agamos, skib **8:** 289f.; **9:** 165
Agersted, Aage, politipræsident **5:** 61; **6:** 259
Aggersbøl, Alf, da. SS-løjtnant **3:** 242

Aggersund **1:** 577; **2:** 388; **3:** 287
Agnete, S/S, skib **2:** 450
Agramonte y Cortijo, Francesco, sp. gesandt i Danmark **2:** 126, 192, 274; **4:** 156; **8:** 139; **9:** 12
Ahlbrecht, referent, RSHA **1:** 452
Ahlefeldt, uidentificeret **3:** 159
Ahlefeldt-Laurvig-Lehn, greve **8:** 390
Ahlefeldt-Laurvig-Lehn, Lennart, modstandsmand **10:** 66
Ahnenerbe **1:** 22, 34, 98, 180, 195, 267f., 454, 606, 614; **2:** 145, 147f., 246f., 452, 526; **3:** 133; **4:** 356, 369; **5:** 31; **7:** 212, 216; **8:** 23, 48, 164
Ahnfeldt-Mollerup, Tøger, modstandsmand **6:** 396
AJCO, firma, Kbh. **4:** 110
Akademie der Wissenschaften, München **4:** 369
Akademie der Wissenschaften, Wien **4:** 369
Akademie für Deutsches Recht **1:** 380, 597
Akademie zur Wissenschaftlichen Erforschung und Pflege des Deutschtums – Deutsche Akademie **4:** 369
Akselborg Bodega, restauration, Kbh. **6:** 316
Aktieselskabet af 6. Februar 1943, Kbh. **2:** 258
Aktiv, firma (trykkeri), Kbh. **6:** 320
Aktiv, skib **9:** 48
*Aktuelle Uge-Revue,* tidsskrift **8:** 386, 432
Albanien **5:** 229
Albatros, skib **9:** 48
Albrecht, Erich, gesandt, leder af AAs juridiske afdeling **1:** 543; **2:** 527f.; **3:** 145, 150f., 160, 261, 302; **5:** 300, 421, 479; **6:** 32, 105, 150f., 159, 201, 227, 449f.; **7:** 49, 66, 161; **10:** 200f.
Albrechtsens Radioforretning, Århus **10:** 106
Alderslyst **9:** 279
Aldersrogade, Kbh. **3:** 203; **5:** 241
Alexander, Harald, eng. general **9:** 393
Alexandra, skib **5:** 222
Alexandrine, dronning af Danmark **1:** 556; **2:** 274, 281; **3:** 448
Alfieri, Dino, it. gesandt i Tyskland **1:** 465
Alfred Køsters boghandel, Randers **10:** 97
Alfred Olsen & Comp., firma, Kbh. **2:** 538
Alfred Sørensens Pelsmagasin, Århus **10:** 125
Algeriet **1:** 605
Alice, skib **6:** 324
Allégade, Kbh. **5:** 178; **10:** 145
Allinge **2:** 407
Almind, Henri, marskandiser **5:** 191
Almindingen, Søborg **9:** 49; **10:** 111
Almuth, skib **7:** 121
Alquen, Günter d', SS-Standartenführer, leder af Standarte "Kurt Eggers" **8:** 87f., 109
Als **1:** 534, 608, 626, 637; **2:** 17; **6:** 258; **7:** 387; **8:** 325; **9:** 172f., 358f.
Alsace **8:** 376, 384, 429
Alsgade Politikaserne, Kbh. **6:** 29, 31
Alsgade Skole, Kbh. **3:** 258; **9:** 188
Alssund **6:** 87f.
Altenburg Hansen, C., SOE-agent **8:** 349
Altenburg, Günther, Ministerialdirigent, Büro RAM **4:** 333, 348, 371; **6:** 66f., 380
Altkirch **8:** 384
Altkirch, ty. skib **3:** 67
Aluminia, fajancefabrik, Kbh. **10:** 91
Alveen, Emanuel, modstandsmand **4:** 250
Alvis Maskinfabrik, firma, Kbh. **4:** 498, 503
Always Radio, firma, Kbh. **5:** 190, 246; **6:** 252, 272, 454; **9:** 285
Amada, da. firma, Danzig **9:** 158f.
Amager **2:** 239, 428; **6:** 28, 31; **7:** 19, 35, 62; **8:** 180; **9:** 50, 188; **10:** 88, 139
Amager Bio, Kbh. **6:** 167
Amager Boulevard, Kbh. **6:** 446, 448; **9:** 48
Amager Fælled **8:** 380
Amager Fælledvej, Kbh. **5:** 186
Amager Landevej, Kbh. **9:** 188
Amager Strandvej, Kbh. **9:** 298
Amagerbrogade, Kbh. **5:** 190; **6:** 199, 319, 446, 448; **7:** 382; **9:** 295
Amagergade, Kbh. **10:** 145
Amaliegade, Kbh. **4:** 435; **5:** 37; **6:** 21; **7:** 412
Amalienborg **1:** 497; **2:** 211; **3:** 205; **4:** 293; **7:** 411ff.
Ambi, firma, Kbh. **3:** 357; **4:** 15, 62; **6:** 411; **7:** 30, 179, 211
American Apparate Co., firma, Gentofte **4:** 466, 490
American Radio Fabrik, Kbh. **5:** 148
Amerikavej, Kbh. **7:** 384
Amnitzbøll, Carl Jakob, arkitekt, illegal aktivitet **2:** 545
Amt Reichsleiter Rosenberg **5:** 378; **6:** 428; **7:** 172
Anders A. Pindstoftes Maskinfabrik, Valby **5:** 246
Andersen & Martini, firma, Kbh. **7:** 378, 386
Andersen Nexø, Inge **1:** 569
Andersen Nexø, Johanne **1:** 569
Andersen Nexø, Martin, forfatter **1:** 564, 568f.; **6:** 392; **8:** 434
Andersen, Aksel/Axel Eiler, modstandsmand **2:** 360; **3:** 138; **4:** 372; **5:** 37; **10:** 76
Andersen, Albert, formand for Malernes Fagforening **9:** 31; **10:** 112
Andersen, Alfred H., bankbud **10:** 104

Andersen, Alsing, forsvars- og finansminister **1:** 524, 572, 596; **8:** 147; **9:** 256
Andersen, Anders Wilhelm, modstandsmand **4:** 503, 527; **5:** 125; **10:** 60
Andersen, Arthur, byretsdommer **10:** 147
Andersen, Bent, civilingeniør **6:** 200
Andersen, Christian Peter, modstandsmand **4:** 436
Andersen, Christian, bogtrykker **6:** 319
Andersen, Christian, ekspedient, terroroffer **10:** 100
Andersen, Ejnar, modstandsmand **3:** 140
Andersen, Ella, terroroffer **10:** 106
Andersen, Erik Gerhard, modstandsmand, agent **10:** 62
Andersen, Ernst L., terroroffer **10:** 129
Andersen, fabriksarbejder, terroroffer **10:** 133
Andersen, Ferdinand Emil Martin, modstandsmand **10:** 68
Andersen, Hans Peter, da. SS-Untersturmbannführer **3:** 242
Andersen, Hans, elektriker **5:** 297
Andersen, Hans, modstandsmand **2:** 552
Andersen, Harry Andreas, arbejdsmand, modstandsmand **2:** 552
Andersen, Harry, vognmand, terroroffer **10:** 127
Andersen, Henning, modstandsmand **10:** 62
Andersen, Ingeborg, direktør **1:** 570
Andersen, ingeniør, leder af Gothersgadeværket **7:** 76
Andersen, Jens Albert, fhv. lærer, modstandsmand **6:** 424
Andersen, Jens, da. historiker **1:** 14, 28, 57, 72, 116, 127, 172, 188, 220, 237, 289, 301
Andersen, John Albert, modstandsmand **2:** 374; **3:** 135
Andersen, John Erik, modstandsmand **9:** 342; **10:** 64
Andersen, Jørn, modstandsmand **10:** 66
Andersen, Karl Johann, modstandsmand **4:** 373
Andersen, Knud Erik Vanggaard, modstandsmand **3:** 139
Andersen, major, forbindelsesofficer **9:** 412
Andersen, malermester **9:** 142
Andersen, Martin, modstandsmand **5:** 105
Andersen, Niels Peter Ingward, sabotagevagt **7:** 385
Andersen, Niels, købmand, terroroffer **10:** 124
Andersen, Ole Bay, modstandsmand **10:** 66
Andersen, Orla, modstandsmand **6:** 257; **10:** 60
Andersen, Robert, arbejdsmand, terroroffer **10:** 102
Andersen, slagter **5:** 227
Andersen, sognerådsformand, Pederstrup **4:** 445
Andersen, Steen, da. historiker **1:** 61, 73, 81, 225, 239, 248
Andersen, Søren, medhjælper **10:** 119
Andersen, Tage, oberst, modstandsmand **8:** 339
Andersen, Vagn Hessel, modstandsmand **6:** 323
Andersen, Viktor, modstandsmand **2:** 360; **3:** 138
Andersen, Aage H., redaktør **2:** 475, 493f., 504, 528; **3:** 14, 19f., 45, 72f., 94f., 156, 199f., 218f., 246, 274, 438; **5:** 379; **6:** 428
Andersen, Aage Henri, kontorist, modstandsmand **5:** 288
Andersen, Aage, modstandsmand **4:** 374; **6:** 316
Andersen-Hornbo, Knud, modstandsmand **1:** 469
Andersens Maskinfabrik, Kbh. **8:** 482
Andersson Asks Skindforretning, butik, Kbh. **4:** 526
Andreasen, maskinpasser, terroroffer **10:** 129
Andreasen, Aage, direktør, SIS-agent **5:** 203; **6:** 196, 322
Andreassen, Erik, terroroffer **10:** 125
Andresen & Clausen, Åbenrå **5:** 243
Andresen, Jørgen, digter **6:** 205
Andst å **5:** 62
Ane Katrinesvej, Kbh. **4:** 23, 63
Angamos, chil. skib **8:** 281, 291, 297
Angeln **9:** 248
Angleterre, Hotel d', Kbh. **1:** 350, 612; **3:** 80; **4:** 316; **5:** 135, 234; **6:** 304; **7:** 261; **9:** 333, 424
Anglo-Danish Society **5:** 260f.
An-Helen Claussen, skib **3:** 487
Anholt **1:** 504; **6:** 10
Anholt, skib **4:** 486
Ankara **5:** 10; **9:** 11
Annasvej, Hellerup **10:** 92
Ansgaard, Erik, politiassistent **6:** 259
Ansgaard, vandrehjem, Århus **4:** 296
Antijødisk Aktion **3:** 72, 94
Antijødisk Liga **7:** 282, 333, 335
Antijødiske Verdensliga, Den **2:** 493; **3:** 200, 247
Antikomintern **2:** 528; **3:** 14, 16, 45, 72f., 94, 96, 218ff., 246, 274
Antikominternpagten **1:** 64, 102f., 153f., 228, 273, 329f.
Antje, skib **3:** 228
Antwerpen **2:** 269; **9:** 146
Apollo, restauration, Haderslev **7:** 443
Apolloteatret, Kbh. **10:** 120
Appen, von, Hauptmann **8:** 257f.
Arado, firma, Kbh. **6:** 239, 455; **7:** 180
Arbeitsgemeinschaft für Skandinavienkunde (Argeska) **2:** 412

*Arbejderbladet,* komm. avis **1:** 565f.; **2:** 52
Arbejdernes Korporative Skotøjsfabrikker, Kbh. **4:** 296
Arbejdernes Radio Forbund **1:** 565
*Arbejderpolitik,* illegalt blad **6:** 318
*Arbejdet,* sv. avis **5:** 267
*Arbejdets Røst,* tidsskrift **9:** 26f.
Arbejdsfællesskab, Det danske **5:** 409
Arbejdsgiverforening, Dansk **4:** 240; **5:** 400
Arbejdsministeriet **5:** 128
*Arbeteren,* sv. avis **2:** 489
Ardelt, ty. firma **5:** 176
Arentoft, Holger Orla, da. SS-Sturmbannführer **2:** 73; **3:** 87, 242
Argentina **1:** 437, 558, 576; **2:** 411; **3:** 169, 260; **4:** 120, 190, 425; **5:** 289, 393; **6:** 33; **7:** 185, 225; **9:** 11
Argus, inspektionsskib **10:** 58
Argus, ty. firma **5:** 172
Arild, Sverige **2:** 346
Arildskov, Max, major, Schalburgkorpset **9:** 112
Arktis **1:** 606f.
Armeeoberkommando Norwegen **5:** 172
Arndt, Oberfeldintendant **8:** 284, 367f., 394
Arnholm, snederfirma, Randers **3:** 434
Aros, forlag **6:** 120
Arresøgade, Kbh. **8:** 185
Artillerivej, Kbh. **5:** 69; **9:** 188
ASA, filmselskab, Lyngby **5:** 291; **10:** 80
Asbo, Einar R., kordegn, terroroffer **7:** 259; **10:** 92
Asiatisk Plads, Kbh. **5:** 288
Asien **2:** 28
Askov Højskole **9:** 277
Asmann & Sønner, firma, Horsens **5:** 141
Asmussen, Jes, leder af Det Danske Arbejdsfællesskab **3:** 436; **9:** 26
Asnæs, skib **8:** 221, 310
Asra A/S, firma, Kbh. **2:** 362; **7:** 211; **9:** 122
Assarson, V., sv. envoyé **9:** 385
Assens **6:** 396; **7:** 439; **10:** 86, 142, 148
Associated Press **5:** 289
Assopress, sv. pressebureau **6:** 116
Astmann, ty. officer, OKW/WFSt **9:** 440
Astoria, hotel, Kbh. **7:** 209
Atelier Skilte A/S, Kbh. **3:** 197
Athen **8:** 429, 432
Atlantic City, USA **6:** 18
Atlas A/S, firma, Kbh. **2:** 100, 159, 364, 419; **5:** 384; **6:** 130; **7:** 384
Atlas, trykkeri, Kbh. **9:** 51
Attlee, Clement, eng. vicepremiermin. **8:** 327, 330
Augustenborggade, Århus **4:** 138
Aukoma, firma, Sønderborg **5:** 389
Aulins Tæppelager, Kbh. **10:** 89
Aulum **3:** 411
Aunø **9:** 88
Auschwitz, koncentrationslejr **2:** 231
Auslandsorganisation der NSDAP **1:** 431, 449, 463f., 479, 512f., 583, 630; **2:** 525; **3:** 54f., 281f.; **4:** 29; **5:** 209, 378, 412, 426f., 481; **6:** 61f., 64; **8:** 435; **9:** 171, 325f.; **10:** 49, 197
Aussendienststelle Apenrade **6:** 208; **9:** 15, 275, 278, 313, 334
Aussendienststelle Kolding **8:** 179, 349, 447
Aussendienststelle Odense **9:** 15
Aussendienststelle Silkeborg **9:** 15
Aussendienststelle Aalborg **6:** 208; **8:** 178; **9:** 15
Aussendienststelle Århus **6:** 208; **8:** 175; **9:** 48
Aussendienststellen i Danmark **4:** 122
Aussenstelle i Aalborg (BdS) **9:** 44
Aussenstelle Århus des Rü Stab Dän. **8:** 373
Australien **1:** 558
Autofirma Super Service, Kbh. **2:** 538
Autofon, firma, kbh. **4:** 453
Avedøre **5:** 185; **9:** 88
Avedøre, fabrik **8:** 255
Avegoor, Holland **1:** 623
Avning **4:** 437
Axel Carl, skib **2:** 191
Axel Christensen, trykkeri, Kbh **6:** 320
Axel, prins af Danmark **1:** 430f.
Axeltorv, Kbh. **2:** 239; **9:** 297, 303
Axeltorvværket **7:** 77
Axmann, Arthur, Reichsjugendführer **1:** 450; **8:** 324

B & W, se Burmeister & Wain
B.T. Centralen, Aalborg **10:** 136
*B.T.,* avis **2:** 496
Bach, Knud, gårdmand, leder af LS **9:** 339
Bach, Svend, i tysk tjeneste **8:** 180
Bache, Erling, journalist, forfatter **6:** 283, 285
Bachhaus, August, ejer af garage i Ribe **5:** 98
Bachmann KG, ty. firma **7:** 464
Bachmayer, ty. toldkontrollør **6:** 48f.
Backe, Herbert, SS-Obergruppenführer, statssekretær, leder af REM **1:** 54, 63, 82f., 217, 227, 249, 251; **2:** 81; **4:** 20, 134, 143, 529; **5:** 227, 236, 279, 298, 336, 483; **6:** 39, 192f., 261, 359; **7:** 308, 310, 429, 444; **8:** 39, 422; **9:** 162f.; **10:** 38, 44, 196
Backersvej, Kbh. **7:** 262
Backhaus Bakelitfabrik, Ribe **4:** 296
Badesanatoriet, Skodsborg **5:** 158

Badoglio, Pietro, ital. politiker **9:** 252
Badstuegade, Århus **5:** 226
Baehr, von, ty. general **9:** 394
Bafico, Alberto H., arg. chargé d'affaires i Kbh. **5:** 393; **7:** 185; **9:** 11
Baggersgaard, Oscar, Gestapomand **10:** 125
Baggesensgade, Kbh. **10:** 129
Bagsværd **6:** 141; **9:** 49; **10:** 95, 134
Bagsværd Slotspark **10:** 134
Bahia, skib **3:** 487
Baierl, Georg, ty. politimand **2:** 76
Bak, Christian, overingeniør, terroroffer **10:** 118
Bak, Sofie Lene, da. historiker **1:** 152, 329
Baku, Aserbajdsjan **1:** 557
Baldersgade, Kbh. **2:** 159; **5:** 384; **7:** 384
Baldrianvej, Kbh. **2:** 549
Balkan **7:** 289, 311, 360; **8:** 170
Baller, repræsentant for BMW **8:** 19
Balling, Einar, modstandsmand **3:** 388
Balnus, Dr., Wehrmachtintendant, Oberfeldintendant **2:** 466; **6:** 84, 236; **7:** 314
Balslev, Emil, modstandsmand **10:** 60
Baltikum **2:** 127, 238; **6:** 282; **7:** 388; **8:** 34, 234, 330
Bamag, ty. firma **4:** 209f.; **5:** 85
Bandholm **3:** 430
Banegårdspladsen, Esbjerg **2:** 160
Baneværnet **4:** 273
Bang og Olufsens radiofabrik, Struer **10:** 119
Bangkok **3:** 235f.
Bangsbo **8:** 444
Bangsted, Helge, redaktør, Fædrelandet **2:** 163; **5:** 28, 144, 379; **6:** 162; **7:** 175; **9:** 141
Barandon, Paul, diplomat, Det tyske Gesandtskab **1:** 35, 41, 43, 151, 196, 202, 205, 327, 379, 381, 385ff., 395-398, 402-409, 414, 428ff., 435, 437f., 441-444, 457, 465, 471f., 474, 476-480, 483, 485, 487, 489, 493, 495ff., 504, 506, 508, 515f., 525f., 533-536, 538, 541ff., 549, 551, 575, 579, 640ff., 648; **2:** 17f., 30, 42, 77, 111f., 123f., 137, 140, 164, 480, 482; **3:** 79f., 97, 144, 245, 248-251, 253f., 303; **4:** 108f., 124f., 148, 238, 246, 383, 390, 459, 480; **5:** 105, 201, 283; **6:** 118, 290, 306, 312, 414f., 425, 427, 436, 440, 450; **7:** 13, 31, 49, 55, 64, 154, 156, 162, 308f., 342f., 403, 408, 416, 426; **8:** 44-47, 94, 109f., 155f., 293; **9:** 132; **10:** 47, 50, 52ff., 150f., 153ff., 158, 163, 202
Barbarich, greve, it. diplomat **5:** 254
Barbarossa, operation **1:** 66, 101f., 230, 271f.
Barcelona **9:** 393
Bardino, Carl F., smedemester, terroroffer **10:** 115
Barfod, Jørgen, da. historiker **1:** 129, 303
Barfod, Knud, montør, illegal aktivitet **2:** 552
Barnevitz, Benny, Hipomand **10:** 140f.
Barnevitz, Vilh., Hipomand **10:** 140f.
Barros, chil. gesandt i Tyskland **1:** 518
Bartholdy, Christian, præst, leder af Indre Mission **2:** 253; **8:** 380
Bartram, Christian Frederik, modstandsmand **2:** 204; **3:** 136
Bartram, Grethe, stikker **1:** 120, 294; **7:** 206f.
Bartram, Hans, arbejdsdreng, modstandsmand **5:** 288
*Basler Nachrichten,* schw. avis **2:** 136
Basra, Irak **1:** 558
Bassewitz-Behr, Georg Graf von, SS-Obergruppenführer, HSSPF **9:** 409
Bast, Jørgen, krigskorrespondent **8:** 269
Bastianini, Giuseppe, it. statssekretær **2:** 469
Bataillon Skorzeny **7:** 103
Battista, Hans, SS-Obersturmführer, Kriminalmedizinisches Zentralinstitut der Sicherheitspolizei **5:** 473; **6:** 91f.
Baudisch, Oberregierungsrat **3:** 40
Bauer, Dr., ty. ministerialdirigent **5:** 431f., 481f., 492
Bauer, SS-Brigadeführer, SS-Führungshauptamt **2:** 145
Baum, Vicki, forfatter **2:** 315
Baumann, da. jøde i KZ **5:** 156
Baumann, Oberbaurat **7:** 79, 82; **9:** 300
Baumgarten, Paul, ty. reporter **10:** 15
Bayerhoffer, ty. ministerialdirigent, RFM **2:** 144; **5:** 355
BBC (British Broadcasting Corporation) **2:** 88; **3:** 134, 323, 370; **4:** 119, 429; **5:** 16, 130, 151, 234, 253, 258, 261, 397, 401, 403; **6:** 12, 16, 142, 144, 286, 333, 337f., 341, 379; **7:** 31, 94, 335, 443; **8:** 143, 270, 325, 346, 348, 377, 379f.; **9:** 29, 64, 140, 244, 341
BdO, se Befehlshaber der Ordnungspolizei
BdS, se Befehlshaber der Sicherheitspolizei
Beaulieu, hotel, Kbh. **5:** 41
Bech, godsbesidder, LS **8:** 434
Bech, Irma, sygeplejerske **6:** 284
Bech, Jens, terrormål **10:** 100
Becher, Johannes R., ty. forfatter **1:** 570
Bechgaard, Carl Erik, revisor, illegal aktivitet **2:** 546
Becker, Herbert, Befehlshaber der Ordnungspolizei (BdO) i Krakow **2:** 522
Becker, Korvettenkapitän, Frederikshavn **2:** 403

Becker, Wilhelm, generalløjtnant, leder af Wehrwirtschaftsstab **2:** 352; **3:** 404; **4:** 61, 93, 292; **7:** 173f.
Becker-Christensen, Henrik, da. historiker **1:** 92, 261
Bedsted **7:** 439
Beer, Ernst, ty. politimand **10:** 173
Beethoven, Ludwig, ty. komponist **2:** 306, 319
Befehlshaber der Ordnungspolizei (BdO) **1:** 35, 54, 195f., 217; **2:** 394, 434, 478, 517; **3:** 11, 75; **4:** 341, 344, 368, 379, 406, 435, 437f., 453, 458, 463, 466, 468, 472, 487, 521; **9:** 186, 195, 201, 233, 300, 321, 351; **10:** 38ff., 43ff., 48, 57
Befehlshaber der Sicherheitspolizei (BdS) **1:** 34f., 47f., 54, 70, 107, 109f., 143, 146f., 194ff., 209f., 217, 235, 279, 281, 318, 321ff.; **10:** 38, 51, 58, 153
Befehlshaber der Sicherung der Nordsee (BSN) **2:** 406, 408; **3:** 178
Befehlshaber der Sicherung der Ostsee (BSO) **5:** 30, 165f., 177f., 192, 244, 303f., 466
Befehlshaber des Ersatzheeres **5:** 445; **8:** 399
Begtrup-Hansen, K., rigspolitichef **5:** 268; **7:** 26
Behr, Paul von, ty. legationsråd, AA **2:** 192f., 302, 335; **4:** 201, 446; **5:** 236, 281, 286, 294, 355, 368, 437f., 471; **6:** 65, 117f., 298, 343f., 402, 408, 427; **7:** 143, 283, 445f.; **8:** 75, 93; **9:** 54, 180f.
Behrends, Hermann, SS-Brigadeführer, VOMI **2:** 22, 127, 166, 245, 338f., 350f., 353, 525
Behrends, Reichsobmann **1:** 537
Behringsdorff, Aage Henrik, sabotagevagt **7:** 385
Beidil & Madsen, firma, Kbh. **4:** 538
Beier, Gerhard, ty. historiker **1:** 97, 267
Beklædningsmagasinet, Odense **10:** 104
Belgien **1:** 153, 155f., 158, 161, 329f., 332f., 335, 338, 351, 374, 418f., 431, 449, 458, 512f., 537; **2:** 143, 146f., 151, 169, 237f., 433; **3:** 35, 122, 128-131, 166, 173, 276, 283, 299; **4:** 408, 472; **5:** 229, 268, 492; **6:** 213, 337, 347, 380; **7:** 87, 273f., 276f., 289, 311f.; **8:** 11, 102, 379, 384, 430, 432; **9:** 12, 29, 62, 69, 146
Bella Bio, Kbh. **6:** 167
Bellahøjvej, Brønshøj **9:** 297
Beller, ty. amtslæge **9:** 370
Bellevue Strandhotel, Kbh. **3:** 371
Bellinge **4:** 538
Bellona, ubåd **3:** 483; **5:** 497
Belzer, ty. ingeniør **8:** 246
Bender, Horst, SS-Standartenführer **6:** 152, 165, 172f., 227, 230, 253f.; **7:** 225, 268f.; **8:** 360; **9:** 69, 76
Bendtsen, Anders, modstandsmand **4:** 437
Bendtsen, Poul E., terroroffer **10:** 139
Bendtzen, Poul, præst **9:** 344
Bene, Otto, Gesandt, AA **1:** 448
Benediktsson, Petur, isl. gesandt i Moskva **5:** 393
Benemann, Dr., ty. embedsmand **10:** 165
Bennecke, general (muligvis Vagn Bennike) **9:** 432f.
Bennike, Helge, oberst **8:** 339, 446
Bennike, Vagn, oberstløjtnant, modstandsmand **8:** 178, 336, 338f.
Bentivegni, officer ved OKW **3:** 153
Bentzen, Harald Kjersteen, snedker, modstandsmand **2:** 550
Bentzen, Hertha, deporteret kommunist. **5:** 373; **6:** 424
Bentzen, Poul Hans, pastor, terroroffer **10:** 135
Benz, Wolfgang, ty. historiker **1:** 160ff., 164, 338f., 341f.
Benze, ty. major **9:** 40
Beograd **3:** 166, 169; **7:** 314, 394
Berendt, Flora, sv. jøde **4:** 399
Berenstein, Tatiana, se Brustin-Berenstein, Tatiana
Berg Sørensen, Else, hustru **6:** 317
Berg Sørensen, Karl Helmuth Preben, modstandsmand **6:** 317
Berg, Ervin, sangpædagog **1:** 571
Berg, Jürgen H., da. SS-Rottenführer **3:** 242
Berg, Nancy, terroroffer **10:** 121
Bergemann, Ministerialdirektor, RKS **1:** 527; **8:** 10, 278; **9:** 101
Bergen **1:** 603; **2:** 190f.
Bergen Belsen, koncentrationslejr **6:** 321
Bergenhus, skib **3:** 315
Berger, Emil, Ministerialdirektor, RFM **2:** 462; **3:** 35, 39; **4:** 459, 469; **5:** 43, 106f., 205, 219f., 237f., 286, 292f., 337, 355; **7:** 296f.; **8:** 108
Berger, Gottlob, SS-Obergruppenführer, SS-Hauptamt **1:** 34, 90, 130, 195, 258, 432, 449, 451, 457, 481, 485, 487, 491f., 496, 499f., 509, 511, 513f., 517, 536-540, 549, 573ff., 583ff., 610, 622, 625, 629ff.; **2:** 13f., 26, 44f., 61, 83ff., 102, 111, 115f., 134f., 144, 150f., 162-165, 169, 184, 197, 199, 209, 212-216, 234, 249f., 255, 269, 288, 338, 350, 353, 379, 397, 451, 474, 477, 504, 516, 521, 528f.; **3:** 19, 34f., 87f., 251, 272, 276, 280, 282f., 297, 304ff., 310, 333f., 345f., 359, 390ff.; **4:** 30, 55, 124, 133, 142, 149, 152, 158, 163, 168f., 195, 197, 215, 219,

235f., 318; **5:** 409, 426f.; **6:** 56, 82f., 113ff., 122, 125ff., 154, 302f.; **7:** 123f., 126, 231, 365f., 399, 452, 454; **8:** 50, 52, 158, 162, 298, 360, 395; **9:** 111, 138; **10:** 31, 36, 43, 46, 48, 53, 150, 196-199
Bergmann, Helmut, gesandt, AA **2:** 221f., 238, 255, 270, 284-287, 326ff., 342, 349, 375, 502; **5:** 358; **8:** 448; **10:** 202
Bergmann, Villy Arnold, flymekaniker, modstandsmand **6:** 324
Bergquist, sv. justitsminister **6:** 19
Bergsted, Hans, ikke identificeret **6:** 285
Bergstedt, Harald, digter **8:** 323
Bergstrøm, Vilhelm, da. journalist **1:** 11, 169; **3:** 48, 329, 439; **4:** 199; **5:** 32, 288
Bergsø Allé, Kbh. **8:** 482
Berg-Sørensen, Karl Helmuth Preben, modstandsmand **7:** 235
Bering Liisberg, H.C., forfatter **5:** 221
Berlau, Ruth, skuespiller **1:** 568, 571
*Berliner Börsen-Zeitung,* ty. avis **2:** 68
Berliner Modelle GmbH, ty. firma **2:** 149
*Berliner Tageblatt,* ty. avis **2:** 322, 324
Berling, Pierre, tolk, illegal aktivitet **6:** 324
*Berlingske Tidende,* avis **2:** 29, 496; **3:** 50; **5:** 52, 266, 321, 324, 379; **6:** 22; **7:** 315; **8:** 269, 378f., 431, 434; **9:** 62f., 202
Bern **5:** 10; **6:** 70
Bernadotte, Folke, sv. greve **9:** 384f., 392ff.; **10:** 55-58
Bernard, Hans, ty. gesandt **8:** 293; **9:** 169; **10:** 54f., 154
Bernd, SS-Oberführer, SS-Sanitätshauptamt **1:** 538
Berndorff, ty. regeringsråd **5:** 374
Berndt, SS-Oberführer **7:** 39
Berndt, Wilhelm, ty. politimand **2:** 76, 134; **3:** 90; **10:** 172
Bernskov, Sigvard W., kriminalbetjent, terroroffer **10:** 126
Bernstorff, greve, LS **8:** 390
Bernstorffsgade, Kbh. **2:** 159; **5:** 384; **6:** 448; **7:** 75; **9:** 187, 299
Berntsen, Anton, forfatter **6:** 259
Bertelsen, Hans Valdemar, vicekonsul **6:** 186, 193-196, 325, 382
Bertelsen, Johannes Mathias, lærer, illegal virksomhed **2:** 544
Berthel, Irmgad, stenotypist, ty. politi **10:** 173
Berthelsen, Poul Ejnar, medl. af terrorgruppe **10:** 79, 83f., 87
Bertram, Richard, ty. direktør, RKS **1:** 603; **4:** 531; **9:** 365
Bertramsen, Kaj Albert, da. SS-Untersturmbannführer **3:** 242
Beskyttelseskorpset, Hjemmefronten **6:** 321
Beskytteren, skib **3:** 484
Best, Hilde/Hildegard, Werner Bests hustru **2:** 281; **5:** 104; **6:** 440; **7:** 337, 341
Bethge, ty. sekretær **10:** 164
Bethmann, SS-Hauptsturmführer, Polizeioberinspektor **10:** 174
Bevtoftegade, Kbh. **5:** 161
Beyer, Hauptsturmführer **1:** 593
Beyson, ty. SS-Sturmbannführer **10:** 174
Bialystok **1:** 153, 158, 161, 329, 335, 338
Biblioteksvej, Valby **9:** 297
Bibra, Sigismund von, ty. gesandt i Madrid **4:** 165, 202f., 285, 524
Bieber, bådebyggeri, Aalborg **3:** 487
Biehl, Friedrich K., ty. officer **1:** 68, 233
Biehler, Generalintendant, OKW **8:** 301
Bielstein, Hermann, Studienrat, Det tyske Gesandtskab **2:** 235; **3:** 344; **4:** 216; **6:** 282; **7:** 127; **10:** 33, 151
Biering, da. gesandt i Bukarest og Sofia **9:** 12, 238
Bigler, Bernhard, modstandsmand **2:** 533
Bilfeldt, kontorchef, Justitsministeriet **6:** 69f.
Billum **1:** 577
Bing, Bertel, journalist **2:** 239
Binnerup, Bjørn Elith, da. SS-Untersturmbannführer **3:** 242
Birchs Hotel, Aalborg **4:** 322
Birkedal Hansen, Ib, da. Gestapomand **1:** 120, 294; **5:** 141; **8:** 257f.; **9:** 343
Birkedal Hansen-gruppen **9:** 254; **10:** 110, 114f., 118f., 122, 130
Birkenau **6:** 210, 416
Birkerød **3:** 45; **7:** 257; **8:** 381; **10:** 93
Birn, Ruth Bettina, can. historiker **1:** 70, 113, 234, 286
Biscuitfabriken Oxford, firma **8:** 444
Bisgaard, O., manufakturhandler, terroroffer **10:** 117
Bismarck, Otto von, ty. rigskansler **2:** 210, 309, 312
Bisp, Arne Preben, Gestapomand **10:** 124
Bispebjerg Kirkegård **5:** 469
Bisse, Wilhelm, legationsråd, AA **2:** 64, 225, 240; **4:** 56f., 80, 107, 120, 191, 204, 274, 285, 331, 349, 370, 374, 386f., 400, 451, 520; **5:** 40, 140, 179, 450, 463, 488, 506; **6:** 402f.; **7:** 118
Bissing, Hans Jakob, da. SS-Hauptsturmbannführer **3:** 242

Bistrup **2:** 411; **9:** 49
Bjarnason, Brynjólfur, isl. undervisningsminister **8:** 139
Bjelkes Allé, Kbh. **2:** 205f.; **3:** 138; **4:** 473
Bjelykh, G., no. forfatter **6:** 394
Bjerg, Hans Chr., da. historiker **1:** 14, 172
Bjerre, gesandt **4:** 537
Bjerre, Jacob Halvas, da. historiker **1:** 115, 288
Bjerre, Robert, terroroffer **10:** 121
Bjerregaard, Vagn Aage, arbejdsmand, modstandsmand **2:** 550
Bjerregårdsvej, Odense **9:** 143
Bjerringbro **7:** 256, 260
Bjørklund, medl. af Lille-Jørgen-gruppen **10:** 140
Bjørnbaksvej, Kastrup **9:** 297
Bjørnson, Bjørnstjerne, no. forfatter **2:** 308
Björnsson, Sveinn, isl. politiker **6:** 11; **7:** 86; **8:** 139; **9:** 13
Björnsson, Unterführer/Oberscharführer **8:** 87
Blankenagel, Karl, leder af Abteilung Ernährung und Landwirtschaft, Oslo **6:** 362
Blankenese, Tyskland **9:** 89
Blauenfeldt, Kurt Peter Asmus, modstandsmand **2:** 263; **3:** 138
Blegdamsvej, Kbh. **1:** 426; **3:** 195; **4:** 147; **6:** 31, 420
Blekinge **8:** 330
Blohm, Rudolf, ty. statsråd **1:** 527; **2:** 40f., 58
Blokhus **5:** 326
Blom, Nissen, modstandsmand **8:** 340
Blomberg, Oberregierungsrat, leder af Statspolitiet i Hamburg **8:** 240
Blomsgade, Kbh. **5:** 40
Bluhm, Richard Knud Edvard, Oberleutnant, Det tyske Gesandtskab **6:** 290
Blume, Jugendleiter der deutschen Volksgruppe **5:** 208
Blumensaadts Fabriker, Odense **4:** 53
Blücher, Johann-Albrecht von, ty. general **9:** 413
Blücher, Wipert von, ty. gesandt i Finland **1:** 579
Blytgen-Petersen, Emil, journalist **3:** 240; **4:** 432; **5:** 263, 397, 403; **6:** 283, 285
Blågårds Plads, Kbh. **10:** 128f.
Blågårdsgade, Kbh. **9:** 233; **10:** 128
Blaasen, Willi, trykker **6:** 200
Blåvand **4:** 395
BMW, ty. firma **3:** 201f., 228; **5:** 172, 184f., 190, 198, 292, 469f.; **6:** 145, 147, 150, 239, 256; **7:** 362, 364, 439, 464; **8:** 18f., 133, 310
*Bo Bedre,* tidsskrift **6:** 392
Bo, Axel, illegal aktivitet **5:** 288
Bobé, Louis, kulturhistoriker **3:** 290f., 374; **4:** 175
Bobrik, Rudolf, legationsråd, AA **8:** 123, 237, 244, 362, 426, 439; **9:** 39, 43, 207, 260, 270
Bochum, Tyskland **3:** 262
Bock, I.R., konfektionsfabrikant **7:** 139
Bodenhausen, Freiherr von, ty. generalstabsofficer **2:** 387, 389, 508, 523; **3:** 92
Bodensee **1:** 569
Bodeutsch, Oskar, ty. politimand **3:** 210, 258; **10:** 172
Boeck, F.C.B., da. gesandt i Lissabon **4:** 39, 71, 116, 386, 400
Boehm, Hermann, Generaladmiral, Marinebefehlshaber Norwegen **2:** 46
Boelskov, Erik, SOE-agent **4:** 16
Bogense **2:** 364; **3:** 396, 400; **9:** 89
Bogø **3:** 483
Bohle, Ernst, Gauleiter, leder af Auslandsorganisation der NSDAP **1:** 463; **4:** 29; **6:** 61, 64; **8:** 435; **10:** 54, 197
Bohn, Robert, ty. historiker **1:** 118f., 291ff.
Bohnstedt-Petersens Maskinfabrik, Kbh. **6:** 452; **7:** 180, 211; **9:** 122
Bohr, Harald, fysiker **4:** 313, 318
Bohr, Niels, fysiker **4:** 313, 318; **5:** 234
Bok, firma, Kbh. **7:** 384
Bolderslev **7:** 382
Boldesager **1:** 578; **3:** 287; **5:** 62
Boldesagergade, Esbjerg **1:** 578
Boldt, Ministerialrat **9:** 368, 373
Bolivia, skib **5:** 490, 507
Bolle, Fritz, Gestapo-chef, Aalborg **9:** 349
Bolte, Bruno, ty. marineofficer **5:** 242
Bolt-Jørgensen, L.B., da. gesandt i Budapest **4:** 38; **9:** 12
Bomhoff, Gunnar, grosserer, terroroffer **8:** 145; **10:** 101
Bondepartiet **2:** 224, 367, 389f., 426; **3:** 27
Bondy, sv. jøde **4:** 471; **5:** 26
Bongart, Major, Wehrmachtbefehlshaber K-Ausland **2:** 472
Bonnek, Dirk, da. SS-Hauptsturmführer **1:** 495f., 622; **2:** 510ff.; **3:** 242
Bonnier, sv. forlag **2:** 314; **4:** 339, 495
BOPA (Borgerlige Partisaner), illegal modstandsgruppe **1:** 422, 424-427; **2:** 205ff., 263, 361ff., 365, 387, 454, 531, 534-539; **3:** 104, 108, 139ff., 195-199, 207, 300, 307, 311, 315, 434, 479, 484; **4:** 15, 59, 62, 64, 66, 71, 84, 95-98, 110, 121, 287, 294-297, 304, 307, 329, 332, 341, 344, 347, 368, 389, 453, 468, 493, 519, 526f., 538; **5:** 34, 49, 79, 82, 98,

105, 134, 143, 146, 153, 161, 167, 171, 178, 186, 190f., 241, 290, 292; **6:** 103f., 240, 246, 252, 255, 257, 272, 316f., 326f., 398, 410, 429, 452f.; **7:** 30, 95, 133, 152, 203, 235f., 341, 378f., 386, 393, 463; **8:** 206f., 221, 230, 255, 310f., 334, 336, 407, 482; **9:** 46, 48, 127, 233, 285, 321, 365, 375; **10:** 46, 57, 61, 63, 65, 67, 69

Borberg, Svend, redaktør **5:** 379

Borch Johansen, Eigil, forretningsfører, modstandsmand **1:** 478

Bording, Kristen, landbrugsminister **1:** 589, 597; **2:** 87

Borg, Clemen Steensen, modstandsmand **2:** 533

Borgerliste, parti **3:** 41, 66

Borgernes Hus, Kbh. **7:** 30; **10:** 91

Borgevej, Lyngby **5:** 28

Borgmesterbakken, Horsens **4:** 484

Borgskrivervej, Kbh. **2:** 56, 546

Borkum **4:** 401

Bormann, Martin, leder af Parteikanzellei der NSDAP **1:** 431f., 448f., 451, 457, 485, 499, 511-514, 537, 549f.; **2:** 83, 147, 169, 212; **3:** 35, 82, 89, 276, 282f., 299, 304f., 333, 390; **4:** 274; **5:** 351, 426f.; **6:** 22, 56-59, 67, 71, 76, 127, 359, 362; **7:** 39, 434; **9:** 102, 150, 389; **10:** 30, 185

Bornholm **1:** 129, 302f., 504, 596; **2:** 371, 407, 537, 554; **3:** 235, 237, 257, 444; **4:** 23f., 454ff., 477; **5:** 29, 59, 78, 179, 203, 207, 211, 234f., 271, 289f., 463, 486f., 494; **6:** 10, 15, 54, 141; **7:** 105, 191, 340f.; **8:** 142, 291, 324f., 334, 476; **9:** 179, 205, 349, 413f., 420, 423f., 426, 439-442; **10:** 58

Boross, F.L., udenl. forf. **6:** 393

Borup, Frits, herreekviperingshandler **10:** 116

Borup, Peer, modstandsmand **5:** 284

Borups Allé vandværk **6:** 448

Borups Allé, Kbh. **2:** 159; **4:** 23; **5:** 384; **7:** 50, 77; **9:** 297, 303

Boserup, Ester, økonom **1:** 567

Boserup, forpagter, LS **8:** 434

Boserup, Mogens, økonom **1:** 567

Bossy, rum. gesandt i Berlin **3:** 265

Bothildsen Nielsen, Kaj, terrorist **1:** 120, 294; **10:** 72, 83, 85, 91, 93f., 97, 99, 102, 104, 106, 109, 115f., 131f., 134ff.

Bouhler, Phillipp, ty. rigsleder **9:** 102f., 120, 126, 151, 185, 228; **10:** 197

Bourbon-Parma, Luigi, it. fyrste **6:** 67

Bovensiepen, Otto von, Befehlshaber der Sicherheitspolizei in Dänemark **1:** 23, 33, 55, 129ff., 138, 146, 183, 194, 219, 303-306, 313, 322; **3:** 244; **5:** 110f., 140, 145, 160f., 209, 234, 262, 277, 320, 341, 366, 417, 419f., 464, 468, 473, 475; **6:** 29, 34, 49, 91, 115, 124, 144f., 177f., 184f., 191, 198, 200, 251, 302f., 335, 391, 395, 410, 413ff., 432, 437, 440, 444f.; **7:** 23, 26, 55, 102f., 116, 145, 163, 202, 244, 259, 287, 293f., 300, 315, 347, 358, 380, 408, 421, 451, 454; **8:** 32, 36, 51, 69, 109, 114f., 117, 123, 155f., 166, 174, 230, 245, 265, 288, 308, 334, 349, 362, 365ff., 371f., 374-377, 397f., 403, 410, 424, 428, 435, 438f., 475, 481; **9:** 9, 11, 34, 44f., 52, 60f., 73, 78, 81, 111, 118, 166f., 173, 222ff., 238, 250ff., 257, 260, 325f., 329, 331, 347, 381f., 398, 404, 414, 427; **10:** 42f., 48, 53ff., 58f., 78-82, 87, 90f., 93ff., 97, 101, 103, 112, 114f., 118ff., 132, 135, 193f.

Bovrup **1:** 490; **8:** 321

Boye Knudsen, Finn, apotekerdiscipel, terroroffer **10:** 130

Boye, Hermann, modstandsmand **7:** 60; **10:** 60

Boysen, Bruno, SS-Sturmbannführer, leder af Germanische Leitstelle i Danmark **1:** 574, 580, 584f., 614; **2:** 26ff., 84, 150f., 164f., 197, 199, 209f., 246f., 249, 528f.; **3:** 313f., 474; **5:** 161; **6:** 113, 125ff., 303; **10:** 32, 151, 156, 167

Brabänder, Hans, ty. generalløjtnant, leder af 416. Infanteriedivision **2:** 333, 413; **4:** 70

Bracher, Karl Dietrich, ty. historiker **1:** 155, 331

Brack, Dr., overingeniør **5:** 335ff.; **7:** 76

Bragesgade, Kbh. **9:** 285, 299

Brahe-Trolleborg Slot **4:** 300

Brahm, Otto, ty. forfatter **2:** 310

Brammann, Stabsintendant **8:** 368

Brammersvej, Charlottenlund **4:** 538

Bramminge **2:** 534; **5:** 62f.; **10:** 65, 107, 190

Bramsnæs **6:** 270

Bramsnæs, C.V., nationalbankdirektør **1:** 594f.; **2:** 282f., 286, 303; **4:** 469; **8:** 112, 437

Brand, ty. officer **7:** 102

Brande, Jylland **2:** 449

Brandenborg Jensen, Ole, da. historiker **1:** 28, 63, 81-84, 86, 188, 227, 248-251, 253f.; **3:** 24; **8:** 12

Brandenstein-Zeppelin, Graf von, leder af Generalstaben, WB Dänemark **1:** 409, 413, 468, 607f.; **2:** 16, 25, 38, 129, 159

Brandes, Edvard, politiker, kritiker **2:** 310

Brandes, Georg, kritiker, litteraturforsker **2:** 303, 309-313; **5:** 264

Brandes, Ministerialdirektor **2:** 100

Brandrup, Finn Kauffmann, terroroffer **10:** 138
Brandt & Ravntoft, firma, Kbh. **1:** 422; **3:** 358
Brandt, Poul V., terroroffer **10:** 140
Brandt, Rudolf, ty. SS-Standartenführer, Ministerialrat, RIM, Himmlers personalreferent **1:** 54, 217, 431, 538, 540, 573f., 606f., 622, 624; **2:** 13, 44f., 115f., 150, 197, 209f., 213, 215, 233, 249, 350f., 375, 379, 474, 477, 504, 521, 528; **3:** 19, 54f., 132, 295f., 310; **4:** 163, 197, 319, 345; **5:** 426; **6:** 56f., 125ff.; **7:** 39, 231, 304f., 311, 365, 452; **8:** 50, 87, 103, 105f., 109, 112, 163f., 209, 235f., 360; **10:** 199
Brandtner, Gustav, ty. konsul, Silkeborg **2:** 402f.; **9:** 15; **10:** 153, 167, 177
Brandts Isenkramforretning, Aalborg **10:** 105
Brasilien **1:** 392, 558; **4:** 280; **5:** 376; **8:** 11; **9:** 13
Bratislava (Pressburg) **7:** 394
Brauchitsch, Walther von, generalfeltmarskal **1:** 358
Braumann, Pinchas, da. jøde **4:** 399
Braun, Karl Otto, ty. legationsråd **1:** 397; **2:** 176, 271, 395
Braun, von, ty. oberst **9:** 417f.
Braun, Wilhelm, ty. politimand **10:** 173
Braunschweig **1:** 623; **6:** 140; **8:** 324
Brdr. Hansens Motor- og Maskinfabrik, Kbh. **2:** 535; **4:** 66, 95
Brdr. Jørgensens Automobilværksted, Århus **2:** 537; **7:** 385
Brdr. Nielsens Autoværksted, Løgstør **5:** 79
Brdr. Rasmussen, trykkeri, Kbh. **6:** 319
Brdr. Roost, firma, Tønder **2:** 160
Brdr. Skovgaard Mortensen, firma, Kbh. **4:** 96
Brecht, Bertold, ty. forfatter **1:** 569ff.; **6:** 392
Bredebro **6:** 140
Bredel, Willi, ty. forfatter **1:** 570
Bredgade, Kbh. **5:** 74
Bredsdorff, Elias, lærer, modstandsmand **8:** 442
Bregnegårdsvej, Hellerup **9:** 297
Bregninge **7:** 258
Breidablik, Vejlesøhusvej, Holte **4:** 221
Breinholdt Nørgaards Forretning, Odense **10:** 90
Breitfeldt, SS-Hauptsturmführer **7:** 308
Bremen **2:** 73, 77, 134; **8:** 324, 466; **9:** 268
Brende **7:** 439
Brennecke, Johannes. da. SS-Obersturmbannführer **3:** 242
Brenner, Harro Hugo, legationsråd, AA **1:** 463; **4:** 383, 456, 525f.; **5:** 448; **6:** 148, 168f., 372, 374, 450; **7:** 28, 58, 63, 68, 117, 123, 310f., 357; **8:** 38, 56, 61f., 94, 123, 204, 212, 229, 235f., 250, 257, 439
Brenner, ty. direktør, BMW **6:** 148
Breyhan, Christian, ty. ministerialråd, RFM **1:** 466; **2:** 87ff., 264, 463; **3:** 13, 39; **4:** 65, 89, 149; **5:** 43, 106, 227, 333, 335, 467, 481; **6:** 306; **7:** 171, 216; **8:** 20, 85f., 128, 242f., 259f., 263; **9:** 76, 79ff., 162; **10:** 151
Briesewitz, Oberregierungsrat, REM **8:** 259; **9:** 181, 203
Brigade, Den danske **5:** 72
Brix, E., politimester **6:** 259
Brno (Brünn) **1:** 450
Bro, Christian, modstandsmand **8:** 340
Brobjerg, Poul Vick, da. SS-Obersturmbannführer **3:** 242
Brockdorff-Rantzau, Ulrich von, greve, ty. politiker **1:** 596
Brockenhuus Schack, Kjeld, kaptajn, terroroffer **5:** 272; **10:** 79
Brockmann, restaurant, Odense **10:** 133
Brodersen, Christen M., da. SS-Obersturmbannführer **3:** 242
Brodthagen, Carl, da. nazist **8:** 433
Broholm Gods **4:** 519
Bromberg **2:** 253
Brondt, vicepolitiinspektør **7:** 65
Brorsen, Søren, forsvarsminister **1:** 524, 589, 598; **2:** 345, 399, 441, 447; **3:** 252
Bruhn Petersen, Carsten Leif, modstandsmand **6:** 317
Bruhn, Carl Johan, SOE-agent **2:** 158
Bruhn, privatbankier **5:** 324
Bruhn-Petersen, Ib "Peter/Petter", leder af det nordjyske efterretningsarbejde **8:** 446, 474
Brummer, Baurat **8:** 20, 259
Brummerstedt, boghandler, terroroffer **10:** 124
Brun, firma, Svendborg **5:** 381
Brunde ved Rødekro **10:** 130
Brunhild, forsvarsstilling **9:** 105, 107
Bruniera, handelsattaché, Det italienske Gesandtskab i Kbh. **5:** 41
Brustin-Berenstein, Tatiana, da. filolog **1:** 110f., 114, 142, 282f., 287, 317
Bruun, Johan Henrik, medl. af Birkedal Hansen-gruppen **10:** 115
Bruuns Eftf., firma, Esbjerg **2:** 160, 535
Bruunsgade, Århus **5:** 67
Bruxelles **1:** 351, 458; **2:** 148, 163; **7:** 351, 363; **9:** 12
Brückner, SS-Obersturmbannführer, VOMI **3:** 148; **5:** 452; **6:** 358; **7:** 282
Brydesen, Aage, ingeniør **5:** 186
Bryggeriarbejdernes Forbund **1:** 426

Bryld, Brdr., firma, Kbh. **4:** 435, 437
Bryld, Børge, landsretssagfører, DNSAP **1:** 622; **2:** 233f., 507, 516; **5:** 257; **6:** 9, 21, 83, 155, 226
Bryld, Claus, da. historiker **1:** 58f., 61, 63, 132, 222, 224, 227, 306
Bryld, H.C., landsretssagfører, DNSAP **1:** 622; **2:** 233, 507, 516; **3:** 280f., 310; **5:** 257
Bryld, Holger, direktør, DNSAP **6:** 9, 21, 83, 155, 226
Bryndum, Helge Vald., værnemagtsfrivillig **2:** 514
Bryndum, Knud Henrik, modstandsmand **6:** 241
Bryning, Elise J., terroroffer **10:** 126
Bryning, Knud E., kontorchef, terroroffer **10:** 126
Brüning-regeringen **9:** 392
Brøndal, Viggi, professor **8:** 272
Brøndbyerne **9:** 50
Brønderslev **4:** 68, 503, 523; **5:** 172, 222; **7:** 419, 423, 439; **8:** 16; **10:** 119, 189, 191
Brønderslev Allé, Kastrup **9:** 297
Brøndsted **10:** 73
Brøndsted, Karl Gustav, modstandsmand **10:** 62
Brøndum, Henning, terrorist **1:** 120, 293; **10:** 72, 84f., 88, 90, 93f., 100, 102, 109, 120, 122
Brøndum-Nielsen, Johannes, professor **4:** 176; **7:** 214
Brønner, Hother L., fabrikant, terroroffer **10:** 128
Brønshøj **9:** 50, 297ff., 303
Brønshøjvej, Kbh. **9:** 298; **10:** 143
Brønsodde, Vejle **1:** 426
Buch, Aron, terroroffer **10:** 130
Buchenwald, koncentrationslejr **1:** 539; **8:** 37, 55, 78f., 109, 150, 371, 375; **9:** 32, 264, 287; **10:** 54, 194
Buchheim, Hans, ty. historiker **1:** 51, 214
Buchholtz, Johannes, overlæge, terroroffer **9:** 344; **10:** 135
Budapest **1:** 619; **4:** 38; **7:** 394; **8:** 267, 270, 378; **9:** 62f.
Buddinge **7:** 77
Buddinge Torv **10:** 135
Buddingevej, Søborg **6:** 448; **9:** 299
*Budstikken,* illegalt blad **5:** 49, 277; **8:** 433
Buenos Aires **1:** 385; **5:** 289, 393; **9:** 11
Buhl, Vilhelm, statsminister **1:** 414-420, 437f., 472, 536, 553f., 556, 579, 581, 594, 596; **2:** 54, 87; **3:** 25, 37; **5:** 253; **7:** 45, 51, 54f., 84; **9:** 40, 49; **10:** 30
Bukarest **3:** 154; **4:** 537; **7:** 297, 363; **9:** 12, 238
Bukh, firma, Kalundborg **5:** 384
Bukh, Niels, gymnastikpædagog **3:** 166, 471; **4:** 154, 157, 279f., 289, 299f., 305ff., 321, 385; **10:** 38f.
Buldog, stormagasin, Kbh. **6:** 441; **7:** 189, 197
Bulgarien **1:** 156, 333; **2:** 142, 527; **3:** 266; **4:** 469; **7:** 278, 329, 399; **8:** 170f.; **9:** 12
Bullaren, ty. skib **5:** 349
Bunch-Jensen, højesteretssagf., terroroffer **10:** 146
Bundesen, Hector, illegal aktivitet **8:** 186
Bunke, Erich, Kriminalrat **2:** 301; **3:** 90; **4:** 487; **8:** 155, 258; **9:** 222, 329, 347f.; **10:** 95, 125, 172
Burchardi, Regierungsrat, RWM **1:** 527
Burfeind, Thees, leder af Gestapo i Kolding **1:** 68, 233; **8:** 245
Burma **9:** 400
Burmeister & Wain, firma, Kbh. **1:** 528, 546, 569f.; **2:** 31, 47, 141, 159, 177f., 194, 207, 275ff., 419f., 449, 533f., 556; **3:** 11, 141, 196, 198, 487; **4:** 52, 403, 534; **5:** 82ff., 112, 114, 161, 171, 184, 190, 200, 244f., 256, 291, 328, 349f., 364, 388, 393, 457ff., 480, 509-513; **6:** 28, 30, 167, 255, 257, 272, 410, 429; **7:** 78, 133, 205, 223, 241f., 293, 338, 385, 440, 463; **8:** 221, 229, 235, 264, 278, 310, 373f., 425, 476; **9:** 32, 112, 114, 119, 402f.; **10:** 11, 32f., 42f., 47f., 55, 188, 191
Burmeister, Carl Erik, modstandsmand **2:** 530; **3:** 136f.
Burmester, Oberpostrat, Dipl.ing. **10:** 169
Busch, Eduard, læge, professor, modstandsmand **7:** 340
Busch, Ernst, Oberbefehlshaber Nordwest, generalfeltmarskal **9:** 358, 409f., 415, 417ff., 428, 431
Busch, Ernst, ty. generalfeltmarskal **9:** 349, 381, 384f.
Busk-Rasmussen, Jens Frederik, modstandsmand **8:** 339
Busse, Oberregierungsrat **9:** 381
Buttlar-Brandenfels, Horst Frhr. Treusch von, general **4:** 117, 123, 174f.; **6:** 76; **7:** 417; **8:** 31, 66
Büchert, ty. kriminalkommissær **1:** 414
Bylderup **4:** 329
Bülow & Co, firma, Århus **5:** 241
Bülow, Johan, leder af Dansk Røde Kors **4:** 464
Bülow, Otto, billedskærer, terroroffer **7:** 215, 270, 328, 336, 378; **10:** 94
Bürkner, Leopold, ty. konteradmiral, OKW **1:** 446; **2:** 383, 398, 447; **3:** 211, 252
Büro RAM **3:** 199, 297; **4:** 51, 67, 81, 155, 265; **8:** 123, 235f., 250, 257, 372, 438; **9:** 118
Büttner, Walter, ty. amtsråd **1:** 448, 454, 511f.; **2:** 96

Bæksted, Anders, da. videnskabsmand **7:** 214
Bälz, Rudolf, ty. leder af Gruppe Justiz hos Militärbefehlshaber Frankreich **2:** 121f.; **3:** 118
Bärding, ty. toldkontrollør **6:** 53
Bøge, J.M., modstandsmand **4:** 171
Bøgel, Walter, teknisk tegner **7:** 215, 263, 336
Bøgeskov **5:** 141
Böghaf, Helge, politibetjent **6:** 51
Böhme, Franz, general, WB Norwegen **1:** 127f., 300f.; **3:** 246, 255; **9:** 396f.; **10:** 196
Böhme, Georg, ty. konsul, Odense **4:** 286, 299; **9:** 15; **10:** 153, 176
Bøhmen **1:** 152f., 158, 161, 328f., 335, 338, 351, 374, 377, 450, 652; **3:** 338; **6:** 418; **10:** 205
Bøjden **10:** 127
Børesen, generaldirektør **7:** 76, 79, 81
Børge Hansen A/S, firma, Kbh. **7:** 384
Børkop **7:** 258
*Børsen,* avis **6:** 218
Børsholt, Viggo, ingeniør, terroroffer **10:** 86
Børsmose **9:** 90
Baastrup-Thomsen, Else Elisabeth, modstandskvinde **6:** 203

C. Lorenz A.G., ty. firma **8:** 482
C. Reinhardt, firma, Kbh. **4:** 468
C.B.-Grundskolen, Kbh. **10:** 91
C.F. Rich og Sønner A/S, firma, Kbh. **4:** 342
C.F. Richsvej, Kbh. **10:** 118
C.F. Tietgen, skib **5:** 222, 450f., 490, 494, 504, 507; **6:** 121f., 165, 400f.; **7:** 68f., 114, 121, 285; **8:** 355
C.G. Schumann, firma, Sønderborg **7:** 442
C.M. Eriksens forretning, Odense **10:** 89
Caen **6:** 301
Callesen, Christian, mekaniker, modstandsmand **6:** 424
Callesens Maskinfabrik, Åbenrå **5:** 243
Callisen, S.G., oberstløjtnant, modstandsmand **8:** 340
Calvinsvej, Fredericia **10:** 133
Camillo Jørgensen, Fritz, kaptajnløjtnant, modstandsmand **9:** 50
Camman, ty. kaptajn **3:** 464, 485
Canada **1:** 558; **6:** 282; **8:** 325; **9:** 393
Canaris, Wilhelm, ty. admiral **10:** 197
Canned and Cream Milk, firma, Odense **8:** 392
Capomazza, legationssekretær, Det italienske Gesandtskab i Kbh. **5:** 41
Carl Allers Etablissement, Kbh. **10:** 120
Carl Jensen & Hauersen, firma, Oksbøl **2:** 537
Carl Zeiss, skib **7:** 144f.
Carlsbergfondet **4:** 175, 177f.
Carlsen, H.C.E., forretningsfører, terroroffer **10:** 116
Carlsen, Harald Georg, kaptajn **1:** 640
Carlsen, Hedevig, modstandskvinde **2:** 552
Carlsen, Henning, illegal aktivitet **7:** 257
Carlsen, Jens Peter, SOE-agent **4:** 450
Carlsen, Peter, modstandsmand **3:** 308
Carlton Herreekvipering, Århus **10:** 106
Carlton Herremagasin, Kolding **10:** 117
Carltorp A/S, firma, Kbh. **2:** 277, 360, 363; **6:** 103, 129, 329, 336, 454; **7:** 147, 179, 324, 465; **9:** 216f.
Carstenn, Hauptsturmführer **7:** 312
Carstensen, Poul, læge, terroroffer **8:** 225; **10:** 106
Carstensen, T.H., landsretssagfører, terrormål **10:** 86
Carstensen, ty. Diplomlandwirt **10:** 156
Cartellieri, Hptm., OKW/WFSt **9:** 294
Casablanca **4:** 79
Casino Bio, Kbh. **6:** 167
Casper, Wilhelm, ty. landråd, Beauftragter des Reichsbevollmächtigten, WB Dänemark **1:** 68, 233; **4:** 122; **5:** 99, 122; **6:** 246; **7:** 423; **8:** 104, 248; **9:** 15, 147f., 279, 322, 368, 422; **10:** 42, 153, 176f., 189, 191
Caspersen, Laurits, reservebetjent, terroroffer **10:** 85
Cassel, E., ty. stabsleder, Hauptamt für Volkstumsfragen **5:** 426
Centralkartoteket **3:** 9; **8:** 184
Centralkontoret for Racespørgsmål **3:** 16
Centralvaskeriet, Esbjerg **3:** 196
Cerff, Karl, afd. leder i RMVP **1:** 429, 442ff.
Cernák, Matus, slov. gesandt i Kbh. **2:** 273
Ceylonvej, Kbh. **7:** 263
Chantré, Ludwig, Oberregierungsrat **10:** 153, 155, 166, 172
Charles Leisner, firma, Kbh. **6:** 191, 319
Charlottenlund **2:** 361; **3:** 139; **4:** 538; **7:** 383; **8:** 36; **9:** 127, 296, 298f.; **10:** 81, 120
Charlottenlund Fort **4:** 521f., 526
Cherbourg **6:** 301, 404; **7:** 96
Chievitz, Ole, professor **2:** 52, 89, 230f., 549; **3:** 205, 239f.
Child, Clifton J., eng. historiker **1:** 153f., 156, 164, 329-332, 341
Chile **1:** 392, 437, 558; **2:** 191; **4:** 425; **8:** 281
Chilston, Viscount, eng. historiker **1:** 154, 330f.
Cholewa, Benjamin, da. jøde **6:** 419
Chr. Petersens Karosserifabrik, Århus **7:** 387
Chr. Rahr & Co., Sydhavnsgade, Kbh. **2:** 365

Chr. Winthersvej, Kbh. **9:** 49; **10:** 116
Chr[istoffersen], Aage Krogh, da. SS-Hauptsturmbannführer **3:** 242
*Christ und Welt,* ty. tidsskrift **9:** 398
Christensen, A.C. Højbjerg, undervisningsminister **2:** 80
Christensen, Allan C., forlægger **6:** 320
Christensen, Arne Bonvig, da. historiker **1:** 116, 289
Christensen, Axel, modstandsmand **9:** 49
Christensen, Bent, modstandsmand **10:** 66
Christensen, Bruno E.A.V., terroroffer **10:** 140
Christensen, brødrene, terrorofre **10:** 73
Christensen, Carlo, terroroffer **10:** 115
Christensen, Christian, kommunist **1:** 572; **2:** 361
Christensen, Claus Allan, arkitektstuderende, modstandsmand **6:** 324
Christensen, Claus Bundgård, da. historiker **1:** 21, 28, 64, 102, 117, 172, 180, 188, 228, 273, 289
Christensen, direktør, Helsingør skibsværft **8:** 373f.
Christensen, Edith, meddeler til SIS **6:** 196
Christensen, Ellen Margrethe "Det kolde Ben", kasserer, Schalburgkorpset **8:** 445
Christensen, frue, stikker **7:** 338
Christensen, Gunnar T., terroroffer **10:** 104
Christensen, Hans Peter, direktør, formand for Industrirådet **1:** 528
Christensen, Harald, modstandsmand **10:** 62
Christensen, Henning, modstandsmand **4:** 493
Christensen, Holger Windung, da. SS-Hauptsturmführer **3:** 242
Christensen, Holger, landsretssagfører, terroroffer **5:** 278; **10:** 79f.
Christensen, Jak B., modstandsmand **7:** 204
Christensen, Jens, modstandsmand **2:** 532
Christensen, Kaj Leo, modstandsmand **10:** 66
Christensen, Knud, direktør **5:** 300f.
Christensen, Lorenz, jødereferent, Det tyske Gesandtskab **1:** 106, 278; **4:** 43; **6:** 283, 378; **8:** 81f., 357, 450f.; **9:** 59; **10:** 37, 44, 154
Christensen, Ole, modstandsmand **10:** 68
Christensen, Orla, frugthandler **10:** 108
Christensen, Osvald E.W., former, terroroffer **10:** 124
Christensen, P. Utzen, underkvartermester, modstandsmand **8:** 341
Christensen, Preben Richard, modstandsmand **10:** 62
Christensen, Robert A., overingeniør, terroroffer **10:** 144
Christensen, Stecher, borgmester, Århus **3:** 464; **7:** 403
Christensen, Svend Aage, terroroffer **10:** 104
Christensen, Viggo, overborgmester, Kbh. **5:** 326; **7:** 46; **7:** 85
Christensen, Åge, medl. af terrorgruppe **10:** 134
Christensen, Aage, vognmand, terroroffer **10:** 110
Christgau, Gustav, konsul, terroroffer **10:** 123
Christian 10., konge af Danmark **1:** 153, 329, 383, 385f., 393ff., 402f., 406, 408-412, 428, 432f., 436ff., 445ff., 451f., 461f., 464, 472, 474, 496f., 514f., 518f., 521-525, 529, 531, 534, 536, 538, 540ff., 553f., 556, 572, 580, 591, 596, 622, 628, 630, 648, 653; **2:** 42, 71f., 91f., 105, 119f., 130f., 135, 154, 167, 178, 180f., 183ff., 207ff., 211, 217ff., 248, 281, 289, 328, 347, 372, 376, 431, 473f., 479f., 482ff., 510; **3:** 26, 51, 56, 70f., 106, 108, 111f., 115, 246, 255, 303, 323, 377, 389, 397, 440, 443, 448, 452, 456, 459, 467; **4:** 15, 39, 41, 53, 56, 70, 101, 113f., 121f., 131f., 144f., 170f., 182, 191, 227, 240f., 248, 257f., 270, 284, 433, 474; **5:** 32, 260, 319; **6:** 277f., 372, 374; **7:** 196, 411f.; **8:** 326, 487; **9:** 13, 145, 255, 387, 428; **10:** 13, 16, 35, 38, 185
Christian 9., skib **8:** 74, 142, 355
Christian Richardt Svendsens Trikotagefabrik, Aalborg **10:** 110
Christiani & Nielsen, firma, Kbh. **5:** 405f.
Christiani, Rudolf, ingeniør **5:** 405
Christiansborg Slot, Kbh. **3:** 381
Christiansen, Ernst, elektriker, terroroffer **10:** 129
Christiansen, Ernst, redaktør, Social-Demokraten **1:** 565, 572
Christiansen, Georg Mørch, modstandsmand **4:** 527; **5:** 125; **10:** 60
Christiansen, Johannes, modstandsmand **3:** 101
Christiansen, Kaj, terroroffer **10:** 140
Christiansen, Martin, vognmand **7:** 257; **10:** 92
Christiansen, Niels M., modstandsmand **8:** 340
Christiansen, Otto Manly, modstandsmand, terroroffer **4:** 503, 527; **5:** 125; **10:** 60
Christiansen, præst **8:** 364
Christiansfeld **6:** 397
Christianshavn **8:** 121; **9:** 32
Christianshavns Torv, Kbh. **4:** 492
Christiansminde Badehotel, Svendborg **4:** 300
Christiansminde værft **8:** 425
*Christiansstads Läns Demokraten,* sv. avis **2:** 489
Christiansø **3:** 237
Christmas Møller, John, politiker **1:** 11, 169, 478, 531, 553, 560, 589, 598; **2:** 88, 229f., 377; **3:**

240, 372, 459f.; **4:** 430-433; **5:** 17, 19, 130f., 258, 261, 397, 404, 417; **6:** 142, 283f., 286; **7:** 94, 191ff., 195, 443; **8:** 169, 171, 182, 327; **9:** 30, 32, 174, 218, 244f., 249f.; **10:** 13, 20, 22, 30, 204
Christmas Sabotage Club, illegal gruppe **2:** 373, 437
Christoffer Ullmanns Generatorværksted, Kbh. **4:** 473
Christoffersen, snedkermester, terroroffer **10:** 121
Christy, Tove, sygeplejerske, modstandskvinde **2:** 546
Chrysler, firma **6:** 429
Churchill, Winston, eng. premierminister **1:** 558, 562; **2:** 137; **5:** 234, 404f.; **8:** 33f., 170, 267, 376, 430f.; **9:** 140, 142, 146, 390, 393
Churchill-klubben, modstandsgruppe **1:** 468; **2:** 437, 532; **3:** 10, 115
Citadellet, Kbh. **6:** 29
Citroën, firma, Kbh. **4:** 59, 63
Clarasvej, Charlottenlund **9:** 296
*Clarté,* tidsskrift **1:** 566f., 569
Classensgade, Kbh. **9:** 187
Clausen, Carlo B., terroroffer **10:** 140
Clausen, Erik Briand, modstandsmand **10:** 66
Clausen, Frits, leder af DNSAP **1:** 11, 45, 89f., 93, 106, 137, 140, 169, 206, 257f., 262, 276, 311, 315, 406f., 410f., 433, 462, 472, 474-477, 479ff., 483, 487f., 490ff., 495f., 517, 523, 525, 551f., 562, 578f., 584f., 593, 595, 605, 614, 619, 622; **2:** 26ff., 59, 61, 75, 89f., 102, 109f., 116, 119f., 135, 144, 146, 164f., 169f., 178, 197f., 216, 224, 233, 249, 339f., 350f., 353, 376, 427, 451, 458f., 491, 494, 503-506, 510, 516; **3:** 29, 81f., 277; **4:** 17, 19, 214, 216, 246f., 427; **5:** 9, 21, 251, 256f., 376f., 474, 481; **6:** 9, 21, 82f., 153ff., 161f., 168f., 172, 224ff., 430; **7:** 98, 175, 333f.; **8:** 317, 321f., 388, 487, 489; **9:** 24, 26, 35, 141; **10:** 31ff., 38f., 43, 45, 150, 196
Clausen, H.P., da. historiker **1:** 132, 306f.
Clausen, Villy/Willy Hans, modstandsmand **2:** 531f.; **3:** 100, 136
Clausen-Jensen, Ejnar, gårdejer, terroroffer **10:** 127
Clausens Autoværksted, firma, Odense **3:** 198
Clauss, ty. rigsbaneråd **2:** 396; **7:** 26; **8:** 74; **10:** 157, 169
Clemenceau, George, fhv. fr. premierminister **2:** 311
Clemmensen, Carl Henrik, red., journalist **3:** 480; **5:** 146, 148; **6:** 421; **10:** 72
Clemmensen, Frederik Peter, matros **3:** 382f.
Clemmensen, Jesper Ove Gerhard, modstandsmand **3:** 140
Clissmann, Ewald, Abwehrleutnant **7:** 288
Cohrt, Carsten, DNSAP, medarbejder ved Kamptegnet **3:** 15f., 73f., 96
Cold Store, firma, Kbh. **4:** 468
Collani, Ingo von, ty. oberst, generalstabschef, Danmark **2:** 266; **3:** 26, 339; **4:** 87, 137; **5:** 55, 57; **6:** 246, 443; **7:** 104, 130, 286f., 314, 405; **10:** 48
Colosseum, biograf, Kbh. **6:** 167
Condor-Club, organisation **9:** 139
Continental, firma, Kbh. **6:** 156f.
Continental-Caoutchoue Comp. A/S. **4:** 232
Corner, hotel, Randers **5:** 288
Cossato, greve, it. diplomat **1:** 464
Cour, Vilhelm la, historiker **1:** 388; **9:** 51
Creutzfeldt, Regierungsoberinspektor, senere underafdelingsleder kultur, presse og radio **10:** 157, 171
Crone, Erik, modstandsmand **9:** 49; **10:** 62
Crutzescu, George, rum. gesandt i Kbh. **3:** 265; **6:** 380, 383; **9:** 11
Cuba **10:** 26
Cuno Odde, Christian, kontorassistent **9:** 222
Cuxhaven **3:** 444
Czernak, slov. gesandt i Danmark **2:** 119
Czernin-paladset **6:** 416
Czester, ty. embedsmand **10:** 171

D'heil, ty. kriminalråd **5:** 473
Dachau, koncentrationslejr **1:** 539, 580, 606f.; **3:** 132; **6:** 260; **9:** 39; **10:** 55, 195
Daell, Peter M., grosserer **2:** 475, 493f.
Daells Varehus, firma, Kbh. **9:** 31; **10:** 87
*Dagens Nyheter,* sv. avis **2:** 488; **3:** 326; **5:** 21, 266, 408; **6:** 291, 293; **7:** 196, 340, 342; **8:** 15, 147f., 329f.; **9:** 144f.
*Daggry,* tidsskrift **6:** 304; **9:** 27
Dagmar, biograf, Kbh. **9:** 201
Dagmarhus, Kbh. **1:** 18, 34, 121, 145f., 177, 194, 321; **2:** 114, 246, 404, 439; **3:** 332; **4:** 72, 433, 526; **5:** 21, 32, 37, 52, 160; **6:** 28, 31, 199, 300, 306, 437, 457; **7:** 23, 25, 139, 146, 337; **8:** 87, 155, 159f., 229, 233, 330; **9:** 188, 211, 300, 374, 402, 405, 423; **10:** 46, 63, 151, 158, 162
Dahl, frugthandler, terroroffer **10:** 142
Dahl, Grete, f. Kragh, Nachrichtenhelferin **7:** 261
Dahl, Gunnar Mogens, modstandsmand **3:** 139; **5:** 105; **7:** 235; **10:** 95
Dahl, Svend, rigsbibliotekar **7:** 214

Dahlerup, Erik, illegal aktivitet **8:** 186
Dahl-Jensen, Thor, vicepolitiinspektør **8:** 16
Dahlsgaard, Henning, læge, terroroffer **10:** 123
*Daily Express,* eng. avis **9:** 400
*Daily Mail,* eng. avis **3:** 67
Daimler-Benz, ty. firma **5:** 172, 305f.; **6:** 104; **7:** 179, 437
Dalldorf, Julius, landsgruppeleder **2:** 22, 127, 526; **3:** 281; **5:** 209, 481ff.; **6:** 64; **7:** 26, 55; **9:** 83; **10:** 54
Dalsgaard, Henning, cand.polit., redaktør **2:** 497; **8:** 377
Daluege, Kurt, ty. politigeneral **2:** 394, 398, 435, 440, 518, 532; **3:** 11f., 74f.; **4:** 117; **6:** 113; **10:** 197
Dalum Slot, Odense **8:** 434; **10:** 55, 197
Damgaard, Jørgen, cand.pharm., terroroffer **10:** 104
Damgaard-Kjær, Jan, no. kontorist **6:** 51
Damhussøen **9:** 297
Damm, Christian, journalist, terroroffer **5:** 141, 145, 148; **10:** 42, 77
Dammtor, ty. skib **8:** 221f., 230
Dampfærgevej, Kbh. **6:** 317
Dampskibsrederiforening, Dansk **4:** 240
Dampvaskeriet, Vordingborg **5:** 158
Damsgaard, Niels Louis, grønthandler, terroroffer **10:** 134
Damson, Reichshauptamtsleiter **4:** 219; **6:** 102
Dan, firma, Kbh. **7:** 147, 385
Dan, færge **8:** 231
Dana, bogtrykkeri, Kbh. **4:** 498
Danadko A/S, firma, Kbh. **5:** 210
Danckelmann, Bernhard, Reichsrichter, RIM **5:** 301; **7:** 138
Danfoss, firma, Nordborg **5:** 313
Dania, skib **3:** 450
Daniels, Edler von, Oberleutnant, Rüstungsstab Dänemark **8:** 207, 233
Danielsen, Niels-Birger, da. historiker og journalist **1:** 69, 234
Dankwardt, ty. direktør **3:** 176
Danmark, Panzer-Grenadier-Regiment **6:** 303
Danmarks Frihedsliga, illegal gruppe **2:** 373f., 437
Danmarks Frihedsråd **4:** 302; **5:** 52; **6:** 109, 285, 287, 291f., 435, 442f., 445; **7:** 10, 17, 36, 43, 83, 140, 142, 184, 192f., 196, 200, 247, 339, 342, 400, 402, 421, 443; **8:** 15, 138, 143, 147, 149, 166f., 181f., 184, 268, 327, 335, 338, 340, 432, 442, 446, 487; **9:** 11, 30, 32, 51f., 99, 145, 218, 244, 247, 348, 374f.; **10:** 51, 189f.
Danmarks Kommunistiske Parti (DKP) **1:** 25, 66, 100f., 154, 169, 184, 230, 271, 330, 414, 455f., 472, 549, 563-570; **2:** 52f., 56, 201, 205, 228-231, 367, 390, 426f., 542f., 546; **3:** 27, 33, 50, 101, 140, 237, 307; **4:** 307, 387, 395, 433, 435f., 486f., 494; **5:** 134, 297, 307, 373, 417ff., 464; **6:** 17, 227, 317, 382, 391, 397, 437; **7:** 116, 163, 205ff.; **8:** 147f., 175, 181, 257, 334, 441f., 487; **9:** 46, 256; **10:** 35
Danmarks Nationalbank **1:** 136, 149, 310, 325, 385, 390, 506, 592f., 638f.; **2:** 66, 87f., 143f., 282, 286, 302, 352f., 462; **3:** 31, 42, 126, 266f., 351f., 368f., 381; **4:** 90f., 110, 150, 184, 326, 350, 407ff., 413f., 416, 458, 469; **5:** 26f., 43f., 96f., 115, 228, 230, 254, 280, 285ff., 293, 305, 312, 315, 334f., 343, 347, 354, 356, 371f., 402, 423, 425, 467, 470; **6:** 18, 24, 81, 176, 211, 268f., 279, 309, 311, 346, 354, 350f., 371, 390, 409; **7:** 86, 275, 296, 368f., 445; **8:** 14, 18f., 93f., 108, 126, 194-197, 199, 201, 203, 320f., 369, 392, 437, 488; **9:** 136, 166, 220, 228, 262
Danmarks Nationalmuseum **2:** 452f.; **5:** 135; **7:** 213; **8:** 23
Danmarks Nationalsocialistiske Arbejderparti (DNSAP) **1:** 21, 25, 50, 66, 68, 88ff., 93, 102, 137, 140, 180, 184, 213, 230, 232f., 256ff., 262, 272f., 311, 315, 380, 405ff., 410, 415, 425f., 433, 459, 462, 474-477, 484, 487, 490, 492, 495f., 501f., 511, 519, 521, 523f., 529f., 532, 551f., 562, 585, 595, 604f., 614, 619, 636; **2:** 26, 28, 48, 73, 75, 83f., 89, 102, 104, 109f., 115f., 135, 138f., 144, 164f., 170, 174f., 178, 197f., 212ff., 223f., 226f., 233, 235ff., 249, 252, 259, 338f., 350f., 353, 357, 367, 376, 389ff., 404, 426f., 447f., 458f., 464, 474f., 493f., 503, 505ff., 510-513, 516, 532; **3:** 24, 27f., 41, 66, 76f., 80ff., 99, 121, 136, 195, 245, 276f., 322, 436, 471; **4:** 154, 157, 214, 216, 247, 318f., 426f.; **5:** 9, 21f., 31, 212f., 251, 256f., 376f., 397, 409, 412; **6:** 21, 82f., 153ff., 161f., 172, 224ff., 284, 304, 378f., 422, 428, 430; **7:** 98, 123-126, 172, 175ff., 183, 261, 281f., 287, 289, 311f., 333ff., 382, 384, 387, 399; **8:** 35, 317, 321f., 381, 386, 388, 391, 434, 489; **9:** 24-27, 35, 44, 60, 66f., 111, 138, 142, 257, 278f., 339, 346; **10:** 32, 34, 38f., 45, 150, 198f.
Danmarks Naturfredningsforening **2:** 453
Danmarks Radio **2:** 28f., 50, 85, 87; **3:** 455; **4:** 326; **5:** 17, 151, 260, 396; **7:** 233; **8:** 270; **9:** 77, 385

Danmarks Retsforbund **5:** 252
Danmarksgade, Fredericia **5:** 226
Dannemarre **7:** 440
Danneskiold-Samsøe, uidentificeret **3:** 159
*Dannevirke,* illegalt tidsskrift **5:** 49; **8:** 48, 163, 430
Dansk Akkumulator- og Elektromotorfabrik, Odense **4:** 195, 295, 298
Dansk Aluminiums Industri, firma, Kbh. **2:** 364
Dansk Antijødisk Liga **2:** 493
Dansk Anti-Kommunisme **4:** 214
*Dansk Arbejde,* tidsskrift **2:** 496
Dansk Arbejdsgiverforening **7:** 43, 107
Dansk Arbejdsmands Forbund **1:** 597
Dansk Automobil Byggeri, Silkeborg **2:** 160; **7:** 438; **9:** 233
Dansk Automobilfabrik, Kbh. **5:** 34
Dansk Dampskibsrederiforening **1:** 528
Dansk Elektroteknisk Fabrik, Kbh. **1:** 424
Dansk Folke Værn **7:** 333
Dansk Folke-Ferie **1:** 565
Dansk Generator Brændsel A/S, firma **5:** 441f.
Dansk Industri Syndikat, firma, Kbh. **2:** 159, 194, 363; **3:** 197, 310; **4:** 208, 210f., 403, 538; **5:** 79, 83, 85f., 112, 114, 184; **6:** 31, 130, 399, 403, 452; **7:** 30, 133, 191, 195, 203, 438, 465; **8:** 408, 482; **9:** 402; **10:** 42, 46, 91, 185
*Dansk Maaneds Post,* illegalt blad **9:** 46
Dansk National Samling, partisammenslutning **6:** 379; **7:** 176, 231, 281f., 335; **9:** 25, 66, 112, 257, 339; **10:** 49
Dansk Petroleum Kompagni, firma, Odense **4:** 527
*Dansk Politik,* tidsskrift **5:** 322
*Dansk Presse,* illegalt blad **8:** 175f., 444f.
Dansk Pressetjeneste, Stockholm (DPT) **4:** 431; **5:** 16, 18, 21, 259, 261f., 265, 267f., 404; **6:** 286, 288, 290-293, 420; **7:** 195, 197, 340f.; **7:** 96, 192f., 336, 338; **8:** 15, 148, 326, 328; **9:** 30f., 33, 35f., 142f., 146, 244, 343, 347, 393
Dansk Samfund **8:** 389
Dansk Samling, parti **2:** 357f., 367, 375, 377, 389f., 426f., 469; **3:** 27; **6:** 370, 396; **7:** 97, 207, 259; **8:** 147, 179, 182, 328, 487; **9:** 50, 145; **10:** 46
Dansk Skovindustri, Næstved **8:** 482
Dansk Smede- og Maskinarbejderforbund **1:** 597
*Dansk Tidende,* illegalt blad **2:** 279f., 543; **6:** 291
Dansk Typografforbund **1:** 572
Dansk Ungdoms Samvirke **2:** 376; **8:** 380; **10:** 44, 82
Danske Arbejders Samariter Forbund **2:** 253
Danske Arbejdsfællesskab, Det (DDA) **3:** 436f.; **5:** 412; **9:** 26; **10:** 38
Danske Arbejdsselskab, se Danske Arbejdsfællesskab (DDA)
Danske Frihedsliga **3:** 10
Danske Frikorps, Det (illegal org., udlagt som ty. prop.) **8:** 143
Danske Petroleum Aktieselskab, Det (DDPA) **4:** 527; **5:** 174; **7:** 322; **8:** 344
Danske Råd, Det, London **1:** 386; **4:** 424; **5:** 19
Danske Sprængstoffabrikker A/S, De, Jyderup **7:** 248; **8:** 70
Danske Statsbaner, De (DSB) **1:** 545; **2:** 77, 99, 190, 283f., 395ff., 524; **3:** 17, 22, 83f., 195, 206f., 269, 353, 358, 384; **4:** 138, 154, 239, 298, 493, 506, 509, 514; **5:** 60, 94, 466; **6:** 336; **7:** 40, 89, 186, 195, 377, 395, 397, 415; **8:** 58, 78, 85, 142, 393, 410; **9:** 20, 135f., 270, 321, 346; **10:** 40, 52, 156
Danske Studenters Roklub, Kbh. **5:** 233; **10:** 78
*Danske Tilskuere,* tidsskrift **2:** 497
*Danske Toner,* illegal publikation **2:** 53
Danske Videnskabsakademi **4:** 178
*Danskeren,* illegalt blad **6:** 199, 320; **7:** 98
*Danskeren,* sv. avis (dansk emigrantavis) **5:** 408; **9:** 245, 247
Dansk-Russisk Samvirke **1:** 566f.
Dansk-Svensk Flygtningetjeneste **5:** 141, 511; **7:** 203; **10:** 67
Dansk-Tysk Forening, se Tysk-Dansk Forening
Dansvej, Hvidovre **7:** 338
Danzig **2:** 134; **5:** 456; **6:** 185, 260; **8:** 466; **9:** 158f., 229, 284
Danzig, skib **2:** 535; **3:** 416
Danzig-Vestpreussen **1:** 157, 161, 334, 338
Daphne, ubåd **3:** 483; **5:** 497
Dardel, Gustav von, sv. gesandt i Kbh. **2:** 74; **3:** 386; **7:** 192; **8:** 139, 242; **9:** 12, 40, 49, 385, 398
Darlan, François, fr. flådeofficer **1:** 646; **2:** 137
Darnand, Joseph, fr. "varulv" **7:** 399
Darss, ty. skib **9:** 165
Darwils Chokoladeforretning, Nørrebrogade, Kbh. **10:** 111
Daub, Dr., Regierungsrat, OT **7:** 355; **8:** 20, 102, 260
Daub, Hauptmann, ty. presseofficer **1:** 540, 604, 606, 645, 647; **2:** 50, 52; **5:** 234
Daufeldt, Helmut, ty. politimand **3:** 52; **7:** 287, 454
Daugaard, Aage Emil, modstandsmand **10:** 66
Davidsohn, Joseph, sociolog **1:** 566, 571

DDPA, se Danske Petroleum Aktieselskab, Det
Déat, Marcel, fr. politiker **9:** 393
Dedichen, Herman, forretningsmand **6:** 444
Degrelle, Léon, bel. SS-Standartenführer, grundlægger af Parti Rexiste **2:** 146, 163; **7:** 399
Dehnert, T-Flotille **3:** 444, 446
Dehn-Jensen, Frode, sekondløjtnant, illegal aktivitet **8:** 186
Deime, skib **3:** 244
Delbo, Hedvig, stikker **5:** 79, 265
Delenrand, firma, Århus **5:** 226
Della Porta, it. gesandt **1:** 464
Demag A.G., ty. firma **2:** 100; **6:** 273; **7:** 178, 255
Demant, Agnes Helene, modstandskvinde **2:** 548
Demant, Erik Tange, kontorhjælp, illegal virksomhed **2:** 548
*Demokraten,* avis **3:** 51
Demokratiske Forbund for Finlands Folk, Det **9:** 332
Denner, Regierungsrat, Antikomintern, udgiver af *Jødespørgsmålet* **2:** 528; **3:** 14f., 73
Derby, værft, Århus **7:** 442; **8:** 133
Derr, ty. sekretær, Einsatzstab Rosenberg **5:** 484
Detlefsen, ty. officer **9:** 414, 431, 437, 441
Deutsche Akademie **2:** 70
Deutsche Arbeitsfront (DAF) **6:** 60; **9:** 26
Deutsche Arbeitsvermittlungsstelle, Kbh. **2:** 487
Deutsche Berufsgruppen in Nordschleswig (Arbeitsfront der Volksdeutschen) **6:** 368; **8:** 489; **9:** 335
Deutsche Forschungsgemeinschaft **2:** 452
Deutsche Jungenschaft, Nordschleswig **1:** 405; **2:** 21f., 127
*Deutsche Nachrichten,* illegalt blad **4:** 467
Deutsche Pyrotechnische Fabriken, firma **1:** 421
Deutsche Reichsbahn **3:** 22; **5:** 327; **7:** 444, 465; **8:** 78, 307, 480; **9:** 315
Deutsche Reichsbank **1:** 508; **3:** 38ff.; **5:** 27, 169f., 228, 238, 255, 334, 336f., 343, 370f., 425, 449, 470; **6:** 175, 306; **7:** 391; **8:** 422, 437
Deutsche Rundfunk-Arbeitsgemeinschaft **4:** 64, 119, 490
Deutsche Schulverein **2:** 172
Deutsche Umsiedlungstreuhand (DUT) **3:** 280f., 310
Deutsche Verkehrskreditbank **9:** 267
Deutsche Verrechnungskasse **4:** 469; **5:** 96, 236, 333, 335, 356, 370f.; **6:** 63, 81, 268
Deutsche Wurst, butik, Kbh. **4:** 466
Deutscher Salzverband **6:** 298
Deutsches Haus, Kbh. **1:** 463; **9:** 402f.
Deutsches Nachrichtenbureau, ty. pressebureau **5:** 484
Deutsches Wissenschaftliches Institut (DWI), Kbh. **1:** 32, 94, 96, 192, 263-266; **2:** 70, 303, 392f., 405, 414, 524; **3:** 102f., 154, 273, 290; **4:** 176, 369; **5:** 430; **7:** 213, 314, 348; **8:** 323; **9:** 37f., 59; **10:** 153f.
Deutsch-Niederländische Werkgemeinschaft **1:** 623
Deutsch-Vlämische Arbeitsgemeinschaft (Devlag) **6:** 101
Deutsch-Wallonische Arbeitsgemeinschaft (Dewag) **6:** 101
Dewing, Richard, eng. general **9:** 414, 416, 424-427, 432f., 437, 439
DFDS, se Forenede Dampskibs Selskab, Det
Diakonissestiftelsen, Kbh. **1:** 536
Diana, firma, Kbh. **7:** 259
Diana, Pasquale, markis, it. gesandt i Danmark **1:** 518, 524; **2:** 42, 63, 126; **3:** 80, 235; **4:** 113, 156, 425; **5:** 11
Dicte, skib **4:** 340
Diderichsen, manufakturhandler **6:** 416
Dieckmann, ansat i Reichswirtschaftskammer **6:** 427; **7:** 200
Diederichsen, SS-Obersturmbannführer, Germanische Leitstelle **4:** 218
Diehl, ty. firma **7:** 437
Diemar, Svend, læge, modstandsmand **8:** 341
Dienst aus Deutschland (DaD), ty. pressetjeneste **6:** 139
Dieppe **4:** 500
Diersen, Karl, direktør **4:** 538
Diesselhorst, ty. kaptajn, Rüstungsstab Dänemark **5:** 85, 172
Diete, skib **4:** 401
Dietl, Eduard, ty. general **1:** 375
Digmann, P.M., kaptajn **6:** 259
Dill, ty. ingeniør, BMW **8:** 310
Dimitroff, Georgi, bulg. politiker, generalsekretær, Komintern **2:** 429; **6:** 393
Dircks, Ulrik, provisor, terroroffer **10:** 104
Direktoratet for Vareforsyning **1:** 75, 241; **8:** 276
Dissler, Josef, Hauptfeldwebel **5:** 35
Division Nordland **2:** 503, 517
Division Westland **1:** 510
Division Wiking **1:** 450, 510, 540; **2:** 216
Djursland **5:** 46; **9:** 91, 109
DKP, se Danmarks Kommunistiske Parti
Dlugoborski, Waclaw, pol. historiker **1:** 156f., 333f.
DNB, se Deutsches Nachrichtenbureau

Dnjepr, flod **5:** 471
DNSAP, se Danmarks Nationalsocialistiske Arbejderparti
Doense **7:** 380
Doggerbanke **4:** 57
Dolainski, Chef des Oberwerftstabes, Kbh. **5:** 458; **7:** 241; **8:** 233
*Dommedag over Danmark*, illegalt (ufuldendt) tryk **7:** 207
Domus Medica, Kbh. **6:** 420; **7:** 30, 84, 99; **10:** 90
Donandt, Oberregierungsrat, Adjudant, RFM **6:** 312
Donau, ty. skib **9:** 165
Doriot, Jaques, fr. "varulv" **7:** 399
Dornier, ty. firma **6:** 239
Dorpath, ty. skib **5:** 159, 313, 386
Dorph, Niels, grosserer **5:** 397; **6:** 286
Dorsch, Franz Xaver, leder af OT **5:** 80; **7:** 305
DPT, se Dansk Pressetjeneste
Dr. Lassensgade, Randers **3:** 196
Drachmannsvej, Klampenborg **10:** 111
Dragør **3:** 363; **4:** 223; **5:** 30; **6:** 448; **7:** 262; **9:** 296f., 301
Dragør gasværk **7:** 82
Drahtverbandes GmbH, Düsseldorf, ty. firma **2:** 276
Draken, sv. ubåd **3:** 67
Draminsky, Paul, ingeniør, KTAS **9:** 51
Drammen, Norge **4:** 495
Dreco, firma, Kbh. **9:** 233
Dresden **1:** 623; **2:** 77, 134; **9:** 322
Dressler, ty. kriminalinspektør, RSHA **5:** 498, 500
Drews, Justizobersekretär, RJM **8:** 100
Dronning Alexandrine, skib **6:** 331, 400f.; **8:** 355
Dronning Maud, skib **2:** 64f., 225f., 240f.; **6:** 401; **7:** 68f., 114, 121, 366, 432, 456
Dronningensgade, Odense **6:** 246
Drostrup, Ole, da. historiker **1:** 69, 234
Drotten, P. **10:** 138
Drottens, snedkerfirma, Randers **3:** 434
Dryaden, ubåd **3:** 483; **5:** 497
DSB, se Danske Statsbaner, De
DsF, se samvirkende Fagforbund i Danmark, De
Duckwitz, Georg Ferdinand, skibsfartssagkyndig, Det tyske Gesandtskab **1:** 42, 46, 67, 104, 108-111, 114f., 122, 126f., 145, 147, 203, 208, 231f., 274, 280-283, 287, 294, 299f., 320f., 323, 408, 527, 564, 576, 579, 603f.; **2:** 34, 41, 58, 70, 74, 233; **4:** 110, 155, 168, 199, 455, 459, 477, 530f.; **5:** 201f., 234, 338, 450, 459, 502, 504; **6:** 54, 72ff., 86f., 137, 171, 331f., 415, 426f., 439, 444; **7:** 24ff., 38, 55, 68f., 129, 144, 237, 241, 283, 348; **8:** 74, 85f., 103, 210, 221, 233, 240, 264, 308, 400, 427f.; **9:** 53, 102, 365f., 368, 372f., 375f., 381ff., 385, 389, 396, 398f., 418, 422; **10:** 38, 44, 153, 157, 171
Due-Petersen, Fritz, direktør, Nordværk A/S **5:** 469f.; **6:** 145f., 148f.; **8:** 19, 310; **9:** 245
Due-Petersen, Peter, ingeniør **5:** 469; **6:** 292
Dufft, ty. ingeniør, kaptajnløjtnant **7:** 82
Duisburg **8:** 324
Duisburg, skib **3:** 315
Dumpen, Viborg **2:** 160
Dundee **9:** 90
Duoro, ty. skib **8:** 311
Durloo, Sven Peter, da. gesandt og befuldmægtiget minister i Athen **7:** 85; **9:** 11
Duus Hansen, L.A. "Robert", radioingeniør, modstandsmand **8:** 338, 342; **9:** 49; **10:** 111
Duus' Vinstue (Jens Bangs Stenhus), Aalborg **10:** 105
Dybbøl **6:** 88
Dybbølsgade, Kbh. **7:** 254
Dynamit AG, ty. firma **7:** 372
Dyrberg, Gunnar, modstandsmand **6:** 96
Dyrehaven, Kbh. **7:** 99
Dyrssen, Dr., ty. major **6:** 440; **7:** 55
Düsseldorf **1:** 623; **8:** 324; **9:** 251
Dyva Trykkeri, Kbh. **6:** 319
Dänemark, ty. skib **5:** 363
Dänisch-Deutschen-Finnisch-Schwedischen Kommission zur gemeinsamen Behandlung der Holz- Bedarfs-Deckung in den Länderndes Nordsee- und Ostsee-Raums **4:** 538
Dönitz, Karl, ty. storadmiral **1:** 127f., 145, 300ff., 320; **5:** 303; **6:** 290; **7:** 122; **8:** 92, 102ff., 226, 277, 282, 303, 308, 401, 454f., 472, 478; **9:** 113, 150, 164, 166, 200, 284, 288, 318, 349f., 362, 385, 387, 389f., 392f., 395-400, 406f., 409, 414, 418, 421f., 427; **10:** 53f., 58, 186, 203
Dörnberg, Alexander, AAs protokolchef **3:** 303
Døssing, Anders, cand.polit., rejsesekretær, DKP **5:** 417; **6:** 227
Døssing, Ellen Margrete, hustru til Anders Døssing **5:** 417f.; **6:** 227
Døssing, Thomas, biblioteksdirektør **1:** 568; **2:** 230, 546, 549; **6:** 393; **7:** 184, 193f.; **8:** 182; **9:** 244, 247f.
Daastrup-Aalestrup **4:** 493

Ebberup **10:** 127
Ebberødgaard **5:** 265

Ebeling, H.W., Einsatzleiter, Einsatzstab Rosenberg **1:** 98, 268; **5:** 351f., 359, 378ff., 414, 471f., 481, 483ff., 492; **6:** 100, 113, 189, 295, 300, 428, 430; **7:** 172; **8:** 157f.
Ebeltoft **5:** 46; **8:** 434
Eberle, Oberstabsintendant **8:** 368
Eberlein, Hugo, ty. politiker **1:** 569
Eberstein, Karl von, Freiherr, HSSPF **1:** 450
Ebner, Franz Walther, ty. befuldmægtiget for økonomiske anliggender, Det tyske Gesandtskab **1:** 16, 32, 35, 70, 77, 83f., 86f., 117, 169, 192, 196, 231, 235, 243, 251, 253ff., 290, 384, 389, 398, 466f., 484f., 547f., 582, 633, 643, 645; **2:** 193, 283, 396, 463; **3:** 13, 39, 176, 245, 254, 347; **4:** 13, 34f., 81, 134, 150, 155, 172, 349, 354, 392, 394; **5:** 27, 43, 96, 106f., 170f., 295, 304, 328, 349, 429f., 434f., 475, 513; **6:** 9, 149, 175, 306, 312, 343, 427; **7:** 55, 200; **9:** 80f., 168, 197, 203, 210, 289; **10:** 39, 44, 150, 153, 156, 167
Eckel, ty. generallæge **9:** 278
Eckell, Johannes, leder af afdelingen for udvikling af kunstgummi under Amt für Deutsche Roh- und Werkstoffe **6:** 156
Eckert, ty. politimand **10:** 175
Eckhardt, Kurt, ministerialråd, Kriegsmarine **2:** 64; **4:** 75, 77f., 86, 455; **5:** 188, 203, 497, 507, 509; **6:** 54f., 72ff., 403; **7:** 70, 112; **8:** 50, 85, 467
Eckl, Josef, ty. politimand **3:** 210, 259
Edel, Josepf, ty. politimand **10:** 172
Eden, Anthony, eng. udenrigsminister **5:** 260f., 405
Edinburgh **1:** 156, 333; **9:** 90
Edisonvej, Kbh. **9:** 299
Edmundt Andreassen, Erik, modstandsm. **9:** 222
Edvard Storrs Glasfabrik, Gladsaxe **10:** 86
Eeg, Hans, modstandsmand **10:** 68
Efte Møbelfabrik, Ringe **3:** 195
Efterretningstjeneste, Den polsk-engelske (PDP) **5:** 445f.; **6:** 144, 323
Egebjerg **8:** 390
Egebæksvang **2:** 207
Egely, café, Elmegade, Kbh. **10:** 83
Eggebeck **9:** 89
Eggers, Christian U. von, da. SS-Untersturmbannführer **3:** 242
Eggers, Fritz von, da. SS-frivillig **6:** 122f., 152, 166, 254; **8:** 158-162
Eggers, Kurt, Standarte **1:** 95, 264; **10:** 52
Eggers, Olga, journalist **2:** 475, 493f.; **3:** 74; **6:** 123; **9:** 141
Egholm, skib **1:** 616f.; **4:** 56, 386, 399, 450f.
Egsgaard, Julius, gårdmand, leder af LS **9:** 339
Egypten **10:** 26
Eha Maskinfabrik A/S, Kbh. **6:** 454; **8:** 209, 482
Ehlich, Hans, ansat i RSHA/III B **7:** 312
Ehrenburg, Ilja Grigorjevitj, russ. forfatter **1:** 570
Ehrensberger, ansat i RMI **6:** 358
Ehrenvärd, sv. generalmajor, generalstabschef **9:** 174
Ehrhardt, Ministerialrat, RFM **3:** 217
Eichele, Georg, Leutnant der Luftwaffe **7:** 384
Eichholz, Dietrich, ty. historiker **1:** 74, 80, 87, 240, 247, 255
Eichmann, Adolf, SS-Obersturmbannführer, RSHA **1:** 110, 114, 282, 286f.; **2:** 116, 152; **3:** 260, 354f.; **4:** 72, 207, 212, 252, 282f., 288, 291, 308, 375, 397f., 438, 444, 452ff., 463, 518; **5:** 58, 71, 143, 330f., 339, 351, 375f.; **6:** 68f., 201, 209, 305, 338f., 418, 432; **10:** 33, 40, 197, 199
Eiersted, Ulla, kontormedarbejder, illegal virksomhed **2:** 544
Eigil Palds trykkeri, Kbh. **6:** 199
Eilers, Stamer, ty. løjtnant **6:** 30
Einsatzgruppe D **6:** 162
Einsatzgruppe Nord **2:** 269
Einsatzgruppe Veyle **8:** 262
Einsatzgruppe West **2:** 269
Einsatzgruppe Wiking **2:** 269; **8:** 262; **9:** 308
Einsatzstab Norwegen **5:** 485
Einsatzstab Reichsleiter Rosenberg **5:** 351f., 359, 378f., 414, 471, 481, 483f., 492; **6:** 100, 189, 295, 300, 428
Einsatzstab Reichsleiter Rosenberg **8:** 127
Einwandererzentralstelle Lodz **3:** 148
Eisenhower, Dwight D., am. general **1:** 129, 302; **2:** 137; **8:** 378; **9:** 62, 385f., 390f., 393, 437, 439, 442
Eisenreich, ty. oberstløjtnant **5:** 210
Ejby Station **9:** 142
Ejlund, Westy, trykker **6:** 320
Ejstrup **5:** 62
Eksilregering, Den danske **1:** 385
Elac, ty. firma **4:** 209f.; **5:** 85; **6:** 130, 399; **7:** 438
Elben **5:** 453, 494
Elektromekano, firma, Kbh. **4:** 368
Elfert, Oberregierungsrat **8:** 259
Elgaard, Niels, trafikminister **1:** 589, 597; **5:** 322
Elias, Hendrik Josef, bel. politiker **1:** 619; **2:** 146, 163
Eliasen, Gunner, chauffør **10:** 92

Elkan, Sophie, sv. forfatter **2:** 312
Ellebækvej, Gentofte **9:** 49
Ellekilde Hage **6:** 324
Ellekilde, Hans, folkemindeforsker **4:** 356f.; **5:** 221
Ellekilde, Helge, da. SS-Obersturmbannführer **3:** 242
Ellerbroek, officer ved OKM **8:** 188
Ellersieck, Kurt, SS-Brigadeführer **2:** 145; **7:** 347
Ellinge, Fyn **4:** 521, 526
Elmer, Olaf, vagtmand **6:** 328
Elpert, Caspar, ty. kriminalkommissær **4:** 253
Elsass **1:** 158, 161, 335, 338
Elsehoved **3:** 462
Eltermann, est. kommunist **2:** 428
Elvergaardsvej, Kbh. **6:** 329
Emden **8:** 466
Emden, Norge **2:** 190; **9:** 393
Emden, ty. skib **5:** 86
Emdrup **2:** 80
Emdrup Dampvaskeri **3:** 48
Emdrup Sø **7:** 22; **9:** 49
Emdrupvej, Kbh. **1:** 427; **2:** 206; **3:** 140; **5:** 105
Emerys Konditori, Århus **5:** 274
Emmeches Maskinfabrik, Kbh. **3:** 199; **4:** 66, 96, 297; **7:** 147
Emmerik, C., pseud. for Carl Hianus **6:** 286
Empire Grace, eng. skib **4:** 374
Emström, ty. skib **8:** 310
Engdal Thygesen, H.W., præst **6:** 190f.
Engelbrecht, Oberabteilungsleiter der TN **8:** 24
Engelhardt, Konrad, Konteradmiral, Seetransportchef **4:** 455; **5:** 161, 485, 489, 491f., 502, 506f.; **6:** 54f., 72f., 403; **7:** 53, 69f., 112, 118, 432; **8:** 94f., 253, 281, 291, 294, 298, 451-455; **9:** 285
Engelmann, oberst, leder af Abwehrstelle Dänemark **4:** 112, 236
Engels, Friedrich, ty. filosof **6:** 393
Engelsk Beklædningsmagasin, Bramminge **10:** 107
Engelsk Beklædningsmagasin, Kolding **10:** 117
Engelsk Beklædningsmagasin, Vejle **10:** 106
Engelund, Anker, professor **1:** 586
Engers Hansens Boghandel, Esbjerg **5:** 381; **10:** 81
Enghave Bio, Kbh. **6:** 167
Enghave Plads, Kbh. **6:** 446, 448; **9:** 295
Enghave Station **6:** 30
Enghavevej, Kbh. **5:** 173; **7:** 264; **8:** 326; **10:** 78, 104
Engholm Strand **3:** 49
England **1:** 24, 44, 71, 130, 183, 206, 236, 304, 345ff., 357f., 381f., 409f., 416, 420, 433, 435, 460f., 475-478, 521, 553-559, 572, 576, 605f., 620, 633, 646; **2:** 29, 35, 44, 49ff., 57, 89, 126, 129, 136, 153, 177, 181, 183, 191, 194, 225, 230, 293, 305, 312, 317ff., 321, 331, 373, 400, 408, 411, 424f., 427, 431, 443, 457, 467, 470; **3:** 22f., 27, 33, 44, 46f., 50, 67, 82, 101, 103, 105, 128, 141, 144, 159, 171, 199, 223, 235, 238, 245, 254, 315, 335, 337, 341, 367, 369f., 386ff., 396, 398, 418, 427, 488; **4:** 22f., 57, 116, 120, 188, 190, 230, 318, 373, 386, 400, 432, 434, 450, 453, 463, 490, 495, 497, 500, 506, 524, 527; **5:** 16, 23, 68f., 73, 126, 213, 232, 234, 253, 260, 323, 401; **6:** 16, 18f., 86, 142, 242, 276, 285, 315, 322f., 330, 334, 341, 380; **7:** 99, 152, 195, 209, 336, 352; **8:** 34, 113, 127, 170f., 182, 222, 276, 309, 325, 327, 335f., 344, 347, 377, 384, 399, 488; **9:** 10, 15, 30, 62, 90, 113, 145ff., 155, 176, 193, 218f., 246, 252, 263, 357f., 390f., 393, 400, 410-416, 419, 425-428, 436, 442; **10:** 15, 17, 19f., 25f., 29
England, skib **5:** 108, 140, 183, 188f., 200, 203, 206, 218, 221, 338, 449, 451, 456, 494, 503f.; **6:** 15, 121f.; **7:** 114, 285; **8:** 355
Englandsvej, Kbh. **9:** 188, 298
Engvej, Kbh. **9:** 298
Epa Trykkeri, Kbh. **6:** 319
Erbert, ty. kaptajn **5:** 85
Erdmannsdorff, Otto von, diplomat, AA **4:** 155, 181, 364ff.; **10:** 202
Eremitageslottet **7:** 96
Erichsen, Karl, ty. politimand **3:** 163; **10:** 172
Erichsen, Wolja, orientalist **4:** 175-178
Ericht, Otto, snedkermester **4:** 527
Eriksen, Poul Thomas, modstandsmand **3:** 138, 198
Erindring, skib **4:** 25
Ermelund **6:** 448
Ernst Rasmussen, firma, Pilestræde, Kbh. **2:** 365
Ertner, Helge, Hipomand **10:** 148
ESAB A/S, maskinfabrik, Kbh. **2:** 277; **3:** 226, 434, 491; **5:** 249; **7:** 224; **8:** 482, 484
Esberns Allé, Søborg **9:** 299
Esbjerg **1:** 68, 120, 124, 233, 293, 297, 577f.; **2:** 114, 129, 160, 201, 230, 381, 409, 432, 437, 530, 535f.; **3:** 10, 104, 114, 136f., 196, 198, 224, 284, 287f., 308f., 335ff., 363, 367, 391, 396, 400, 404, 426f., 444, 462; **4:** 15, 21, 28, 30, 48, 84, 87f., 101, 122, 147, 228, 298, 307, 372, 419, 424, 512; **5:** 14f., 36, 56,

62, 73, 260, 273, 315ff., 324, 353, 381, 386, 389, 443f.; **6:** 24f., 27, 259, 334, 336f., 341, 377, 379; **7:** 41, 51f., 55f., 61f., 121, 149, 262, 278, 313, 393, 396f., 401, 403f., 439; **8:** 58, 130, 134, 186, 224f., 245-248, 265, 268, 317f., 327, 345, 367, 378, 405, 410; **9:** 41, 64, 82, 90, 97, 205, 344, 372; **10:** 36, 47, 53, 57, 81, 86, 99, 106, 135, 188-191
Esbjerg Brandvæsen **3:** 391
Esbjerg Elværk **8:** 246
Esbjerg Fiskeriforening **4:** 57
Esbjerg Fiskerihavn **3:** 488
Esbjerg Flyveplads **5:** 317
Esbjerg Gasværk **8:** 249
Esbjerg Havn **5:** 73; **7:** 299; **8:** 130
Esbjerg Isfabrik **7:** 52
Esbjerg Møbelfabrik **5:** 74
Esbjerg, skib **5:** 108, 140, 183, 188f., 200, 203, 206, 211, 218, 221, 449, 451, 456, 494, 503; **6:** 15, 121f.; **7:** 114, 285; **8:** 355
*Esbjergbladet* **8:** 225; **10:** 106
Esbjerg-England, færgerute **5:** 59
Esbjerg-Fanø, færgerute **4:** 544
Esche, Heinrich, ty. regeringsråd, Det tyske Gesandtskab **1:** 466; **3:** 39; **4:** 65, 149, 151, 393; **5:** 96, 106f.; **6:** 306f., 312, 357, 371; **7:** 348; **8:** 86, 242; **10:** 151, 153, 156
Eskelund, Karl, leder af Udenrigsministeriets Pressebureau **2:** 57, 88, 238ff.; **5:** 398; **6:** 444
Eskildstrup Lund ved Ringsted **10:** 114
*Eskilstuna Kurir,* sv. avis **2:** 489f.; **3:** 325; **5:** 405
Espergærde **2:** 207
Espersen, Emanuel, gårdmand **9:** 341
Esplanaden, restaurant, Kbh. **2:** 363
Essemann, Jørgen, flygtning til Sverige **3:** 112
Essen **8:** 324
Esso Service, Odense **10:** 90
Estland **1:** 73, 239; **2:** 184, 239, 425, 427f.; **3:** 392; **4:** 340, 496; **6:** 337; **7:** 312, 399; **9:** 318
Estrupvej, Esbjerg **1:** 578
ET (Efterretningstjeneste, først under Schalburgkorpset, siden Hipo) **7:** 288, 421; **8:** 159, 161, 396; **9:** 224; **10:** 72f., 82, 140f.
Europa **1:** 60, 70, 116, 120, 122, 133, 137, 144, 156f., 163f., 177, 223, 234, 239, 244, 288, 293, 295, 308, 311, 320, 327, 329, 333f., 340, 342
Europäischen Postausschusses **3:** 205, 266
Europäisches Post- und Fernmeldeverein **3:** 266
Ewaldsgade, Kbh. **4:** 453
*Expressen,* sv. avis **9:** 33, 249, 345f., 348
Extra Trykkeri, Kbh. **6:** 199, 319
F.L. Schmidt & Co., firma **1:** 73f., 239; **4:** 176
Fabian, Wolfgang R., da. SS-Oberleutnant **3:** 242
Fabisch, Paul, ty. politimand **3:** 90; **10:** 172
Fahnenstich, Helene, stenotypist, ty. politi **10:** 173
Fakse Ladeplads **6:** 140
*Falange,* avis **4:** 373
Falck, Erik, ingeniør, terroroffer **10:** 112
Falgaard, Niels Vive, da. SS-Untersturmbannführer **3:** 242
Falke, SS-Obersturmbannführer, medl. af terrorgruppe **10:** 79
Falkenberg, Walter, ty. politimand **10:** 173
Falkenhausen, Alexander von, Militärbefehlshaber Belgien und Nordfrankreich **2:** 328
Falkenhorst, Nikolaus von, ty. generaloberst, WB Norwegen **1:** 495; **2:** 46; **10:** 198
Falkenaa, John, politibetjent, terroroffer **5:** 272; **10:** 79, 81
Falkonér Allé, Kbh. **4:** 98, 294; **9:** 187
Falster **5:** 61; **7:** 105, 440
Falster, møbelfabrik, Nykøbing F. **2:** 555
*Falu-Kuriren,* sv. avis **3:** 67, 325
Fandango, skib **3:** 248, 253, 272, 275, 382
Fangel, Ejler, guldsmed, modstandsmand **9:** 50
Fangohr, ty. general, leder af den tyske kommission ved general Eisenhowers hovedkvarter i Europa **9:** 437
Fanø **2:** 129, 162, 381; **3:** 309; **4:** 544; **5:** 46, 137, 444; **7:** 41; **8:** 130; **9:** 41; **10:** 190
Fanø, skib **9:** 146
Farimagsgade, Kbh. **7:** 35
Farup, Ribe **1:** 598
Fasano, Italien **7:** 394
Faurschou-Hviid, Bent ("Flammen") modstandsmand **3:** 52; **8:** 138, 179; **10:** 102
Fause, Amtsrat, RWM **9:** 181
Faxe **2:** 263; **3:** 138
Faxe Kalkbrud **2:** 263, 361
FDB Beklædningsmagasin, Kolding **10:** 117
FDB, Odense **10:** 124
FDB, Aalborg **10:** 105
Féaux de la Croix, Oberlandesgerichtsrat, RJM **3:** 145, 151, 183f., 188, 217f.
Fechner, ty. politimand **10:** 175
Fedby **8:** 290
Fegelein, Hermann, SS-Gruppenführer **7:** 304
Fehlis, Heinrich, Befehlshaber der Sicherheitspolizei i Oslo **7:** 358, 454; **8:** 397f.
Fehr & Co., firma, Odense **1:** 423; **2:** 536; **3:** 196
Fehrmann, Heinz, ty. politimand **10:** 173
Feidenhansl, A.J., radiohandler **5:** 216f.
Feistmar, Regierungsoberinspekteur **5:** 374

Fejlberg, Schalburgmand **10:** 84
Felde, Gustav vom, ved Chef der Sicherheitspolizei und des SD **3:** 210
Feldgendarmerie **4:** 200, 218, 236; **5:** 136, 253, 264
Feldt, Kurt, General **9:** 349
Feldwirtschaftoffizier, WB Dänemark **7:** 370; **8:** 67, 69, 285, 287, 358f., 423f.
Femte Kolonne, modstandsgruppe **7:** 463; **8:** 132f.
Fenger, Erich Vagn, da. SS-Untersturmbannführer **3:** 242
Fenger, Fritz Valdemar, da. SS-mand **3:** 242
Fenger, Mogens, formand for Den Danske Lægeforening **9:** 289
Fenger, Schalburgmand **10:** 84
Ferch, Albert, ty. politimand **10:** 172
Ferro-Chrom, firma **4:** 547
Ferrostaal, firma **2:** 58
Fest, Anton, politiattaché, Det tyske Gesandtskab **2:** 114, 201f., 279f.; **3:** 302; **4:** 110, 148; **6:** 427; **10:** 152, 155, 166, 172
Festungs-Pionier-Stab 31 **1:** 546f.; **2:** 12, 93, 196, 295f., 450; **3:** 18, 207f., 294, 385; **4:** 128, 514; **5:** 93, 309, 361, 441, 443, 446; **6:** 214, 216; **7:** 249f., 348, 374; **8:** 59, 64, 69, 71; **9:** 103, 107
Feuchtwanger, Lion, ty. forfatter **1:** 570; **2:** 315
Fibiger, Vilhelm, formand for Det Konservative Folkeparti **1:** 524, 596; **3:** 116, 212; **5:** 253
Fickert, ty. diplomingeniør **5:** 441
Fiedler, SS-Brigadeführer **6:** 237, 253, 304
Fielding, George, am. major **9:** 393
Figaria, grøntforretning, Esbjerg **7:** 262
Fiil, Marius, modstandsmand **10:** 62
Fiil, Niels, modstandsmand **10:** 62
Filippinerne **4:** 425
Finansministeriet **1:** 589; **2:** 258; **3:** 13, 37, 267, 368; **5:** 12, 255; **8:** 129, 321
*Finanstidende,* avis **2:** 496; **9:** 66
Fincke, ty. ingeniør, Hauptausschuss Schiffbau **7:** 255
Fink, Troels, da. historiker **1:** 91, 259
Finke, August, ty. efterretningsagent **6:** 376
Finland **1:** 165, 343, 346, 398-402, 437, 445, 522, 532, 539, 547, 561, 579f., 588, 634, 644; **2:** 12, 41f., 51, 84, 93f., 108, 123f., 127f., 131f., 141, 147, 165, 168, 196, 219, 226, 228, 231, 235, 243, 255, 270, 296, 307, 312, 335f., 402, 418, 450, 485f., 488, 517; **3:** 9, 18, 45, 67, 114, 158, 208, 255, 260, 266, 294, 324, 354, 356; **4:** 73, 80f., 129, 189f., 220, 339, 360, 425, 437, 496f.; **5:** 103, 224, 362, 410, 441, 514; **6:** 20, 24, 27, 40ff., 101, 118, 221, 243, 265f., 282, 284, 404; **7:** 245f., 255, 278, 289, 312, 373f., 388, 399; **8:** 10, 13, 34, 52, 65, 67, 69, 72, 127, 141, 172, 269f., 330, 378, 389; **9:** 12, 18, 21, 131, 136, 162f., 175, 332; **10:** 15, 164
Finnlund, angiveligt da. gesandt i Buenos Aires **5:** 289
Finseninstituttet, Københavns Universitet **2:** 231
Finsensvej, Kbh. **2:** 159; **4:** 23, 63, 231, 472, 527; **5:** 185, 203, 384, 469; **6:** 448, 452; **7:** 75, 79, 81, 147; **8:** 111; **9:** 296, 299
Firmenich, Kapitänleutnant **8:** 233
Fischer, hustru til Jens Chr. **8:** 161
Fischer, Ib, modstandsmand **9:** 342; **10:** 64
Fischer, Jens Chr., fiskehandler **6:** 124
Fischer, Kriminalrat **3:** 176
Fischer, Oberregierungsrat, RIM **9:** 181, 183
Fischer, SS-Obersturmbannführer, RSHA **5:** 498ff.
Fischer, Steen Christian, modstandsmand **7:** 203f.
Fischer, von, Kapitän zur See **8:** 233
Fischer, ægtepar **10:** 84
Fisher, eng. major **9:** 432f.
Fiskebæk **10:** 140
Fisker & Nielsen, firma **3:** 92
Fiskeridirektoratet **3:** 224
Fiskerihavnsgade, Kbh. **9:** 403
Fjeldborg, Poul C.G., overlæge, terroroffer **9:** 344; **10:** 135
Fjerritslev **3:** 93, 199
FKL, maskinfabrik, Kbh. **6:** 410, 453; **7:** 30, 438
Flade, ansat hos CdO **4:** 118
Flakfortet, Kbh. **3:** 430
Flakuntergruppe Seeland **5:** 291; **6:** 31
Flamske Nationalforbund, Det, (Vlaamsch Nationaal Verbond, VMV), bel. parti **2:** 163
Flandern **1:** 451, 499f., 623; **2:** 127f., 145-148, 163, 184, 216; **3:** 346, 392; **4:** 169, 220; **5:** 409-413; **6:** 56, 101; **7:** 399
Flaskekroen, restauration, Kbh. **8:** 408
Fleischer, Referent, Heereswaffenamt **5:** 437
Fleissner, ty. amtsråd **5:** 282
Flensborg Lager A/S, Esbjerg **8:** 225; **10:** 106
Flensburg **1:** 485; **2:** 73, 127, 155, 157, 190, 257, 450; **3:** 18, 292, 328; **5:** 15, 24, 168f., 516; **6:** 200; **7:** 92; **8:** 476; **9:** 89, 157, 165, 168, 185, 215, 248, 353, 373, 389f., 395, 400; **10:** 202
Flensburger Grenzlandorchester **3:** 292
Fleuron, Svend, forfatter **6:** 285
Fliegerhorst Kastrup **7:** 379

Flintholm Allé, Kbh. **2:** 159; **4:** 23, 63; **5:** 384
Flintholm Gasværk **5:** 384
Florian, skib **3:** 450
Florin, Wilhelm, ty. rigsdagsmedlem **2:** 54
Flossenbürg, koncentrationslejr **6:** 260; **9:** 39
Flugabwehrkommando Dänemark **5:** 192, 291f.
Fluko Kbh. **9:** 187
Fluko Aalborg **4:** 68
Fluko Århus **4:** 68
Flüchtlingszentralstelle, Det tyske Gesandtskab **9:** 197, 202, 204, 210, 220ff., 239, 333f., 353, 369
Flügel, leder af personaleafdelingen, RMVP **8:** 409; **9:** 73, 75
Flyvertroppernes Værksteder, Kastrup **4:** 287, 297; **8:** 200
Flyvetropperne **6:** 272
FN **9:** 239
Fog, Mogens, professor, modstandsmand **2:** 60, 230ff.; **8:** 138, 149, 181f., 444; **9:** 348
Foged, Niels, adjunkt, terroroffer **10:** 81
*Folk og Frihed,* illegalt blad **6:** 320; **7:** 95, 168; **9:** 51
*Folk og Værn,* tidsskrift **8:** 385
Fólkaflokkurin (Folkeflokken), fær. parti **3:** 23, 64, 170
Folkeforbundet **1:** 381
Folkehøjskolen **4:** 385
Folkekirke, Den danske **5:** 182f., 311; **6:** 120f., 190; **7:** 168; **8:** 380f.; **9:** 257
*Folket,* sv. avis **2:** 489, 506; **3:** 325; **8:** 33, 379
*Folket,* tidsskrift **3:** 436f.; **9:** 27
Folketinget **1:** 23, 102, 135, 149, 182, 272f., 330, 0; **2:** 170, 222, 356f., 376, 389; **3:** 23, 64
*Folkets Dagbladet,* sv. avis **6:** 293
Folkevirke, pol. forening **8:** 388
Folkeværnet, Schalburgkorpset **4:** 214, 426; **5:** 256; **6:** 152; **7:** 282, 335
Fonnesbechs Udsalg, Århus **10:** 125
Forchhammersvej, Kbh. **7:** 203, 244, 260
Ford Motor Company, firma, Kbh. **2:** 268; **3:** 17, 312; **8:** 206ff., 255f., 311, 480, 482; **9:** 403
Ford Motor Service, Varde **4:** 212
Ford, firma, Århus **4:** 466
Foredragsforeningen af 1942 **1:** 572
Forenede Automobilfabriker Triangel, De Kbh. **4:** 384
Forenede Dampskibs Selskab, Det (DFDS) **2:** 64, 225, 240; **4:** 449, 537; **5:** 210, 222, 234, 451; **6:** 15, 240, 400f.; **7:** 43f., 70, 119; **9:** 30, 365
Forening for De Danske Frontkæmperes Venner **7:** 123, 125
Forlev **10:** 84
Forschungsstelle für Wehrwirtschaft **7:** 272
Forstmann, Walter, Kapitän zur See, leder af Rüstungsstab Dänemark **1:** 22, 28, 35, 54, 70, 76, 84, 86, 181, 188, 196, 217, 231, 235, 242, 251, 254, 349f., 380, 482, 544f., 582, 587; **2:** 9, 91, 94, 98, 101, 117, 174, 177, 191, 194, 202f., 276, 293, 416, 418, 420, 422, 448, 554; **3:** 9, 16, 56, 78, 85, 91f., 107, 200, 206ff., 226f., 229, 231f., 240, 347, 352, 356, 358, 383, 404f., 419, 432f., 490, 492; **4:** 33, 36, 51, 61ff., 93, 95, 126, 134, 215, 224, 230, 292, 334, 358, 401, 425, 473, 477, 512, 534f., 544; **5:** 26f., 83, 96, 113, 117ff., 170, 180, 184f., 189, 197, 215, 218f., 224, 245, 268ff., 284f., 291f., 328, 360, 371, 382, 387, 392, 416, 423, 437f., 457ff., 469, 511ff.; **6:** 9f., 14, 129, 145f., 148f., 212, 238f., 242, 252f., 271, 325f., 426, 451f., 456f.; **7:** 9, 73f., 106f., 122, 139f., 160, 173f., 211, 238, 241f., 244f., 269, 313, 315f., 319, 323, 356, 362, 369, 389, 413, 421f., 436, 447, 462f.; **8:** 13, 19, 67, 92, 102, 111, 132, 207f., 227, 233, 255f., 285, 287, 309, 311, 358, 373f., 423f., 480; **9:** 121, 125f., 231, 237, 243, 294, 403; **10:** 31, 37, 42, 48, 50f., 188
Forsvarsministeriet **2:** 399; **3:** 57f., 68, 143; **10:** 35
Fortunvej, Kbh. **4:** 437; **9:** 297
Forum, forlag **9:** 36
Forum, Kbh. **2:** 209; **3:** 410
Foss, Erling, medl. af Frihedsrådet **5:** 52; **8:** 182
Fossgren, ty. embedsmand el. officer **8:** 233
Fotorama, biograf, Viborg **9:** 68
Fournais, Erik "Søn", modstandsmand **8:** 474
Fox, W., ty. etnolog **2:** 412
Frachtleitstelle des RKB, Flensburg **5:** 94, 226, 516
Fragtnævnet **2:** 64; **8:** 65
Fragtudvalget, Handelsministeriet **2:** 91
Frahm-Rasmussen, E., premierløjtnant, modstandsnmand **8:** 186
Franco, sp. general **9:** 393
Frandsen, Carl, slagtermester, terroroffer **10:** 108
Frandsen, Erik, modstandsmand **8:** 340
Frank, Hans, ty. generalguvernør **6:** 418
Franken, skib **2:** 207
*Frankfurter Zeitung,* ty. avis **2:** 322
Frankrig **1:** 69, 73, 91, 101, 112f., 130, 139, 142, 152f., 155f., 158, 161, 234, 239, 260, 271, 284, 286, 304, 314, 317, 328ff., 332f., 335, 338, 345ff., 351f., 357-360, 374, 381f.,

391, 418, 556, 558, 603, 605, 609, 630, 640f., 646; **2:** 83, 121f., 142f., 145, 151, 191, 237f., 278, 290, 306, 308f., 385, 407, 433, 470; **3:** 10, 118, 122, 129, 159, 299, 338, 392, 431; **4:** 248, 452, 460; **5:** 151, 229, 232, 410, 481, 483f.; **6:** 14, 157, 204, 301, 337, 380, 403; **7:** 96, 239, 246, 273f., 276, 288f., 339, 352, 372, 399; **8:** 11, 52, 102, 170, 270, 376, 383f., 429f.; **9:** 12, 29, 69, 246, 400; **10:** 19, 59, 196
Frankrigsgade, Kbh. **10:** 143
Frankrigshusene, Kbh. **10:** 145
Franske Skole, Den **9:** 332; **10:** 56
Franz Holm, ty. skib **8:** 408
Frebold, Hans, ty. adjudant **4:** 176; **9:** 375
Fredebo, skoleinspektør **8:** 273
Fredensborg **10:** 47, 188
Fredensgade, Århus **8:** 310
Frederici, ty. general **9:** 83
Fredericia **2:** 54, 107, 355, 371, 443; **3:** 114, 137, 142f., 247, 413; **4:** 263, 271, 297, 372; **5:** 49, 62, 64, 226, 317, 381, 414; **6:** 221, 259, 397; **7:** 439; **8:** 245, 345, 390, 436; **9:** 257; **10:** 58, 69, 94, 133, 176, 190f., 193
Fredericia Banegård **2:** 364; **8:** 145
Fredericia Biograf **10:** 132
Fredericia Theater **10:** 132
Fredericiagade, Århus **1:** 427
Frederik 9., kronprins af Danmark **1:** 410, 412, 433, 436, 447, 496f., 515f., 520, 522, 524, 536; **2:** 21, 72, 130f., 154, 179ff., 185, 208, 211, 217, 228, 244, 249, 255, 273, 281, 288f., 302, 326, 347f., 356, 401, 404, 425, 461, 471, 479, 482ff., 498, 510; **3:** 25ff., 34, 56, 70, 111, 162, 367, 452, 459; **4:** 270, 284, 293; **9:** 255; **10:** 33
Frederiksberg Kraftværk **2:** 159; **5:** 384; **7:** 75
Frederiksberg Svømmehal **7:** 381
Frederiksberg, Kbh. **1:** 425f.; **3:** 41, 66, 197; **7:** 43; **9:** 49f., 100, 303; **10:** 101
Frederiksberggade, Kbh. **4:** 96, 307; **6:** 289
Frederiksborg **1:** 598f.; **8:** 257, 337f., 340, 349
Frederiksborg Slot **6:** 304
Frederiksborggade, Kbh. **2:** 206; **3:** 138, 141; **6:** 200
Frederiksbro, Århus **4:** 493
Frederiksdalvej, Kbh. **9:** 187
Frederiksen, Ejnar, restauratør, terroroffer **10:** 94
Frederiksen, Erik Georg, modstandsmand **2:** 360
Frederiksen, Ernst Børge Buchardt, modstandsmand **2:** 532
Frederiksen, Helge Emil, terroroffer **10:** 131
Frederiksen, Johannes Ing., da. SS-Untersturmbannführer **3:** 242
Frederiksen, Knud, lærer, illegal virksomhed **2:** 545
Frederiksen, Vilhelm, vagtmand **6:** 328
Frederiksen, værkfører, Ford Motor Company A/S **8:** 207
Frederiksgade, Kbh. **4:** 532
Frederiksgave Slot, Assens **4:** 300
Frederikshavn **1:** 101, 271, 469; **2:** 44, 160, 386, 402f., 410f.; **3:** 288, 407, 412, 417, 419, 426f., 439, 462, 464; **4:** 68, 229, 344, 395, 419, 519, 541f.; **5:** 28, 63, 73, 233, 239; **6:** 331, 380; **7:** 336, 380, 439, 441; **8:** 214, 324, 410, 434, 474; **9:** 205, 371; **10:** 48, 136, 176, 189f.
Frederikshavn Havn **3:** 222; **7:** 299
Frederikshavn Værft og Flydedok A/S **2:** 31, 160; **3:** 398; **4:** 542; **7:** 223, 441; **10:** 189
Frederikshavn, skib **5:** 222, 465; **8:** 355
*Frederikshavns Avis* **10:** 136
Frederiksholms Havnevej, Kbh. **6:** 272, 454
Frederiksholms Kanal, Kbh. **10:** 137
Frederikssund **3:** 114, 137, 287; **10:** 47, 188
Frederikssund Jernstøberi **3:** 104
Frederikssund Skibsværft **2:** 537
Frederikssundsvej, Kbh. **1:** 425; **5:** 42; **9:** 188
Frederikstorv, Thisted **2:** 160
Frederiksværk **2:** 220, 294, 449; **5:** 92, 417; **7:** 248
Frederiksværksgade, Hillerød **4:** 435, 437
Freikorps Bobruisk **1:** 457
Frem Håndboldklub **3:** 142
Frem, skib **4:** 455, 477; **5:** 29, 59, 78, 179, 188f., 204, 207, 211, 235, 494; **7:** 44, 114, 121; **8:** 281, 291, 297, 354; **9:** 21
*Fremad,* naz. tidsskrift **9:** 139
*Fremtiden,* sv. tidsskrift **9:** 32
Frentz, Walter, ty. militærfotograf **3:** 409
Frenzel, Ernst, leder af Gruppe Inland I i AA **4:** 74, 337, 357; **5:** 270, 358; **7:** 128, 168, 310, 349f., 359, 364, 407
Freuchen, Peter, forfatter **1:** 569, 571
Freya, skib **8:** 74, 142, 355
Freymadl, ty. kaptajn **9:** 205
*Fri Presse,* illegalt blad **6:** 319f.; **7:** 208; **8:** 175
Fribert, Christen, journalist **6:** 19
Frichs A/S, firma, Århus **1:** 423; **2:** 117, 160, 283f., 395f.; **3:** 21, 83; **4:** 52, 298; **6:** 397; **7:** 463; **8:** 132, 313, 480
Frichsvej, Kbh. **5:** 272
Frichsvej, Århus **2:** 160

Friderici, Erik, general, OKH **9:** 178, 191f., 206
frie danske Radio, Den **9:** 415
*Frie Danske, De,* illegal organisation og illegalt blad **1:** 477f.; **2:** 24, 89, 124ff., 161, 262; **4:** 424; **5:** 133; **6:** 291, 316, 420; **7:** 95, 99; **8:** 146, 181, 185; **9:** 12
Frie Nord, Det, forening **8:** 272
Friede, ty. oberst, øverstkommanderende for Sjælland **9:** 418
Friediger, Max, overrabbiner **4:** 252
Friedrich & Co., firma, Kbh. **4:** 493
Friedrich, ty. embedsmand **10:** 170
Friedrichs, ty. ansat hos Martin Bormann **1:** 514, 537
Friedrichshafen, ty. skib **6:** 15, 131
Frielitz, Friedrich Karl, ty. filmattaché **2:** 70, 73; **3:** 87; **10:** 170
Fries, Christian, modstandsmand **6:** 323
Friesland **9:** 408, 415
Frigast, E., kaptajn, modstandsmand **8:** 340
Frihavnen, Kbh. **2:** 538; **3:** 197, 413; **5:** 79; **7:** 235; **9:** 405
Frihavnens Elektricitetsværk **6:** 317
*Friheden,* avis **9:** 248
Frihedsmuseet **1:** 13, 29, 172, 189
Friis Jensen, Hagbard, modstandsmand **9:** 342; **10:** 64
Friis, Henning, Socialministeriet **1:** 567
Friis, Holger, tandlæge **2:** 526
Friis, Poul, da. chargé d'affaires i Ankara **4:** 280, 288
Friis, Aage, professor **1:** 567
Frikorps Danmark **1:** 64, 102, 154, 227f., 272, 330, 397, 409, 413, 435f., 457, 462, 472, 478-481, 488ff., 509f., 517, 532f., 561, 592f., 610; **2:** 66, 110, 127, 139, 164ff., 184f., 216, 252, 358, 464, 491, 506, 510, 512; **3:** 81, 168, 249, 277, 296, 323, 344, 374; **4:** 174, 239, 312; **5:** 160; **6:** 103, 173; **7:** 266; **9:** 36; **10:** 31, 36
Frimurerlogen, Kbh. **4:** 124; **6:** 30f., 420, 429; **8:** 269; **9:** 112, 402, 405
Frinnaryd, Sverige **6:** 19
Frisch, Hartvig, undervisningsminister **1:** 566ff., 570, 572; **9:** 256
Frisindet Arbejderparti **3:** 41, 66
Fristed, Fåborg **10:** 128
*Frit Danmark,* illegal organisation og illegalt blad **1:** 11, 169, 566; **2:** 52, 54, 60, 72, 227-232, 240, 279f., 542f., 549; **3:** 240; **4:** 372; **5:** 392, 417f.; **6:** 35, 198, 318, 392; **7:** 116, 206f.; **8:** 326, 440ff, 444; **9:** 46, 143, 146, 174, 348; **10:** 35
*Frit Oversigt,* no. illegalt tryk **5:** 259
Fri-Te-We, ty. firma **4:** 209f.; **7:** 437f.
Frits Neuberts Fabrik, Kbh. **8:** 111
Fritsch, von, Ministerialrat, Wehrmachtführungsstab **1:** 637f., 647, 649
Fritze, Oberstabsartzt, Lebensbornchefartzt für Norwegen und Dänemark **9:** 314
Fritzsche, Hans, Ministerialdirektor, RMVP **3:** 82, 214; **4:** 64, 125, 325; **8:** 416f.; **9:** 77
Frohwein, Hans, gesandt, OKW **4:** 278f., 289, 328, 363
Fromm, Friedrich, Befehlshaber des Ersatzheeres **1:** 624, 628
Fromm, Fritz, ty. generaloberst **3:** 178f., 211
Frost, Harry, kriminalkommissær **7:** 410
Frue Plads, Kbh. **6:** 28
Fruens Bøge, Odense **2:** 534
Fröding, Gustav, sv. forfatter **2:** 312
Frøkjær, Holger Oluf, modstandsmand **2:** 531
Frøslev **10:** 50, 193
Frøslevlejren **2:** 201; **5:** 277; **6:** 228, 299, 317, 396, 405, 431; **7:** 90, 234, 281, 332, 358f., 395, 403, 410, 443; **8:** 27f., 434, 475; **9:** 15, 32, 51, 264, 289, 402; **10:** 46, 49, 53, 58, 194
Fuglesang, Rolf Jørgen, no. kultur- og folkeoplysningsminister **1:** 620; **2:** 145
Fuglevad **8:** 345
Fuglsang Allé, Brønshøj **9:** 299
Fuglsang, restaurant, Fredericia **3:** 142
Fuglsang-Damgaard, Hans, biskop **4:** 465, 488; **5:** 270f., 311; **6:** 405; **7:** 233
Funk, Walther, se Reichswirtschaftsminister
Fyens Konserves-Fabrik, firma, Odense **8:** 433
*Fyens Socialdemokrat,* avis **8:** 269, 381, 388
*Fyens Stiftstidende,* avis **8:** 431; **9:** 253; **10:** 89, 124
Fyhn, Peter Wessel, modstandsmand **9:** 49; **10:** 66
Fyn **1:** 607f., 654; **2:** 153, 371; **3:** 284, 363f., 396f., 400, 428, 430, 446f., 452, 482; **4:** 34, 200, 207, 237, 251f., 341, 470, 484, 521ff.; **5:** 23, 61, 100, 193, 303, 381; **6:** 220; **7:** 105, 400, 411, 415, 439; **8:** 125, 130, 177, 179, 185, 289, 334, 337, 339-342, 349, 404, 444, 446; **9:** 42, 68, 105, 107, 142, 165, 279, 311, 318, 324, 327, 345, 432; **10:** 127, 176
Fynbo, Sølling, repræsentant, terroroffer **10:** 124
*Fyns Tidende,* avis **10:** 124
*Fyns Venstreblad* **10:** 124
Fynshav **8:** 325
Fürsorge- und Versorgungsamtes "Ausland" der Waffen-SS **3:** 471, 474; **4:** 221
Fürsorgeoffizier der Waffen-SS in Dänemark **3:** 9, 62, 302; **4:** 218; **5:** 376; **6:** 383f.; **7:** 138, 456;

**8:** 75, 107f., 126, 199, 211, 296, 300, 332, 361, 365, 367f., 392f., 395, 405f., 449f., 453, 468, 470; **9:** 58; **10:** 174
Fürstenburg, fangelejr **9:** 69
*Fædrelandet,* avis **1:** 88f., 256f., 473, 551, 605; **2:** 29, 135, 162f., 233, 391, 497, 506; **3:** 436f.; **5:** 28, 130, 144, 168, 256, 379; **8:** 33, 269f., 380, 382, 384, 431; **9:** 26, 63, 257, 339, 346; **10:** 33, 35
Fælledparken, Kbh. **6:** 28, 30
Fællesforeningen for Danmarks Brugsforeninger, Kbh. **10:** 143
Fællesforeningen for Danmarks Brugsforeninger, Vejle **10:** 119
Fælleskontoret for Jern og Metal **2:** 95; **4:** 227, 547
Fællesrepræsentationen for håndværk og industri **7:** 43
Færch, Jørgen, Falckmand, modstandsmand **8:** 444
Færøerne **1:** 349, 601; **2:** 273, 356, 427; **3:** 22f., 64, 169f.; **8:** 319
Følle **9:** 93
Fåborg **3:** 341f., 362, 364; **4:** 300; **7:** 387, 439; **8:** 340; **9:** 65; **10:** 117, 127f., 130, 191
Fåborg Jernstøberi og Maskinfabrik **10:** 117

G. Johansens Maskinfabrik, firma, Kbh. **4:** 63; **7:** 438
G.B. Bau, ty. firma **2:** 10
Gaerisch, ty. major, Standortälteste, Esbjerg **8:** 245
Galaţi (Galatz), Rumænien **3:** 113
Galgebakken, Århus **3:** 195
Gallard, Rodney, eng. sekretær **8:** 327
Gallup Instituttet **8:** 274, 380
Galone, skib **3:** 450
Gambek, boghandler, Fredericia **5:** 381
Gamborg, Inger, fagforeningsformand **6:** 393
Gamborg, Leif, højesteretssagfører **1:** 586
Gammel Kongevej, Kbh. **1:** 423; **4:** 527; **6:** 34, 191, 319; **7:** 78, 378, 383, 386; **8:** 181, 186; **9:** 297
Gammel Køge Landevej, Kbh. **2:** 159, 536; **5:** 384; **8:** 482
Gammel Køgevej, Kbh. **5:** 201
Gammel Mønt, Kbh. **8:** 180
Gammelby Jensen, købmand, terroroffer **10:** 124
Gammelstrup **7:** 258
Gammeltoft, Poul, højesteretsdommer, terroroffer **10:** 147
Ganzenmüller, Albert, statssekretær, RVM **9:** 315
Garagekompagniets værksteder, Horsens **4:** 484
Garde, S.G., kontorchef **1:** 587
Gasaccumulator, firma, Odense **3:** 434
Gasværkskajen, Århus **4:** 526
Gasværksvej, Glostrup **9:** 296f.
Gau Nordmark **3:** 93, 100
Gau Schleswig-Holstein **7:** 349
Gaus, Friedrich, ty. understatssekretær **1:** 455, 519, 528f., 533f.; **2:** 142; **10:** 31, 198
Gaust, Erik Hans, stikker **5:** 79
Gauverbandes Schleswig-Holstein des VDA **3:** 292
Gavrilo, serb. patriark **7:** 458f.
GB-Bau, ty. firma **5:** 157f., 441
GBK **6:** 157
GBV **9:** 382
Gdynia, Polen **2:** 77; **6:** 144
Gebhard, ty. bygningsingeniør, OT **5:** 441
Gebr. Böhling, ty. firma **4:** 209
Gebr. Heyne, ty. firma **6:** 104
Gebr. Sachsenberg AG, ty. firma **8:** 207f.
Gede, Johan, bankbogholder **6:** 286
Gedser **1:** 396, 485, 547, 642; **2:** 450; **4:** 331
Gedser-Warnemünde, færgerute **2:** 12, 46f., 190, 196, 443, 450; **3:** 18, 208, 294, 385; **4:** 129; **5:** 15, 363, 466, 516; **6:** 141, 214; **7:** 35, 37, 40, 251, 375; **8:** 287
Geffcken, Karl, Gesandtschaftsrat, AA **6:** 295; **7:** 64, 426
Gefion, vaskeri, Kbh. **1:** 425
Geheime Feldpolizei (GFP) **2:** 431f.; **4:** 10, 107, 112, 138, 200, 218, 236; **5:** 264
Geheime Staatspolizei (Gestapo) **1:** 58, 68, 115, 118-121, 154, 221, 233f., 271, 284f., 288, 291-294, 330, 379, 388, 419; **2:** 35f., 49, 56, 114, 129, 155, 157, 201, 230, 238, 262, 530, 552; **3:** 271, 322, 374; **4:** 43, 72, 111, 122, 253, 259, 298, 302, 316, 372, 389, 432, 436; **5:** 16, 19, 21, 49, 67f., 70, 105, 121, 132, 134, 136, 141, 181, 234, 242, 259, 264, 267, 277, 288, 313, 333, 403, 459, 510f.; **6:** 49, 51f., 115, 143, 191, 198, 260, 287, 289, 291f., 319, 321, 423; **7:** 96f., 100, 196f., 205, 207, 244, 262, 278, 338, 342; **8:** 15, 145, 149, 155, 179ff., 186, 244, 265, 268, 317, 325f., 328f., 334, 336, 339f., 342, 363, 386, 432f., 441f., 444f., 475; **9:** 29ff., 34, 46, 50f., 131, 142f., 217, 245, 252, 310, 329, 343f., 347f., 382, 418, 424, 426, 433; **10:** 5, 38, 41, 50, 52ff., 57, 72f., 76f., 114, 125, 134f., 139, 145, 181
Gehlen, Reinhard, ty. efterretningsofficer **9:** 217
Geiger, Emil, vicekonsul, AA **1:** 651; **2:** 63, 128,

394, 398, 478, 517f.; **3:** 328f.; **4:** 92, 104f., 138, 202, 251, 272, 331, 361, 364, 452; **5:** 276, 366f., 373f., 498ff.; **6:** 95, 295, 405, 409, 424
Geiselhart, Direktor, Reichsvereinigung Kohle, RWM **1:** 403; **3:** 91, 107
Gejlager, portner, terroroffer **10:** 98
Gelardi, da. kaptajn **2:** 334
Gelberg, Gunnar S.M., direktør for Standard Elektric A/S **2:** 348
Gellberg, Alice Gudrun Balle, hustru **6:** 51
Gelsted Ungdomsskole **9:** 254
Gelsted, Otto, forfatter **6:** 19, 392
Gemzell, Carl-Axel, sv./da. historiker **1:** 71, 236
General der Luftwaffe für sämtl. Dienststellen **5:** 192
General der Luftwaffe in Dänemark **2:** 448; **3:** 362, 461; **7:** 10
General Motors A/S, firma, Kbh. **2:** 268, 549; **3:** 17, 200-203, 228, 358; **5:** 184, 241; **6:** 411; **7:** 364; **8:** 133
Generalbevollmächtigter für die Regelung der Bauwirtschaft **5:** 55, 80
Generalgouvernementet **1:** 153, 156, 161, 329, 333, 338, 377; **2:** 238; **4:** 446; **5:** 90, 229; **7:** 273f.
Generalingeniør for OT i Danmark **7:** 354; **8:** 21, 52, 101, 257, 263, 283, 305f., 422f.
Generalkonsulat, Det danske i Hamburg **3:** 369
Generalkonsulat, Det danske i Oslo **6:** 40
Generalkonsulat, Det svenske i Oslo **6:** 41
Generalstab, den lille **8:** 446
Generator-Kraft A.G., ty. firma **5:** 276, 369, 382, 416; **6:** 243; **8:** 68
Gent **2:** 163
Gentofte **4:** 466, 490; **6:** 109; **7:** 43, 77f.; **9:** 49f., 297ff.; **10:** 84, 122
Gentofte Amtssygehus **10:** 130
Geodætisk Institut, Københavns Universitet **5:** 474; **9:** 13
Georg Andersen Maskinfabrik, Kbh. **4:** 463; **7:** 147
George 6., konge af England **1:** 517, 525, 535
Gerben, legationsråd, AA **9:** 181
Gerlach, SS-Obersturmbannführer **9:** 414, 433
*Germaneren,* no. publikation **1:** 621
Germanische Arbeitsgemeinschaft **2:** 526
*Germanische Leithefte,* publikation **1:** 621
Germanische Leitstelle **1:** 30, 34, 190, 195, 380, 458f., 501, 511, 540, 573f., 580f., 610, 614f., 619, 621f.; **2:** 26, 61, 84f., 112, 118, 144, 147, 162ff., 176, 213, 246f., 249, 259, 529; **3:** 19, 87, 89, 213, 276ff., 282, 299, 302, 304, 332, 471, 474; **4:** 218-222; **5:** 212, 409, 412, 426f.; **6:** 56f., 59f., 100-103, 113f., 125f., 147, 150, 154, 272, 302; **7:** 452, 454; **8:** 50, 52, 107, 352, 395; **9:** 27, 75, 111, 138; **10:** 32, 36, 38, 43, 45, 91
Germanische Schutzstaffel **1:** 500, 615, 620, 623
Germanische SS i Norge **6:** 304
Germanische SS-Sturmbanne **1:** 623; **6:** 101
Gernand, Heinrich, gesandtskabsråd, Det tyske Gesandtskab **1:** 95, 265; **3:** 82; **4:** 47, 64, 119, 125, 326, 490; **5:** 106, 379, 481, 483; **6:** 257, 296; **8:** 87, 409; **9:** 73; **10:** 152
Gernersgadevagten, Kbh. **5:** 253
Gerschler, Kurt, ty. politimand **3:** 259, 262; **10:** 172
Gesandtskab, Det danske i Athen **7:** 85; **9:** 11
Gesandtskab, Det danske i Bangkok **8:** 11
Gesandtskab, Det danske i Berlin **4:** 327, 375, 424; **5:** 38, 154, 276, 331, 339, 373f., 464, 498, 501; **6:** 36f., 294, 299, 338, 372, 410; **8:** 452; **9:** 39
Gesandtskab, Det danske i Bern **8:** 11
Gesandtskab, Det danske i Brasilien **8:** 11
Gesandtskab, Det danske i Budapest **8:** 11
Gesandtskab, Det danske i Buenos Aires **5:** 289
Gesandtskab, Det danske i Bukarest **8:** 11
Gesandtskab, Det danske i Helsinki **8:** 11
Gesandtskab, Det danske i Italien **6:** 33
Gesandtskab, Det danske i Japan **8:** 11
Gesandtskab, Det danske i Kina **8:** 11
Gesandtskab, Det danske i Lissabon **4:** 451; **8:** 11
Gesandtskab, Det danske i Madrid **4:** 79, 166f.; **8:** 11
Gesandtskab, Det danske i Manchukuo **8:** 11
Gesandtskab, Det danske i Paris **8:** 11
Gesandtskab, Det danske i Rom **8:** 11
Gesandtskab, Det danske i Stockholm **4:** 15, 45; **8:** 11
Gesandtskab, Det finske i Kbh. **2:** 41; **8:** 10; **9:** 12
Gesandtskab, Det islandske i Kbh. **3:** 64; **8:** 11, 318
Gesandtskab, Det islandske i Stockholm **9:** 239
Gesandtskab, Det italienske i Berlin **5:** 254
Gesandtskab, Det italienske i Kbh. **2:** 41, 62; **4:** 425; **5:** 37, 41, 123
Gesandtskab, Det rumænske i Kbh. **8:** 11; **9:** 11
Gesandtskab, Det svenske i Berlin **4:** 319, 327, 345, 470f.; **5:** 25f.; **6:** 338; **7:** 18
Gesandtskab, Det svenske i Kbh. **6:** 68
Gesandtskab, Det tyske i Ankara **3:** 355
Gesandtskab, Det tyske i Belgrad **7:** 394

Gesandtskab, Det tyske i Bern **3:** 355; **6:** 70
Gesandtskab, Det tyske i Budapest **3:** 355; **7:** 394
Gesandtskab, Det tyske i Bukarest **3:** 355; **6:** 380
Gesandtskab, Det tyske i Fasano **7:** 394
Gesandtskab, Det tyske i Helsinki **3:** 40, 48, 355; **4:** 73
Gesandtskab, Det tyske i Lissabon **3:** 355; **4:** 399, 450f.
Gesandtskab, Det tyske i Madrid **3:** 355; **4:** 79, 166, 203, 373
Gesandtskab, Det tyske i Pressburg (Bratislava) **7:** 394
Gesandtskab, Det tyske i Rom **3:** 355
Gesandtskab, Det tyske i Sigmaringen **7:** 394
Gesandtskab, Det tyske i Stockholm **3:** 40, 48, 355; **4:** 44, 338, 494f.; **5:** 87; **6:** 116; **7:** 418
Gesandtskab, Det tyske i Zagreb **7:** 394
Gesandtskab, Det ungarske i Kbh. **9:** 132
Gestapo, se Geheime Staatspolizei
Gesundheitsamt der Volksgruppe **9:** 317, 335
Geue, major, ty. politimand **10:** 175
Giescke, Fritz, ty. professor **2:** 414
Giesler, ty. Generalbaurat **2:** 270
Gijon, ty. skib **9:** 165
Gilbert, Hubert Horst, ty. redaktør, Skandinavisk Telegrambureau **3:** 52; **6:** 289
Gille, Heinrich G., forstander, terroroffer **10:** 122
Gilleleje **3:** 363; **4:** 222, 287; **5:** 14, 30; **8:** 338; **10:** 85
Gilleleje Biograf **6:** 167
Gilleleje Kro **10:** 85
Giltner, Philip, can. historiker **1:** 28, 72, 81, 84f., 187, 231, 237f., 248, 251ff., 350
Giraud, Henri, fr. general **1:** 646
Giver **3:** 93; **4:** 68
Gjessing, Poul Ib, modstandsmand **10:** 62
Gjortholm, Steen, modstandsmand **3:** 141
Gl. Himmelev ved Roskilde **10:** 126
Gladsaxe **10:** 86
Gladsaxevej, Kbh. **2:** 159; **5:** 384; **9:** 297
Glandin, ty. overvagtmester **6:** 53
Glendau, Svend, modstandsmand **10:** 62
Glerup, Egon, modstandsmand **6:** 316
Globe, Maskinfabrik, Glostrup **5:** 272; **6:** 240; **7:** 147
Globus Cykler, firma, Kbh. **3:** 91, 358; **6:** 325-328, 330, 335, 452, 455; **7:** 180, 203, 211, 464; **8:** 133; **9:** 122; **10:** 46
*Globus,* tidsskrift **1:** 572; **9:** 27
Glommensgade, Kbh. **9:** 188
Glora, ubåd **5:** 497
Glosch, Willi, ty. politimand **2:** 76, 133; **10:** 172
Glostrup **2:** 363f.; **5:** 272; **6:** 330, 448; **9:** 50, 186, 188, 296f.; **10:** 108
Glostrup A/S, firma **4:** 62
Glud & Marstrand A/S, firma, Kbh. **2:** 363; **4:** 110, 294
Glumsø **2:** 229
Glyptoteket, Kbh. **5:** 135
Godafoss, isl. skib **9:** 332
Godsbanegården, Kbh. **5:** 69
Godthåbsvej, Kbh. **1:** 425; **5:** 288; **7:** 380
Goebbels, Joseph, ty. rigsminister for folkeoplysning og propaganda **1:** 22, 49, 51, 93, 96, 181, 212, 214, 262, 266, 578, 632; **2:** 210, 251; **3:** 82, 89, 477; **4:** 29, 47, 146, 321, 430; **5:** 166, 209, 232, 340, 427; **6:** 89, 113, 151, 223, 257; **7:** 39, 55, 63, 172, 406, 422, 461; **8:** 270; **9:** 102f., 120, 185, 253; **10:** 54, 152, 186
Goebel, Herbert, ty. politimand **10:** 173
Goedecken, Direktor, Sonderausschuss Handelsschiffbau **1:** 527, 346, 383, 400
Goedecken, E., ingeniør **3:** 238
Goeken, Ferdinand, ty. regeringsråd, AA **1:** 617; **2:** 166; **7:** 350; **8:** 44
Goes, ty. overhærarkivar **2:** 181; **3:** 339, 377; **4:** 492f.
Goethe, Johann Wolfgang von, ty. forfatter **2:** 306, 319, 323
Goetze, Stabsintendant, OKW **8:** 368
Goetzen, Bernd, Oberzahlmeister **8:** 121
Goldmann, ty. ingeniør, løjtnant **7:** 77
Golfklub, Københavns **7:** 96
Gollnow & Sohn, ty. firma **4:** 209f.
Gómez-Jordana, Francisco, greve, sp. udenrigsminister **4:** 285
Gorki, Maxim, russ. forfatter **1:** 570; **6:** 392
Goschs Tændstikfabrikker, Kbh. **10:** 103
Gotenhafen **2:** 77; **5:** 456f., 504; **8:** 466; **9:** 284
Gotenland, ty. skib **9:** 169
Gotfred, skib **3:** 315
Gothenborg, Kay, købmand, medl. af DNSAP **2:** 516
Gothersgade Elektricitetsværk, Kbh. **6:** 448; **7:** 75f.
Gothersgade, Kbh. **2:** 362; **3:** 140; **4:** 382, 427, 498, 503; **6:** 319, 448; **9:** 299, 303
Gottlieb, Bent Julius, tropfører, Schalburgkorpset **6:** 163
Goya, skib **5:** 221
GPU **8:** 170
Grabow **5:** 104; **6:** 440; **10:** 54
Gram, Hans Gunder, modstandsmand **3:** 136

Gramsch, Friedrich, Ministerialdirektor **2:** 352; **5:** 238, 337
Grandt, Wilhelm, modstandsmand **6:** 203
Granzin, Obereinsatzführer **6:** 190; **7:** 172
Grapow, Hermann, professor, Det preussiske Videnskabnsakademi **4:** 175, 177f.
Grass, Dr., ty. intendant **6:** 84
Grauballe & Co., firma, Kbh. **2:** 430, 535; **3:** 141
Grauer, Jacob H.S., terroroffer **10:** 114
Graurock, W., medl. af terrorgruppe **10:** 79
Gray, Johanne Caroline, da. jøde **4:** 309, 399
Graz **2:** 77, 134
Greifelt, SS-Gruppenführer **3:** 281
Greifswald **3:** 273; **6:** 190
Grenen, badehotel, Skagen **3:** 199
Grenzpolizei **4:** 24
Grenzpolizeikommissariat Helsingör **6:** 48-51
Grenå **7:** 439; **9:** 91, 93, 109, 246; **10:** 189
Grenå flyveplads **9:** 258
Gretor, Esther, forfatter **1:** 571
Gretor, Georg, journalist **1:** 571
Greve, Svend, kaptajn **6:** 259
Gribsvad **2:** 535
Grieg, Nordahl, no. forfatter **1:** 571
Griffenfeldtsgade, Kbh. **1:** 424f.; **3:** 138; **5:** 34
Grindsted **4:** 523; **7:** 52, 55, 256; **8:** 58; **10:** 47, 188
Gripen, sv. fly **4:** 495ff.
Groneman, Egmont Carl Marie, avisforhandler, Søborg **4:** 522
Groppen **8:** 245, 248
Grosgarten **10:** 199
Grosnji, Sovjetunionen **1:** 557
Grossdeutscher Rundfunk **3:** 87
Grosserer-Societetet **4:** 240; **7:** 43
Grossgermanische Leitstelle **1:** 513
Grossmann, Oberfeldintendant **9:** 203
Grossmann, Richardt, uidentificeret **7:** 293
Grosz, George, ty. maler **1:** 570
Grote, Otto von, ty. legionsråd, AA **1:** 447f., 533f.; **3:** 244; **5:** 200; **6:** 116; **7:** 344
Groten, da. jøde i koncentrationslejr **5:** 156
Grothen, Julius, da. jøde **4:** 399
Grothmann, Werner, SS-Obersturmbannführer **3:** 256f.; **7:** 399; **8:** 279
Grove **9:** 89, 279
Grove Flyveplads **5:** 101, 317; **6:** 25
Grundherr, Werner von, ty. gesandt, leder af afd. for Skandinavien, AA **1:** 44f., 205f., 379, 408, 410, 428, 451, 479, 519, 528f., 589; **2:** 26, 89, 214, 226, 235f., 366; **3:** 40, 48, 69, 156, 200, 211, 254, 275, 303, 332; **4:** 16, 72, 124f., 148, 159f., 290, 314, 340, 345f., 354, 366, 388, 394, 494, 497; **5:** 145, 237, 358, 474; **6:** 32, 109, 118, 294f., 344, 416, 436f.; **7:** 13, 127, 161, 327; **8:** 44, 46, 94, 123f., 371f.; **10:** 33, 198, 200ff.
Grundtvig, N.F.S., teolog, forfatter **2:** 307, 309; **9:** 67
Grundtvigshus, Kbh. **4:** 355
Grundtvigsvej, Kbh. **3:** 199; **4:** 66, 96; **6:** 323
Grunnet, Aage, pol. efterretningsagent **5:** 446
Grupes Boghandel, Odense **10:** 90
Grustoften, Valby **9:** 298
Grünbaum, Henry, økonom **1:** 566, 571
Grünbaum, Isi, økonom **1:** 566, 571; **6:** 391, 393
Grütter, W., lektor **8:** 432
Gräbner, Oberregierungsrat **1:** 398, 400
Grækenland **1:** 153, 155, 158, 161, 330, 332, 335, 338; **2:** 142, 470; **3:** 370; **5:** 229; **7:** 273f., 289, 399; **8:** 34, 379, 429, 431f.; **9:** 11, 62; **10:** 205
Grænsegendarmeriet **7:** 409; **8:** 27f., 47, 55, 96, 124, 142, 302, 448; **9:** 260, 263f., 270, 272, 278, 280, 287
Grøndalsvej, Odense **4:** 49, 63
Grönheim, Arthur, H'Stuf **7:** 312
Grønjordsvej, Kbh. **9:** 188
Grønland **1:** 349, 382, 385, 598; **2:** 46, 273; **6:** 266; **10:** 164
Grønlandsvej, Horsens **5:** 222
Grønlund, Hans Georg, da. SS-skytte **3:** 242
Grønningen, Kbh. **2:** 363
Grønsund **3:** 481
Grådyb, Esbjerg **3:** 488; **5:** 36
Gråsten **2:** 20, 126, 253; **4:** 538; **6:** 259, 276; **8:** 241, 325; **10:** 188, 190
Gudenåcentralen, elektricitetsværk **7:** 439
Gudenåen **5:** 63
Gudmand-Høyer, Hilbert Skat, mekaniker, illegal virksomhed **2:** 545
Gudme, Sten, redaktør **6:** 287; **9:** 145f.; **10:** 204f.
Gudmundson, Gunnar, isl. spion **6:** 330
Gudrun-stillingen **7:** 346; **9:** 42, 104, 107
Guldager **5:** 62
Guldberg, Uwe Leif, da. SS-Untersturmbannführer **3:** 242
Guldbergsgade, Kbh. **3:** 197
Guldborgsund **3:** 287
Guldsmedgadekvarteret, Århus **10:** 124
Gullfoss, skib **5:** 490f., 507
Gundel, Leif, journalist **6:** 283
Gustav 5., konge af Sverige **1:** 518
Gustav, Regierungsrat, Oslo **4:** 531

Gylche, Preben, modstandsmand **10:** 62
Gyldendal, forlag **1:** 572
Gyldenkrone, Emil, da. SS-Untersturmbannführer **3:** 242
Gyldenløvesgade, Kbh. **7:** 35; **9:** 187
Gyldenløveshøj **8:** 344
Gyldensten, slot **8:** 390
Gyldholm, Knud Erik, modstandsmand **10:** 95
Günther, Christian, sv. udenrigsminister **2:** 490; **4:** 243f.; **5:** 405; **9:** 174
Günther, Hans, ty. raceforsker **2:** 320
Günther, Rolf, SS-Standartenführer, RSHA **4:** 212, 259, 282f., 288, 308, 310; **6:** 210, 339, 416-419; **7:** 17
Gärtner, von, Oberstleutnant, WB Dänemark **9:** 277f., 322, 327
Gödde, Walter, embedsmand, AA **1:** 455, 651f.
Göring, Hermann, ty. rigsmarskal **1:** 73, 239, 398f., 644; **2:** 98, 118, 131, 337, 352, 402; **5:** 22f., 149f., 231, 238, 343, 371; **6:** 261, 359, 362; **7:** 353; **8:** 384, 422; **9:** 389
Gørtz, Ebbe, generalmajor, generalstabschef **1:** 412, 429, 479f., 489, 517, 624, 653; **2:** 291, 299, 335, 355; **3:** 88, 317, 331, 470; **4:** 105f.; **8:** 339, 446; **9:** 411
Göteborg **4:** 130f., 340, 495, 497; **5:** 136; **6:** 86; **9:** 202, 346
*Göteborg-Posten,* sv. avis **2:** 488; **9:** 202
*Göteborgs Handels- och Sjöfarts-Tidning,* sv. avis **2:** 488; **4:** 495; **5:** 19f., 134, 136, 265; **6:** 19; **7:** 197f.; **8:** 16, 146, 149, 330; **9:** 36
*Göteborgs Tidningen,* sv. avis **2:** 488
Gøtterup, Carl, direktør, modstandsmand **6:** 324
Göttingen Universitet **7:** 213

H. Böhlau, ty. forlag **4:** 369
H. Ehrenreich, maskinfabrik, Århus **5:** 201
H. Hein & Sønners Maskinfabrik, Strømmen, Randers **4:** 458
H. Mikkelsen, firma, Kbh. **9:** 127
H. Rasmussens og Henningsens værft, Svendborg **5:** 278
H.A. Clausensvej, Gentofte **9:** 298
H.C. Andersens Herreekviperingsforretning, Odense **10:** 124
H.C. Bajsensvej, Valby **9:** 298
H.C. Ørstedsvej, Kbh. **1:** 426; **4:** 297
H.C. Ørstedværket, Kbh. **2:** 159; **5:** 384; **6:** 28, 30, 448; **7:** 75; **9:** 301, 303
Haderslev **1:** 404f.; **2:** 21, 160, 175, 246, 298, 371; **3:** 344; **4:** 500; **5:** 104, 183, 269; **6:** 247; **7:** 65, 207, 346, 397, 439, 443; **8:** 58, 345; **9:** 41, 89, 142, 252, 266, 276, 317, 336, 377; **10:** 190
Haderslevgade, Kbh. **7:** 264
Hadsten **9:** 48
Hadsten Højskole **8:** 179
Hadsund **4:** 68, 171
Haensch, Walter, SS-Sturmbannführer og Oberregierungsrat **4:** 122; **9:** 16, 265, 275, 278, 314, 352, 370f.; **10:** 152f., 155, 177
Hagberg, Knut, sv. forfatter **6:** 296
Hagelin, Preben, modstandsmand **7:** 235; **10:** 95
Hagenow, Ministerialdirektor **8:** 259; **9:** 393
Hagens, Erik, læge, modstandsmand **6:** 329
Hahn, Fritz Gebhardt von, legationssekretær, AA **2:** 247
Hahn, ty. oberstløjtnant, Flakuntergruppe Seeland **5:** 291
Haiti **10:** 26
Hak Jørgensen, trykker **6:** 199
Haka Helsingør **3:** 465; **4:** 223, 229
Haka Korsör **4:** 223
Haka Aalborg **3:** 412
Halberg, Hans Otto F., fabrikant, terroroffer **10:** 148
Halberg, Harald, prokurist, terroroffer **10:** 148
Hald, Bertil, tømrermester **4:** 519
Hald, J., overbetjent, modstandsmand **6:** 322
Halfeld, Journalist, Hamburger Fremdenblatt **3:** 240
Halifax **8:** 384
Halland **1:** 504
*Halland,* sv. avis **3:** 325
*Hallandsposten,* sv. avis **3:** 325
Hallas, Erling, da. SS-frivillig **1:** 495f.
Halle **5:** 262
*Halländingen,* sv. avis **3:** 325
Halmtorvet, Kbh. **9:** 296
Hals **9:** 427
Halsnæs, skib **8:** 221
Halsteen, Karl, politifuldmægtig i Esbjerg **3:** 336
Hamag, fabrik, Åbenrå **5:** 284
Hamann (Hartmann?), ty. forretningsfører, bedriftsleder, Nordværk **8:** 19; **6:** 146ff.
Hamburg **1:** 126, 147, 300, 323, 623; **2:** 20, 72f., 77, 127, 134; **3:** 327, 369f., 407f.; **4:** 147, 182; **5:** 456; **6:** 140f., 186, 194, 325; **7:** 364, 407; **8:** 144, 219, 285, 324, 466; **9:** 368, 373, 386, 390, 418; **10:** 57
Hamburg-Amerika Linjen **6:** 15
*Hamer,* holl. propagandatidsskrift **1:** 623
Hammeken, Arno, stikker **6:** 96; **9:** 343
Hammel **10:** 136

Hammer, Mogens, SOE-agent **1:** 478
Hammer, Svend Erik, modstandsmand **2:** 125
*Hammer,* tidsskrift **7:** 145
Hammerens Granitværk, firma, Bornholm **5:** 203
Hammerich, Carl, konteradmiral, stabschef **3:** 461
Hammerich, L.L., professor, Danmarks Frihedsråd **9:** 375
Hammershus, skib **4:** 455, 477; **5:** 29, 59, 78, 179, 188f., 204, 207, 211, 235, 289f., 463, 485ff., 489f., 494, 502, 504-507; **6:** 15, 54f.; **7:** 114, 121, 285; **8:** 355
Hammershøj, P.V., mil. modstandsmand **8:** 446, 475
Hammerskoj **4:** 68
Hammerslev, Harald Frederik, kontorassistent, illegal virksomhed **2:** 551
Hampton, Victor, eng. kontaktmand for SIS i Stockholm **8:** 475
Hamsun, Knut, no. forfatter **2:** 312
Handelmann, Dr., ty. embedsmand **10:** 165f.
Handelskammer, Det Tyske, Kbh. **1:** 82, 249; **5:** 430
Handelsministeriet **2:** 90f.; **3:** 78, 97f., 170, 224, 259, 275, 304, 360; **4:** 83, 97; **5:** 234, 301; **6:** 215
Hanherred **8:** 474
Hannover **2:** 77, 134, 246, 452; **6:** 140
Hannovergade, Kbh. **5:** 40, 218
Hannover-Stöcken, koncentrationslejr **6:** 324
Hans Broge, skib **5:** 464f.; **6:** 55, 331; **7:** 44, 114, 121, 144; **8:** 219, 242, 281, 290f., 297, 354; **9:** 21, 30
Hans Justs Magasiner, Kbh. **4:** 368
Hans Klingner, firma, Åbenrå **2:** 160
Hans Lystrup Automobilfirma, Kbh. **2:** 159, 538; **5:** 384
Hans Olsen, firma, Kbh. **5:** 40
Hans Rasmussensvej, Odense **10:** 118
Hansa, sv. skib **8:** 385
Hansa, ty. skib **9:** 362
Hansaprogrammet **1:** 505, 528; **2:** 24, 26f., 32f., 51f., 191, 194, 196, 258, 415, 418-421, 423, 556; **3:** 31, 226, 416; **4:** 52, 232; **6:** 23, 129; **7:** 179, 222, 462f.; **8:** 212, 221, 223, 233, 310
Hansa-Schiffahrtsgesellschaft Bremen **7:** 113
Hansen & Efterfølger, firma, Lillerød **4:** 435, 437
Hansen Maskinfabrik, firma, Kbh. **2:** 430
Hansen, A.M., politiker **5:** 253
Hansen, Aksel, landmand, LS **8:** 390, 436
Hansen, Allan Villy Frederik, kontorassistent, illegal virksomhed **2:** 551
Hansen, Anders, Gestapomand **10:** 134
Hansen, Andreas, Hauptmann, ty. politimand **10:** 173
Hansen, Anker, cigarhandler, terroroffer **10:** 96
Hansen, Anker, modstandsmand **5:** 313
Hansen, Arne Egon, modstandsmand **5:** 37
Hansen, Arne Lützen, modstandsmand **10:** 60
Hansen, Arne, bibliotekar, propagandaleder **1:** 473; **9:** 27
Hansen, Arno Egon, modstandsmand **10:** 76
Hansen, Arthur, modstandsmand **8:** 340
Hansen, Carl Hovgaard, kontorbestyrer **2:** 391
Hansen, Carl, medl. af DNSAP **8:** 434
Hansen, Chr. V., fabrikant, terroroffer **10:** 107
Hansen, Christian "Alto", modstandsmand **8:** 178
Hansen, Christian Ulrik, modstandsmand **10:** 62
Hansen, Christian Wilhelm, fabriksejer **8:** 328
Hansen, Egon, modstandsmand **2:** 533
Hansen, Ejnar Bjørn, redakktør **6:** 259
Hansen, Else, modstandskvinde **4:** 436
Hansen, H.C., politiker **4:** 199
Hansen, Hans Christian, direktør, terroroffer **10:** 120
Hansen, Hans Christian, kørelærer **7:** 382
Hansen, Hans Erik Frederik, SOE-agent **2:** 35, 75
Hansen, Hans Peder, malermester, terroroffer **10:** 127
Hansen, Harald, slagter **5:** 274
Hansen, Hauptmann, ty. politimand **2:** 207, 365, 398, 405
Hansen, Henning Børge, modstandsmand **10:** 66
Hansen, Jens Frederik, medl. af terrorgruppe **10:** 83
Hansen, Johan Kjær, modstandsmand **10:** 62
Hansen, Johannes, forfatter til pjece **6:** 392
Hansen, Kaj Islin, da. SS-Hauptsturmbannführer **3:** 242
Hansen, Karl, lagerforvalter, modstandsmand **5:** 288
Hansen, Knud Maag[aard], da. SS-skytte **3:** 242
Hansen, Knud, afdelingsleder, terroroffer **10:** 142
Hansen, Knud, bådfører, illegal aktivitet **6:** 324
Hansen, Lars, kriminalassistent **1:** 422
Hansen, Laurits, formand for De samvirkende Fagforbund, socialminister **1:** 97, 267, 524, 530, 589, 597; **2:** 89, 225, 251; **3:** 53f., 58f., 69; **8:** 147; **10:** 131
Hansen, Niels, terroroffer **10:** 122
Hansen, Oberleutnant **10:** 166
Hansen, Oskar, forfatter **1:** 571f.
Hansen, Otto Engemann Johannes, modstandsmand **4:** 437
Hansen, Per H., da. historiker **1:** 81, 247

Hansen, Poul Erik Krogshøj, modstandsm. **10:** 66
Hansen, Rasmus E., fabrikant, terroroffer **10:** 92
Hansen, Regierungsoberinspektor **10:** 165
Hansen, Rudolf, former, kommunist **4:** 512
Hansen, Vald., sabotagevagt **10:** 81
Hansen, Viggo J., direktør, terroroffer **10:** 142
Hansen, Villy Møller, reservepolitibetjent, terroroffer **10:** 128
Hansen, Walter Gardon Emilo, modstandsmand **2:** 533
Hansen, Wilhelm, barbermester, terroroffer **10:** 95
Hansen-Damm, Peter, leder af DBN **2:** 174; **5:** 216
Hansens Maskinsnedkeri, firma, Kbh. **2:** 538
Hansson, Per Albin, sv. statsminister **1:** 126, 300; **9:** 383, 397
Hansted **4:** 419; **5:** 46, 317; **6:** 25; **8:** 476; **9:** 90, 205, 372
Hanstedvej, Kbh **10:** 140
Hanstholm **4:** 380; **5:** 36, 46
Harald Andersen & P. Martini, firma **7:** 255, 379
Haraldsgade, Esbjerg **2:** 205
Haraldsgade, Kbh. **7:** 259
Haraldskjær **7:** 256
Haraldslundsvej, Søndre Birk **3:** 197
Harderer, ty. SS-Obersturmführer, Rasse- und Siedlungshauptamt **2:** 145
Hareskov Kuranstalt **4:** 329
Harhoff, C.J.C., skibsreder **1:** 528
Harkjær-Simonsen, ægtepar **10:** 123
Harlan, Veit, ty. filminstruktør **9:** 68
Harndrup station **5:** 40
Harrild, Asker Tage, da. SS-Hauptmann **3:** 242
Harsdorfsvej, Hobro **8:** 145
Harteberg, SS-Oberscharführer **4:** 252
Hartel, Axel, proprietær, politiker **2:** 60
Hartmann Maskinfabrik, Kbh. **4:** 95; **5:** 34
Hartmann, Ester, sv. jøde **4:** 399
Hartmann, fiskehandler, terroroffer **10:** 143
Hartmann, ty. forretningsfører, bedriftsleder, Nordværk, se Hamann
Hartmann, Walther, Tysk Røde Kors **4:** 463f.; **6:** 202, 417
Hartogsohn, John Philip, sv. jøde **4:** 399
Hartogsohn, Kurt, sv. jøde **4:** 399
Hartwel, Kai, trykker **6:** 199
Hartz Heim, ty. ungdomsklub, Haderslev **5:** 105
Hartz, A., oberst, da. militærattaché i Berlin **4:** 316, 331f., 361, 364f., 404f., 424, 540; **5:** 50, 153, 155
Hasager, Niels, redaktør, Politiken **5:** 32
Hashagen, Eduard, ty. marineattaché **10:** 150, 169
Hasle, Henning, politiker **8:** 143
Haslev **7:** 440
Haslund, Otto, modstandsmand **6:** 316
Hass, ansat ved Oberfinanzpräsidenten Nordmark i Kiel **6:** 50f.
Hass, ty. løjtnant **9:** 366
Hasselager **5:** 62
Hasselrød **7:** 386
Hasselø, Falster **1:** 426
Hasserisgade, Aalborg **5:** 147
Hassings Kunsthandel, Århus **10:** 106
Hatt, Gudmund, professor **2:** 526; **3:** 102f., 273
Hatzy, ty. kaptajn, Abwehr **7:** 105
Hauch, Henrik, politiker, formand for Landbrugsrådet **1:** 595
Hauck, ty. sekretær **10:** 170
Hauenschield, Frh. von, ty. major, Rüstungsstab Dänemark **4:** 547
Haupert, Adolf Stender, modstandsmand **4:** 436
Hauptamt für Volkstumsfragen **5:** 426
Hauptamt Ordnungspolizei **8:** 118f., 362
Hauptamt Schiffbau, OKM (K III) **5:** 365
Hauptamt SS-Gericht **7:** 268
Hauptausschuss Schiffbau (HAS) **2:** 423; **3:** 226; **4:** 535f.; **5:** 180, 433, 458; **8:** 234, 264; **9:** 52, 54, 59f., 100f., 166
Hauptverwaltung der Reichskreditkassen **3:** 43; **4:** 90, 110; **8:** 108
Hausmann, Frank Rutger, ty. historiker **1:** 94, 263
Haustrup, Niels J., konsul, terroroffer **10:** 98
Havden, skib **3:** 450
Havemann, Johan, grosserer, terroroffer **8:** 387; **10:** 103
Haverup **4:** 332
Havfruen, ubåd **3:** 483; **5:** 497
Havhesten, ubåd **3:** 483; **5:** 497
Havkalen, ubåd **3:** 483
Havkatten, ubåd **3:** 483; **5:** 497
Havmanden, ubåd **3:** 483; **5:** 497
Havnecentralen, Odelse **4:** 168
Havnegade, Kbh. **3:** 304, 484; **5:** 186
Havnevej, Hellerup **2:** 363
Havørnen, skib **3:** 483; **5:** 497
Haxthausen, Henrik Maximilian, modstandsmand **2:** 532; **3:** 135
Haxthausen, Holger, professor **8:** 273
Hayler, Dr., RWM **6:** 66
Hebo, Børge, politimester i Esbjerg **3:** 336
Hecht-Johansen, J.E. "Lofty", modstandsmand **8:** 178, 339, 341
Hector, firma, Kbh. **4:** 512
Hectors lager, firma, Kbh. **5:** 148

Hedda, ty. skib **4:** 544; **5:** 30, 165
Hede Nielsens Acetylengasfabrik, Horsens **5:** 141
Hedehusene **7:** 35
Hedin, Sven, sv. opdagelsesrejsende **4:** 339
Hedtoft-Hansen, Hans, politiker **1:** 568, 572; **6:** 439; **10:** 38
Heer **3:** 18, 208
Heeres Kraftwagen Park (HKP) **4:** 466; **7:** 323
Heeresbekleidungsamt Stettin **2:** 101
Heeresgruppe Busch **9:** 414
Heereswaffenamt **5:** 234, 437
Heiber & Co., autoværksted, Kbh. **2:** 365; **3:** 196; **5:** 167; **9:** 285
Heiberg, Edvard, arkitekt **1:** 568
Heidelberg, café, Kbh. **6:** 199; **10:** 104, 114
Heidemann, H., læge **1:** 580
Heidenreich & Harbeck, ty. firma **6:** 104
Heidenstam, Werner von, sv. forfatter **2:** 312
Heider, Otto, SS-Hauptamt **1:** 457, 459, 499
Heilesen, Claus, stud.polyt. **4:** 307
Heimann, von, ty. oberst, luftattaché **2:** 228
Heimburg, Erik von, generalmajor, Befehlshaber der Ordnungspolizei (BdO) i Danmark **4:** 105, 202, 212, 238, 253, 259, 459; **5:** 14, 198, 307, 380f., 443; **6:** 9, 28, 30f., 246, 255, 257, 272, 316, 332, 398, 411, 413, 415, 427, 437, 440, 457; **7:** 42, 95, 140, 147f.; **10:** 38, 174
Heimburger, fabrik, Kbh. **6:** 200
Heimdal, skib **8:** 74, 142, 355, 385, 430
Heimdalsgade, Kbh. **4:** 66, 96; **8:** 387
Hein, Niels, trælasthandler, terroroffer **10:** 89
Hein, Otto, arbejder **6:** 330
Heinburg, gesandt, AA **3:** 167
Heine, Carl, da. jøde **4:** 399
Heine, Kalmar (Karl) David, da. jøde **4:** 309
Heine, ty. industriråd **2:** 97f.
Heinkel Flugzeugwerke AG, ty. firma **6:** 149, 239; **7:** 464
Heinkel Støberi, Kastrup **2:** 159
Heinrici, Gotthard, Reichsministerium für Rüstung und Kriegsproduktion **7:** 345f.
Heinz, ty. oberstløjtnant **9:** 405
Heiring, Harald, maler **1:** 569
Heise, Ernst, Oberregierungsrat, Generalbevollmächtigter für den Arbeitseinsatz **1:** 398-401; **2:** 132; **5:** 430f., 435f.; **6:** 427; **7:** 229, 291; **10:** 157, 171
Heisenberg, Werner, ty. atomfysiker **3:** 290; **5:** 234
Heiser, Reg. Bau-Insp. **5:** 441
Hejgaard, David, modstandsmand, DKP **7:** 206
Hela **9:** 426
Helene, skib **1:** 640
Helgason, Jón, isl. professor, KU **7:** 214
Helge Jensens Autoværksted, firma, Kbh. **4:** 498
Helgoland **9:** 350, 408, 415
Helk, J.V., modstandsmand **8:** 336
Hellberg, Sigvald, borgerrepræsentant i Kbh. **1:** 565, 568, 572
Helldorff, von, ty. oberstløjtnant **9:** 395
Hellebæk **6:** 48, 50
Hellebæk Fabrikker **3:** 195
Heller, Lothar, ty. afdelingsleder i VOMI **2:** 174; **5:** 216f.
Hellerup **2:** 361, 363; **3:** 139; **5:** 272; **7:** 54; **8:** 178; **9:** 49, 296ff.; **10:** 78f., 92, 108, 130
Hellerup Flødeis **5:** 201; **10:** 78
Hellerup Glødefri Tændstikfabrik **8:** 387; **10:** 108
Hellerup Roklub **5:** 243, 402; **10:** 79
Hellerupgaardvej, Hellerup **2:** 365
Hellesens Enke A/S, firma, Kbh. **4:** 332
Helligåndskirken, Kbh. **4:** 448
Hellinge **2:** 31
Hellmers, Johannes, da. SS-Untersturmbannführer **3:** 242
Helmerhus, Kbh. **4:** 355
Helsingborg **2:** 12, 366; **3:** 383, 450; **4:** 39, 311; **5:** 20, 268, 288; **6:** 324; **7:** 341, 418
Helsinge **10:** 96
Helsingfors, se Helsinki
Helsingør **1:** 372, 388, 395; **2:** 12, 160, 206f., 380, 554; **3:** 160, 292, 327, 342, 363, 383, 411, 417, 426, 439, 451, 463f., 487; **4:** 24, 222, 312, 379; **5:** 30, 98, 104, 177, 244, 268, 288, 307, 417f., 511; **6:** 48f., 52, 324; **7:** 10, 14, 35, 110, 215, 263, 328, 336, 440f.; **8:** 343, 410, 475; **9:** 42, 362, 427; **10:** 47f., 77, 94, 188f.
Helsingør garnison **6:** 291
Helsingør Jernskibs- og Maskinbyggeri, firma **2:** 160; **3:** 293; **7:** 441
Helsingør Skibsværft **2:** 31, 535, 556; **3:** 109, 312, 416, 491; **4:** 51f.; **5:** 256, 384, 389, 512; **6:** 15, 23, 129, 131, 455; **7:** 179, 223, 265; **8:** 221, 233, 235; **9:** 32; **10:** 34
Helsingør-Helsingborg, færgerute **2:** 443; **3:** 386; **7:** 418; **8:** 74, 231
Helsinki **1:** 401, 579; **2:** 123f.; **3:** 17, 175; **5:** 11
Heltberg, Romana, pol. modstandskvinde **6:** 144
Helweg Mikkelsen & Co., firma, Kbh. **3:** 357
Helweg, Ole, modstandsmand **5:** 52
Helweg-Larsen, Flemming, journalist **3:** 480; **6:** 420
Helweg-Larsen, Gunnar, redaktør, terroroffer **2:** 239; **10:**

Helweg-Mikkelsen, apoteker, terrormål **10:** 105
Hemme, Karl, ty. politimand **3:** 210, 259; **10:** 173
Hemmer Gudme, Peter de, "Peter Lassen", modstandsmand **8:** 445f.; **9:** 50
Hemmersam, Emil, ty. landbrugssagkyndig, Det tyske Gesandtskab **2:** 193; **4:** 475; **6:** 233; **8:** 358, 423; **10:** 150, 153, 156
Hemmet-Henitved, Gunnar De, boghandler **7:** 259
Hencke, Andor, ty. understatssekretær **1:** 44, 206, 384; **3:** 253, 261, 272; **4:** 16, 20, 54, 88, 92f., 160, 272, 290ff., 323, 327, 365f., 394, 404, 406, 452; **5:** 38f., 138, 143, 153, 339f.; **6:** 32, 35f., 193, 196ff., 305, 325, 382f., 395, 424; **7:** 49, 161, 308; **8:** 123; **9:** 444; **10:** 200ff.
Hendil, Leif B., leder af Dansk-Svensk Flygtningetjeneste **5:** 141, 288
Hendriksen, Halfdan, handelsminister **1:** 589, 598, 610; **2:** 376, 399; **5:** 321
Hendriksen, Knud, da. historiker **1:** 116, 289
Henne, Willi, ty. ministerialråd, Oslo **2:** 270; **7:** 122
Henneberger, ty. toldsekretær **6:** 48f.
Hennig, Paul, da. ansat hos BdS **1:** 82, 250; **4:** 42f.; **7:** 382; **10:** 37
Hennig-Petersen, firma, Kbh. **4:** 296
Henning, Hans, Kapitän zur See, ty. marineattaché i Kbh. **2:** 34; **10:** 150, 157, 169
Henning, Knud Erik, modstandsmand **7:** 235
Henning, ty. honorær konsul, Helsingborg **4:** 313
Henningsen, Juel, stedfortrædende medicinaldirektør **6:** 410, 417; **7:** 209
Henningsen, Poul, arkitekt **1:** 568, 571
Henrik H. Kjerulffs Automobilhandel, Aalborg **10:** 97
Henriksen, Hans Jørgen, modstandsmand **10:** 62
Henriksen, Harald, cand.polit., journalist **6:** 284f.; **9:** 256
Henriksen, Aage, politiker **1:** 425
Henriques, Arthur, overretssagfører **4:** 42, 199, 263; **10:** 37
Henry Daubjergs Maskinværksted, Taastrup **3:** 198
Henry Rasmussen Yacht- og Bådeværft, firma, Svendborg **2:** 556; **7:** 442
Henschel, Stanislaw, pol. efterretningsagent **5:** 446
Henschke, Oberregierungsrat **4:** 251
Hensel, Herbert Hugo, ty. legationsråd, konsul i Århus **1:** 408f., 592; **2:** 133, 174, 301; **3:** 90, 258; **4:** 122; **9:** 16; **10:** 33, 153, 155, 163, 176
Herb, Eugen, ty. politimand **7:** 264
Herbert, Ulrich, ty. historiker **1:** 65, 67, 69, 84, 104, 106, 110f., 114, 122, 124, 126, 139-145, 162, 229, 231, 233f., 252, 275ff., 282ff., 286, 295, 298f., 313, 315, 317-320, 339; **10:** 205
Herdal, Harald, forfatter **1:** 567
Herff, Maximilian von, SS-Obergruppenführer **1:** 496; **7:** 305
Herlufsholmvej, Kbh. **9:** 187
Hermann, Helge, modstandsmand **10:** 68
Hermannsen, Hans, ty. politimand **1:** 70, 235; **4:** 148; **8:** 475; **9:** 348; **10:** 166, 172
Hermansson, Valter, TTs korrespondent i Kbh. **6:** 230; **8:** 147f.
Hermes Kredit-Versicherung, ty. forsikringsselskab **7:** 171; **8:** 315; **9:** 79
Herning **2:** 160, 371; **4:** 523; **7:** 116, 205, 439; **8:** 182, 246; **10:** 126, 189
Herning Nød-Kompressorer A/S, firma **2:** 160
Herning-Silkeborg, jernbanestrækning **5:** 297
Herrmann, Ministerialrat, Partei-Kanzlei der NSDAP **9:** 102
Herschend, Knud, modstandsmand **8:** 104, 178, 349
Herschend, Peder, stiftsamtmand, Vejle **1:** 70, 117, 235, 290; **4:** 491f., 499, 509; **5:** 10, 18, 99f., 122, 308; **6:** 84; **7:** 52, 65, 404, 423; **9:** 147ff., 256, 322, 338, 427; **10:** 191
Hersholt Hansen, journalist **9:** 31
Hersted Vester **3:** 286
Hertel, kontorfunktionær, Det tyske Gesandtskab **8:** 448
Hertz' Bogtrykkeri, Kbh. **6:** 318; **10:** 86
Herzberger, Reg. Baurat, Rüstungsstab Dänemark **8:** 207
Hess, Paul, da. SS-Untersturmbannführer **3:** 242
Hessellund-Jensen, A., legationssekretær **4:** 16
Hesselø **1:** 504
Hever, ty. skib **8:** 92
Hewel, Walter, ty. legationsråd, AA **1:** 451f., 528, 541; **2:** 67, 374f., 407; **4:** 144f.; **5:** 137; **10:** 42, 201
Heyde, Werner, ty. professor **6:** 82, 153f., 225
Heydebreck, Friedrich von, ty. oberstløjtnant **1:** 100, 270; **2:** 433; **4:** 257f.; **5:** 161
Heydekampf, F. von, Tysk Røde Kors **6:** 417f.
Heydrich, Lina **3:** 375; **10:** 31, 198
Heydrich, Reinhard, ty. SS-Obergruppenführer, leder af RSHA **1:** 101, 271, 412; **2:** 251; **3:** 89; **4:** 146; **5:** 233; **6:** 96; **8:** 366; **10:** 19, 31, 196, 198
Heyne, Bernhard, ty. oberstløjtnant, Rüstungsstab Dänemark **4:** 335f.; **5:** 328, 349; **6:** 150; **7:** 71, 73

Heyne, Mitglied des Industrierats des Reichsmarschalls **4:** 547
Hianus, Carl, pseudonym for C. Emmerik **6:** 286
Hierl, Konstantin, ty. rigsarbejdsfører **1:** 501f.; **2:** 101f., 113, 227, 236, 259f., 349, 379, 439, 501, 503; **3:** 165ff.; **4:** 279
Hilgenfeldt, Erich, leder af Hauptamt für Volkswohlfahrt **3:** 338
Hillbrecht, ty. stabsintendant **8:** 368
Hillerød **2:** 454, 537; **4:** 270, 297, 435, 437, 527; **6:** 415; **7:** 35, 110; **8:** 257, 443; **10:** 47, 93, 188
Hillerød Gummihjulsfabrik **4:** 270
Hillerød Station **7:** 254, 260
Hillgärtner, Philipp, SS-Sturmbannführer, leder af hhv. Horserødlejren og Frøslevlejren **6:** 204; **10:** 53, 172
Hilma Lau, skib **8:** 142
Him-Jensen, Henry, flyveunderviser, modstandsmand **6:** 324
Himmelstrup, Otto, kriminalkommisær **2:** 19
Himmerland **8:** 474
*Himmerland,* avis **8:** 33; **9:** 27, 79, 118
Himmler, Heinrich, Reichsführer-SS (RFSS) **1:** 18, 21, 34f., 43, 67, 70, 90, 92, 98, 105, 107f., 110, 113ff., 124f., 130f., 137f., 140, 144, 146, 177, 180, 195f., 205, 232, 234, 258, 261, 268, 276, 278-282, 285ff., 297f., 304f., 311ff., 315, 319, 430ff., 448-455, 457f., 463, 470f., 480f., 485-489, 491f., 499, 501, 508f., 511, 513, 517f., 536-539, 549f., 573f., 579, 581, 593, 606f., 625, 629-632, 638; **2:** 13ff., 26, 35, 44f., 64, 67ff., 75f., 84f., 101, 110, 112, 115f., 118, 122, 127ff., 134, 139, 144, 147, 150, 163f., 166, 169, 184, 197, 209f., 212f., 215f., 233f., 246f., 249ff., 259f., 269, 288, 303, 338, 349ff., 353, 374, 379, 387, 393, 397, 412, 440, 444ff., 451, 456, 458f., 474-478, 501, 503, 507, 516ff., 521, 525, 528; **3:** 23, 34f., 54f., 62, 76, 88f., 132f., 147, 162, 214, 216, 220f., 251f., 256, 271f., 276f., 280f., 295f., 302, 304-307, 310, 313f., 327, 332ff., 337, 339, 345, 359, 377, 390ff., 407, 430, 469; **4:** 30, 39, 55, 104, 112, 124, 132ff., 138, 140, 149, 152, 163, 168, 185, 191, 197, 215f., 235-238, 246, 254, 257, 265, 271, 274ff., 282, 303ff., 318ff., 323ff., 333, 341, 345, 377, 442f., 460, 470f., 499, 503, 524, 532f.; **5:** 31, 34ff., 49f., 53, 67, 69, 77, 88, 91, 104, 109ff., 138f., 143, 152, 232, 239f., 265, 283, 312f., 345f., 351, 367, 373f., 412, 421, 426f., 455, 479f., 499, 501; **6:** 17, 29, 56, 58f., 75, 82f., 95, 113f., 122ff., 160, 165f., 172f., 209, 212, 222f., 225, 229f., 237, 253, 265, 271, 302, 305, 325, 342, 356f., 369, 450; **7:** 13, 28f., 31, 39, 59, 123f., 135, 145, 151f., 158, 161, 163, 167, 196, 202, 212, 216, 219, 231, 265, 268, 294, 303ff., 307f., 310, 344ff., 361, 365, 394, 398, 407-410, 423, 427, 429f., 434f., 450ff., 457f.; **8:** 23, 47, 50, 57, 87, 89, 92, 102f., 105f., 109f., 112, 115, 119, 150ff., 157, 163, 173, 206, 209, 211f., 222, 229, 234, 236, 241, 250, 258, 264, 276, 279, 293, 298, 302f., 308, 311, 324, 333, 350, 352, 360, 363, 372, 384, 407, 415; **9:** 69, 72, 111, 151, 178, 201, 206, 212, 224, 271, 342, 347, 351, 385, 387, 392f., 398, 409f., 417, 425f.; **10:** 31f., 36f., 39, 46, 48, 50f., 55, 71, 91, 158, 185, 196, 198f.
Hindborg, Charles, overlæge **1:** 580f.; **6:** 378f.
Hindenburg, Paul von, ty. præsident **1:** 563
Hindsgavl slot **9:** 270
Hindsholm **7:** 258
Hinné, F.J., leder af Den Nationale Aktion **2:** 115f., 213, 249f.
Hinsch, ty. afsnitskommandant Nordjylland **4:** 541
Hinsley, Arthur, eng. kardinal **1:** 562
Hinterleithner, ty . Oberbaurat **10:** 157
Hintge Bech, Knud Børge Thorvald, modstandsmand **3:** 140
Hipokorpset **1:** 120, 125, 131, 293, 298, 305; **3:** 249; **6:** 429; **7:** 421, 451f.; **9:** 212, 216f., 224, 280, 318, 342f., 345, 347, 425, 432; **10:** 50, 58, 63, 72f., 109, 114f., 129ff., 135, 137, 139f., 142f., 145-148
Hirohito, kejser af Japan **1:** 516
Hirschberg, ty. sekretær **10:** 164
Hirschfeld, Gerhard, ty. historiker **1:** 159, 336
Hirschnitz, Reg. Bau-Inspektor **5:** 441
Hirtshals **3:** 288, 363; **4:** 101; **5:** 73; **6:** 334, 380; **9:** 151
Hirtshals Havn **7:** 299
Hitler, Adolf, ty. fører og rigskansler **1:** 20, 30, 33, 36, 44f., 67, 70f., 74, 82ff., 104f., 107ff., 119, 122ff., 128, 138, 140, 143f., 147, 149f., 153, 179, 190f., 193, 197, 206f., 231ff., 235f., 240, 244, 248, 251, 264, 275f., 278ff., 292, 295ff., 301, 313, 315, 318ff., 322, 324, 326, 329, 343, 349, 393ff., 408-412, 418, 428, 434, 436f., 446ff., 451, 455, 458, 465, 468, 472f., 486, 508, 515, 517f., 528, 530, 540, 542, 544, 553-556, 561f., 573, 603, 633, 636; **2:** 10, 44, 50, 63, 71f., 75, 101, 107, 109f., 127f., 146,

155, 176f., 181, 184, 189, 192, 210, 212, 217f., 229, 251, 254, 281, 288-291, 302, 325, 334f., 345, 354, 385, 399, 407, 470, 473, 479f., 482, 498, 510; **3:** 35, 56, 76f., 89, 95, 148f., 162, 166, 246, 252, 256f., 264, 272, 303ff., 307, 318, 359, 377f., 392, 407, 409, 421, 423, 429f., 434, 436, 453, 460, 466, 470; **4:** 12, 34, 39, 42, 102, 117, 124, 132f., 144f., 152, 174, 191, 204, 237, 260, 274f., 279, 282, 289, 303, 314, 396, 434, 438, 442, 479, 499f., 503, 531ff.; **5:** 50, 53, 55, 80, 86, 89, 96, 109ff., 139, 160, 208, 232, 292, 333, 335, 351, 407, 427, 439; **6:** 22, 25, 66, 71, 75f., 83, 96f., 127, 167, 261f., 265, 343, 356, 359, 444; **7:** 11f., 28f., 32, 47f., 59, 63f., 66, 101f., 104, 115, 117, 122, 154, 161f., 166f., 228, 269, 298, 303f., 337, 348, 400, 409, 421, 424, 427f., 434, 457; **8:** 54-57, 61f., 64, 84, 104f., 150, 188, 209, 226, 236, 238, 240, 267, 270, 288, 326, 411, 414, 477f., 487; **9:** 61, 98f., 102, 113, 116, 118, 120, 150, 157, 160, 164, 166, 200, 212, 223, 226, 251, 253, 255, 259f., 271, 282, 284, 288, 292, 311, 318, 368, 375, 379, 387, 389, 392f.; **10:** 30f., 34f., 37f., 42ff., 47ff., 51, 53-58, 71f., 77, 151f., 158, 185ff., 196-199, 201f., 205
Hitlerjugend **1:** 431, 450, 500; **2:** 176; **3:** 93f., 100, 472; **5:** 297, 409, 412; **6:** 140f.; **7:** 349; **8:** 324; **9:** 22, 269, 333
Hiwi **7:** 217; **9:** 420
Hjalmar Lystagers Fjederfabrik, Viby **10:** 99
Hjarup, Johan, modstandsmand **4:** 493
Hjarvard, Louis R., da. SS-Untersturmbannführer **3:** 242, 244; **9:** 51
Hjelmslev, Louis, professor **7:** 214
Hjemmefronten, illegal organisation **6:** 115, 191, 320f.; **8:** 181
*Hjemmefronten,* illegal publikation **3:** 115; **5:** 417; **6:** 134, 199, 318; **7:** 207f., 341
Hjemmeværnet **7:** 208
Hjerm **9:** 341
Hjermind, Poul, landsretssagfører, terroroffer **10:** 82
Hjordkær **9:** 278
Hjortekærsvej, Klampenborg **9:** 298
Hjorth, Ole, da. nazist **9:** 343
Hjortø, Kjeld, skoleleder, terroroffer **10:** 122
Hjørring **4:** 294, 344, 512; **5:** 273; **7:** 254, 380f., 419, 423, 439; **8:** 16, 342, 444; **10:** 136, 189ff.
HKK, se Höheres Kommando Kopenhagen
Hobro **2:** 206; **3:** 93; **4:** 68, 406, 437, 498; **5:** 40, 288; **7:** 380, 439; **8:** 144f., 325; **9:** 252; **10:** 126, 177, 189
Hobro station **10:** 100
Hochwald **4:** 533; **10:** 199
Hofer, Andreas, ty. opstandsleder (1767-1810) **5:** 109
Hoff, Troels, statsadvokat for særlige anliggender **2:** 37; **3:** 9; **6:** 108; **8:** 16, 149, 166, 184; **9:** 51
Hoffgaard, Sven, dansker fængslet i Tyskland **5:** 500f.
Hoffmann, Henning, bankdirektør, terroroffer **10:** 89
Hoffmann, Hermann, SS-Gruppenführer, RSHA **1:** 414, 459
Hoffmann, Karl Heinz, SS-Sturmbannführer, leder af Gestapo i Danmark **1:** 69, 234, 563f.; **4:** 71f., 251, 253, 389, 540; **5:** 35, 203; **6:** 258, 323, 414f.; **7:** 55, 294; **8:** 103, 149, 240, 308, 374, 475; **9:** 329, 348, 424; **10:** 38, 58, 175
Hoffmann, ty. general **9:** 394
Hoffmann-Günther, leder af afdeling Pol XVI, AA (Günther Hoffmann) **5:** 474; **6:** 427
Hoffmann-Madsen, Ph., organisationsleder, DNSAP **1:** 407; **2:** 451
Hoffmanns Damekonfektion, Odense **10:** 90
Hoffmeyersvej, Kbh. **7:** 35
Hofstätter, Rudolf, ty. politimand **10:** 172
Hohenwarte, gods, Højer **9:** 277, 314, 336
Hohmann, ty. politimand **10:** 171
Holbech, Kai, redaktør, De frie Danske **8:** 181, 444
Holbæk **3:** 139, 461f., 479; **6:** 141; **8:** 337, 341; **10:** 47, 188f.
Holbæk Garnison **3:** 447
Holbæk Hørskætteri **3:** 139, 207
Holbæk, Hanna, pressefotograf **5:** 397
Holbøll, Valdemar, departementschef, kirkeminister **1:** 589, 599; **4:** 487
Holck, E.F., forbindelsesofficer, modstandsmand **8:** 340
Holckenhavn Slot, Nyborg **4:** 300
Holger Andreasen, firma **5:** 203
Holger Danske, modstandsgruppe **2:** 490; **3:** 52, 197f., 332, 394, 410; **4:** 23, 368, 406, 435, 437, 458, 466, 481, 498, 502, 512, 526f., 530, 538; **5:** 34f., 42, 47, 51, 89, 141, 146, 190, 203, 210, 233, 242, 265, 284, 288, 290, 333; **6:** 21, 163, 167, 321, 429, 452; **7:** 203, 236, 380, 385, 454; **8:** 179f., 269, 310, 334, 336, 408, 447; **9:** 21, 112, 127, 143, 233, 245, 280, 285; **10:** 41, 61, 65, 67, 88, 105, 115, 122, 140

Holger Danske, skib **7:** 418; **8:** 65, 408; **9:** 21; **10:** 50
Holitscher, Arthur, ty. forfatter **1:** 570
Holland **1:** 44f., 105, 123, 153, 155f., 158-162, 206, 264, 276, 296, 330, 332f., 335-339, 351, 374ff., 418f., 431f., 449, 466, 475, 500, 512f., 537, 549f., 623, 632; **2:** 83, 98, 102, 113, 128, 143, 145f., 151, 167, 169, 184, 212, 216, 237f., 321, 439, 504, 522; **3:** 35, 166, 266, 276, 283, 299, 304, 346, 377, 379, 392, 430; **4:** 47f., 146, 218, 220, 319, 469, 472; **5:** 88, 135, 139, 151, 196, 229, 409-413; **6:** 42, 56, 101, 213, 347, 380, 425; **7:** 39, 87, 239, 273, 275f., 289, 311f., 351, 360; **8:** 31, 34, 102, 212, 234, 384; **9:** 29, 62, 69, 117, 146, 318, 350, 400, 408, 410, 415; **10:** 206
Holle, Alexander, ty. general **9:** 357, 359
Holling, Heinrich, ty. politimand **10:** 172
Hollænderbyen, Kbh. **10:** 143
Hollændervej, Dragør **9:** 296f., 299
Holm, Christian, Schalburgkorpset **7:** 383
Holm, Jacob Erik, kaptajn, adjutant, Schalburgkorpset **8:** 159f.
Holm, Jacob, medl. af terrorgruppe **10:** 78
Holm, Jenny, stikker **1:** 120, 294; **7:** 209
Holm, Leo, modstandsmand **4:** 373
Holm, murer, terroroffer **10:** 134
Holm, Peter, modstandsmand **4:** 373
Holm, Poul Petersen, modstandsmand **10:** 64
Holm, Poul, modstandsmand **5:** 422
Holm, Rasmus **10:** 80
Holmbladsgade, Kbh. **2:** 539; **8:** 482; **10:** 142, 145
Holmen, Kbh. **4:** 521, 526; **7:** 160, 211
Holst, firma, Risskov **7:** 257
Holstebro **2:** 160; **3:** 142, 344; **5:** 63; **7:** 116, 439; **9:** 341; **10:** 189, 191
Holsted **4:** 523; **5:** 18; **10:** 42
Holstein, Bent, lensgreve **1:** 476; **8:** 434
Holstein-Rathlou, Viggo von, bibliotekar, medl. af DNSAPs storråd **2:** 391
Holt, eng. admiral **9:** 426
Holte **4:** 221; **6:** 416; **7:** 78, 257; **9:** 296, 298f.
Holte station **6:** 415
Holten, fabrikant, formand for konfektionsfabrikanternes brancheforening **3:** 421
Holtorp, fabrikant, I/S Carltorp **6:** 103
Holz, Emil, ty. politimand **2:** 76, 133; **10:** 172
Homstrup **2:** 363f.
Hopp, Peter, da. historiker **1:** 68, 232
Hoppe, Iver, sagførerfuldmægtig **2:** 498
Hoppe, ty. sekretær **10:** 158
Horn, SS-Hauptsturmführer **8:** 240
Hornbo, Knud Andersen, modstandsmand **2:** 204
Hornbæk **3:** 430, 465; **4:** 222; **5:** 30; **7:** 110
Horne **10:** 127
Horne-land **10:** 127
Hornslet **6:** 257; **10:** 61
Horsens **2:** 365, 455, 534f.; **3:** 114, 137, 363, 430, 434; **4:** 46, 49, 171, 483f., 489; **5:** 10, 141, 222, 308; **6:** 259, 397; **7:** 208, 259, 381, 439; **8:** 380; **10:** 116, 176, 189, 191
Horsens Andels-Svineslagteri **4:** 484
Horsens Hjemmeværn, illegal gruppe **6:** 321
Horsens Honningfabrik **4:** 484
Horsens Statsfængsel **2:** 455; **3:** 115, 141; **10:** 34
Horserødlejren, interneringslejr **1:** 103, 274, 566; **2:** 53, 55, 531, 547, 552; **3:** 10, 33, 381, 479f.; **4:** 11, 252, 267, 388, 486; **5:** 22, 98, 163, 253, 277, 420; **6:** 29, 204, 396f.; **7:** 90, 194, 234, 332; **8:** 35
Hortensiavej, Kbh. **7:** 75; **9:** 299
Horthy, Miklós, ungarsk politiker **8:** 139, 318; **9:** 12
Hoskier, Finn **1:** 587
Hossfeld, ty. ansat i RFM **6:** 47
Hostrup, Jens, læge **1:** 568
Hothers Plads, Kbh. **1:** 426
Houlberg, Alf, modstandsmand **1:** 469; **2:** 204
Houlby, Niels Frank Leon, modstandsmand **3:** 141, 197
Houmann, Børge, modstandsmand, medl. af Danmarks Frihedsråd **2:** 230; **8:** 442; **9:** 52
Hovedstadens Brugsforening **10:** 143
Hoven **9:** 89
Hovmand, Hans Christian, modstandsmand **6:** 203
Hovslund Station **9:** 142
Howaldtwerke AG, Hamburg, ty. firma **4:** 534ff.; **5:** 13, 92, 116; **7:** 160; **8:** 200
Howitzvej, Kbh. **3:** 394; **9:** 188; **10:** 148
Howoldt, Albert, Kapitän zur See, leder af Abwehr i Danmark **1:** 99, 270, 414, 468f.; **2:** 434
Hroar, skib **5:** 222
HSSPFs pressekontor **7:** 234f.; **9:** 46, 49, 224, 342
Hubatsch, Walter, ty. officer, historiker **1:** 71, 236; **6:** 24
Hucho, ty. regeringsråd **2:** 402
Hueber, Stapoleiter SS-Stubaf. **7:** 102
Huene, Oswald, ty. gesandt i Lissabon **4:** 22f., 56, 399
Huf, Ludwig, ty. politimand **3:** 163; **10:** 173
Hugo Dorphs Konfektionsfabrik, firma, Taastrup **3:** 198

Huhnhäuser, ty. ministerialråd, Reichserziehungsministerium **2:** 80
Hull, Cordell, am. statssekretær **6:** 285
Hultsch, ty. teknisk inspektør **7:** 77f.
Humlebæk **3:** 363; **4:** 223; **5:** 30; **6:** 51f., 140f.; **10:** 139
Hundested **1:** 396; **3:** 341, 362f., 463; **4:** 222f.; **5:** 30
Hundevadt, modemagasin, Haderslev **7:** 443
Hunsche, Otto, ty. regeringsråd, RSHA **2:** 152
Huppenkothen, SS-Obersturmbannführer Oberregierungsrat, RSHA **4:** 540
Hurwitz, Stephan, professor **5:** 21; **9:** 145
Husmandsskolen **10:** 57
Husum **6:** 396; **7:** 22; **9:** 396
Husumlejren **6:** 323f.
Hvalkof, Jørgen, læge, terroroffer **10:** 123
Hvalpsund **3:** 137
Hvalpsund Teglværk, Hobro **2:** 206
Hvalrossen, skib **3:** 450, 483
Hvalsø **10:** 67, 105
Hvam **10:** 189
Hvass, Frants, afd. chef i Udenrigsministeriet **1:** 542, 552; **4:** 159ff., 366; **5:** 11, 157, 459, 495; **6:** 35f., 46, 68, 186, 193-196, 198, 209f., 325, 372, 382, 395, 410, 417ff., 432f.; **7:** 54, 209f.; **8:** 362, 364; **9:** 280, 293
Hvidberg, Flemming, professor **8:** 265
Hvidbjørnen, skib **3:** 450, 483
Hviddinge **6:** 397
Hvide Sande **3:** 363, 444
Hvidegaard Madsen, Hartung, modstandm. **3:** 136
Hviderusland **1:** 153, 329
Hvidkilde Slot, Svendborg **4:** 300
Hvidovre **7:** 338; **9:** 50; **10:** 129
Hvidsten **5:** 510; **10:** 63
Hvidsten-gruppen **7:** 47
Hvidtfeldt, Johan, da. historiker **1:** 24, 51, 90ff., 126f., 183, 214, 259, 261, 299, 301
Hviids Vinstue, restauration, Kbh. **6:** 34; **10:** 83
Hvistendael-Petersen, Christian, arbejder **6:** 51
Hygæa, lakfabrik, Skalborg **10:** 132
Hyldgaard Petersen, fabrik, Kbh. **4:** 295
Hylke **5:** 62; **7:** 259
Hägerström, Axel, sv. filosof **2:** 313
Hærens Efterretningstjeneste **8:** 337f., 439, 441
Hærens Krudtværk, Frederiksværk **7:** 248f.
Hærens Våbenarsenal, se også Våbenarsenalet **9:** 48
Hæstrup, Jørgen, da. historiker **1:** 26, 44, 108f., 117, 122, 124f., 132f., 139, 141, 143, 145, 185, 205, 280f., 290, 295, 298, 306f., 313, 316, 318ff.; **10:** 204
Høck, Ejnar, politimester **6:** 259
Høeg, Carsten, da. historiker, leder af Centralkartoteket **1:** 118, 291; **8:** 184
Höfler, Otto, ty. prof. **1:** 94, 263, 452ff., 470f., 511, 631f., 651f.; **2:** 22f., 303, 305, 392f., 405, 414, 524; **3:** 154, 273, 290f., 375; **4:** 177, 369; **6:** 278; **7:** 213f., 348; **9:** 37f.; **10:** 153
Högvallen, Sverige **3:** 383
Höheres Kommando Kopenhagen (HKK) **5:** 62, 329, 383, 462; **6:** 25, 28f., 239, 374, 376, 411-414, 431, 434, 436, 441, 445, 457; **7:** 10, 14, 19-22, 35, 50, 61, 109, 293, 415; **8:** 255; **8:** 29; **9:** 93, 147, 190; **10:** 41
Höhne, Heinz, ty. journalist og historiker **1:** 109, 280
Høj, Arne L., terroroffer **10:** 130
Højberg-Christensen, Axel Christen, undervisningsinspektør, undervisningsminister **1:** 589, 597; **2:** 452f.
Højbro Plads, Kbh. **5:** 243; **10:** 79, 85
Højdevej, Kbh. **10:** 143
Højer **6:** 397; **9:** 336
Højesteret **1:** 36, 130, 304; **4:** 39; **10:** 59
Højfeldt Mosegaard, Walther Georg, modstandsmand **3:** 136
Højgårds Allé, Bagsværd **9:** 49
Højgårdsvænget, Bagsværd **9:** 49; **10:** 116
Højlandsvangen, Kbh. **10:** 121
Højmark, Bornemann, da. SS-Obersturmbammführer **3:** 242
Højriis-Frandsen, Egon, flymekaniker, modstandsmand **6:** 324
Højsagervej, Kbh. **10:** 118
Højvangen, Søborg **9:** 298
Höner, Dr., ansat ved CdS **4:** 448
Høng **10:** 110
Höppner, Artur, ty. politimand **10:** 172
Hörby, Sverige **5:** 260ff.
Hørlunds Autoværksted, firma, Kbh. **4:** 384
Hørlyck, automekaniker, Kbh. **4:** 66
Hørsholmsgade, Kbh. **7:** 385
Hørsholmvej, Gentofte **9:** 297, 299
Høvelte **7:** 110
Høveltegård, SS-skole **1:** 495, 614f., 619, 622; **2:** 61, 118, 151, 164, 198, 210, 528f.; **3:** 330; **6:** 102, 304, 422; **9:** 25; **10:** 31f.
Høyer, Axel, generaldirektør, medicinalforvaltningen **9:** 347
Høyer, Axel, journalist **1:** 96, 266; **5:** 398; **6:** 284ff.; **8:** 270, 386; **9:** 66, 141
Høyer, Niels Aage, kontorhjælp, illegal virksomhed **2:** 551

Haag **1:** 351; **2:** 269
Haakon 7., konge af Norge **1:** 531
Hånd i Hånd, forsikringsselskab, Odense **10:** 124
Håndværkerforeningen, Fredericia **10:** 132
Håndværkerforeningen, Silkeborg **10:** 125
Håndværkerforeningen, Århus **10:** 110
Håndværkerskolen **4:** 385
Håndværksrådet **7:** 43
Haarløv, Viggo, da. historiker **1:** 95, 264
Haastrup Savværk, Faaborg **7:** 387

I.C. Christensens Restauration, Randers **10:** 103
I.P. Jensen, jernfirma, Kolding **10:** 131
I.R. Bock, firma, Kbh. **7:** 139
Ibel, ty. generalmajor **9:** 83
Ibsen, Finn, SOE-agent **7:** 225
Ibsen, Henrik, no. dramatiker **2:** 309f., 316, 320
Ibsen, Holger Henning Finn "Børge", modstandsmand **8:** 178, 338, 349
Ibsen, Ib Gerner, da. terrorist **7:** 288
Ibsen, Jens A.S., lektor, terroroffer **6:** 121, 124; **8:** 161; **9:** 69; **10:** 84
Ibsen, Kaj "Konrad", forbindelsesm., DKP **6:** 397
IG Farbenindustrie, ty. firma **5:** 203
Ihssen, Kapitän, stabschef **2:** 162, 281; **3:** 308, 365, 415
Ikast **10:** 189
Ikor, jødisk kulturorganisation **1:** 566
Illum, Kbh. **10:** 87
*Ilta Sanomat,* fi. avis **7:** 246
Indenrigsministeriet **2:** 92, 382, 468; **3:** 79, 98; **5:** 128, 396; **9:** 64
Indien **1:** 558; **9:** 146
Indre Mission **2:** 253; **6:** 121; **8:** 380
Industrien, hotel, Ribe **5:** 74
Industrirådet **3:** 244; **4:** 240; **5:** 430; **7:** 43, 318; **8:** 275f.
Information, illegalt nyhedsbureau **3:** 322; **5:** 26, 288, 297; **6:** 230, 292; **7:** 98, 139, 146, 209, 215, 247, 421, 434, 463; **8:** 111, 144, 149, 326; **9:** 132, 143, 153, 254, 256, 331, 342, 345, 415; **10:** 193
Ingeborg, skib **8:** 408
Ingemann Grossgrundbesitzer LS **8:** 390
Ingemannsvej, Kbh. **10:** 141
Ingeniør Forretningen A/S, Århus **4:** 335
Ingolf, skib **3:** 450, 483
Ingrid, kronprinsesse af Danmark **2:** 126; **3:** 27
Innitzer, Theodor Kardinal, ærkebiskop, Wien **1:** 451
Inselkommandant Bornholm **3:** 463; **4:** 543; **5:** 206f.; 9: 439, 441
Institut für Zeitgeschichte, München (IfZG) **1:** 13, 27, 51, 172, 187, 214
Institut Jeanne d'Arc, Kbh. **9:** 332
*Internationale Literatur,* russ. publikation **1:** 570
Internationale, organisation **1:** 565
Inwaliden-Friedhof **10:** 198
Irak **1:** 410, 558
Iran **1:** 410; **2:** 95; **8:** 170; **9:** 13
Irene Oldendorff, ty. skib **7:** 393, 463; **8:** 92f., 229f.
Irland **1:** 616f.; **6:** 282
Isbjørnen, skib **5:** 497
Isefjord **2:** 443; **3:** 341f., 362f., 428ff., 442f., 448, 450, 452f., 461, 463f., 481, 483; **9:** 42
Isefjord, skib **5:** 450, 453, 490f., 494, 504, 506f.; **6:** 137; **7:** 285; **8:** 355
Isefjordværket **7:** 440; **9:** 303
Island **1:** 349, 383, 437, 520, 522, 598; **2:** 126, 273; **3:** 34, 64, 169ff.; **5:** 11f., 123, 393f.; **6:** 11, 70, 275, 277f., 283, 372f.; **7:** 85f., 185; **8:** 11, 139, 318f., 327; **9:** 12f., 132f., 239, 253, 332; **10:** 164
Island Falk, skib **3:** 484
Islands Brygge, Kbh. **4:** 468; **5:** 274
Islands Plads, Kbh. **4:** 537
Islandsforening **3:** 64
Islev **9:** 297
Islevbro **9:** 303
Islevbro vandværk **6:** 448; **7:** 77f.
Islevbrovej, Kbh. **1:** 424f.; **4:** 296
Islevhusvej, Kbh. **10:** 149
*Israelitischer Wochenblatt,* schweiz. publikation **1:** 629
Issel, Horst, ty. politimand **5:** 160; **10:** 72, 108
Istedgade, Kbh. **7:** 197, 382; **8:** 329; **10:** 102, 104
Italiano, restauration, Kbh. **8:** 159
Italien **1:** 153, 155, 161, 330, 332, 338, 392, 450f., 464f., 558, 605, 645f.; **2:** 29, 41, 51, 62f., 124, 126, 142, 189, 527; **3:** 235, 260, 266, 299, 315, 337, 354, 356, 427; **4:** 113, 156, 340, 425; **5:** 11, 37, 41, 123, 229, 254; **6:** 11, 33, 67, 337; **7:** 239, 311f., 360; **8:** 11, 31, 170, 270, 378, 384; **9:** 13, 146, 252, 393; **10:** 205
Italiensvej, Kbh. **9:** 298
Iversen, Albert Carlo, modstandsmand **10:** 62
Iversen, Børge Broder, løjtnant, modstandsmand **8:** 178, 339, 349, 442
Iversen, Helge Broch, modstandsmand **10:** 64
Iversen, Karsten, lærebogsforfatter **6:** 266
Iversen, Otto, terroroffer **10:** 130

J.M. Thielesvej, Kbh. **4:** 16
J.N. Fibiger, skib **8:** 327

Jacobsen, A.P., da. landbrugsattaché i Berlin **6:** 343f.; **7:** 155
Jacobsen, Børge, medl. af DNSAP **3:** 42
Jacobsen, Hans S., no. økonom, Nasj. Saml. **1:** 621
Jacobsen, Henry, modstandsmand **3:** 138f.; **10:** 68
Jacobsen, I.G., terroroffer **10:** 124
Jacobsen, Jacob, modstandsmand **6:** 396
Jacobsen, Jens, gårdejer, terroroffer **10:** 127
Jacobsen, Julius Peter, overbetjent **6:** 317; **7:** 235
Jacobsen, Jørgen Ditlev, modstandsmand **3:** 138
Jacobsen, Jørgen, modstandsmand **2:** 263
Jacobsen, Kaj, stud.tech., modstandsmand **6:** 324
Jacobsen, Marius, operasanger, terroroffer **10:** 146
Jacobsen, Martin, havnefoged, terroroffer **10:** 142
Jacobsen, P.C., redaktør, terrormål **10:** 116
Jacobsen, SS-Standartenführer **4:** 169
Jacobsen, Svend Orla, gravør, terroroffer **9:** 31; **10:** 114
Jacobsen, Thorkild, malermester **6:** 259
Jacobsen, Torkild, værkmester, terroroffer **10:** 127
Jacobsen, Valdemar, kasserer, modstandsmand **8:** 340
Jacobsens Varehus, Odense **10:** 90
Jaeger, Karl **10:** 80
Jaensch, Friedrich, ty. politimand **10:** 172
Jagow, Dietrich von, ty. SA-Obergruppenführer, gesandt i Budapest **2:** 68
Jagtvej, Kbh. **4:** 110, 121, 294, 522; **5:** 34; **6:** 448; **7:** 35, 259; **9:** 295
Jahn, ty. toldinspektør, Oslo **1:** 466f.; **2:** 264
Jakobsen, Viggo Anders, modstandsmand **6:** 316
Jakobsson, Áki, isl. arbejdsminister **8:** 139
Jakubowski-Tiessen, Manfred, ty. historiker **1:** 94, 263
Jankuhn, Herbert, ty. SS-Sturmbannführer, professor **2:** 118, 452f., 526; **5:** 31
Jansen, ty. kaptajn **5:** 161
Jansson, Jan, modstandsmand **7:** 379
Japan **1:** 403, 557f., 605; **2:** 29, 126, 367, 425; **3:** 64f., 235f., 265f.; **6:** 285f.; **8:** 11, 170; **9:** 13, 249
Japos, ty. skib **9:** 375
Japp, ty. orlogskaptajn **5:** 161
Jarde, Kjeld, byrådsfuldmægtig, terroroffer **10:** 132
Jarl, Axel, godsejer **2:** 549
Jarmers Plads, Kbh. **10:** 76
Jarne **3:** 287
Jarosch, ty. politimand **3:** 407
Jarva, ty. skib **5:** 112; **5:** 89
Jasmund, Wilhelm, kioskejer **3:** 306
Jasper, ty. legationssekretær, AA **6:** 32
Jelschen, Hermann, ty. politimand **10:** 173
Jenk, ingeniør, DIS **4:** 208, 211
Jensen Industri, firma, Kbh. **7:** 147
Jensen Sørensen, Jørgen, politifuldmægtig **6:** 259
Jensen, Aksel "Otto", modstandsmand **7:** 203, 235
Jensen, Arne, medl. af terrorgruppe **10:** 79
Jensen, Axel Brinckmeier, urmager, terroroffer **10:** 144
Jensen, Axel, modstandsmand **10:** 95
Jensen, Bent, da. historiker **1:** 129, 302
Jensen, Bent, modstandsmand **10:** 64
Jensen, Bernt, propagandaleder, Schalburgkorpset **9:** 27
Jensen, Bjørn, hattemager, illegal virksomhed **2:** 547
Jensen, Carl Marinus, modstandsmand **2:** 532; **3:** 136
Jensen, Carl Wilhelm, direktør, Frit Danmark **2:** 548
Jensen, Christian O., reservebetjent, terroroffer **10:** 102
Jensen, da. jøde i KZ **5:** 156
Jensen, direktør, Holte **6:** 416
Jensen, Eigil, modstandsmand **2:** 530; **3:** 136f.
Jensen, Eiler, formand for De samvirkende Fagforbund **3:** 54, 59, 69; **7:** 23-26, 33, 45, 54, 85; **8:** 385
Jensen, Eli, kontoransat, illegal virksomhed **2:** 547
Jensen, Erik Thomp, modstandsmand **2:** 532
Jensen, Erik Torup, modstandsmand **3:** 136
Jensen, Erik Wilhelm Pløger, modstandsmand **2:** 531; **3:** 138, 198
Jensen, Evald H.J., bogtrykker, terroroffer **10:** 128
Jensen, Evald, modstandsmand **7:** 203
Jensen, F.E., direktør, DR **2:** 51; **3:** 431; **5:** 17; **6:** 405; **7:** 233; **9:** 77
Jensen, Frode Styrbech, modstandsmand **3:** 135
Jensen, Frode, modstandsmand **3:** 139
Jensen, Grethe, illegal aktivitet **6:** 257
Jensen, Hans Peter, matros, terroroffer **10:** 102
Jensen, Hans, kaptajnløjtnant, leder af Nationalsocialistisk Ungdom **3:** 471f.; **4:** 427; **5:** 213; **9:** 138, 257, 339
Jensen, Harry Ib Brønnum, modstandsmand **2:** 531; **3:** 100, 136
Jensen, Heinrich, kontoransat **6:** 200
Jensen, Helge Ove, modstandsmand **9:** 342; **10:** 64
Jensen, Henning Erich, modstandsmand **3:** 141

Jensen, Henning R., modstandsmand **3:** 197
Jensen, Henning, modstandsmand **2:** 374; **3:** 135
Jensen, I.A., aflønnet af Bests pressepol. afd. **2:** 497
Jensen, Inge Lise, da. jøde **4:** 399
Jensen, Inger Marie, kontoransat, illegal virksomhed **2:** 547
Jensen, Jacob, SOE-agent **5:** 67f.
Jensen, Kaj, medl. af terrorgruppe **10:** 81
Jensen, Kaj, politibetjent, terroroffer **10:** 98
Jensen, Karl Wilhelm, direktør, Frit Danmark **2:** 230
Jensen, Knud Børge (Smith), modstandsmand **5:** 178
Jensen, Kurt Valdemar, købmand **7:** 262
Jensen, Laurits V., redaktør, terroroffer **8:** 225; **10:** 106
Jensen, Lille-Jørgen-gruppen **10:** 140
Jensen, Milter Magnus, modstandsmand **4:** 373
Jensen, Niels, arbejdsmand, modstandsmand **8:** 340
Jensen, Odde Størbek, modstandsmand **2:** 532
Jensen, Osvald Christian Holt, skibsarbejder, modstandsmand **2:** 546
Jensen, P.C., slagtermester, terroroffer **10:** 124
Jensen, Paula Gurli, da. jøde **4:** 399
Jensen, Poul Jørgen, da. SS-Untersturmbannführer **3:** 242
Jensen, Richard, fagforeningsformand **2:** 53; **6:** 393
Jensen, Robert, modstandsmand, Dansk-Svensk Flygtningetjeneste **7:** 203f., 261; **8:** 180
Jensen, Sigfred, modstandsmand **4:** 147
Jensen, Sigurd, da. historiker **1:** 26, 72, 76f., 79, 82, 84, 185, 237, 242f., 246, 249ff.
Jensen, skibsmægler, illegal aktivitet **6:** 324
Jensen, Skjold Leo, reservepolitibetjent, terroroffer **9:** 222; **10:** 125
Jensen, Sv. Erik, terroroffer **10:** 125
Jensen, Svend "Lofty" alias J.E. Hecht-Johansen **8:** 339
Jensen, Svend Erik, arbejdsmand **9:** 222
Jensen, Svend Georg, modstandsmand **10:** 66
Jensen, Svend Rye, modstandsmand **2:** 531; **3:** 100, 136f.
Jensen, Svend Aage Folmer, modstandsmand **2:** 533
Jensen, Svend Aage, lærling **5:** 34
Jensen, Søren Johann, modstandsmand **4:** 372
Jensen, Vagn, modstandsmand **2:** 374; **3:** 135
Jensen, Viggo, konsul i Bruxelles. **9:** 12
Jensen, Viktor, Schalburgkorpset **7:** 382
Jensen, Waldemar T.G., købmand, terroroffer **5:** 278; **10:** 93
Jensens ismejeri, Kbh. **10:** 142
Jeppesen, Keld L., kontorassistent , terroroffer **9:** 222; **10:** 125
Jeppesen, Marius, modstandsmand **4:** 519; **10:** 60
Jeppesen, sømandspræst **8:** 364
Jeppesens Savskæreri, Søborg **5:** 143
Jepsen, deporteret komm. **5:** 373
Jernbane Allé, Kbh. **4:** 168, 295
Jernbaneforvaltningen **4:** 83
Jernbanegade Politikaserne, Kbh. **6:** 29, 31
Jernbanegade, Esbjerg **2:** 114
Jernbanegade, Kbh. **6:** 191, 319
Jernbanegade, Aalborg **2:** 536; **3:** 195
Jerne, Esbjerg **1:** 577
Jernkontoret A/S, firma, Kbh. **4:** 547; **5:** 105
Jeschke, Regierungsbaurat, Rüstungsstab Dänemark **4:** 209, 335; **5:** 84; **6:** 256; **7:** 75, 80, 82; **8:** 207; **10:** 94
Jespersen, Christian, købmand, modstandsmand **8:** 444
Jespersen, Jørgen (KK), modstandsmand **6:** 329
Jessen, N.F.Z. "Nolfi", illegal aktivitet **8:** 474
Jessen-Schmidt, Jens Kristian, modstandsmand **6:** 203
Jetsmar, Jens, driftsleder, terroroffer **10:** 87
Jodl, Alfred, ty. Generaloberst **2:** 51, 166, 234, 243, 288; **3:** 389, 431f., 435; **4:** 108, 123, 133f., 237, 264f., 396; **7:** 236f., 360; **5:** 109, 111; **8:** 92, 102, 163, 173f., 206, 413f., 477; **9:** 178, 191, 228, 396, 413ff., 442
Johannesen, Egon, pastor, terroroffer **8:** 387; **10:** 109
Johannesen, Poul, modstandsmand **3:** 33
Johannesen, Sven Christian, modstandsmand **4:** 503, 527; **5:** 125; **10:** 60
Johannesens og Lunds Maskinfabrik, Kbh. **5:** 201; **9:** 122
Johannsen, Johannes, ty. politimand **3:** 90; **10:** 172
Johansen, Cajus, hovmester, De frie Danske **1:** 478
Johansen, Hans Robert "Stumpen", SOE-agent **7:** 203f.
Johansen, Holger, medl. af DNSAPs førerråd **6:** 161; **7:** 334; **8:** 386
Johansen, Illjetsch, digter **8:** 379
Johansen, Ove, tidligere redaktør, Tass **1:** 567, 571; **8:** 379
Johansen, Steffen H., kontorassistent, terroroffer **10:** 104

Johansen, Svend, journalist **1:** 568
Johansen, Svend, teatermaler **1:** 572
Johnson, Eyvind, sv. forfatter **8:** 389
Johnstad-Møller, Svend Erik, oberstløjtnant **6:** 259
Johs. Petzold & Co., ty. firma **5:** 180
Jomsborg, restaurant, Århus **5:** 153
Jong, Louis de, hol. historiker **1:** 60, 132, 223, 306
Jónsson, Emil, trafikminister, Islands Socialdemokratiske Parti (Alþýðuflokkurinn) **8:** 139
Jónsson, Finnur, isl. justitsminister, Islands Socialdemokratiske Parti (Alþýðuflokkurinn) **8:** 139
Jorcks Passage, Kbh. **4:** 466
Jordan, Hans, ty. major **3:** 405; **4:** 40; **5:** 315; **7:** 9
Jost, ty. general **7:** 173
Journalistforbundet **2:** 238ff.
Juel Berg, Jesper, modstandsmand **9:** 48
Juers, SS-Brigadeführer, VOMI **2:** 338f.
Jugoslavien **1:** 153, 155, 329f., 332, 458; **3:** 370
Juhl, Hans, ty. politimand **10:** 173
Juhl, Henning, modstandsmand **3:** 140
*Jul i Norden,* tidsskrift **7:** 83, 183
Julius Kopps forretning, Kbh. **10:** 88
Julius Tafdrup, firma, Kbh. **9:** 233
Julius, skib **5:** 52
Juncker, Flemming, modstandsmand **8:** 335
Juncker, Thorkild, direktør, formand for Østrumudvalget **1:** 504, 598
Jungclaus, Richard, SS-Hauptamt **3:** 338
*Junge Front,* tidsskrift **9:** 23
Junge, ty. kaptajn, Seekriegsleitung **1:** 446
Junior, Christian, jurist, dommer **7:** 176
Junker, Jan, SOE-agent **5:** 68
Junkers klædefabrik, Randers **5:** 269
Justesen, trykkeri, Kbh. **6:** 320
Justitsministeriet **1:** 413, 469, 543, 598; **2:** 9f., 36, 49f., 55, 57, 192, 287f., 334, 381, 387, 399, 539f.; **3:** 144, 161, 232f., 237, 268, 270; **4:** 199, 509; **5:** 17; **6:** 49, 70; **7:** 248, 463; **8:** 60, 97, 271, 426; **9:** 211
Jutlandia A/S, Kbh. **1:** 640
Juul Petersen, Jesper (Finn), alias Jesper Juel Berg, modstandsmand **9:** 48
Juul, Axel, godsejer, DNSAP **2:** 507
Jyderup **2:** 35; **7:** 248; **8:** 70
Jyde-Trykkeriet/Jydsk-Trykkeriet, Århus **7:** 116, 207
Jydsk Ilt- og Acetylenfabrik, firma, Horsens **3:** 434
*Jydske Tidende,* avis **2:** 88; **8:** 430
Jylland, skib **5:** 108, 140, 183, 188f., 200, 203, 206, 211, 218, 221, 449, 451, 456, 494, 503; **6:** 15, 121f.; **7:** 114, 285; **8:** 74, 355
Jyllandsgade, Herning **2:** 160
Jyllandsgade, Aalborg **3:** 195
Jyllands-Posten, avis **2:** 496; **8:** 384
Jürgensen, W., journalist **6:** 205
Jürst, ty. kaptajn, marinekommandant **5:** 190, 210, 456f.; **6:** 54, 72, 331
Jüttner, Hans, SS-Obergruppenführer, leder af SS-Führungshauptamt **1:** 518; **2:** 184; **8:** 278; **10:** 151
Jæger, Aage, politimester, Randers **6:** 259
Jægersborg **2:** 205
Jægersborg Allé, Kbh **7:** 383; **8:** 180; **10:** 102
Jægersborg Kaserne **9:** 402, 405
Jægerspris **7:** 213
Jægerspris Garnison **3:** 447
*Jødespørgsmålet,* publikation **3:** 14, 73
Jöhnke, da. generalkonsul i Stockholm **4:** 131
Jørgen Petersen & Co., firma, Kbh. **3:** 197
Jørgensen, Aksel, medl. af terrorgruppe **10:** 139
Jørgensen, Anton Marius, journalist **6:** 199
Jørgensen, C.O., leder af DNSAPs førerråd **1:** 50, 213, 524, 530; **3:** 323, 436; **5:** 21; **6:** 161; **7:** 125, 176, 311, 334; **8:** 321, 390f.; **9:** 25, 44, 60, 66f., 257, 339, 346
Jørgensen, Carsten, da. SS-mand **3:** 242
Jørgensen, Christian, boghandler, terroroffer **10:** 124
Jørgensen, Ejgil Gervig, medl. af terrorgruppe **10:** 96, 126, 129f.
Jørgensen, Ejnar, politiker **2:** 474ff., 493, 510-513; **3:** 19f.; **6:** 162; **7:** 124f., 175, 282, 311, 333ff.; **9:** 25
Jørgensen, Hans Christian, sabotagevagt **5:** 34
Jørgensen, ingeniør, Ford Motor Company A/S **8:** 207
Jørgensen, Jørgen, undervisnings- og indenrigsminister **1:** 524, 589, 596, 598
Jørgensen, Kai, politibetjent **6:** 52
Jørgensen, Kristine, illegal virksomhed **2:** 544
Jørgensen, N.V., DNSAP **1:** 427
Jørgensen, Niels Frederik Alfred, modstandsmand **6:** 203
Jørgensen, Niels, modstandsmand, medl. af Danmarks Frihedsråds bladudvalg **8:** 181
Jørgensen, P.O., leder af Landsarbejdstjenesten **3:** 436
Jørgensen, Stefan, kommunelæge, terroroffer **6:** 109, 292; **10:** 84
Jørgensen, Thor, da. SS-Sturmbannführer **3:** 242
Jørgensen, Troels G., højesteretspræsident **4:** 182
Jørgensen, Aage, journalist **3:** 322

K III, Hauptamt Schiffbau, OKM **5:** 365; **6:** 79

K. Larsens Maskinfabrik, Kbh. **9:** 127
Kablitz, ty. kaptajn **5:** 85
Kaffebaren, Kbh. **10:** 82, 128
Kaffekoppen, Viborg **10:** 113
Kaila, Eino, sv. professor **4:** 339
Kaiser, ty. oberstløjtnant **6:** 157
Kakadu-Bar, Kbh. **2:** 411
*Kalmar Läns Tidningen,* sv. avis **2:** 490
*Kalmartidningen Barometern,* sv. avis **3:** 325
Kaltenbrunner, Ernst, leder af BdS **1:** 35, 110, 146, 195, 281, 321f.; **2:** 394, 398, 518; **3:** 59, 220f., 251, 260f.; **4:** 30, 55, 235, 282, 387f., 395, 448, 460, 480, 486; **5:** 50, 53, 67, 77, 105, 109ff., 137f., 160, 498f.; **6:** 144f., 294, 305f., 339, 363, 376, 408; **7:** 102f., 150, 167, 209f., 232, 308, 311, 347, 398, 427, 429, 460; **8:** 32, 37, 47, 55, 78f., 84, 96, 109f., 117f., 123f., 150f., 232, 282, 295, 362, 371f., 397, 411, 427f., 438; **9:** 43f., 78, 222, 260, 280, 287, 348; **10:** 46, 48, 50, 52, 54, 199, 201f.
Kaltenkirchen **9:** 89
Kalter, Ministerialdirektor **7:** 45
Kalundborg **2:** 160, 362; **3:** 286, 363, 430, 484; **5:** 307, 417; **7:** 440; **9:** 362; **10:** 191
Kalundborg, skib **8:** 74
Kalundborgsenderen **4:** 431f.; **6:** 297; **7:** 159; **8:** 417f.; **9:** 77, 413, 415, 419
Kalvebod Brygge, Kbh. **4:** 481; **9:** 187
Kalvøpavillonen, Frederikssund **4:** 406
Kam, Søren, da. SS-frivillig **3:** 261, 480; **5:** 146; **6:** 420f.
*Kameraden,* illegalt tryk **2:** 543
Kaminski, ty. politimand **10:** 174
Kamphøvener, Morten, redaktionssekretær **2:** 88
Kampnitz **9:** 377
Kamprad, Karl Julius, bogtrykker, Haderslev **2:** 246
*Kamptegnet,* tidsskrift **2:** 475, 493f., 504; **3:** 15f., 72ff., 96, 148, 156f., 200, 211, 218f., 262, 274, 438f.; **10:** 35
Kamptz, Gerhard von, Inselkommandant Bornholm **1:** 129, 302f.; **6:** 87; **9:** 439, 442
Kanalvej, Odense **2:** 364
Kanstein, Paul, SS-Brigadenführer, Beauftragter für die Fragen der inneren Verwaltung, Det tyske Gesandtskab **1:** 67, 100, 231, 270, 372, 408f., 413f., 430, 455, 457, 468, 477ff., 483, 487f., 490ff., 496, 509, 511, 532f., 549, 574f., 579, 606f.; **2:** 15, 38, 72, 77f., 114, 198, 201, 209, 250f., 398, 411, 431f., 434f., 440, 444, 447, 456, 459, 474, 476, 522, 536, 542; **3:** 19f., 49, 99f., 132f., 174, 210, 245, 254, 256, 262, 295, 305f., 331, 337f., 430f.; **5:** 104, 412; **7:** 196; **10:** 30f., 33, 37f., 40, 150, 152, 155, 165, 198, 205; **4:** 12, 41, 54, 104, 244, 254, 459f., 462
Kanter, Ernst, ty. dommer **1:** 68, 233; **9:** 223
Kardel, Harboe, redaktør **6:** 205
Karen Toft, S/S **2:** 450
Kari, Leo, modstandsmand **8:** 386
Karinhall **2:** 337; **8:** 384
Karl Holstein-Magnussen, butik, Kbh. **5:** 288
Karl Martinsen Snedkeri, Kbh. **4:** 297
Karl Zahn, firma, Kbh. **7:** 147
Karl Zeiss, ty. skib **7:** 114, 121
Karlfeldt, Erik Axel, sv. digter **2:** 324
Karlsruhe **1:** 569
Karlsson, Karl Aage, kommis, terroroffer **10:** 138
*Karlstads-Tidningen,* sv. avis **3:** 325
Karnowsk, Sanitäts-Obgefr. **7:** 380
Karolinevej, Kbh. **9:** 296
Karosserifabrik Jørgensen, Viborg **4:** 294
Karrebæksminde **3:** 430
Karup **7:** 439; **10:** 189
Karup Flyveplads **8:** 246
Kasche, Siegfried, SA-Obergruppenführer, ty. gesandt i Zagreb **2:** 68
Kassler, Rolf, ty. legationsråd, Det tyske Gesandtskab **1:** 463f., 492f.; **2:** 137, 139, 174, 176, 245f., 342; **3:** 333, 407, 409; **4:** 185f.; **5:** 47, 175, 216f., 282, 377f., 415; **6:** 139, 155, 204, 363f., 427; **7:** 218, 221; **10:** 155, 163f., 166
Kastellet, Kbh. **1:** 422, 426; **6:** 412
Kastelsvej, Kbh. **6:** 289; **9:** 443; **10:** 162
Kastoft, Hans, studerende, modstandsmand, DKP **5:** 418; **6:** 227
Kastoft, Helga, Aksel Larsens hustru **2:** 546; **5:** 276f., 339, 374f., 464
Kastrup **1:** 388; **2:** 159, 257; **4:** 223; **5:** 30, 384, 512; **6:** 149; **7:** 19; **9:** 88f., 297f.; **10:** 196, 198
Kastrup Lufthavn **1:** 372, 395, 575; **3:** 63; **4:** 443; **5:** 135; **8:** 407; **9:** 50, 323, 426f.; **10:** 197
Kastrups Kemiske Fabrik, Randers **10:** 103
Kastrupvej, Kbh. **7:** 384; **9:** 299
Katania, ty. skib **9:** 368
Kathrinevej, Hellerup **10:** 130
Katowice, Polen **4:** 111
Kattegat **5:** 166; **8:** 464; **9:** 91, 109, 164
Kattenturm, ty. skib **9:** 368
Katyn **3:** 322
Katz, SS-Brigadeführer, leder af SS-Personalhauptamt **8:** 395
Kauffmann, Henrik, da. ambassadør i Washington **1:** 383, 385f.; **4:** 116, 424; **5:** 16

Kaufmann, Karl, Gauleiter Hamburg, Reichsstatthalter, Reichskommissar für die Seeschiffahrt (RKS) **1:** 126, 147, 300, 323, 505f., 526, 629f., 641; **2:** 40f., 57f., 78f.; **4:** 530, 539; **5:** 29, 95, 458; **7:** 283, 301, 304f., 407; **8:** 86f., 210, 220f., 223, 226, 235f., 240f., 256, 264, 288, 311, 399f., 403, 407, 427, 463, 467, 480; **9:** 43, 99ff., 115f., 165, 365, 368, 373, 381, 0; **10:** 53, 57, 197, 202
KB-Hallen, Kbh. **7:** 30, 84, 99; **10:** 90
Kecic, Milan, serb. befuldmægtiget for arbejdsinsatsen **2:** 503
Keil, Chr., medl. af DNSAP **7:** 261
Keimling, Hugo, modstandsmand, DKP **4:** 372
Keitel, Wilhelm, leder af Oberkommando der Wehrmacht (OKW) **1:** 647; **2:** 148, 181, 183, 234, 257, 288, 330, 335, 398ff., 408, 439, 447, 457; **3:** 77, 162, 389, 444, 465; **4:** 86, 137, 142, 145, 174, 191, 204, 218, 236, 434f., 438, 481, 488, 499, 501, 503; **5:** 109ff., 133, 136, 336, 343, 358, 424; **6:** 271, 376, 450; **7:** 11, 13, 39, 166, 278ff., 348f., 461; **8:** 39, 116f., 151f., 277, 282, 301ff., 308, 331f., 397, 401, 407, 411, 413ff., 422, 427f., 478; **9:** 36, 55, 68, 99, 214, 230, 311, 315, 355, 396, 407f., 410f., 414, 422; **10:** 153
Kellersgade, Aalborg **3:** 195
Kellgren, sv. general **9:** 175
Kemény, von, baron, ung. gesandtskabsråd **9:** 239, 333
Kent, George A., am. historiker **1:** 26, 186
Kerenski, A., russ. politiker **8:** 170
Kermann, Annie, da. jøde **4:** 399
Kermann, Isaak, da. jøde, snedker **4:** 399
Kernert, ty. embedsmand **10:** 201
Kersten, Dr., ministerialråd, OKW **7:** 456; **8:** 53, 351, 353, 355, 368
Kersten, Karl, SS-Untersturmführer, arkæolog, leder af det forhistoriske museum i Kiel **1:** 98, 268, 609; **2:** 452f.; **3:** 133f.; **5:** 31, 239f.; **7:** 145, 212, 216, 265, 307; **8:** 23f., 48, 163f.
Kerteminde **2:** 536; **4:** 539; **7:** 439; **9:** 65; **10:** 117
Kesselring, Albert, ty. generalfeltmarskal **7:** 12
Kettevej, Hvidovre **3:** 139
KFUM, Ringsted **10:** 114
Kgs. Nytorv, Kbh. **10:** 93
Kharkiv Universitet, Ukraine **1:** 567
Khedingen, skib **3:** 487
Kiel **2:** 43, 76f., 101, 114, 127, 134, 201, 207, 238, 246, 262, 393, 452; **3:** 292, 308, 445; **4:** 52; **8:** 23f., 466; **9:** 157, 362, 390, 396, 400, 425
Kielberg, Rose, da. jøde **4:** 309, 399
Kielbergs boghandel, Svendborg **10:** 82
Kielpinski, Walter von, SS-Sturmbannführer **1:** 614; **2:** 118; **8:** 365, 409; **9:** 120
Kienitz, Walter, ty. løjtnant **1:** 68f., 233f.; **5:** 61; **6:** 437; **7:** 409
Kier, Erling, leder af den danske flugtorganisation til Sverige **5:** 245, 288; **6:** 48, 51, 324
Kierkegaard, Søren, filosof **2:** 316
Kierulff, Helge Theill, mejerist, illegal virksomhed **2:** 548
Kiesinger, Kurt Georg, stedfortrædende leder af Radioafdelingen, AA **2:** 74; **7:** 159
Kiev **4:** 163; **6:** 100, 189f.
Kiilerich, Ole, redaktør **2:** 230ff., 238ff.
Kildebakkegårds Allé, Søborg **10:** 121
Kilden, restaurant, Aalborg **10:** 86, 132
Kildeparken, Aalborg **5:** 34
Kina **1:** 385; **2:** 425; **3:** 64, 265; **8:** 11; **9:** 13
Kindel, Hans, ty. politimand **10:** 173
Kinderlandsverschickung (KLV) **1:** 397; **2:** 176, 271, 394f.; **3:** 472; **5:** 129, 297; **6:** 89, 99, 117, 140, 427; **7:** 444; **8:** 324; **9:** 336
Kindermann, Heinz, ty. professor **3:** 290f.
Kingosgade, Kbh. **10:** 115
Kinopalæet, biograf, Kbh. **6:** 34; **10:** 83
Kirchenamt der Deutschen Volksgruppe in Nordschleswig **5:** 182
Kirchhoff, Hans, da. historiker **1:** 26, 45ff., 58f., 61-64, 67, 103f., 107f., 110, 112-115, 118, 123, 130, 132, 137, 139ff., 145f., 185, 207, 209, 221f., 224f., 227f., 273ff., 279, 282, 284ff., 288, 291, 295f., 304, 311, 313f., 316, 320f., 327
Kirchhoff, Hans, ty. værnemagtsintendant **3:** 103, 273, 290; **7:** 314; **8:** 368; **9:** 203
Kirchner, Hauptmann, WB Dänemark **5:** 61
Kirk, Hans, forfatter **1:** 568; **6:** 392
Kirkebroen, Hvidovre **10:** 129
Kirkeby, Anker, journalist **1:** 569
Kirkebæk, Mikkel, da. historiker **1:** 28, 188
*Kirkefronten,* illegalt blad **6:** 199, 320; **8:** 445
Kirkegaard, Einar, redaktør **6:** 259
Kirkegaard, stikker **9:** 48
Kirkeministeriet **1:** 599; **3:** 298, 334; **4:** 74, 395, 448, 465; **5:** 183, 266
Kirstein Vistisen, Eigil, sporvejsfunktionær **9:** 222
Kirsten Hamburg, ty. rederi **6:** 167
Kisch, Egon, journalist **1:** 570
Kjeldbæk, Esben, da. historiker **1:** 100f., 270, 272, 427

Kjeldsen, Kristian, kaptajn, modstandsmand **6:** 396
Kjeldsen, Niels, frugthandler, terroroffer **10:** 124
Kjellerup, Viborg **2:** 364
Kjelstrup, Slagelse **1:** 597
Kjær, Niels Nielsen, modstandsmand **10:** 62
Kjær, Ulf **6:** 286
Kjærbøl, Johannes arbejdsminister og justitsminister **1:** 522, 530, 589, 597; **2:** 89, 251; **3:** 54; **5:** 322; **8:** 147
Kjærulf Nielsen, Axel, lærer, ingeniør **1:** 567, 571; **6:** 393
Kjøbenhavn, skib **2:** 64f., 225f., 240f.
Klampenborg **9:** 297f.; **10:** 90
*Klassekampen,* illegalt blad **1:** 565; **6:** 318
Klee, Henning, fabrikant, terroroffer **10:** 117
Klein, amtslæge **7:** 261
Klein, Dr., ty. banebefuldmægtiget **10:** 156
Klein, Vilh., manufakturhandler, terroroffer **10:** 125
Kleine, ty. politimand **10:** 38
Klenter, ty. embedsmand **3:** 185
Klentze & Co., Hamburg **7:** 106
Klerkegade, Kbh. **9:** 188
Klett, Paul, ty. vagtmand **6:** 52
Klever, Erwin, ty. politimand **10:** 173
Klever, Hauptmann, WFSt **4:** 262
Kleyser, ty. oberstløjtnant **9:** 108
Klingenberg, Fritz, SS-Standartenführer, kommandant ved SS-Junkerskolen i Bad Tölz **1:** 496, 614; **6:** 304
Klingenfuss, Karl Otto, Gesandtschaftsrat, AA **1:** 564; **2:** 75
Klinkner, Seetransportchef, OKM **9:** 405
Klinten, hotel, Fåborg **4:** 300
Klitgaard, C. **10:** 81
Klitgaard, Frede, modstandsmand **4:** 374; **5:** 288
Kloevekorn, Oberstleutnant (muligvis identisk med Klönnkorn) **6:** 457
Klokkemagervej, Kbh. **9:** 46, 48
Klompen, ty. officer **6:** 440
Klopf, ty. embedsmand **10:** 201
Klostergaard Andersen, Arne, stud.theol., modstandsmand **9:** 50
Klosterrisvej, Kbh. **9:** 49
Klosterstræde, Kbh. **6:** 318
Klostervej, Kbh. **10:** 111
Klumm, Friedrich, SS-Obersturmbannführer **6:** 342
Klumpp, Reg. Bmstr. Leiter d. Verbindungsstelle der deutschen Bauwirtschaft in Oslo **9:** 305
KLV, se Kinderlandsverschickung
Klæbel, Lille-Jørgen-gruppen **10:** 140
Klönnkorn, Oberstleutnant (muligvis identisk med Kloevekorn) **6:** 437, 440
Kløvermarken, Christianshavn **3:** 461; **4:** 347
Kløvermarksvej, Kbh. **6:** 272
KMD, se Kriegsmarinedienststelle
Knarbrostræde, Kbh. **6:** 199f.
Knieper, ty. kaptajn **9:** 271
Knippelsbro, Kbh. **6:** 31, 446, 448; **9:** 188, 295, 404
Knivsberg **6:** 140
Knoop, Theodor von, embedsmand, AA **9:** 101
Knorr-Bremse, ty. firma **6:** 105
Knudsen, Anker H., radioforhandler, terroroffer **10:** 118
Knudsen, bedriftsværnsleder, B&W **6:** 256
Knudsen, Kjær, trikotagehandler, terroroffer **10:** 97
Knudsen, Thorvald, redaktør **5:** 379, 471; **6:** 284, 428
Knudshoved **2:** 536
Knuth, F.M., lensgreve **2:** 474, 493; **3:** 19f.
Knuth-Winterfeldt, Kield Gustav, greve **5:** 301
Knutzen, Peter, generaldirektør for DSB **1:** 472, 530; **2:** 283; **3:** 21, 84; **4:** 154, 506-510; **7:** 195; **9:** 364
Knutzon, Per, teaterdirektør **1:** 568, 571
Kóber, ung. oberstløjtnant, militærattaché i Stockholm **9:** 132
Koch Michelsen, Erik, modstandsmand **9:** 342
Koch, Bodil, politiker **5:** 22; **8:** 388
Koch, Hal, professor **2:** 230, 358, 375f.; **8:** 272
Koch, Henning, da. jursit og historiker **1:** 101f., 272f.
Koch, Kurt, redaktør **5:** 484
Koch, Peder, automobilhandler, modstandsmand **5:** 284
Koch, Wilhelm, ty. politimand **2:** 76, 134; **10:** 172
Koefoed Jensen, da. SS-mand **1:** 533
Koeppen, Werner **4:** 352; **5:** 106, 379, 481, 492f.; **6:** 113; **8:** 127, 157f.
Kofoed, K.H., finansminister **1:** 589, 596
Kolberg **9:** 229, 284
Koldby Jensen, installatør **5:** 227
Kolding **1:** 68, 120, 233, 293, 577f.; **2:** 160, 287, 347, 364, 533; **3:** 32, 114, 137, 287, 396, 400, 404; **4:** 84, 122, 250, 372, 424; **5:** 10, 14f., 49, 62, 136, 162, 277; **6:** 247, 397; **7:** 250, 256, 262, 346, 374, 397, 439; **8:** 58, 99, 245; **9:** 41, 240, 252, 266, 344; **10:** 33, 65, 93, 98, 117, 131, 134f., 176, 190, 193

Kolding Arrest **5:** 277
*Kolding Avis* **8:** 269, 384, 431
*Kolding Folkeblad* **10:** 98, 190
Kolding, Karl Gustav, modstandsmand **10:** 68
Kolk, repræsentatnt for BMW **6:** 147; **8:** 19
Koller, ty. officer **9:** 429
Kolling, modstandsmand **2:** 54
Kollund **5:** 313; **6:** 259
Kolrep, Walther, leder af ref. 12 i AA **7:** 233
Kolzow, Michael, russ. forfatter **1:** 570
Komintern **1:** 101, 103, 271f.; **2:** 239f., 427f.
*Kommunist,* est. tidsskrift **2:** 428
Kommunistisk Internationale **6:** 393
Kompagnistræde, Kbh. **6:** 321
Konfektionsfirmaet A/S Svend Albertsen, Kbh. **2:** 206
Kongelig Norsk Automobilklub **1:** 350
Kongelige Bibliotek, Det **1:** 152, 328; **2:** 135; **6:** 379; **7:** 214
Kongelige Livgarde, Den **1:** 383
Kongelige Porcelænsfabrik, Den **6:** 429; **7:** 84, 226
Kongelige Teater, Det **1:** 97, 116, 267, 289
Kongelunden, Kbh. **2:** 239
Kongens Have, Kbh. **10:** 129
Kongens Lyngby **9:** 298
Kongens Nytorv, Kbh. **5:** 333; **6:** 34, 448; **9:** 295
Kongensgade, Odense **6:** 246; **10:** 124
Kongeåen **7:** 346
Kongshvilebakken, Lyngby **9:** 298
Kongsly **7:** 439
Kongsvinger, Norge **1:** 621
Konservativ Kvindeforening **1:** 611
Konservativ Ungdom (KU) **2:** 420, 533, 537; **3:** 116, 141, 197; **4:** 255; **6:** 370; **7:** 341; **10:** 44, 82
Konservative Folkeparti, Det **1:** 459, 589, 598, 628; **2:** 183, 224ff., 235f., 239, 357f., 367, 389f., 426f.; **3:** 25, 27, 41f., 66; **4:** 59; **5:** 145, 181, 252, 321; **7:** 84; **8:** 381, 445, 487; **9:** 52, 256
Konstanz **1:** 569
Konsul, Den danske i Malmø **4:** 130
Konsul, Den danske i Stockholm **4:** 130
Konsul, Den engelske i Las Palmas **4:** 79
Konsul, Den engelske i Madrid **4:** 166
Konsulat, Det danske i Bruxelles **8:** 11
Konsulat, Det danske i Flensburg **3:** 328, 408
Konsulat, Det danske i Norge **8:** 11
Konsulat, Det tyske i Helsingborg **3:** 159
Konsulat, Det tyske i Las Palmas **4:** 80
Konsulat, Det tyske i Malmø **3:** 159; **4:** 347; **7:** 418
Konsulat, Det tyske i Åbenrå **1:** 492, 617; **2:** 104, 106; **3:** 328; **4:** 516
*Kontakt med Verden,* illegalt blad **6:** 320
Kontant-Jørgensen, forretning, Esbjerg **10:** 86
Koogmann, SS-Untersturmführer **2:** 118
Kooperative Baconfabrik, firma, Esbjerg **8:** 327
KOPA (Kommunistiske Partisaner, senere BOPA) **2:** 263, 361
*Kopenhagener Soldatenzeitschrift* **1:** 540
Kopkow, Horst, Hauptsturmführer, RSHA **8:** 238
Koppe, Wilhelm, HSSPF Warthegau **4:** 318f.
Korff, Hans Clausen, Oberregierungsrat, finansrådgiver, Det tyske Gesandtskab **1:** 466; **2:** 264f., 463; **3:** 13f., 35, 39; **4:** 65, 89, 149ff., 393; **5:** 42f., 96, 106ff., 204ff., 219f., 255, 275, 292f., 314, 319, 335ff., 344, 453, 467, 481; **6:** 262, 312, 343, 357, 371; **7:** 90, 138, 142, 171, 216; **8:** 85ff., 128, 242f., 259; **9:** 76, 79-82, 114, 162, 197, 202ff.; **10:** 52, 55, 151, 156, 169
Korn- og Foderstofselskabet, Århus **1:** 423
Korsgade, Kbh. **5:** 418
Korsgaard, Henning H., da. SS-Untersturmbannführer **3:** 242
Korst, Knud, generaldirektør **1:** 567, 569
Korsvej, Fåborg **10:** 127
Korsør **1:** 427, 547, 640; **3:** 216, 222, 224, 342, 362, 412f., 426, 429f., 445, 449f., 452, 461f., 483f.; **4:** 450; **5:** 417, 466; **7:** 440, 442; **8:** 343, 475f.; **9:** 362, 434f., 442; **10:** 44, 85
Korsør Glasværk **6:** 421; **7:** 100; **10:** 85
Korsør Skibsværft **7:** 133; **8:** 425; **9:** 402
Kotur, serb. statssekretær **2:** 503
Kovács, ung. kulturattaché i Kbh. **9:** 333
Kowno **3:** 17
Krabbe, isl. chargé d'affaires i Kbh. **9:** 12
Krabbe, Oluf, da. Hauptsturmbannführer **3:** 242
Krabbesholmsvej, Kbh. **7:** 78
Kracht, Ernst, ty. overborgmester, Flensburg **2:** 22, 127; **9:** 373
Kraft, Ole Bjørn, politiker **1:** 530; **2:** 357; **3:** 212; **5:** 141, 145, 148, 252f., 258, 267; **7:** 45, 84, 192; **9:** 256; **10:** 42, 77
Krag, I.C., journalist **8:** 389
Krag, Jens Otto, da. politiker **1:** 74-77, 79, 240-243, 246
Kragelund **1:** 597
Kragh, Asbjørn, pseudonym **6:** 285
Krahmer, major, ty. politimand **10:** 174
Krain **1:** 158, 335
Krakow **2:** 440, 522
Kranzbühler, ty. officer **4:** 449
Krarup Petersen, Henning, inspektør, terroroffer **10:** 87

Kraske, Erich, gesandt, AA **1:** 493
Kratholm, husmand, LS **8:** 436
Kratzert, Hans, Generalleutnant **9:** 414
Kraulner, P., medl. af terrorgruppe **10:** 140
Kraulner, T., medl. af terrorgruppe **10:** 140
Krause, Kurt, Amtsrat, Reichsbankrat, RWM **1:** 506, 508, 585; **4:** 394; **5:** 169, 292, 295, 372; **6:** 312; **7:** 215, 459f.; **8:** 194; **10:** 156
Krause, Wolfgang, ty. professor **7:** 213-15
Krausse, Franz, ty. politimand **2:** 76; **10:** 172
Krebs, ty. generel **9:** 357
Kreditanstalt Vogelsang **5:** 474; **8:** 420
Kregme **6:** 140f.
Krenchel, Ejnar, landsretssagfører, agitator **1:** 96, 266; **4:** 95, 293; **5:** 397, 399; **6:** 284, 430; **8:** 270
Kreta **1:** 158, 335
Kreth, Rasmus, da. historiker **1:** 118, 291
Kreuz, devisebedømmer, Det tyske Gesandtskab **5:** 96; **7:** 352
Krichbaum, Wilhelm, chef for det hemmelige ty. feltpoliti **2:** 431; **3:** 33
*Krieg und die Arbeiterklasse, Der,* russ. tidsskrift **9:** 32
Krieger, Franz, ty. politimand **2:** 76, 133
Kriegsgericht **4:** 498; **7:** 13
Kriegsmarine **1:** 30f., 34, 38, 46f., 54f., 70f., 99, 190f., 193, 195, 199, 208f., 217f., 235f., 269, 394f., 421f., 445, 447, 468, 480, 491, 534, 546f.; **2:** 12, 34, 43, 64ff., 93, 206, 218, 225f., 241, 281, 287, 326, 331, 343, 362, 400, 406f., 444, 450, 464, 492, 553; **3:** 18, 72, 104, 208, 255, 342, 399, 435, 475, 481; **4:** 27, 37, 128, 152, 157, 164, 206, 261, 278, 290, 298, 321, 328f., 376, 406, 418, 441, 448, 454ff., 477, 514, 520, 530, 537; **5:** 14, 52, 65f., 78, 85, 89, 93, 96, 111, 116, 119, 140, 165, 172, 177, 187, 189, 194, 200, 203, 207, 210f., 217f., 221, 223, 234f., 244, 249, 271, 278, 303, 313, 338, 349f., 363, 365, 393, 423, 443, 449, 463, 466, 480, 485, 487, 489f., 497, 508f.; **6:** 23, 27f., 34, 54, 72, 137, 165, 216, 252f., 273, 324, 332f., 356, 441; **7:** 37, 44, 53, 65, 68, 106, 110ff., 115, 118, 142, 158, 190, 216, 249f., 252, 292, 373f., 380, 398, 411; **8:** 66, 69, 71, 73, 85, 103, 189, 220, 244, 249, 262, 264, 277f., 281, 288f., 306, 353, 356, 393, 400, 407f., 410, 421, 454, 465f., 469, 472, 478; **9:** 52f., 102, 115f., 166, 172, 182, 184, 202, 205, 228, 267, 293, 310, 319, 338, 349, 362f., 365-368, 416f., 420, 425, 428, 431; **10:** 56, 188
Kriegsmarinedienststelle (KMD) Danzig **5:** 456
Kriegsmarinedienststelle (KMD) Kbh. **2:** 47, 90; **5:** 54, 453, 456f., 463, 465, 473, 486, 490f., 503; **6:** 73f., 171, 331; **7:** 69
Kriegsmarinedienststelle (KMD) Oslo **5:** 491
Kriegsmarinegericht, Kbh. **4:** 502
Kriemhildstillingen **7:** 346, 443; **9:** 42, 105, 107, 349, 357, 359, 363f., 396
Krigsforsikring af Bygninger for Industri og Handel **3:** 98
Krigsforsikringen af privat Indbo, firma, Kbh. **5:** 303
Krigsministeriet **3:** 106, 157, 278, 324; **4:** 161, 540; **9:** 418, 421
Kriminalmedizinisches Zentralinstitut der Sicherheitspolizei **5:** 473; **6:** 91f.
Krintel-Petersen, Gerda, tandtekniker, illegal virksomhed **2:** 547
*Kristeligt Dagblad,* avis **2:** 239, 358; **6:** 199; **7:** 257; **10:** 92
Kristensen, deporteret komm. **5:** 373
Kristensen, Henrik Skov, da. historiker **1:** 92, 152, 261, 328
Kristensen, Hugo K., medl. af terrorgruppe **10:** 126
Kristensen, Knud, indenrigsminister **2:** 59; **5:** 253
Kristensen, Kristian Lykke, vagtværnschef, terroroffer **10:** 125
Kristensen, Ole P., da. historiker **1:** 159, 336
Kristensen, Poul Nielsenius, modstandsmand **7:** 203
Kristensen, Søren Peter, modstandsmand **10:** 62
Kristensen, Thorkil, professor **5:** 322f.
Kristiansand, Norge **3:** 446; **4:** 340
Kristiansminde Badehotel **9:** 270
*Kristianstad Läns Tidningen,* sv. avis **5:** 406
*Kristianstads Läns Demokraten,* sv. avis **3:** 325
Kristoffersen, Holger Nyhuus, modstandsmand **8:** 180
Kristoffy, Josef von, ung. gesandt i Kbh. **3:** 321; **6:** 135; **8:** 139; **9:** 12, 239, 333
*Kritisk Ugerevy,* tidsskrift **2:** 496; **5:** 256, 484
Kritzinger, Friedrich, ty. statssekretær **2:** 101f., 113
Kroatien **1:** 156, 333, 458; **2:** 142, 145, 285, 527; **3:** 266, 338; **5:** 229; **7:** 278, 289
Kroer, Oluf Akselbo, modstandsmand **4:** 503, 527; **5:** 125; **10:** 60
Krogh Nielsen, Kaj, Schalburgkorpset **9:** 143
Kronbach Nielsen, Frank, terroroffer **10:** 109
Kronberg, ty. officer **8:** 256
Kronborg **3:** 452; **6:** 304
Kronprins Frederik, skib **5:** 222

Kronprins Olaf, skib **5:** 450f., 490, 494, 504, 507; **6:** 121f.; **7:** 432; **8:** 219, 242, 250f., 281, 285, 290f., 297, 354, 452, 469; **9:** 21, 30
Kronprinsessegade, Kbh. **6:** 199, 319
Krosigk, Lutz Schwerin von, RFM **1:** 117, 127f., 290, 300, 302, 638; **4:** 393; **5:** 205, 227, 231, 236f., 279, 285f., 293, 298, 300, 319, 335f., 342, 353, 357f., 369, 424f., 448f., 468, 483; **6:** 60, 62, 267, 306, 312ff.; **7:** 295f., 353, 390, 456; **8:** 20, 53, 80f., 107, 192, 203, 242, 257, 263, 283, 306, 422; **9:** 55, 81, 114, 213, 228, 396ff., 428; **10:** 196f.
Kruhøffer, Fritz, student, modstandsmand **2:** 533; **3:** 141
Krummhübel **10:** 44, 154
Krupp, ty. firma **3:** 22
Krupskaja, Nadesjda Konstantinovna, sovj. politiker **6:** 392
Kruse, Ejnar, modstandsmand **8:** 24f., 339
Kruse, Inr. Marine-ObStabs. **8:** 259
Kruse, J.C.W., da. gesandt i Stockholm **1:** 517, 525; **2:** 481; **4:** 15, 116
Kruse, major, kommandant i Århus **7:** 362, 403
Kruse, Reg. Baurat **5:** 441; **6:** 253, 344; **7:** 77
Kruså **4:** 532; **9:** 427, 434; **10:** 189
Krüger, ansat i Partei-Kanzlei der NSDAP **4:** 74, 337, 357, 488; **6:** 120, 343, 427; **7:** 169
Krüger, Ernst, ty. generalkonsul **1:** 504, 586; **4:** 516; **5:** 27, 96, 312; **9:** 82; **10:** 153, 157, 170
Krümmer, Ewald, gesandt, AA **1:** 443, 454
Kryschack, SS-Hauptsturmführer, Transportführer **4:** 252, 310
Kryssing, C.P., da. SS-Brigadeführer, Generalmajor der Waffen-SS **3:** 243; **6:** 173f., 342; **7:** 135, 365f.
Kryssing, hustru **6:** 173f., 427
Krystalgade, Kbh. **10:** 114
Kröger, Dr., SS-Oberführer, leder af Germanische Leitstelle i Danmark **6:** 126, 302f.; **7:** 55; **8:** 363; **10:** 156
KTAS **7:** 146f.; **9:** 51
Kubaschk, Fl. Hpt. Ingenieur **7:** 78
Kubitz, SS-Obersturmbannführer **5:** 174
Kuchenbäcker, SS-Sturmbannführer **8:** 368, 470
Kudsk, Jens, redaktør **6:** 283
Kuehl, Preben Fine, cand.mag., illegal aktivitet **7:** 117
Kuhlmann, ty. major, leder af Luftwaffe, Rüstungsstab Dänemark **2:** 98; **5:** 292; **6:** 148; **8:** 19
Kuhnert, Jørgen Kamp, da. SS-Untersturmbannführer **3:** 243
Kuhnmünch, firma, Thisted **2:** 160
Kuhrmann, Preisprüfungsstelle für den Aussenhandel **5:** 214
Kulangsu, kinesisk ø **3:** 64, 265
Kultorvet, Kbh. **7:** 257
Kummetz, Oskar, generaladmiral **6:** 290, 341; **8:** 125; **9:** 83, 363f.
Kure, Ole Peter, SS-Untersturmbannführer **3:** 243
Kurland **9:** 63, 318, 426
Kvintus, skib **3:** 483
Kyhl, Sv., terroroffer **10:** 107
Kühne, Hans, Jürgen, Ministerialrat, RIM **3:** 186, 217; **5:** 301
Kystværnsvej, Århus **1:** 423
Kähler & Breum, firma, Korsør **7:** 442
Kähler, Otto, ty. konteradmiral **4:** 456; **5:** 60, 109
Kähn, ansat ved Reichsamt für Bodenforschung **1:** 585
Kälbern **9:** 68
Kærn, Arild Teit, læge, modstandsmand **2:** 547
Kærn, Eigil, læge, DKP **2:** 428f.
Kärnten **1:** 158, 335; **9:** 393
Kæraa, Doris, modstandskvinde **5:** 181
Kæraa, Leo, tandtekniker, modstandsmand **5:** 181
Købbe, Fritz, stud.med., stikker **10:** 90
København-Malmø, færgerute **2:** 450; **3:** 18, 208; **8:** 231
Københavns Automobilcentral **1:** 423
Københavns Belysningsvæsen **3:** 207
Københavns Byret **2:** 275, 546f.; **4:** 449
Københavns Flådestation **4:** 419
Københavns Godsbanegård **3:** 196; **4:** 481
Københavns Golfklub, Klampenborg **7:** 96; **10:** 90
Københavns Havn **1:** 372; **4:** 485; **5:** 210, 449; **6:** 31; **7:** 299; **8:** 478; **9:** 73, 147, 155, 157, 205, 227, 274, 323, 365, 375
Københavns Hovedbanegård **1:** 533
Københavns Iltfabrik **9:** 233
Københavns Kommune **4:** 352; **7:** 43, 51, 73, 84; **9:** 289
Københavns Magistrat **7:** 54; **9:** 289
Københavns Universitet **5:** 21; **7:** 214; **8:** 271f.
Københavnssenderen **9:** 419
Købmagergade Telegrafcentral, Kbh. **6:** 30
Købmagergade, Kbh. **3:** 195; **4:** 527; **5:** 49; **9:** 299
Kødbyen, Kbh. **3:** 198
Køge **2:** 536; **3:** 195f., 362, 430, 450, 452, 462, 484; **5:** 30, 418; **6:** 141ff.; **8:** 324; **10:** 47, 188
Køge Landevej, Kbh. **8:** 310
Køgevej, Kbh. **3:** 196, 198; **8:** 408
Köln **9:** 251
König, Hedwig, stenotypist, ty. politi **10:** 173

Königsberg radio **9:** 77
Kørbing, J.A. direktør, formand for Dansk Dampskibsrederiforening **1:** 528
Köslin **3:** 262; **9:** 229
Kålund Kloster, Kalundborg **2:** 362; **3:** 139

L. Koppel A/S, firma, Kbh. **4:** 527
L.C. Jørgensens Maskinfabrik, Kbh. **2:** 538
Lachmann, ty. konsul **10:** 167
Lack, Baurat **7:** 299
Ladbyskibet **4:** 470; **5:** 135
Laderriere Jensen, Ib, stud.polyt., terroroffer **10:** 149
Lagergren, Erik Wilhelm, modstandsmand **8:** 180
Lagergren, sv. diplomat **7:** 18
Lagerlöf, Selma, sv. forfatter **2:** 312
Lambert, Feldwirtschaftoffizier **7:** 106, 173, 313f., 323, 369f., 389; **8:** 67, 69, 285, 287, 358f., 423f.; **8:** 67, 69, 285, 287, 358f., 423f.
Lammers, Cornelis J., hol. sociolog **1:** 159f., 162, 336f., 340
Lammers, Hans-Heinrich, Reichsminister, leder af Reichskanzlei **1:** 432, 485, 513f., 549f.; **2:** 102, 147, 169, 212f.; **3:** 34, 77, 89, 282, 305; **5:** 426; **6:** 22, 71, 75, 127; **7:** 39, 229; **9:** 102; **10:** 33, 36, 185
Lammers, Karl Christian, da. historiker **1:** 58f., 95, 221f., 264
Lanby, Henry, grundlægger af Dansk Folkeligt Centrum **2:** 377
*Land og Folk,* illegalt blad **1:** 414f., 566, 568f.; **2:** 53, 228; **4:** 372; **5:** 277, 381, 392, 397, 403, 417f.; **6:** 320, 391f.; **7:** 95, 116, 206f.; **8:** 440
Landbrugernes Sammenslutning (LS) **1:** 476f., 525; **1:** 589; **3:** 323, 436f.; **8:** 390f., 434, 436; **9:** 27, 329, 339f.
Landbrugsministeriet **3:** 155, 365; **5:** 116; **6:** 235
Landbrugsrådet **4:** 240; **6:** 37; **7:** 43
Landesarbeitsamt **9:** 78, 118
Landlystvej, Kbh. **7:** 256
Landorf, Lars, modstandsmand **3:** 141
Landsarbejdstjenesten **2:** 102; **3:** 436; **4:** 154; **5:** 409, 412; **10:** 38
Landsarkivet, Kbh. **6:** 379
Landskron, Arthur, ty. politimand **3:** 210, 259; **10:** 173
Landskrona **3:** 275, 383, 449; **4:** 311; **5:** 268
Landsoldaten, hotel, Fredericia **10:** 94
Landstinget **2:** 170, 356, 367, 376, 392
Landstormen **7:** 333, 335
Lang, Hansine Kirstine, arbejder **7:** 291
Lang, Leif, oberstløjtnant **1:** 530
Lange, Wolfgang, ty. Dr. **7:** 213
Langebro, Kbh. **6:** 31, 446, 448; **9:** 188, 295, 321, 375; **10:** 57
Langeland **1:** 608, 654; **7:** 440; **10:** 176
*Langelands Tidende,* avis **8:** 431
Langelinie, Kbh. **7:** 49, 84, 99, 226; **8:** 310; **10:** 84
Langeliniepavillonen, Kbh. **10:** 89
Langemarksvej, Horsens **2:** 535
Langenheim, ansat i REM **5:** 208
Langenheim, Ministerialrat, AA **6:** 209
Langer, Helmuth, ty. konsul i Åbenrå **1:** 463; **9:** 15; **10:** 153
Langermann, Armand M., SS-Hauptsturmbannführer **3:** 243
Langhenn, Flotillenchefs **9:** 367
Langosch, ty. SS-Hauptsturmführer **10:** 156, 167
Langå **4:** 62, 374, 492f., 498f., 502f., 505, 525; **5:** 10, 63, 125, 145, 148, 308; **7:** 258; **10:** 40, 193
Lannung, Hermod, landsretssagfører, politiker **1:** 563, 566f., 571
Lansø, Palle, sømand **2:** 481
Lanwer, Ewald, ty. konsul, Åbenrå **2:** 104, 110, 245, 250; **4:** 122; **9:** 15; **10:** 153
Lapland **9:** 175
Lapp, Oberstleutnant **7:** 314
Larsbjørnsstræde, Kbh. **4:** 512; **5:** 148
Larsen, Adolf Theodor (Andy), modstandsmand, SOE **2:** 410f.; **3:** 44
Larsen, Aksel, politiker **1:** 414f., 421, 565, 567, 576; **2:** 52f., 55f., 230f., 542, 545, 547, 549f., 552; **3:** 33, 307; **4:** 366, 487; **5:** 153, 156, 276, 339, 373ff., 417f., 464, 501; **6:** 393, 424; **10:** 30f.
Larsen, Carl Jørgen Erik Skov, "Lasse", modstandsmand **6:** 203, 245f.; **10:** 66
Larsen, Carl Jørgen, modstandsmand **10:** 60
Larsen, Egede, kontorchef, Indenrigsministeriet **3:** 79
Larsen, Eigil, modstandsmand **2:** 531; **3:** 10, 480
Larsen, Eiler A., da. SS-Untersturmbannführer **3:** 243
Larsen, Einar Aksel, modstandsmand **10:** 62
Larsen, Eivind, politiinspektør, departementschef i Justitsministeriet **1:** 152, 328; **2:** 37, 346; **4:** 199, 510; **5:** 203; **7:** 23, 26, 33, 38, 54; **8:** 96, 99; **10:** 33
Larsen, Ejnar, eksp. sekretær **10:** 140
Larsen, Erik Viggo, modstandsmand **3:** 140
Larsen, Flemming Bussenius, "Petrus Gotfredsen", modstandsmand **8:** 446, 473f.

Larsen, Gunnar, direktør, minister **1:** 11, 73, 169, 238, 472, 521f., 524, 586f., 589, 598; **2:** 61f., 259, 439; **3:** 165f., 323; **4:** 154, 176; **5:** 18; **8:** 147, 149; **10:** 34
Larsen, Hans Henrik Pay "Trick", faldskærmsagent **3:** 44
Larsen, Harry, snedker, terroroffer **10:** 118
Larsen, Kaj W., viktualiehandler, terroroffer **10:** 133
Larsen, Knud, modstandsmand **8:** 179
Larsen, maler, Kbh. **7:** 263
Larsen, Ole V., assistent, terroroffer **10:** 119
Larsen, Paul, modstandsmand **10:** 64
Larsen, Peter, overløjtnant, SK-fører, leder af Selbstschutz **1:** 404; **2:** 21; **5:** 208; **6:** 246f.
Larsen, Poul Erik, gartner, terroroffer **10:** 149
Larsen, Poul Schmidt, direktør, terroroffer **10:** 81
Larsen, Poul, medl. af terrorgruppe **10:** 134
Larsen, Preben, Fri Presse **6:** 319
Larsen, Rasmus, savværksejer **7:** 387
Larsen, sekretær, modstandsmand **8:** 340
Larsen, Sv. Aage, skomager, terroroffer **10:** 88
Larsen, Theofilius, partisekretær, DNSAP **5:** 251, 257; **6:** 161; **7:** 334; **9:** 257
Larsen, Thormod, kriminalassistent **5:** 245
Larsen, Victor Emanuel, modstandsmand **3:** 139; **5:** 105
Las Palmas **1:** 576; **4:** 79, 106, 161, 165f., 190, 202f., 274, 285, 330f., 348, 370, 373, 385, 524; **5:** 488f.
Lassen & Assmussen, firma, Kbh. **7:** 254
Lassen, Frantz Axel "Viggo", modstandsmand, SOE **8:** 178, 336, 349
Lassen, Ivar Peder, modstandsmand **10:** 68
Lassen-Landorph, Lars, modstandsmand **2:** 538f.; **3:** 197
Lassig, ty. politiofficer **7:** 311f.
LAT, se Landsarbejdstjenesten
Latiner-Caféen, Kbh. **5:** 49
Laub, Frederik W.H., havnedirektør, terroroffer **9:** 213, 247; **10:** 122
Laud, ty. stabschef, Marinebefehlshaber Dänemark **2:** 44
Laurel, José P., phil. præsident **4:** 425
Lauridsen, John T., da. historiker **1:** 28, 120, 152, 188, 214f., 293
Lauring Mose **6:** 317
Lauritsen, Børge, modstandsmand **10:** 62
Lauritzen, Lau, skræddermester **5:** 143, 161
Lauritzen, rederi **1:** 576; **4:** 190, 330f., 349, 370
Laursen, Arne, skrædder, modstandsmand **2:** 114, 201
Laursen, Ejnar, DNSAPs sysselleder i Nordjylland **9:** 44, 142; **10:** 119
Laursen, Hans Jørgen Jul, modstandsmand **2:** 374; **3:** 135
Laursen, Karl, modstandsmand **5:** 313
Laursen, Marie, modstandskvinde **2:** 114, 201
Lauterbacher, Hartmann, SS-Obergruppenführer, Gauleiter **4:** 345
Laval, Pierre Etienne, fr. premierminister **1:** 646; **9:** 393
Lavinia, ty. skib **6:** 167; **7:** 384; **8:** 93
Laxness, Halldór, isl. forfatter **6:** 392
Lebensborn **3:** 337f.; **5:** 409, 412; **8:** 211, 296; **9:** 72, 277, 313f., 336
Lechner, Korvettenkapitän, Admiral Dänemark **4:** 280
Legion Estland **2:** 184, 216
Legion Flandern **2:** 184
Legion Niederlande **2:** 184, 216
Legion Norwegen **2:** 216
Lehmann, Rudolf, leder af OKWs værnemagtretsafdeling **7:** 11f., 105, 393
Lei, Günther, Diplom-Landwirt **6:** 237f.
Leib, Karl, SS-Sturmbannführer, leder af SS' rekrutteringskontor i Norge **1:** 630; **6:** 304
Leibold, Kriminalrat **4:** 253
Leifer, Vilhelm, politifuldmægtig **3:** 52
Leininger, Peter B., laboratoriearbejder, terroroffer **10:** 102
Leipzig, ty. skib **5:** 86; **9:** 362, 395f.
Leitner, Rudolf, ty. gesandt, AA **5:** 184, 290, 497; **6:** 34; **7:** 44
Lejre **9:** 303
Lekkende, internerinslejr **9:** 15
Lell, ty. major **9:** 381
Lem, Alfred, købmand, terroroffer **10:** 124
Lembcke, kaptajn **9:** 432f.
Lemkin, Raphaël, pol.-am. jurist **1:** 152f., 328f.
Lemme, Jørgen E.S., terroroffer **10:** 138
Lemvig **4:** 101; **7:** 439; **8:** 130, 474; **9:** 258; **10:** 42
Lemvigh-Müller & Munck, firma **2:** 421
Lenin, rus. politiker **6:** 392f.
Leningrad **2:** 191
Lensing, Peter, leder af den jyske afdeling af Petergruppen **9:** 31
Leo, da. firma **1:** 581
Lerbækvej, Århus **5:** 68
Lerche, Flemming, da. gesandt i Helsinki **8:** 11; **9:** 12, 210
Lerche, Tage, chauffør for Werner Best **6:** 88, 96, 133, 291; **8:** 180; **10:** 44, 84

Lerdalsgade, Kbh. **9:** 188
Lergravsvej, Kbh. **9:** 296, 298
Lersø **10:** 112
Letland **4:** 496; **6:** 337; **7:** 312, 399
Leuenbach, J.H., læge **1:** 566
Leyers, ty. general **4:** 209
Leyk, ty. ingeniør og officer **7:** 75f.
Libanon **9:** 239
Liberia **10:** 26
Libyen **1:** 646
Lichtenstein **3:** 392
Lido Bar, Esbjerg **5:** 273; **10:** 81
Lie, Jonas, no. minister **1:** 621; **8:** 270
Lie, Trygve, no. udenrigsminister **9:** 244
Lieberkind, Ingvald, zoolog **4:** 176
Liechtenstein **4:** 220
Liefergemeinschaft der Deutschen Berufsgruppen in Nordschleswig A/S, ty. firma **2:** 174f.; **6:** 14, 368; **8:** 420, 422, 485; **9:** 122ff., 314
Lildholdt, Hans F., terroroffer **10:** 130
Lille Amalienborg **3:** 271, 375; **6:** 437; **9:** 149
Lille Hillersborg, gård, Hjerm **9:** 341f.
Lille Strandstræde, Kbh. **6:** 250
Lillebælt **1:** 491, 608; **3:** 174, 289; **4:** 229; **9:** 42
Lillebæltsbroen **5:** 62; **6:** 221; **10:** 44
Lille-Jørgen-gruppen **10:** 72, 128, 140, 147, 149
Lillerød **4:** 435, 437; **7:** 263; **8:** 144; **10:** 93
Lillerød Savværk **4:** 407
Lime, trykker **6:** 199
Limfjorden **1:** 577; **2:** 19f., 443, 453; **3:** 224, 259, 287, 477; **4:** 506; **5:** 36, 56, 166, 326; **8:** 289; **9:** 41
Limfjordsbroen **2:** 288, 295, 388; **5:** 63
Lind, Jens Peter, modstandsmand **10:** 62
Lind, Otto K. "Ludvig", "Parvenu", modstandsmand **8:** 474
Lind, Ove, da. SS-mand **3:** 142, 344
Lind, Vincent, modstandsmand **6:** 397
Linda, skib **1:** 576; **4:** 79f., 106f., 120, 190f., 330f., 349, 370, 374, 524; **5:** 489
Lindberg, Niels, kontorchef **1:** 572
Linde, ty. officer **8:** 218
Lindemann, Georg, ty. general, WB Dänemark **1:** 42, 127f., 203, 300ff.; **7:** 362; **8:** 481; **9:** 102, 120, 148f., 151, 156f., 160f., 168f., 171, 178, 191, 199, 205ff., 209, 215, 222-228, 230, 237, 245f., 252, 259, 270, 279, 281f., 285, 310, 321ff., 329f., 341, 345, 347, 349, 351, 357, 363, 366, 368, 371f., 374, 376, 380-387, 389, 394-399, 403, 405, 407f., 411, 413, 418, 420ff., 431, 433, 437ff., 443; **10:** 55f., 125, 186, 203
Lindenau, ty.skib **9:** 10
Lindenborg **5:** 63
Lindenborg Gods **7:** 126; **10:** 196
Lindendahl, forretningsfører, Nordværk **8:** 19
Lindgren, Arne, redaktør **5:** 406
Lindholm, fiskehandler, terroroffer **10:** 142
Lindman, Salomon, sv. politiker **2:** 313
Lindormen, skib **3:** 483
Lindow, major, Dr., ty. politimand **5:** 374, 498ff.; **10:** 175
Lindquist, Marie Kristine, telefonist, illegal virksomhed **2:** 550
Lindvall/Lindvold, Aage Gustav, modstandsmand **2:** 204; **3:** 136
Lingnau, ty. stabslæge **9:** 276
Linnésgade, Kbh. **6:** 320
Linz **1:** 539
Linz, skib **3:** 308, 315f.; **10:** 36
Linz, ty. diplomingeniør **5:** 441
Lionel, skib **4:** 340, 401
Lipmann Lewkowitsch, Mordka, da. jøde, frisør **4:** 399
Lippmann, Inge, modstandskvinde **9:** 143
Lips, Walter, ty. politimand **3:** 210, 259; **10:** 173
Lissabon **1:** 616; **2:** 34; **4:** 39, 56, 386, 399f., 450f.; **5:** 10
Litauen **1:** 539; **4:** 496; **7:** 312, 399
Litter, Fritz, ty. ministerialdirigent, RFM **5:** 333-337; **8:** 23; **9:** 181f.
Liver Mølle **7:** 439
Loesch, Carl von, legationsråd, Büro RAM **4:** 51, 67
Lohmann, Ernst, radioattaché, Det tyske Gesandtskab **2:** 51, 430; **3:** 156, 199, 211, 213f., 431; **5:** 17, 151; **6:** 405; **7:** 233; **8:** 45, 47, 416f.; **9:** 77; **10:** 33, 51, 153, 157, 170
Lohmann, J.G., legationsråd, Büro RAM **1:** 496f., 528; **2:** 407f.; **3:** 200
Lohse, Heinrich, Gauleiter **5:** 151; **8:** 241; **9:** 368, 373; **10:** 202
Lok-Lindblad, Preben "Peter", modstandsmand **8:** 178, 349
Lolland **7:** 105
Lolland-Falster **1:** 607f.; **2:** 153, 371; **8:** 337, 341
*Lollands Tidende,* avis **8:** 385
Lomborg, Franz, Gestapomand **10:** 122
Lomholdt, Lars Christian, forstander, terroroffer **10:** 97
London **1:** 24, 183, 345, 478, 522, 570; **2:** 136, 377; **3:** 204, 270f.; **5:** 18, 132, 260; **7:** 185, 193; **8:** 379; **9:** 30, 32; **10:** 14, 20, 204
London, Herremagasin, Vejle **10:** 106

Longerich, Peter, ty. historiker **1:** 68, 112, 233, 284
Lorentz, G. **10:** 138
Lorentz, ty. Hauptmann **7:** 288
Lorentzen, Asger, modstandsmand **2:** 374; **3:** 135
Lorentzen, Børge, medl. af terrorgruppe **10:** 138
Lorentzen, Jørgen, medl. af terrorgruppe **10:** 138, 147
Lorentzen-gruppen **10:** 72, 137ff., 142-145, 147, 149
Lorenz AG Mix & Genest, ty. firma **2:** 349
Lorenz, ty. firma, Berlin **4:** 466; **7:** 254
Lorenz, Werner, SS-Obergruppenführer, VOMI **2:** 22, 127, 138, 338, 525f.; **3:** 54; **4:** 186
Lorenzen, Finn, terroroffer **10:** 138
Lorenzen, H.C., Hauptausschuss Schiffbau Dänemark **3:** 226; **5:** 431, 458f.; **7:** 223f., 241
Lorenzen, Lorenz, SS-Obersturmführer **6:** 342, 427; **8:** 395ff.
Lorge, BdO **7:** 244, 249, 293, 377ff., 407, 451; **8:** 29, 69, 155, 221, 248, 255, 362, 373, 412, 425, 480; **9:** 351; **10:** 48
Lorry, beværtning, Kbh. **10:** 145
Lossen, skib **3:** 483
Lossow, Knud, Schalburgmand **10:** 78
Lothringen **1:** 158, 161, 335, 338; **6:** 121f.; **8:** 269
Lougen, skib **3:** 483; **5:** 497
LS, se Landbrugernes Sammenslutning
Lublin **2:** 440, 522
Ludvig Andersens Skotøjsfabrik, Kbh. **4:** 212
Ludwig, Waldemar, RWM **1:** 76, 117, 242, 290; **3:** 42; **5:** 217, 238, 255, 437; **6:** 168, 299, 343f.; **7:** 53, 138, 301, 368, 446; **8:** 86, 123, 449f., 453, 468; **9:** 80ff., 213, 231, 338; **10:** 202
Luetzen-Hansen, Arne, modstandsmand **6:** 203
Luftwaffe **1:** 21, 30, 34, 180, 190, 195, 534, 546f., 606; **2:** 12, 19, 93, 98, 158, 196, 250f., 287, 296, 331, 406f., 421, 450, 464, 472, 476, 492, 553; **3:** 18, 32, 72, 108, 178, 201f., 207f., 212, 294, 341f., 415, 418, 442, 463; **4:** 128, 359, 441, 514; **5:** 34, 47f., 85, 93f., 149, 172, 224, 309, 361, 441ff., 469, 490, 515; **6:** 28, 163, 179, 216, 238f., 273, 325, 441, 444, 455; **7:** 249, 252, 332; **8:** 68f., 71, 73, 262, 306, 412, 465f., 477, 486; **9:** 88, 270, 326, 359, 384, 394ff., 409, 420; **10:** 54, 186
Luleå, Sverige **2:** 141; **4:** 497
Lumbye, Gustav, modstandsmand **3:** 137
Lumsås **6:** 140
Luna, café, Kbh. **10:** 121
Lund **6:** 20
Lund Sørensen, Aage, ingeniør, illegal virksomhed **2:** 545
Lund Universitet **4:** 312
Lund, advokat, direktør for rederi **5:** 505
Lund, Fin, da. gesandt i Buenos Aires **5:** 393
Lund, H., redaktør, Berlingske Tidende **5:** 52
Lund, husmand, LS **8:** 436
Lund, Joachim, da. historiker **1:** 28, 59, 61, 63, 73f., 81ff., 86, 88, 99, 188, 223, 227, 239f., 248ff., 253, 256, 269, 350; **3:** 24
Lund, Kaj, SOE-agent **5:** 67f.
Lund, Marianne, stikker **8:** 257
Lund, Ove Ivan, da. SS-Untersturmbannführer **3:** 243
Lund, Sigvard, journalist **1:** 569f.
Lund, Sverige **5:** 408
Lund, Thorkild, direktør **5:** 234
*Lundagaard,* sv. studentertidsskrift **5:** 408
Lunddal, Preben, lærer, illegal aktivitet **8:** 447
Lunde, Guldbrand, no. kultur- og folkeoplysningsminister **1:** 621; **2:** 145
Lundehussøen **9:** 49
Lunden, Silkeborg **1:** 424
Lunderskov **5:** 62; **7:** 393, 409; **8:** 43; **10:** 189
Lunderslevvej, Kbh. **7:** 383
Lundgreen, Carl, modstandsmand **7:** 206
Lundholms Broderimagasin, Århus **10:** 106
Lunding, H.M., efterretningsofficer **4:** 159, 161, 364, 404f.; **5:** 38f., 153, 155f.; **6:** 35; **9:** 39
Lundingsgade, Kbh. **6:** 199
Lundman, Bertil, sv. antropolog **6:** 296
Lundsfryd, Ilse, syerske, illegal virksomhed **2:** 56, 545
Lundstrøms Cigar- og Vinhandel, Kbh. **5:** 186
Lundtofte **8:** 325
Lundtofte, Henrik, da. historiker **1:** 28, 54, 63, 70, 96, 113, 118ff., 125, 130, 188, 217, 227, 235, 266, 286, 291, 293f., 297f., 304; **10:** 5, 71
Lundtoftegade, Kbh. **1:** 426
Lunn, Jens Chr., forvalter, modstandsmand **8:** 341
Lunøe, Erik, kriminaldommer, terroroffer **10:** 148
Lupinvej, Kbh. **10:** 111
Lupinvej, Vanløse **9:** 49
Luther, Martin, reformator **2:** 319
Luther, Martin, understatssekretær, AA **1:** 106, 140, 278, 315, 432, 442f., 448f., 452, 454ff., 463f., 470f., 483, 492, 511f., 514, 523, 525, 537f., 540f., 549, 563, 631, 651f.; **2:** 14, 22, 26, 35, 44, 48f., 63f., 67, 75f., 78, 83, 91, 104, 110, 112, 115f., 119f., 128f., 142f.,

151f., 162f., 165, 178, 197ff., 210f., 303, 393; **3:** 34; **4:** 471; **10:** 30-33, 150, 198f.
Lutze, Victor, ty. stabschef, SA **1:** 630; **10:** 197
Luxembourg **1:** 153, 158, 161, 329, 335, 338
LYAC, firma, Lyngby **6:** 257
Lübeck **1:** 97, 267; **7:** 412; **8:** 144, 229f.; **9:** 89, 385, 393
Lübeck-Malmø, færgerute **3:** 104
Lyck, Harald, kommis **6:** 259
Lyck, Svend Aage, modstandsmand **6:** 396
Lüdde-Neurath, Walter, ty. adjudant **1:** 128, 302; **9:** 396, 398
Lüdke, Erich, ty. general **1:** 383, 386f., 395, 408, 410, 433, 541; **2:** 88; **3:** 374; **10:** 30
Lyfa, Lampe- og Lysekronefabrik, Kbh. **10:** 84
Lygten, Nørrebro **4:** 527
Lyhne, Ingolf Asbjørn, modstandsmand **7:** 379
Lührmann, Ernst, Oberregierungsrat **9:** 16; **10:** 153, 176
Lykkegaard, Aksel, modstandsmand **6:** 323
Lynet, café, Kbh. **10:** 128
Lynetten, Kbh. **3:** 199, 461
Lyngby **3:** 197, 286, 461; **4:** 84, 96; **5:** 28; **6:** 257; **9:** 50, 186, 188, 296ff.; **10:** 47, 80, 108, 188
Lyngby Akkumulatorfabrik **3:** 197
Lyngby Station **4:** 347
Lyngbyvej, Kbh. **2:** 205f.; **3:** 138, 196; **4:** 468; **5:** 167; **6:** 448; **7:** 75, 78, 80; **9:** 285, 297ff., 301
Lyngen-stillingen, Norge **8:** 65
Lynæs Garnison **3:** 447
Lynæs, Isefjord **3:** 342, 364
Lyst Hansen, C., politibetjent **9:** 343
Lystoftevej, Lyngby **9:** 298
Lütken, Einar, arktitekt, modstandsm. **8:** 257, 340
Lützen Hansen, Arne, modstandsm. **6:** 245f., 250f.; **7:** 209
Lytzen, Per Hakon, modstandsmand **7:** 203
Lützhoff, trykkeri, Kbh. **6:** 319
Lützow, ty. skib **9:** 362
Læderstræde, Kbh. **6:** 320
Lægeforening, Den Danske **9:** 289, 316f., 370
Lærum, Erik Kr., da. SS-Hauptsturmbannführer **3:** 243; **5:** 21
Læsø **1:** 504; **6:** 10
Løgstør **5:** 79; **7:** 439; **10:** 100
Løgstør Bredning **4:** 506
Løgumkloster **2:** 253; **6:** 141; **8:** 211, 296; **9:** 314, 336
Löhrer, arkitekt, Marine-Oberverwaltungsstab Kiel **4:** 336
Løkkegaard, C.F., oberstløjtnant, modstandsmand **8:** 341
Løkken **4:** 101; **5:** 444
Løngangsstræde, Kbh. **10:** 145
Lönstrup **8:** 130
Lörner, SS-Standartenführer, SS-Wirtschafts-Verwaltungshauptamt **2:** 145, 148
Løvenørn, inspektionsskib **10:** 58
Løvenørnsgade, Horsens **4:** 484
Løvstræde, Kbh. **9:** 299
Löw, Eberhard von, SS-Sturmbannführer, RSHA **1:** 452ff., 614; **2:** 22f., 87; **4:** 369; **5:** 320; **7:** 123, 126, 150, 311f., 347; **10:** 31, 33, 197ff., 201
Löwekorn, Oberstleutnant, HKK **8:** 29
Löwisch, ty. officer **7:** 145
Laage **9:** 393
Laaland, skib **3:** 483
Långmora, sv. interneringslejr **3:** 80, 112
Låsbygade, Kolding **2:** 160

M 445, ty. skib **4:** 485, 544
M 545, ty. minestryger **5:** 89
M. Seests Jernstøberi og Maskinfabrik A/S, firma, Århus **5:** 38
M.G. Melchior, skib **6:** 137, 165; **8:** 251, 253, 281, 297, 354f., 453
M.P. Pedersens Radiofabrik, Kbh. **3:** 311; **6:** 131, 250
MacArthur, Douglas, am. general **1:** 558
Machens, Admiralquartiermeister **6:** 122
Machowetz, Franz, legationssekretær, Det tyske Gesandtskab, Kbh. **1:** 636; **10:** 155, 164
Mackeprang Nielsen, Poul, modstandsmand **10:** 64
Mackeprang, Gustav, kaptajn, terroroffer **10:** 81
Mackeprang, Mogens, arkæolog **3:** 102f., 273; **4:** 175
MacMillan, Harold, eng. regeringspræsentant i Middelhavsområdet **2:** 137
Madajczyk, Czeslaw, pol. historiker **1:** 155f., 331ff.
Madevej, Horsens **4:** 484
Madrid **1:** 619; **2:** 63; **4:** 79, 202f., 274; **5:** 10; **9:** 393
Madsen, Bernhard, Kbh. **5:** 40
Madsen, Ejnar, terroroffer **10:** 87
Madsen, generaldirektør, General Motors **3:** 201
Madsen, Harthon Hoilegaard, modstandsmand **2:** 532
Madsen, Leo, medl. af terrorgruppe **10:** 84
Madsen, Poul, modstandsmand **10:** 64
Madsen, Preben Lytken, modstandsmand **10:** 64
Madsen, Stig, boghandler, terroroffer **10:** 100

Madsen, T.I.P.O., kaptajn, Schalburgkorpset **5:** 397; **6:** 284; **9:** 112, 143
Madsen-MG, firma **5:** 85
Madsen-Mygdal, Thomas, fhv. statsminister **1:** 598
Madvig, Knud, modstandsmand **2:** 533; **3:** 141
Magasin du Nord, Kbh. **10:** 88
Magasin du Nord, Vejle **10:** 106
Magdalene Finken, ty. skib **8:** 310
Magdeburg, Tyskland **1:** 511
Mageløs, Kbh. **4:** 110
Maget, ty. firma **4:** 209; **5:** 85; **7:** 438
Magius, Fritz v., politiinspektør **1:** 101, 271
Magneto A/S, firma, Kbh. **4:** 121, 295
Magnussen, Robert, bogtrykker, stikker **6:** 318
Magnussens trykkeri, Kbh. **6:** 198
Magnússon, Pétur, isl. nationalbanksdirektør **8:** 139
Magon, Leopold, professor **3:** 273
Magaard, Ove, LS **8:** 390
Mahnke, ty. generalingeniør **4:** 547
Mainz, Mathilde, mor til Martin Andersen-Nexø **1:** 569
Majbom, Otto, skotøjshandler, terroroffer **10:** 124
Makrellen, skib **3:** 483
Malaysia **3:** 235
Malletke, repræsentant for Ostministerium **4:** 472
Malling Jacobsen, Aage, kaptajn **6:** 259
Malm Rasmussen, Jørgen, modstandsmand **9:** 49
Malmstrøm, Axel, biskop, Viborg stift **5:** 270f., 311
Malmø **1:** 388, 642; **2:** 46f., 196, 296, 407; **3:** 452; **4:** 130f., 310, 423; **5:** 20, 52, 268; **6:** 450; **7:** 341, 418; **8:** 149, 447
Malthe-Bruun, Kim, modstandsmand **9:** 49; **10:** 66
Manchukuo **8:** 11; **9:** 13
Manchuriet **3:** 235
Mann, Heinrich, ty. forfatter **1:** 570; **2:** 315
Mann, Willi, medl. af terrorgruppe **10:** 141
Mannerheim, Carl G.E., fin. præsident **1:** 580; **2:** 147; **3:** 67
Mantziusvej, Hellerup **9:** 49; **10:** 111
Mar del Plata **9:** 165
March, Werner, ty. arkitekt **2:** 337
Marcussen, assistent, KTAS **9:** 51
Marcussen, NSV-Betreuerin **9:** 279
Mariager **3:** 430; **7:** 439; **8:** 70; **10:** 177
Mariager Fjord **3:** 363; **9:** 93
Maribo **5:** 418; **7:** 440
Marie, skib **3:** 275
Mariendalsvej, Kbh. **10:** 120
Marinearsenal Kopenhagen **7:** 179
Marineefterretningstjenesten, Århus **10:** 134
Marokko **1:** 605
Marokko, skib **5:** 490f., 507
"Marokko-Jensen", Hipomand **10:** 139
Marquardt, Franz, ty. politimand **2:** 76, 133; **3:** 90; **10:** 172
Marseille **1:** 640f.; **2:** 191
Marselisborgskoven, Århus **2:** 537
Marslev **2:** 362; **5:** 62; **7:** 263
Marstal **3:** 363; **7:** 440
Martens, Jens Jacob Wolf, modstandsmand **7:** 235; **10:** 95
Martinsen, A.V., firma, Fredericia **5:** 414
Martinsen, K.B., da. SS-Obersturmbannführer, leder af Schalburgkorpset **1:** 481, 488f., 491f., 496, 510, 518, 622; **2:** 27, 73, 164, 197f., 507; **3:** 80f., 243f., 329f.; **4:** 124, 216, 426f.; **5:** 121, 135, 256; **6:** 122ff., 152f., 165f., 172f., 227, 253f., 302ff., 378, 422, 428, 430; **7:** 55, 123, 125, 175, 225, 268, 311; **8:** 52, 158-162, 298f., 360, 381, 487, 489; **9:** 26, 69f., 345; **10:** 33, 45, 52, 77
Martinsen, K.B.s hustru **8:** 159
Martinsen, Landrat, leder af OT i Danmark **4:** 457, 491, 528f.; **6:** 427; **8:** 306; **10:** 157
Martinsson, Thure, skrædder, modstandsmand **2:** 550
Martinussen, Otto, modstandsmand **5:** 422
Martius, Georg, ty. gesandt, AA **1:** 505f., 527; **3:** 205; **4:** 455; **5:** 188, 201f., 290; **6:** 336; **8:** 234, 258, 264, 278, 467, 469, 472; **9:** 43, 53, 60; **10:** 42
Marx, Alexander, ty. politimand **10:** 139
Marx, Erich, modstandsmand **5:** 52
Marx, Karl, ty. filosof **6:** 392f.
Marx, ty. kaptajn **9:** 83
Maskinfabrik Jørgensen, Kbh. **4:** 294
Maskinfabriken Sørensen, Kbh. **9:** 403
Maskinkompagniet, firma, Kbh. **3:** 195
Maslocka, Lucjan, leder af den polsk-engelske efterretningstjeneste i Danmark **5:** 288; **6:** 323; **8:** 447
Masnedsund, Vordingborg **3:** 287f., 430
Masnedø **2:** 160; **5:** 384
Masnedøværket, Vordingborg **7:** 440
Mathiassen, Therkel, museumsinspektør **2:** 452; **3:** 134; **5:** 239; **8:** 23
Mats/Matz, Dr., ty. gesandtskabslæge **1:** 606; **10:** 171
Matthes, ty. admiral **4:** 209

Matthæusgade, Kbh. **10:** 102
Mau, Mark, da. historiker **1:** 76, 242
Mauff, ty. oberstløjtnant **2:** 529; **6:** 445, 457
Mauilski, D., rus. kommunist **6:** 394
Max J. Madsen, firma, Kbh. **4:** 294
May, Fr. W., far til Johanne Andersen Nexø **1:** 569
Mayer, docent, Kriminalmedizinisches Zentralinstitut **6:** 92
Mayer, Kurt, SS-Standartenführer, leder af Reichssippenamt **6:** 379
Mayer, Oberleutnant, ty. politimand **10:** 175
Mayer/Mayr, ty. officer **8:** 159f.; **7:** 53, 55
Mayfair, restaurant, Kbh. **6:** 199; **10:** 145, 147
Mecklenburg **9:** 393
Mecklenburg, Friedrich Franz, storhertug af **10:** 154
Mecklenburg, ty. skib **5:** 363
*Medicineren,* tidsskrift **2:** 274
Meeritz, Johannes "Looring", est. kommunist **2:** 239f., 428f.
Mehl, Viktor Bering, modstandsmand **5:** 178; **7:** 235f.; **10:** 95
Meissner, Gustav, ty. presseattaché, Det tyske Gesandtskab **1:** 67f., 97, 159, 231ff., 267, 336, 406, 490ff., 496, 523f., 563, 572; **2:** 34, 57, 233, 505; **3:** 99, 150, 167; **4:** 530; **5:** 106; **6:** 83; **10:** 33ff., 150f., 157, 169
Meister, Henry, ansat hos ty. politi **10:** 109
Mejdahl, Jens Peter Nielsen, modstandsmand **2:** 531
Mejlgade, Århus **5:** 203
Melchior, Otto, medl. af DKP **1:** 566
Melchior, skib **6:** 331; **8:** 289, 291; **9:** 21, 30
Meldersen, Svend Erik Normann, modstandsmand **3:** 135
Mellemdammen, Ribe **2:** 201
Mellemfortet, Kbh. **3:** 442
Mellerup, Ejnar, politiinspektør **9:** 289
Melms, ty. regerings- og byggeråd, OT **2:** 97
Memel **1:** 161, 338
Mempel, ty. oberst, Københavns kommandant **9:** 418, 421
Mengele, Josef, ty. læge **2:** 231
Mentz, ty. kvindelig telefonist, meddeler **8:** 475
Mentzel, Rudolf, Referent für Naturwissenschaften, REM **1:** 609f.
Menzel, Jørgen, modstandsmand **5:** 288
Merker, Generaldirektor, Hauptausschuss Schiffbau **8:** 240; **9:** 52, 54, 59, 101
Metropolteatret, Kbh. **4:** 537
Metternich, Klemens von, fyrst, østr. statsmand **2:** 307
Meulemann, Poul Clemens, ty. regeringsråd, Det tyske Gesandtskab **1:** 586; **2:** 98; **5:** 203, 429f., 433f.; 6: 90, 149; **9:** 181; **10:** 152f., 156f., 168
Meuse, flod **9:** 63
Mewis, Raul, Admiral Dänemark, senere Sonderbevollmächtigter des Reichskommissars für die Schiffsseefahrt beim Reichsbevollmächtigten **1:** 151, 327, 394ff., 410ff., 414, 432, 445, 479ff., 491, 542, 608, 652; **2:** 34, 43, 47f., 129, 141, 154, 162, 186, 221, 281, 302, 326, 343f., 347, 372, 404; **4:** 530; **8:** 103, 210, 214, 222f., 227, 232f., 240, 264, 288f., 308, 310, 400, 403, 412, 427; **9:** 78, 114ff.; **10:** 32, 34
Mexico **1:** 385; **2:** 136
Meyer, Alfred, Vertreter des Reichsministers für die besetzten Ostgebiete, Gauleiter und Reichsstatthalter **3:** 263, 376; **4:** 472; **5:** 37, 75; **6:** 169f.
Meyer, Conny H., terroroffer **10:** 140
Meyer, Erik, læge, terroroffer **9:** 49, 370; **10:** 111
Meyer, Friedrich, ty. konsul, Åbenrå **9:** 15
Meyer, Hans, ty. konsul **10:** 153, 176
Meyer, Hans, ty. officer, OKM **7:** 111; **8:** 155
Meyer, Mathilde, mordoffer **5:** 397
Meyer, Ove Jacob, deporteret da. statsborger **4:** 309, 399; **6:** 35
Meyer, SS-Hauptsturmführer, RSHA **5:** 421, 479
Meyer, SS-Obersturmführer, Kriminalmedizinisches Zentralinstitut der Sicherheitspolizei **5:** 473
Meyer, Sven, deporteret dansker **5:** 501
Meyer, ty. oberst, Silkeborg **5:** 315; **7:** 314, 404
Meyer, ty. officer, OKW **8:** 259
Meyer-Böwig, Hans, Oberregierungsrat, RFM **5:** 236, 333, 335; **8:** 259, 263, 351, 367f.
Meyer-Detring, ty. oberst **8:** 122
Meyers, Ahlrich, ty. historiker **1:** 69, 233
Michaëlis, Karin, forfatter **1:** 570
Michahelles, ty. regerings- og byggeråd, Finland **2:** 270
Michelsen, E., marineofficer **3:** 275
Michelsen, Erik Koch, modstandsmand **10:** 64
Michelsen, kommandørkaptajn **4:** 33
Michelsen, retsfuldmægtig, modstandsmand **8:** 340
Middelfart **3:** 287f.; **4:** 523; **5:** 62; **6:** 221; **7:** 439; **8:** 74, 340, 408
Middelfartsgade, Kbh. **6:** 316
Middelgrundsfortet, Kbh. **3:** 215; **8:** 145
Middelhavet **1:** 619, 645f.; **2:** 190; **9:** 318

Mietis, Oskar von, baron, LS, kommiteret for udenrigspolitiske spørgsmål ved Det tyske Gesandtskab, Kbh. **1:** 496; **10:** 155, 163
Mikener, Wewin, ty. politimand **10:** 172
Mikkel Bryggersgade, Kbh. **6:** 320
Mikkelsen, Benny, modstandsmand **6:** 257; **10:** 60
Mikkelsen, direktør, Skandia, illegal virksomhed **8:** 444
Mikkelsen, Ernst Laurits, Gestapomand, stikker **8:** 143; **10:** 100
Mikkelsen, Ladegaard, luftværnschef, modstandsmand **8:** 340
Mikkelsen, Max Johannes, SOE-agent **2:** 35, 75
Mikkelsen, Mikkel, modstandsmand **4:** 373
Mikkelsen, Niels, De frie Danske **8:** 181
Mikkelsen, Peter, modstandsmand **7:** 206
Mikkelsen, Robert, landsretssagfører **1:** 567; **6:** 392
Mikkelsen, Svend Erik, modstandsmand **9:** 280
Milch, Erhard, ty. generalfeltmarskal **3:** 201
Mildner, Rudolf, SS-Standartenführer, Befehlshaber der Sicherheitspolizei und des SD i Danmark **1:** 51, 70, 107, 110f., 214, 235, 279, 281ff.; **4:** 105, 110f., 124f., 149, 182, 202, 238, 251, 253, 259, 277, 282, 302, 316f., 346, 352, 372f., 377, 389, 398, 436f., 443, 453, 459, 467, 520f.; **5:** 14, 32, 35, 58, 67, 69f., 110, 140f., 160, 209, 234, 262, 366; **6:** 68, 209f., 223, 338; **10:** 37f., 58, 152, 174
Milfeldt, Aage Johan, assurandør, terroroffer **10:** 144
Militærhospitalet på Tagensvej, Kbh. **4:** 368
Millerntor, ty. skib **8:** 230
Milter Jensen, Magnus, modstandsmand **4:** 373
Milward, Alan S., eng. historiker **1:** 79, 246
Mimi Horn, ty. skib **5:** 349
Mindebrogade, Århus **4:** 526
Mindedal **4:** 299
Minden, skib **3:** 416, 487
Ministerium Speer, se Reichsministerium für Rüstung und Kriegsproduktion
Minks, Heinrich, ty. politimand **2:** 76, 133; **10:** 172
Minna Corts, ty. skib **5:** 510; **6:** 167
Minsk **1:** 90, 258; **3:** 17; **5:** 376, 474; **6:** 154, 225
Mirbach, Dietrich von, legationsråd, AA **4:** 91; **5:** 237; **7:** 68
Mittag, Oberstleutnant **7:** 26
Mjølner, skib **7:** 418; **8:** 65, 408; **9:** 21; **10:** 50
Modeforretningen, Odense **10:** 124
Modelsnedkeriet, firma, Kbh. **4:** 532
Moelln **7:** 65
Mogensen (Maslocka), Lone, pol. modstandskvinde **6:** 144
Mogensen, Alfred Christian, Kriminalbeamter **6:** 259
Mogensen, Harald, forlagssekretær **9:** 51
Mogensen, Jørgen, vicekonsul i Danzig **5:** 459; **6:** 144f., 185f., 194, 197, 248, 260
Mogensen, Kaj, regnskabschef **5:** 52
Mogensen, Michael, da. historiker **1:** 118, 291
Mohr, General der Flieger **7:** 305
Mohr, Otto Carl, da. gesandt i Berlin **1:** 394, 396, 402, 407f., 554, 622, 647; **2:** 9, 41, 71, 85, 262f., 456; **4:** 103f., 159ff., 288, 290, 292, 308, 313, 323, 364ff., 382, 384, 404f., 446; **5:** 38f., 153-157, 330f., 339f., 366, 373, 375, 459, 501; **6:** 32f., 35f., 325, 344, 382; **7:** 128; **8:** 168, 171, 173, 357, 364, 371, 467, 469; **9:** 30, 158f., 203f., 280, 287
Mokka, café, Kbh. **4:** 389f., 402, 418, 435; **5:** 147; **10:** 83
Molbechsvej, Kbh. **9:** 188
Moll, Martin, øst. historiker **1:** 95f., 127f., 265, 300ff.
Mollerup-Thomsen, J., cand.polit. **5:** 397f.; **6:** 283
Molles Kro, Århus **10:** 110
Molotov, Vjatjeslav Mikhajlovitj, sovj. udenrigsminister **1:** 556; **6:** 392
Moltke, Carl, politiker **2**: 308
Moltke, da. diplomat **4**: 32
Moltke, Erik, runeforsker **7:** 214
Moltke, greve, ty. officer, OKW **4:** 488, 502
Moltved, Georg, læge **1:** 567, 569, 571
Molzahn, Paul, ty. politimand **3:** 210, 262
Mommsen, ty. kaptajn **2:** 97
Monrad-Hansen, K.A., da. gesandt i Madrid **4:** 116, 165ff., 191, 202, 204, 274, 285, 301
Monsun, aktion **1:** 122, 124, 296, 298f.; **6:** 434, 439, 441, 443, 445; **7:** 14, 41f., 52, 55, 130f., 286, 397, 403, 405f., 411, 415, 417, 419, 423, 426; **8:** 24, 29, 245f.; **9:** 186, 189; **10:** 47ff., 51, 188
Montgomery, Bernhard, L., eng. officer **9:** 390f., 408, 412, 414, 416f., 425, 439ff.
Moraht, Hans, gesandt, AA **4:** 446
Moraht, von, Fregattenkapitän, Inselkommandant Bornholm **7:** 341
*Morgenbladet,* sv. avis **5:** 131
*Morgentidningen,* sv. avis **5:** 266f.; **6:** 21; **7:** 97, 196
Moritz, Alfons, Ministerialdirektor, REM **6:** 40, 362
Moritz, Judith, da. jøde **4:** 309, 399

Moritz, Julius Josef, da. jøde **4:** 309, 399
Mortensen, Carl, maskinarbejder, modstandsmand **2:** 544
Mortensen, deporteret komm. **5:** 373
Mortensen, Gylling, modstandsmand **6:** 316
Mortensen, Hans Georg Ejner, arbejder **7:** 384
Mortensen, Helmuth, medl. af terrorgruppe **10:** 96
Mortensen, Jørgen, da. SS-Untersturmbannführer **3:** 243
Mosaisk Trossamfund **1:** 566, 628; **2:** 208; **4:** 42, 199, 263; **10:** 37f.
Mosede Batteri **8:** 408
Mosegaard, Walther Højfeld, modstandsmand **2:** 204
Moskva **1:** 25, 29, 51, 129, 184, 189, 214, 302, 556, 565, 569ff.; **5:** 393; **7:** 185, 193f.; **8:** 182
Moskwin, sekretær, Komintern **2:** 429
Mosolff, Ejner Ole, modstandsmand **10:** 66
Mosskov **6:** 432
Mosthaf, ty. embedsmand, Reichskommissar für die Preisbildung **7:** 355; **8:** 102
Motorfabrikken Dan, firma, Kbh. **9:** 285
Motorfabrikken Duich A/S, Kalundborg **2:** 160
Mouret, kansler ved det argentinske gesandtskab **7:** 185
MS 4, skib **5:** 497
Mulernes Skole, Odense **8:** 434
Munch, P., fhv. udenrigsminister **1:** 382
Munch, P.A., no. historiker **2:** 308; **3:** 375
Mundus, ty. firma **3:** 219, 436
Munk, Kaj, præst, forfatter **2:** 377; **4:** 74, 357, 448, 487f.; **5:** 145, 148, 160, 220f., 252f., 258ff., 264-267; **6:** 19, 121, 199, 291, 421, 423; **7:** 29, 100, 192; **8:** 145; **9:** 34, 247, 255; **10:** 77
Munkemøllen, Odense **5:** 384
Munthe-Østerbye, Hjarl, modstandsmand **6:** 203
Murphy, am. officer **2:** 137
Muslingekogeriet, Løgstør **5:** 79
Mussert, Anton Adriaan, holl. politiker **1:** 486, 500, 619, 623; **2:** 102, 146, 216, 503
Mussolini, Benito, it. politiker **2:** 51; **3:** 339, 341; **4:** 113, 430; **5:** 259; **6:** 33
Muus, Flemming B., leder af SOE i Danmark **2:** 372; **3:** 197; **8:** 178, 182, 222, 336, 338, 341
Muus, Hans, modstandsmand **8:** 339
MW 61, skib **3:** 304, 315
Mücke, Hauptmann, Rü Stab Dänemark **5:** 441, 443; **6:** 149; **7:** 314
Mühlberg, ty. krigsfangelejr **8:** 375; **9:** 264, 287
Mühlen, ty. embedsmand **10:** 170
Müllen, Bendt von, skuespiller **9:** 65; **10:** 117
Müller, Adolf, ty. major **6:** 437, 440; **7:** 26f., 55; **9:** 223, 268f., 379
Müller, bogbinderi **6:** 321
Müller, Dr., Oberregierungsrat, RKS **1:** 616
Müller, G.W., ty. SS-Oberführer, ministerialråd **5:** 166; **8:** 409, 438; **9:** 73ff., 120
Müller, Hans O., da. SS-Untersturmbannführer **3:** 243
Müller, Heinrich, Gestapochef **1:** 113, 285, 430, 448, 455, 564; **2:** 63f., 75f.; **3:** 407; **4:** 110, 147f., 155, 192, 282, 346, 367, 394f., 398, 525,; **5:** 25, 68, 86, 234, 459; **6:** 149, 209; **7:** 102; **8:** 44, 52, 55f., 109f.; **9:** 75; **10:** 199f.
Müller, Kaptlt., ingeniør ved Rü Stab Dän. **7:** 77f.
Müller, Karl Alexander v., leder af Akademie der Wissenschaften, München **4:** 369
Müller, Ministerialrat, Oslo **4:** 530
Müller, ty. general **9:** 409
Müller, Wehrwirtschaftsführer, SKL **2:** 226
Müller-Brandenburg, ty. Oberstarbeitsführer **2:** 102, 113, 147
München **1:** 569, 583; **2:** 192, 309, 392; **5:** 292; **9:** 72; **10:** 19
München, restaurant, Kbh. **6:** 199
Münter, K.B., ingeniør, modstandsmand **8:** 340
Münzenberg, Viggo, kommunist **1:** 569
Myrdahl, Thorkild Chr., byretspræsident, terroroffer **10:** 147
Mürwik **1:** 127f., 131, 145, 300ff., 305; **9:** 395f., 398, 422; **10:** 58, 203
Müssener, Erwin, ty. politimand **3:** 90
Mytting, Karl Ejnar, musiker, modstandsmand **2:** 544
Mützelburg, Herbert, Regierungsrat, RWM **2:** 203; **7:** 266; **6:** 117
Mähren **1:** 153, 158, 161, 329, 335, 338, 351, 374, 377, 450, 652; **10:** 205
Mælkekondenseringsfabrikken, firma, Hjørring **4:** 512
Märker, Generaldirektor, leder af Hauptausschuss Schiffbau **5:** 458
Möckel, Helmut, Stabsführer Reichsjugendführung **1:** 537
Møgelvang, Erik B., mekaniker, terroroffer **10:** 104
Møldrup **10:** 189
Mølleengen, Århus **4:** 463
Møllegade, Svendborg **5:** 294; **10:** 80
Møller & Jocumsens Maskinfabrik, Horsens **2:** 365

Møller Boye, Hermann, modstandsmand **7:** 29
Møller Christensen, Aage, SOE-agent **3:** 488
Møller Lauersen, Tage, stikker **7:** 338
Møller, A.P., skibsreder **7:** 195
Møller, Aksel, folketingsmedlem, terroroffer **5:** 141; **10:** 42, 77
Møller, Anton Angelo, modstandsmand **2:** 263; **3:** 138
Møller, Axel R., dyrlæge, terroroffer **9:** 142; **10:** 119
Møller, Axel, jurist, modstandsmand **8:** 446
Møller, bankassistent **2:** 114
Møller, bankbestyrer, terroroffer **10:** 116
Møller, C.A., generaldirektør, Burmeister & Wain **1:** 528
Møller, C.A.R. "Saul", modstandsmand **8:** 342
Møller, Christian F., læge, terroroffer **10:** 123
Møller, direktør, Ford Motor Company A/S **8:** 207f.
Møller, Gunnar, modstandsmand **3:** 137
Møller, Hans Jørgen V., vagtkontrollør, terroroffer **10:** 112
Møller, Hans, forretningsindehaver **4:** 484
Møller, Harald, modstandsmand **8:** 446
Møller, Jens, leder af det tyske mindretal **1:** 91f., 145, 259, 261, 320, 405, 490; **2:** 13f., 21f., 109, 126, 138f., 151, 166, 221f., 245, 253, 256, 261, 265f., 274, 284f., 326-330, 340, 350f., 367f., 468, 526; **3:** 93f., 100, 148, 281, 327, 343; **4:** 185, 189; **5:** 47, 127, 175, 208, 332, 452; **6:** 246f., 363, 365f.; **7:** 90, 218f., 221, 282, 367, 433, 443; **8:** 36, 38, 241; **9:** 260, 263, 270ff., 345, 371, 402; **10:** 48, 56, 188
Møller, Ole Irgens, modstandsmand **3:** 141
Møller, Vibeke Herløw, kontorchef, Dansk Journalistforbund **2:** 239
Møller, Villy, modstandsmand **7:** 205
Møllergade, Svendborg **10:** 105
Møllerlodden, Kbh. **7:** 78
Møn **5:** 165; **7:** 105; **9:** 314
Møn, skib **7:** 44, 114, 121; **8:** 219, 251f.
Møntmestervej, Kbh. **6:** 452
Mørch Christiansen, Georg, student, modstandsmand **5:** 288
Mørke **9:** 93
Mørsvrå **7:** 256
Mørup, Asger Lindberg, modstandsmand **10:** 66
Mørup, Hans, modstandsmand **6:** 396
Mösing, Oberleutnant, BdO **8:** 248; **10:** 175
Möwe, aktion **7:** 431f.; **10:** 50
Møystad, Oliver Cappelen, no. landshirtschef og konstitueret leder af Statspolitiet **1:** 621
*Maanedens Tilskuer,* tidsskrift **9:** 27
Månsson, Eluf Preben, modstandsmand **10:** 68
Maansson, Helga, terroroffer **10:** 148
Maansson, J.P., cigarhandler, terroroffer **10:** 148
N. Aamann & Sønners tømmerplads, Horsens **4:** 484
N.B. Hansen, firma, Odense **2:** 204
N.J. Fjords Allé, Kbh. **9:** 187
N.N. Blumensadt, firma, Odense **4:** 63
N.P. Christensen, firma, Kbh. **7:** 383
Nab Strand, Åstrup **10:** 130
Naboløs, Kbh. **7:** 259
Nachrichtenmittelversuchskommando, NVK **6:** 258
Nagel, Dr. Gustav (kodenavn) = planer for at afværge et angreb på Norge og Danmark **9:** 88
Nageler/Nagler, SS-Obersturmbannführer. **4:** 220; **7:** 312
Nagler, Holger, da. jøde **4:** 399
Nakkebølle Sanatorium **10:** 127
Nakskov **3:** 417, 426, 430, 452, 462, 481; **5:** 182; **7:** 440f.; **8:** 381, 410; **10:** 49, 189
Nakskov Skibsværft **2:** 31; **7:** 223, 441; **8:** 230, 476
Nancy, skib **1:** 616; **4:** 386, 399, 450f.
Nannested-Möller, medl. af DNSAP **8:** 434
Nansen, Frithjof, no. polarfarer **1:** 566
Nansensgade, Kbh. **5:** 178; **10:** 135
Napola, studenterforbund **5:** 412
Napoleon 3., kejser af Frankrig **2:** 308
Narhvalen, skib **3:** 484
Narvik **1:** 346; **2:** 470; **9:** 368
Nasjonal Samling (NS), no. politisk parti **2:** 146; **3:** 36; **7:** 289
National Samvirke, parti **2:** 426
National Studenter Aktion, naz. gruppe **3:** 273
National, café, Silkeborg **10:** 113
Nationalbanken, se Danmarks Nationalbank
Nationale Aktion, Den, naz. gruppe **2:** 115f., 214, 249
Nationale Liga, Den, naz. gruppe **4:** 214
Nationalkomitee Freies Deutschland (NKFD) **4:** 467
Nationalmuseet, se Danmarks Nationalmuseum
*National-Socialisten,* tidsskrift **2:** 493f., 506; **3:** 73, 156, 322; **6:** 227, 304; **9:** 66, 139, 257, 339
Nationalsocialistisk Gruppe **7:** 311
Nationalsocialistisk Lærerforbund **8:** 433
Nationalsocialistisk Ungdom (NSU) **3:** 471-474; **4:** 427; **5:** 212f., 409, 412; **9:** 131, 138f., 257, 339; **10:** 38

Nationalsozialistische Deutsche Arbeiterpartei (NSDAP) **1:** 19, 92, 178, 261, 550; **2:** 177, 259, 271, 525; **3:** 54, 283, 471; **4:** 218, 456; **5:** 426f.; **6:** 56, 59, 379; **9:** 204; **10:** 24, 49
Nationalsozialistische Volkswohlfahrt (NSV) **1:** 397f.; **2:** 107, 274; **5:** 130, 409, 412; **3:** 338; **9:** 171, 183, 185, 198f., 202ff., 220f., 239, 266, 268, 270, 272f., 276, 279, 286, 334, 353, 355
Nationalsozialistischer Reichsbund für Leibesübungen **3:** 292
Nationalsozialistisches Kraftfahrkorps (NSKK) **1:** 499f.; **2:** 270; **7:** 381; **8:** 154
Nationalt Samvirke **3:** 27
*Nationaltidende,* avis **2:** 29, 239f.; **3:** 51; **5:** 266; **8:** 269; **9:** 63, 253; **10:** 110
Nationaløkonomisk Forening **8:** 112
Nationaal-Socialistische Beweging, (NSB), holl. parti **1:** 623; **7:** 289
Naujock, August, leder af Gestapo i Esbjerg **8:** 245
Naumann, Werner, statssekretær, RMVP **8:** 365f., 409, 438; **9:** 73, 273
Navigation K.-G., ty. firma **6:** 105
Navitas, skib **2:** 449
Ndr. Fasanvej, Kbh. **6:** 130
Nebbegårdsbakken, Kbh. **10:** 121
Nebe, Arthur, SS-Gruppenführer **5:** 473f.; **6:** 91
Nebenstelle Holstebro **8:** 177
Nedergade, Odense **4:** 53
Nedermark Hansen, Ib, medl. af terrorgruppe **10:** 72, 76, 79, 82f., 92f., 108
Nedic, Milan, serb. ministerpræsident **7:** 459
Neergaard, Ebbe, journalist **1:** 567, 598
Neergaard, Eigil Bruno de, modstandsmand **10:** 66
Neergaard[-Jacobsen], Poul Aage B., da. SS-Hauptsturmführer **3:** 243
Neiiendam, Tavs, dramatiker **8:** 270
Nelholt, firma, Kbh. **4:** 486
Nelleberg, Viktor, vognmand, terroroffer **10:** 128
NESA, elektricitetsværk, Hellerup **5:** 201; **6:** 448; **7:** 75, 80ff.; **9:** 301, 303
Nestor, firma, Kbh. **4:** 295
Neubacher, Hermann, AAs særbefuldmægtigede i Beograd **5:** 231; **7:** 458
Neuburg, Tyskland **1:** 512
*Neue Züricher Zeitung,* schw. avis **2:** 136
Neuengamme, koncentrationslejr **5:** 68; **6:** 51f., 316, 396; **7:** 203; **8:** 55; **9:** 51, 89, 158f., 260, 264, 287; **10:** 51, 56f., 193ff.
Neuhard, Elsa, pol. efterretningsagent **5:** 446
Neuhard, Gaston, pol. efterretningsagent **5:** 446
Neukirch, Frits Georg, læge, modstandsmand **2:** 544
Neukirchen, Dr., ty. regeringsråd **10:** 157
Neumann, Hans Hendrik, SS-Obersturmbannführer, leder af Einsatzstab Norwegen **5:** 485; **6:** 303
Neumünster **9:** 396
Neurath, Konstantin Freiherr von, SS-Gruppenführer **1:** 412
Neuruppin **5:** 300
Neutrofon, firma **6:** 452
New Foundland, Canada **10:** 26
New York **7:** 185
*New York Herald Tribune,* am. avis **9:** 393
*New York Times,* am. avis **5:** 16
New Zealand **8:** 325; **9:** 400
Newcastle **4:** 401; **9:** 90
Nexø **1:** 129, 302; **9:** 439
Nibe **1:** 469; **2:** 373, 415; **3:** 114, 137; **6:** 316; **7:** 336, 439
Nicolaysen & Nielsens Tømmerplads, Kbh. **1:** 425; **2:** 534; **3:** 358; **5:** 34; **7:** 147
Niebuhr, Dr., ansat ved RWM **5:** 428
Niebuhr, Jens Harald Nikolaj, modstandsmand **2:** 545
Niederschlesien **9:** 229
Niehauss, Oberstführer, Tysk Røde Kors **6:** 210, 223, 305, 339
Nieland, Hans, tidl. overborgmester, Dresden **9:** 322
Niels Bohr Instituttet, Københavns Universitet **3:** 290; **5:** 234; **10:** 41, 43
Niels Juel, skib **2:** 442; **3:** 341f., 362f., 428, 443, 447-451, 453, 458, 460ff., 464f., 475, 483, 485f.; **4:** 14, 74, 76, 417, 419
Niels K. Nielsens frugthandel, Århus **10:** 102
Nielsen, Aksel Godfred ("Luckau"), medl. af terrorgruppe **10:** 138
Nielsen, Alfred, da. SS-Untersturmbannführer **3:** 243
Nielsen, Andreas, general for Luftwaffe i Danmark **5:** 149
Nielsen, Andreas, modstandsmand **10:** 64
Nielsen, Arnold Marinus, modstandsmand **4:** 373
Nielsen, Børge Henrik, remisearbejder, terroroffer **9:** 31; **10:** 114
Nielsen, Carl, modstandsmand **4:** 374, 436
Nielsen, Carl, Schalburgmand **4:** 382
Nielsen, Conny, ætser, modstandskvinde **6:** 200
Nielsen, dansk fange død i Tyskland **6:** 424
Nielsen, David J.O., fabrikant, terroroffer **10:** 122
Nielsen, deporteret komm. **5:** 373

Nielsen, Edmund Emil, metalarbejder, modstandsmand **2:** 547
Nielsen, Einar S., kioskejer, terroroffer **10:** 147
Nielsen, Einar, sekretær i De Samvirkende Fagforbund **1:** 568, 572
Nielsen, Erik Børge, modstandsmand **2:** 374; **3:** 135
Nielsen, Erik, da. SS-Untersturmbannführer **3:** 243
Nielsen, Esben, modstandsmand **2:** 538f.; **3:** 141, 197
Nielsen, Ferdinand, modstandsmand **3:** 114
Nielsen, Frede, terroroffer **10:** 121
Nielsen, Gilbert, malersvend, modstandsmand **1:** 478
Nielsen, Gunnar Carlo, modstandsmand **7:** 205
Nielsen, Gunnar, formand, Dansk Jounalistforbund **2:** 239
Nielsen, Hans Børge, modstandsmand **6:** 316
Nielsen, Hans Silas, modstandsmand **10:** 64
Nielsen, Hans-Erik, sygekassebud, modstandsmand **5:** 288
Nielsen, Harald Ferdinand, modstandsmand **3:** 138
Nielsen, Harry Just, modstandsmand **3:** 140
Nielsen, Holger Thor, tolk, Sipo **5:** 146f.
Nielsen, Hørslev, slagtermester, terroroffer **10:** 103
Nielsen, Ib Hedegaard, modstandsmand **3:** 138, 198
Nielsen, Johnny, modstandsmand **3:** 114, 138
Nielsen, Just Jogn., da. SS-Untersturmbannführer **3:** 243
Nielsen, Jørgen, politifuldmægtig **6:** 259
Nielsen, Kaj, terroroffer **10:** 129
Nielsen, Karl, gørtlerlærling, modstandsmand **5:** 288
Nielsen, Knud Aage, modstandsmand **3:** 140
Nielsen, Marie, kommunelærerinde, stifter af Socialistisk Arbejderparti **1:** 565; **6:** 392
Nielsen, Martin, mag.art. **7:** 214
Nielsen, Martin, politiker **2:** 53
Nielsen, Niels, afdelingsleder ved Carlsberg Laboratoriet **4:** 176
Nielsen, Niels, modstandsmand **5:** 37; **10:** 76
Nielsen, O.P., barbermester, terroroffer **10:** 105
Nielsen, Oda P., terroroffer **10:** 105
Nielsen, P. Ravnholt, vagtværnsmand, terroroffer **10:** 139
Nielsen, Peter Knudsen, modstandsmand **4:** 373
Nielsen, Peter, civilflyver, Waffen-SS **1:** 539
Nielsen, Peter, da. SS-Hauptsturmbannführer **3:** 243
Nielsen, planteskoleejer **10:** 96
Nielsen, Poul Gerner, modstandsmand **6:** 203
Nielsen, Poul Otto "Moses", modstandsm. **8:** 342
Nielsen, R., forfatter **6:** 393
Nielsen, Sophus, snedker, terroroffer **10:** 116
Nielsen, Svend Egon, modstandsmand **10:** 64
Nielsen, Svend Otto ("John"), modstandsmand **5:** 47; **6:** 130; **10:** 60
Nielsen, Svend, direktør, Biscuitfabriken Oxford, modstandsmand **8:** 444
Nielsen, Thor, ostehandler **5:** 146
Nielsen, Vagn V., da. SS-Untersturmbannführer **3:** 243
Nielsen, Viggo Molin, sekretær i Socialdemokratisk Forbund **8:** 176
Nielsen, Aage Julius, betonarbejder, modstandsmand **4:** 389; **5:** 134
Nielsen, Aage Valdemar, cigarhandler, terroroffer **10:** 122
Nielsen, Aage, pseudonym for Niels Dorph **5:** 397; **6:** 284, 286
Nielsens Autoværksted, Roskilde **4:** 435, 437
Nikolai, serb. biskop **7:** 458
Nikolaus 2., russ. zar **8:** 170
Nikro Forkromningsanstalt, Kbh. **9:** 233
Nilsson, Agnes, privatsekretær **2:** 239
Nimandsudvalget **1:** 596, 598; **2:** 445; **3:** 115, 206; **9:** 11, 49, 52
Nips Å **5:** 63
Nissen, Henrik S., da. historiker **1:** 26, 64, 73, 151, 185, 228, 238, 250, 253, 327
Nissen, Mogens R., da. historiker **1:** 28, 63, 81ff., 86, 188, 227, 248ff.; **3:** 24
Noack, Fritz, RVMP, radioafd. **2:** 73; **3:** 87, 213; **4:** 64, 125
Noack, Johan Peter, da. historiker **1:** 27, 91f., 186, 260f.
Nolda, Mark, ty. konsul i Malmø **4:** 310, 313; **7:** 418
Nolte, Treuhand des Reichsmarschalls für alle Philips-Unternehmen **2:** 97; **4:** 547
Nord, Poul **10:** 85
Nordafrika **1:** 645f.; **2:** 137
Nordahl Mortensen, Carl, kunstmaler **10:** 80
Nordbjærg & Wedels skibsværft, Kbh. **1:** 55, 218; **2:** 539, 555; **3:** 108, 197; **4:** 95; **5:** 172; **7:** 442; **10:** 30
Nordborg **5:** 313
Norden, forening **8:** 272, 389
Norden, skib **3:** 487
Nordentoft, Einar "Hugo Larsen", efterretningsagent **8:** 473
Nordentoft, Inger Merete, lærer, modstandskvinde **2:** 544

Nordentoft, Knud, forfatter, sagfører, DNSAP **6:** 284f.
Nordentoft, Knud, modstandsmand **5:** 284
Nordhavnen, Kbh. **5:** 89
Nordhavnsværftet, Kbh. **7:** 440; **8:** 311, 373, 425; **9:** 403
Nordhavnsværftet, Århus **3:** 104
Nordholm, Hans K.P., da. SS-Untersturmbannführer **3:** 243
Nordische Gesellschaft **1:** 94, 96f., 263, 265, 597; **4:** 300; **5:** 379, 481
Nordische Verbindungsstelle **1:** 96, 265
Nordisk Boghandel, Kbh. **5:** 333
Nordisk Brandforsikring A/S, firma **3:** 79
Nordisk Film, Valby **5:** 291; **10:** 80
*Nordisk Front,* illegalt blad **8:** 167; **8:** 446; **9:** 51
*Nordisk Handling,* tidsskrift **5:** 406; **7:** 99
Nordisk Kabel Selskab, firma, Kbh. **6:** 253
Nordisk Korsetfabrik, firma, Kbh. **7:** 147
Nordisk Radio A/S, firma **6:** 452
Nordisk Radio Industri A/S (Danavox), firma, Kbh. **3:** 394; **7:** 30
Nordisk Solar, Kolding **9:** 122
Nordjydsk Skjortefabrik, Aalborg **3:** 195
Nordkaperen, skib **3:** 483; **5:** 497
Nordkrog, Kbh. **6:** 319
Nordland, ty. legationsråd (?) **3:** 162
Nordland, ty. skib **9:** 362
Nordlicht, operation 8: 65f., 74, 85, 393, 395, 410, 427; **10:** 52
Nordlien, Niels-Henrik, da. historiker **1:** 28, 96, 188, 265
Nordmark, Oberfinanzpräsidenten, Kiel **6:** 48, 50
Nordre Fasanvej, Kbh. **7:** 203
Nordre Frihavnsgade, Kbh. **9:** 143
Nordre Toldbod, Kbh. **9:** 187
*Nordschleswiger,* Der, avis **9:** 337
*Nordschleswigsche Zeitung,* avis **2:** 21f., 135; **5:** 168f.; **6:** 133, 139, 191f., 369; **7:** 350; **8:** 270, 329, 489; **9:** 23; **10:** 19, 21
Nordslesvig, se Sønderjylland
Nordsteens Maskinfabrik, Hillerød **4:** 270
Nordstjerne Allé, Kastrup **9:** 297
Nordsøen **2:** 190, 553; **3:** 104, 178, 309
Nordtoftevej, Søborg **9:** 298
Nordværk A/S, firma, Kbh. **3:** 200ff., 228, 358; **4:** 63, 231, 547; **5:** 115, 184, 190, 291, 295, 469f.; **6:** 146f., 149f., 240, 410f., 452, 455; **7:** 30, 38, 147, 439, 464; **8:** 18f., 133, 255, 310; **9:** 122, 245, 403; **10:** 36, 51
Norge **1:** 45, 51, 71f., 80f., 84, 97, 105, 118, 123, 127f., 132, 144, 153, 155f., 158, 161f., 206, 213, 236f., 240, 246f., 252, 264, 266, 276, 291, 296, 300ff., 319, 330, 332f., 335, 338f., 342, 345, 349ff., 374ff., 382, 399, 401f., 409, 418f., 431f., 449, 475, 484f., 487, 496, 500, 512f., 531, 537, 539, 547, 549f., 580, 603f., 610, 620f., 629, 631f., 634, 644; **2:** 12, 45f., 50, 66, 75, 81, 87, 93f., 102, 113, 120, 128, 132, 145f., 148, 167ff., 184, 190, 192, 196f., 212, 216, 219, 243, 264, 296, 304, 307, 309, 318, 358, 400, 402, 418, 429, 433, 439, 450f., 469f., 485ff., 489f., 504, 517, 522; **3:** 9, 13, 18f., 33, 35f., 67, 114, 155, 166, 177, 208f., 244, 255, 266, 276, 283, 294f., 298f., 326, 334, 346, 355, 377, 379, 386, 392, 411f., 481; **4:** 47, 74, 129, 189f., 193, 199, 218, 220, 319, 359ff., 396, 408, 429f., 438, 441, 459, 470ff., 495, 514f., 530f., 539; **5:** 15, 26, 59f., 72, 85f., 88, 94, 103, 132f., 139, 151, 166, 196, 225, 257, 259, 266, 275, 316f., 363, 405, 409-413, 485, 515f.; **6:** 16, 20, 23, 25, 40ff., 45, 77, 81, 86, 101, 118, 193, 213, 220f., 262, 266, 283f., 303f., 337, 347, 361f., 380; **7:** 11, 87, 94, 99, 196, 251f., 272, 274, 276f., 289, 311f., 338, 352, 358, 360, 375f., 388, 398, 402, 419f., 446, 454; **8:** 18, 32, 65ff., 72f., 93, 99, 103, 110, 123, 125, 147, 163, 170, 172, 213, 231, 252, 262, 265, 267, 270, 282, 284, 289, 294, 304, 308, 330f., 333f., 363, 376, 389, 392f., 397ff., 401f., 407, 435f., 454f., 463, 466, 488; **9:** 13, 21, 33, 74, 99f., 121, 144, 146, 150, 155, 174ff., 178, 185, 201, 207, 211, 223, 286f., 291, 315f., 318, 338, 349, 366f., 371, 375, 390-393, 396f., 399f., 407, 426, 428; **10:** 17, 44, 55, 164, 186f., 205f.
Norman, Svend Erik Norman, modstandsmand **2:** 374
Normandiet **5:** 447; **6:** 337, 369, 374f., 407; **10:** 46
Norrie, Gordon, lærer **8:** 433
*Norrlandsfolket,* sv. avis **2:** 489; **3:** 325
NSB, se Nationaal-Socialistische Beweging
NSDAP Nordschleswig (NSDAP-N) **2:** 261; **6:** 138, 283; **9:** 24, 156
NSDAP, se Nationalsozialistische Deutsche Arbeiterpartei
NSDAP-AO, se Auslandsorganisation der NSDAP
NSDAP-N, se NSDAP Nordschleswig
NS-Frauenschaft **3:** 338; **5:** 409, 412; **9:** 266, 276, 335
NSKK, se Nationalsozialistisches Kraftfahrkorps
NSU, se Nationalsocialistisk Ungdom

NSU-førerskole **4:** 221
NSV, se Nationalsozialistische Volkswohlfahrt
*NU,* sv. tidsskrift **4:** 161
Ny Adelgade, Kbh. **9:** 222; **10:** 146
*Ny Dag,* sv. avis **3:** 325
Ny Hesselager **5:** 381
*Ny Tid,* sv. avis **2:** 489
Ny Toldbodgade, Kbh. **6:** 240
Ny Verden, organisation **9:** 67
*Nya Dagligt Allehanda,* sv. avis **2:** 489f.; **3:** 296; **5:** 133, 408f.; **7:** 98, 199f., 202, 341
Nyboder Skole, Kbh. **4:** 34; **5:** 22; **7:** 105
Nyboder, Kbh. **2:** 361
Nyborg **1:** 547; **2:** 12, 534, 536; **3:** 195, 216, 222, 224, 342, 362, 396, 400, 404, 412, 429f., 461, 463, 483; **4:** 229, 450, 526; **5:** 62; **6:** 442; **7:** 439; **8:** 340, 434; **9:** 345, 362; **10:** 67
Nyborg Havn **4:** 467
Nyborg Statsfængsel **3:** 115
Nyborggade, Kbh. **5:** 272
Nyborg-Korsør, færgerute **2:** 12, 443, 536; **3:** 18, 208, 294, 386, 481; **4:** 129, 360, 543; **5:** 466; **7:** 37; **8:** 74, 348
Nydam **8:** 24
Nyegaard, Kjeld, modstandsmand **3:** 141
Nyemann, Erik, modstandsmand **10:** 95
Nygaard, Erik, terroroffer **10:** 102
Nygaards Hotel, Kruså **4:** 532
Nygaardsvold, Johan, no. politiker **3:** 67f.
Nyhavn, Kbh. **4:** 62; **5:** 49; **7:** 203f., 294; **9:** 51; **10:** 99
*Nyheder fra Sovjetunionen,* illegalt blad **7:** 206
Nyhedsbureauet **8:** 144
*Nyhedstjenesten,* illegalt blad **5:** 417
Nyholm, Hans A., modstandsmand **8:** 186
Nykvist, Marius, fabrikant, terroroffer **10:** 95
Nykøbing Falster **2:** 537; **3:** 287f.; **10:** 189, 191
Nykøbing Mors **4:** 68; **7:** 439f.; **10:** 177, 189
Nykøbing Sjælland **3:** 464; **4:** 178; **5:** 417
Nymann, Erik, modstandsmand **7:** 235
Nymindegab **2:** 395
Nürnberg **2:** 77, 493; **5:** 35; **9:** 157; **10:** 153, 158
Nürnberg, ty. skib **5:** 86; **9:** 201, 213, 362, 394
Nürnbergprocessen **10:** 58
Nysted **2:** 371
*Nyt,* sv. tidsskrift **3:** 374
Nytorp, Karl Christian, deporteret komm. **5:** 373, 498; **6:** 424
Næsby **4:** 527
Næsby Karosserifabrik **3:** 198; **5:** 23
Næsbyholmvej, Kbh. **5:** 74; **9:** 299
Næstved **4:** 379, 445; **5:** 307, 384, 417; **7:** 110; **9:** 377; **10:** 47, 188, 190
Næstved Krydsfinerfabrik **7:** 143
Nørby **4:** 329
Nørgaard Thomsen, Egon, modstandsmand **2:** 532
Nørgaard Thomsen, Frode, modstandsmand **2:** 532
Nørgaard, Egon B., telefonmontør, terroroffer **10:** 114
Nørgaard, Erik, da. journalist **1:** 101, 271
Nørgaard, Peder, direktør **1:** 565
Nørlund, Ib, modstandsmand **3:** 480; **6:** 397
Nørlund, Poul, leder af Nationalmuseet **2:** 452f.; **7:** 214; **8:** 23
Nørre Allé, Kbh. **9:** 127
Nørre Sundby **7:** 439
Nørrebro Godsbanegård **4:** 64
Nørrebro Station **3:** 195; **4:** 437
Nørrebro, Kbh. **4:** 532; **10:** 88
Nørrebrogade, Kbh. **4:** 59, 526; **5:** 210; **6:** 448; **7:** 95, 197, 385; **8:** 111; **9:** 295, 299; **10:** 111
Nørrebros Biografteater, Kbh. **6:** 167
Nørregade, Bramminge **10:** 107
Nørregade, Kbh. **1:** 424; **6:** 30; **9:** 299; **10:** 114
Nørregade, Odense **5:** 146
Nørregade, Randers **10:** 126
Nørreport, Århus **7:** 387
Nørreris, restaurant, Randers **10:** 113
Nørresundby **3:** 49, 93, 199; **10:** 189
Nørresø, C., oberstløjtnant **1:** 530
Nørresøgade, Kbh. **9:** 187
Nørrevold, Kbh. **8:** 329

O. Møllers Bogtrykkeri, Kbh. **10:** 92
O.M. Hansen, snedkerfirma, Kbh. **5:** 34
Oberhausen **8:** 324
Oberkommando der Luftwaffe (OKL) **5:** 48; **7:** 13; **8:** 407, 464, 477; **9:** 410, 417, 429
Oberkommando des Heeres (OKH) **1:** 544, 654; **2:** 100, 118, 193, 283f., 344f., 386, 395, 449; **3:** 65, 105f.; **4:** 479; **5:** 35, 47f., 74, 79, 82, 92, 190, 194, 207f., 269, 274, 283, 295, 306, 369, 388, 416, 475, 496, 514; **6:** 65, 105, 214, 243; **7:** 247, 389, 436, 438; **8:** 68, 255, 293, 306; **9:** 83, 173f., 178, 192, 228, 269, 356f., 379ff.; **10:** 55
Obersalzberg **10:** 47
Oberschlesien **9:** 135, 251
Oberwerftstab **2:** 97; **5:** 423; **6:** 331
Obst, kontorfunktionær, Det tyske Gesandtskab **8:** 448; **9:** 79, 118

Obuch, ty. amtmand **10:** 171
Odde, Cuno, Kbh. **10:** 125
Odder **7:** 439; **9:** 414; **10:** 189
Oddesund **1:** 577; **2:** 388; **4:** 506
Oddesundbroen **3:** 287; **5:** 63
Odel, Alex, kommitteret i industrisager **4:** 34; **6:** 175, 183, 306; **9:** 231
Odel-udvalget **5:** 429, 437
Odense **1:** 160, 338, 372, 423f., 443, 533, 551; **2:** 160, 204f., 230, 363f., 371, 432, 536, 549; **3:** 114, 138, 198f., 315f., 363, 396, 400, 404, 407, 409, 417, 423, 426f., 430, 452, 481; **4:** 46, 49, 53, 63, 71, 78, 84, 95f., 110f., 122, 151, 171, 181, 231, 293, 295, 298, 335, 344, 424, 463, 527, 546; **5:** 10, 14f., 40, 49, 62, 136, 146f., 162, 226, 324, 383, 422; **6:** 245f., 257, 421; **7:** 190, 351, 362, 381, 400, 409, 411, 439, 441, 463; **8:** 10, 92, 268, 310, 339f., 392, 434f.; **9:** 64ff., 68, 89, 143, 246, 250, 252, 254f., 278; **10:** 36, 40, 43, 49, 57, 81, 89f., 92, 95, 97f., 104, 117, 123f., 133, 142, 147f., 153, 176, 189, 191ff.
Odense & Christensen, firma, Kbh. **4:** 437
Odense Amts og Bys Sygehus **10:** 123
Odense Havn **8:** 230
Odense Kanal **4:** 168; **9:** 10
Odense Legatskole **8:** 273
Odense Rådhus **5:** 384
Odense Stålskibsværft A/S **2:** 31; **3:** 308, 315, 398; **5:** 256; **7:** 133, 223, 232, 255, 381, 441; **8:** 221, 230; **9:** 402; **10:** 188
Odense Tekniske Skole **8:** 273
Odense Tømmerhandel **2:** 364
Odense Vandrerhjem **4:** 212
Odense, skib **4:** 212
Odin, skib **4:** 450; **9:** 310; **10:** 56
Odinstårnet, Odense **8:** 433; **9:** 64; **10:** 114
Odmar, J., politikommisær **2:** 37
Oehlenschläger, café, Kbh. **5:** 178
Oehlenschlägergade, Kbh. **4:** 468; **6:** 30
Oehlenschlægersgade, Sønderborg **4:** 527
Oehlerking, Gustav, ty. politimand **2:** 76, 134; **10:** 172
Oertel, SS-Obersturmbannführer, Hauptamt-SS **8:** 368
Ogilvie, Karl, Oberstleutnant **4:** 257
Ohlendorf, Otto, SS-Brigadeführer **4:** 369; **6:** 74, 162; **7:** 102, 150; **10:** 198; **10:** 33, 199, 201
Ohlsen, Kaj, modstandsmand **10:** 66
Ohlsen, Rudolf, Schalburgkorpset **7:** 383
Okamoto, Suemasa, jap. gesandt i Stockholm **2:** 126, 425
OKH, se Oberkommando des Heeres
OKL, se Oberkommando der Luftwaffe
Oksbøl **3:** 309; **4:** 395; **9:** 379
Oksbøllejren **5:** 443
Ole Rømersgade, Århus **3:** 101, 207
Olesen, Aegil, modstandsmand **2:** 533
Olesen, Anker, modstandsmand **8:** 340
Olesen, Børge, student, modstandsmand **5:** 288
Olesen, direktør **5:** 322
Olesen, Peter Søgaard, da. historiker **1:** 94, 263f.
Oliemøllen, Lyngbyvej, Kbh. **10:** 85
Olivecrona, Karl, sv. dr.jur., professor **4:** 312, 339
*Olktjebr,* russ. publikation **1:** 570
Ollerup **4:** 157; **5:** 321
Ollerup Gymnastikhøjskole **4:** 157, 216f., 241, 278f., 289f., 299, 305, 308, 315, 321, 328, 343f., 362f., 385, 418f.
Olsen, A., boghandler, terroroffer **10:** 117
Olsen, Albert, professor **1:** 566; **5:** 22
Olsen, Anders Christian, skomager **9:** 222
Olsen, Axel, formand for Dansk Arbejdsmands Forbund **1:** 530
Olsen, Carl, modstandsmand **4:** 436
Olsen, Cavelius, slagtermester, terroroffer **10:** 96
Olsen, Christian Valdemar, modstandsmand **2:** 54
Olsen, Christian, terroroffer **10:** 125
Olsen, Erley, studerende, modstandsmand **2:** 548
Olsen, Jens, mekaniker, stikker **5:** 134, 146
Olsen, Kaj Erik, modstandsmand **3:** 140
Olsen, Karl, formand for Konservativ Ungdoms Landsorganisation **3:** 116
Olsen, Leif, illegal aktivitet **6:** 49
Olsen, Niels E.L., jord- og betonarbejder, terroroffer **10:** 102
Olsen, Niels Jacob, modstandsmand **3:** 135
Olsen, Ole Georg, modstandsmand **6:** 316
Olsen, Orla, sysselleder **9:** 339
Olsen, Otto C.M., direktør, terroroffer **10:** 103
Olsen, Svend Aage, modstandsmand **2:** 361; **3:** 139
Olsen, Villy (O.D.), modstandsmand **5:** 178
Olsen, Villy Gerhard, modstandmand **3:** 139
Olufsen, Niels Jacob, modstandsmand **2:** 532
Olympiastadion, Berlin **2:** 337
Omøgade, Kbh. **4:** 295, 498, 521
Onsgaardsvej, Hellerup **9:** 298
Oplysnings- og Kavalleriskolen i Bromberg **9:** 377
Opta Radio, ty. firma **7:** 464
Orehoved, færge **8:** 142
Organisation Todt (OT) **1:** 19, 23, 116, 177, 182, 400, 546f.; **2:** 12, 92f., 96f., 196, 268ff., 295f., 365, 395f., 449f.; **3:** 18, 32, 76f., 95,

123, 145, 151, 169, 207ff., 294, 386; **4:** 128f., 359f., 442, 457, 476, 491, 503, 514f., 523, 528, 544; **5:** 80f., 92ff., 96, 99, 121ff., 135, 224f., 251f., 273f., 276, 353, 361ff., 369, 382, 386, 441-444, 452, 515f.; **6:** 13, 26, 60, 77, 92, 94, 156f., 179, 181, 214ff., 220, 243, 270, 286, 358, 381; **7:** 173, 249f., 252, 254, 301f., 304f., 332, 349f., 354, 359, 364, 368, 374f., 416; **8:** 17, 20ff., 52f., 58, 63f., 68-73, 76, 78, 82, 101, 192, 197, 242, 259-262, 283f., 489; **9:** 76, 207, 304-309, 315f., 360f., 409, 411, 420; **10:** 52, 56, 185
*Orientering,* illegalt tidsskrift **2:** 53
Orlogsværftet, Kbh. **3:** 482, 485; **4:** 206, 521, 534f.; **5:** 13, 92, 116, 512; **6:** 145; **7:** 440, 464; **8:** 200, 235, 268, 289f., 311, 373, 408, 425; **9:** 244, 403
Orlow, Dietrich, am. historiker **1:** 432
Ortskommandantur Aalborg **4:** 322
Oschatz, ty. krigsfangelejr **8:** 375
Osiander, F.W., SS-Sturmbannführer **6:** 378
Oskar, Dr., ty. attaché **10:** 155
Oslo **1:** 126, 128, 300f., 350f., 463, 466f., 485, 506f., 603; **2:** 45, 61, 89, 264f., 269; **3:** 12f., 35f., 38ff., 175, 246; **4:** 530; **5:** 167, 204, 275, 344; **7:** 196, 354, 454; **8:** 282, 304, 308; **9:** 75f., 164, 367, 372f., 375; **10:** 32, 57, 151, 157, 198, 202
Osnabrück **8:** 324
Osten, Hofrat, Büro RAM **3:** 307
Ostministerium **3:** 263; **4:** 472
Ostpreussen **9:** 420
OT, se Organisation Todt
Otte, Carlo, senator, leder af Hauptabteilung Wirtschaft, Oslo **1:** 603; **3:** 40; **4:** 531; **6:** 40, 42; **9:** 366, 368
Otterup **10:** 191
Ottmer, Hans-Martin, ty. historiker **1:** 72, 237
Otto, Niels Peter Hjalmar, modstandsmand **4:** 436
Outze, Børge, modstandsmand, redaktør **5:** 288; **6:** 427, 444; **7:** 293; **8:** 181, 444; **9:** 33
Outzen, Heinrich, DNSAP **1:** 570
Overfaldskommandoen, Kbh. **7:** 217, 285; **8:** 16
Overhøved, skib **8:** 74
Overland, advokat, Nordværk A/S **5:** 469f.; **6:** 146
Ovesen, Svend L., bankassistent, terroroffer **10:** 138
Oxytron-Rørfabrik, Kbh. **4:** 368

P. Hochheim, skrædderfirma, Kbh. **8:** 111
P. Jensens Snedkerværksted, Kbh. **5:** 153
P. Mogensensvej, Hillerød **4:** 527
P.C. Rasmussen, firma, Odense **10:** 124
Pachow, SS-Obersturmführer **4:** 252
Padborg **1:** 485; **2:** 190; **4:** 329, 538; **5:** 15, 23; **6:** 29; **7:** 90, 251, 375, 393, 398; **8:** 43, 348; **10:** 189f.
Paetz, Vertreter d. Parteikanzlei f. Flüchtlingsfragen in Dänemark **9:** 271, 273
Pahl, Hans, ty. SS-Hauptsturmführer **2:** 246; **5:** 35; **10:** 33, 155, 167
Pajula, Paavo, fin. gesandt Kbh. **2:** 41f., 123f., 228, 488; **9:** 12
Palads Hotel, Esbjerg **2:** 535; **10:** 81
Palads Hotel, Kbh. **2:** 28; **4:** 530; **5:** 381, 481, 485
Pald, Eigil, trykker **6:** 199
Palermovej, Kbh. **7:** 259
Palladium, biograf, Kbh. **6:** 167
Palladium, filmselskab **5:** 243
Palm-Petersen, Jørgen, modstandsmand **8:** 180
Palsby, firma, Kbh. **7:** 180
Paludan Müllersvej, Kbh. **7:** 259
Paludan-Müller, Sven, oberst, modstandsmand **6:** 259f., 276; **10:** 188
Pancke, Günther, Højere SS- og politifører i Danmark (HSSPF) **1:** 18, 23, 31, 33-36, 66, 70, 82, 93, 113f., 118, 125, 129ff., 141, 143-147, 154, 176, 183, 191, 194-197, 231, 234, 248, 262, 286, 291, 297f., 303-306, 316, 318-323, 330, 487; **4:** 93, 104, 163, 197, 202, 246f., 256, 303, 305, 325, 333, 336, 341, 345, 354, 364, 379, 381, 383, 443, 452, 460, 470, 480, 503, 505, 524, 529, 532f.; **5:** 14, 31f., 34f., 43, 49f., 53, 77, 79, 86-89, 104f., 109ff., 137f., 152, 159f., 180, 186, 192, 198, 232, 234, 272, 297, 307, 313, 320, 345, 350, 380, 421, 443f., 455, 479f., 487f.; **6:** 28f., 34, 74, 83, 98, 107f., 113f., 123ff., 127, 152, 159f., 165f., 172f., 227, 229, 237, 253, 289, 304, 356, 378f., 406, 413ff., 426, 434-437, 440-445, 457; **7:** 15, 19, 23f., 26, 28f., 38, 41, 50, 54f., 59, 145, 157, 163, 202, 212, 215ff., 225, 234f., 265, 268ff., 278, 285ff., 289, 292ff., 300f., 304, 306, 308ff., 313, 327, 342f., 347, 357, 363, 367, 392, 395f., 400, 405, 407-410, 415, 421, 424-427, 429-432, 434f., 448ff., 452, 457f.; **8:** 9f., 14f., 27f., 32, 35f., 42, 44-52, 57, 60f., 67, 73, 83, 87-90, 94, 103-106, 109, 112, 115, 121ff., 137f., 143, 150f., 155, 157f., 161, 164f., 204, 209f., 212, 220, 222, 228, 230, 232f., 240, 244f., 255, 264f., 267, 288f., 292f., 298, 310, 323, 326, 362, 366, 372, 399f., 411, 416, 433, 435, 487; **9:** 31f., 37, 53, 56, 70ff., 80, 111f.,

120, 157, 160, 171, 186, 194, 197, 206, 212, 216, 222ff., 230, 232, 237, 239, 246, 256, 259, 270ff., 277, 294, 313f., 324, 329, 331, 342, 345, 347, 351, 355, 359, 362, 368, 371ff., 381, 398f., 402, 404, 414, 425, 432; **10:** 5, 38-43, 46, 49-59, 71f., 79, 81, 91, 153f., 156, 174, 185f., 194, 200, 202, 206
Panzinger, Friedrich, Oberregierungsrat **2:** 63f., 128f., 0
Paradisgade, Århus **5:** 227
Paramount, filmselskab **10:** 85
Parchmann, Willi, Ministerialdirektor, Reichforstamt **1:** 399
Paris **1:** 69, 124, 234, 298, 345, 570; **5:** 483f.; **7:** 297, 363
Park, Arne, SS-mand **10:** 138
Parkeston, skib **5:** 108, 140, 183, 188f., 200, 203, 206, 211, 218, 221, 449, 451, 456f., 494, 503; **6:** 15, 121f.; **7:** 114, 121, 285; **8:** 355
Parnas, restaurant, Kbh. **5:** 168; **10:** 78
Parteikanzlei der NSDAP **3:** 282f., 298, 334; **4:** 74, 337, 357, 395, 465, 487; **5:** 150, 270, 351, 378, 426; **6:** 57, 120, 190, 337, 405; **7:** 168, 232; **8:** 358; **9:** 185, 382
Parti Rexiste, bel. parti **2:** 163
Pass, chef major Polizei-Bataillon 15 **10:** 39
Patin, ty. firma **7:** 464
Pauch, Amtsrat **6:** 427
Paul, ty. major **8:** 373
Paulsen, P., ty. SS-Hauptsturmbannführer, professor **2:** 118
Paulsen, Peter, overretssagfører, terroroffer **10:** 147
Paulsson, Gunnar S., sv. historiker **1:** 114f., 287
Paulus, ty. SS-Sturmbahnführer, SS-Personal-Hauptamt **2:** 145
Pawlow, Nikolai, skribent **6:** 189
Pearl Harbour **2:** 29
Peder Skram, skib **2:** 442; **3:** 341, 362f., 450, 458, 461f., 483, 486, 489; **4:** 74, 76; **5:** 46
Pedersen, A., zoolog **7:** 214
Pedersen, Andreas Monrad, da. historiker **1:** 90, 258
Pedersen, Carl, da. SS-Untersturmbannführer **3:** 243
Pedersen, da. chargé d'affaires i Kbh. **9:** 11
Pedersen, Erik, modstandsmand **10:** 64
Pedersen, Ernst R.D., terroroffer **10:** 140
Pedersen, fiskehandler **5:** 260
Pedersen, Flemming Gamst, modstandsmand **2:** 532; **3:** 135
Pedersen, Gunnar, typograf, illegal virksomhed **2:** 551
Pedersen, Hans, modstandsmand **2:** 206
Pedersen, Holger Rasmus, bogtrykker, illegal virksomhed **2:** 551
Pedersen, Holger, professor **7:** 214
Pedersen, Jens Georg, modstandsmand **3:** 49
Pedersen, Johannes, professor **4:** 175, 177
Pedersen, Kai E.P., terroroffer **10:** 140
Pedersen, Kaj Julius, terroroffer **10:** 140
Pedersen, Karl Otto, skibstømrer, illegal virksomhed **2:** 549
Pedersen, Knud Erik, SOE-agent **2:** 35, 75
Pedersen, Lars Schreiber, da. historiker **1:** 22, 28, 98, 180, 188, 268
Pedersen, Leif Dines, modstandsmand **10:** 66
Pedersen, Louise Margrethe, bogtrykker, illegal virksomhed **2:** 549
Pedersen, N.P., da. gesandt i Buenos Aires **5:** 289
Pedersen, Oluf, da. politiker **5:** 253
Pedersen, Otto, modstandsmand **2:** 204
Pedersen, Poul Hilmer Nedergaard, modstandsmand **3:** 139
Pedersen, Teddy, modstandsmand **4:** 16
Pedersen, Thomas, da. historiker **1:** 127, 300f.
Pedersen, Viola Olga Karla, modstandskvinde **4:** 437
Pedershåb Maskinfabrik, Brønderslev **5:** 173, 222
Pederstrup **4:** 445
Pelsmagasinet, Århus **10:** 106
Pelving, Max, kriminalbetjent **1:** 120, 294; **5:** 79, 265; **9:** 343
Penang, Malaysia **3:** 235
Pens, firma, Kbh. **2:** 421
Pernau **2:** 449
Peru **1:** 392
Peschardt, Carl, kontorchef **1:** 586; **2:** 192f.; **5:** 429, 431, 436; **6:** 175, 343; **9:** 80f., 162f., 187
Pétain, Philippe, fr. marskal, statschef **1:** 603, 605, 646
Peter Andersensvej, Kbh. **3:** 197; **9:** 297
Peter Henriksen, firma, Viborg **2:** 160
Peter Liep, restaurant, Charlottenlund **7:** 96
Peter Poulsen-gruppen, illegal modstandsgruppe **3:** 336
Peter-gruppen **3:** 163; **5:** 141, 145, 168, 173, 201, 233, 243, 274, 278, 283, 291, 294, 347, 381, 422; **6:** 34, 96, 109; **7:** 30, 96f., 99f., 203, 215, 259f., 262ff., 270, 309, 328, 377f., 383; **8:** 34, 143f., 225, 326, 387; **9:** 31, 34, 44, 64f., 142, 246, 252, 342, 344; **10:** 42, 72ff., 77-126, 129-137, 142, 148
Petersdorff, Horst von, ty. oberstløjtnant **2:** 478, 522f.; **3:** 12, 75

Petersen & Wraaes Maskinfabrik, Kbh. **2:** 534, 538; **4:** 66, 96; **6:** 391
Petersen, Anker, "den lille Banan", stikker **6:** 316; **8:** 173
Petersen, August Julius, formand ved Århus Kommune, terroroffer **9:** 31; **10:** 109
Petersen, Axel Villads August, modstandsmand **3:** 139
Petersen, barbermester, terroroffer **10:** 95
Petersen, Carl A.T., da. SS-frivillig **1:** 533
Petersen, Carl Evald B., barbermester, terroroffer **10:** 98
Petersen, Carl H., maskinarbejder, terroroffer **10:** 141
Petersen, Christian Frederik Algren, modstandsmand **7:** 261
Petersen, Christian Marius, fange i KZ **5:** 498
Petersen, cykelhandler, terroroffer **10:** 143
Petersen, Edvard A.D. ("Den lille Banan"), medl. af terrorgruppe **10:** 73, 83, 85
Petersen, Eigil, terroroffer **10:** 110
Petersen, Ejner, modstandsmand **4:** 436
Petersen, Elias Erik, modstandsmand **3:** 141
Petersen, Emil H., da. læge, SS-Hauptsturmführer **1:** 538ff., 580f., 606; **3:** 243; **5:** 376f.
Petersen, Erik Ellis, kontorlærling, modstandsmand **2:** 533
Petersen, Erik Jens Peter, "Jens Peter", faldskærmsagent **7:** 204f.; **8:** 178, 341
Petersen, Erik Malling, modstandsmand **2:** 532
Petersen, Erik V., leder af ET **10:** 72, 139, 142-148
Petersen, Ernst, landsretssagfører, Frit Danmark **2:** 230, 549
Petersen, Georg, vagtmand **6:** 328
Petersen, Gerda, samlevende med Aksel Larsen **2:** 56
Petersen, Hans Christian Just, modstandsmand **10:** 68
Petersen, Hans Peter, bogtrykker, illegal virksomhed **2:** 550
Petersen, Hans Peter, modstandsmand **2:** 360; **3:** 138
Petersen, Hans Reinhard/Reinhol(d)t, modstandsmand **2:** 531; **3:** 100, 136
Petersen, Hans, modstandsmand **2:** 205; **3:** 50, 104, 114, 138
Petersen, Harald, statsadvokat, justitsminister **1:** 388
Petersen, Helmuth Alexander Schrøder, modstandsmand **3:** 139
Petersen, Henning, tømrermester **4:** 238
Petersen, Hjalmar, redaktionssekretær **9:** 51
Petersen, Jens Chr. N., fiskehandler **5:** 145, 266; **6:** 421; **7:** 100; **10:** 78
Petersen, Jens P.W., da. SS-Untersturmbannführer **3:** 243
Petersen, Jens, vagtmand **6:** 328
Petersen, Johannes, modstandsmand **4:** 437
Petersen, Johannes, tidl. chauffør for Frits Clausen **8:** 321
Petersen, Karl Dietr., da. SS-Oberscharführer **3:** 243
Petersen, Knud, modstandsmand **2:** 551; **10:** 68
Petersen, Kurt A.V., modstandsmand **3:** 197
Petersen, Kurt Anton Folmer, modstandsmand **3:** 141
Petersen, Leif Ernst, modstandsmand **3:** 140
Petersen, Mørch, Hipomand **10:** 131
Petersen, Oskar, DKP (involveret i estisk mordaffære) **2:** 428f.
Petersen, Otto Frederik, modstandsmand **3:** 136
Petersen, Ove C.H., ansat hos ty. politi **10:** 139
Petersen, Per Kraiberg, guldsmed, modstandsmand **3:** 104
Petersen, Peter Oskar, modstandsmand **2:** 360; **3:** 138
Petersen, Peter, leder af det tyske mindretals Volksgruppenamt og Schatzamt **6:** 246
Petersen, Poul (HH), modstandsmand **5:** 178
Petersen, Rasmus M., gårdejer, terroroffer **10:** 127
Petersen, Rudolf (involveret i estisk mordaffære) **2:** 428f.
Petersen, Rudolf, Gestapomand **8:** 387; **10:** 103
Petersen, skibsværft, Århus **3:** 487
Petersen, Svend Ulrik Børge, marinevagtassistent **7:** 382
Petersen, Tage, da. officer, SS-Obersturmführer, Schalburgkorpset **3:** 243; **8:** 396f.
Petersen, Thomas, angiveligt salonkommunist **1:** 571
Petersen, Thorstein, fær. politiker **3:** 23, 64, 170
Petersen, Vald., købmand, terroroffer **10:** 96
Petersen, Valdemar, installatør, terroroffer **10:** 123
Petersen, Viggo, terroroffer **10:** 130
Petersen, Villy L., bryggeriarbejder, modstandsmand **10:** 141
Petersen, Wilfred, da. nazist **5:** 21; **6:** 420ff.; **7:** 99f.; **9:** 141
Petersen, Wilhelm, synonym for Johan Gede **6:** 286
Petersen, William, Lorentzen-gruppen **10:** 128
Petersen, Aage, læge **5:** 52
Petersen, Aage, malermester **5:** 73

Petersen, Aage, redaktør, cand.polit. **5:** 397; **6:** 284f.; **9:** 27
Petersens gartneri, Fredericia **10:** 133
Petershåb, firma, Brønderslev **4:** 503
Petrick, Fritz, ty. historiker **1:** 63f., 97, 164, 213, 227f., 267, 341; **10:** 205f.
Petsamo **3:** 45
Petz, Sonderbeauftragter, NSV **9:** 203f.
Petzina, Dietmar, ty. historiker **1:** 77, 243
Pfautsch, ty. ingeniør **1:** 545; **2:** 96; **7:** 80
Pflaumer, Natalia, udenl. forfatter **6:** 296
Pflieger, Kurt, generalløjtnant, kommandant i Aalborg **5:** 398, 443; **7:** 362
Pflügner, Forstmeister, Zentralstelle für Generatoren **5:** 382
Philips, firma **2:** 93, 97f.; **3:** 358; **4:** 547; **6:** 131; **9:** 122
Philipsen, Nis, gartner, terroroffer **10:** 149
Philipson, Tage, læge **1:** 566
Phistersvej, Hellerup **5:** 242
Phleps, SS-Gruppenführer **2:** 145
Phønix, hotel, Kbh. **1:** 18, 177; **2:** 43; **7:** 412
Phønix, hotel, Viborg **9:** 65
Picot, Werner, Legionsrat, AA **1:** 452f., 631, 651f.; **2:** 22f.
Pihl, Gunnar, forfatter **5:** 406
Pile Allé, Kbh. **1:** 427; **2:** 159; **5:** 384; **6:** 448; **9:** 295; **10:** 84
Pilestræde, Kbh. **3:** 140
Pillau **8:** 466
Pilvinger, Hans, am. journalist **5:** 264
Pind, Mogens D., grønthandler, terroroffer **10:** 108
Pindstoftes Maskinfabrik, Kbh. **5:** 191
Pjentedamsgade, Odense **4:** 96
PKB **1:** 49-53, 64, 68f., 72f., 90, 97, 101, 103f., 119, 211, 213-216, 228, 232, 234, 238, 259, 267, 274, 292
Plambeck, Harry Svend, modstandsmand, sabotør **3:** 139, 207
Plassmann, O., SS-Sturmbannführer **2:** 118
Platanbio, biograf, Kbh. **6:** 34
Platanbiografen, Kbh. **10:** 83
Platou, Henrik Wessel, modstandsmand **10:** 64
Pleiger, ty. Generaldirektor **2:** 78
Pless, ty. oberst, kommandør for Festungspionierstab **2:** 453; **3:** 134
Plucker, Oberstleutnant **9:** 424
Plums Boghandel, Assens **10:** 86
Plums Boghandel, Kbh. **6:** 318
Plön **9:** 390
Poleck/Polek, ty. oberstløjtnant **4:** 137, 265
Polen **1:** 74, 77, 120, 122f., 152, 155, 159, 240, 244, 293, 296, 331f., 336, 342, 398, 401, 418; **2:** 136, 233, 319, 321, 440; **3:** 214, 322; **4:** 497; **5:** 90, 104, 445, 459; **6:** 144, 185; **7:** 236, 339; **8:** 330; **10:** 15
Politigården, Kbh. **5:** 468; **8:** 167, 229; **9:** 188; **10:** 131
*Politiken,* avis **2:** 29, 310; **3:** 50; **5:** 32, 52, 266, 321ff., 325; **8:** 269, 378, 380, 384, 391, 431; **9:** 62, 145, 202, 253; **10:** 204
Politiken, Kolding **10:** 134
Politikens Kiosk, Silkeborg **10:** 113
Politikens kiosk, Århus **10:** 96
Politisches Archiv, AA **1:** 26f., 67, 96, 215, 232, 264
Polizei-Bataillon 15 **10:** 38, 40
Polizei-Bataillon Cholm **2:** 522f.; **3:** 62, 74, 105, 302, 393; **4:** 46, 98, 252, 294; **5:** 14; **10:** 35, 38, 43, 152
Polizei-Wachbataillon Dänemark **5:** 14; **10:** 38
Poljakov, G., rus. forfatter **6:** 391
Pollack, Jørgen, leder af Dansk Svensk Flygtningetjeneste **5:** 141f.
Pollow, Alfred, konsul, Det tyske Gesandtskab **8:** 82, 450
Polyteknikerafdeling, modstandsgruppe **9:** 280
Pommern **8:** 374
Popp-Madsen, Carl, ekspeditionssekretær, Justitsministeriet **1:** 524, 530; **2:** 526; **4:** 175; **5:** 256; **6:** 125, 152; **7:** 176; **9:** 257, 339
Port Kunda **1:** 74, 239
Porta Westfalica **6:** 396
Portugal **1:** 616f.; **2:** 143, 417; **3:** 260, 354; **4:** 56f., 72, 116, 399f., 450f.; **6:** 377; **8:** 11; **9:** 13, 18
Posen, Tyskland **2:** 77, 133; **5:** 35; **10:** 39, 196
Post- og Telegrafvæsenet **8:** 320
Post, Claës von, sv. legationsråd **4:** 319f., 470
Post, ty. Oberregierungsrat **2:** 270
Potagua A/S, Kbh. **10:** 116
Potsdam **1:** 25, 184
Poulsen, Bent, advokat, modstandsmand **8:** 340
Poulsen, Hans Peter, modstandsmand **3:** 311, 391
Poulsen, Hans, fabrikant, modstandsmand **8:** 340
Poulsen, Henning, da. historiker **1:** 21, 26, 59, 61f., 72, 74, 79-82, 85, 88ff., 100, 102, 119, 132f., 140, 152, 164f., 180, 185, 222, 224, 226f., 236f., 240, 246-249, 252, 256ff., 270, 273, 292f., 306ff., 314f., 328, 342f.
Poulsen, Hjalmar William, modstandsmand **3:** 388
Poulsen, Johannes, modstandsmand **8:** 175

Poulsen, Niels Bo, da. historiker **1:** 21, 180
Poznan **4:** 197
Prag **1:** 351; **6:** 390, 418; **7:** 17; **10:** 19
Prause, Min. Rat, RFM **5:** 372
Premier Is A/S, Glostrup **10:** 108
Presilla, Ramón de la, sp. forretningsfører **2:** 192
Pressburg, Bratislava **1:** 619
Presto, skib **8:** 251
Preuss, ty. embedsmand **10:** 171
Preussen **1:** 157, 161, 334, 338; **2:** 308f., 312f.
Preussische Akademie der Wissenschaften **4:** 175ff.
Pridat-Guzatis, Dr., Deutsche Rundfunk-Arbeitsgemeinschaft **4:** 120, 490
Priemé, Hans, da. historiker **1:** 70, 235
Priemé, William, folketingsmand, grosserer **9:** 143; **10:** 120
Princic, Felix, ty. politimand **10:** 173
Prins Christian, færge **3:** 208
Prins Olaf, skib **7:** 366, 456; **8:** 26
Prinz Christian, ty. skib **5:** 363
Prinz Eugen, ty. skib **5:** 86; **9:** 362, 394
Prior, Daniel, radiospeaker **9:** 64
Prip, T.S., orlogskaptajn **2:** 346; **3:** 97, 170
Prisdirektoratet **4:** 342; **6:** 180
Pritsche, Dr., ty. regeringsråd **10:** 166
Provinshandelskammeret **4:** 240
Provstevej, Kbh. **1:** 425
Prüfungsstelle für den Aussenhandel **5:** 90
Prytz, no. minister **3:** 36
Prytz, Rud, landsretssagfører, Frit Danmark **2:** 230, 543, 549
Prützmann, SS-Obergruppenführer **7:** 399
Præcision, firma, Kbh. **2:** 206; **3:** 48, 140
*Præsteforeningens Blad,* tidsskrift **6:** 120
Præstemosen, Valby **9:** 298
Præstø **8:** 337, 341
Puhl, Emil, ty. rigsbanksvicepræsident **2:** 352; **3:** 40; **4:** 469; **5:** 337, 354, 371; **6:** 60f.
Pulverfabrikken, Frederiksværk **5:** 13, 92, 388
Pumpestationen Gl. Kongevej **6:** 448
Pücklerstrasse, Berlin **2:** 247
Päffgen, Theodor, ty. officer **7:** 311f.
Pøhlgaard, Jens, boghandler, terroroffer **10:** 113
*Paa Broen,* tidsskrift **6:** 139, 204
*Paa godt Dansk,* tidsskrift **5:** 256, 471; **6:** 100, 114, 189, 428; **9:** 27

Quartiermeisteramt, OKM **5:** 54f., 59, 66, 78, 108, 194, 196, 210, 221, 223, 271, 453, 491, 493, 502, 506, 508; **6:** 74, 86f., 121, 137, 171; **7:** 53, 111f., 129, 144, 149, 158, 169, 448, 456
Quebec **8:** 384
Quecke, Hans, Ministerialrat, RWM **5:** 301
Querner, Rudolf, SS-Obergruppenführer, HSSPF **1:** 463, 636; **2:** 22, 127; **4:** 456
Quisling, Vidkun, no.statsminister, leder af Nasjonal Samling **1:** 71, 236, 486, 619f., 629f.; **2:** 46, 102, 146, 489; **3:** 67; **6:** 303f.; **9:** 375; **10:** 32, 202
Quist Christensen, Ejler, da. SS-frivillig **1:** 533
Quistgaard, Georg Brockhoff, modstandsmand **6:** 203, 241; **10:** 60

Rachmutie, Bröneslaf, russ. vagtmand **7:** 254
Rademacher, Franz, ty. legationsråd, AA **1:** 452, 454f., 470, 511f., 628, 651f.; **2:** 75, 116, 120; **10:** 31ff., 198
Radikale Venstre, Det, parti **1:** 459, 567, 589, 596, 598; **2:** 224ff., 236, 357, 367, 389f., 426; **3:** 25, 27, 41, 66; **5:** 145, 252
Radio Free Europe **3:** 322
Radiofabriken, Kbh. **6:** 272
Radiofon, Odense **10:** 104
Radiorådet **5:** 17
Radl, Karl, ty. politimand **7:** 103
Radtke, Oberstleutnant, Feldwirtschaftsamt **9:** 181, 208
Radunski, Konrad, SS-Obersturmbannführer, personalechef i VOMI **5:** 173f., 452
Raeder, Erich, ty. storadmiral **1:** 71, 236, 500
Raetzel, Richardt, læge, terroroffer **8:** 143; **9:** 34; **10:** 100
RAF, se Royal Air Force
Ragnhildsgade, Kbh. **10:** 144
Rahbeck, Jørgen, modstandsmand **2:** 374; **3:** 135
Rahn, Rudolf, ty. ambassadør og befuldmægtiget, Italien **4:** 459; **5:** 231
RAM, se Ribbentrop, Joachim von
Ramlau-Hansen, kommandørkaptajn, marineattaché i Berlin **4:** 316
Ramm, P.L., generalmajor, forbindelsesofficer **3:** 143, 179
Ramsay, Henrik, fin. minister **2:** 228
Rancke, Heinrich, Obersteuermann **5:** 53
Randbølvej, Vanløse **5:** 272
Randers **2:** 530, 532; **3:** 11, 93, 196, 363, 430; **4:** 68, 171, 345, 458, 466, 493, 499, 519; **5:** 10, 49, 63, 162, 269, 288, 461; **6:** 259; **7:** 116, 206, 255f., 258, 262, 338, 439; **9:** 48, 93; **10:** 49, 61, 81, 97, 103, 105, 113, 125, 132, 176, 189f., 193
*Randers Dagblad,* avis **1:** 598
Randers Diskonto- og Lånebank **9:** 48
Randers Tandhjulsfabrik **3:** 434

Randers Theater **10:** 125
*Randers Venstre-Blad,* avis **1:** 598
Randershof **6:** 140; **9:** 277
Randersvej, Århus **1:** 423
Rangoon **9:** 400
Rantzausgade, Kbh. **7:** 35, 78, 197
Ranum **2:** 35
Ranum Seminarium, Løgstør **10:** 100
Rasch, Svend Aage B., assistent, terroroffer **10:** 109
Rascher, Sigmund, Stabsartzt **1:** 538f., 580, 606f.; **3:** 132f.
Rasmussen, Albert, forretningsfører for Malernes Cooperative, terroroffer **9:** 31; **10:** 112
Rasmussen, Edith, sekretær **6:** 186
Rasmussen, Edmund S., tilskærer, terroroffer **10:** 145
Rasmussen, Finn, terroroffer **10:** 139
Rasmussen, Jørgen Østrup, SIS-agent **7:** 209
Rasmussen, Knud Aage, modstandsmand **3:** 137
Rasmussen, Krieger, modstandsmand **3:** 141
Rasmussen, Nils, murermester **7:** 387
Rasmussen, Olaf, anholdt **5:** 288
Rasmussen, P.D., kriminalassistent **8:** 350
Rasmussen, Peter, det tyske mindretals befuldmægtigede i landbrugsanliggender **6:** 237f.
Rasmussen, Poul C., direktør, nazist **7:** 176; **8:** 381; **9:** 339, 346
Rasmussen, Poul Møller, terroroffer **10:** 137
Rasmussen, Selgan J.E., manufakturhandler, terroroffer **10:** 122
Rasmussen, skibsværft, Svendborg **5:** 384
Rasmussen, slagtermester **5:** 203
Rasmussen, Suzanne Wowern, da. journalist **1:** 69, 234
Rasmussen, Svend Edvard, modstandsmand **4:** 519; **10:** 60
Rasmussen, Svend Tillge, journalist **3:** 238
Rasmussen, Tage Kjærsgaard, da. SS-Untersturmbannführer **3:** 242
Rasmussen, Viggo, terroroffer **10:** 135
Rasse- und Siedlungshauptamt der SS **2:** 145; **3:** 302; **4:** 303; **6:** 378f.; **8:** 300, 361, 367f., 470; **9:** 313
Rasse- und Siedlungswesen (RuS) **1:** 459
Rassenpolitisches Amt **4:** 275
Rastenburg **5:** 111; **10:** 199
Rathje, Mogens, da. SS-frivillig **1:** 533; **10:** 62
Rauch, Kriminalrat, RSHA **7:** 359; **8:** 110, 162, 363f.
Rauh, Zugführer, TN-forbindelsesofficer **8:** 24
Rauter, Hanns, SS-Gruppenführer, HSSPF i Holland **1:** 574; **3:** 82; **4:** 215
Ravensbrück, koncentrationslejr **4:** 252; **5:** 10, 339; **10:** 193
Ravn, Adda, stikker **8:** 257f.
Ravn, Stig, ingeniør **5:** 178
Ravnsbjergbakken **5:** 346
Ravnsborggade, Kbh. **5:** 34; **9:** 299
Ravnskov, Knud Erik, da. SS-Hauptmann **3:** 243
Ravnstrup **5:** 63
Reber, Samuel, am. diplomat **2:** 137
Reberbanegade, Aalborg **3:** 388
Rebild **3:** 93; **4:** 68
Rechnitzer, Hjalmar, viceadmiral **1:** 169
Recklinghausen, Tyskland **3:** 262
Reclam, firma **3:** 290
Rederiforeningen **5:** 234
Rediess, Wilhelm, HSSPF i Norge **1:** 368, 574; **6:** 304
Refshaleøen, Kbh. **2:** 159; **5:** 384; **6:** 272; **7:** 393; **8:** 310; **9:** 32
Refslund-Thomsen, Kresten, amtmand **6:** 259
Refsnæsgade, Kbh. **9:** 222
Regelow Jensen, Viktor, medl. af terrorgruppe **10:** 83
Regeringsudvalg, Det tysk-danske **1:** 503, 587f., 608, 634; **2:** 14, 81, 241, 270; **3:** 264; **3:** 30; **4:** 134, 143, 265, 267, 352; **5:** 106, 204ff., 219f., 227, 275, 293, 305, 314, 319, 333, 335ff., 344, 354, 356, 369, 394, 425; **6:** 67, 88, 92, 178, 268f., 314; **7:** 44, 118, 126, 170, 445; **8:** 39, 85, 140, 242, 350, 353, 365, 370; **9:** 76, 80ff., 114, 162, 166, 202f., 213f.
Regiment "Danmark" **4:** 426
Rehbein, Philip, ty. major **7:** 146, 148; **10:** 174
Reholt, Mogens, oberstløjtnant, HIPO **8:** 159f.; **9:** 280; **10:** 130
Reib, Carl, modstandsmand **3:** 416
*Reich, Volksordnung, Lebensraum,* tidsskrift **7:** 351; **10:** 198
Reichardt A/S, firma, Kbh. **2:** 363
Reichardt, Haupteinsatzführer **5:** 378ff., 471f.
Reichel, Eberhard, legationsråd, AA **2:** 104, 221, 270, 342, 354, 375, 516; **3:** 89, 93, 276, 282, 283, 296, 297, 304, 306, 307, 333, 334, 359, 390; **5:** 216, 234, 282f., 474; **6:** 155f., 205; **7:** 123, 234, 442; **8:** 296, 300, 352f.
Reichmann, SS-Hauptsturmführer **8:** 396
Reichsamt für Bodenforschung **1:** 585
Reichsarbeitsdienst (RAD) **2:** 227, 237; **6:** 61, 270, 358; **8:** 142; **9:** 361, 409ff., 417
Reichsbankdirektorium **2:** 303, 352f.; **3:** 40, 42; **4:** 468f.; **6:** 62, 64, 268, 271, 408
Reichschatzmeister der NSDAP **5:** 297

Reichsernährungsministerium (REM), se Reichsministerium für Ernährung und Landwirtschaft
Reichserziehungsministerium **2:** 22; **5:** 412
Reichsfinanzministerium (RFM) **1:** 23, 83, 137, 143, 181, 251, 311, 318, 380, 466; **2:** 79ff., 264, 282, 352, 462f.; **3:** 30, 35, 37, 39f., 42; **4:** 65, 149f., 152, 184, 326f., 393, 414, 416; **5:** 43, 97, 106ff., 115, 204ff., 219f., 237, 255, 275, 279, 292f., 298, 300, 314, 333, 335ff., 342, 344, 357, 371f., 423, 425, 453f.; **6:** 47, 61, 128, 211, 314, 343, 408; **7:** 138, 216, 295f., 390, 444f., 455; **8:** 202, 260, 333, 351, 367, 370; **9:** 76f., 114, 181f., 199, 204, 213f.; **10:** 43, 54, 57
Reichsforstamt **1:** 547; **5:** 224f., 276; **6:** 65
*Reichsgesetzblatt,* ty. publikation **5:** 139
Reichsgruppe Industrie **2:** 202; **8:** 312
Reichsinnenministerium (RIM) **1:** 380, 384; **3:** 148; **4:** 172, 326f.; **5:** 174, 452; **6:** 357; **7:** 124; **8:** 114, 117ff., 362, 372; **9:** 181; **10:** 198
Reichsinspektion **7:** 39
Reichsjugendführung **1:** 537; **2:** 271, 394; **3:** 472; **5:** 297, 412; **6:** 89, 99, 117
Reichsjustizministerium (RJM) **1:** 494, 543; **2:** 472; **3:** 151, 182, 188; **7:** 392; **8:** 100, 360, 426
Reichsjustizverwaltung **3:** 61
Reichs-Kanzlei der NSDAP **6:** 22
Reichskommissar für die Preisbildung **3:** 122, 172; **5:** 343; **6:** 128, 271; **7:** 353; **8:** 52, 101, 422
Reichskommissar für die Seeschiffahrt (Reikosee/RKS) **1:** 505f., 526, 629f., 641; **2:** 191; **4:** 531; **5:** 451, 492; **7:** 283f., 418
Reichskommissariat Ostland **1:** 598
Reichskommissars für die Festigung deutschen Volkstums **2:** 145, 233f.
Reichskreditkasse **1:** 506; **2:** 144; **9:** 228
Reichskriminalpolizeiamt **6:** 91
Reichsluftfahrtsministerium (RLM) **2:** 101, 277, 421; **2:** 98; **3:** 85, 201, 491; **5:** 92, 114; **6:** 148
Reichsminister der Finanzen **2:** 81, 143, 241, 243; **4:** 458, 468; **8:** 20, 53, 75, 80, 85, 93, 107f., 126, 128, 192, 243, 257, 259, 283, 300, 306, 350, 353, 422; **9:** 82, 360
Reichsminister des Innern **7:** 283
Reichsminister für Bewaffnung und Munition **2:** 554; **3:** 108, 227
Reichsminister für die besetzten Ostgebiete (Alfred Rosenberg) **1:** 23, 94, 98, 181, 263, 268; **3:** 376; **5:** 106, 351f., 481, 492; **6:** 113f., 300; **8:** 127, 157; **10:** 38f.
Reichsminister für Ernährung und Landwirtschaft **4:** 469
Reichsminister für Rüstung und Kriegsproduktion (Albert Speer) **2:** 10, 97; **4:** 401, 536; **5:** 80, 113, 198, 231, 246, 343, 387, 458, 511; **6:** 129, 271, 452; **7:** 122, 173f., 238, 240, 316, 330, 436, 464; **8:** 306, 422; **9:** 207, 304, 306, 315, 396, 410, 417, 433; **10:** 49, 51
Reichsminister für Wissenschaft, Erziehung und Unterricht **3:** 102
Reichsministerium für Bewaffnung und Munition **2:** 423; **9:** 52
Reichsministerium für die besetzten Ostgebiete **5:** 75
Reichsministerium für Ernährung und Landwirtschaft (REM) **1:** 23, 25, 32, 43, 63, 72, 76, 82f., 86, 137, 143, 181, 184, 192, 205, 227, 238, 242, 249, 251, 254, 290, 311, 318, 380, 384, 466, 582; **2:** 81, 177, 282, 352; **3:** 122, 225, 345; **4:** 20f., 446f.; **5:** 96, 207, 227, 231, 238, 282, 298, 305, 343, 358, 371, 381f., 425; **6:** 37, 39, 75, 209, 233f., 261f., 265, 271, 306, 359, 408, 425; **7:** 143, 148, 154, 283, 296; **8:** 20, 22, 39, 54, 57, 84; **9:** 162, 181, 197; **10:** 150, 196
Reichsministerium für Rüstung und Kriegsproduktion (RRK) **1:** 35, 196; **5:** 96, 117, 157; **6:** 65, 75, 84, 92f.; **7:** 174, 345; **8:** 20, 262, 311, 313, 463; **9:** 315
Reichsministerium für Volksaufklärung und Propaganda (RMVP) **1:** 23, 94f., 97, 100, 181f., 265, 270; **2:** 70, 73; **3:** 82, 87, 213; **4:** 64, 119, 325, 452, 490; **5:** 150f., 391, 481, 483; **6:** 283, 296f.; **7:** 159; **8:** 87, 365f., 409, 416, 418, 438; **9:** 75, 77, 120, 273; **10:** 48, 54
Reichsministerium für Wissenschaft, Erziehung und Volksbildung **1:** 470; **4:** 177
Reichsnährstand **9:** 27
Reichspostministerium **3:** 205
Reichsregierung **2:** 126, 401, 461; **3:** 162
Reichsreifenlager Schleswig **6:** 157
Reichsrundfunk **4:** 326; **8:** 87
Reichsrundfunkgesellschaft **4:** 125
Reichssicherheitshauptamt (RSHA) **1:** 19, 22, 32, 35, 43, 51, 55, 99, 106, 113f., 177, 180, 193, 195f., 205, 213f., 219, 270, 278, 285f., 430, 452, 468, 471ff., 500, 549, 563, 604, 630f., 651; **2:** 22, 37, 61, 63f., 72, 75, 78, 87, 114, 116, 128f., 148, 152, 161, 201, 238, 246, 250f., 262, 279, 301, 349, 398, 405, 427, 542; **3:** 52, 59, 246, 251, 298, 305, 328, 393, 53, 65, 258, 300, 306, 408; **4:** 72, 138, 192,

202, 207, 212, 246, 251ff., 272f., 282f., 288, 302, 308, 310, 316f., 319, 323, 332, 346, 365, 367, 372, 375, 382, 391, 395, 397f., 436, 444, 452, 454, 467, 470f., 487, 494, 517f., 520, 525; **5:** 25, 49, 58, 71, 91, 143f., 277, 320, 339f., 417, 419ff., 464, 473f., 498ff.; **6:** 35, 37, 68f., 74, 91, 95, 111, 115, 162f., 184ff., 190f., 193, 198, 200f., 204, 209f., 223, 226, 391, 305, 335, 337, 339f., 376, 391, 416, 418, 432; **7:** 102, 104, 116, 128, 281, 287, 311, 359, 398f., 433, 454, 459ff.; **8:** 32, 37, 44, 78, 84, 92, 97, 102f., 109, 114, 117ff., 123, 150, 158, 162, 191, 237, 265, 303, 308, 362, 365f., 372, 374, 409, 424, 438; **9:** 56, 75, 81, 166f., 214f., 251, 260, 282, 290; **10:** 31, 44, 52, 54, 56, 153, 196-200

Reichsstelle für Eisen und Metalle **2:** 98, 420; **4:** 547; **8:** 134, 483

Reichsstelle für Kohle **5:** 55, 80f.; **7:** 248

Reichsstelle für Maschinenbau **5:** 26

Reichsstelle Kautschuk **6:** 157; **7:** 106f., 248; **8:** 69

Reichstransportministerium **5:** 281

Reichsverkehrsministerium (RVM) **1:** 380; **2:** 46, 396; **3:** 83; **5:** 326f.; **7:** 444; **8:** 307; **9:** 364f.

Reichsverteidigungskommissar Hamburg **7:** 368

Reichswirtschaftskammer **7:** 200, 266, 283f.

Reichswirtschaftsminister (Walther Funk) **1:** 73, 239, 639; **5:** 231, 333, 335ff., 357; **6:** 65, 271, 298; **7:** 390f.; **8:** 80, 192ff., 422

Reichswirtschaftsministerium (RWM) **1:** 23, 25, 76, 79, 83, 86, 117, 137, 143, 181, 184, 239, 242, 245, 251, 254, 290, 311, 318, 380, 544f., 582, 585, 617; **2:** 11, 91f., 95, 98f., 101, 150, 171, 176, 202, 282, 352; **3:** 347, 471, 475; **4:** 455, 469, 516; **5:** 95f., 217, 227, 238, 255, 279, 281f., 297, 309, 342, 357f., 368, 371f., 382, 413, 423, 425, 428, 437; **6:** 37, 75, 81, 92f., 117, 128, 156, 158, 168, 244, 343, 408, 427; **7:** 53, 107, 110, 138, 226, 248, 266, 368, 389, 406; **8:** 39, 57, 84, 300, 350ff., 368f., 406, 453, 467, 470; **9:** 181; **10:** 150

Reikosee, se Reichskommissar für die Seeschiffahrt

Rein, Johannes, ty. ingeniør **8:** 186

Reinberg, ty. oberstløjtnant **2:** 47

Reincke, Günther, SS-dommer **6:** 122, 125

Reinerth, Hans, ty. professor **3:** 102, 273

Reinhardt, Fritz, ty. statssekretær, RFM **5:** 286, 294, 358, 425; **6:** 270

Reinhardt, Helmuth, ty. generalmajor **9:** 158, 199, 322, 416, 424

Reinhardts Autoværksted, Kbh. **5:** 288

Reinisch, Franz, ty. politimand **2:** 76, 134; **10:** 172

Rein-Jensen, Hans Egede, politikommissær **6:** 259

Reisener, Gestapomand **10:** 138

Reitzel-Nielsen, Erik, landsretssagfører **3:** 322f.; **4:** 176

REM, se Reichsministerium für Ernährung und Landwirtschaft

Remarque, Erich Maria, ty. forfatter **2:** 315

Remstrup Å **5:** 63

Rendrup, Paul, modstandsmand **4:** 436

Rendsburg **9:** 396

Renner, Fritz, ty. politimand **3:** 133; **4:** 43; **10:** 173

Renner, Rudolf, Gestapochef **8:** 433; **10:** 138

Rentemestervej, Kbh. **4:** 110, 294

Renthe-Fink, Cecil von, gesandt, rigsbefuldmægtiget **1:** 22, 27, 32, 41, 67f., 76f., 92, 100, 106, 181, 187, 192, 202, 231f., 242f., 260, 270, 277f., 345, 371, 373f., 382, 384, 393f., 398f., 402ff., 408, 410, 433, 436, 444f., 455f., 459, 463, 469f., 508f., 518f., 528ff., 550ff., 554, 563, 572; **2:** 88, 102, 180; **3:** 174; **4:** 103f., 300, 530; **5:** 236, 285, 287, 312, 353; **6:** 77f.; **10:** 30f., 150, 158, 198

Resenbro **4:** 15

Resenbro Station **4:** 62

Retsforbundet **2:** 357, 367, 389f., 426; **3:** 27, 41, 66; **5:** 145

Retsmedicinsk Institut **3:** 322

Reumann, Albert, ty. politimand **10:** 173

Reuter, Josef, Obergefreiter **7:** 379

Reuter, ty. toldembedsmand **6:** 49

Reuters Bureau **3:** 452; **5:** 136; **6:** 429; **7:** 55, 340

Reuterswaerd, sv. direktor, Tidningarnas Telegrambureaus **6:** 116

Reval **3:** 17; **6:** 173

Reventlow, Eduard von, da. gesandt i London **1:** 385f.; **4:** 116, 424; **5:** 18; **8:** 327; **9:** 145

Reventlow, Ludvig Alfred, modstandsmand **10:** 66

Reventlowsgade, Kbh. **9:** 187

Reviczky, von, ung. chargé d'affaires i Kbh. **9:** 12, 238, 333

Rex, Reichsbankdirektor **5:** 333

Reykjavik **6:** 277

RFM, se Reichsfinanzministerium

Rheinland Westfalen Sprengstoff AG, ty. firma **5:** 388

Rheinmetall, ty. firma **4:** 209

Rialtovej, Kbh. **10:** 142

Ribbentrop, Joachim von, ty. udenrigsminister **1:** 18, 20, 43ff., 54, 105, 107ff., 113f., 122, 135, 139f., 143, 146f., 149f., 177ff., 204-207, 217, 233, 276, 278f., 281, 285f., 295, 309, 314f., 318, 322f., 325, 393f., 406, 428, 443, 448, 451, 455, 459, 470f., 477, 496, 503, 508f., 511, 514ff., 518f., 523, 528f., 535ff., 540f., 550-553, 555f., 559, 561ff., 572, 575, 578f., 588, 591, 594, 600, 625, 630, 643, 647f.; **2:** 26, 35, 44, 48f., 61ff., 68, 71, 75, 80, 83, 110-113, 119, 129, 142, 178ff., 184f., 199, 207f., 210f., 214, 217, 223f., 235, 249, 255, 262, 282, 289f., 328, 330, 339, 347, 374, 394, 398, 401, 434f., 439, 441, 444, 447, 455f., 459, 469ff., 473, 478ff., 482, 487, 501f., 505, 515, 518; **3:** 9, 20, 24f., 60, 63, 75f., 88f., 156, 162, 165ff., 211, 220ff., 235, 245f., 251f., 254, 260, 272, 276, 278, 297, 303, 306f., 313f., 327f., 333, 392, 409, 422-425, 430, 435, 438ff., 443, 453-457, 460, 466, 468; **4:** 9, 11f., 24, 38, 40, 48, 54f., 65, 70, 72f., 101, 138f., 155, 181, 192, 197, 202, 216f., 236, 239-242, 249, 256f., 263, 267, 276, 278, 283, 303, 305, 314, 322f., 327, 333, 346, 371, 375ff., 379f., 383f., 391, 395, 397f., 452, 517, 524ff., 533, 539; **5:** 25, 77, 104, 111, 138f., 143, 152, 180f., 186, 199, 227, 232, 236f., 278f., 312f., 335f., 343, 345, 354, 369, 407, 448, 459, 474, 481, 484; **6:** 17, 32, 67, 75, 92, 127, 168f., 172, 187f., 201, 221f., 224, 227, 230, 233, 237, 248, 260, 267, 372, 374, 380, 444, 449f.; **7:** 26, 28, 32, 46-49, 58f., 63, 66, 101, 103, 115, 117, 152, 157, 161-164, 310, 342, 347, 357, 359, 394, 408, 414, 423, 427, 434f., 444f., 448, 450, 457, 459; **8:** 36f., 44, 54, 56f., 61f., 84, 89, 94, 123, 150, 157, 168f., 171ff., 192, 204, 212, 235ff., 244, 257, 293, 363f., 411, 422, 427, 439; **9:** 30, 52, 55, 60, 78, 118, 182, 227, 390; **10:** 30ff., 35-38, 45, 47-51, 54, 151, 158, 186, 196, 198-201
Ribe **1:** 425, 577f., 598; **2:** 35, 201, 536; **3:** 195, 287; **4:** 101, 212, 296, 523, 532; **5:** 23, 63, 74, 98, 147, 183; **6:** 397; **7:** 52, 397, 439; **8:** 58, 476; **9:** 41, 266; **10:** 47, 176, 188ff.
Ribe Brandvæsen **3:** 391
Ribnitz, ty. firma **7:** 464; **9:** 393
Rich, Ude, modstandsmand **4:** 147
Richard Nilsen, firma, Hillerød **4:** 297
Richert, Arvid Gustav, sv. gesandt i Berlin **4:** 243, 266
Richter, Ernst, ty. generalløjtnant, Københavns Kommandant (HKK) **5:** 184, 189, 291, 303, 329f., 383f., 443, 461f., 468; **6:** 28, 374, 376, 407f., 411f., 414, 434, 436f., 440-444, 457; **7:** 9, 15f., 18f., 21, 34f., 43, 50, 56f., 61, 103, 109f., 362; **9:** 418; **10:** 41
Richter, ty. officer **1:** 495
Rickert, A., sv. gesandt i Berlin **1:** 518
Riedweg, Franz, SS-Obersturmbannführer, afdelingsleder ved Germanische Leitstelle **1:** 487, 496, 538ff., 583f., 614f.; **2:** 118f., 134f., 144f., 147, 164; **3:** 77, 89, 276, 282f., 296, 306, 332f., 390; **4:** 149, 158f., 169, 219; **6:** 56f.; **10:** 31, 33, 151, 198f.
Riehle, Dr., ty. ministerialdir., RWM **5:** 342
Riffelsyndikatet, se Dansk Industri Syndikat
Riga **2:** 269, 449; **3:** 17; **5:** 470
Rigensgade, Kbh. **6:** 318
Rigsarkivet, Kbh. **1:** 23-28, 44, 51, 57, 69, 84, 102, 125, 182-188, 205, 214, 221, 234, 251, 272, 299; **6:** 379
Rigsdagen, Kbh. **1:** 593, 601, 626; **2:** 88, 120, 167, 169, 183, 219, 248, 265, 426, 445, 506; **3:** 27, 29, 66, 112, 115, 119, 161, 173, 206, 458, 467; **4:** 12, 41, 56, 115; **10:** 11, 13, 16
Rigshospitalet, Kbh. **7:** 340
Riis Lassen, P., oberstløjtnant, modstandsmand **8:** 337, 340
Riis, Henry A., da. SS-Untersturmbannführer **3:** 243
Riisnæs, Sverre, no. statsadvokat, justitsminister **1:** 621
Riksted, Henry, medl. af terrorgruppe **10:** 141
RIM/RMI, se Reichsministerium des Innern
Rimann, Waldemar, SS-Obersturmbannführer, VOMI **5:** 452; **7:** 282
Ring, Erik, pseudonym for Erik Seidenfaden **6:** 21
Ringe **3:** 195; **6:** 141
Ringgade, Struer **2:** 363
Ringkøbing **1:** 577; **4:** 101; **7:** 439; **8:** 246, 474; **10:** 176
Ringkøbing Fjord **5:** 283, 316
Ringsted **2:** 537; **3:** 452; **4:** 53, 397; **7:** 51, 176, 335; **8:** 51, 159f., 342, 443, 475; **9:** 362, 404; **10:** 48, 81, 189
Ringsted, Erik, direktør, Odense Stålskibsværft **3:** 316
Ringstedgade, Kbh. **10:** 109
Ringstedgade, Roskilde **4:** 435, 437
Rinkenæs **6:** 141
Rintelen, Emil von, legationsråd, AA **1:** 454, 470, 503, 519, 528, 625; **2:** 62, 394, 398, 405, 434, 440f., 482, 498, 504f.; **3:** 20
Rio de Janeiro **4:** 280

Rio, herreekviperingsforretning, Kolding **10:** 134
Ripken, Georg, legationsråd, AA **6:** 268, 343f., 408; **7:** 445f. ; **8:** 257, 357, 405f., 449, 470; **9:** 181-184
Risbjerggaards Allé, Valby **9:** 298
Risch, Ministerialdirektor, Reichspostministerium **3:** 205
Risskov **5:** 68; **7:** 257; **10:** 131, 137
Ritter, Karl, ty. ambassadør, AA **1:** 73, 238, 446, 534, 616, 643; **2:** 243, 249, 325, 329, 334, 354, 359f., 380, 457, 460; **3:** 74, 424f., 465; **4:** 107, 123, 138, 141, 200, 256, 264, 325, 333, 459f.; **8:** 61f., 64, 204, 206, 233
Rittner, ty. oberst **2:** 268
Ritz, Aalborg **10:** 105
Ritzaus Bureau **5:** 262, 399; **6:** 230; **7:** 370; **8:** 431; **10:** 12
Rix, brandmajor **8:** 273
Rixen, firma, Kbh. **8:** 482
RJM, se Reichsjustizministerium
Rjukan, Norge **6:** 40
RKS, se Reichskommissar für die Seeschiffahrt
RLM, se Reichsluftfahrtsministerium
RMEL, se Reichsministerium für Ernährung und Landwirtschaft
Robert Jensens Dampvaskeri, Hillerød **4:** 435, 437
Rode, Ebbe, skuespiller **10:** 147
Rode, Jens, ty. politimand **3:** 90, 164; **10:** 173
Rodtwitt-Nielsen, H. "Viktor", efterretningsagent **8:** 446, 474
Roediger, Conrad, legationsråd, AA **1:** 493, 543; **2:** 29f., 171, 499; **3:** 180, 216f., 407; **5:** 188, 497f.; **6:** 34; **7:** 291, 306, 460f.; **8:** 50, 211
Rohde, Brigadeführer, Gen. Major d. Waffen-SS **7:** 13
Rohde, Hauptmann **3:** 434
Rohde, ty. kaptajn, Rüstungsstab Dänemark **5:** 441
Rohde, Walter, ty. politimand **3:** 90; **10:** 172
Rohrer, Dr., Treuhand des Reichsmarschalls für alle Philips-Unternehmen **4:** 547
Rokosowsky **9:** 393
Roland **6:** 122
Roland, ty. skib **8:** 418f.
Rolandseck, ty. skib **9:** 165
Rold Skov **3:** 387
Rolighedsvej, Kbh. **9:** 187
Rolsted, Hans, generalmajor **1:** 628; **2:** 16, 153; **3:** 58, 61f., 143
Rom **1:** 465, 596, 619
Rommel, Erwin, ty. generalfeldmarskal **1:** 645; **4:** 539f.; **5:** 29, 36, 46, 55, 65f., 80, 86, 101, 133, 136f., 157, 194, 315, 385, 402; **6:** 25f.; **7:** 340; **8:** 377; **10:** 41, 197
Romsø **9:** 49
Ronneby, Sverige **6:** 293
Roosevelt, Franklin D., am. præsident **1:** 562; **2:** 29, 136; **5:** 397; **6:** 32, 282, 295; **8:** 170, 376, 390; **9:** 390
Rosbæk, ingeniør, KTAS **9:** 51
Rosenberg, Alfred, se Reichsminister für die besetzten Ostgebiete
Rosenberg, Inselkommandant Bornholm **7:** 340
Rosendahls Trykkeri, Esbjerg **10:** 99
Rosenfeldt, Jørgen "Hans", modstandsmand **8:** 474
Rosengreen, Bjørn, da. historiker **1:** 27, 45f., 59, 63ff., 70, 107, 109, 113, 118, 122f., 125f., 130, 139, 141, 143f., 186, 207, 222, 227ff., 234, 279, 281f., 286, 291, 295-299, 304, 313, 316, 318f.
Rosengården, Kbh. **7:** 257
Rosenlundgade, Aalborg **10:** 100
Rosenman, Samuel Irving, am. jurist **2:** 137
Rosenvang, Århus **5:** 62
Rosenvænget, Kbh. **8:** 143
Rosenvængets Allé, Kbh. **3:** 140
Rosenørns Allé, Kbh. **6:** 318; **9:** 187
Roshagevej, Kbh. **2:** 56
Roskilde **2:** 371; **3:** 199, 400, 452; **4:** 435, 437; **6:** 143; **7:** 14, 337, 380; **8:** 159, 337, 341, 475; **10:** 47, 72, 76, 95, 188
Roskilde Landbobank **10:** 76
Roskilde Landevej **6:** 452; **7:** 235
Roskildevej, Kbh. **2:** 159, 363; **4:** 66, 95; **5:** 384; **6:** 103, 329, 448; **7:** 79; **9:** 216, 222, 295, 297f.; **10:** 125, 130
Roslyng-Jensen, Palle, da. historiker **1:** 59f., 63, 104, 133, 222f., 227, 275, 308
Rossel, Maurice, delegeret, Det Internationale Røde Kors **6:** 416f.; **7:** 17
Rosting, Helmer, direktør for Dansk Røde Kors **1:** 476, 524, 530; **4:** 197f., 243, 494, 518; **5:** 495; **6:** 36f., 46, 68, 372; **9:** 287, 289, 355
Rostock **2:** 407; **5:** 516; **7:** 92; **9:** 393
Rostrup **9:** 277
Rosvinge, Helge, kammersanger **6:** 190
Rota, ubåd **3:** 483
Roth, Daniel, ty. historiker **1:** 68, 233
Roth, ty. kaptajn **9:** 426
Rothe, ty. embedsmand **10:** 164
Rothenberg, Hermann, ty. politimand **3:** 90; **10:** 173
Rotna, skib **5:** 59, 204, 235

Rottbøll, Christian Michael, modstandsmand **3:** 33
Rotterdam **2:** 191, 422, 450; **5:** 395
Rottler, Wilhelm, ty. politimand **3:** 262; **10:** 173
Rottner, skib **4:** 455, 477; **5:** 29, 78, 179, 188f., 211, 494
Rovsingsgade, Kbh. **5:** 184, 469; **7:** 147
Royal Air Force (RAF) **8:** 155, 179f., 268, 325, 330; **9:** 29, 70, 343, 348; **10:** 33, 52, 56f.
Royal, hotel, Løgumkloster **9:** 336
Royal, hotel, Århus **8:** 433
RRK, se Reichsministerium für Rüstung und Kriegsproduktion
RSHA, se Reichssicherheitshauptamt
RSHL **8:** 233
Ruban, Hauptmann, ty. adjudant **2:** 453
Rude Skov **5:** 397; **10:** 149
Rudersholm **10:** 189
Rudkøbing **3:** 428; **7:** 440
Rudolf, ty. oberst **1:** 448
Rudy Tryk, Kbh. **6:** 318
Rugard, skib **9:** 439
Ruge, Friedrich, ty. viceadmiral **5:** 36, 55, 65f., 86
Ruhbaum, ty. afdelingsleder, Einsatzstab Rosenberg **5:** 414f.
Rump, ty. professor **7:** 217
Rumænien **1:** 156, 333; **2:** 127, 142, 285, 527; **3:** 76, 113, 154, 169, 260, 265f., 354, 356, 367; **4:** 425, 469, 537; **5:** 143, 410; **6:** 101, 175, 357f., 362; **7:** 39, 278, 289, 399; **8:** 11, 170, 353; **9:** 11ff., 238
Rumæniensgade, Kbh. **9:** 299
Rundfunkpolitische Abteilung **1:** 25, 184
Rungsted **1:** 581; **3:** 363; **4:** 223; **5:** 30; **6:** 140f.
Rungwald, Helge, teaterdirektør, terroroffer **10:** 123
Russiske Handelsrepræsentation, Kbh. **1:** 567
Rutherford, eng. major **9:** 434
RVM, se Reichsverkehrsministerium
RWM, se Reichswirtschaftsministerium
Ry **8:** 325; **10:** 189
Rücker, von, ty. officer **7:** 218
Rydder, Jørgen, modstandsmand **10:** 62
Rydhave, Bests embedsbolig **2:** 79, 246, 259, 439; **3:** 271; **6:** 174, 304; **7:** 198, 428; **9:** 402
Ryesgade, Kbh. **4:** 15, 538; **6:** 410f.; **7:** 147, 383
Rügen **6:** 141
Rühle, Gerhard, gesandt, leder af AAs Radiopolitiske afdeling **4:** 325f., 452; **6:** 296f.; **8:** 47, 416f.; **9:** 77
Rühmann, Heinz, ty. skuespiller **8:** 272
Rünitz, Lone, da. historiker **1:** 115, 288
Ryomgaard **5:** 63
Ryparken **7:** 19
Rüs-Hansen, Vagn, købmand **6:** 51
Rüstungsamt des Reichsministers für Rüstung und Kriegsproduktion **1:** 35, 47, 84, 86, 193, 196, 209, 254; **2:** 95; **3:** 107, 227, 352, 356, 404; **4:** 208, 293, 401; **5:** 372; **6:** 238f.; **7:** 9, 73, 362, 369; **10:** 37
Rüstungskommando Leipzig **5:** 180
Rüstungskontor GmbH für Dänemark **1:** 546; **2:** 10
Rüstungsstab Dänemark, se også Forstmann, Walter
**1:** 18f., 22, 28, 30, 33, 35, 38, 46ff., 50, 54-57, 66, 76f., 84f., 99, 122, 143, 177, 181, 188, 190, 194, 196, 199, 209f., 212, 217-221, 230, 242f., 251f., 269, 294, 318, 349f., 380, 455, 544ff.; **2:** 9f., 18, 32, 90f., 94, 116f., 175, 177, 194, 202f., 275ff., 293, 416-423, 448ff., 466, 519, 554ff.; **3:** 16f., 57, 78f., 85, 91f., 98, 107ff., 200ff., 206, 226-229, 231f., 240, 292f., 310ff., 347, 357, 383, 394, 405, 419, 421, 434, 490; **4:** 36, 51, 60, 82, 126, 128, 134, 179, 208ff., 214, 224, 230f., 239, 263, 293, 334f., 358, 401, 425, 473, 476, 512, 520, 534, 536, 544, 546f.; **5:** 13, 27, 84, 91ff., 96, 113, 115f., 145f., 171, 176, 180, 185, 192, 200, 215, 223ff., 245, 268, 270, 276, 284f., 291, 295, 305ff., 309, 314, 328, 360, 369, 383, 387, 416, 423, 430, 432, 437, 441f., 443, 447, 457, 459, 469, 511, 513f., 517; **6:** 13f., 23, 103f., 108, 129, 145, 148ff., 212, 219, 239, 242, 253-256, 271, 398, 426, 451f., 456; **7:** 14, 71, 73f., 107, 130, 139, 146, 173f., 177, 222, 238, 241, 244, 313, 315-319, 321-325, 345, 362, 369f., 372, 389, 413, 440, 447, 462, 466; **8:** 13, 18, 29, 100, 111, 132, 206f., 227f., 255f., 265, 275, 309-313, 359, 373, 423f., 479ff., 484, 486; **9:** 14, 17, 19, 79, 99, 121f., 137, 231, 242f., 300, 403; **10:** 5f., 48, 50, 179f.
Rüstungsstab Norwegen **2:** 277
Ryti, Risto Heikki, fi. præsident **2:** 51; **8:** 172
Rytter, Jørgen, student, modstandsmand **5:** 288
Ryvangen **9:** 222
Ræveskovsvej, Gentofte **9:** 298
Rødby **3:** 363
Røde Kors, Dansk **1:** 616f.; **2:** 231; **4:** 197, 243, 365, 376, 382, 444, 453f., 463f., 494, 517f.; **5:** 59, 133, 381f., 409, 413, 495; **6:** 36f., 46, 196, 201f., 340f., 372, 416; **7:** 156, 169; **8:** 26, 49, 85, 95f., 250; **9:** 32, 287, 289, 323, 42; **10:** 56

Røde Kors, Internationalt **6:** 68f., 201f., 209, 223; **7:** 18; **9:** 15, 176
Røde Kors, Svensk **3:** 67; **4:** 495; **6:** 68f., 417; **9:** 287, 429
Røde Kors, Tysk **4:** 453, 463; **5:** 256, 381f.; **6:** 38, 68, 191, 201f., 223, 305, 338, 416f.
Rødekro **4:** 538; **5:** 23; **7:** 260; **10:** 114, 130, 189
Rødovre **1:** 424; **4:** 238; **9:** 50
Rødovrevej, Kbh. **6:** 329; **9:** 297
Rødvig **3:** 363; **6:** 140
Röhr, Werner, ty. historiker **1:** 151, 154, 158f., 162ff., 327, 331, 335, 339-342
Rømercaféen, Århus **5:** 49
Rømø **2:** 271; **5:** 385; **6:** 25; **8:** 130; **10:** 190
Rønde **8:** 434
Rønholt, Klaus, modstandsmand **5:** 284
Rønne **1:** 128, 302, 596; **3:** 363; **5:** 113, 147, 207, 324; **8:** 251; **9:** 277, 439
Rønne, Børge, redaktør, modstandsmand **5:** 288
Rørdal Cementfabrik, Aalborg **3:** 199
Rørdals pakkeri, firma, Aalborg **3:** 225
Røsnæs, skib **7:** 232, 381; **8:** 92, 230, 310
Rössner, Hans, SS-Obersturmbannführer, SD-Hauptamt **4:** 369
Raab, Hauptsturmführer **1:** 452
Rådhuset, Kbh. **3:** 381
Rådhuset, Kolding **10:** 134
Rådhuskroen, Kbh. **10:** 145
Rådhuspladsen, Kbh. **1:** 388, 571; **2:** 464; **3:** 197, 249, 251; **6:** 28, 446, 448; **7:** 377; **9:** 295
Rådmandsgade, Kbh. **5:** 272; **8:** 482
Rågeleje **6:** 140f.
Rågårdsgade, Kbh. **9:** 188
Raahauge Jensen, Jørgen Kristian, murer, illegal aktivitet **2:** 550

*S.E.* (Studenternes Efterretningstjeneste), illegalt blad **9:** 51
S.L. Møllers Bogtrykkeri, Kbh. **6:** 318; **10:** 84
SA, Stormafdelingen, DNSAP **1:** 481, 492, 496; **2:** 512; **3:** 89
Sachsenhausen, koncentrationslejr **3:** 140; **5:** 10, 253, 277, 339, 464; **10:** 43, 193, 195
Safari, operation **10:** 37
Saint Alaine, skib **1:** 640
Sakskøbing **7:** 440
Salecker, ty. adjudant **8:** 29
Salek, ty. adjudant **8:** 29
Salkow, Jørgen, da. SS-Untersturmbannführer **3:** 243
Saller, ty. embedsmand, AA **2:** 41, 47
Salling, Hans Brahe, modstandsmand **10:** 66
Sallingvej, Kbh. **10:** 143
Salomon, Wilhelm (Willy) Carl Bernhard, da. jøde **4:** 309, 399
Salomonsen, Carl, direktør **4:** 342
Salomonøerne **1:** 557
Saloniki **1:** 158, 335; **3:** 260; **6:** 286
Salzburg **2:** 77; **9:** 393; **10:** 200
Salzverband, Siedesalz- und Hüttensalzverkauf, ty. firma **5:** 282
Sambandsflokkurin (Samarbejdspartiet), fær. parti **3:** 23, 64
Sammenslutningen af Arbejdsgivere inden for Jern- og Metalindustrien **7:** 107
Samsing, Willy, modstandsmand **4:** 139
Samsing-gruppen, modstandsgruppe **2:** 430; **3:** 195; **4:** 438, 493, 498; **5:** 346
Samson, Peter Erik, modstandsmand **2:** 546
Samsø **5:** 418
Samsøgades skole, Århus **4:** 53
Samtiden, illegalt forlag **6:** 320
Samtidens Forlag, illegalt forlag **5:** 406
Samuelsen, overlærer **8:** 273
samvirkende Fagforbund i Danmark, De **3:** 53, 59; **4:** 240; **7:** 23, 25, 33, 184, 247
Samvirkende sjællandske Landboforeninger, De **1:** 642
San Francisco **9:** 239
Sandbæk, Harald, præst, modstandsmand **8:** 149, 179, 380, 386, 433; **9:** 29
Sandhøjen, Kbh. **2:** 362
Sandring, ty. ingeniør **7:** 76, 79-82
Sandvejen, Søborg **9:** 297
Sandvig **2:** 371; **8:** 324f.
Sankelmarksgade, Aalborg **2:** 204
Sankt Petri Skole, Kbh. **1:** 427; **2:** 69f., 79f., 103, 337; **5:** 439; **6:** 140; **8:** 323; **10:** 32, 43
SAP, se Socialistisk Arbejderparti
Sapuppo, Giuseppe, it. gesandt i Kbh. **1:** 469f.; **2:** 63
Sartor, SS-Obersturmführer, "varulv" **7:** 454
Sassnitz **1:** 547; **6:** 141
Sattler, Rudolf, direktør for den tyske rigsbank **1:** 467, 506f.; **2:** 264, 463; **3:** 39; **4:** 407, 415; **5:** 347f.; **6:** 175, 312, 314, 344f., 408; **7:** 83, 86; **10:** 156f., 169
Sauckel, Fritz, Generalbevollmächtigter für den Arbeitseinsatz **2:** 131, 171, 402; **5:** 435; **6:** 77; **7:** 228f., 306, 350, 359, 364, 368f.; **8:** 463, 466
Sauerbruch, Ferdinand, ty. kirurg **2:** 231
Sauger II, ty. skib **8:** 92
Saurbrey, J.L., departementschef **9:** 147
Savoyen, Maria af, it. fyrstinde **6:** 67

Saxogade, Kbh. **4:** 532; **6:** 30; **10:** 102
Saxtorph, Niels, modstandsmand **4:** 493
Scala Bio, biograf, Kbh. **6:** 167; **8:** 272
Scandia, restaurant, Kbh. **10:** 87
Scandiagade, Kbh. **5:** 210
*Scandinavian Shipping Gazette,* tidsskrift **2:** 467
Scapini, Georges, fr. gesandt **6:** 67
Scavenius, Erik, statsminister, udenrigsminister **1:** 104f., 135, 140, 148f., 275, 277, 309, 315, 323, 325f., 393, 402, 407, 410, 428f., 435ff., 443, 472, 518, 521f., 524, 529f., 541f., 550-553, 555f., 559, 561ff., 573, 578f., 581, 583f., 589ff., 593f., 596, 599ff., 611f., 622, 624, 627, 647, 649, 651; **2:** 15, 17, 20, 50, 57, 59-62, 71, 85, 87f., 92, 120, 130f., 154, 169, 178, 180, 183, 185, 208, 211, 217, 219, 222, 225f., 228, 231, 235, 261, 263, 265, 279, 284, 328f., 331, 336, 339, 353, 366, 368, 377, 380, 382, 390, 392, 399, 404, 445, 459, 462, 469, 473f., 478, 483, 488, 506f., 510; **3:** 25, 34, 46, 50f., 53ff., 58f., 62, 68f., 80, 104, 107, 114, 158f., 200, 204, 235, 245, 254, 256, 271, 323, 387, 400, 409, 413, 456, 485; **4:** 74, 113, 185, 188, 404, 421, 429f., 448; **5:** 127f., 266; **6:** 21, 35f.; **8:** 147; **9:** 210, 250; **10:** 16, 20, 28, 31f., 34, 160
Schacht, Hans Werner, kulturattaché, Det tyske Gesandtskab **2:** 498; **3:** 273; **4:** 175ff.; **10:** 153, 157, 169
Schacht, Jørgen Eivind, modstandsmand **6:** 240; **10:** 60
Schack, Peter T., pastor, terroroffer **10:** 139
Schaefer-Rümelin, Max, embedsmand i AA **2:** 524
Schaffalitzky de Muckadell, Cai, leder af Udenrigspolitisk Informationsbureau **2:** 57
Schalburg, C.F. von, SS-Sturmbannführer, leder af Frikorps Danmark **1:** 496; **2:** 26, 198, 252; **3:** 243, 329; **4:** 318, 426; **6:** 304
Schalburg, Helle von **2:** 26; **3:** 80; **4:** 318, 427; **6:** 291
Schalburgkorpset **1:** 21, 89, 99, 105, 122, 137, 176, 180, 258, 268, 276, 295, 614, 619, 622; **2:** 26, 28, 73, 83f., 89, 110f., 114f., 134, 146, 163ff., 199, 464, 503, 507, 510, 516; **3:** 24, 76f., 80ff., 220, 244, 249, 251f., 265, 268, 276ff., 297, 306f., 313f., 329, 332f., 390; **4:** 30, 124, 168f., 195f., 214ff., 246f., 264, 273, 318, 382, 426f.; **5:** 21, 64, 73, 147, 159, 212f., 251, 256, 265, 359, 376, 379, 397, 411; **6:** 82, 100, 103, 114, 122ff., 126, 143, 152f., 155, 163, 227, 254, 284, 292, 302, 318, 342, 378f., 419-423, 428ff., 438, 450f.; **7:** 17, 54, 83f., 95-100, 123f., 175, 177, 183, 192, 194-198, 201f., 204, 226, 282, 309ff., 333ff., 421, 452; **8:** 16, 35, 50f., 158-162, 168, 171ff., 265, 268, 298f., 310, 381, 388, 396, 434, 445, 489; **9:** 9, 24-27, 111, 141, 143, 210, 339; **10:** 33-36, 39, 41, 44, 48, 53, 55, 71f., 78, 84, 88, 174, 197, 199
Schalburgkorpset, Landstormen **7:** 282
Schalburgkorpsets efterretningstjeneste, ET **5:** 272
Schalburgs Mindefond **2:** 26; **3:** 80, 330; **4:** 427; **7:** 123
Schalburgskolen, Høveltegård **1:** 490, 495f.; **2:** 28, 510; **3:** 330; **10:** 31f.
Schalburg-Ungdom **4:** 426
Scharnörn, ty. slagskib **8:** 133
Schaub & Co., firma, Kbh. **3:** 198
Scheel, Helmut, ty. professor, Preussische Akademie der Wissenschaften **4:** 175
Scheel, Otto, ty. professor, leder af Deutsches Wissenschaftliches Institut **2:** 392f.; **3:** 102f., 375
Scheer, ty.slag skib **9:** 362
Scheidemann, Philipp, ty. emigrant **2:** 240
Scheifahrt, Hans, Generalbevollmächtigter für den Arbeitseinsatz in Dänemark **1:** 496; **2:** 227, 236f., 260, 379, 501; **4:** 286, 299; **5:** 435; **10:** 156, 167
Scheinmann, M.S., forfatter **6:** 393
Schellenberg, Walter, ty. SS-Brigadeführer **1:** 631, 651f.; **2:** 210, 348; **6:** 376; **7:** 358; **9:** 384f., 398; **10:** 58, 197
Scherdin, Dr., SS-Sturmbannführer, ty. politimand **10:** 174
Scherff, Walter, ty. generalmajor **5:** 109, 111, 407
Scherfig, Hans, maler, forfatter **6:** 392
Scherfigsvej, Kbh. **9:** 298
Scherpenberg, Albert-Hilger van, legationsråd, AA **1:** 398, 401, 454, 482, 504, 585f., 638; **2:** 14, 149, 203, 271, 283f., 394; **3:** 42, 117, 175f., 240f.; **4:** 20, 162, 184f., 189, 267ff., 393, 469; **5:** 236, 275, 297
Scherrebek, Tyskland **4:** 500; **8:** 58
Scheunert, Regierungsrat, REM **6:** 336
Schiedermair, Rudolf, Dr., jurist **3:** 355
Schierholz, ty. major **7:** 77
Schiffahrt-Treuhand GmbH., ty. firma **2:** 32, 258
Schilders Skrædderi, Kbh. **5:** 203
Schillenburg, ty. general **9:** 393
Schiller/Schillinger, ty. repræsentant for Mundus A.G. **3:** 219, 437
Schimmelmann, greve (bror til Heinrich S.) **9:** 279
Schimmelmann, Heinrich von, greve, medl. af DNSAPs storråd **7:** 123ff.; **9:** 279; **10:** 33

Schimmelmann, Karl Hubertus, SS-Obersturmbannführer **6:** 113f., 125ff.
Schiott, Aage, Sammenslutningen af Arbejdsgivere inden for Jern- og Metalindustrien **7:** 108
Schippmann, ty. løjtnant **5:** 105; **7:** 236
Schirmbeck, ty. skib **8:** 311
Schirrmeister, oberst, kommandant i Odense **7:** 362; **8:** 29f.
Schiødt-Eriksen, Svend, mil. modstandsmand **8:** 446; **9:** 271
Schiølergruppen **10:** 72, 96, 121, 128-131, 134, 141, 149
Schiøt, Inga (alis Marianne Lund), stikker **8:** 257
Schiøth, Kai Holger, modstandsmand **7:** 235; **10:** 95
Schlageter, Albert Leo, ty. sabotør (1894-1923) **5:** 109
Schlander, Poul Carl Gerhard, modstandsmand **3:** 140
Schleich, Ritter von, general for Luftwaffe i Danmark **4:** 400; **5:** 144
Schleier, Rudolf, gesandt, AA **6:** 430
Schlesien, ty. skib **5:** 46, 86; **9:** 362
Schleswig-Holstein **5:** 127, 150; **6:** 141; **7:** 304f., 344f., 349f., 359; **8:** 23, 48; **9:** 23, 248, 384, 390f., 396, 400, 408ff., 417f., 425, 428, 435
Schleswig-Holstein, skib **5:** 46
Schleswig-Holsteinische Museum vorgeschichtlicher Altertümer, Kiel **5:** 239; **8:** 163f.
Schleswigsche Kameradschaft (SK) **1:** 404; **2:** 21f., 127; **5:** 415; **6:** 367
Schlosser, Hermann, modstandsmand **6:** 396
Schlotterer, Gustav, Ministerialdirektor, arkitekt, RWM **3:** 376
Schlüter, Rittmeister, Rüstungsstab Dänemark **5:** 85; **6:** 256, 411; **8:** 207
Schmelter, OT, Haupabteilung Arbeitseinsatz **2:** 270
Schmidt, Børge, redaktør, terroroffer **10:** 137
Schmidt, Carlo, barbermester **10:** 95
Schmidt, Dr., ansat i SS-Hauptamt **1:** 499
Schmidt, Emma, Nachrichtenhelferin der Luftwaffe **2:** 12, 19f.
Schmidt, Erik Ib, da. økonom **1:** 74-77, 79, 240-243, 246
Schmidt, Ernst Friedrich, modstandsmand **4:** 436
Schmidt, Fritz, Generalkommissar für besondere Verwendung, Holland **1:** 449, 500, 537; **3:** 82
Schmidt, H., repræsentant for den tyske tekstil- og skobranche **3:** 164f.
Schmidt, Kaj F.B., købmand, terroroffer **10:** 124
Schmidt, Kaj Jørgen **10:** 140
Schmidt, Kdt. Hptm. **5:** 208
Schmidt, konsul, AA **1:** 452
Schmidt, Olaf, direktør, Universalfabrikkerne **8:** 310; **10:** 107
Schmidt, Paul Karl, AAs pressechef **2:** 55f., 61f.; **6:** 47, 116f., 119; **10:** 32, 201
Schmidt, Paul Otto, gesandt, Büro RAM **1:** 552; **2:** 469; **3:** 89; **4:** 390; **8:** 168, 363f.
Schmidt, Peter Scharff, da. historiker **1:** 21, 180
Schmidt, R.J., Büro des Bahnbevollmächtigten **2:** 397
Schmidt, Rainer, frugthandler **7:** 379
Schmidt, Tove **10:** 140
Schmidt, ty. SS-Standartenführer, Fürsorge- u. Versorgungsamt SS/Ausland **1:** 539; **2:** 145, 148
Schmidt, Victor, lektor, radiocensor **6:** 286
Schmidt, Wilhelm, da. SS-mand **3:** 243
Schmidt, Willy, maskinarbejder, modstandsmand **3:** 101, 104, 207
Schmidt-Wodder, Johannes, præst **6:** 205
Schmieder, Friedrich, ty. politimand **10:** 167, 173
Schmith, Jørgen Haagen "Citronen", modstandsmand **8:** 180; **10:** 102
Schmitt, ansat i Partei-Kanzlei der NSDAP **5:** 151
Schmitt, Carl, ty. jurist og filosof **1:** 381
Schmitz, Dr., ty. embedsmand **10:** 170
Schmundt, Rudolf, ty. generalløjtnant **5:** 109, 111
Schmundt, ty. admiral **4:** 37f.
Schneevoigt, Alf, medl. af ty. terrorgruppe **10:** 126
Schneider, Hans Ernst, SS-Hauptsturmführer, Professor, Ahnenerbe **1:** 614; **2:** 118, 145, 147, 246f., 526; **4:** 356; **5:** 220f.; **2:** 393, 413f.; **6:** 91
Schnieder, Gerhard, ty. politimand **10:** 173
Schniewind, Otto, ty. generaladmiral **2:** 442
Schnitzler, Arthur, østr. forfatter **2:** 315
Schnurre, Karl, gesandt, AA **1:** 395, 402, 446, 482f., 504, 588, 637f., 647, 649ff.; **2:** 18, 77, 111, 140, 234, 243, 248f., 335, 441; **3:** 12, 178, 210f., 344, 365, 376; **4:** 80, 91, 143, 190, 265; **5:** 102; **6:** 66, 75, 92, 95, 268; **7:** 444; **8:** 54, 56, 94, 113, 257, 449f., 470
Schoch, Aage, redaktør, illegal aktivitet **8:** 181
Schock, Knud, da. SS-Hauptsturmbannführer **3:** 243
Schoelz, SS-Standartenführer **6:** 160, 230
Scholtz-Klink, Gertrud, Reichsfrauenführerin, leder af Deutsches Frauenwerk **3:** 338
Schoppenstehl, ty. skib **6:** 335
Schou, Henry Carlo, modstandsmand **2:** 532
Schous Udsalg, Horsens **10:** 116
Schow, ty. Landeshauptmann, Kiel **2:** 22, 127

Schramm, Percy Ernst, ty. officer og historiker **1:** 34, 195; **5:** 318
Schreiber, Julius, Ministerialrat, OKW **1:** 493; **2:** 30, 499; **3:** 102, 144f., 150f., 182, 186, 217; **6:** 212
Schretz, Gestapomand **10:** 138
Schricker, ty. generalmajor, leder af Heereswaffenamt **5:** 438
Schröder, Hans, Ministerialdirigent, leder af AAs personaleafdeling **3:** 303; **4:** 326f., 394; **6:** 32; **10:** 198, 200, 202
Schröder, John William, da. SS-Untersturmbannführer **3:** 243
Schröder, Jürgen, presseattaché, Det tyske Gesandtskab **3:** 410f.; **7:** 26, 234; **5:** 325, 161, 398; **6:** 427, 440; **8:** 45ff., 87, 379; **10:** 153, 157, 170
Schröder, Oberst der Wasserschutzpolizei **8:** 230
Schröder, Paul, personalechef, AA **4:** 480; **5:** 105, 358
Schröder, SS-Untersturmführer, Schalburgkorpset **8:** 159f.
Schröder, ty. oberst, OKH **4:** 210f.
Schubert, Regierungsrat, RWM **1:** 527; **7:** 283
Schubert, ty. officer, Quartiermeisteramt **5:** 196
Schulamt der Volksgruppe **9:** 335
Schulenburg, von der, ty. oberstløjtnant **5:** 147
Schulgé, ty. ingeniør **2:** 283, 395f.
Schulte-Mönting, Erich, ty. viceadmiral **2:** 326
Schultz, Clara Afenadt, da. jøde **4:** 309
Schultz, da. jøde i KZ **4:** 399; **5:** 156
Schultz, Ellinor Afenath, da. jøde **4:** 309, 399
Schultz, Ingeborg Afenath, da. jøde **4:** 309, 399
Schultze, ty. ingeniør **5:** 84f.
Schultze-Schlutius, Carl Gisbert, ty. ministerialdirigent, RWM **2:** 352; **5:** 333, 336
Schulungsburg Skagerrak **8:** 435; **10:** 54, 197
Schulz, Erwin, SS-Brif. **7:** 102
Schulz, Gerhard, ty. major **6:** 163
Schulz, Oberbaurat, Hauptausschuss Schiffbau **9:** 101
Schulz, SS-Brigadeführer **10:** 199
Schulze, OKW **2:** 396
Schumacher, ty. generalmajor **7:** 305
Schumann Skibsværft og Maskinfabrik, Sønderborg **8:** 421
Schwabe, ty. general **6:** 440
Schwabedissen, generalløjtnant, general for Luftwaffe i Danmark **7:** 337
Schwaben **4:** 275
Schwager, embedsmand i AA **2:** 70
Schwalm, Hans, ty. SS-Hauptsturmführer, leder af Aussenstelle Oslo **2:** 118, 246
Schwandt, Johannes, Ministerialdirigent, RFM **5:** 300; **7:** 138
Schwarz, Franz Xaver, Reichsschatzmeister der NSDAP **1:** 449ff.; **3:** 471; **4:** 218f.; **6:** 100, 102; **9:** 204
Schweitzer, Fritz Willy, ty. kriminalkommissær **9:** 348
Schweiz **1:** 501, 630; **2:** 128, 136, 142, 165, 209, 216, 321; **3:** 67, 260, 354, 356, 392; **4:** 32, 115, 220, 337; **5:** 270, 311, 409f.; **6:** 405; **7:** 228, 391; **8:** 11, 81, 270; **9:** 13, 393
Schweizer Evangelische Pressedienst **4:** 337; **5:** 270, 311; **6:** 405; **7:** 233
Schwenk, SS-Untersturmführer, ty. politimand **10:** 175
Schwenten, Østpreussen **5:** 104; **10:** 201
Schweppenburg, Frhr. Geyer v., ty. officer **9:** 83
Schwerdt, Otto, ty. medl. af Petergruppen **5:** 145, 160; **7:** 244; **10:** 42, 72, 81, 97
Schwerin **2:** 36, 201; **9:** 393, 420
Schwerin, ty. skib **5:** 363, 516; **6:** 214
Schwinemünde **5:** 338
Schwitzgebel, Eugen, ty. kriminalråd, Gestapo **5:** 181; **8:** 155f., 318; **9:** 29; **10:** 189
Schülein, H.P., provst, Løgumkloster **2:** 261
Schäfer, Ernst, Landesgruppenleiter i NSDAP **1:** 489; **5:** 481f.
Schäfer, Oberbaurat/Oberregierungsbaurat **2:** 337; **5:** 440
Schön, Frede, legationssekretær, Det danske Gesandtskab i Berlin **5:** 301
Schön, Gauamtsleiter **4:** 275
Schönemann, Ingvar, modstandsmand **2:** 530; **3:** 136f.
Schönermarck, Oberstleutnant, Fwi Amt **7:** 174
Schönichen, leder af den ty. naturfredningsforening **2:** 453
Sct. Kjeldsplads, Kbh. **10:** 145
Sct. Knud, café, Odense **10:** 104, 124
Sct. Nicolajgade, Ribe **3:** 195
SD, se Sicherheitsdienst
SD-Aussenstelle Apenrade **9:** 354
Sdr. Boulevard, Kbh. **10:** 88
Sdr. Boulevard, Odense **2:** 536
Sdr. Ørslev **7:** 440
Secher, embedsmand i AA **2:** 111
Secret Intelligence Service (SIS) **2:** 429
Secret Service **10:** 19
Sedan **2:** 308
Seding ved Svendborg **10:** 107
Seedorf, H.P.L., diplomat **9:** 12
Seefliegerstation Kopenhagen **3:** 363

Seeger, ty. leder af Zementzentrale **5:** 80
Seehusen, Svend, kaptajn **6:** 259
Seekommandant Nordjütland **6:** 301, 331, 333, 380
Seekommandant Südjütland **6:** 301, 331, 333f., 380, 402
Seekommandant Südjütland **7:** 62, 115
Seekriegsleitung (SKL) **1:** 395, 446f., 468, 473, 491; **2:** 343; **3:** 214, 225, 275, 340, 342, 347, 361, 397, 407, 418, 444, 451, 465, 475, 480, 482, 485; **4:** 21, 26, 28, 37f., 83, 105, 107, 118, 145f., 152, 170, 174, 204, 206, 222, 261, 279, 305ff., 328, 343, 363, 385, 396, 417, 419, 454, 456, 477f., 488, 501f.; **5:** 28f., 36, 40, 52, 54f., 59, 65ff., 78, 86, 111f., 165, 194, 200, 202f., 206f., 210, 223, 235, 271, 303f., 365, 385, 453, 463, 485, 489f., 493, 502, 505f., 508; **6:** 34, 72, 79, 86, 121, 331, 333f., 403; **7:** 36f., 65, 69, 115, 118, 136, 158, 169, 294, 303, 327, 418, 420, 425, 432, 448, 456; **8:** 18, 49, 92, 94ff, 102, 120f., 130, 156, 163, 188f., 191, 205, 213, 225f., 238, 242, 249f., 252f., 280, 289ff., 294, 297, 305, 308, 333, 359, 401, 404, 410, 427, 451, 453, 467, 469, 471, 478; **9:** 59, 100, 155, 166, 168, 176, 179, 201f., 267, 286ff., 290ff., 318, 349, 362, 371, 375, 410, 417; **10:** 38, 50, 52, 57
Seelos, Gebhard, ty. gesandtskabsråd, Kbh. **2:** 79
Seetransportchef Skagerrak **8:** 66, 154, 218, 252, 284
Segerstedt, Torgny, sv. journalist **4:** 339, 495
Seghers, Anna, øst. forfatter **1:** 570
Segler-Vereignigung Kiel **5:** 386
Sehested, Fl., da. gesandt i Rio de Janeiro **4:** 280, 287; **8:** 11
Sehested, Jørgen, hofjægermester **4:** 519
Seibert, Willy, SS-Standartenführer, RSHA **6:** 162f.
Seibold, Hermann, ty. SS-Sturmbannführer, leder af den tyske efterretningstjeneste i Danmark **3:** 52f., 300; **5:** 242; **7:** 287, 311, 358, 454f.; **8:** 180; **10:** 43, 79, 81, 197
Seidenfaden, Erik, journalist, redaktør **6:** 21, 343
Seidenfaden, Gunnar, legationssekretær, UM **1:** 528; **7:** 434
Seinen **6:** 301
Sejr, Egon, banenæstformand, terroroffer **10:** 136
Selbstschutz der Volksgruppe **6:** 247; **9:** 22, 371; **10:** 43
Selcuk, tyrk. chargé d'affaires i Kbh. **7:** 329; **9:** 11
Sell, ty. oberstløjtnant, RLM **2:** 98
Selvstændighedspartiet (Sjálfstæðisflokkurinn), Island **3:** 172
Selvstændighedspartiet, Færøerne **3:** 23, 64
Sennheim, SS-uddannelseslejr **1:** 621; **2:** 185, 216; **6:** 82f., 101, 224f.
Serbien **1:** 155f., 158, 161, 332f., 335, 338; **2:** 127, 142, 503; **3:** 166, 169, 338; **5:** 229; **7:** 273f., 289, 457ff.; **8:** 170
Serbien-Banat **6:** 101
Serup, Poul, direktør, Nordisk Brandforsikr. **3:** 79
Servé, Der erste Generalstabsoffizier, Höheres Kommando Kopenhagen **6:** 431
Sethe, Eduard, ty. legionsråd, AA **2:** 200; **7:** 67f.
Sevilla, café, Kbh. **10:** 128
Seyss-Inquart, Arthur, ty. rigskommissær **1:** 432, 448f., 486, 550; **2:** 113, 146, 212, 503; **3:** 380; **4:** 47f., 146; **5:** 135; **7:** 352; **8:** 147; **10:** 41, 196
SHAEF, all. militærdelegation i Kbh. **9:** 433, 437
Shanghai **3:** 64f., 265f.
Shell Garage- og Tankanlæg, Kbh. **5:** 173
Shellhuset **1:** 18, 34, 131, 177, 194, 305; **3:** 163; **4:** 72; **6:** 289, 396, 447; **7:** 77, 338, 341; **8:** 180, 229, 329, 444, 475; **9:** 70, 187, 222, 250, 310, 329, 331, 342ff., 347f.; **10:** 43, 56
Shitomir **3:** 17
*Sibbe,* holl. publikation **1:** 623
Sibirien **1:** 569; **2:** 191
Sichelschmidt, Hans, SS-Hauptsturmführer, afdelingsleder, VOMI **2:** 145; **3:** 148; **5:** 452; **7:** 442
Sicherheitsdienst (SD) **1:** 495, 623; **2:** 157, 303, 398, 405, 412, 532; **3:** 48, 146; **4:** 212, 331f., 463, 472, 504; **5:** 49, 52, 70, 264; **6:** 28f., 59, 226, 289; **7:** 279, 459; **8:** 448, 463; **9:** 78, 424, 426, 432; **10:** 42, 147, 152, 188
Sicherheitsdienst Apenrade **9:** 276
Sicherheitspolizei (Sipo) **2:** 46, 369, 398, 405, 427; **3:** 52, 156, 163, 210; **4:** 72, 112, 144, 200, 236, 238, 253, 271, 304, 307, 374, 382, 384, 388, 407, 435, 445, 448, 450, 486, 489, 498, 503ff., 521, 532; **5:** 34, 49, 69f., 73, 125, 136, 161, 178, 182, 212, 227, 253, 284, 297, 307, 367, 373, 387, 392, 446, 468; **6:** 10, 23, 27, 56, 83, 91, 98, 103, 108, 122, 145, 159, 165f., 186, 222, 224, 226, 228, 233, 242, 276, 294, 303, 315f., 357, 359, 369f., 385, 389, 422, 435, 442; **7:** 103, 153, 166, 185, 202, 215, 224, 232, 271, 279, 287, 308, 328, 371, 392, 402, 430; **8:** 10, 35, 117f., 137f., 156, 224, 233f., 257, 265, 268, 277, 299, 318, 329, 332, 393, 397, 399, 411, 414, 425, 439, 444, 454; **9:** 10, 39, 45, 115, 119, 132, 186, 191, 194, 260, 325, 331f., 432

Sicilien **3:** 315
Sidor, Edward, pol. efterretningsagent **5:** 446
Siegert, Ministerialrat, OKW **8:** 259
Siegfried, Edith Karin, funktionær ved det tyske politi **8:** 187, 475
Siem, SS-Sturmbannführer **9:** 313
Siemens, E. von, ansat ved RWM **3:** 176
Siemens, ty. firma **3:** 160, 175f.; **4:** 303f.; **5:** 146, 148
Siems Trykkeri, Kbh. **6:** 319
Siersbæk, H., modstandsmand **8:** 185
Sievers, Wolfram, SS-Standartenführer, leder af Ahnenerbe **1:** 580f., 606, 609f.; **2:** 118, 144f., 147f., 246f., 411, 452, 454, 526; **3:** 133f.; **5:** 31; **7:** 145, 212, 216f., 265, 307f.; **8:** 23, 48, 163f.
Sigmaringen **7:** 394
Sikorski, Władysław, polsk præsident **2:** 136
Silbermann, Kurt, ty. kontoransat, SS- und Polizeigericht Nord **7:** 11
Silkeborg **1:** 18, 68, 70, 117, 145f., 177, 233, 235, 290, 321, 424; **2:** 160, 365, 476; **3:** 439; **4:** 15, 23, 62, 329, 481, 491, 540; **5:** 10, 18, 22f., 29, 46, 63, 99, 122, 168, 227, 258; **6:** 246f., 306; **7:** 116, 130, 362, 381, 400, 404, 439; **8:** 16; **9:** 30, 82, 148, 222f., 225, 246, 278, 322, 372; **10:** 49, 54, 65, 67, 79, 113, 125, 153, 176f., 189ff., 197
Silkeborg Bad **4:** 470; **5:** 137; **10:** 40
Silkeborg byråd **7:** 404
Silkeborg Roklub **5:** 239; **10:** 79
Silkeborg Theater **10:** 125
Silkeborgvej, Århus **5:** 381; **7:** 385
Simo's Autoværksteder, Kbh. **4:** 168, 295
Simonsen, Harald, direktør **9:** 149
Simonsen, Søren, sognefoged **9:** 48
*Simplicissimus,* ty. tidsskrift **2:** 309
Sindal **5:** 63
Singapore **3:** 235
Sionsvej, Kbh. **2:** 159
Sirocco, restaurant, Svanemøllen, Kbh. **10:** 101
SIS **6:** 186, 196, 322f.; **7:** 209; **8:** 475
Sivertsen, Kjeld, gartner, terroroffer **10:** 149
Six, Franz, SS-Standartenführer, leder af den kulturpolitiske afdeling, AA **1:** 113, 286; **2:** 524; **4:** 369, 376, 445, 452; **9:** 37ff.; **10:** 39
Sixtus, skib **3:** 483
Sjælland, færge **4:** 450, 513, 544; **5:** 146f.
Sjællandsrådet **8:** 337
Sjælsø **3:** 45; **10:** 120
Skagen **2:** 403; **3:** 288, 363, 464, 487; **4:** 27, 30, 32f., 101, 229, 380; **5:** 73, 137, 283; **6:** 334, 380; **7:** 439; **8:** 130; **9:** 83, 109
Skagen Havn **7:** 299
Skagen, skib **4:** 27
Skagerrak **1:** 556; **4:** 496; **5:** 36, 66, 86, 379; **6:** 25, 377; **7:** 183; **8:** 464; **9:** 83, 90, 94, 109, 180, 201
Skagerrak, skib **3:** 484
*Skagerrak,* tidsskrift **1:** 583; **2:** 189; **5:** 378; **6:** 122, 304; **7:** 83; **9:** 38
Skala-Bar, restaurant, Kbh. **6:** 199
Skalborg **4:** 78
Skallingen **4:** 101
Skamlebæk **3:** 286; **5:** 297
Skamlebæk Radiostation **5:** 278, 297; **8:** 418; **9:** 320
Skanderborg **2:** 364; **4:** 31, 384, 481; **5:** 62f.; **7:** 194, 256f., 259, 337, 340; **10:** 113, 136, 190
Skanderborgs Amts Bogtrykkeri **10:** 113
Skandia, restaurant, Kbh. **3:** 248f., 253, 268; **8:** 444
Skandiagade, Kbh. **9:** 403
Skandinavien **10:** 17
Skandinavisk Aero Industri, firma, Aalborg **2:** 160
Skandinavisk Gasapparat A/S, Kbh. **3:** 91, 358
Skandinavisk Gummifabrik, firma, Odense **2:** 363
Skandinavisk Telegrambureau **3:** 52; **6:** 289; **9:** 62
Skattegade, Svendborg **10:** 134
Skipper Clement, skib **8:** 281f., 290f., 297, 354; **9:** 21, 30
Skipper Clementsvej, Hjørring **8:** 444
Skive **4:** 68; **5:** 63; **6:** 397; **7:** 116, 206, 256, 258, 439; **10:** 49, 176, 189
Skive Fjord **4:** 506
Skjern **1:** 577; **3:** 287; **7:** 260
Skjern å **1:** 577
SKL, se Seekriegsleitung
Skodsborg **2:** 35; **3:** 159; **5:** 158, 243f.
Skodsborg Sanatorium **4:** 329
Skolebakken, Århus **2:** 160
Skorzeny, Otto, ty. officer, leder af specialenhed i RSHA **7:** 103, 311, 313; **10:** 91
Skotland **6:** 377; **9:** 90
Skotøjslageret, Odense **10:** 124
Skov, Andreas, da. historiker **1:** 120, 294
Skov, Niels Aage, instruktør, Hjemmefronten **7:** 208
Skov, Svend Aage, da. SS-Oberscharführer **3:** 243
Skovgaard Jensen, Georg, terroroffer **10:** 137
Skovgaard-Mortensen, autofirma, Kbh. **4:** 71
Skovgaards Sæbefabrik, Varde **10:** 107
Skov-Hansen, Poul, gartner, modstandsmand **2:** 552

Skovshoved **3:** 375; **9:** 222
Skovvejen, Århus **4:** 453
Skrydstrup Flyveplads **10:** 114
Skræddermester John, Sønderborg **5:** 241
Skt. Annæ Gade, Kbh. **9:** 296
Skt. Hans Hospital, Roskilde **4:** 368
Skt. Jørgensgade, Kbh. **9:** 187
Skydepavillonen, Aalborg **10:** 136
Skydsgaard, K.E., professor **8:** 272f.
Skælskør **8:** 343
Skærbæk **10:** 189f.
Skæring Hede **5:** 125
Skævinge Hørspinderi, Borup **2:** 537
Skøjtevej, Kbh. **9:** 298
Skørping **3:** 388; **5:** 63; **6:** 432
Skåne **1:** 504
Skåne, skib **1:** 616; **4:** 56, 386, 399, 450f.
*Skånska Dagbladet,* sv. avis **2:** 488
*Skånska Socialdemokraten,* sv. avis **2:** 489
Skaanstrøm, Palle M., guldsmed, terroroffer **7:** 264; **10:** 94
Slagelse **1:** 597; **2:** 513; **3:** 452; **5:** 253, 266, 417; **6:** 124, 421; **7:** 100, 440; **8:** 161, 342f.; **10:** 44, 63, 67, 78, 84, 139
Slangerup **5:** 417
Slesvig, skib **4:** 79f., 191, 524
Slesvig-Holsten, se Schleswig-Holstein
Slesvigske Parti, Det **2:** 224, 226, 236, 367, 426; **3:** 27
Sleswigsche Kameradschaft (SK) **5:** 332
Sletten **6:** 141
SLIDE-gruppen **8:** 230
Slomski, ty. toldembedsmand **6:** 52
Slots Allé, Kbh. **9:** 298
Slotsgade, Kbh. **6:** 198
Slotsgade, Odense **1:** 423
Slotsherrensvej, Kbh. **4:** 295; **7:** 78
Slovakiet **1:** 155f., 332f., 403, 458; **2:** 127, 142, 273, 285, 527; **3:** 76, 266; **4:** 469; **5:** 229; **7:** 39, 278, 289, 312; **8:** 353; **9:** 13, 18
Smedegade, Kbh. **2:** 364
Smidth & Co., firma, Kbh. **2:** 431
Smith Møller, Aksel "Punzi", efterretningsagent **8:** 474
Smith, John, efterretningsagent **7:** 209
Smith, Mygind & Hyttemeyer, maskinfabrik, Kbh. **7:** 95
Smok, Hans, ty. politimand **7:** 235
Småland **3:** 342, 363
Snekkersten **2:** 207; **6:** 52, 140f.
Snestrup **9:** 142
Sneum å **5:** 62
Snog Christensen, Jens Emil, ingeniør, terroroffer **8:** 386; **10:** 97
Snoldelev **3:** 199
Snorresgade, Kbh. **6:** 318
Social Raadgivning, naz. rådgivningsbureau **8:** 317, 322f.
*Social-Demokraten,* avis **1:** 563, 565, 571f.; **2:** 29, 389, 489; **3:** 25, 27, 42, 51, 59, 64, 66f., 325; **5:** 323; **6:** 292; **8:** 176, 269, 389, 431; **9:** 63, 253, 258
*Socialdemokraten,* Randers **10:** 132
Socialdemokratiet **1:** 459, 564f., 589, 594, 597; **2:** 224ff., 236, 357, 367, 390, 426; **3:** 23, 41, 407, 455; **4:** 16, 148; **5:** 145, 160, 252; **7:** 247; **8:** 144, 161, 271, 381, 383, 385, 434, 441f., 487; **9:** 64, 250, 255f., 348
Socialdemokratiet, fær. parti **3:** 64
Socialdemokratiet, Island **6:** 277
Socialdemokratiet, sv. parti **8:** 172
Socialdemokratisk Forbund **8:** 176
socialdemokratiske Ungdomshjem, Det **1:** 426
*Sociale Breve,* tidsskrift **8:** 322; **9:** 27
Socialen Arbeiterberatung **9:** 139
Socialistisk Arbejderparti (SAP) **1:** 565
Socialistisk Opposition, pol. liste **3:** 41, 66
Socialistiske Frihedssender, Den **9:** 254
Socialministeriet **2:** 487; **3:** 54; **5:** 128
Société Générale de Surveillance **7:** 352
Sode-Madsen, Hans, da. historiker **1:** 114, 286
SOE (Special Operations Executive) **2:** 34f., 60, 75, 158, 372, 410, 415, 538f.; **3:** 101, 141, 197, 308, 315, 488; **4:** 16, 171, 438, 450, 493, 506, 527; **5:** 67, 69, 74, 146, 181f., 253; **6:** 241, 251; **7:** 152, 163, 203, 225, 454; **8:** 178, 222, 230, 334, 349; **10:** 41, 43, 61
Soehring, ty. generalkonsul **10:** 167
Sofia **9:** 12
Sofienborg, gods **2:** 549
Soldaten-Komitee Dänemark **2:** 543
Solholm, Karen, illegal virksomhed **2:** 547
Solrød **7:** 383
Solscheidt, ty. toldkommissær **6:** 49
Solsikkevej, Odense **4:** 95
Sommer, Eduard Fredrik, modstandsmand **7:** 235; **10:** 95
Sommer, Poul, kaptajn **3:** 243; **4:** 124, 196, 214, 427; **5:** 21; **6:** 326, 423; **7:** 383; **9:** 141, 143
Sommerkorpset **7:** 421; **10:** 55
Sommersted **9:** 142
Sonderaktion Dänemark **9:** 349f.
Sonderausschuss Handelsschiffbau **1:** 527f.
Sonderbaustab **2:** 196, 449f.; **3:** 18, 207f.; **4:** 128

Sonderbaustab der Luftwaffe **4:** 514
Sonne, Ole Ejner, modstandsmand **2:** 361; **3:** 137, 247
Sonne, Per, modstandsmand **7:** 235; **10:** 95
Sonnenhol, Gustav Adolf, vicekonsul, AA **7:** 281, 359, 408; **8:** 37, 46, 109
Sonnleithner, Franz von, ty. gesandt, Büro RAM **1:** 36, 68, 197, 233, 452, 497, 643; **2:** 44, 48f., 63, 110ff., 119, 199, 210, 222f., 255, 407, 434; **3:** 88, 459f.; **4:** 39, 91, 103f., 132f., 202, 243, 267, 284, 327, 379, 383, 391; **5:** 111, 236, 353; **6:** 67; **7:** 101, 428; **8:** 56
Sorgenfri slot **3:** 448
Sortehavet **1:** 640; **2:** 191
Sorø **4:** 332; **8:** 337, 341-344, 348f., 443; **10:** 67, 110
Sorø Idrætsforening **10:** 110
Sovjetunionen (USSR) **1:** 20, 25, 64, 73f., 77, 94, 101f., 154ff., 158, 161, 178, 184, 228, 239f., 244, 263, 271f., 330f., 333, 335, 338, 346, 420, 460, 504, 552ff., 556f., 561, 565ff., 569f., 572, 576, 646; **2:** 51, 53, 55f., 62, 95, 136, 186, 191, 228f., 231, 270, 307f., 312, 316, 321, 427f., 440, 543, 552; **3:** 67, 81, 244, 278, 321f., 324, 338; **4:** 339, 380, 419, 434, 496f.; **5:** 136, 263, 379, 381, 393, 418, 471; **6:** 27, 162, 190, 283f., 295, 338, 377, 380, 392ff., 404; **7:** 184, 193ff., 274f.; **8:** 34, 99, 104, 127, 142, 168, 170, 188, 214f., 267, 270, 376ff., 384f., 429; **9:** 32, 62f., 131, 144, 150f., 153, 161, 173-176, 244, 246, 252, 318, 331f., 357f., 377, 385, 390ff., 400, 420, 424, 427, 439-442; **10:** 153
Sovjetunionens Venner **10:** 108
Span, ty. politimand **1:** 463
Spandet **7:** 346
Spanien **1:** 437, 450, 464, 571; **2:** 55, 63, 126, 143, 192, 205, 263, 274, 417, 552; **3:** 50, 260, 354, 356; **4:** 116, 156, 165ff., 202, 274, 285, 301, 330f., 348, 370, 425, 524; **5:** 488; **8:** 11, 46; **9:** 12f., 18
Sparka, Paul, ty. grænsevagt **7:** 232
Sparkær **5:** 63; **7:** 258
Speer, Albert, se Reichsminister für Rüstung und Kriegsproduktion
Speh, Ministerialrat, Rüstungsamt **4:** 209
Spejderborgen, Aalborg **10:** 98
Spelling, Svend Aage, ingeniør, terroroffer **10:** 108
Spengler, Oswald, ty. historiefilosof **2:** 303
Sperber, ty. Regierungsrat **6:** 50
Sperling, Johannes, Dansk Folke-Ferie **1:** 565
Spjald **7:** 419
Spleth, Erik, SS-Untersturmführer, Schalburgkorpset **6:** 125; **8:** 159f.
Sponholz, August, barbermester, terroroffer **10:** 95, 97
Springeren, skib **3:** 484
Springforbi **6:** 141; **9:** 123
Spaarmann, Erich, ty. SS-Standartenführer **6:** 113f., 304
Squatriti, it. repræsentant i Kbh. **9:** 12
Srbik, Heinrich Ritter von, leder af Akademie der Wissenschaften, Wien **4:** 369
SS- und Polizeigericht **3:** 143, 146f., 467; **5:** 88, 350, 421, 455, 479, 487; **6:** 53f., 74f., 97ff., 105f., 108, 111ff., 134, 151f., 159f., 165ff., 178, 202, 221f., 224, 227ff., 233, 241, 251, 254, 257, 275, 406, 449; **7:** 11, 27f., 30f., 46, 58f., 66, 150f., 157, 164f., 294; **8:** 158, 165, 360; **9:** 69f., 160, 256, 275, 283
SS- und Polizeistandortführer Gross-Kopenhagen **7:** 133
SS-Ausbildungsbataillon Schalburg **8:** 51
SS-Ersatzkommando Dänemark **2:** 250, 512; **3:** 324; **6:** 366, 387f.; **7:** 266, 455; **8:** 75, 108, 126, 199, 332, 352, 393, 395; **9:** 27f.; **10:** 174
SS-Führungshauptamt **3:** 20, 393; **5:** 282f.; **8:** 163
SS-Hauptamt **1:** 454, 500, 579, 583; **2:** 61, 199, 247, 268f., 358, 475; **3:** 77, 82, 241, 282, 296, 334, 390, 393; **4:** 92; **5:** 376; **6:** 342; **7:** 135; **8:** 52, 395f.; **10:** 31ff.
SS-Junkerschule Tölz **9:** 112
SS-Personalhauptamt **4:** 345
SS-Polizei-Bataillon Dänemark **3:** 62, 260; **8:** 35; **9:** 402
SS-Wachbataillon Seeland **9:** 362
Staf, Karl, sv. kommunist **3:** 307
Staffeldt, Jørgen, modstandsmand **5:** 333
Staffeldt, Mogens, modstandsmand **5:** 333
Stahlberg, Gerhard, ty. legationsråd, AA **2:** 30; **3:** 102, 144f., 150; **5:** 301
Stahr, Johan E., major, Schalburgkorpset **8:** 269, 387
Staldgården, Kolding **6:** 396
Stalin, Josef, sovj. politiker **1:** 556, 560; **2:** 136, 316; **6:** 295, 393f.; **8:** 171; **9:** 390
Stalingrad **1:** 557; **2:** 189, 212
Stalmann, Friedrich, Regierungsdirektor, Det tyske Gesandtskab **2:** 23, 25, 330; **4:** 459, 491, 499, 506, 511, 518; **6:** 439; **7:** 26, 55; **8:** 189; **9:** 197, 203, 210, 239, 266, 277, 289, 353f.; **10:** 33, 40, 152f., 155, 165
Stamm, Ivan, politidirektør **5:** 18, 263

Standard Elektric A/S, firma, Kbh. **2:** 117, 348, 379, 538; **3:** 197; **4:** 458; **8:** 482
Standarte "Kurt Eggers" **8:** 87f., 109, 267, 323, 431, 438; **9:** 32, 73ff., 120
Standortälteste **10:** 40
*Star,* engelsk avis **10:** 14
Statens Beredskabslager **9:** 100
Statens Civile Luftværn **2:** 370f.; **10:** 43, 55
Statens Udvandringskontor **8:** 323
Statsministeriet **1:** 504, 586; **2:** 16, 265f., 284f., 326, 340, 342, 351, 354; **3:** 322, 343f., 455; **10:** 34
Staud, ansat ved RJM **8:** 100
Stauffenberg, Berthold von, Marineoberstabsrichter **5:** 486, 488
Stauning, Thorvald, statsminister **1:** 102, 272, 564, 572, 594, 596f.; **2:** 87, 218; **3:** 59
Staustrup **10:** 136
Steckelberg, Oskar, afsnitskommandant **2:** 50; **3:** 284, 308, 335, 337, 414f.
Steding, Christoph, ty. forfatter **2:** 310
Steengracht von Moyland, Gustav Adolf, Baron, statssekretær, RAM **1:** 44, 50, 127, 205f., 212, 300, 432, 448; **3:** 220, 254, 261, 263f., 303, 376; **4:** 39, 91, 243f., 266f., 272, 283, 303, 319, 325, 336, 341, 361, 364, 375, 394, 446, 460, 472, 480, 525; **5:** 37, 50, 53, 75, 77, 236, 358, 459f.; **6:** 32, 61f., 67, 169f., 221, 224, 246, 343; **7:** 45, 58, 63, 66, 69f., 136f., 157f., 161, 164, 210, 308, 342f., 347, 357, 430; **8:** 37, 46, 61, 78f., 94, 109, 123f., 150f., 232, 240, 371; **9:** 158, 203f., 227, 271, 385, 398, 422f.; **10:** 50, 200ff.
Steensen-Leth, Vincens, legionsråd **4:** 365f.
Steensgaard, kaptajn, modstandsmand **8:** 340
Steensgaard, Paul Chr., modstandsmand **6:** 241
Steffan, Werner, ty. kontreadmiral, marineattaché for de nordiske lande **2:** 34
Steffens, Henrik, ty. digter **2:** 306
Steffensen, Ellen, da. jøde **4:** 399
Steffensen-Hansen, Christian, forstander, modstandmand **9:** 254
Steg, Rudolf, Legionsrat, AA **3:** 297
Stege **7:** 440
Stegmann, Poul C., forstander, terroroffer **10:** 109
Stehr, Rudolf, leder af det Tyske Kontor, Kbh. **3:** 343f.; **5:** 64, 127, 173ff., 217; **6:** 155f., 238, 364; **9:** 220, 286, 313, 316, 333f., 367; **10:** 57
Steiermark **9:** 393
Steimle, Eugen, ty. officer **7:** 311
Stein, Heinrich Friedrich Karl vom, Freiherr **1:** 375
Stein, ty. Fregattenkapitän **4:** 364
Steiner, Felix, ty. SS-Gruppenführer, generalløjtnant, Waffen-SS, kommandør for den germanske SS-Division **2:** 216
Steinmetz, Eigil, Udenrigspolitisk Informationsbureau **2:** 57
Steinort, ty. slot **5:** 111
Steinsalzverkauf, ty. firma **5:** 282
Stemann, J.D. von, direktør, generalmajor **3:** 143; **4:** 540
Stemann, P. Chr. v., amtmand **5:** 234
Stenberg Mørch, Svend Anker, modstandsmand **6:** 241
Stenbjørn, Knud A., da. SS-Obersturmbannführer **3:** 243
Stenderup, Niels, student, modstandsmand **6:** 97; **10:** 60
Stengade, Horsens **3:** 434
Stengade, Kbh. **4:** 212; **7:** 180
Stenløse **1:** 568
Stens **9:** 89
Stenstrup **7:** 262
Stentoft, Bendt, modstandsmand **10:** 66
Stettin **2:** 77, 134, 522; **4:** 117; **5:** 504; **10:** 156
Stettin, skib **3:** 315
Stettin-København-Oslo, færgerute **5:** 15
Steven, ty. direktor **10:** 170
Stevns **5:** 141
Stevnsborg, Henrik, da. historiker **1:** 101, 272
Stevnsborg, Kay, avissælger **5:** 203
Stevnsgade, Kbh. **7:** 254
Stevnstrup **5:** 63; **7:** 255
Stibolt Hansen, Erik, terroroffer **10:** 135
Stiebler, ty. stabslæge **9:** 278
Stier, Rudolf, Oberregierungsrat, Det tyske Gesandtskab **5:** 429, 434; **7:** 170f.; **10:** 152
Stier, Walther, ty. SS-Sturmbahnführer **2:** 145
Stilling **7:** 256f.
*Stimme der Ahnen,* publikation **1:** 621
Stjernen, firma, Kbh. **7:** 385
Stjerneradio, Kbh. **10:** 88
Stobbe-Dethleffsen, Carl, ty. generalbefuldmægtiget for regulering af byggevirksomhed **5:** 80
Stockholm **1:** 126, 300, 565, 570f., 596f.; **2:** 41, 126, 192, 228, 367, 377, 489; **3:** 175; **4:** 130f., 494; **5:** 10f., 16, 21, 131, 259, 261, 404ff., 408; **6:** 19, 42, 144, 377, 450; **7:** 96, 172, 185, 209, 245; **8:** 11, 473, 475f.; **9:** 174, 244, 375, 383, 385; **10:** 150, 196
*Stockholms Tidningen,* sv. avis **2:** 488; **4:** 496; **5:** 22, 136, 266f.; **7:** 98, 196, 341; **9:** 146, 400
Stoholm **7:** 258; **10:** 61

Stollig **4:** 329
Stolz, Thomas Friedrich "Noah", telegrafist, modstandsmand **8:** 349
Store Bælt, skib **8:** 188, 190f., 203ff., 218f., 242, 250, 252, 281, 287, 290ff., 294, 317, 393, 395, 410, 414, 427, 451, 469; **9:** 21; **10:** 53
Store Grundet, interneringslejr **3:** 381; **9:** 15
Store Kongensgade, Kbh. **2:** 239; **4:** 493, 502
Store Nordiske Telegrafselskab, Det **3:** 235; **5:** 470
Store Å **5:** 63
Storebælt **3:** 224, 452, 481; **4:** 229; **5:** 46, 166; **8:** 74; **9:** 42, 49; **10:** 52
*Storm,* holl. publikation **1:** 623
Storstrømsbroen **3:** 287f.; **8:** 74
Storåen **1:** 577; **2:** 388; **3:** 287
Stotz, Friedrich, modstandsmand **8:** 342, 443f.
Stougaard, Georg Vilhelm, modstandsm. **10:** 66
Stralsund **9:** 362
Strandboulevarden, Kbh. **9:** 127
Strandgade, Kbh. **2:** 159; **5:** 82, 190; **6:** 255, 272, 410; **8:** 425; **9:** 32; **10:** 145
Strandhotellet, Kollund **5:** 313
Strandlodsvej, Kbh. **9:** 296
Strandvejen Gasværk **6:** 448
Strandvejen, Kbh. **2:** 79, 159; **3:** 271; **4:** 222; **5:** 203, 278, 384, 412; **6:** 102; **7:** 79; **8:** 179; **9:** 298f., 403; **10:** 102, 105, 144
Strandvænget, Kbh. **5:** 233
Strandøre, Kbh. **9:** 298
Strasbourg **8:** 384
Strauch, ty. kaptajn **7:** 386
Strindberg, August, sv. dramatiker **2:** 309
Struckmann, afdelingsleder, Det tyske Gesandtskab **10:** 157
Struckmann, Erik, formand for Danmarks Naturfredningsforening **2:** 453
Struer **2:** 363; **4:** 514; **5:** 63, 94; **7:** 250, 258, 439; **9:** 225, 341; **10:** 119, 189, 191
Strøbech, Erik Johannes, pastor **3:** 322; **10:** 109
Strødam, gods **2:** 549
Ströhm, ty. SS-Sturmbannführer **8:** 52
Strøm, Jens, journalist **8:** 322; **9:** 139
Strøm-Tejsen, Aage, terroroffer **10:** 102
Strössner, Oberzugführer, leder af TN-kommandoen **8:** 24f., 29
Stubbekøbing **3:** 363
Stubbeløbsgade, Kbh. **2:** 539
Stubmøllevej, Kbh. **2:** 361; **3:** 139
Stuckart, Wilhelm, ty. statssekretær, RIM **2:** 79; **3:** 148; **5:** 111; **9:** 150, 168, 185, 270, 272; **10:** 198, 205; **10:** 202
*Stud.merc.,* tidsskrift **2:** 273f.
Studentafelag, isl. studenterforening **3:** 64
Studenterforeningen **5:** 168; **6:** 421; **10:** 78
Studentergården, Kbh. **7:** 30, 84
Studentergården, Kbh. **10:** 91
Studenternes Efterretningstjeneste (SE) **6:** 191, 199, 316, 318, 320; **8:** 445f.; **9:** 49f.; **10:** 63, 67
Studenternes Efterretningstjenestes Kampfraktion **9:** 50
Studenternes Weekendhytte, Sjælsø **10:** 120
Studentersamfundet **1:** 566, 571
Studie Ringen, illegal organisation **8:** 181
Studiestræde, Kbh. **4:** 532; **6:** 319, 448; **9:** 297
Studnitz, von, ty. oberst **9:** 395
Studsgade, Århus **5:** 40
Stumm, Gustav Braun von, gesandt, AA **1:** 444
Stumpff, Hans-Jürgen, ty. generaloberst **2:** 46
Sturmkolonne, SK **6:** 367; **9:** 22, 335
Stutterheim, Hermann von, rigskabinetsråd **1:** 432, 457, 485f., 500, 512ff.; **2:** 102, 113; **8:** 358, 404
Stutthof, koncentrationslejr **1:** 566; **2:** 546, 548, 552; **4:** 252; **5:** 339; **8:** 16; **9:** 158f.; **10:** 192
Stülpnagel, Carl-Heinrich von, ty. general, Militärbefehlshaber Frankreich **2:** 122, 278, 328; **3:** 118
Stülpnagel, Otto Edwin von, general, Militärbefehlshaber Frankreich **1:** 357f., 363ff.
Stærmose, Christian, lærer, modstandsmand **3:** 104; **8:** 340
Stærmose, Erik, modstandsmand **5:** 52
Stærmose, Robert, politiker, modstandsmand **8:** 328; **9:** 145
Støvring **5:** 63
*Staa fast,* falsk illegalt tryk **8:** 330, 385
Stålvalseværket, Frederiksværk **2:** 220, 449
Staatspolizeistelle Kiel **4:** 251
Suadicani, Bjørn, løjtnant, modstandsmand **8:** 446; **9:** 50
Suchanek, ty. oberstløjtnant **7:** 399
Sudeterlandet **1:** 155, 161, 331, 338; **4:** 128; **9:** 229
Sugita, japansk diplomat **2:** 367
Suhr, ansat i RSHA **1:** 564
Sundby **9:** 296
Sundby Hospital, Kbh. **2:** 548; **10:** 138f.
Sundhedsstyrelsen **8:** 144
Sundkrogsgade, Kbh. **4:** 66, 95
Sunhultsbrunn, sv. lejr **6:** 19
Super Spring-Madrasfabrik, firma, Kbh. **5:** 178
Supreme Headquarters Allied Expeditionary Force (SHAEF) **8:** 337, 339, 346

Surmann, Stabsintendant, OKW **8:** 368
Sustmann-Ment, Robert, da. ansat ved det tyske sikkerhedspoliti **7:** 232, 380; **7:** 379; **10:** 95
Svane, Lars Bager, modstandsmand **10:** 60
Svaneapoteket, Odense **10:** 104
Svanegrund, Kbh. **9:** 188
Svanemøllen Station, Kbh. **2:** 539
Svans **9:** 248
Svarer, Ole, kompagnichef, modstandsmand **9:** 50
Svarre, Herold, modstandsmand **7:** 60; **10:** 60
Svea, færge **8:** 231
Svejbæk **4:** 15
Sven Canning, firma, Kbh. **1:** 425
Svend Andersens herreekviperingsforretning, Odense **10:** 89
Svendborg **3:** 341f., 362, 364, 396, 400, 404, 407, 412f., 417, 426ff., 430, 439, 452; **4:** 300; **5:** 112, 278, 294, 381, 384, 386, 422; **6:** 332, 334, 343; **7:** 29, 97, 439, 441f.; **8:** 179, 339f., 408, 410; **10:** 46, 53, 65, 80, 82, 91, 101, 133f., 148, 176
*Svendborg Amtsavis* **10:** 101
*Svendborg Amtstidende,* avis **8:** 385, 431; **10:** 133
Svendborg Havn **6:** 333; **8:** 92
Svendborg Skibsværft **2:** 31; **3:** 104, 198, 398; **5:** 278, 384; **6:** 356, 415; **7:** 441; **8:** 189, 191f., 289, 425; **10:** 82
Svendborg Tinghus **5:** 294
Svendborgsund **3:** 462, 481
Svendborgvej, Fåborg **10:** 127
Svendsen, Knud Erik, modstandsmand **9:** 48
Svendstrup **4:** 78
Svenningsen, Nils, direktør, departementschef, UM **1:** 44, 114, 122, 141f., 150, 152, 198, 205, 286, 295, 316, 326, 328, 479, 489, 575, 590, 595; **2:** 481; **3:** 169, 212, 377; **4:** 9f., 13, 31, 40, 46f., 49, 59, 97, 147, 159f., 182, 199, 213, 244, 247f., 267ff., 281, 317, 388, 448, 510; **5:** 161f., 164, 496; **6:** 187, 195, 299, 401, 437-440, 451; **7:** 23f., 26, 36, 38, 51, 53ff., 62, 211, 357, 395, 421; **8:** 25, 27, 39ff., 85, 96, 98, 242, 295, 357, 371, 375, 452, 467; **9:** 147, 169, 197, 210, 223, 256, 259, 293, 365, 373, 423; **10:** 39, 55f., 189f., 193, 198
Svensk radio **10:** 49
Svensk Socialistisk Samling **4:** 312
*Svenska Dagbladet,* sv. avis **2:** 488f.; **4:** 495f.; **5:** 132, 259f.; **6:** 20, 215; **7:** 200; **9:** 346
*Svenska Morgenbladet,* sv. avis **6:** 450
Svensson, Carl, medl. af Schiølergruppen **10:** 141
Svensson, Harry Eckart, modstandsmand **2:** 533
Svenstrup **7:** 380
Sverige **1:** 78, 106, 110, 112, 126f., 165, 278, 284, 300, 343, 349, 388, 409, 412, 433, 437, 473, 475, 501, 504, 522, 532, 547, 554, 558, 561, 565, 588, 630, 633, 653; **2:** 12, 35f., 47, 51, 65, 84, 93f., 108, 128, 131, 142f., 148, 163, 165, 168, 190, 192, 196f., 216, 219, 226, 231, 235, 240, 296, 305, 307f., 313, 320, 335f., 343, 346, 365f., 377, 406f., 428, 431, 443, 450, 470, 480ff., 484, 488f., 549, 553f.; **3:** 18, 27, 63, 67f., 79f., 82f., 91, 97, 103, 105f., 112, 141, 159, 169, 208, 246, 248, 251, 253, 255f., 260, 265f., 268, 272, 275, 294f., 307, 317, 321, 325f., 339ff., 354, 356, 360, 372, 382, 386f., 398, 435, 465, 478, 482f.; **4:** 16, 23ff., 39, 44f., 116, 129ff., 205f., 214, 220, 228, 243f., 259, 261ff., 266f., 277, 287, 307, 310ff., 318f., 321, 338f., 345f., 372, 376, 396, 398, 400, 407, 417f., 423, 425, 430f., 466, 470f., 490, 494-497, 525, 540, 543f.; **5:** 11, 15, 19ff., 25-28, 41, 51f., 72, 87, 105, 121, 126, 130f., 135, 141f., 224, 244, 249, 253, 260ff., 264, 266, 268, 288, 320ff., 325f., 341, 351, 393, 398, 403, 405, 408ff., 471, 485, 488ff.; **6:** 16, 19f., 27, 29, 40ff., 48, 51, 68f., 108, 116-119, 133f., 142, 144, 158, 187ff., 206, 209, 221, 223, 230, 232, 265f., 283, 290f., 293, 295, 316, 322ff., 339f., 376, 396, 417f., 450; **7:** 46, 90, 97, 185, 191, 195, 202, 204, 234, 263f., 331, 337f., 340f., 348, 374f., 381, 388, 391, 418, 427, 436; **8:** 11, 13, 15f., 46, 65ff., 72, 78, 81, 85, 139, 143, 146-150, 154, 166, 169, 172, 176, 180, 182, 184, 187ff., 218, 231, 242, 269f., 273, 280, 290f., 330f., 343f., 363, 377f., 385, 388f., 418f., 430, 436, 444, 447, 454f., 473f.; **9:** ; **9:** 12f., 20, 29, 33, 35, 40, 49f., 62, 77f., 97, 136, 140, 162f., 173-176, 179, 182ff., 218, 237, 239, 244, 247, 250, 282, 290, 310, 333, 338, 345ff., 365, 375f., 383, 385, 387f., 393, 395, 397, 399, 401, 422, 427; **10:** 34, 52ff., 56ff., 164
Sveriges Riksbank **5:** 322, 325
Svesing, ty. udekommando **6:** 396
Svinkløv **5:** 326
Svinninge **7:** 440
Swinemünde **3:** 446; **4:** 252; **5:** 207; **8:** 466; **9:** 288, 362
Sydhavnen, Kbh. **2:** 407; **3:** 139, 304; **9:** 100, 188, 285, 375
Sydhavnsgade, Kbh. **1:** 425; **2:** 534; **5:** 34; **8:** 207, 255

Sydkærsvej, Valby **9:** 298
Sydsjællands Kølehus, Næstved **5:** 384
*Sydsvenska Dagbladet,* sv. avis **2:** 488; **3:** 67f.; **4:** 312; **5:** 22f., 136, 264, 404; **8:** 16, 146; **9:** 393
*Sydvestjylland,* avis **9:** 66
*Sydöstra Sveriges Dagblad,* sv. avis **2:** 489
Sylows Allé, Kbh. **9:** 49; **10:** 116
Sylt **6:** 77
Syrien **2:** 95; **9:** 239
Syvens Allé, Kbh. **10:** 143
Szábo, Dr., ung. regeringsrepræsentat **8:** 318; **9:** 12, 239, 333
Szalasi, den ung. regering **9:** 12, 132
Szarka, ung. handelsattaché **8:** 318
Szesny, Otto, ty. Obergefr. **7:** 382
Sæbefabrikken i Varde **10:** 71
Sæby **5:** 56; **10:** 189
Sælen, skib **3:** 360, 483; **5:** 497
Sälvesborg, Sverige **8:** 330
Säre, Karl, est. kommunist **2:** 427f.
Søbjørnen, skib **3:** 483
Søborg **3:** 198; **4:** 31, 63, 438, 522; **5:** 143; **9:** 49, 297ff.
Söchting, Dr., Oberstabarzt. **10:** 175
Søderberg, Holger, politimand, modstandsmand **6:** 319
Söderblom, svensk ærkebiskop **2:** 313
Søe, N.H., professor **8:** 272
Søgårdsvej, Gentofte **4:** 466
Søhesten, skib **3:** 450, 484
Söhnlein, Wolfgang, SD-leder **10:** 77
Søhunden, skib **3:** 483
Søløven, skib **3:** 484
Sønder Løgum **7:** 306
Sønder Omme **4:** 523
Sønderborg **2:** 298; **4:** 151, 527; **5:** 63, 241, 269; **6:** 87f., 115f., 259, 397; **7:** 337, 340, 439, 442; **9:** 168, 185, 266, 276f., 279, 314, 317, 336, 406; **10:** 44, 61, 188, 190
Sønderby, Ebberup, Fyn **10:** 127
Søndergade, Frederikshavn **4:** 519
Søndergade, Ikast **7:** 205
Søndergade, Århus **5:** 274
Søndergaard Jensen, Anna, modstandskvinde **2:** 548
Søndergaard Jensen, Elisabeth, modstandskvinde **2:** 56
Søndergaard, Johannes, manufakturforhandler, terroroffer **10:** 113
Søndergaard, Poul, slagtermester, terroroffer **10:** 88
Søndergaard, Aage, modstandsmand **10:** 66
*Sønder-Jyden,* avis **8:** 384, 430f.
Sønderjydsk Lægekredsforening **9:** 316
Sønderjylland, Nordslesvig **1:** 93, 261, 301, 409, 463, 490, 617; **2:** 14, 21, 70, 104, 108, 126, 137ff., 161, 172, 174ff., 221f., 251-254, 256, 271, 273f., 297, 316, 330, 340, 342, 367, 371, 468f., 525, 529; **3:** 28, 41, 54f., 66, 148f., 281f., 292, 327, 333, 407f.; **4:** 60, 147, 186, 456, 538f.; **5:** 24, 48, 65, 126-129, 148, 163f., 173ff., 182f., 193, 209, 282f., 332, 378, 415, 452, 460; **6:** 137ff., 156, 192, 204f., 238, 247, 363-367, 369, 395f.; **7:** 90, 94, 218-221, 260, 282f., 304, 350, 356, 362, 367, 392, 399, 403, 406, 414ff., 433, 442f., 460f.; **8:** 36, 38, 43, 57, 63, 138, 142, 144, 179, 262, 300, 325, 328, 339, 342, 345, 349, 391, 420, 442, 446f.; **9:** 22ff., 107, 142, 148, 156, 169ff., 180, 198f., 202, 220f., 240, 247, 260, 262, 270, 273, 277ff., 281, 286, 314, 316f., 334f., 352ff., 358, 368, 374, 429; **10:** 19, 176, 190
Sønderjørn, Horne-land **10:** 127
Søndermark **7:** 346
Søndermarken, Kbh. **5:** 64, 73; **10:** 41, 76
Sønderstrup **8:** 328; **10:** 107
Søndre Allé, Århus **3:** 196
Søndre Birk, Kbh. **3:** 197
Søren Wistoft & Comp., firma, Kbh. **2:** 117
Søren Wistofts Fabrikker, Kbh. **5:** 49
Sørensen, Aksel, modstandsmand **7:** 60; **10:** 60
Sørensen, Anker Frants ("Søren"), stikker **7:** 203
Sørensen, Arne, partileder, Dansk Samling **2:** 357f., 375, 377, 427; **8:** 445
Sørensen, Arthur, kontorist, modstandsmand **5:** 288
Sørensen, Carl Berg, modstandsmand **10:** 95
Sørensen, Carl Borch, modstandsmand **10:** 64
Sørensen, Ejnar "Leif", modstandsmand **8:** 310
Sørensen, Erik, modstandsmand **3:** 197
Sørensen, Frede, OT-mand **10:** 135
Sørensen, Hans Christian, lærer, illegal aktivitet **7:** 205
Sørensen, Harald Emil **10:** 89
Sørensen, Harald, portner **6:** 257
Sørensen, Herbert, tømrer, illegal virksomhed **2:** 545
Sørensen, Jan, medl. af terrorgruppe **5:** 141; **10:** 77
Sørensen, Jørgen, medl. af terrorgruppe **10:** 126
Sørensen, Leo, baneingeniør, terroroffer **10:** 137
Sørensen, Lise, journalist **8:** 380
Sørensen, Madsen & Co., firma, Kbh. **7:** 147

Sørensen, Morten W., journalist, terroroffer **10:** 115
Sørensen, Otto Jørgen Christian, maskinmester **1:** 640
Sørensen, Peder Bergenhammer, modstandsmand **10:** 62
Sørensen, Per, da. SS-Obersturmbannführer **3:** 243
Sørensen, politimester **10:** 76
Sørensen, Poul Edvin Kjær, modstandsmand **3:** 388, 424; **4:** 61; **10:** 60
Sørensen, Poul J., fabriksarbejder, terroroffer **10:** 102
Sørensen, Poul, politiker **8:** 445
Sørensen, Robert, modstandsmand **5:** 178
Sørensen, Svend, da. SS-Leutnant **3:** 243
Sørensen, Verner Emil, modstandsmand **7:** 386
Sørensen, Viggo, forbindelsesofficer, modstandsmand **8:** 340
Søridderen, skib **2:** 343, 346, 365, 402, 461, 480ff., 533, 553; **3:** 11, 79, 97, 112, 141, 169f., 248, 360, 484; **10:** 34
Søulven, skib **3:** 483
Saarpfalz **9:** 62

T.K. Århus **6:** 442; **9:** 158, 284
Tagensvej, Kbh. **2:** 159; **6:** 410, 453; **7:** 78; **10:** 144
*Tagesbefehl des Volkskommissars für Landesverteidigung Stalin,* illegalt tryk **2:** 54
Taifun, aktion **1:** 69, 124, 234, 297; **7:** 286, 400, 405f., 421; **8:** 245; **9:** 186; **10:** 50, 188
Takamatsu, prins af Japan **1:** 517
Talvela, Paavo, fi. general **2:** 147
Tamm, Ditlev, da. jurist og historiker **1:** 130, 303
Tandhjulsfabrikken, Kbh. **5:** 272
Tang, Vagn, løjtnant, terroroffer **10:** 123
Tanggaard, Søren Jensen, kontorhjælp, modstandsmand **2:** 550
Tannenberg, Wilhelm, legationsråd, AA **8:** 351
Tantalus, skib **2:** 554
Tappert, Bernhardt, ty. politimand **2:** 76, 134; **10:** 172
Tarm **5:** 63
Tass-Bureauet **1:** 567; **9:** 254
Taulov **5:** 62; **10:** 69
Technische Nothilfe (TN) **7:** 286f.; **8:** 24, 29f., 245; **8:** 268; **9:** 186, 194, 196
Teetz, ty. Hauptbannführer, Reichsjugendführung **2:** 176, 395; **5:** 298; **6:** 99
Teglers, Hans Edvard, modstandsmand **4:** 368
Teglgårdsstræde, Kbh. **10:** 146
Teglgårdsvej, Charlottenlund **9:** 298
Teglgårdvej, Ordrup **10:** 106
Teglholm Støberi **8:** 425
Teglholmen, Kbh. **2:** 159; **5:** 384
Teglholmsgade, Kbh. **1:** 422; **5:** 190
Teheran **1:** 385
Teichmann, Emil, Hauptbannführer, repræs. for KLV i Danmark **2:** 176; **3:** 471f.; **5:** 234; **8:** 396f.; **9:** 336; **10:** 156
Teil, firma, Aalborg **4:** 519
Teilmann Jørgensen, stud.jur., DNSAP **2:** 512
Teilmann, Johan Jørgen, modstandsmand **10:** 64
Tekla, skib **5:** 490f.; **8:** 251, 253
Teknisk Central **1:** 586
Telde, ty. skib **5:** 190; **6:** 272; **9:** 112, 114, 119
Telling, Søren, da. assistent for Karl Kersten **5:** 31; **8:** 48, 163
Tempelhof lufthavn **10:** 198
Temple, William, ærkebiskop af Canterbury **1:** 562
Terboven, Josef, Gauleiter, rigskommissær **1:** 54, 126ff., 144, 217, 300f., 319, 365, 368, 370, 432, 475, 506, 524, 550, 603, 629f.; **2:** 45f., 50, 113, 167, 264, 277, 469; **3:** 89, 380; **4:** 47f., 146, 530ff., 539; **5:** 166f., 204, 232, 451, 485; **6:** 39, 192, 261, 300, 302f., 359; **8:** 110, 308, 331f., 401, 409; **9:** 99, 160, 211f., 223, 226, 293, 373, 375, 395, 397, 414; **10:** 32f., 44, 57, 151, 196, 198, 202
Terkelsen, Terkel M., journalist **3:** 238, 270, 373; **4:** 432; **5:** 18, 133f., 258, 402; **6:** 17, 288; **7:** 339; **8:** 326; **9:** 246, 329; **10:** 20, 22
Terp, Ove Chr., da. flyverløjtnant **3:** 243
Tesch, Günther, ty. SS-Hauptsturmführer **2:** 145
Teschen **9:** 400
Teterow **9:** 393
Texeira, G., da. jøde **4:** 318, 324, 398, 454
Thadden, Eberhard von, ty. legationsråd, AA **1:** 48, 113, 210, 285; **2:** 528; **3:** 14-20, 45, 60, 73, 94f., 167, 199, 211, 246, 262, 354, 356; **4:** 51, 67, 72f., 148, 155, 192f., 202, 207, 235, 243, 282f., 288, 303f., 308, 310f., 313f., 316f., 319, 322, 325, 327, 331, 336, 347, 367, 375, 382, 391, 480, 494, 517ff.; **5:** 71, 90, 143, 330, 339, 375f., 460, 499; **6:** 36f., 68, 144f., 210, 223, 294, 305, 338f., 343, 372, 383, 417f., 432f.; **7:** 17; **8:** 36, 105f., 112, 258; **9:** 59
Thailand **3:** 235; **5:** 11; **8:** 11; **9:** 13
Thalbitzer, Waldemar, professor **1:** 539, 606f.; **3:** 132f., 295f.
Thamsen, Knud, Frisindet Arbejderparti **3:** 66

Thayssen, Jørgen, modstandsmand **3:** 140
Theisen, Johannes Hemming, arkitekt, illegal virksomhed **2:** 545
Theodor Riedel, ty. skib **9:** 367
Theresienstadt, koncentrationslejr **1:** 114, 286f.; **4:** 251f., 309, 375, 444, 453f., 463f., 517f.; **5:** 26, 58, 90f., 134, 143, 330, 375f., 495; **6:** 35ff., 46, 68f., 198, 201, 209f., 223, 305, 325, 338ff., 372, 395, 409, 416-419, 432f.; **7:** 17f., 209f.; **8:** 362, 364; **9:** 32; **10:** 40, 44ff., 48, 57, 192
Therkildsen, Hans Egon, gartner, illegal virksomhed **2:** 552
Therkilsen, redaktør, terroroffer **10:** 98
Thie, Gaukassenwalter, NSV **9:** 203
Thiel, Walter, ty. politimand **3:** 210, 259; **10:** 172
Thiele, Fritz, ty. officer, OKW **2:** 349
Thierack, Otto Georg, ty. rigsminister **5:** 139
Thiero, ingeniør, OT **8:** 248
Thisted **2:** 19f., 160, 535; **4:** 101, 506; **5:** 63; **7:** 106f., 380, 439; **9:** 258; **10:** 49f., 176, 189f.
Thoernell, sv. general **4:** 339
Thomas B. Thrige, firma, Odense **2:** 160
Thomas, Georg, general, leder af Rüstungsamt **1:** 351
Thomassen, Halvor, murer, modstandsmand **4:** 512
Thomer, Anton, ty. politimand **3:** 210, 259; **10:** 173
Thomsen, Egon Nørregaard, modstandsmand **3:** 136
Thomsen, Erich, ty. historiker **1:** 27, 59, 62, 65, 76f., 79, 94, 101-104, 109, 122, 125f., 139ff., 143, 162, 187, 222, 225f., 229, 242f., 245, 263, 271, 273ff., 280, 295, 298f., 313, 339
Thomsen, formand i arbejdsgiversammenslutningen **7:** 46, 85
Thomsen, Frode Nørgaard, modstandsmand **3:** 136
Thomsen, Grethe, formodet stikker **2:** 410
Thomsen, Hans, ty. gesandt i Stockholm **3:** 246, 255; **4:** 263; **10:** 196
Thomsen, Heinrich, modstandsmand **3:** 388
Thomsen, Jacob, illegal aktivitet **6:** 259
Thomsen, Johannes, modstandsmand **2:** 360; **3:** 138
Thomsen, Jørn, korrespondent, illegal virksomhed **2:** 551
Thomsen, Lausten, amtslæge **9:** 276f.
Thomsen, Roald Zahle, arbejdsmand, illegal virksomhed **2:** 552
Thomsen, Sigurd, redaktør, Socialdemokraten, terroroffer **6:** 291f.; **10:** 83
Thomsen, Svend, maskinarbejder, modstandsmand **4:** 374; **5:** 288
Thomsen, Valdemar, politiker, **2:** 59
Thomsen, Aage, „Tykke Tom", DNSAP **6:** 83, 226
Thor, isl. udenrigsminister **9:** 13
Thor, skib **3:** 304, 315
Thorgils, Knud, adjutant for K.B. Martinsen **3:** 243; **8:** 52, 158, 298f., 360; **9:** 69, 345
Thorkildsen, Georg, overassistent, KTAS **9:** 51
Thormod, Lars, politibetjent **6:** 49
Thornberg, Ove, medl. af terrorgruppe **10:** 130
Thorndal, A.P., stifter af De Unges Fritidsgrupper **9:** 139
Thorning, ingeniør, KTAS **9:** 51
Thornquist, Svend Carlo, modstandsmand **2:** 532
Thors, Ólafur, isl. statsminister **8:** 139
Thorsager **9:** 93
Thorsberg **8:** 24
Thorsen, Arne, modstandsmand **4:** 436
Thorsen, Svend Erik, modstandsmand **4:** 436
Thorshavnsgade, Kbh. **10:** 143
Thorslunde **9:** 303
Thorup, Einar, da. SS-Hauptmann **3:** 243
Thorup, Niels, kioskejer, terroroffer **10:** 141
Thorvard, isl. gesandt i London **5:** 393
Thorvin, Johannes M., ingeniør, terroroffer **10:** 99
Thrane, modstandsmand **2:** 538f.; **3:** 197
Thrige-Fabrik Odense **5:** 384
Thue Jensen, Jens, modstandsmand **10:** 64
Thuge, Hjalmer, folketingskandidat for DNSAP **2:** 391
Thulstrup, Andreas, borgmester, Haderslev **1:** 405
Thune Jacobsen, Eigil, rigspolitichef, justitsminister **1:** 388, 530, 589, 597; **2:** 541; **3:** 239, 331, 368, 374f.; **4:** 104, 337; **5:** 203; **8:** 147ff.
Thurø **1:** 570
Thy **2:** 453; **8:** 474; **9:** 341
Thybo Sørensen, Svend, medl. af terrorgruppe **10:** 91
Thyborøn **2:** 395; **3:** 224, 288, 363, 444; **4:** 130; **5:** 73; **6:** 334, 380
Thyborøn Havn **7:** 299
Thyborønkanalen **5:** 326
Thygesen, Egon Christian, modstandsmand **2:** 531; **3:** 138, 198
Thygesen, Johan Frederik Warrer, modstandsmand **2:** 530; **3:** 136
Thygesen-gruppen, modstandsgruppe **2:** 531
Thyra, skib **4:** 79, 106f., 191, 330f., 370, 374, 385f., 524; **5:** 489; **9:** 146

Thyssen, Gudrunto **10:** 149
Thyssen, Peter Schiørring, landsretssagfører, terroroffer **10:** 149
Thälmann, Ernst, ty. pol. **9:** 392
Thøgersen, Thøger, fhv. partiformand, DKP **1:** 565
Thøgersen, trykker **6:** 199
*Tiden,* illegalt blad **7:** 206
*Tidens Tegn,* illegalt blad **9:** 394
Tidningarnas Telegrambureau (TT), sv. pressebureau **6:** 116f., 119, 187, 230, 232; **7:** 183, 192, 336; **8:** 147ff.; **10:** 45
*Tidsskrift for Industri* **5:** 322
Tiemann, Alfons, ty. politimand **3:** 210, 262
Tiemroth, Einar, oberstløjtnant, modstandsmand **8:** 339; **9:** 50
Tietgensgade, Kbh. **7:** 263; **9:** 187
Tietze, oberst, Feldwirtschaftsamt **7:** 173f.
Tijuca, ty. skib **9:** 120, 165
Tillisch, Fritz, premierløjtnant, modstandsmand **8:** 336, 446, 474
*Times, The,* eng. avis **3:** 298, 334; **4:** 395; **6:** 16; **7:** 52
Timm, Dr., embedsmand, Reichsarbeitsministerium **2:** 133
Ting- og Arresthuset, Kbh. **4:** 147
Tinghuset i Svendborg **10:** 80
Tinghøj **9:** 303
Tinglev **4:** 171, 500, 538; **5:** 23; **8:** 345; **9:** 266, 277, 317, 336; **10:** 189f.
Tingskou, Børge **10:** 135
Tingsskrivervej, Kbh. **6:** 199
Tingvej, Kbh. **1:** 427
Tippelskirch, Werner von, ty. oberst, OKW, AA **2:** 234, 330; **4:** 308, 343
Tirpitz, ty. slagskib **8:** 267
Tirstrup **5:** 461
Tischbein, ty. ministerialdirigent, OKW **2:** 352; **5:** 336
Tiso, Josef, slovak. præsident **1:** 406
Tissøe **10:** 110
Titan A/S, firma, Kbh. **2:** 117, 159f.; **4:** 341; **7:** 380
Tito, Sosip, jug. partisanleder **5:** 405
Tivoli, Kbh. **1:** 568; **6:** 415, 428; **7:** 30, 49, 84, 97, 192, 219, 226; **10:** 91
Tjekkiet **1:** 419; **2:** 319, 321; **3:** 214; **6:** 96, 416; **5:** 268
Tjæreborg **5:** 62
Tobberup **8:** 144
Tobias Jensen, firma, Kbh. **7:** 179
Todesgade, Kbh. **10:** 129
Todt, Karl, ty. ingeniør **1:** 527
Toepke, Günther, major, stabschef **4:** 533; **5:** 60, 208, 295, 446f.; **6:** 246; **7:** 398, 415; **8:** 414, 449; **9:** 205, 223, 225, 268f., 271, 274f., 279f., 421, 424
Toft, Frantz, medl. af terrorgruppe **10:** 134
Toftebæksvej, Lyngby **9:** 296
Toftegaard Jensen, Frede, modstandsmand **6:** 241
Toftegårds Allé, Kbh. **6:** 199, 319
Toftegårds Bio, Kbh. **6:** 167
Toftegårds Plads, Valby **9:** 295
Toftlund **7:** 346; **10:** 190
Tokkekøb Hegn **10:** 140
Tokyo **3:** 235
Tolboe Jensen, Alf, repræsentant, modstandsmand **4:** 374; **5:** 288; **10:** 60
Toldbodgade, Odense **2:** 364
Toldstrup, Anton, modstandsmand **8:** 336, 338f.
Toller, Ernst, ty. forfatter **1:** 570
Tolstoj, Aleksei Konstantinovitj, russ. forfatter **1:** 570
Tommerup Hørfabrik **5:** 23
Tommerup-Nielsen, repræs. for Dansk Generator Brændsel A/S **5:** 441
Tomsgårdsvej, Kbh. **1:** 426; **7:** 78
Tonhoft **5:** 242
Torgau, ty. krigsfangelejr **6:** 196; **8:** 375
Torkel Badensvej, Hellerup **5:** 272
Torkov, frue, illegal aktivitet **8:** 181
Torm, rederi **4:** 330f., 349, 370, 385f.
Tormilind, skib **5:** 464f.
Tormøs, Norge **8:** 268
Torotor, firma, Kbh. **7:** 147; **9:** 127
Torp **9:** 403
Torp Pedersen, E., legionsråd **4:** 16
Torsted **4:** 484
Torvegade, Esbjerg **2:** 205; **7:** 262
Torvegade, Kbh. **5:** 274; **10:** 145
Torvet, Silkeborg **2:** 160
Tosca, restaurant, Kbh. **4:** 307, 329; **5:** 147
Tourneau, Walther, SS-Hauptsturmführer, Kanzlei des Führers **6:** 162f.
Toussieng, F.E.W., oberstløjtnant, modstandsmand **8:** 341
Toustrups Købmandsforretning **10:** 106
Trafikministeriet **5:** 96; **7:** 89
Trampe, Erik Gerhardt, modstandsmand **2:** 361; **2:** 361; **3:** 137, 247; **3:** 137, 248
Tramsen, Helge, læge **3:** 322
Tranagervej, Valby **4:** 96
Transmotor, firma, Kbh. **4:** 527
Transozean, ty. nyhedsbureau **3:** 240
Tranum **5:** 326

Tranum, Karl Ralph, modstandsmand **2:** 530; **3:** 136
Traulsen, Jørn, modstandsmand **2:** 531
Trautmann, Dr., ansat ved CdS **2:** 77; **3:** 261f.
Travemünde, Tyskland **1:** 485
Trekroner, Kbh. **3:** 341
Trekronergade, Kbh. **2:** 535; **3:** 434; **5:** 191; **8:** 482
Trelleborg **4:** 311; **5:** 135
Trelleborg-Sassnitz, færgerute **2:** 12, 93, 296; **3:** 294, 386
Treschow, Peter Olaf von, legationsråd **5:** 301
Triangel Teatret, biograf, Kbh. **6:** 167
Trianglen Kraftværk **5:** 384
Trianglen, Østerbro, Kbh. **2:** 159; **5:** 210; **6:** 448; **9:** 188, 295
Trieste **9:** 400
Trinitatis Trykkeri, Kbh. **3:** 195
Triska, Helmut, ty. Amtsrat, AA **1:** 463
Tritol Vaskeri, Kbh. **3:** 196
Trods Alt, forlag **5:** 406
*Trods Alt,* illegalt blad **9:** 68
Troelstrup **3:** 93; **5:** 288
Troldevej, Fredericia **10:** 133
Troldhede **7:** 262; **10:** 93
Trolle, Børge, modstandsmand **6:** 318
Trommer, Aage, da. historiker **1:** 29, 58, 64, 67, 70, 159, 170, 172, 189, 221, 235, 336
Tronbjerg, Sven, modstandsmand **7:** 203
Trondheim **1:** 620, 644; **2:** 46; **9:** 368
Trongårdsvej, Klampenborg **9:** 298
Troost, Eduard, ty. politimand **3:** 259, 262; **10:** 173
Trotha, Thilo von, ty. forfatter **2:** 305, 317
Trotha, von, generalmajor **9:** 431
Trouville, Frankrig **6:** 301
Truelsen, Svend, modstandsmand **6:** 322; **8:** 473f.; **9:** 271
Trustrupvej, Kbh. **5:** 201
Træfpunkt, restaurant, Århus **5:** 40
Trälleborg, Sverige **1:** 547; **2:** 12, 93, 296
Trøjborgvej, Århus **5:** 241
Trølstrup **4:** 68
Tschachotin, Sergei, russ. mikrobiolog, stifter af Jernfronten **6:** 394
Tschiershky, Karl, ty. O'Stubaf. **7:** 312
TT, se Tidningarnas Telegrambureau
Tuborg Bryggeri, Kbh. **5:** 30; **7:** 19, 22, 293; **9:** 296, 301; **10:** 118
Tuborglinien, Hellerup **9:** 298
Tuborgvej, Kbh. **1:** 427; **5:** 105; **9:** 298
Tune **3:** 199
Tunesien **1:** 605, 646
Turnbull, Ronald, eng. diplomat **6:** 444
Tustrup **5:** 442
Tvedegaard, Jacob, gårdejer, formand for De samvirkende sjællandske Landboforeninger **1:** 642
Twardowski, Fritz von, leder af kulturafd., AA **2:** 79f., 103
Tybring, fabrikant **4:** 63
Tybrings Radiofabrik, Søborg **3:** 198; **4:** 31
*Typograftidende,* publikation **1:** 572
Tyra, skib **4:** 80
Türk, ty. kaptajnløjtnan, konsul, AA **6:** 72, 74; **7:** 138; **8:** 305, 350, 365, 367f., 394, 405, 449
Tyrkiet **1:** 403, 437; **2:** 95, 142, 417; **3:** 260, 354, 356; **4:** 280, 425; **7:** 329; **9:** 11, 239, 251, 253
Tyrol **9:** 393
Tyrsted-Uth **8:** 434
Tysk-Dansk Forening **2:** 61f.; **5:** 406
*Tyske enheder:*
1. Sicherungsflottille Kiel **6:** 335
2. Jagd Division **9:** 83
2. Sperrschulflottille **6:** 335
3. Marine-Infanterie-Division **9:** 350
8. Sicherungsdivision (Adm. Dän) **5:** 30; **8:** 231, 486
16. Vorpostenflottille Frederikshavn **4:** 541
20. Luftwaffen-Feld-Division **4:** 440, 518; **5:** 55f., 63, 316, 444f.; **6:** 24-27
21. Panzer-Division **4:** 440
28. Panzer-Division **3:** 411f., 428, 441
74. Infanterie-Division **3:** 105
116. Reserve-Divison **5:** 444
160. Reserve-Infanterie-Division **5:** 55f., 62f., 316, 444; **6:** 24, 27; **8:** 405; **9:** 91, 152, 359
166. Reserve-Infanterie-Division **5:** 55f., 63, 316; **6:** 24; **9:** 41, 91, 318, 374
172. Infanterie-Division **3:** 284
199. Infanterie-Division **9:** 420
233. Reserve-Panzer-Division **4:** 41; **5:** 56, 63, 316; **6:** 24, 442; **7:** 10; **8:** 405; **9:** 41, 87, 96, 152, 320, 374
264. Infanterie-Division **9:** 380f., 420
325. Infanterie-Division **9:** 319
328. Infanterie-Division **9:** 319, 358
361. Infanterie-Division (Gen. Gouv.) **5:** 55, 316, 444; **6:** 25, 27
363. Infanterie-Division **5:** 444; **6:** 27
416. Infanterie-Division **1:** 577; **2:** 292, 333, 377, 413, 508, 523; **4:** 42, 67; **5:** 56, 63, 316, 444f.; **6:** 27; **9:** 153
428. Infanterie-Division **3:** 92, 106
551. Volks-Grenadier-Division **8:** 405
558. Volks-Grenadier-Division **8:** 122, 125
597. Sovjetiske Brigade **9:** 153, 161

Tyske Handelskammer, Det **4:** 43
Tyske Videnskabelige Institut, Det, se Deutsches Wissenschaftliches Institut
Tüsselholt, Kaj, vagtmand **6:** 328
Tölz **7:** 307
Tømmergravsgade, Kbh. **2:** 159; **5:** 384; **7:** 75; **9:** 299
Tønder **2:** 160, 298; **3:** 195, 291f.; **4:** 30, 38, 171, 295, 500, 538; **5:** 23, 63; **6:** 259, 397; **7:** 251, 306, 375, 393, 397, 439; **8:** 345, 348; **9:** 266, 278, 317, 336, 377; **10:** 189f.
Tønder Station **3:** 199
Tørnstrøm, Aksel, modstandsmand **3:** 140
Tårbæk **5:** 30; **10:** 112
Tårbæk Havn **4:** 307
Tårbæk Kro **10:** 129
Tårbækfortet **7:** 454
Tårnby Vandtårn **3:** 197
Tårnbyvej, Kastrup **9:** 298
Tårnvej, Vanløse **9:** 298
Tårup, Gunnar Ingolf, modstandsmand **3:** 137
Tåsingegade, Kbh. **4:** 384
Tåstrup **3:** 195f., 198; **7:** 383
Tåstrup Maskinsnedkeri **4:** 171
Tåstrup Station **3:** 198

Udenrigsministeriet (UM) **1:** 44, 66, 75, 86, 95, 114-117, 133, 145, 205, 231, 241, 253, 264, 286, 288, 290, 320, 385f., 496f., 535, 545, 548f., 586, 589, 641; **2:** 52, 57, 125, 151, 186, 193, 231, 237f., 245f., 268, 343, 360, 380ff., 384, 395, 416, 419f., 467, 480; **3:** 50, 78f., 98, 144, 155, 165, 169, 179, 200, 202ff., 224, 235, 250f., 298, 322, 365, 385, 419ff.; **4:** 15, 32, 38f., 46f., 59, 71, 79f., 82, 115f., 131, 140, 159f., 166, 180, 190f., 199, 202, 244, 247, 280, 287, 291, 301, 316f., 331f., 366, 388, 402, 424, 446, 451, 475, 494, 518, 535; **5:** 10, 18, 37, 128, 175, 202f., 217f., 234, 249, 289, 295, 331, 340, 419ff., 428-431, 434ff., 441ff., 452, 454, 495f.; **6:** 32f., 69, 149, 186f., 194-198, 209, 248, 294, 299, 343, 382, 395, 401, 424, 437; **7:** 44f., 53f., 69f., 83, 86, 110f., 118, 160, 185, 234f., 237f., 283f., 291, 357, 366, 395, 459; **8:** 11, 26, 28, 40, 46, 49f., 57, 78, 85, 97, 189, 193, 202, 218, 281, 295, 319, 353-356, 374f., 423, 451f., 469, 478; **9:** 12f., 17, 52, 99, 210f., 217, 228, 238, 255f., 260, 280, 287, 289, 291, 293, 338, 355, 373, 399, 407, 423, 444; **10:** 33, 36, 39f., 45, 160, 163, 192ff., 200
Udenrigsministeriet, Det svenske **3:** 79, 112; **9:** 385
Udenrigsministeriets Pressebureau **2:** 231f., 425; **3:** 268; **5:** 398; **6:** 130; **8:** 87; **9:** 256
udrykningskommando, Den tysk-danske **5:** 253
UFA Film AG **2:** 57; **6:** 167
*Ugens Nyt,* illegalt blad **9:** 46
*Uge-Revue* **8:** 380
*Ugeskrift for Læger* **1:** 580f.; **8:** 265, 273
Uggerby Å **5:** 63
Uhrenholt Christensen, Kaj Dorph, modstandsmand **6:** 316
Uhtmann, von, ty. generalløjtnant, militærattaché **2:** 228
Ukraine **1:** 153, 161, 329, 338, 528, 567, 635; **3:** 322, 338; **5:** 31, 271, 471f.; **6:** 67; **9:** 394; **10:** 198
Ulanga, ty. skib **9:** 165
Uldal **7:** 346
Ulfborg **5:** 63
Ullmann, Christoffer, smedemester **4:** 473
Ullsteds Herrebeklædningsforretning, Odense **10:** 104
Ulrich, Curt von, SS-Obersturmführer, SS-Hauptamt **2:** 145, 530; **3:** 19f.
Ulrich, søstre, illegal virksomhed **5:** 67f., 253
Ulrichsen, Helge, modstandsmand, udset som terroroffer **9:** 222; **10:** 125
Ulriksholm **2:** 371
Ulveskansen/Wolfschanze **5:** 87, 109, 111, 121, 139, 145; **7:** 427; **10:** 71, 200f.
UM, se Udenrigsministeriet
Umbreit, Hans, ty. historiker **1:** 157ff., 162, 334ff., 339
Unden, sv. universitetsrektor **4:** 339
Undervisningsministeriet **1:** 596, 599; **2:** 79, 139; **5:** 128; **8:** 273
Undi, firma, Kbh. **4:** 332
Undset, Sigrid, no. forfatter **5:** 259
Ungarn **1:** 155f., 332-336, 451, 458, 464; **2:** 127, 142, 147f., 527; **3:** 240, 260, 266, 321, 354, 356; **4:** 425, 469; **6:** 101, 175, 300, 362; **7:** 39, 228, 278, 289; **8:** 11, 46, 139, 270, 318, 353, 378, 429; **9:** 12f., 18, 132, 151, 238f., 269, 333, 356, 377f., 394, 420, 424; **10:** 205
*Ungdommens Røst,* illegalt blad **8:** 441
Ungern-Sternberg, ty. embedsmand **8:** 363
Unges Fritidsgrupper, De **9:** 139
Unionen, hotel, Løgstør **5:** 79
United Press, am. bureau **3:** 296
Universal A/S, firma, Århus **4:** 368; **8:** 310
Universaltrykkeriet, Kbh. **6:** 318

Universität Berlin Giesecke **2:** 393
Unruh, Walter von, General, Sonderbeauftragter des Führers **3:** 299f.
Unterkreuter, ty. overregeringsråd **5:** 161
*Untermensch,* publikation **1:** 623
Untersteiermark **1:** 158, 161, 335, 338
Uplandsgade, Kbh. **4:** 527
Uppsala, Sverige **2:** 392
Uruguay **1:** 392; **5:** 483
Uruguay, skib **5:** 490, 507
USA **1:** 24, 130, 183, 304, 382, 385, 392, 420, 435, 482, 554f., 557ff., 586, 605f., 646; **2:** 28f., 50f., 57, 136f., 314, 319f., 331, 467; **3:** 45, 171, 315, 369; **4:** 88, 116, 434; **5:** 232, 264, 397; **6:** 32, 70, 260, 283, 285, 323, 330, 377; **7:** 225; **8:** 164, 171; **9:** 13, 15, 39, 62, 133, 141, 176, 218, 390f., 393, 427; **10:** 26
*USA,* illegalt blad **8:** 390
Usserød **6:** 379
USSR, se Sovjetunionen
Ustrup Skibsværft, Vejle **1:** 426; **7:** 441
Uthmann, von, ty. militærattaché **10:** 150
Utikal, Gerhard, leder af Einsatzstab Reichsleiter Rosenberg **5:** 351, 481-484, 492; **6:** 300; **8:** 127, 157
Utterslev Mose **5:** 134; **7:** 22; **9:** 297

V 153, ty. skib **8:** 189
V. Holm Jensens autoværksted, Odense **10:** 90
Vadehavet **2:** 162; **5:** 316
Vadum **3:** 199
Vagn Jensen, Erik, vagtmand **6:** 328
Vagtværnet **10:** 131
Vagtværnet, Kolding **10:** 134
Valborup Skovridergård, Hvalsø **8:** 326; **10:** 105
Valby Gasværk **2:** 159; **5:** 384; **6:** 448; **7:** 79; **9:** 301
Valby Jernstøberi og Maskinfabrik, Kbh. **2:** 159, 387, 535, 538; **3:** 196; **4:** 52; **5:** 384
Valby Langgade **4:** 295
Valby Station **7:** 386
Valby, Kbh. **7:** 35; **9:** 50, 296ff., 301, 303; **10:** 80
Valdemar Hinrichsen, firma, Haderslev **2:** 160
Valdemar Slot, Svendborg **4:** 300
Valdemar, greve af Rosenborg **6:** 380, 383
Valentin, Jan, forf. og tidligere agent **6:** 282
Valparaíso **1:** 379, 381
Vamdrup **10:** 189
Vamdrupvej, Kbh. **8:** 445; **10:** 109
Vandel **5:** 442
Vandel flyveplads **8:** 321
Vandtårnsvej, Søborg **9:** 297
Vandværksvej, Lyngby **9:** 297
Vandværksvej, Vanløse **9:** 297
Vang Larsen, Orla, dyrlægeassistent **9:** 142
Vang, Frits T., "Bent", SOE-agent **7:** 225; **8:** 178, 336, 341
Vangsted, Niels Erik, modstandsmand **3:** 388
Vangsted, Valdemar, murermester, modstandsmand **8:** 444
Vanløse **1:** 425; **5:** 272; **9:** 187, 297f.; **10:** 133
Vanløse Biograf, Kbh. **6:** 167
*Vardberg,* isl. tidsskrift **6:** 277
Varde **1:** 577; **2:** 160; **3:** 195f., 198, 287; **4:** 101, 212; **5:** 62; **7:** 52, 397, 419, 423, 439; **8:** 58; **9:** 89, 279; **10:** 42, 47, 71, 107, 189-194
Varde banegård **10:** 107
Varde Brandvæsen **3:** 391
Varde Stålværk A/S, firma, Varde **3:** 311; **4:** 547; **5:** 51, 83, 112, 114, 176, 184; **10:** 41
Varde å **3:** 287; **5:** 63
Varedirektoratet **9:** 242
Varehuset Skjødt og Mouritzen, Aalborg **10:** 105
Varsányi, von, ung. handelsdelegeret i Kbh. **8:** 318; **9:** 12, 239, 333
Vatikanet **1:** 619
Ved Damhussøen, Vanløse **9:** 298
Ved Hallerne, Kbh. **9:** 187
Vedby, skib **3:** 479, 484; **4:** 62; **8:** 242, 251ff.
Vedbæk **5:** 30; **6:** 141; **8:** 338
Vedbækgade, Kbh. **4:** 297, 532; **5:** 153
Vedel, Aage H., viceadmiral **2:** 344, 404, 442; **3:** 214, 248, 250, 256, 275, 360, 448, 451f., 461, 483, 485; **4:** 14, 97, 154, 222f., 244f., 478
Vedelsgade, Vejle **2:** 160
Vedersø **10:** 77
Vedsted **10:** 65, 99
Vedsted Landbohjem **10:** 99
Veiks, Wolmar, sagfører, terroroffer **10:** 148
Vejle **1:** 68, 233, 426, 441; **2:** 50, 160; **3:** 363, 413, 430; **5:** 63; **6:** 397; **7:** 250, 256, 381, 383, 439, 441; **8:** 58, 268; **9:** 89, 106, 304, 344; **10:** 56, 98, 106, 116, 119, 133, 135, 176, 189f.
*Vejle Amts Avis* **10:** 98
Velfærdstjenesten **9:** 266
Vem **1:** 577; **2:** 388; **5:** 63
Vendsyssel **2:** 453; **8:** 474
*Vendsyssels Tidende,* Hjørring **10:** 136
Venedig **6:** 11, 33
Vennelyst Teater, Århus **10:** 119
Venstre, parti **1:** 459, 589, 598; **2:** 59, 224ff., 236, 357, 367, 389f., 426; **3:** 25, 27, 41, 66, 455; **5:** 145, 252

Verbindungsstelle der Hauptverwaltung der Reichskreditkassen **4:** 535; **5:** 372; **8:** 194
Verheyen, Eduard, ty. politimand **3:** 262
Verland, Steen, terroroffer **10:** 131
Vermundsgade, Kbh. **4:** 95
Verstärkter Grenzaufsichtsdienst Küste (VGADK) **4:** 543; **5:** 72, 165f., 244
Vesper, ty. kaptajn **2:** 95
Vestbirk, Anton, kontorchef **4:** 537
Vester Bådehavn, Aalborg **4:** 71
Vester Elektricitetsværk, Bernstorffsgade **6:** 448
Vester Fælledvej, Kbh. **3:** 199
Vester Søgade, Kbh. **9:** 187, 297, 303
Vester Teglgade, Kbh. **1:** 422
Vester Voldgade, Kbh. **2:** 239
Vesterbro, Kbh. **9:** 50; **10:** 73, 146
Vesterbro, Aalborg **2:** 160, 365, 534
Vesterbrogade, Kbh. **1:** 426, 533; **3:** 139, 197, 268; **4:** 46, 532; **6:** 96, 319; **7:** 260, 383; **9:** 187, 233; **10:** 84
Vesterbrogade, Odense **1:** 533; **2:** 160
Vestergade, Horsens **4:** 484
Vestergade, Kbh. **4:** 110, 512; **10:** 104
Vestergade, Silkeborg **1:** 424
Vestergade, Aalborg **2:** 160
Vestergaards forretning, Esbjerg **8:** 225; **10:** 106
Vesterhavet **10:** 14
Vesterhæsinge **10:** 128
Vesterport, Kbh. **5:** 233, 380; **6:** 31; **7:** 255, 363, 381
Vestersøgade, Kbh. **2:** 159; **5:** 384
Vestersøgadeværket, Kbh. **7:** 77
Vestervold, Varde **2:** 160
*Vestjyden,* illegalt blad **4:** 372; **8:** 430f.
*Vestkysten,* avis **9:** 253
*Vestmanlands Läns Tidning,* sv. avis **2:** 488; **3:** 325
Vestre Boulevard, Kbh. **10:** 85
Vestre Elektricitetsværk, Kbh. **2:** 159; **5:** 384; **7:** 75
Vestre Fængsel, Kbh. **1:** 416, 469; **2:** 546; **4:** 487; **5:** 16, 37, 53, 134, 277; **6:** 29f.; **8:** 475; **9:** 212, 342; **10:** 129
Vestre Stationsvej, Odense **10:** 124
Vestvolden **10:** 40
Vestweber, Ernst, ty. politimand **3:** 210; **10:** 173
Veyrauch, embedsmand, AA **8:** 361
Vibensgaard, Gudrun, lærer **8:** 433
Vibevej, Kbh. **2:** 536; **5:** 105
Viborg **2:** 160, 509; **3:** 93, 114, 138, 198; **4:** 11, 68, 171, 294; **6:** 26, 259, 397; **7:** 116, 250, 258, 340f., 374, 439; **8:** 434; **9:** 65, 68; **10:** 113, 189f.
Viborg, skib **3:** 104
Viborggade, Kbh. **5:** 191
Viby, Århus **4:** 31, 66; **10:** 99
Vichy-regeringen, Frankrig **1:** 59, 161, 223, 339, 605, 619; **4:** 103; **9:** 12, 393
Videnskabernes Selskab **4:** 175
Vidåen **8:** 348
Vieg-Hansen, Emanuel, modstandsmand **6:** 316
Vietinghoff-Scheel, ty. general **9:** 393
Viffert, E.C.H., da. SS-Sturmbannführer **3:** 244
Vigerslev **2:** 363f.
Vigerslev Allé, Kbh. **2:** 159; **5:** 384; **6:** 448; **7:** 79; **9:** 296
Vigerslevvej, Kbh. **10:** 140
Viggo Sørensens pakkassefabrik, Esbjerg **3:** 391
Vigholt, Villy, læge, terroroffer **5:** 159, 267; **6:** 291, 421; **7:** 100; **10:** 78
Vilhelm Bergsøes Allé, Kbh. **4:** 463; **7:** 147
Vilhjálmsson, Vilhjálmur Örn, da. historiker **1:** 114f., 287f.
Villa Julebæk, Nordsjælland **6:** 49
Villadsen, Peter, direktør, Handels-, Industri- og Søfartsministeriet **5:** 301
Villerslev, Jens, bygningssnedker, terroroffer **10:** 118
Vilsund **1:** 577; **3:** 287
Vilsundbroen **2:** 388
Vindel, Knud, modstandsmand **6:** 396
Vinding Kruse, Frederik, professor **1:** 476; **8:** 265, 274
Vini, firma, Kbh. **2:** 365
Vinnitsa, Ukraine **1:** 528; **3:** 322f.; **10:** 31, 198
Vinterslev **9:** 48
Vistisen, Eigil K., terroroffer **10:** 125
Vistula, skib **6:** 55, 137; **7:** 285; **8:** 355
Vlasov, sovj. general **9:** 41
Vlaamsch Nationaal Verbond (VNV) **2:** 146
Voersaa Nielsen, Tage, modstandsmand **6:** 316
Vogler, ty. referent, Det tyske Gesandtskab **1:** 467; **10:** 170
Vognfabrikkerne Scandia, Randers **3:** 312
Voigt & Rasmussen, firma, Sønderborg **3:** 358
Voigt, Axel, modstandsmand **5:** 68
Vojens **5:** 136; **10:** 189
Vojens flyveplads **8:** 447
Vojens Station **9:** 142
Voldgaarden, Kbh. **6:** 317
Volga, russ. flod **1:** 557
Volkmann, Hans-Erich, ty. historiker **1:** 72, 78f., 237f., 244f.
Volksbund für das Deutschtum im Ausland (VDA) **4:** 219

*Volksche Wacht,* holl. publikation **1:** 623
Volksdeutsche Kontor beim dänischen Staatsministerium **1:** 92, 260; **3:** 28; **5:** 64, 126f., 175, 217; **6:** 137, 364, 368; **7:** 283, 356; **8:** 142, 489; **9:** 21, 333f.
Volksdeutsche Mittelstelle (VOMI) **1:** 92, 130, 492f., 617; **2:** 22, 70, 106, 127, 138, 145, 161, 165, 171-174, 221, 245f., 285, 338, 350f., 525f.; **3:** 54, 292; **4:** 92, 185f.; **5:** 173f., 183, 452; **6:** 101, 357; **7:** 218, 282, 367, 394, 414, 433, 442; **8:** 36, 451; **9:** 59; **10:** 48
Volksgruppenamt der Deutschen Volksgruppe in Nordschleswig **3:** 344; **5:** 333; **9:** 220f., 286, 313, 317, 333-336, 367
Volvohn Nielsen, Richard, illegal aktivitet **6:** 330
VOMI, se Volksdeutsche Mittelstelle
Vor Frue Plads, Kbh. **6:** 30
Vorarlberg **9:** 393
Vordingborg **2:** 443; **3:** 287f.; **5:** 158; **7:** 51, 440; **10:** 47, 188
Vordingborg Kuranstalt **9:** 270
Vorosjilof, K. sov. pol. **6:** 392
Voss, Hans, ty. konteradmiral **2:** 326; **3:** 435f., 453
VP 153, ty. skib **8:** 192
Vridsløselille Statsfængsel **2:** 548; **4:** 344
Vrå **2:** 371
Værløse **3:** 196; **5:** 417; **9:** 88
Værnet, Carl Peter, læge **1:** 539
Väsby, Sverige **2:** 366
Völkische Werkgemeinschaft, Holland **1:** 623
*Völkischer Beobachter,* ty. avis **2:** 68; **5:** 482; **6:** 437
Vølund A/S, firma, Kbh. **2:** 100, 159; **4:** 52; **5:** 384; **6:** 273; **7:** 147, 178, 255; **9:** 403
Våben- og Munitionsarsenalet, Kbh. **4:** 547; **5:** 13, 92, 115f., 388, 413, 437; **6:** 103, 454; **7:** 179, 437; **8:** 200, 206, 208, 255; **9:** 122
Vaaben, Ejnar, da. nazist **3:** 322; **5:** 21, 256; **6:** 113f., 284, 428
Vaarup **4:** 171

W. Dates Trykkeri, Kbh. **8:** 445
Wachbataillon Kopenhagen **1:** 498
Wachbataillon Nord **1:** 622
Wachkorps der Luftwaffe in Dänemark **8:** 173
Wadskjer, ty. direkør, Gebr. Sachsenberg AG **8:** 207
Wadsted, O., da. gesandt i Rom **6:** 11
Waeger, Kurt, generalløjtnant, leder af Rüstungsamt **1:** 350; **3:** 356, 404, 432, 490; **4:** 33, 61, 93, 292; **7:** 140, 173, 241, 315, 413, 421
Waffen-SS **1:** 34, 92f., 102, 195, 260f., 273, 396, 458, 499, 501, 539, 593, 620, 622f.; **2:** 14, 61, 83f., 127, 139, 150f., 164, 184, 250, 252, 254, 256, 261, 269, 327, 358, 414, 474, 476, 493f., 507, 511ff., 521; **3:** 15ff., 32, 76f., 81f., 87, 95, 146f., 162, 168, 212, 241, 249, 277, 281, 346; **4:** 214, 216, 220f., 254, 426f., 442; **5:** 48, 212f., 256, 377, 409ff., 427, 452, 467, 484; **6:** 61, 83, 211, 225, 270, 330, 342, 358, 365, 378, 383, 386; **7:** 123f., 135, 138, 176, 231, 266, 296, 350, 365; **8:** 75, 107, 142, 151ff., 161, 351f., 361, 368, 392; **9:** 21, 25, 27f., 51, 103, 143, 333, 360f., 409; **10:** 45, 185
Wagga-Andersen, Poul, entreprenør, illegal aktivitet **8:** 447
Wagner, Fritz, ty. politimand **2:** 76, 133; **10:** 172
Wagner, Horst, ty. SS-Standartenführer, legationsråd, leder af Inland II, AA **1:** 54, 217, 463; **2:** 394, 398, 405f., 434, 478, 515-518, 520; **3:** 21, 51f., 59f., 74, 76f., 88f., 147f., 150, 157, 167, 200, 211, 216, 220, 251f., 256, 260f., 276, 283, 297, 304, 306ff., 313f., 333, 354f., 359, 390; **4:** 88, 92, 140, 144, 155, 257, 267, 282, 305, 314, 322ff., 327, 336, 346f., 364, 367, 375, 379, 383f., 391, 394, 398f., 452ff., 456, 460, 470, 480, 525; **5:** 25f., 53, 77, 105, 137f., 152, 180, 186, 270, 282, 311f., 345f.; **6:** 205f., 210, 223, 248, 260f., 305, 339, 363, 372, 405; **7:** 123, 161, 232, 281, 305, 311, 347, 349, 357, 359, 364, 367, 408, 414, 433, 442, 459; **8:** 36ff., 55, 78, 84, 103, 106, 115, 123, 151, 158, 209, 235ff., 244, 250, 279, 361, 371, 426, 438; **9:** 72, 78, 118; **10:** 36, 42, 201
Wagner, Richard, ty. komponist **2:** 319
Wagner, ty. insp. **9:** 404
Wai[n?]wright, eng. kaptajn **9:** 434
Wakepea, est. kommunist **2:** 428f.
Waldeck, Max, Ministerialdirektor **1:** 505, 527; **2:** 32f., 41, 141
Waleczek, ty. repræs. for BMW **6:** 147
Wallmann, M.J., telefondirektør, terroroffer **10:** 137, 139
Wallonie, SS-legion **5:** 409
Wallonien **2:** 146f.; **3:** 392; **5:** 409-413; **7:** 399
Waltenstrøm, Arvid, medl. af terrorgruppe **5:** 141; **10:** 77
Walter, Alex, ty. Ministerialdirektor, leder af Det tysk-danske regeringsudvalg **1:** 22, 32, 66, 70, 76, 117, 181, 192, 231, 235, 242, 290, 384, 404, 582, 588, 609, 634; **2:** 87, 143, 192, 241, 243, 282, 353, 394; **3:** 30, 38, 42, 122, 345; **4:** 20, 134, 268, 446f.; **5:** 205, 219f., 236,

238, 255, 292f., 295, 306, 333, 335ff., 355, 371f., 381, 413f., 423, 428, 435, 438, 475; **6:** 38, 40, 42, 65, 81, 175, 306, 312, 343, 425ff.; **7:** 25, 126, 143, 149, 170, 193, 200f., 231, 283, 444ff.; **8:** 20, 39, 54ff., 59, 84, 86, 113f., 123f., 365, 406, 450; **9:** 76, 80, 82, 114, 162, 166, 181-185, 197, 202ff., 210, 213, 260, 287, 289, 291, 293; **10:** 52, 54, 202
Walter, Dr., Ministerialdirektor, Reichsrundfunk **8:** 87
Walther-gruppen, illegal gruppe **7:** 205
Walthing, Henning, stikker **10:** 126
Waneck, Wilhelm, ty. ansat i RSHA **7:** 311
Wanjan, skib **9:** 49
Wanninger, ty. Oberregierungsrat **8:** 244
Wanscher, Axel, arkitekt **2:** 79, 337
Wanscher, Wilhelm, professor **1:** 524, 530
Warburg, Erik, læge, professor, terroroffer **5:** 347; **10:** 80
Ware, Gordon Percy, eng. flygtning fra Danmark til Sverige **3:** 159
Warlimont, Walter, ty. general **2:** 448, 492; **3:** 430; **4:** 39f.; **7:** 11f., 304, 344, 346
Warming, Gunnar, modstandsmand **2:** 536
Warncke, præst, Ullerup **2:** 253, 261
Warnemünde **1:** 485, 547, 610, 642; **2:** 12, 35, 46f., 155, 157, 190, 196, 257; **9:** 362, 393
Warnemünde-Gedser-København-Helsingør, færgerute **3:** 294, 385; **4:** 360
Warszawa **1:** 123, 296; **3:** 17; **7:** 236f.; **8:** 34; **10:** 186
Warthe, ty. skib **5:** 349
Warthegau **1:** 157, 161, 334, 338; **4:** 319
Wartheland, ty. skib **4:** 252, 310; **9:** 165, 168f.
Waschnitius, ty. SS-Hauptmann **3:** 307; **10:** 170
Washington **1:** 26, 186; **7:** 185
Wassard, Mathias, afd. leder, UM **1:** 505, 526, 528, 634; **2:** 32f., 271; **3:** 177, 420; **4:** 446; **5:** 234, 292f., 295; **6:** 149, 175, 270, 343f., 438; **7:** 45, 149; **8:** 39f., 193, 423; **9:** 231
Wassermann, Ellen, ansat, Daells Varehus **2:** 493f.
Wassermann, Jakob, forfatter **2:** 315
Wechmar, Oberst Freiherr von, ty. kommandant **8:** 245
Wedell-Wedellsborg, Ebbe, baron, modstandsmand **8:** 444
Weekendhuset, Ellebækvej, Gentofte **10:** 112
Wegener, Paul, Gauleiter, Gebietskommissar, Norge **1:** 630; **9:** 368, 396
Wehowsky, ty. Sonderführer, Rüstungsstab Dänemark **7:** 77
Wehrmachtintendant , WB Dänemark **6:** 65, 84, 94, 233, 235f.; **7:** 170, 456, 459f.; **8:** 52f., 199, 215, 283f., 332, 367, 370, 449f., 470f.; **9:** 208
Wehrwirtschaftsstab Dänemark, se Rüstungsstab Dänemark
Weichs, von, Maximilian Reichsfreiherr, ty. Generalfeldmarschall **7:** 12
Weinert, Erich, ty. forfatter **1:** 570
Weinreich, Villy Anders, jernbanemedarbejder, illegal virksomhed **2:** 551
Weintraub, sv. jøde **4:** 471; **5:** 26
Weis, ty. Oberbaudirektor **2:** 270
Weiss, Hermann, ty. historiker **1:** 111, 283
Weiss, Max L.J., kriminaloverbetjent **1:** 422
Weizsäcker, Ernst von, ty. statssekretær, AA **1:** 41, 202, 394, 407, 409, 428f., 442-445, 465, 477f., 501, 511f., 518f., 535; **2:** 57, 71f., 78f., 85, 114, 119, 123, 207, 214, 227, 236f., 259, 262f., 278, 290, 385, 456f., 502; **4:** 452; **10:** 154, 198
Welge, Friedrich, ty. politimand **10:** 173
Weltzer, Johannes, da. antinazist **8:** 379
Wendenburg, Legationsrat, AA **7:** 302
Wendt, Franz, leder af foreningen Norden **8:** 389
Werner, Oscar, modstandsmand **3:** 140, 196
Werner, ty. Industrierat **4:** 547
Werner, ty. kansler ved Det tyske Gesandtskab **8:** 421; **10:** 163
Werner, ty. Obersekretär **9:** 29
Werner, ty. skib **3:** 487
Werther, Steffen, ty. historiker **1:** 92f., 261
Wesermarsch, ty. skib **9:** 368
Wesermünde **8:** 324
Wessel, H.L., da. gesandt i Chile **1:** 519; **4:** 425
West, Jul., ingeniør **1:** 407
Westend, Kbh. **8:** 445
Westergaard Jensen, Michael, modstandsmand **10:** 62
Westermann, Joseph, ty. politimand **3:** 210, 259; **10:** 172
Westermanns Forlag **9:** 51
Westh, Erik, leder af Beskyttelseskorpset **6:** 321
Westhausen, J., læge, terroroffer **10:** 93
Westphal, Friedrich Wilhelm, ty. spion **2:** 201
Wetzel, ty. general **9:** 83
Wichfeld, f. Massy-Beresford, Monica Emily, modstandskvinde **6:** 203, 275
Wichfeld, Herbert, da. chargé d'affaires i Bern **4:** 32, 115
Wichfeld, Viggo d'Mitri De, modstandsmand **6:** 203
Wied, Prinz zu, ty. gesandt i Stockholm **2:** 74

Wiedemann, Hermann, ty. Oberforstmeister, Det tyske Gesandtskab **1:** 400; **5:** 275, 441ff.; **10:** 156, 169
Wiehl, Emil, Ministerialdirektor, AA **1:** 503, 587f., 608, 638; **2:** 78f., 143, 270f., 282, 302f., 335f., 352f.; **4:** 80, 91, 446, 471f.; **5:** 204f., 236f., 285ff., 312, 314, 335ff., 344, 347, 353, 355, 358, 423ff., 448; **6:** 32, 60f., 268, 408; **10:** 51, 200
Wieland, Henning, modstandsmand **10:** 68
Wiele, J. van der, bel. "varulv" **7:** 399
Wien **1:** 450, 539, 596; **2:** 192, 322; **5:** 473; **6:** 91
Wiens Universitet, Retsmedicinsk Institut **6:** 91
Wiese, Børge, medl. af terrorgruppe **10:** 126, 129f.
Wiese, Knud, politikommissær **6:** 259
Wieseler, ty. løjtnant **3:** 423
Wiking, Panzergrenadierdivision **2:** 517
Wiking, SS-Standarte **6:** 316
Wilders Plads, Kbh. **5:** 161
Wildersgade, Kbh. **6:** 255
Wilhelm Johnsen A/S (Always Radio), firma **6:** 252; **7:** 147, 325; **8:** 312
Wilhelm, Reichsbankdirektor **5:** 238
Wilhelmshaven **5:** 510; **8:** 466; **9:** 393
Wilhelmstrasse-processen **3:** 220
Wille, Oberstkorpskommandant **5:** 91
Wille-Jørgensen, P.H.H. "Sonny Boy", illegal aktivitet **8:** 474
Willi, ty. overkonstabel af 1. grad, Flensburg **6:** 200
Willich, ty. funktionær, Det tyske Gesandtskab **8:** 448; **9:** 79, 118
Willkie, Wendall Lewis, am. jurist, politiker **1:** 558
Willny, ty. Oberstabsintendant **6:** 84
Willumsen, Aage, modstandsmand **4:** 436
Wilson, Woodrow, am. præsident **3:** 237
Wimmer, ty. statssekretær **3:** 431
Windsor, restaurant, Kbh. **6:** 199
Winfrid von Kniprode, ty. skib **9:** 165
Winge, sekretær, UM **5:** 431, 435
Winkel, Harald, ty. historiker **1:** 72, 77ff., 86, 237f., 243ff.; **6:** 286
Winkelmann, Otto, ty. politimand **2:** 411, 445, 447
Winkelnkämpfer, ty. ansat, RMVP **8:** 87
Winter, M., forfatter **2:** 412
Winter, ty. oberstløjtnant **9:** 151, 365
Winter-Hansen, Ove "Olaf", politibetjent, illegal aktivitet **8:** 447
Wintershall A/S **1:** 587
Winther, Chr., terroroffer **10:** 120
Winther, Heinz Erik, Hipomand **10:** 131
Winther, Jørgen Frederik, modstandsmand **9:** 49; **10:** 66
Winther, Karl, stikker **1:** 568; **2:** 205, 542, 552
Winther, N.T., sekondløjtnant, illegal aktivitet **8:** 185
Wischau **9:** 377
Wismar **9:** 393, 400
Wistula, skib **5:** 473, 490, 507; **7:** 114, 121
With, ty. SS-Standartenführer **3:** 299f.
Wittenberge **9:** 400
Wittrups Tæppefabrik, Vejle **10:** 133
Wodschow, Svend Kofoed, orlogskaptajn, SS-Sturmbannführer **1:** 530; **2:** 474; **3:** 20, 244
Woermann, Ernst, understatssekretær, AA **1:** 406, 464f., 648f.; **2:** 214
Wohlers, Addys Lis, modstandskvinde **4:** 437
Wohlfahrtsdienst Nordschleswig **1:** 397; **9:** 276, 335f.
Wolf, diplomingeniør **1:** 504
Wolf, flyvergeneral, Hamburg **5:** 443
Wolf, Otto, ty. embedsmand i AA **7:** 352
Wolff, Karl, SS-Obergruppenführer **1:** 431, 580, 625, 630; **2:** 67, 85, 111, 164, 375; **4:** 345; **8:** 368
Wolff, ty. SS-Untersturmführer **1:** 606
Wolsgaard-Iversen, Karl, afdelingsleder, terroroffer **10:** 134
Wolta, skib **5:** 221
Works Skibsbyggeri, Esbjerg **3:** 391
Worsøe Larsen, Bent, da. SS-Obersturmbannführer **3:** 243
*Wort, Das,* ty. publikation **1:** 570
Wulff, Jørgen, da. jøde **4:** 399
Wunder, E.M., ministerialråd, Det tyske Gesandtskab **1:** 466; **3:** 144f.; **7:** 351f.; **10:** 153, 156, 167, 169
Wuppertal, ty. skib **5:** 349
Wuri, ty. skib **9:** 375
Wurmbach, Hans-Heinrich, Admiral Dänemark/ Admiral Skagerrak **1:** 50, 113, 131, 212, 285, 305; **2:** 44, 191, 220, 282, 302, 346, 404, 406f., 414, 441f., 444, 467, 472, 553; **3:** 46f., 103, 143f., 214, 222, 248ff., 254, 256f., 259, 275, 304, 308, 315ff., 339f., 360, 397, 404, 407, 411f., 414ff., 426, 439, 441, 444f., 447, 450f., 460, 475f., 482f., 486; **4:** 14, 21, 26f., 37, 74, 83, 85, 98, 105, 118, 145, 152, 164f., 170, 204, 206, 222, 244, 262, 290, 305, 315, 321, 329, 343f., 362f., 385, 418, 449, 455, 541; **5:** 29, 46, 65f., 73,

112, 165, 177f., 187ff., 192, 195, 199, 202f., 206f., 210f., 234f., 244, 303, 349f., 364, 386f., 423, 450, 453, 466, 488, 490f., 494, 506-510; **6:** 10, 79f., 86, 153, 161, 166, 236, 252, 258, 301, 332f., 340, 379, 402, 435, 440, 442f.; **7:** 10, 36, 51, 61, 65, 115, 156, 169, 264, 289f., 292, 294, 299, 313, 327, 343f., 352, 365f., 398, 402, 412, 417, 420, 425, 427, 432, 456; **8:** 18, 26, 85, 94, 125, 130f., 154, 163, 188f., 191, 203ff., 213, 218, 225, 227, 231, 238, 240, 242, 252f., 264, 281, 288ff., 294, 298, 366, 393, 395, 400, 407, 410, 412, 414f., 425, 427, 433, 453, 478, 486; **9:** 102, 112, 114, 119, 157, 164, 202, 205, 227, 267, 288, 310, 321, 323, 357, 365f., 371, 375f., 426, 443; **10:** 34, 37f., 41, 47, 49f., 53ff., 57, 186f.
Wustrau **5:** 300, 302; **7:** 91
Wustrow **6:** 357
Wuthmann, Rolf, general, Befehlshaber Bornholm **9:** 439ff.
Wünnenberg, ty. Obergruppenführer **6:** 124
Würzburg **5:** 376; **6:** 82f., 154
Wüst, Walther, ty. professor **1:** 606f.; **3:** 296; **4:** 369
Wüster, ty. generalkonsul **1:** 454
Wäsche, Hans, ty. Studienreferat **1:** 564; **2:** 125, 246, 411, 452f., 526; **3:** 52, 141; **4:** 356f.; **5:** 220f.; **7:** 213; **10:** 120
Wøldike, Helmer, modstandsm. **7:** 29, 60; **10:** 60
Wörle, ty. forlægger **1:** 569
Waage-Petersen, brødre, den ene modstandsmand **8:** 444

Yahil, Leni, isrl. historiker **1:** 27f., 106-109, 112, 114, 118, 142, 187, 278-281, 284ff., 291, 317
Überfeld, teknisk inspektør, Rüstungsstab Dänemark **7:** 80
Yde, J.V., gartner, terroroffer **10:** 107
Yde, Marius, da. generalkonsul i Hamburg **9:** 373
Young, Gordon, eng. journalist **9:** 400
*Ystads Allehanda,* sv. avis **3:** 325
*Ytringsfriheden,* tidsskrift **2:** 239

Zachariassen, Arne, prokurist, modstandsmand **6:** 324
Zagreb (Agram) **7:** 394
Zahle, Herluf, gesandt i Berlin **4:** 161
Zechenter, Dr., SS-Sturmbannführer, ty. politimand **9:** 60; **10:** 175
Zeemann, Herbert Otto, journalist, kaptajn **7:** 309, 383; **10:** 95
Zeitfreiwilligendienst **2:** 255; **6:** 246ff.; **9:** 156; **10:** 58
Zeitzler, ty. general **3:** 162
Zementzentrale **5:** 55, 80, 157
Zentralstelle für Generatoren **1:** 618; **5:** 368, 382, 471; **6:** 65, 243
Zetterquist, Hilding Gustav Albert, forvalter, illegal virksomhed **2:** 548
Ziegler, bagermester, Horsens, terroroffer **10:** 116
Ziegler, Børge, grønthandler, Kbh., terroroffer **10:** 118
Ziegler, Lulu, skuespiller **1:** 568, 571
Ziegler, ty. regeringsråd **10:** 166
Ziegler, Aase, skuespiller **1:** 568
Ziersen, Hans, manufakturhdl., terroroffer **10:** 101
Ziervogel, Helmut, ty. oberstløjtnant **5:** 443, 445; **6:** 26
Ziesmer, Willy, SS-Sturmbannführer leder af Lebensborn i Danmark **9:** 313f.
Zimmer, ty. Kapitän zur See **8:** 85, 291
Zimmermann, ty. SS-Standartenführer **3:** 459; **6:** 114
Zionsvej, Kbh. **5:** 384; **6:** 448; **7:** 79; **9:** 296
Zola, Emile, fr. forfatter **2:** 309f.
Zuschneid, chef, major for Polizei-Wachbataillon Dänemark **10:** 38
Zwickau, ty. skib **6:** 335
Züchner, ty. direktør **8:** 207

Ægypten **1:** 403; **9:** 239, 251, 253
Ærø **7:** 440

*Økonomi og Politik,* tidsskrift **6:** 348
Ølsted **6:** 140f.
Øresund **1:** 412; **4:** 229; **5:** 51, 165, 177, 510; **7:** 418; **9:** 179; **10:** 39
Øresundshospitalet **7:** 263
Øresundsvej, Kbh. **2:** 159; **4:** 468; **5:** 384; **7:** 178, 255, 379; **9:** 188, 298
Ørevadsvej, Kbh. **10:** 121
Ørnsberg, Henning, læge, terroroffer **10:** 123
Ørstedsgade, Odense **4:** 298
Ørum, T.P.A., oberstløjtnant **1:** 387, 468f.; **4:** 368, 406
Østasiatisk Kompagni, Kbh. **3:** 235f.; **7:** 322; **10:** 115
Øster Allé, Kbh. **2:** 159; **5:** 379, 384; **7:** 75; **9:** 299
Øster Vedsted **6:** 397
Østerberg, forretningsfører **9:** 339
Østerbro, Kbh. **3:** 271; **9:** 50
Østerbrogade, Kbh. **7:** 35; **9:** 149
Østerby, fru, Oslo **7:** 172

Østergade, Esbjerg **2:** 114, 201
Østergade, Kbh. **6:** 318; **7:** 139, 384; **10:** 145
Østergade, Thisted **2:** 160
Østergren Hansen, Fritz Børge, modstandsmand **3:** 140
*Östergötlands Folkeblad,* sv. avis **2:** 489; **3:** 325
Østergaard Larsen, Knud Erik, medl. af terrorgruppe **10:** 79
Østergaard Petersen, Erik **10:** 79
Østergaard, Bent Høgsbro, modstandsmand **8:** 180
Østergaard-Petersen, Erik Siegfred, leder af Folkeværnet under Schalburgkorpset **5:** 79
Østerhøjst **4:** 329
Østermarie **1:** 596
Østerport Station, Kbh. **6:** 130
Østerstrand, Fredericia **4:** 263
Østersøen **1:** 556; **2:** 112, 190; **3:** 228; **5:** 60; **8:** 377, 430, 454; **9:** 113, 155, 318, 439
Østersøgade, Kbh. **9:** 187
Østerøvreschlesien **1:** 157, 161, 334, 338
*Östgöten,* sv. avis **2:** 489
Østmann, ingeniør **1:** 587
Østoftevej, Glostrup **10:** 122
Østpreussen **5:** 104; **9:** 439; **10:** 200f.
Østre Allé, Kbh. **6:** 448
Østre Gasværk, Kbh. **2:** 159; **5:** 384; **6:** 448; **7:** 75, 79f.; **9:** 296, 301, 303
Østre Landsret, Kbh. **2:** 547f.; **4:** 39, 144; **10:** 59
Østrig **1:** 155, 161, 331, 338, 504; **3:** 269; **4:** 48, 146; **5:** 135; **8:** 155, 476; **9:** 393f.
Østring, Bjørn, no. Legions-Untersturmführer **1:** 621
Østrumudvalget **1:** 598; **4:** 472; **5:** 76
Østvig, Karl Aagard, no. operasanger **1:** 621

Åbenrå **1:** 492; **2:** 104f., 160, 250, 298, 536; **3:** 305; **4:** 60, 329, 500; **5:** 24, 169, 208, 243, 269, 284, 290f., 389; **6:** 139f., 208, 238, 246, 248, 259, 396; **7:** 439, 443, 465; **8:** 134, 328, 345, 381, 389, 436; **9:** 15, 67, 266, 277, 314, 317, 336, 362, 370, 406, 430; **10:** 153, 176f., 188ff.
Åbenrå Elværk **8:** 248
Åbenrå Havn **4:** 453; **9:** 395
Åbenrå Højspændingsværk **4:** 402
Åbenrå Motorfabrik **5:** 284
Aaby Maskinfabrik, firma, Kbh. **7:** 324
Aaby, Karen, forfatter **9:** 49
Aabybro Maskinfabrik, Nørresundby **2:** 363, 534
Åbyhøj (Århus) **1:** 423; **5:** 381; **10:** 99, 137
Åbyhøj Maskinfabrik, Århus **7:** 386
Aachen **8:** 384f., 431
Aage J. Sørensens Maskinfabrik, Kbh. **2:** 361; **6:** 104, 129, 272, 454; **7:** 147; **8:** 480
Aage Petersens Maskinfabrik, Kbh. **5:** 203; **6:** 454; **7:** 324, 438; **9:** 122
Aage Siems' Trykkeri, Kbh. **6:** 191
Aagesen, trykkeri, Kbh. **6:** 319
Aagaard, Christian, da. historiker **1:** 102, 274
Aagaard, Niels, manufakturhdl., terroroffer **10:** 113
Åkirkeby **1:** 596; **2:** 537
Åland **8:** 270
Ålandsøerne **6:** 27
Aalborg **1:** 372, 419, 468f., 577, 597; **2:** 160, 204, 230, 287f., 333, 365, 373f., 388, 415, 437, 530, 532, 534-537; **3:** 10, 49, 93, 114, 195, 199, 207, 225, 287f., 315, 400, 405, 407, 411ff., 417, 419, 423f., 426f., 439, 464, 488; **4:** 16f., 68, 71, 78, 84, 88, 96, 101, 122, 171, 248, 294, 322, 344, 384, 424, 436, 518f.; **5:** 10, 14f., 28, 34, 49, 63, 147f., 159, 210, 261, 308, 316, 324, 386, 445f., 515; **6:** 24, 208, 257, 315, 380, 421; **7:** 250, 260, 351, 362, 378, 380, 386, 398, 400, 409, 411, 419f., 424, 439, 441, 463; **8:** 10, 70, 143, 177, 268, 291, 354, 387, 444, 474; **9:** 29, 34, 44, 142, 205, 269f., 372, 427; **10:** 41, 49f., 61, 63, 65, 82, 86, 93, 97f., 100, 105, 109f., 116, 119, 132, 134, 136, 153, 176f., 189f.
Aalborg Eternitfabrik **10:** 82
Aalborg Flyveplads **1:** 71, 237; **5:** 101; **5:** 317; **8:** 407
Aalborg Havn **4:** 71, 384; **7:** 299, 398, 402, 418f., 427, 448; **8:** 18, 94, 120, 131, 163, 225, 311
Aalborg Rutebilstation **7:** 377
Aalborg Skibsværft A/S **2:** 31, 160, 231, 534; **4:** 52; **3:** 49, 207, 398, 487; **5:** 210, 313; **6:** 167; **7:** 223, 384, 441; **8:** 92f., 229, 281
Aalborg Station **3:** 196
Aalborg Stiftstidende **10:** 82
Aalborghus, skib **5:** 222, 473, 490, 507; **6:** 55, 331; **7:** 44, 114, 121, 144; **8:** 281, 290f., 297, 354; **9:** 21, 30
Aalborgtårnet **10:** 136
Ålbæk **5:** 46
Ålbækbugten **9:** 92, 109
Ålekistevej, Kbh. **1:** 425; **2:** 205; **4:** 96
Ålestrup **10:** 189
Ålsgårde **6:** 141
Aalto, Alvar, fi. arkitekt **5:** 325
Århus **1:** 294, 372, 423, 427, 468f., 485, 551; **2:** 160, 204, 230, 391, 393, 409, 430, 432, 437, 512, 516, 530f., 537; **3:** 10, 21, 99, 101, 104,

114, 136, 195f., 207, 238, 244, 416f., 419, 423f., 426, 430, 451f., 462, 464, 487; **4:** 11, 15f., 31, 38, 53, 68, 84, 122, 138, 147, 171, 193, 212, 238f., 296, 298, 368, 374, 389, 403, 423f., 437f., 453, 462f., 466, 470, 492f., 498f., 504, 509f., 521; **5:** 10, 14f., 19, 40, 49, 62, 67ff., 73, 75, 125, 133, 136, 147, 153, 181f., 201, 226f., 241, 253, 261, 268, 274, 278, 288, 303, 308, 324, 326, 346, 381, 510; **6:** 208, 259, 335; **7:** 61f., 64f., 105, 115f., 206, 256, 313, 335, 340, 351, 362, 377, 385ff., 400, 403, 409, 411, 439, 442, 463; **8:** 10, 29, 34, 155, 177, 179, 244, 268, 271, 317f., 336, 342, 363, 410, 433, 442, 476; **9:** 41, 93, 238, 246, 252, 254f., 269f., 274, 278, 288, 362, 377, 388; **10:** 34, 40f., 47, 49, 52ff., 61, 65, 79f., 93, 96, 99, 101ff., 106, 108ff., 112, 115, 124f., 131f., 134, 136-139, 153, 176, 189, 191, 206

Århus Arrest **5:** 49

Århus Autolager, firma **7:** 387

Århus Dampmølles Laboratorium **5:** 68

*Århus Ekko,* illegalt blad **7:** 116, 207

Århus Godsbanegård **5:** 210, 347

Århus Havn **3:** 198; **4:** 486, 526; **5:** 62; **7:** 56, 299, 448; **8:** 18, 94, 120, 131, 133, 163, 225; **9:** 157

Århus Kommune **9:** 31

Århus Motor Co., firma, Århus **2:** 160; **4:** 466

Århus Privatbank **10:** 125

Århus Rådhus **10:** 132

Århus Savværk, firma **1:** 423

*Århus Socialdemokrat,* avis **10:** 101

Århus Sporveje **10:** 96

Århus Stadion **2:** 536; **10:** 34

Århus Universitet **4:** 302; **5:** 68; **8:** 271, 325

Århus Østbanegård **3:** 195; **4:** 498

Århus, skib **4:** 531; **5:** 203f., 222f.; **6:** 55, 121f., 137; **7:** 114, 121, 285; **8:** 355

Århusgade, Kbh. **2:** 159; **4:** 368

Århushallen **8:** 34; **10:** 99

Års **10:** 61, 63

Aarup **9:** 141f.

Åstrup **10:** 130

Aastrup, præst **3:** 334

# DANISH HUMANIST TEXTS AND STUDIES

Udgivet af Det Kongelige Bibliotek ved
*Erland Kolding Nielsen*

Bind 1
Peter Allan Hansen
*A Bibliography of Danish Contributions to Classical Scholarship from the Sixteenth Century to 1970*
1977. 335 s. ISBN 978-87-7023-232-6
Kr. 85,- Helbind

Bind 2
Stephanus Johannis Stephanius
*Notæ Uberiores in Historiam Danicam Saxonis Grammatici. Sorø 1645.* Facsimile edition with an introduction by H.D. Schepelern
1978. 362 s. ISBN 978-87-980131-2-9
Kr. 500,- Helbind

Bind 3
Hanne Trautner-Kromann
*Skjold og sværd. Jødisk polemik mod kristendommen og de kristne i Frankrig og Spanien fra 1100-1500* [Disputats]
1990. 236 s. [English summary]
Heftet [Udsolgt]

Bind 4
Birgit Bjørnum & Klaus Møllerhøj
*Carl Nielsens Samling/The Carl Nielsen Collection. Katalog over komponistens musikhåndskrifter i Det kongelige Bibliotek*
1992. 275 s. ISBN 978-87-7289-179-8
Kr. 300,- Helbind

Bind 5
Harald Ilsøe
*Bogtrykkerne i København og deres virksomhed ca. 1600-1810. En biobibliografisk håndbog med bidrag til bogproduktionens historie*
1992. 307 s. [Mit deutscher Zusammenfassung]
ISBN 978-87-7289-195-8
Kr. 248,- Helbind

Bind 6
Kirsten Dreyer (udg.)
*Kamma Rahbeks brevveksling med Chr. Molbech*
1994. 940 s. i 3 bind. ISBN 978-87-7289-245-0
Kr. 540,- Helbind

Bind 7
Ruth Bentzen (red.)
*Ung sprogforsker på rejse. Breve til og fra Holger Pedersen 1892-1896*
1994. 285 s. ISBN 978-87-7289-276-4
Kr. 290,- Helbind

Bind 8
Flemming Gorm Andersen
*Danmark og Antikken 1980-1991. En bibliografi over 12 års dansksproget litteratur om den klassiske oldtid*
1994. 308 s. ISBN 978-87-7289-263-4
Kr. 230,- Helbind

Bind 9
Bjarne Schartau
*Codices Graeci Haunienses. Ein deskriptiver Katalog des griechischen Handschriftenbestandes der königlichen Bibliothek Kopenhagen*
1994. 615 s. + 40 pl. ISBN 978-87-7289-266-5
Kr. 500,- Helbind

Bind 10
Dan Fog
*Lumbye-katalog. Fortegnelse over H.C. Lumbyes trykte kompositioner / Verzeichnis der gedruckten Kompositionen von H.C. Lumbye (1810-1874)*
1995. 176 s. ISBN 978-87-7289-297-9
Kr. 198,- Heftet

Bind 11
Grethe Jacobsen
*Kvinder, køn og købstadslovgivning 1400-1600. Lovfaste mænd og ærlige kvinder* [Disputats].
1995. 387 s. ISBN 978-87-7289-319-8
Kr. 298,- Helbind

Bind 12
Birgitte Possing & Bruno Svindborg (red.)
*Det Kongelige Biblioteks Håndskriftsamling: Erhvervelser 1924-1987. Vejledning i benyttelse / The Royal Library, The Manuscript Department: Acquisitions 1924-1987. Guide for users*
1995. 675 s. i 2 bind. ISBN 978-87-7289-335-8
Kr. 380,- Helbind

Bind 13
Carol Gold
*Educating Middle Class Daughters. Private Girls Schools in Copenhagen 1790-1820*
1996. 244 s. ISBN 978-87-7289-373-0
Kr. 250,- Helbind

Bind 14
Paul Flandrup & Kristine Heltberg (udg.)
*C.W. Smith i jego polscy korespondenci / C.W. Smith og hans polske korrespondenter 1861-1879.*
1997. 371 s. [English summary]
ISBN 978-87-7289-383-9
Kr. 350,- Helbind

Bind 15
Michael Bregnsbo
*Samfundsorden og statsmagt set fra prædikestolen. Danske præsters deltagelse i den offentlige opinionsdannelse vedrørende samfundsorden og statsmagten 1750-1848 belyst ved trykte prædikener* [Ph.d.-afhandling]
1997. 464 s. [English summary]
ISBN 978-87-7289-437-9
Kr. 365,- Helbind

Bind 16
Henrik Horstbøll & John T. Lauridsen (red.)
*Den trykte kulturarv: Pligtaflevering gennem 300 år. Historie. Aktstykker og statistik*
1998. 631 s. [English summary]
ISBN 978-87-7289-505-5
Kr. 525,- Helbind

Bind 17
Inger Sørensen (udg.)
*J.P.E. Hartmann og hans kreds. En komponistfamilies breve 1780-1900.* 2460 s. i 4 bind.
1999 (bd. 1-3).
ISBN 978-87-7289-515-4
Kr. 650,- Helbind
2002 (bd. 4).
ISBN 978-87-7289-719-6
Kr. 300,- Helbind

Bind 18
Erik Petersen
*Intellectum liberare. At frigøre intellektet. Johann Albert Fabricius, en humanist i Europa* [Disputats]
1998. 1090 s. i 2 bind. [Mit dt. Zusammenfass.]
ISBN 978-87-7289-509-3
Kr. 450,- Helbind

Bind 19
Henrik Horstbøll
*Menigmands medie. Det folkelige bogtryk i Danmark 1500-1840. En kulturhistorisk undersøgelse* [Disputats]
1999. 795 s. [English summary]
ISBN 978-87-7289-530-7
Kr. 450,- Helbind

Bind 20
John T. Lauridsen
*Krig, købmænd og kongemagt og andre 1600-tals studier*
1999. 336 s. ISBN 978-87-7289-524-6
Kr. 275,- Heftet

Bind 21
Harald Ilsøe
*Det kongelige Bibliotek i støbeskeen. Studier og samlinger til bestandens historie indtil ca. 1780*
1999. 717 s. i 2 bind. [English summary]
ISBN 978-87-7289-550-5
Kr. 500,- Helbind

Bind 22
Søren Gosvig Olesen
*Transcendental historie. Overvejelser angående den menneskelige erkendelse*
2000. 112 s. ISBN 978-87-7289-647-2
Kr. 165,- Helbind

Bind 23
Charlotte Appel
*Læsning og bogmarked i 1600-tallets Danmark* [Disp.]
2001. 1009 s. i 2 bind. [English summary]
ISBN 978-87-7289-652-6
Kr. 498,- Helbind

Bind 24
John T. Lauridsen
*Samarbejde og modstand. Danmark under den tyske besættelse 1940-1945. En bibliografi. With an introduction in English*
2002. 687 s. ISBN 978-87-7289-568-0
Kr. 398,- Helbind

Bind 25
Claus Røllum-Larsen
*Impulser i Københavns koncertrepertoire 1900-1935. Studier i præsentationen af ny, især udenlandsk instrumentalmusik*
2002. 692 s. i 2 bind. [English summary]
ISBN 978-87-7289-656-4
Kr. 398,- Helbind

Bind 26
John T. Lauridsen (red.)
*Føreren har Ordet! Frits Clausen om sig selv og DNSAP*
2004. 846 s. ISBN 978-87-7289-759-2
Kr. 498,- Helbind

Bind 27
Flemming Gorm Andersen
*Danish Contributions to Classical Scholarships 1971-1991. A Bibliography*
2004. 160 s. ISBN 978-87-7289-822-3
Kr. 189,- Helbind
e-publikation, 2006. ISBN 978-87-635-0607-6
Kr. 110,-

Bind 28
Mads Mordhorst & Jes Fabricius Møller
*Historikeren Caspar Paludan-Müller*
2005. 344 s. ISBN 978-87-7289-738-7
Kr. 298,- Helbind

Bind 29
Olav Harsløf (red.)
*Georg Brandes og Europa. Forelæsninger fra 1. internationale Georg Brandes Konference, Firenze, 7.-9. november 2002*
2004. 426 s. ISBN 978-87-7289-926-8
Kr. 300,- Heftet

Bind 30
Erland Kolding Nielsen, Niels Christian Nielsen & Steen Bille Larsen (red.)
*Kommunikation erstatter transport. Den digitale revolution i danske forskningsbiblioteker 1980-2005. Festskrift til Karl Krarup*
2005. 774 s. ISBN 978-87-635-0258-0
Kr. 450,- Helbind

Bind 31
Harald Ilsøe
*Biblioteker til salg. Om danske bogauktioner og kataloger 1661-1811*
2007. 261 s. ISBN 978-87-635-0447-8
Kr. 298,- Helbind

Bind 32
John T. Lauridsen
*Nazism and the Radical Right in Austria 1918-1934*
2007. 548 s. ISBN 978-87-635-0221-4
Kr. 450,- Helbind

Bind 33
Finn Egeland Hansen
*Layers of Musical Meaning*
2006. 548 s. ISBN 978-87-635-0424-9
Kr. 300,- Helbind

Bind 34
Anne Ørbæk Jensen, John T. Lauridsen, Erland Kolding Nielsen & Claus Røllum-Larsen
*Musikvidenskabelige kompositioner. Festskrift til Niels Krabbe*
2006. 756 s. ISBN 978-87-635-0587-1
Kr. 475,- Helbind

Bind 35
Helle Hvenegård-Lassen
*Et andet hjem. Kvindelig Læseforenings historie 1872-1962*
2008. 480 s. [English summary]
ISBN 978-87-635-0453-9
Kr. 398,- Helbind

Bind 36
Inger Sørensen (udg.)
*Niels W. Gade og hans europæiske kreds. En brevveksling 1836-1891 / Niels W. Gade und sein europäischer Kreis. Eine Briefwechsel 1830-1891*
2009. 1660 s. i 3 bind. ISBN 978-87-635-2577-0
Kr. 750,- Helbind

Bind 37
Ole Kongsted, Niels Krabbe, Michael Kube & Morten Michelsen (red.)
*A due. Musical Essays in Honour of John D. Bergsagel & Heinrich Schwab / Musikalische Aufsätze zu Ehren von John D. Bergsagel & Heinrich Schwab*
2008. 740 s. ISBN 978-87-635-0925-1
Kr. 475,- Helbind

Bind 38
Anne-Marie Reynolds
*Carl Nielsen's Voice. His Songs in Context*
2010. 369 s. ISBN 978-87-635-2598-5
Kr. 340,- Helbind

Bind 39
Sebastian Olden-Jørgensen
*Stormen på København 1659. Et københavnsk og nationalt erindringssted gennem 350 år*
2011. 176 s. ISBN 978-87-635-3609-7
Kr. 200,- Helbind

Bind 40
INGER SØRENSEN (udg.)
*Et venskab. C.F.E. Hornemanns korrespondance med Edvard Grieg*
2011. 166 s. ISBN 978-87-635-3741-4
Kr. 198,- Helbind

Bind 41
ESKO HÄKLI
*Innovation through Co-operation. The History of LIBER (Ligue des Bibliothèques Européennes de Recherche) 1971-2009.*
2011. 371 s. ISBN 978-87-635-3791-9
Kr. 375,- Helbind

Bind 42
RASMUS MARIAGER (red.)
*Politik, historie og jura. Politisk overvågning i Danmark og Skandinavien under Den Kolde Krig.*
2012. 253 s. ISBN 978-87-635-3878-7
Kr. 198,- Helbind

Bind 43
JOHN T. LAURIDSEN (udg.)
*Werner Bests korrespondance med Auswärtiges Amt og andre tyske akter vedrørende besættelsen af Danmark 1942-1945 / Die Korrespondenz von Werner Best mit dem Auswärtigen Amt und andere Akten zur Besetzung von Dänemark 1942-1945.*
2012. 5.086 s. i 10 bd. ISBN 978-87-7023-296-8
Kr. 2.400,- Helbind